JN168739

逐条
国家公務員法
〈第２次全訂版〉

吉田耕三
尾西雅博
［編］

学陽書房

第二次全訂版の刊行に当たって

令和三年六月の国家公務員法の改正によって、令和五年四月から、現在原則六〇歳である国家公務員の定年年齢が一歳延びて六一歳（一般には、令和五年度に六一歳に達する職員はまだ在職していないので、通例として実際に六一歳定年退職者が出るのは令和七年三月三一日）となり、以降二年ごとに一歳ずつ六五歳に達するまで定年年齢が延長されることとなった。この改正によって、定年制をめぐる任用・給与の制度が抜本的に変更されることとなった。本書は、平成二七年に幹部人事一元化・内閣人事局設置等を主な内容とする平成二六年改正法を踏まえた全面改訂版として出版されているが、学陽書房から今回の定年制改正を踏まえた逐条解説となるよう改訂してほしいとの要請があった。編者としても、定年延長問題について適切な解説を行うことが必要と考え、同時にこの際、これに併せて平成二七年以降のフレックスタイム制度の拡充、超過勤務の上限規制やパワー・ハラスメント防止等の措置を講じるための人事院規則制定、育児休業制度の改正、扶養手当制度見直しなどの制度変更について該当部分に必要な改訂を行うこととした。また、その他についても、全般的に、この間の制度改正の反映や分かりやすい表現等の観点から改訂を行った。この結果、今回の改訂は令和五年四月時点での国家公務員法制度に対応する全訂版となっている。

本書の編集については、初版から一貫して携わってこられた森園幸男氏が、この際後進に委ねたいとの強い意向を示され、やむを得ず吉田耕三、尾西雅博の両名がその任に当たることとした。昭和六三年の初版から本書の作成・改訂の中心であられた森園幸男氏に対し、ここに改めて敬意と謝意を表したい。執筆は前回同様、各制度に精通した人事院の職員が当たることにし、加筆、補正、全体調整については、編集責任者である吉田、尾西が担当した。また、福田紀夫、合田秀樹の両氏に全体に亘って加筆、補正を行ってもらったほか、原田三嘉氏には執筆の進行管理や資料作成の取りまとめなどを担当してもらった。特に、福田氏には全体の進行管理と執筆内容の調整・取りまとめの労を取ってもらった。

編集に当たっての基本姿勢はこれまでと同様であり、各条文や各制度についてその背景や考え方から実務運用までをできるだけ広く、深く説明・解説するとともに、制度の趣旨等の理解に資するよう過去の経緯等についてもなるべくそのまま残し、追加補正する形でまとめるよう努めた。本書がこれまで同様、実務家や研究者はもちろん、広く公務員制度に関心をもつ方々の公務員制度・人事行政への理解を深めることに役立てば、望外の喜びである。

なお、本書の執筆者は、目次の章・節等ごとにその氏名を記してあるが、本文中意見にわたる部分は執筆者及び編者の私見であることをお断りしておきたい。

令和五年五月

吉田耕三
尾西雅博

全訂版の刊行に当たって

昭和六三年に本書の初版が発刊されてから四半世紀余になる。その間、国家公務員法には相当数の改正が加えられた。特に、平成一〇年代に入ってからは、内閣の人事管理機能強化、再就職問題や幹部不祥事を契機とした厳しい公務員批判への対応等のため、何度も公務員制度改革の取組が行われた。その結果、平成一九年には、人事評価制度の導入及び職制上の段階を基礎とする任用制度の整備、それに伴う職階法の廃止が行われるとともに、再就職規制を事後規制型に改め、再就職あっせんを禁止するなど大幅な法改正が行われた。次いで、平成二一年から二三年にかけて、労働基本権の在り方を議論しつつ、人事院の機能を見直し、内閣の人事管理機能を強化すること等を内容とする国家公務員法改正法案や労働基本権の在り方を見直し、人事院の機能を全面的に改めること等を内容とする国家公務員法改正法案が国会に提出されたが、いずれも廃案となった。その後、平成二五年秋に、労働基本権の制約を変えることなく内閣の人事機能を強化する内容の国家公務員法改正法案が国会に提出され、翌二六年四月に成立するところとなった。この改正法の成立により幹部人事の一元管理に関する仕組みの導入や内閣人事局の新設など、公務員制度の基本事項に関する改正が加えられ、また、人事院の事務についても級別定数や研修の一部に変更がなされることとなった。この時点において、ここ十数年来、課題とされてきた公務員制度改革も、一段落したと言い得る状況に至った。

そこで、この際、かねてからの課題であった本書の改訂を行うこととした。改訂に当たっては、平成一九年、二六年の改正により、本法制定以来、柱の一つと位置付けられてきた職階法が廃止されたこと、人事評価及びそれに基づく新たな制度設計が行われていること、幹部職員の人事の仕組みに大きな改正が行われていること、内閣人事局の設置により中央人事行政機関の構成に変更がなされていること、相当の箇所に修正が行われたことなどを考慮し、全面改訂することとした。執筆は、前回同様、各制度に精通した人事院の職員が当たることとし、加筆、補正、全体調整については、今回は森園、吉田、尾西が担当した。また、福田紀夫、森永耕造、合田秀樹の諸君に執筆を分担してもらうと同時に、他の執筆者の分担部分の確認も担ってもらった。特に福田君には進行管理なども含め、取りまとめの労を取ってもらった。

本書においては、条文の解説にとどまらず、各条文や各制度の背景やその考え方についてかなり踏み込んだ記述を行ったつもりである。また、諸外国の制度との比較にも意を用い、その際、単なる表面的な制度比較ではなく、出来るだけ政治・行政システムや人事慣行、それらの歴史的背景にも言及するよう留意した。読者が公務員制度についての理解を深める上で、本書が参考になれば幸いである。なお、本書において、将来に向けての課題やその考え方について述べている部分があるが、それらは執筆者及び編者の意見であることをお断りしておきたい。

平成二七年一月

森園幸男
吉田耕三
尾西雅博

第二次全訂版　編者、編集補佐、執筆者一覧

（肩書は、令和五年三月時点）

（編者）

吉田耕三（よしだこうぞう）　一般財団法人日本国際協力センター理事長（元人事官）

尾西雅博（おにしまさひろ）　大正大学社会共生学部教授（元人事院事務総長）

（編集補佐）

福田紀夫（ふくたのりお）　地方公務員災害補償基金審査会委員（元人事院人材局長）

合田秀樹（ごうだひでき）　駐キルギス共和国特命全権大使（元人事院職員福祉局長）

（執筆者）（五〇音順）

石川貴子　人事院給与局給与第一課専門官
植村隆生　同　事務総局企画法制課長
近藤明生　同　給与局給与第一課長
酒井元康　同　公務員研修所教務部長
佐々木雅之　同　給与局長
佐藤　壮　熊本県警察本部警務部長
髙田悠二　人事院給与局生涯設計課生涯設計企画官
中嶋範子　同　人材局企画課長補佐
中島由佳　内閣府再就職等監視委員会事務局参事官補佐
奈良間貴洋　人事院公平審査局首席審理官
西　桜子　同　人材局研修推進課長
橋本義裕　同　給与局給与第一課長補佐
原田三嘉　同　事務総局審議官
紅谷　明　同　職員福祉局補償課長補佐
前田聡子　同　事務総局国際課長
箕浦正人　同　人材局審議官
役田　平　同　職員福祉局次長
幸　清聡　同　事務総局総括審議官

全訂版　編者、執筆者一覧

（肩書は、平成二七年一月時点）

（編者）

森園幸男（もりぞのさちお）　元人事院事務総長
吉田耕三（よしだこうぞう）　人事官
尾西雅博（おにしまさひろ）　駐ボツワナ共和国特命全権大使（前人事院事務総長）

（執筆者）（五〇音順）

池田繭樹　内閣官房内閣人事局参事官補佐
石水　修　人事院人材局企画官
井手　亮　同　人材局研修推進課派遣研修室長
井上　勉　内閣参事官（内閣官房副長官補付）
植村隆生　人事院給与局給与第二課企画調整官
大滝俊則　同　職員福祉局職員福祉課長
岸本康雄　同　公務員研修所教務部長
木村秀崇　同　公平審査局首席審理官
合田秀樹　同　人材局審議官
近藤明生　同　人材局研修推進課長
酒井元康　同　事務総局企画法制課法制調査室長
佐々木雅之　同　給与局給与第一課長
澤田晃一　高知県警察本部警務部長
嶋田博子　人事院事務総局総務課長
高尾憲司　同　人材局試験課長
奈良間貴洋　同　給与局給与第一課長補佐
西　浩明　同　事務総局人事課長
練合　聡　同　事務総局会計課長
原田三嘉　地方公務員災害補償基金補償課長
福田紀夫　人事院公平審査局長
前田聡子　同　事務総局国際課上席国際専門官
松尾恵美子　同　事務総局審議官
箕浦正人　同　給与局参事官
森川　武　同　事務総局企画法制課主任法令審査官
森永耕造　国家公務員倫理審査会事務局長
森谷明浩　人事院総裁秘書官
役田　平　内閣官房内閣人事局企画官
幸　清聡　人事院事務総局企画法制課長
吉田徳幸　同　公平審査局首席審理官
和田　緑　同　公務員研修所教授

序（初版）

第二次大戦における敗戦の余燼が未だ治まらない昭和二二年に国家公務員法が公布され、翌二三年にほぼ今日の原型ができ上ってから本年で満四〇年を迎える。戦前の官制大権の下では、官公吏に関する制度は主として勅令によって定められてきたが、戦後の公務員制度は、民主主義に基づき法律によって定められることとなり、わが国ではじめて国家公務員に関する統一法規として国家公務員法が制定されたのである。

国家公務員法の制定には、このような歴史的意義があるが、それはまた国の人事管理の基本法として国家の行政運営の基盤の一つとなり、その後のわが国の発展に少なからず貢献してきた。

公務の民主的かつ能率的な運営を確保するという国家公務員法の目的は、その制定以来なんら変ることなく一貫してきたのであり、また、制度の基本的構造も重大な改変を加えられることなく今日に至っているのであるが、その間、情勢の変化に応じて数次の判例、行政実例、運用上の創意工夫の蓄積も行われている。

こうして今日では国家公務員制度は全体としてぼう大な体系を形成するようになった。また、本法は占領下、アメリカの強い影響を受けて倉皇として制定されたため、必ずしもわが国の実情に馴染まない部分もあったのであるが、時日の経過と関係者の努力により、現在ではおおむね安定した制度としてわが国の政治、行政の中に定着し、運用されるようになっている。

本書は、国家公務員法および同法に基づいて設置された人事院の四〇周年を記念して、逐条により国家公務員法およびこれにかかわる制度の現状と従来の蓄積を明らかにしようとしたものである。執筆は人事院に在職する新進気鋭の諸君が各条を分担し、鹿児島、森園、北村の三名が加筆、補正および全体の調整を行った。記述に当たっては、できる限り平明な表現により各方面の理解が得られるよう努め、また、各条の経緯や制度の中での位置づけを明らかにするための「趣旨」と運用上の考え方を明らかにするための「解釈」とに分けてそれぞれの条文を解説することとし、さらに冒頭に制度全体を俯瞰するための概説を置くこととした。

本書が国家公務員法に関心を有する各位の参考として利用され、公務員制度に対する一層の理解とその改善に役立つことを心から念願するものであるが、各人が日常の業務のかたわら、その余暇を割いて比較的短期間に執筆したものであるため、十分意に満たない点が少なくない。大方の御叱正を得て他日の改訂を期することとしたい。

なお、本書の執筆者は、各条ごとの文末にその氏名を記してあるが、文中、意見にわたる部分は各執筆者および調整に当った三名の私見であり、各人が勤務する人事院の公式の見解でないことをおことわりしておきたい。

昭和六二年

鹿児島重治
森園幸男
北村　勇

目　次

（「全訂版」の執筆者を明朝体で、「第２次全訂版」の執筆者をゴシック体で記しています。）

凡例

一　文中の引用法令の略称は、次のとおりである。

本法	国家公務員法（昭二二法一二〇）
育児休業法	国家公務員の育児休業等に関する法律（平三法一〇九）
育児・介護休業法	育児休業、介護休業等育児又は家族介護を行う労働者の福祉に関する法律（平三法七六）
官民人事交流法	国と民間企業との間の人事交流に関する法律（平一一法二二四）
官吏任免法	国家公務員法の規定が適用せられるまでの官吏の任免等に関する法律（昭二二法一二一）
寒冷地手当法	国家公務員の寒冷地手当に関する法律（昭二四法二〇〇）
給与法	一般職の職員の給与に関する法律（昭二五法九五）
共済法	国家公務員共済組合法（昭三三法一二八）
行政執行法人労働関係法	行政執行法人の労働関係に関する法律（昭二三法二五七）
行組法	国家行政組織法（昭二三法一二〇）
行訴法	行政事件訴訟法（昭三七法一三九）
行服法	行政不服審査法（平二六法六八（同法による全部改正前は昭三七法一六〇））
教特法	教育公務員特例法（昭二四法一）
勤務時間法	一般職の職員の勤務時間、休暇等に関する法律（平六法三三）
刑訴法	刑事訴訟法（昭二三法一三一）
検査院法	会計検査院法（昭二二法七三）
検察官俸給法	検察官の俸給等に関する法律（昭二三法七六）
憲法	日本国憲法（昭二一・一一公布、昭二二・五施行）
公選法	公職選挙法（昭二五法一〇〇）
国際機関派遣法	国際機関等に派遣される一般職の国家公務員の処遇等に関する法律（昭四五法一一七）
国賠法	国家賠償法（昭二二法一二五）
在外公館名称位置給与法	在外公館の名称及び位置並びに在外公館に勤務する外務公務員の給与に関する法律（昭二七法九三）

裁判官報酬法	裁判官の報酬等に関する法律（昭二三法七五）
裁臨法	裁判所職員臨時措置法（昭二六法二九九）
自己啓発等休業法	国家公務員の自己啓発等休業に関する法律（平一九法四五）
祝日法	国民の祝日に関する法律（昭二三法一七八）
宿舎法	国家公務員宿舎法（昭二四法一一七）
職階法	国家公務員の職階制に関する法律（昭二五法一八〇）（平二一廃止）
新給与実施法	政府職員の新給与実施に関する法律（昭二三法四六）
人規	人事院規則
人指	人事院指令
退手法	国家公務員退職手当法（昭二八法一八二）
退職管理政令	職員の退職管理に関する政令（平二〇政令三八九）
退職管理官房令	職員の退職管理に関する内閣官房令（平二〇内閣府令八三）
男女雇用機会均等法	雇用の分野における男女の均等な機会及び待遇の確保等に関する法律（昭四七法一一三）
地公法	地方公務員法（昭二五法二六一）
地公労法	地方公営企業等の労働関係に関する法律（昭二七法二八九）
定員法	行政機関の職員の定員に関する法律（昭四四法三三）
特別職給与法	特別職の職員の給与に関する法律（昭二四法二五二）
任期付職員法	一般職の任期付職員の採用及び給与の特例に関する法律（平一二法一二五）
任期付研究員法	一般職の任期付研究員の採用、給与及び勤務時間の特例に関する法律（平九法六五）
配偶者同行休業法	国家公務員の配偶者同行休業に関する法律（平二五法七八）
防衛省給与法	防衛省の職員の給与等に関する法律（昭二七法二六六）
法人格法	職員団体等に対する法人格の付与に関する法律（昭五三法八〇）

法科大学院派遣法　法科大学院への裁判官及び検察官その他の一般職の国家公務員の派遣に関する法律（平一五法四〇）
補　償　法　国家公務員災害補償法（昭二六法一九一）
民　訴　法　民事訴訟法（平八法一〇九）
留学費用償還法　国家公務員の留学費用の償還に関する法律（平一八法七〇）
倫　理　法　国家公務員倫理法（平一一法一二九）
旅　費　法　国家公務員等の旅費に関する法律（昭二五法一一四）
労　安　法　労働安全衛生法（昭四七法五七）
労　基　法　労働基準法（昭二二法四九）
労災保険法　労働者災害補償保険法（昭二二法五〇）
労　組　法　労働組合法（昭二四法一七四）
労　調　法　労働関係調整法（昭二一法二五）
労　契　法　労働契約法（平一九法一二八）

二　文中の法令の条文番号の表示は、次の例示のとおりである。
本法二3⑮……国家公務員法第二条第三項第一五号
人規九―八　一三2①……人事院規則九―八（初任給、昇格、昇給等の基準）第一三条第二項第一号

三　文中の判例、法制意見及び行政実例の表示は、次の例示のとおりである。
昭五二・五・四最高裁大法廷……昭和五二年五月四日最高裁判所大法廷判決
（「大法廷」の表示がないものは小法廷判決）
平二〇・一・三一東京高裁……平成二〇年一月三一日東京高等裁判所判決
昭二八・三・二五法制局一発二九法制局第一部長…昭和二八年三月二五日発出、文書番号法制局一発第二九号、発出者内閣法制局第一部長の法制意見

参考文献

【全体】

人事行政　人事行政学会　昭二五〜三〇　学陽書房

公務員法　佐藤功　鶴海良一郎　昭二九　日本評論新社

公務員制度（比較政治叢書一）　鵜飼信成　辻清明　長浜政寿　昭三一　勁草書房

人事行政二十年の歩み　人事院　昭四三　大蔵省印刷局

新版日本官僚制の研究　辻清明　昭四四　東京大学出版会

新版国家公務員法精義　浅井清　昭四五　学陽書房

季刊人事行政　日本人事行政研究所　昭五一〜平元　学陽書房

人事行政三十年の歩み　人事院　昭五三　人事院事務総局

公務員法〔新版〕（法律学全集七―Ⅱ）　鵜飼信成　昭五五　有斐閣

戦前期日本官僚制の制度・組織・人事　戦前期官僚制研究会　秦郁彦　昭五六　東京大学出版会

現代行政法大系第九巻「公務員・公物」　雄川一郎　塩野宏　園部逸夫　昭五九　有斐閣

公務員判例百選（別冊ジュリストNo.八八）　塩野宏　菅野和夫　田中舘照橋　昭六一　有斐閣

公務員行政の課題と展望―人事院創立四〇周年記念論文集　人事院　昭六三　ぎょうせい

書名	著者	年	出版社
逐条国家公務員法	鹿児島重治 森園幸男 北村勇	昭六三	学陽書房
官吏・公務員制度の変遷	日本公務員制度史研究会	平元	第一法規出版
公務員制の研究	辻清明	平三	東京大学出版会
人事行政の理論と実務	人事院人事行政研究会	平七	日本人事行政研究所
欧米国家公務員制度の概要―米英独仏の現状	外国公務員制度研究会	平九	社会経済生産性本部 生産性労働情報センター
日本の官僚人事システム	稲継裕昭	平八	東洋経済新報社
人事行政五十年の歩み	人事院	平一〇	人事院
公務研究	公務員制度研究会	平一〇～一二	良書普及会
日本官僚制総合事典	秦郁彦	平一三	東京大学出版会
ジュリスト　創刊五〇周年「公務員制度改革」（No.一二二六）		平一四	有斐閣
欧米の公務員制度と日本の公務員制度―公務労働の現状と未来	日本ＩＬＯ協会	平一五	日本ＩＬＯ協会
公務員制度改革―米・英・独・仏の動向を踏まえて	村松岐夫	平二〇	学陽書房
人事行政の課題と展望―今後のあるべき公務員制度	人事院	平二〇	人事院
国家公務員制度（第八次改訂版）	佐藤達夫	平二一	学陽書房
公務員倫理の確立に向けて―国家公務員倫理法の一〇年	国家公務員倫理審査会	平二一	国家公務員倫理審査会
最新公務員制度改革	村松岐夫	平二四	学陽書房

逐条国家公務員法　全訂版	森園幸男 吉田耕三 尾西雅博	平二七	学陽書房
公務員制度の法理論—日仏比較公務員法研究	下井康史	平二九	弘文堂
公務員人事改革—最新 米・英・独・仏の動向を踏まえて	村松岐夫	平三〇	学陽書房
人事院七〇年人事行政の歩み	人事院	平三〇	人事院
行政法概説Ⅲ（第五版）—行政組織法／公務員法／公物法	宇賀克也	平三一	有斐閣
労働法（第一二版）	菅野和夫	令元	弘文堂
Comparative Study of Recent Developments of Civil Service Systems: Japan, US, UK, Germany and France	稲継裕昭	令二	国際協力機構
政治主導下の官僚の中立性	嶋田博子	令二	慈学社出版
行政法Ⅲ（第五版）行政組織法	塩野宏	令三	有斐閣
公務員の法的地位に関する日独比較法研究	早津裕貴	令四	日本評論社
労働法（第五版）	荒木尚志	令四	有斐閣

【採用試験及び任免】

公務員任用制度詳解	飯野達郎	昭四七	帝国地方行政学会
政治任用—主要諸国における実態	平成一五年度 人事院年次報告第一編第一部		
戦後日本の公務員制度史—「キャリア」システムの成立と展開	川手摂	平一七	岩波書店

公務員制度と専門性―技術系行政官の日英比較	藤田由紀子	平二〇	専修大学出版局
変革が迫られる国家公務員人事管理	平成二二年度人事院年次報告第一編第二部		
幹部職員等の育成と選抜	平成二四年度人事院年次報告第一編第二部		
任用実務のてびき	日本人事行政研究所	平二五	PM出版
女性国家公務員の採用・登用の拡大に向けて	平成二五年度人事院年次報告第一編第二部		

【給与】

公務員給与制度詳解（平成一一年改訂版）	給与法令研究会	平一一	財務出版
日本の公務員給与政策	西村美香	平一一	東京大学出版会
公務員給与序説―給与体系の歴史的変遷	稲継裕昭	平一七	有斐閣
公務員給与の決定過程―諸外国の実態と我が国の課題	平成二三年度人事院年次報告第一編第二部		
公務員給与法精義（第五次全訂版）	吉田耕三	平三〇	学陽書房

【人事評価】

国家公務員の新たな人事制度―人事評価を活用した任免・給与等の実務	新人事制度研究会	平二二	PM出版

【分限、保障、服務】

公平審査の実務と判定要覧	人事院公平局	昭五三	日本人事行政研究所
国家公務員定年制度詳解	定年制度研究会	昭六〇	ぎょうせい

逐条国家公務員災害補償法（改訂版）　人事院職員局災害補償研究会　平八　日本人事行政研究所

新・情報公開法の逐条解説（第八版）　宇賀克也　平三〇　有斐閣

公務員の定年制度詳解―定年の段階的な引上げ―　一般財団法人 公務人材開発協会人事行政研究所　令五　一般財団法人 公務人材開発協会人事行政研究所

【勤務時間等勤務条件】

公務員の新休暇制度詳解　人事院職員局休暇制度研究会 中島忠能　昭六二　日本人事行政研究所

新版逐条一般職勤務時間法　勤務時間休暇制度研究会　平六　日本人事行政研究所

公務員の勤務時間・休暇法詳解（第五次改訂版）　一般財団法人 公務人材開発協会人事行政研究所　平成三〇　学陽書房

【退職年金制度】

逐条国家公務員等共済組合法　山口公生　昭六三　学陽書房

退職給付の官民比較と国際比較　神代和欣　平二九　日本労働研究雑誌六八九号（労働政策研究・研修機構）

【職員団体】

職員団体制度詳解　亀山悠　昭四五　帝国地方行政学会

公務員の労使関係―給与決定過程を中心として　平成二一年度人事院年次報告第一編第二部

【その他】

旅費法詳解（第七次改訂版）　旅費法令研究会　平二二　学陽書房

公務員の退職手当法詳解（第六次改訂版）　退職手当制度研究会　平二七　学陽書房
新版逐条地方公務員法（第五次改訂版）　橋本　勇　令二　学陽書房

逐条 国家公務員法 〈第２次全訂版〉

概説

一 近代的公務員制度の成立過程

一国の公務員制度は、国の形成発展の経緯、政治体制、風土・国民性、教育制度等の所産であり、時代の流れとともにその時々の国情に伴う変革を加えられながら変遷してきたものである。なかには、敗戦に伴う占領統治下での外部の強い影響が今日の公務員制度に色濃く投影されている我が国のような例もあるが、これとて、内外の公務員制度の歴史に対する反省に根ざすものであり、民主主義国家における公務員制度の発展の方向と異なるものではない。近代的な公務員制度の成立事情を、古い伝統の上に典型的な近代的公務員制度への道を歩んだイギリス、現行の我が国の公務員制度に強い影響を与えた米国、旧官吏制度が範としたドイツ及び中央集権的な官僚国家といわれるフランスについて略述すると次のとおりである。

イギリスにおいては、ブルジョアジー勢力の伸長とともに議会の実権が強くなり、国王の官吏任命権が事実上議会の有力者の手に移っていった。有力政治家による情実任用（パトロネージ）が横行し、無能で怠惰な公務員が増加し、腐敗、非能率が公務をおおうもととなった。このような状況下で産業革命後の国家機能の増大期を迎え、一八四八年にトレヴェリアン調査委員会が設けられ、国の行政における職業公務員の役割の重要性に鑑み、若く優秀な人材を確保し、育成することを通じて、公務の能率を高めていく観点から検討が行われ、一八五三年に中央試験機関の設置を含む公開競争試験の導入、試用期間の導入、教育訓練と能力に基づく昇進の推進等を内容とする報告書（Northcote-Trevelyan Report）が提出された。この提案は一八五五年の枢密院令（勅令）（Order in Council）によって一部実現された後、ようやく一八七〇年の枢密院令によって試験任用制度が確立することとなった。これによってイギリスに近代的公務員制度が始まったと評されている。

米国においては、議会に選任の基礎を置いていない大統領は、自己の政策遂行について必ずしも議会の支持を期待できない立場にあり、そもそも公務員の忠誠に期待する制度的土壌があった。一八〇〇年ジェファーソンは大統領就任に際し、主要官職在任者中の自党所属職員の少ない状況に直面し、国民から選任された大統領は自己の政策実現の手足として最も望ましい者を公務員として任命すべきだとして、公務員の更迭を行った。この政権交替に伴う公務員の情実任免いわゆるスポイルズ・システム（猟官制度）はジャクソン大統領時代に最も盛んであった。一八三〇年前後の当時はまだ行政機能がそれほどの専門性を帯びたものではなく、一般の者でも業務に従事し得ると考えられていたことも背景にあった。しかし、一九世紀後半になると次第に国家機能が増大し、猟官制度で交替の激しい公務従事者では、よくこれに対処することができず、非能率を露呈し、また、公職の濫設や行政費の浪費、綱紀紊乱等の問題が認識されるようになった。かくして、南北戦争後の一八七〇年代になるとイギリスの公務員制度改革の影響を受けて、米国でも公務員制度改革の機運が強まった。一八八一年、猟官運動が報われなかった選挙功労者によるガーフィールド大統領暗殺事件でスポイルズ・システムの弊害が認識され、一八八三年、独立機関たる人事委員会の設置、公開の試験に基づく任用制度、政治運動の禁止等を内容とするペンドルトン法（Pendleton Civil Service Reform Act）が制定され、ここに近代的な公務員制度が形成された。

ドイツにおいては、領邦君主の支配力強化の過程で各ラント（領邦）の君主の下で官吏制度が形成された。それは、強力な軍隊組織とともに権力集中の手段としての行政制度整備の一環であった。中でもプロイセンにおいては、封建貴族の勢力を排除するために一八世紀中葉までに既に人材吸収の効果的手段として、司法官と行政官につき、大学教育と結びついた試験任用制度が導入され、任用制度と厳正な規律を定めた官吏法体系が形成された。ドイツでは、当初、君主に対する忠誠と君主の権威からくる名誉とが官吏の本質であると観念され、その後、経済的な権利や身分保障が逐次整備される一方で、近代的な統一国家の形成に合わせて君主への身分的隷属の色彩は次第に国家への忠誠観念へと変質し、契約関係とは異なる国家との特別の公的関係がその後のドイツ官吏制度の伝統的基調（特別権力関係）をなしていると理解されている。

フランスにおいては、フランス革命前の王制時代から職業公務員の先駆けのような存在が誕生していたともいえるが、現在に連なる近代的な公務員制度は、フランス革命及びそれに続くナポレオンによる統治の時期に形成されたといえる。その後、フランスは中央集権による「大きな政府」の伝統を培うこととなり、政府は経済をはじめとする幅広い分野に介入し、国家の運営に関与する高級官僚がフランス国民の期待も背景として、強大な実権を持つことが容認されてきた。しかしながら、国家公務員の統一的な制度ができたのは、第二次世界大戦後であり、高級官僚育成の中心的役割を担う国立行政学院（E

NA）が一九四五年に設置され、厳しい選抜を経てENAに入学した者は、実務訓練を終え、各省に配属された後、公務内外で活躍し、社会的に高い地位や威信を享受している。ドイツと同様に、公務員の勤務関係をいわば身分関係として設定している点にフランス公務員の特徴があるといえる。なお、ENAは、国民からのエリート主義批判を受けたマクロン大統領の判断により、二〇二一年末に廃止され、二〇二二年一月に後継の国立公務学院（Institut national du service public）が設置された（第六一条の四〔趣旨〕二参照）。

以上、英、米、独、仏それぞれ、近代的な公務員制度の成立過程には国情の違いがあるが、総じて、近代における国家機能が次第に増大し、あるいは統治体制の整備が強まる過程において、国家活動を効率的に展開するため公務組織に有能で専門性を持つ中立的な職業集団が不可欠となり、能力・資格に基づく任用制度を中心とする公務員制度が形成されたということができる。換言すれば、有能な職業公務員を確保するための公開の試験又は、世襲、情実等を排した能力資格に基づく任用制度と身分保障、これを裏付ける給与、服務等の一連の公務員管理制度が近代的公務員制度の特色をなすものといえよう（英米独仏四ヶ国の公務員制度の動向については、「村松岐夫編著『公務員制度改革』及び『公務員人事改革』」が詳しい。）。

二　我が国の旧官吏制度

1　明治政府と官僚機構の整備

明治維新により近代国家への第一歩を踏み出した我が国政府は、「人材の登庸第一之御急務……」（慶応三年王政復古の大号令）と認識し、徴士、貢士の制を定め、才能に基づく人材の登用を企図したが、維新の原動力となった薩長土肥の藩閥勢力の前にさほどの効力を発揮できなかった。一方、官吏養成を含めた人材育成の観点から、明治初期より各種官立学校が設立されたほか、伊藤博文等による欧州調査の結果を踏まえ、明治一九年には帝国大学令が公布され、官吏養成機関としての性格も有する帝国大学（後の東京帝国大学）が、それまでの東京大学その他官立学校を改組して設立された。官吏制度の面では、太政官時代の明治初年に単発的な官吏の服務に関する太政官達、明治九年に官吏懲戒例（太政官達三四）、明治一五年に行政官吏服務紀律（同四四）、明治一七年に官吏恩給令（同一）、官吏非職條例（同三）を定めるなど近代国家建設の推進力となる制度の整備が徐々に行われたが、明治一八年に太政官制度に代わって内閣制度が創設されるに及び整備の歩を速め、きたるべき憲法制定と国会開設に備え、天皇制統治機構に沿った官吏制度が順次、制定あるいは改正されていった。明治一九年に高等官官等俸給令（勅令六）及び判任官官等俸給令（同三八）が、翌二〇年には、文官試験試補及見習規則（勅令三七）が制定された。後者は官学出身者に無試験任用の特権が与えられるものではあったが、勅任官以外の行政官に原則的試験任用を導入した画期的なものであった。さらに、同年勅令三九号をもって行政官吏服務紀律を全改して官吏服務紀律として、「凡ソ官吏ハ天皇陛下及天皇陛下ノ政府ニ対シ忠順勤勉ヲ主トシ法律命令ニ従ヒ各其職務ヲ尽スヘシ」（第一条）と官吏の服務の本質を明定した。引き続き、明治二二年憲法発布、同二三年第一回衆議院議員選挙の実施及び第一議会召集とようやく近代国家としての体裁が整った中で、官吏恩給法の制定（明二三法四三）、文官任用令（明二六勅令一八三）の制定と文官試験試補及見習規則の廃止、文官任用令の改正（明三二勅令六一）、文官分限令（同六二）及び文官懲戒令（同六三）の制定がなされ、ほぼその体系ができあがった。このうち、明治二六年の文官任用令により従前の帝国大学の法科大学、文科大学の卒業生の無試験任用が廃された。しかし、本省局長級以上の勅任官は依然として自由任用だったので、明治三一年、初の政党内閣である第一次大隈内閣が成立すると、勅任官に多数の政党員が任用され、以後議会の政党勢力の政府に対する協力の見返りとして猟官運動の対象とされる様相を呈した。これを廃して、官吏の政治化を防止し、併せて既に法令の整備等を通じて専門化しつつあった行政に専門知識の所有者を任用するために第二次山縣内閣が大臣等の親任官以外の勅任文官を自由任用からはずし、任用資格要件を定めたのが明治三二年の文官任用令の改正であり、官吏人事に対する政党勢力の介入から保護し、公正忠実な勤務を求めようとしたのが文官分限令であった。

その後、昭和二〇年の第二次世界大戦終了時まで、若干の改正はあったが、約半世紀に及ぶ官吏制度の歴史が続いたのである。

2　旧官吏制度の概要

我が国の旧官吏制度は、大日本帝国憲法がドイツ帝国にその範を求めたこととの関係でドイツ官吏制度を参考としたものであった。官吏は統治権を総攬する天皇の任官大権に基づき任命され、「天皇陛下及天皇陛下ノ政府ニ対シ忠順勤勉ヲ主ト」すべき公務従事者であった。その任免、身分は天皇の定める勅令で律せられ、任官大権の行使によって身分を取得し、一官一職の場合を除き、別途補職行為によって具体的な職務を担任した。官吏には高等官と判任官の別があり、高等官は勅任官と奏任官とに分けられ、勅任官は更に親任式をもって叙任する親任官（大臣級）とその他の勅任官とに分かれていた。親任官以外の高等官は九の官等に分かち、勅任官（次官、局長級）は一等官と二等官、奏任官（課長級以下の官職に補職）は三等官から九等官までとされた。判任官は四つの等級に分かたれた。この区別は天皇との身分的距離をも示すものであり、辞令書である官記の内容及び交付形式が異なっていた。すなわち、親任官は官記に天皇が親署し、内閣総理大臣が副署するものであり、勅任官は閣議決定を経て任免を上奏し、奏任官は内閣総理大臣又は各省大臣が奏請して官記に内閣の印を押し、内閣総理大臣が宣した。また、判任官の任免は各省大臣が専行した。

任用資格も官の区分により異なり、勅任官は若干の変遷はあったが、明治三二年以降、原則として高等試験に合格した有資格者から行い、一年以上勅任官に在職したか二年以上高等官三等の職にあった者であることが要件とされた。奏任官は原則的に高等試験合格者から任ずることとされ、判任官は、中等学校以上の学校の卒業者、普通試験合格者等であることが要件とされた。

俸給は、その地位に相当する体面保持にふさわしい生活を営ませるための給付として、高等官、判任官の別、官等の別に定められ、原則一五年（後に一七年）在官することによって権利の生ずる恩給も保障されていた。

官吏はその身分に伴う厳正な服務上の義務を負っていた。具体的には執務義務、従順の義務、忠実の義務、守秘義務、品位保持義務がこれである。義務違反者は、特別権力関係に基づく制裁として懲戒処分に付された。その種類は譴責、減俸、免官の三種であった。その他、刑罰、官庁事務の都合等の休職期間の満了、廃官廃庁、心身衰弱により職務に堪えない場合、官制又は定員の改廃による過員の場合以外には免官されることのない身分保障があった。なお、大正末期から昭和初期にかけての政党勢力の最盛期になると、官庁事務の都合により必要なときは休職処分に付することができるという概括的な文官分限令の規定により前政権下の官吏を休職とし、期間満了により退官させるという方法が官吏更迭の手段として利用され、身分保障を不確実なものとしたことはよく指摘されるところである。その後この制度は昭和七年の改正により、文官分限委員会の諮問を経なければならないことと改められた。

以上のような官吏制度の下で、官吏は天皇の官吏として国家権力の行使者側に位置して国民と相対する立場にあり、かつ国の統治機構の中で軍部とともに一大勢力を形成していたので、第二次世界大戦後の民主化推進に直面して官吏制度は抜本的改革を避けられないこととなったのである（旧官吏制度については、「日本公務員制度史研究会編著『官吏・公務員制度の変遷』」が詳しい。）。

三　国家公務員法の制定及びその後の主な改正

1　第二次世界大戦直後の官吏制度の改革

昭和二〇年八月、我が国はポツダム宣言を受諾し、軍国主義的権力及び勢力の除去、民主主義的傾向の復活強化及びその障礙（げ）の除去等を約した。これにより、財閥の解体、農地改革等の民主化政策が推進され、旧来の国内諸制度は構造的な変革が進められた。国家統治機構の中枢にあって軍部とともに旧体制の指導勢力と目されていた官僚機構も早晩改革の運命にあり、幣原内閣は、昭和二〇年一一月一三日、「官吏制度改正ニ関スル件」を閣議決定し、自主的に、応急的な官吏制度の改革に着手した。その要点は次のとおりであった。

①　高等官（勅任官、奏任官）及び判任官の名称、区別並びに前者についての官等、後者についての等級を撤廃し、一級官、二級官、三級官に簡素化する。これを通じた単一の俸給制度とする。

②　勅任官、奏任官、判任官それぞれにつき、任用資格や陞叙（しょうじょ）の限界等によって多岐に分かれていた官名を所掌事務の系統によって事務官、技官、教官の三種に統一し、同一級に属する限り身分による昇進限度の差別をなくす。なお、これにより、従来官とされていた部局長等は職名とする。

③　官吏の頻繁な更迭を抑制するため、例えば、一定期間同一の職に止めるとの原則を確立するなどの方策を講ずる。

④　銓衡任用制度を拡充するとともに、高等試験の科目に将来の職域に必要なものを加えたり、試験委員に官民の実務家を加えるなどの改善を図る。

⑤　研修機関の設置や一定期間民間で実際業務に従事する制度等による研修体制の整備を図る。

⑥　監察制度を設け信賞必罰を励行し、併せて考科表制度を採用する。

右の閣議決定に基づく改革は、昭和二一年四月一日公布の各庁職員通則（勅令一八九）、官吏任用叙級令（勅令一九〇）、親任官及諸官級別令（勅令一九一）、官吏俸給令（勅令一九二）等により、研修制度と考科表制度を除きほとんど実施に移された。

これらの改革は、我が国官吏制度の改正の歴史の中ではかなり画期的なものであったが、きたるべき憲法改正の方向からみれば、あくまでも従来の官吏制度の中における微温的な改正の域を出ないといわざるを得ない内容のものであり、政府の官吏制度改革の必要性の程度についての認識をうかがわせるものである。

２　日本国憲法の制定と公務員制度の改革

昭和二一年に入り、憲法改正作業は逐次遂行されたが、最終的には、連合国総司令部（ＧＨＱ）から示された憲法草案を基礎とした憲法改正草案要綱が同年三月、政府から発表された。これによれば、官吏は統治権の総攬者たる天皇及びその政府に忠順に勤勉の義務を負う立場から、新たな主権者である国民全体の奉仕者としての公務員となり、その基本的事項は法律で定めることとなっていた。同年七月、政府は臨時法制調査会を設置して、憲法附属法典について諮問したが、その中に当然新官吏法についての審議研究も含まれていた。しかしながら、日本国憲法施行までの間に、行政機構や公務員制度等に関する全面的かつ根本的改革を立案実施することは困難であったので、同調査会の答申に基づく公務員制度の改革は日本国憲法の施行に伴いさしあたり必要な点に限ることとし、根本的改革は臨時に内閣に設ける行政制度調査部で約一年かけて研究調査の上、断行し徹底的民主化を図ることとした。同年一〇月の臨時法制調査会の答申になる官吏法要綱も、この政府方針に沿って、憲法の精神に即した官吏服務紀律の改正等のほかは、概ね同年四月改正後の官吏制度を踏襲するものであった。この答申を受け、官吏は国民全体の奉仕者である旨、官吏服務紀律に明記されるなどの整備がなされたが、「日本国憲法施行の際現に効力を有する命令の規定の効果等に関する法律（昭二二法七二）」により、官吏に関する勅令その他の命令の規定で法律をもって規定すべき事項を規定していたものは、昭和二二年一二月三一日までなお法律と同一の効力を持つものとされた。

これより前、昭和二一年四月、給与制度について理論的体系化の必要を感じた渋澤敬三大蔵大臣は、総司令部に対し、専門家の派遣を要請し、同年一一月、合衆国・カナダ人事委員会連合会長ブレイン・フーバー氏を団長とする対日アメリカ合衆国人事行政顧問団が来日した。同顧問団は、日本政府の予期に反し、官吏制度に関し、その周辺領域についてまで多角的徹底的な調査を行い、昭和二二年四月二四日、連合国司令官に対し、中間報告を提出し、同年六月一一日、片山哲内閣総理大臣に対し、これを反映した国家公務員法草案を提示し、修正を加えることなく速やかに立法化すべきことを勧告した。その内容は、昭和二三年一二月の第一次改正後の本法に非常に近いものであり、人事院の独立性と権限は更に強力なものであった。強力な中央人事行政機関により旧官僚制度を破壊しようとする意図がにじみ出ていた。

フーバー顧問団の勧告による国家公務員法草案は政府にとっては予想を超えた内容のものであった。「修正なきよう」との勧告であったが、政府は、法律としてのスタイルの違和感をなくすための改変並びに不明確な点、日本国憲法との関係での疑問点及び我が国の実情に合わない点の改変についての考慮方を要請し、一四点にわたる問題点をフーバーに提出した。この中には人事院の強力な地位、権限と三権、特に内閣との関係、天皇を特別職とすることの問題、公務員のストライキに伴う雇用上の権利喪失と労働法制との関係等が含まれており、まもなく、一時帰国することとなったフーバーに代わって総司令部民生局（Government Section）のマーカムと折衝し、国家公務員法案をまとめた。法案は昭和二二年八月三〇日、開会中の第一回国会に提出された。

国会においては、衆参両院とも主に決算委員会を中心に、労働委員会等との連合審査会や、両院の合同審査会がもたれ、また、この間学識経験者等による証人の意見聴取等が行われ、一部修正の上、可決成立し、昭和二二年一〇月二一日、法律第一二〇号として公布された。その内容は、日本国憲法に基づく新しい公務員制度の基本法として従前の官吏制度を大変革したものであったが、土台となったフーバー草案をかなり修正したものであった。昭和二三年一二月に大改正された後の内容と対比しつつその概要を記せば次のとおりである。

① 各省次官等を特別職とするなど特別職の範囲が広いものであった。

② 人事院は「人事委員会」として、独立的な地位を与えられたが、内閣総理大臣の所轄の下に置かれた。すなわち、人事委員会規則の制定に内閣総理大臣の承認を要したり、事務総局の職制を政令で定めたり、予算についての特典を認めないなど、内閣総理大臣に人事委員会に対する様々な関与の余地が認められており、人事委員会の権限は弱められていた（フーバーは、後日、人事委員会は全く総理大臣に附属するようになっていたと評した。）。

③ 給与基準の勧告は、内閣総理大臣に提出するだけであり、給与額改定案の提出も同様とされた。

④ ストライキの禁止条項がなかった。

⑤ 公務員の弾劾法が別途予定された。

本法の規定は臨時人事委員会（人事委員会が設置されるまで必要な準備及び人事委員会の権限を行使する機関）及び服務に関する規定を除き、人事委員会規則の定めるところにより実行可能な限度において逐次適用することとされ、それまでは官吏任免法により、従前の例によることとされた。

3　昭和二三年の第一次改正

本法は、その基盤となったフーバー草案を相当修正したものではあったが、占領下、総司令部の承認を得て、正当に国会で制定されたものであった。しかし、昭和二二年一二月に再来日したフーバーは、さっそく改正の必要性を認め、秘密裡に改正案を作成し、昭和二三年六月これを示してきた。政府は総司令部との折衝を経て改正案作成作業を進めたが、同年七月五日閉会の第二回国会には提出するに至らなかった。

折から、戦後の民主化政策に基づき発展を遂げた労働組合活動は隆盛を極め、中でも公務員の労働組合のそれは規模、激しさ両面において顕著なものであった。全官公労は昭和二三年の「七月闘争」において五、二〇〇円ベースについての政府との団体交渉が決裂するや中央労働委員会に提訴し、労働関係調整法による冷却期間の満了する八月七日を期していっせいストライキに突入する構えであった。このような状況下で同年七月二二日芦田内閣総理大臣宛マッカーサー書簡が発出された。書簡中の公務員制度の改正を必然とする考え方は大要次のようなものであった。

〝国家公務員法が企図した公務員制度は、「日本における民主主義の成功を阻んだ旧官僚制度の数々の宿弊を是正」せんとするものであり、その人事行政の基調は、「全国民が国会を通じて政府の使用人に対して主権と監督権を行使し、その国会が人事委員会を通じて科学的人事行政の原理を適用し、かつ……任用、給与……その他の条件を標準化するという考え方に立つ」ものであって、かかる公務員制度こそ「政治や特権の圧迫に屈しない法律の忠実な実施と政府の仕事の能率的運営」に寄与するとして国家公務員法は制定されたが、情勢に対処するに不十分であることが明らかとなった。公務員関係法規は、少数者が団結して政府の権限と権威に加える圧力に対し積極的な保護を与えるものではない。労働組合主義は極めて重要なものであるが、政府機関においては組合運動は一定の範囲でのみ認められるべきであって、「正当に設定された主権を行使する行政、司法、立法の各機関にとって代わりあるいはこれらに挑戦することは許されない」。そもそも「その勤務を公務に捧げる者と私的企業に従う者との間には顕著な区別が存在する。前者は国民の主権に基礎を持つ政府によって使用される手段そのものであって、その雇用される事実によって与えられた公共の信託に対し無条件の忠誠の義務を負う」。一方「国家の公益を擁護するために政府職員に課せられた特別の制限があるという事実は、政府に対して、常に政府職員の福祉並びに利益のために十分な保護の手段を講じなければならない義務を負わせている。この理念は民主主義社会においては完全に理解され、実現されているのであって、それ故にこそ公職が威厳と権威と永続性とを備えており、公職に就き得る機会が広く一般から好ましい特権として認められ、かつ、求められているのである」。このような考え方に適合させるよう国家公務員法の全面的な改正に、時を移さず着手しなければならないと考える。〃

マッカーサー書簡は既に政府が第二回国会への提出を考慮した本法の改正と考え方の基調を同じくするものであり、政府はただちに検討の上、本法改正までの暫定的措置として、ポツダム緊急勅令（昭二〇勅令五四二）に基づくいわゆるポツダム政令である「昭和二十三年七月二十二日附内閣総理大臣宛連合国最高司令官書簡に基く臨時措置に関する政令（昭二三政令二〇一）」を制定公布した。その要旨は次のとおりである。

① 公務員は、同盟罷業、怠業的行為等の脅威を裏付けとする拘束的性質を帯びたいわゆる団体交渉権を有しない。

② 給与、服務等の公務員の身分に関する従前の措置は引き続き効力を有する。

③ 国又は地方公共団体を当時者とする係属中のあっせん、調停、仲裁手続は中止される。爾後臨時人事委員会は、公務員の利益を保護する責任を有する機関となる。

④ 公務員は、同盟罷業又は怠業的行為をなし、その他国又は地方公共団体の業務の運営を阻害する争議手段をとってはならない。これに違反した者は、国又は地方公共団体に対し、その保有する任命又は雇用上の権利をもって対抗することができない。また違反者は一年以下の懲役又は五、〇〇〇円以下の罰金に処する。

⑤ 政令はマッカーサー書簡にいう本法等の立法が成立、実施されるまで効力を有する。

一方本法の改正については、既に七月二八日に総司令部の草案が政府に手交されていたが、政府部内の検討を経て決定された政府修正案につき総司令部との交渉を重ねた上、一一月七日改正案の閣議決定がなされ、第三回臨時国会に提出された。改正案は本法一二五箇条中全部改正三二箇条、一部改正七七箇条、追加条文一四箇条に及ぶものであり、マッカーサー書簡の精神と内容とに基づいて起草されたものであることはいうまでもなかった。重要な改正事項を挙げれば次のとおりである。

① 日本における民主的諸制度を成功させるには官僚制度の根本的改革が不可欠であるとのマッカーサー書簡を踏まえ本法をできるだけ広く活用するように、特別職の範囲を縮小したこと。

② 厳正、公正な人事行政を行うとともに、国家公務員の福祉と利益の保護機関として機能を発揮させるため、人事委員会の組織と権限・責務を強化したこと。すなわち、名称を「人事院」と改めるとともに、内閣総理大臣の所轄から内閣の所轄に移して独立性を高め、組織自律権や予算上のある程度の独立性を認め、人事院規則制定について内閣総理大臣の承認を要しないこととしたほか、次に述べる労働基本権の制限との関係で情勢適応の原則を実効あらしめるための必要的勧告を含む人事院の勧告規定を追加し、内閣だけでなく国会に対しても直接勧告することを義務付けるとともに、不利益処分に関する審査において処分の形成的修正・取消権を付与して準司法的機能を強化し、及び任命権者と並んで懲戒権を付与した。

③ 国民全体の奉仕者としての公務員の本質の徹底を期するため服務規律を強化したこと。すなわち、労働関係法規の適用を排除し、労働基本権を制限するとともに、政治的行為、私企業への関与等の制限を強化した。

国会においては、前記の第二点及び第三点と憲法との関係等について議論が行われ、第三回国会最終日の昭和二三年一一月三〇日に一部修正の上可決され、一二月三日、法律第二二二号として公布された。国会の修正のうち、主要なものとして、第一に人事院の給与準則及びその改正案の立案提出並びに公務災害補償制度及び恩給制度の研究成果の提出を内閣に対してだけではなく国会に対しても行うこととしたこと、第二に法律の目的である「国家公務員に適用する各般の根本基準の確立」の中に職員の福祉及び利益を保護するための適切な措置が含まれることを明示したことを挙げることができる。なお、参議院の修正案は時間の制約もあって撤回された経緯があり、第三回国会に引き続く昭和二三年一二月一日召集の第四回国会（常会）において議員発議として提出され、特別職の範囲等に関する一部改正が行われた。

なお、第四回国会においては、教育公務員特例法やマッカーサー書簡の意を受けた公共企業体労働関係法等が制定された。ここに前年に制定された本法は、その大部分の規定が具体的な適用日を迎えないまま衣替えし、他の法制とともに今日の公務員制度の骨格が、ほぼできあがった。

4 第一次改正後

(1) 昭和二三年の大改正以後、我が国の公務員制度は、本法を頂点とする法制の整備へと向かい、同法が制定を予定している関係法律の制定、各種人事院規則の制定、同法附則第一三条（現行の附則第四条）の特例法の制定等が次々と行われたが、同法自体の改正は、昭和四〇年の改正に至るまでは小幅なものにとどまった。すなわち、随時の行政組織の改正等に伴う特別職の増減のほか、恩給制度から共済年金制度への移行に伴う退職年金制度関係規定の改正（昭三四）及び行服法の施行に伴う不服申立て関係規定の整備（昭三七）が主だったものであった。

しかしながら、実現をみなかった改正の試みは何回となくあり、しかもいずれも重要事項に関するものであった。

(2)　まず、昭和二六年五月、講和条約の締結へ向けて、占領下の諸法令に再検討を加え、必要な修正を加えることを認める旨のリッジウェイ声明が発出されたのを受けて、政府は政令改正諮問委員会を設置したが、同委員会の行政制度の改革に関する答申（昭二六・八・一四）には次のような事項が含まれていた。

①　国家公務員を、性格、勤務態度等に応じ(ア)行政権の行使に当たる職員、(イ)学校、研究所、医療機関の職員、(ウ)公企業職員、(エ)単純労務者の四種類に分け、それぞれ異なる任用、職階、給与、服務等の制度を考慮すること。

②　人事院は廃止し、総理府に人事局を置き、同局に調査、勧告、不利益処分の判定に当たらせる審議機関を附置すること。人事行政の実施は、内閣及び各省で行うこと。

③　行政権の行使に当たる職員は統一的資格試験の合格者について各省で任用し、教職員等は選考任用とすること。

④　職階制は簡素で弾力性のあるものとし、五～六等級程度に区分すること。

⑤　俸給表を統合し簡単明瞭化するとともに超勤制度を廃止し真の賞与制度を設けること。

⑥　行政権の行使に当たる職員には機械的な勤務時間の枠をはずすこと。公企業（政府直轄事業）職員の団体交渉権及び争議権は公共企業体職員に準ずるものとすること。

この答申のうち、人事院の改組に関する部分と公企業職員の労働関係に関する部分だけについて立法化が試みられた。前者は人事院を総理府の外局たる国家人事委員会に改組し、人事院規則の制定について内閣総理大臣の承認を要することとするなどその権限を弱めようとするものであり、昭和二七年五月第一三回国会に提出されたが、閉会に伴い廃案となった。しかしながら、このような改正の潮流はその後も引き続くことになった。後者については、更に労働関係法令審議委員会の答申をも参考として、「労働関係調整法等の一部を改正する法律案」として、同じく第一三回国会に提出され、可決成立した。五現業の管理監督の地位にある者及び機密の事務を取り扱う者以外の者の給与等の労働条件は団体交渉によって決定し、労働協約を締結することとするもので、これに伴い、本法の規定が大幅に適用されないこととなった。

(3)　次に、昭和二八年九月、行政審議会が、人事院は独立性が強すぎ、内閣の補佐部局と解すべきかどうかの疑義があるが、ある程度は独立機能を営ませる必要が認められるから、総理府の外局たる行政委員会としての位置付けを与える必要を認めるなどの答申を行ったのを受けて、政府は、昭和二九年三月、「国家公務員法の一部を改正する法律案」を第一九回国会に提出した。法律案は、第一三回国会に提出されたものとは、改正条項の範囲等が異なるものの、人事院を総理府の外局たる国家人事委員会に改組し、その権限を弱めることを主な内容とするものであったことには変わりがなかった。この改正法案は継続審査とされたが、次の第二〇回国会の閉会とともに廃案となった。

その後、昭和三一年二月の行政審議会のいわゆる第三次答申を受け、行政機構改革の一環として、人事院を廃止し、総理府の内局として人事局を、外局として国家人事委員会を設けるなどを内容とする本法の改正案が同年四月第二四回国会に提出された。この改正法案が過去二回のものと異なるところは、人事行政機関を、内閣総理大臣と国家人事委員会に二元化しようとするものであった。この改正法案は昭和三二年一二月召集の第二八回国会まで継続審議とされたが、衆議院の解散により廃案となった。

(4)　国際労働機関（ＩＬＯ）第八七号条約（結社の自由及び団結権の保護に関する条約）の批准問題に関連して本法の改正が具体的に検討されるようになるまでの間、国会に法律案として提出された本法の改正案は以上のとおりであったが、この間、本法の改正はいろいろな場で論議され、改正案までまとめあげられながら国会に上程されないまま終わったものも多い。この中では公務員制度調査会の答申とこれに伴う公務員制度改正の検討が大がかりなものであった。人事院は昭和二八年七月、「一般職の国家公務員の給与準則等を定める法律の案」を国会及び内閣に提出するとともに、同年一一月には「国家公務員退職年金法の案」を国会及び内閣に勧告し、本法に基づく公務員制度の整備を進めようとした。しかし、このいずれも国情に即した合理的なものとするため、政府において再検討することとされ、給与制度、退職年金制度など公務員に関する諸制度を調査審議するため、昭和二九年三月、公務員制度調査会が設置された。同調査会は翌昭和三〇年一一月に答申を行った。答申は、公務員制度の根本制度は堅持する必要があるが、その制定の経緯及び実施の経緯に徴し、これを国情に適した簡素かつ能率的なものに改める必要があるとして、ほぼ公務員制度の全域、すなわち、国家公務員の性格及び範囲、国家公務員の種別、職階制、任用及び試験制度、給与制度、服務制度、労働権及び労働条件、分限及び懲戒制度、能率制度、恩給制度、中央人事行政機関、地方公務員制度の各項目について提言したものであった。そのうち、国家公務員制度の総則的事項に関するものを例示すると次のとおりである。

① 国家公務員の範囲の縮小（国家公務員を、政府の任命行為に基づき、私法上の雇用関係に立つ者に処理させるに適しない公的色彩の強い国の事務・事業に、国民全体の奉仕者たる国家行政組織の恒常的組織要員として、専心従事すべきものに限定し、委員、顧問、参与等、単純労務従事者、臨時の機械的、補助的業務に従事する者及び政府関係機関の職員はいずれも国家公務員に属しないものとする。）

② 一般職と特別職の再整理（適性の実証によって任用され、勤務成績によって昇任させられる職業的公務員を充てるべき職を一般職とし、その他の職を特別職とする。一般職の国家公務員については原則統一的な公務員制度によるものとするが、職務内容の特殊なものについては特例措置を考慮する。）

③ 職階制の簡素、単純化（概ね八職群、三～七等級とし、試験実施等の必要により職種に区分できる。なお、教育職員、研究・医療職員及び検察官には職階制を適用しない。）

④ 人事行政機関の二元化（人事院は存置し、給与改善等の勧告、研修、試験・公平裁定等の人事行政の公正の確保、職員の利益保護等に当たらせる。総理府に人事局を置き、人事行政の企画・立案、国家公務員全般にわたる人事行政の実施及びその総合調整等に当たらせる。）

公務員制度調査会の答申については、総理府に設けられた公務員制度調査室で法制的検討や政府部内の意見調整が行われた。同調査室は昭和三一年八月以降本法改正試案をまとめ、各省庁との調整を進めながら更に修正試案をまとめるなど作業を行ったが、遂に国会提出までには至らなかった。

5　ＩＬＯ第八七号条約の批准に伴う改正

昭和三二年六月、第四〇回ＩＬＯ総会において我が国の原口労働者側代表が提出したＩＬＯ第八七号条約未批准国に早期批准を求める決議案に端を発して、同条約の批准問題が具体化した。政府は、同年九月、労働大臣の諮問機関である労働問題懇談会に批准について諮問した。公共企業体等の組合の組合員及び役員を現職の職員に限定していた当時の公共企業体等労働関係法第四条第三項の規定との関係から生じた機関車労組の被解雇役員との団体交渉拒否事件、ついで全逓労組についての同様の事件がＩＬＯに提訴されるなどの情勢の中で、同懇談会は論議を重ね、昭和三四年二月答申を行った。答申を受けた政府は、条約の批准案、関係四法案をまとめ、昭和三五年四月、第三四回国会に提出した。そのうち、本法の改正法案は、条約の批准に伴う国家公務員の団結権その他職員団体関係規定の改正・整備を行うとともに、人事管理の責任体制を確立するため人事院の持つ職階制や給与、任用等の実施権限を内閣総理大臣に移管し、総理府に人事局を設け人事行政機関を人事院との二元体制とするものであった。法案は、一度も審議のないまま国会の閉会とともに廃案となった。第八七号条約の批准に伴う本法の改正法案は、この後更に昭和三八年一二月の第四六回国会まで五回提出されたが、いずれも不成立に終わった。この間、昭和三八年二月一八日には佐藤達夫人事院総裁は、徳安総理府総務長官に対して、書簡を発出し、「(イ)任免、分限、懲戒の基準の設定、職階制、研修、政治的行為の制限等に関する事項を総理府の所掌とすることは、人事行政の公正確保、特に公務員の身分保障及び利益保護、中立性の確保の見地からみて相当とは認めがたい。(ロ)勧告制度を存置するとしても、公務員に団交権が認められていないことに鑑み、給与、勤務時間その他の勤務条件に関する事項を総理府の所掌とすることは、…事柄の性質上、相当とは認めがたい。」とするとともに、「ＩＬＯ第八七号条約関係以外に及んで改正を加えることについては、にわかに賛成いたしかねる次第である。」旨、意見を述べた(同旨、昭三八・六・二七衆議院国際労働条約第八七号等特別委員会、昭三九・三・九参議院予算委員会、昭三九・五・一三衆議院国際労働条約第八七号等特別委員会などにおける佐藤総裁答弁)。他方、昭和三三年にＩＬＯに提訴された国鉄機関車労組の一七九号事件に関しいわゆるドライヤー委員会の審理が始まるなど、条約の批准と関係国内法の改正をめぐる周辺の情勢には早期の解決を迫るものがあった。

このような経緯を経て、昭和四〇年一月二二日、第四八回国会に、改めて、第八七号条約の批准案と関係国内法の改正法案が提出された。国会においては紆余曲折の末、国内法案中の問題点については新設の公務員制度審議会で審議することとし、答申が出るまで施行を延期するなどの船田衆議院議長あっせん案によって、職員団体の構成及び登録に関する規定、交渉に関する規定並びに在籍専従に関する規定は施行を延期した上で、同年五月可決成立し、五月一九日から施行された。最初の国会提出から実に五年後のことであった。なお、施行が延期された改正規定の大半は、公務員制度審議会の答申を得て、昭和四一年六月一四日から施行された。

右の改正は、職員団体の定義及び組織、役員選任の自由、重要事項の民主的決定手続、交渉事項及び交渉手続、専従休職制度等の職員団体に関する規定の改正整備と、政府の使用者としての人事管理責任体制確立を主な内容とするものであり、後者は人事院に加えて新たに内閣総理大臣を中央人事行政機関とし、各行政機関が行う人事管理の統一保持上必要な総合調整を行うほか、従前の人事院の所掌事務のうち若干の事務（能率、厚生及び服務の一部）を移管するなどしたものであった。なお、公務員制度審議会においては、国家公務員等の労働関係の基本に関する事項についても審議を行い、昭和四八年九月、答申を行った。管理職員等の区分に関する規定の整備等についてはその後答申に沿った改正が行われた。

6　定年制の導入のための改正

旧官吏制度時代から、我が国には官吏についての一般的な定年制はなく、本法制定後においても同様であった。勇退あるいは勧奨退職によって比較的順調に新陳代謝が図られてきたため、特にその必要が認められなかったのである。しかしながら、定年制は、企業においては広く普及しており、前に述べた昭和三〇年の公務員制度調査会の答申においてもその導入を考慮すべきこととされ、昭和三九年の臨時行政調査会の答申でも導入の提言がなされるなど、公務においても関心の持たれていた事項であった。

政府は昭和五二年一二月の行政改革の推進に関する閣議決定の中で、国家公務員に定年制度を導入する方針を決め、翌五三年二月総理府総務長官から人事院総裁に検討が依頼された。人事院は昭和五四年八月、職員構成の推移、高齢者の就業意識の動向等から国家公務員についても高齢化の傾向が強まるものとし、適正な新陳代謝の促進と計画的な人事管理を通じて職員の士気の高揚と組織活力の維持を図る必要があるとして、定年制度導入の意義を認め、六〇歳定年、勤務延長、再雇用等具備すべき定年制度の内容を述べた人事院総裁の書簡を総理府総務長官宛てに発出した。これを受けて昭和五五年三月第九一回国会に本法等の改正法案が提出された。この法律案は衆議院解散により廃案になったが、第九三回国会に再び提出され、昭和五六年六月第九四回国会において成立し、昭和六〇年三月三一日から施行された。

7　新再任用制度の導入等のための改正

昭和六〇年の公的年金制度の改正により、官民の年金制度の一元化が図られることとなった。これによって、国家公務員にも全国民共通の国民年金制度による国民年金（基礎年金）が支給されることとなり、共済年金は、厚生年金に相当するものとして、国民年金の上乗せとしての報酬比例年金となった。その後、平成六年の公的年金制度の改正により、六〇歳以上六五歳未満の者に支給するのは、報酬比例部分に相当する額に限ることとし、平成一三年度から二五年度にかけて段階的に国民年金（基礎年金）の支給開始年齢が引き上げられることとなった。このような六〇歳台前半層における年金支給額の減少に対応するため、雇用と年金の連携を図ることが急務となり、かねて政府と連携しつつ検討を進めていた人事院は、平成一〇年五月一三日に定年退職者の再任用に関し意見の申出を行い、それに基づく本法改正が平成一一年七月成立し、年金支給開始年齢の引上げに合わせて平成一三年四月一日から施行された。

なお、平成一〇年九月、公務員の不祥事に厳正に対応するため、地方公共団体等へ辞職出向し、復帰した職員に対し辞職出向前の非違行為について懲戒処分を行うことができるとする意見の申出を行い、これも再任用制度と合わせて本法改正が行われている。

8　平成一九年の改正

平成七、八年頃から本省庁の幹部公務員を中心に、過剰接待問題、薬害エイズ問題、金融不祥事問題、元厚生事務次官逮捕問題等が相次いで発生する中で、広く国民に幹部公務員の清廉性に対する疑念が生まれ、また、「政策の失敗」を通じて専門性の不足や官僚の無責任さに対する批判が生じた。こうした公務員に対する批判は、各省割拠によるセクショナリズムの弊害、業界団体などとのもたれ合い（いわゆる「天下り」批判など）、採用試験の別による固定的な人事管理（いわゆる「キャリアシステム」批判）など構造的、制度的な問題に対する批判となっていった。平成一一年の議員立法による倫理法の制定もこれらの不祥事を背景とするものであった。このように強まる公務員批判に対応するための公務員制度改革の議論が高まっていった。また、省庁再編の議論が進む中で内閣の人事管理機能の強化も課題の一つとなった。このような中、公務員制度改革について、人事院に置かれた「新たな時代の公務員人事管理を考える研究会（京極純一座長）」（平成一〇年三月報告）や総務庁に置かれた公務員制度調査会（辻村江太郎会長）（平成一一年三月基本答申）などで検討が行われた。

中央省庁等再編がスタートした平成一三年には「白紙からの改革」を目指して「公務員制度改革大綱」が同年一二月に閣議決定され、それに基づく法案化の作業が進められていったが、天下りについて人事院による事前承認を各省大臣による承認に変更しようとしていたこと、労働基本権を制約したままで勤務条件に関する人事院の権限を縮小し、使用者側の権限を強化しようとしていたことなどが問題とされ、法案化には至らなかった。その後も、いわゆる天下り批判・「消えた年金問題」などにより公務員批判はますます強まり、現在の状態を「官僚内閣制である」（飯尾潤著『日本の統治構造―官僚内閣制から議院内閣制へ』）とする議論も生じ、これを改めるため、内閣の人事権強化や民間企業と同様の人事管理を可能とする公務員制度改革が提起された。平成一九年には、渡辺行政改革担当大臣の強いリーダーシップの下、①採用試験の種類・年次等にとらわれてはならない旨の人事管理の原則の明定や人事評価の導入等により能力実績に基づく人事管理の徹底を図ること、②人事院による営利企業への再就職の事前承認を廃止するとともに、再就職あっせん等の禁止・事後規制の導入を柱とする現職職員の求職活動規制及び退職職員の働きかけ規制、官民人材交流センターの創設等を内容とする本法改正が成立した。なお、この改正において標準職務遂行能力や職制上の段階の仕組みが設けられたため、職階制に関する規定及び給与準則に関する規定が削られた。

9　国家公務員制度改革基本法の制定と平成二六年の本法改正

(1)　前述の平成一九年本法改正法案の国会提出に当たり、平成一九年四月二四日の閣議決定で「採用から退職までの公務員の人事制度全般の課題について総合的・整合的な検討を進めること」とされたことを踏まえ、内閣総理大臣の下に有識者懇談会（公務員制度の総合的な改革に関する懇談会（岡村正座長））が置かれ、公務員制度改革担当大臣の主導の下、議論がなされた。その結果、政府は、平成二〇年二月の同懇談会報告書を参考に、縦割り行政の弊害の排除、政治主導の強化などを目指して、今後の公務員制度改革の課題とスケジュールを定める国家公務員制度改革基本法案を同年四月、第一六九回国会（常会）に提出した。政府提出法案では、①政治主導を強化するため、内閣官房に国家戦略スタッフ、各府省に政務スタッフを新設するとともに、併せて各府省に新設する政務専門官以外の職員が国会議員に接触することについて規律を設けること（政官接触制限）、②幹部職員人事の一元管理等を行うため、内閣人事庁を置き、適格性審査や任免の承認を行い、また、幹部職員は内閣人事庁及び各府省の両方に所属すること、③採用試験制度の見直しを行うとともに内閣人事庁が幹部候補育成課程を整備すること、④総合職試験合格者の採用及び各府省への配置の調整を内閣人事庁が一元的に行うこと、⑤労働基本権について、国民に便益及び費用を含む全体像を提示して検討することなどが定められていた。同法案については、総合職試験採用者及び幹部職員の一元管理や政官接触制限などに対する問題点の指摘や、労働側から労働基本権の見直しが「検討」にとどまっていることへの批判などがあり、当初は成立が見通せない状況にあった。このような中、当初対案の提出を検討していた野党（民主党）との修正協議が行われ、内閣人事庁をコンパクトな内閣人事局に改め、総合職試験採用者の一元管理は行わず、また、幹部職員は内閣人事庁及び各府省の両方に所属するとする規定や政官接触制限についての規定は削除する一方で、労働基本権については、「政府は、協約締結権を付与する職員の範囲の拡大に伴う便益及び費用を含む全体像を国民に提示し、その理解の下に、国民に開かれた自律的労使関係制度を措置するものとする。」（修正後の同法案第一二条）に改め、また、定年を段階的に六五歳に引き上げることを検討することを明記することで合意が成立し、その結果、国家公務員制度改革基本法（平二〇法六八）は、会期末近くの同年六月六日に成立し、同一三日に公布・施行された。同基本法は、いわゆるプログラム法として、前述の事項をはじめとする諸課題を掲げるとともに、スケジュールとしては、施行日より三年以内を目途に法制上の措置、五年以内を目途に改革を行うために必要な措置を講ずること等を規定し、その後の公務員制度改革議論の方向性を示すものとなった。

政府においては、公務員制度改革を総合的かつ集中的に推進するため、同基本法に基づき、五年間（平成二五年七月一〇日まで）の時限的組織として、国家公務員制度改革推進本部を内閣に設置するとともに、同本部に設けられた民間有識者等からなる顧問会議（御手洗冨士夫座長）において、内閣人事局の在り方等が集中的に議論され、同年一一月一四日、次のような報告がまとめられた。

○報告（平二〇・一一・一四・国家公務員制度改革推進本部顧問会議）（抜粋）

3・内閣人事局の担うべき機能及び組織のあり方について

● (1)　基本的な役割・機能

内閣人事局は、政府全体の見地から幹部職員等に関する一元管理事務を担うとともに、政府全体を通ずる国家公務員の人事管理について国民に説明する責任を負うことを任務としている。

この任務を十全に発揮するため、内閣人事局は、国家公務員の人事管理に関する戦略中枢機能を担う組織として、国家公務員全体の人事管理に関する制度及びその運用の全般について、Ｐｌａｎ機能（企画立案、方針決定、基準策定、目標設定等）とＡｃｔ

機能（制度や運用の改善・改革）を担うこととし、Ｄｏ機能（制度の運用）は基本的に各府省（一元管理については内閣人事局）が、Ｃｈｅｃｋ機能（検証）は各府省・第三者機関・内閣人事局が機能に応じて分担することとする。

● 人事行政の公正・中立性を確保するとの観点から、現在、第三者機関が幅広い機能を担っているが、公正・中立性を引き続き確保しつつ、内閣人事局を国家公務員の人事管理に関する戦略中枢機能を担う組織とするため、Ｐｌａｎ機能とＡｃｔ機能は内閣人事局が担い、第三者機関は公正・中立性が確保されているか事後Ｃｈｅｃｋ機能を担うこととする方向で、できる限り見直すこととする。

● 労働基本権制約の下では、勧告・意見申出機能、公平審査機能は引き続き人事院が担うべきであるが、内閣人事局が国家公務員の人事管理に関する戦略中枢機能を担うためには、勤務条件について内閣人事局がＰｌａｎ機能を担い、例えば、勤務条件の細目についても法律に基づき内閣人事局が政令で定め、人事院がこれに対して意見申出を行うような仕組みや内閣人事局があるべき勤務条件について基本的な企画立案を行い、人事院に対して必要な検討、勧告・意見申出を行うよう求めるような仕組みとする方向で、できる限り見直すこととする。

特に、幹部職員・管理職員については、内閣人事局がＰｌａｎ機能を幅広く担うことが重要である。

(2) 内閣人事局への機能移管

● 人事院が有する機能のうち、試験、任免、給与、研修のＰｌａｎ機能は、内閣人事局に移管する。試験、研修のＤｏ機能については、内閣人事局が担うが、民間や人事院に委託できるようにする。分限、懲戒等の機能についても、少なくとも基本的な企画立案機能は、内閣人事局に移管する。

● 総務省人事・恩給局が有する機能のうち人事行政に関する機能は、内閣人事局に移管する。恩給行政に関する機能は、国家公務員の人事管理に関する戦略中枢機能と関係が薄いことから、内閣人事局に移管しない。

● 総務省行政管理局が有する機能については、以下のような意見があった。

・ 議院内閣制の下では、内閣に近い機関が責任を持って弾力的な組織管理を行うべきであり、機構・定員管理機能を内閣人事局に移管すべき。

・ 人事管理と組織管理を一体で行うと、人事の都合で組織管理が行われ、行政組織の肥大化を招きかねないので、機構・定員管理機能は内閣人事局に移管すべきではない。

● 財務省主計局が有する予算のうち給与にかかる部分及び旅費に関する機能のうち、総人件費枠の中での各府省への具体的な配分・調整機能は、内閣人事局が担うこととする。共済に関する機能は、国家公務員の人事管理に関する戦略中枢機能とは関係が薄いことから、内閣人事局に移管しない。

● 財務省理財局が有する宿舎に関する機能は、国有財産管理の性格が強いことから、内閣人事局には移管しないが、国家公務員の福利厚生の観点から、内閣人事局が宿舎に関する企画立案に一定の関与をすることができるようにする。
● 内閣官房内閣総務官室が有する人事行政に関する機能は、同室が担う他の機能との連携を確保しつつ、内閣人事局に移管する。
● 内閣府官民人材交流センターに関する機能については、内閣人事局がＰｌａｎ機能を担い、同センターがＤｏ機能を担うこととする。また、再就職等監視委員会については、引き続き独立性を確保することとする。
(3) 組織のあり方
● 内閣人事局の長については、官民の人事管理に関する高い識見等を備えた人材を行政機関の内外から柔軟に確保する観点から特別職とするが、継続的・中立的に仕事を行うため、政権と去就をともにすることとはしない。また、各府省の事務次官に対して指導力を発揮することができるよう、ハイレベルなポストとする。
○ 内閣人事局には、高い能力を有する民間人材を積極的に登用する。また、各府省出身の幹部職員については、出身府省に原則として戻らないものとする。
（●：当面の内閣人事局の組織・予算に関連する重要な論点、○：上記以外の重要な論点）

(2)　その後、政府において前述顧問会議の報告も踏まえながら、制度改正の議論が進められ、平成二一年三月、内閣の人事管理機能の強化等を図るため、本法等の一部改正法案が第一七一国会（常会）に提出された。同法案では、①幹部職員等の一元管理等のため、内閣総理大臣等による適格性審査及び任免協議、幹部候補育成課程、幹部職員の特例降任等の制度を設けること、②内閣官房に内閣人事局を設置し、総務省が担っていた中央人事行政機関たる内閣総理大臣の事務並びに行政機関の機構及び定員に関する事務に加えて、人事院から任用の基準設定及び採用試験・研修の企画立案の事務並びに級別定数の設定及び改定の事務を移管すること、③国家戦略スタッフ及び政務スタッフを設置することなどが規定されていた。なお、労働基本権の在り方については、別途、国家公務員制度改革推進本部の労使関係制度検討委員会（今野浩一郎主査）で検討しているため、同法案における言及はなかった。同法案の国会提出に当たって、人事院は、次に掲げるとおり、人事院の事務の大幅な移管は国家公務員制度改革基本法が予定するものではなく、公務員人事の中立・公正性が確保できなくなることを懸念するとともに、労働基本権制約の代償機能が損なわれると考える旨の総裁からの書簡を内閣総理大臣に提出した。同法案については、各方面より、幹部職員の一元管理の実効性（内閣官房で多数の候補者の適格性を恣意的にならず公正に判定できるか等）や内閣人事局の在り方（内閣人事局長の位置付けや役割が不明、幅広い所掌は国家公務員制度改革基本法の国会審議で「内閣人事庁」を「内閣人事局」に修正された趣旨に沿っていない等）に対する懸念、あるいは労働基本権の見直しを行わない中で制度改正することの問題点などの指摘、更には幹部職員人事をより弾力化すべき、天下り規制を一層強化すべきなど様々な意見や批判等が行われ、国会における審議入りは大幅に遅れた。同年六月二五日になって衆議院本会議での趣旨説明及び質疑がなされたが、関係委員会での審議に入れず、同年七月二一日の衆議院の解散に伴い、廃案となった。

○内閣総理大臣宛て人事院総裁書簡（平成二一・三・三一）

国家公務員法等の一部を改正する法律案について

人事院は、縦割り行政の弊害排除などを目的とした国家公務員制度改革基本法の予定する改革を進めることの必要性、重要性は十分認識しておりますが、標記法律案については重大な問題があると考えますので、以下のとおり、人事院としての意見を申し述べます。

公務員は憲法で全体の奉仕者とされ（憲法第一五条）、その人事行政の基準は法律で定める（憲法第七三条第四号）こととされています。人事院は、このような憲法の趣旨を受け、中立・公正な公務員人事行政を実現するため、その業務執行については、内閣から独立して、法律の委任に基づき、任用の基準を設定し、採用試験・研修の企画立案・実施を担うとともに、国家公務員にも保障されている労働基本権（憲法第二八条）を制約することに伴う代償措置として、給与等勤務条件に関する基準設定に当たっています。

標記法律案のとおり改正を行った場合は、これまで、人事院が中央人事行政機関として国家公務員法に基づいて人事行政上必要な基準設定に当たり、内閣総理大臣は使用者の立場からの基準設定と人事管理の総合調整に当たるという国家公務員法第二章の中央人事行政機関の考え方は根本的に変更され、公務員制度に係る基準の大部分を使用者たる内閣総理大臣が設定し、中立・第三者機関である人事院の中央人事行政機関としての機能は著しく低下することとなるものと考えます。こうした議論は国家公務員制度改革基本法制定の際には全く行われておらず、同法の予定するものではないと考えます。

同法の枠を超えて根幹的な国家公務員制度の転換を行うのであれば、憲法に定める全体の奉仕者性を実現する観点から、中立・公正性の確保など公務員制度の基本理念をいかに実現するか議論し、それらの理念を実現するにふさわしい人事行政機関の在り方について、十分に検討を尽くした上で改正の是非を判断する必要があると考えます。

標記法律案についての具体的な修正意見は、次のとおりです。

1　中央人事行政機関としての人事院及び内閣総理大臣の役割分担について

今回の国家公務員法及び一般職の職員の給与に関する法律の改正法案では、これまで人事院の担ってきた機能のうち、任用の基準設定及び採用試験・研修の企画立案並びに給与のうち指定職俸給表の適用を受ける職員の号俸決定及び職務の級の定数の設定・改定に関する機能を、使用者たる内閣総理大臣の機能に移管することとしておりますが、前述の国家公務員制度の趣旨に照らして、公務員人事管理の中立・公正性が確保できなくなることを懸念するとともに、労働基本権制約の代償機能が損なわれるものと考えます。したがって、これらの関連改正規定は、今回の改正法案から削除することが必要と考えます。

なお、国家公務員制度改革基本法に定める幹部職員等の一元管理については、幹部職員に係る指定職俸給表の号俸格付けを人事院指令による定めから内閣総理大臣の承認を得て各府省の大臣が行うこととすること、内閣総理大臣の定める基本的な方針（人材基本戦略）を踏まえつつ、中立・第三者機関たる人事院が任用の基準の設定や採用試験の企画立案・実施を行うとともに、内閣総理大臣と人事院が連携を図りながらそれぞれの立場で研修の企画立案・実施を行うことによって、必要な措置が実現できるものと考えます。

2　職員の公募、幹部職員の任用等に係る特例及び幹部候補育成課程について

新たに設けられる公募に係る基準や手続、幹部職員の任用等に係る基準、幹部候補育成課程の課程対象者に係る選定方法・基準等については、人事院が関与する規定が一切設けられておりませんが、恣意的任用を防止するための基準など公務員人事管理の中立・公正性を確保する観点から必要な基準等については、中立・第三者機関である人事院が定める必要があると考えます。具体的には、一般職員を含めた公募に係る規定については、その基準や手続を人事院規則で定めることとするとともに、幹部職員に関する規定については、これらの関係条文に人事行政の公正性を確保するための基準についての人事院規則への委任規定を設けることが必要と考えます。

(3)　次いで、民主党連立政権発足（平二一・九）後の平成二二年二月、改めて本法等の改正法案が第一七四回国会（常会）に提出された。この法案においては、内閣人事局は設置するものの、幹部職員人事の一元管理の導入等に特化し、中央人事行政機関の役割や労働基本権の在り方については変更を加えるものではなかった。このほか、①幹部職員人事の弾力化の観点から、平成二一年法案の幹部職員の特例降任の制度に代えて、事務次官、局長及び部長等の幹部職を同一の職制上の段階に属するとみなす措置、②国家公務員の退職管理の一層の適正化を図るため、官民人材交流センター及び再就職等監視委員会を廃止し、新たに民間人材登用・再就職適正化センター及び再就職等監視・適正化委員会を置くことなどが、規定されていた。この法案については、国会で幹部職員の一元管理の在り方など具体的な審議が重ねられ、衆議院では同年五月一三日に可決され、参議院でも公述人意見聴取を含め具体的審議がなされたが、会期末となり、同年六月一六日、審議未了廃案となった。なお、一部野党より対案（幹部職を特別職化する等の幹部公務員法案）が提出され、併せて審議がなされたが、同様に廃案となった。

(4)　労働基本権については、国家公務員制度改革基本法第一二条を踏まえて、その付与の形態を研究するため、政権交代前の平成二〇年七月、国家公務員制度改革推進本部に労使関係制度検討委員会（座長：今野浩一郎学習院大学教授）が設けられ、同一〇月から一七回開催され、平成二一年一二月には労働基本権付与の三パターンを示す報告書が提出されていた。労働基本権付与の方向にある民主党連立政権の下では、基本権付与の法制度について事務的な検討が進められた。同年一二月の「公務員の給与改定に関する取扱いについて」（閣議決定）で、「次期通常国会に、自律的労使関係制度を措置するための法案を提出」する旨の文言が盛り込まれたことを踏まえ、「国家公務員の労働基本権（争議権）に関する懇談会」（今野浩一郎座長）が急遽、集中的に開催された。同月にまとめられた報告書では、協約締結権にとどまらず争議権の付与を検討することも立法政策としては許容され得るものとしつつ、国民的議論が必要であるとした。平成二二年一二月、政府は、「自律的労使関係制度に関する改革素案」を公表し、自律的労使関係制度の措置に向けての意見募集等を行いながら法案化の検討を行った。国家公務員制度改革基本法で同法の施行日（平成二〇年六月一三日）より三年以内を目途に法制上の措置を講ずることが規定されていることをも踏まえ、東日本大震災後の平成二三年六月、いわゆる公務員制度改革四法案が第一七七回国会（常会）に提出された。すなわち、①幹部人事の一元化等の措置（内閣人事局の設置を含む。）や（後述の）協約締結権の付与に伴って人事院・人事院勧告制度を廃止し、不利益処分の不服申立て等に携わる人事公正委員会を設けること等を内容とする本法等の一部改正法案、②非現業の一般職国家公務員に協約締結権を付与し、団体交渉の手続、団体協約の効力、交渉不調の場合のあっせん、仲裁等について定める「国家公務員の労働関係に関する法律案」、③それまで人事院及び総務省の担ってきた人事行政や行政機関の機構及び定員の事務を担う公務員庁を新設するための「公務員庁設置法案」、④その他関係法律の整備等に関する法律案の四法案であった。これらの法案の閣議決定に先立ち、人事院は、内閣総理大臣に対して、①公正確保の基本理念や公務員制度の基本事項の法定、第三者機関による採用試験の実施の管理、幹部職員人事の適格性審査の公正な実施に必要な措置等、人事行政の公正確保のために法令で整備すべき事項、②当局の体制整備、交渉事項の範囲等適切かつ実効性のある労使関係制度とするため必要な事項に関して意見を提出した。ちなみに、これら四法案は、政府が人事院勧告を経ずに一部職員団体と合意の上で立案した、国家公務員給与を「厳しい財政状況及び東日本大震災に対処する必要性に鑑み」、平成二六年三月末までの間、平均七・八％減額支給する「国家公務員の給与の臨時特例に関する法律案」

と同時に国会に提出されたものであった。しかしながら、これら四法案は、労働基本権の見直しについて各方面から批判等がなされたこともあり、実質的な審議に入ることなく、継続審査の手続が繰り返された後、平成二四年一一月一六日、第一八一回国会（臨時会）における衆議院の解散に伴い、廃案となった。

以上のとおり、労働基本権の在り方や人事行政の公正性の確保などについて各方面より議論や批判等がなされた結果、本法の改正等を通じた公務員制度改革は進まない状況ではあったが、この間、国家公務員制度改革基本法にも掲げられている採用試験の基本的見直し（従前のⅠ種・Ⅱ種・Ⅲ種試験等を廃止し、総合職試験、一般職試験等に再編）については、法律改正が不要であり、人事院規則の改正により、平成二四年より実施に移された。

(5)　平成二四年一二月に政権交代（自公連立政権発足）が行われ、その翌年、政府は、「今後の国家公務員制度改革に当たっては、（平成二一年に閣議決定された本法等の改正）法律案を基本とし、（国家公務員制度改革）基本法の条文に即し、機動的な運用が可能な制度設計を行う」こととし（平二五・六・二八「今後の公務員制度改革について」国家公務員制度改革推進本部決定）、改めて本法改正の検討が進められた。

一方、人事院は、この推進本部決定に際し、それに先立つ同年六月二〇日、公務員制度改革担当大臣に対して、人事院総裁から次のような内容の意見を提出した。

①　幹部職員人事の一元管理等について

幹部職員も成績主義の原則が適用されることから、職務に必要な能力・適性が公正に判断される必要がある。特に、外部からの採用については、選考手続の中でその人事の公正性が確保できるよう、第三者機関がその基準設定などに適切に関与する仕組みなどが必要と考える。

②　労働基本権制約の代償機能の確保について

級別定数は、俸給表と一体となって職員の処遇を確保するための重要な勤務条件であり、現在も各府省及び職員団体からの意見を聞いた上で、決定をしている。労働基本権の制約について現行どおりとする以上、級別定数に関する機能は、使用者機関ではなく、第三者機関である人事院が代償機能として担う必要がある。

③　人事行政の公正性の確保について

任用の基準、採用試験・研修は、その公正性を確保する観点から人事院が担うこととされてきたものであり、第三者機関から使用者機関に移管する合理的な理由は認められず、引き続き第三者機関である人事院が担うべきであると考える。

また、前記推進本部の会合（平二五・六・二八）においては、人事院総裁から「国家公務員制度は、各分野の行政を安定的・継続的に支える基盤となる制度であり（略）幹部職員人事における公正性の確保、労働基本権制約の下での代償機能に関わる事項、人事行政の公正性の確保に関わる事項の取扱いについては、十分な議論を重ね、広く関係者の合意を得て進めていただく必要」がある旨の発言を行った。（略）さらに、人事院は、同年八月八日の給与に関する報告の際、あわせて、「国家公務員制度改革等に関する報告」を行い、その中で、国家公務員制度改革についての経緯を振り返り、次のような今後の検討に当たっての留意点等を提示した。

① 幹部職員人事の一元管理については、内閣人事局の役割と各省大臣の組織・人事管理権との調和等を考慮して適切な制度設計を行う必要があるとともに、中立・第三者機関が選考基準設定等に関与する必要がある。

② 内閣人事局の設置と人事院の機能移管については、級別定数は重要な勤務条件であり、労働基本権制約の下では、級別定数に関する機能は中立・第三者機関が代償機能として担う必要があるとともに、任用基準、採用試験及び人事院が所掌している研修は、人事行政の公正を確保する観点から特に重要な事務であり、これまでどおり中立・第三者機関が担うべきである。

③ 自律的労使関係制度については、人事院はこれまで議論を尽くすべき重要な論点（公務の労使交渉においては給与決定に市場の抑制力が働かない、国会の民主的コントロールの下での使用者側の当事者能力には限界がある等）を提起してきているが、十分な議論は行われておらず、いまだ国民の理解は得られない状況にある。

その後、同年九月に入ってからは、与党における議論、人事院との協議、各府省人事当局との協議など各方面との調整が進められた。同年一〇月には、与党から内閣総理大臣に対して、(ア)幹部公務員について公正な人事が行われること　(イ)自律的労使関係制度の在り方については国民的議論を踏まえ引き続き慎重に対処すること等の申し入れがなされた。こうした調整の結果、法案には、人事院の意見を踏まえた改正が盛り込まれることとなり、同年一一月、①幹部職員人事の一元管理等に関する規定の創設（各府省大臣の任命権は維持しつつ、任用は内閣官房長官による幹部職に係る標準職務遂行能力を有することの確認（適格性審査）を経て幹部候補者名簿に掲げられた者の中から内閣総理大臣及び内閣官房長官との協議により行うことなどを内容とする。）、②内閣人事局の設置等に関する規定の整備を行うこと（内閣総理大臣は、従前から中央人事行政機関として行ってきた事務に加え、中央人事行政機関として、幹部職員人事の一元管理等に関する事務のほか、中央人事行政機関としての内閣総理大臣の事務、優れた人材の養成・活用に関する事務、採用試験に係る人材像等に関する事務、研修の総合的企画・調整に関する事務、級別定数の設定等の事務等を担うこととされた。この事務を担う部局として内閣官房に内閣人事局が設けられ、同局では、このほかに、国家公務員制度の企画及び立案、行政組織の機構及び定員に関する審査等の事務を担うこととされた。）などを内容とした本法等の一部を改正する法案が第一八五回国会（臨時会）に提出された。

同法案においては、中央人事行政機関をめぐる改正内容は、以下のとおりである。

①　幹部職員人事の一元管理等

内閣総理大臣が担う幹部職員人事の一元管理等に関する事務については、幹部職員人事の一元管理における適格性審査及び幹部候補者名簿に関する政令を定めるに当たっては、適格性審査の基準、手続や幹部候補者名簿の作成等における公正性を確保するため、あらかじめ人事院の意見を聴くことが定められた。

②　労働基本権制約の代償機能の確保

級別定数の設定・改定及び指定職職員の号俸の決定（以下、級別定数の設定・改定等）に関する事務については、機動的な人事・組織管理等の観点から、機構・定員に関する事務とともに一体的に内閣総理大臣が担うこととされたが、級別定数の設定・改廃等は勤務条件の側面を有することに鑑み、職員の適正な勤務条件の確保の観点からする、級別定数の設定・改定等に関する人事院の意見を十分に尊重することが法案に明記された。

③　人事行政の公正の確保

職員の公正な任用の確保に関する事務や採用試験の対象官職等を除く採用試験の企画と実施に関する事務については、今までどおり人事院が担い、人事院規則で定めることとされた。内閣総理大臣は、各府省のニーズに基づく採用を確保するという観点から、優れた人材の養成・活用に関する事務のほか、特定の行政分野に係る採用試験等の対象官職や種類、採用試験により確保すべき人材に関する事務を担うこととされ、これらに関する政令は、採用試験における公正の確保の観点から、人事院の意見を聴いて定めることとされた。

研修については、人事院と内閣総理大臣がそれぞれ中央人事行政機関として研修を行うこととされた。人事院は、これまで行ってきた国民全体の奉仕者としての使命の自覚及び多角的な視点等を有する職員の育成等の観点から行う研修の計画・実施を引き続き担うこととされた。また、これまで人事院が行ってきた各府省が行う研修に関する総合的企画・調整に関する事務は内閣総理大臣が担うこととされ、人事院は、公正確保の観点から、内閣総理大臣及び各府省が行う研修の監視・是正指示等の事務を担うこととされた。

このように、この法案では、人事管理に関し、内閣総理大臣の行う事務に追加が行われたが、それらに対するチェック機能も含めて、人事院の人事行政の公正の確保及び労働基本権制約の代償機能は引き続き確保されることとなった。

同法案は、継続審議とされた後、翌平成二六年の第一八六回国会（通常会）において、与野党協議による若干の修正（附則に雇用と年金の接続のための検討条項の挿入）を経て、同年四月に成立し、同年五月三〇日より施行された（なお、一部野党より対案（幹部職を特別職化する等の幹部公務員法案等）が提出されていたが、廃案となった。）。この改正により、平成一三年以来の国家公務員制度改革の議論は、一つの大きな区切りが打たれた。

10　定年の六五歳への引上げのための改正

平成二五年度からの公的年金の支給開始年齢の六五歳への段階的引上げを前に、平成一八年度より、高年齢者等の雇用の安定等に関する法律の改正により、民間企業には定年年齢の六五歳以上への段階的引上げ、希望する者を定年後も引き続いて雇用する継続雇用制度の導入、定年の廃止のいずれかを行うことが義務付けられた。こうした動きを受けて、人事院は平成一九年の給与勧告時報告で、公的年金の段階的な支給開始年齢引上げに対応するための高齢期雇用確保策について検討を行うことを表明し、同年秋から「公務員の高齢期の雇用問題に関する研究会」（座長：清家篤慶應義塾長）を設置し検討を進めた。同研究会は同二一年七月には、雇用と年金の連携を図り、職員が高齢期の生活に不安を覚えることなく職務に専念できるようにするため、組織活力を維持し、総給与費の抑制を行いながら、定年年齢を段階的に六五歳に引き上げる必要があると報告した。また、平成二〇年六月に成立した、国家公務員制度改革基本法では「定年を段階的に六十五歳に引き上げることについて検討すること」（同法一〇③）とされた。

こうした状況を踏まえ、人事院は所要の検討を進め、平成二三年九月、平成二五年度から段階的に定年を六五歳に引き上げること、その際民間の実態を考慮して六〇歳を超える職員の年間給与を六〇歳前の七〇％水準に設定すること、能力・実績主義に基づく人事管理の徹底や役職定年制導入等により組織活力を維持する方策を講ずることなどを行うための国家公務員法等の改正を求め、本法第二三条に基づき国会及び内閣に対して意見の申出を行った。これを受けて、政府は関係行政機関による検討の場を設けて検討を行ったが、平成二五年三月、定年延長の公務員先行に対する国民の批判や民間企業では再雇用の義務化での対応が多いこと等を踏まえ、当面、「再任用の義務化」を制度運用の改善により実施することとした。また、年金の支給開始年齢の段階的な引上げの時期ごとに段階的な定年の引上げを含めて改めて検討していくこととされた。

平成二五年以降も人事院は毎年の給与勧告時の報告で平成二三年の意見の申出の実施を求めた。その後、平成二十九年一月の再就職等監視委員会の調査結果の公表により文部科学省職員及び元職員による再就職等規制違反行為が明らかになったことを契機として、政府内では定年延長の必要性が課題として強く認識され、与党内においても一億総活躍社会実現の中で公務員の定年延長が必要との議論が高まった。これを受けて、政府としては、「経済財政運営と改革の基本方針二〇一七」（平成二九年六月九日閣議決定）において、「公務員の定年の引上げについて、具体的な検討を進める」とし、これを受けて関係行政機関による「公務員の定年の引上げに関する検討会」が設けられ、人事院の平成二三年の意見の申出も踏まえつつ検討が行われた結果、「これまでの検討を踏まえた論点の整理」がとりまとめられた。この論点整理では、定年を段階的に六五歳に引き上げる方向で検討することが適当であるとされた。論点整理の内容は、平成三〇年二月一六日、「公務員の定年の引上げに関する関係閣僚会議」で了承の上、閣僚懇談会に報告され、同日、内閣総理大臣から人事院総裁に対し、政府の論点整理を踏まえて国家公務員の定年の引上げについて検討要請が行われた。

人事院は、政府から再任用義務化後の職場状況及び平成二三年の意見の申出を踏まえて論点が示され、再度の検討要請が行われたことから、こうした諸状況を踏まえ検討を行った。特に平成二六年以降の義務化された再任用では行政職俸給表（一）適用者の七〇％が係長・主任クラス官職で、かつ八〇％の者が短時間勤務となっているなど、その能力・経験が生かされておらず、複雑高度化する行政課題に的確に対応し、質の高い行政サービスを維持していくためには、六〇歳を超える職員の能力及び経験を六〇歳前と同様に本格的に活用することが不可欠となっており、定年を段階的に六五歳に引き上げることが必要であることを確認し、改めて本法第二三条に基づき、平成三〇年八月一〇日、定年を段階的に六五歳に引き上げるための本法等の改正についての意見の申出を国会及び内閣に対して行った。これを踏まえ、政府において検討が行われた結果、令和二年三月、本法等改正法案が第二〇一国会に提出されたが、同法案は審議未了で廃案となった。その後、翌三年四月の第二〇四国会に検察庁法の改正を見直した新たな法案が提出され、平成二三年の意見の申出から一〇年後の令和三年六月に漸く成立して公布され、令和五年四月一日から（実施のための準備等の一部の規定は公布日から）施行された。

11　その他の法律の制定

国家公務員法の制定後、同法の予定する法律として職階法、給与法（給与準則までのつなぎとしての位置付け）、補償法などが制定され、その後、派遣法が制定された後は長らく新規立法は行われていなかったが、平成に入って国家公務員制度に関して次のとおり様々な単独法が制定されている。

① 育児休業法
② 勤務時間法
③ 倫理法
④ 官民人事交流法
⑤ 任期付研究員法
⑥ 任期付職員法
⑦ 法科大学院派遣法
⑧ 留学費用償還法
⑨ 自己啓発等休業法
⑩ 配偶者同行休業法

このような単独法が制定した背景は、国家公務員制度の各論的事項について様々な要請が生じる中で、国家公務員法の中に組み込むことは適切ではなく、それを補完する別法の形が適切と考えられたことによる。なお、これらの法律は人事院の意見の申出によるものが大部分を占めているが、中には倫理法のように議員立法もある。

四　国家公務員法の構成

本法は、その目的及び効力に関する規定並びに適用対象を明確にするための国家公務員の職の種別に関する規定からなる「総則」、本法の実施の責めに任ずる行政機関に関する「中央人事行政機関」、国家公務員の任用、給与、服務、分限等の準則である人事行政作用法的部分に相当する「職員に適用される基準」並びに「罰則」の四章、約一八〇箇条で本則を構成している。国家公務員制度の基本に関する領域はほぼ網羅されており、この意味でも国家公務員制度に関する基本法である。

1　総則（第一章）

二箇条から構成され、第一条は、本法の目的及び効力について定められている。すなわち、国家公務員に適用する各般の根本基準を確立し、最高度の能率で職務遂行ができるようにメリット・システムに基づいて任用し、教育訓練や服務管理がなされるべきことを定めることを直接の目的とするものである旨宣言し、国民に対して公務の民主的かつ能率的な運営を実現することが究極の目的であると定めている。また本法の権威を強調するための違反行為の禁止規定、本法の一部の規定が効力を失い、又はその適用が無効とされてもその影響は他の条項又は他の案件には及ばない旨の確認規定及び本法の特別法たる前法に対する優先条項を定め、本法が国家公務員に関する統一的な基本法である立場を明らかにしている。

次に、国家公務員の職を一般職と特別職に分かち、本法を一般職に適用する旨規定し、本法の適用対象を明らかにしている。一般職は職業公務員たる行政機関の職員の職をはじめ多様な職種を含むものであるが、本法が政策的におよそ国家公務員たる職の定義を置かず、制限列挙方式を採っている特別職以外の職を一般職としているため、その範囲には諮問的な非常勤職員の職や臨時の補助職員の職等も、特別職として列挙されているものに該当しない限り、一般職の職となり、本法の適用下に置かれることとされている。職務と責任の特殊性により本法の特例を定める法律等の存在は本法自体が予定しているので、この区分は立法上の整理の問題ともいえるが、特例を定めない限り本法が全ての一般職の職に必然的に適用されることから、特別職の範囲についての立法政策については議論があろう。

2　中央人事行政機関（第二章）

本法では、国家公務員の人事行政を統一的に遂行するため、各府省大臣の人事権を前提としつつも、中央人事行政機関（昭和四〇年本法改正前は人事院）を設置することとしている。戦前にはない制度であり、新しい公務員制度を実施するための中心的な機関とされている。現行制度においては、人事院の設置、組織、権限及び任務並びに中央人事行政機関としての内閣総理大臣の所掌事務等について規定されている。両者がそれぞれの立場で人事行政に関する責務を遂行し、車の両輪として連係するところに本法の適切な実施が実現するものである。なお、平成一一年の倫理法制定により国家公務員倫理審査会が設立されたことに伴い、人事院の調査に関する権限の一部を倫理審査会に委任することとされた。また、平成一九年の本法改正により内閣総理大臣が人事評価及び退職管理等に関して所管することとなったほか、官民人事交流センター及び再就職等監視委員会を設置するための改正が行われた。さらに、平成二六年の本法等の改正により、幹部職員人事の一元管理の導入等に伴って内閣官房に内閣人事局が設置され、人事院と内閣総理大臣の間で必要な役割の整理が行われたが、人事院については、基本的な事務の範囲に変更はなく、憲法に由来する人事行政の公正性の確保や労働基本権制約の代償という基本的な役割は維持された（前記三9(5)参照）。

3　職員に適用される基準（第三章）

人事行政の各論的諸分野に関する基準を定めている部分であり、本法の中心部分をなしている。平成一九年の改正で、章名がそれまでの「官職の基準」から「職員に適用される基準」に改められた。現在、三つの基本的な原則からなる通則と、事項別の節から構成されている。

(1)　第一節の「通則」のうち、平等取扱いの原則は、憲法の法の下の平等の規定を本法の適用にも堅持しようとするものであって本法の適用場面の全域に及ぶものである。人事管理の原則は平成一九年の改正により追加されたものであり、職員の採用後の人事管理が採用年次や採用試験の種類にとらわれることなく、人事評価に基づいて適切に行われなければならない旨、定めている。情勢適応の原則は、国家公務員の給与その他の勤務条件については国会が社会一般の情勢に適応するように随時これを変更できるとし、その変更に関して人事院は勧告を怠ってはならないこと等を規定したものであり、労働基本権が制限されている現行制度においてはことに重要度の高い原則である。

(2)　第二節の「採用試験及び任免」には成績主義の原則とこれを具体化するための技術的事項がかなり細部にわたって規定されている。採用試験、人事評価その他の能力の実証に基づく任用の原則は、本法の定める基本原則の中でも極めて重要なものである。なお、平成一九年の本法改正により職階法が廃止されるとともに、職階制に関する規定が本法から削除され、代わって「職制上の段階」という概念が導入され、これにより昇任、降任、転任の定義付けが行われるとともに、「標準職務遂行能力」という概念が導入され、昇任、降任、転任は職制上の段階の標準的な官職に係る標準職務遂行能力及び任命しようとする官職についての適性を有することが要件とされた。さらに、平成二六年の本法改正により、幹部職員人事の一元化等として、「第六款　幹部職員の任用等に係る特例」及び「第七款　幹部候補育成課程」が設けられた。

(3)　第三節の「給与」においては試験及び任用ともども人又は身分中心の管理から職務中心の管理をすべく職務給の原則を定めるとともに、別に定める給与に関する法律の規定事項、同法における俸給表の決定要素等が定められている。当初、職階制の実施を前提として、給与については職階制に基づく給与準則を定めることとしていたが、平成一九年の本法改正により職階法による職階制を目指すことを止めたことに伴い、「給与準則」は「別に定める法律」(法六三)と改められたものである。なお、従来から給与準則に代わって給与法が給与に関する基本法として機能してきたため、平成一九年改正による実質的な変更はない。

(4)　平成一九年の本法改正により第四節として「人事評価」が、平成二六年の本法改正により第四節の二として「研修」がそれぞれ追加された。従来は、第五節の「能率」の一環として勤務評定が定められていたが、平成一九年改正の柱として能力実績主義の人事管理推進のための基本的な手段として、人事評価が新たに節を設けて規定されたものである。また、研修も能率の一環として定められていたが、平成二六年の内閣人事局の設置に伴って各府省の行う研修の調整等を内閣総理大臣が担うこととなったことを契機に、新たに節を設けて研修に関する規定を充実させたものである。

(5)　第五節の「能率」には能率的人事行政における直接的な能率の発揮、増進の方策が定められている。前述のとおり、勤務評定及び研修に関する規定がそれぞれ平成一九年及び二六年の本法改正により削除されている。他の分野の規定と比べ、関係各庁の具体的な行政施策によって趣旨の実現を求めているところに特徴がある。なお、本節に定める能率増進計画の中には保健や安全保持に関する事項のように勤務条件として捉えることができるものがあり、能率の根本基準の実施に必要な事項について定めた委任命令たる人事院規則は、勤務条件に関する定めとしての意味合いをもっている。したがって、本節に含まれる事項は、内容によっては能率と勤務条件の両面から考察する必要がある。

(6)　第六節の「分限、懲戒及び保障」に関する規定は、国家公務員の利益保護に関する典型的なものであり、かかる規定が置かれたことにより国家公務員が安んじて職務に精励する環境が整ったということができる。すなわち「分限」及び「懲戒」は、身分の喪失若しくは不利益変更の事由又は秩序維持のため処分事由、内容を定めることによって任命権者の恣意的な身分上の権限行使を制約しようとするものである。しかし、これらの保護も究極のところ公務の能率的かつ適正な執行を実現するためのものであり、一方においては消極的運用に堕してはならないという意味を持っていることに留意する必要がある。なお、分限の一環として昭和五六年の本法改正により、定年制の規定が追加され、平成一一年の改正により、年金制度の見直しに伴って再任用等の規定が整備され、令和三年の改正により、定年が六五歳に引き上げられるとともに、役職定年制（管理監督職勤務上限年齢による降任等）の規定が追加されている。また、「保障」は違法又は不当な処分からの救済や勤務条件の改善措置の要求、公務傷病に対する補償に関する基本的事項を定めたもので、関係の法律又は人事院規則とあいまってその利益保護の万全を期すものである。

(7)　第七節の「服務」に関する規定は、国家公務員が国民全体の奉仕者として公共の利益のために勤務しなければならない基本的地位にあることに伴って課される義務及び権利の制限に関して定めたものである。国家公務員の基本的性格に由来する義務等であるので、勤務時間の内外に関係なく、また、休職や派遣のように職務に従事していない場合であっても適用される。また退職後にまで適用される規定もある。

(8)　第八節の「退職管理」は、平成一九年改正により追加されたものである。従来、服務規制の一環として営利企業への再就職について人事院の事前承認制度が設けられていたが、平成一九年の改正により事前承認制度が廃止され、各府省職員が再就職あっせんを行うことを禁止し、あっせんは官民人材交流センターに一元化すること、現職職員が求職活動を行うことを規制すること、退職職員が離職後二年間現職職員に働きかけを行うことを規制することが定められた。また、監視体制の整備のため内閣府に再就職等監視委員会が設置されている。

(9)　第九節の「退職年金制度」は、退職後の所得を保障することによって在職中職務に専心従事させようとするものである。本節は退職年金制度の目的、整備について定めたものであり、具体的な退職年金制度は共済法に基づく長期給付制度として定められている。

⑽　第十節の「職員団体」は、国家公務員の団結権、交渉権と関連して集団的労使関係制度について定めたものである。職員団体の目的及び組織、登録制度、交渉、在籍専従等に関する規定から構成され、労働基本権保障の要請と国家公務員の基本的性格ないし職務性質との調整等が図られている。

⑾　国家公務員法は、制定当初、職階制を人事管理の基礎としていた。職階制は、官職を職務の種類及び複雑と責任の度により分類整理するもので、主に給与制度及び任用制度の設計の基礎として用いることが意図されていたが、分類の精緻さなどが我が国の人事風土と適合せず、実施されずに推移していたものである。平成一九年の改正により第二節の「職階制」の規定は削除されるとともに、職階制は廃止され、同時に「職制上の段階」と「人事評価」が導入されたが、職階制に代わる人事管理の基礎としてどのように機能するかについては、役職段階ごとの標準職務遂行能力の具体性をめぐって、職階制の実現と同様の課題もある（第一条〔趣旨〕五参照）。

4　罰　則（第四章）

本法中重要な事項を定めた規定の遵守を担保するための罰条からなる。

五　国家公務員法の位置付け

1　本法と公務員法制

本法は、第一条第二項に規定されているように、憲法第七三条第四号にいう官吏に関する事務を掌理する基準を定めた法律である。憲法が、官吏制度の基準を法律をもって定めるべきこととしたのは、公務員が国民全体の奉仕者とされ、従前法律によらず大日本帝国憲法第十条の官制及び任命大権により勅令で制度が定められていた天皇の官吏から本質的に性格を転換したことに伴い、国民を代表する国会に国家公務員に関する基準を定めさせようとする趣旨と、重要な行政制度に関する事項は行政府の専断によらず、国権の最高機関をして定めさせようとする趣旨とによるものと考えられる。

本法はまた、憲法第七三条第四号の官吏に関する基準を定めた基本法であり、本法を頂点とする公務員法制の体系整備が意図されている。本法において制定当初法律の制定を予定されたものには、主要なものだけでも、職階制、給与準則、公務傷病に対する補償制度及び退職年金制度がある。なお、このうち、職階制は前述のとおり平成一九年の本法改正により規定が削除され、また、それに伴い給与準則は「給与に関する法律」（法六四1）と改められている。そのほか、人事院規則へ法律事項の広範な委任がなされ、全体で公務員制度を形成しようとされている。さらに、前法たる特別法に対する本法の優先条項（法一5）を設け、その基本法たる地位が強調されている。本法より後に制定された法律が後法優先の原則により優先適用されるのは当然であるが、給与法及び補償法には、本法優先適用の規定がわざわざ置かれている。

ところで、本法は国家公務員に関する基本法であるとしても、以後に定めるべき国家公務員に関する基本的事項の他の法律による定立を否定するものではない。もっとも、その後制定された法律の中には網羅的に基本的事項を定めたものはなく、いずれも局限された事項について定めたものや対象職員を限定して特例を定めたものである。公務員制度に関する主要な法律を類別すれば次のようになろう（第一条〔解釈〕三参照）。

(1)　本法が公務員制度の基本事項を定めるべく予定しているもの

現在、本法の予定する公務員制度の基本事項を定める法律は次のとおりである。当初は、前述のとおり職階制が予定されており、それに沿って職階法が制定されていたが、平成一九年の改正の際、同法も廃止されている。

①　給与法〔本法六三～六五〕

当初、本法は職階制に適合した給与準則の制定を予定していたが、職階制が施行されない中で、給与準則も成立に至ることなく、昭和二五年に成立した「一般職の職員の給与に関する法律」が給与準則が制定実施されるまでの間の暫定的性格を持つものとして機能していた。しかしながら、平成一九年の本法改正により職階制が廃止された際に、本法が予定する「給与準則」も「給与に関する法律」に改正され、「一般職の職員の給与に関する法律」がそれに当たるとの位置付けが付与されるところとなった。

②　補償法〔本法九三～九五〕（ただし、その後、通勤災害に対する保護措置を同法で定めたので、現在、本法が予定したよりも広範な保護制度が定められている。）

③　共済法中の長期給付に係る部分〔本法一〇七、一〇八〕（被用者年金一元化法により、いわゆる二階部分は厚生年金保険法に規定する保険給付となったが、いわゆる三階部分と合わせて共済法中の長期給付と位置付けられている。）（第

一〇七条〔趣旨〕一、第一〇八条〔解説〕四参照）

(2)　本法の特例法（法附則四参照）

①　検察庁法（同法三二条の二）

②　教特法（同法二）（国立大学の法人化に伴い、国家公務員で教特法の適用を受ける者は、文部科学省の研究施設で政令で定めるものの職員のうち専ら研究又は教育に従事する者等に限られる。）

③　外務公務員法（同法二）

④　行政執行法人労働関係法（同法四〇2）

(3)　本法上は予定されていないが、特定の人事行政に関する事項を定めているもの

(ア)　本法が規定している人事行政以外の事項を定めるもの

①　共済法中の短期給付に係る部分

②　宿舎法

③　旅費法

(イ)　本法が規定している個別の人事行政分野について特定の政策目的のために本法の特例を定めるもの

①　寒冷地手当法

②　国際機関派遣法

③　勤務時間法

④　任期付職員法

⑤　官民人事交流法

⑥　退手法

2　本法と一般労働法制

国家公務員とその任命主体である国との関係については、一般の雇用関係を律する法理が妥当しない部分があり、また国家公務員の本質に鑑み、特別の取扱いを定める必要がある事項が存する。このため、本法においては労組法その他の一般労

働関係法を適用しないこととし、例えば、団結権等については本法で別途定められている。一般労働法制のうち、本法との関係を特記する必要があるのは、労基法及び船員法（昭二二法一〇〇）であろう。本法が昭和二三年の改正により、この両法を適用しないこととしつつ、同改正法附則第三条において「別に法律が制定実施されるまでの間、国家公務員法の精神にてい触せず、且つ、同法に基く法律又は人事院規則で定められた事項に矛盾しない範囲内」でこれらの法律を準用する旨、規定したからである。国家公務員の勤務条件の整備を急ぎ、「根本的事項は法律、詳細なる事項に関しては人事院規則」で定めることとするかたわら、それまでの間の準用という趣旨であったことは国会審議の経過からも明らかであったが、準用に関する人事院規則も制定されず、また、勤務条件に関する法律も統一的に立法化されるような事態とならなかったので、労基法の各規定の準用の有無は当初から議論の的であった。詳細は逐条の説明に譲るが、次のように理解すべきであろう。

労基法等に規定されている事項と同じ範疇に属する事項につき、改正前から既に定めが存するものあるいは、その後定めが設けられたものについては準用がない。その定めが労基法等の相当規定と異なる場合はもとより、同じ場合、事項全体としての同一範疇性を持ちながら一部につき定めがない場合においても、準用の余地がないと解すべきである。

また、職員の保健や安全保持に関する事項のように、本法上の定めは限られ、根本基準の実施に関する事項の委任規定に基づいて具体的制度は人事院規則で定められているような場合には、勤務条件は法律によるべきとの観点から、労基法等の準用があるのではないかとの議論もあり得なくはないが、本法が根本基準の実施につき必要な事項は本法に定めるものを除いては人事院規則で定めるとしていることからすれば、人事院規則が正当な委任の範囲で定められる限り、準用の余地はないと考えられる（第一次改正法律附則第三条〔趣旨〕二、〔解釈〕参照）。

3　改革法としての本法

浅井清元人事院総裁はその著書では本法の性格の一つとして改革法であることを挙げておられる（浅井清著『新版国家公務員法精義』三二頁）。妥当な指摘であることは論をまたない。ＧＨＱが第二次世界大戦後の我が国の民主化の推進に当たって官吏制度の改革を重要事項としたことは既に述べたとおりである。前述のとおりフーバー顧問団は昭和二二年四月マッカーサー総司令官に対し中間報告書を提出したが、その中に旧官僚制度を「破壊」し改革するためには強力な力を持つ独立機関——人事院——を設置し、「政治的かつ反動的官僚の圧力」を防ぐ必要があることを力説した記述がある。フーバーの国家公務員法草案に、人事院の決定は「司法手続による再審を受けることがない。」とか、一定範囲内の人事院の予算要求額につき内閣の修正権を認めないとするなどの今日からみれば想定し難い規定があり、官吏制度の改革に向けての情熱のすさまじさを感じとることができる。その原因は、我が国の官吏制度の調査研究活動を通じて、近代的・民主的な人事行政の諸制度が欠落している中で旧体制を支えてきた官僚制が深く根を張って旧来の行政運営の方法を墨守していると認識したことによるとされている。かくしてフーバー原案を基礎として制定され、フーバーの強力な指導の下に昭和二三年に改正された本法には、随所に改革法たる特徴を見いだすことができる。

本法の一部規定の無効が他規定の効力等に影響しないとする当然の規定、本法の前法に対する優先規定等を第一条に置き、特別職の範囲を狭くして本法の適用を免れる弊害を防止しようとしたことをはじめ、再三述べた人事院の権限の強化、本法の忠実な実施を確保するため、技術的な事項の多くを原則的規定と並んで規定していること、従前、我が国の人事管理の中で重要視されていなかった研修、レクリエーション、保健及び安全などに関する事項を能率の側面から捉え、公務の能率的運営のための人事行政上の領域であると位置付けたことなどを具体的に例示することができよう。

4　人事行政に関する規範としての本法

本法は国家公務員の人事行政の規範を定めたものであるが、これを二面から捉えることができると考えられる。

⑴　その一は、国民に対し、国家公務員の人事行政はどのような理念と手法で行うかを示し、これにより、公務の民主的かつ能率的な運営を保障しようとする一面である。この側面においては人事行政の規範は、国民全体の奉仕者たる国家公務員選任の公正性、処遇の適正妥当性、規律の厳正等を内容としていることが必要であろう。平等取扱原則と成績主義原則及びその実現のための採用試験その他に関する技術的規定、勤務条件についての情勢適応の原則と職務給の原則、服務に関する規定等がこの面における規範として典型的なものであろう。かかる規範としての本法の規定は、それが科学的合理性に富んだものであるほどその目的に適うものであり、その意味で科学的人事行政制度の導入を標榜する本法の制定は民主的行政制度としての評価を得られやすいものであったと思われる。

⑵　他の一つは、国家公務員に適用し、公正適切な勤務の提供を期待する規範としての本法である。いいかえれば、日々の人事管理の規範としての本法である。この側面においては、職階制に基づく官職分類は実施されなかったという点に照ら

せば、日々の規範として本法の意義は必ずしも十分であったとはいえない面がある。

とはいえ、昭和三二年以来給与法に基づく分類の方法として導入された役職段階別の職務分類及びそれに基づく任用・給与の仕組みは、各府省の人事運用の中に定着してきている。この仕組みは、公正な採用試験を入り口とし、職務を基本としつつ、職員個人の能力、経験等に応じた人事管理となっており、効率的で信頼される公務員集団を規律するものとして、近代的な公務員制度を導入しようとしている国々の担当官から一定の評価を受けるようになっている。職階制「廃止」と時を同じくして整備された「職制上の段階」や「標準職務遂行能力」は、もともと職階制を目指した現行の給与制度の中で育まれた概念といえるものであり、新たに導入された「人事評価」と合わせて、科学的で公正な人事システムとしてどのように具体化できるのかが今後の課題であろう。

第一章　総　則

（この法律の目的及び効力）

第一条　この法律は、国家公務員たる職員について適用すべき各般の根本基準（職員の福祉及び利益を保護するための適切な措置を含む。）を確立し、職員がその職務の遂行に当り、最大の能率を発揮し得るように、民主的な方法で、選択され、且つ、指導さるべきことを定め、以て国民に対し、公務の民主的且つ能率的な運営を保障することを目的とする。

②　この法律は、もつぱら日本国憲法第七十三条にいう官吏に関する事務を掌理する基準を定めるものである。

③　何人も、故意に、この法律又はこの法律に基づく命令に違反し、又は違反を企て若しくは共謀してはならない。又、何人も、故意に、この法律又はこの法律に基づく命令の施行に関し、虚偽行為をなし、若しくはなそうと企て、又はその施行を妨げてはならない。

④　この法律のある規定が、効力を失い、又はその適用が無効とされても、この法律の他の規定又は他の関係における適用は、その影響を受けることがない。

⑤　この法律の規定が、従前の法律又はこれに基く法令と矛盾し又はてい触する場合には、この法律の規定が、優先する。

〔趣　旨〕

本条は、国家公務員法の目的等を定めている。国家公務員法制定に至る経緯は、既に概説において述べたところであるが、本条との関係において再度確認しておくこととする。

一　国家公務員法制定当時の状況

昭和二〇年八月一五日、我が国は連合国が提示したポツダム宣言を受諾し、第二次世界大戦は終了したのであるが、ポツダム宣言の受諾により我が国政府は「日本国国民ノ間ニ於ケル民主主義的傾向ノ復活強化ニ対スル一切ノ障礙ヲ除去」することを内外に公約したこととなった。大日本帝国憲法の下で国政上確固たる地位を占めていた官僚機構についても、軍部、財界とともに第二次世界大戦の主要な原因をなしたものとして、ポツダム宣言に沿った改革の必要性が指摘され、昭和二〇年一一月一三日にはいち早く「官吏制度改正ニ関スル件」が閣議決定され、翌昭和二一年四月一日以後、各庁職員通則（昭二一勅令一八九）、官吏任用叙級令（昭二一勅令一九〇）等により、官名の統一、勅任、奏任、判任の別の廃止等が実施に移されていった。さらに、昭和二二年五月三日の日本国憲法の施行に伴い、「天皇の官吏」から「国民全体の奉仕者」に位置付けが変わることにより公務員制度には抜本的な改革が必要となった。一方、これより先、公務員労働組合の賃金攻勢を受けていた渋沢大蔵大臣は政府職員の給与制度についての助言を連合国側に求め、これを受けた連合国側は合衆国・カナダ人事委員会連合会会長であるブレイン・フーバーを団長とする「対日アメリカ合衆国人事行政顧問団」を日本に派遣することとした。顧問団は、昭和二一年一一月三〇日に来日し、日本側の行政調査部と協力して、日本の民主化を推進するというポツダム宣言の趣旨にのっとり、旧官僚機構の根本的かつ民主的な改革をめざして調査・研究をすすめ、昭和二二年六月、本法の原案が日本側に示されたのである。

フーバーが日本側に示した法案は、その後の日本側における国家公務員法案の作成及び国会における審議の段階で種々の修正が加えられ、昭和二二年一〇月二一日、国家公務員法（昭二二法一二〇）として成立した。その修正の中には次のような極めて重要なものも含まれていた。すなわち、フーバー案で否定されていた労働基本権を国家公務員に容認し労働条件は労働協約によって定めることとしたことと、フーバー案で予定されていた強力な中央人事行政機関としての人事院に代えて、その権限が限定された人事委員会を置くこととしたことである。

このようにして成立した本法の内容には職階制など第二次世界大戦前の我が国の制度にはみられない新たな人事管理手法も取り入れられていたため、これらの準備が整うまでは本法を全面的に適用することはせず、政府においては人事委員会が発足するまでのつなぎとして設置された臨時人事委員会を中心に本法の段階的適用の準備が進められることとされた。一方、第二次世界大戦後の混乱した異常な経済情勢の下で国鉄労働組合や全逓信従業員組合を中心とした全官公庁労働組合は我が国労働運動を主導し、賃金闘争を中心とする労働運動、政治運動の激しさは昭和二三年七月に至りその頂点に達した。このような状況の中で、同月二二日、マッカーサー連合国軍最高司令官は芦田内閣総理大臣宛てに書簡を発し、公務員の労働協約締結権及び争議権を否認した。書簡を受けた日本政府は、同月三一日、国内法として「昭和二十三年七月二十二日附内閣総理大臣宛連合国最高司令官書簡に基く臨時措置に関する政令（昭二三政令二〇一）」、いわゆる政令第二〇一号を公布、即日施行して、公務員の労働協約締結権を否定するとともに争議行為を禁止する一方、臨時人事委員会をして公務員の利益の保護に当たらせることとした。

昭和二三年一二月の本法の大改正は、いわゆるポツダム命令として国会の議決を経ないままに行われた公務員の労働基本権の制限等の措置を法律をもって規定することを主たるねらいとして行われたものである。この改正によって本法には基本的にフーバー案に盛込まれていた制度が復活し、人事委員会は現実には発足しないまま臨時人事委員会が人事院となるとともに、人事院は労働基本権を制限された公務員の利益の保護の責めにも任ずるものとなった。本条第一項の本法の目的規定中の国家公務員に適用すべき各般の根本基準の中に労働基本権制約の代償措置を念頭に「職員の福祉及び利益を保護するための適切な措置」が含まれなければならないことが規定されたのもこのときであり、また、人事院の独立性を担保するための措置（法三現3、四4、一三現4、一六など）のほか、労働基本権制約の代償措置の根幹たる人事院の国会及び内閣に対する報告及び勧告の制度もこのときに設けられた（法二八）。

このように大日本帝国憲法下の身分的な官吏制度を打破するという目的を達成するために制定された本法には、職階制など科学的人事行政を基本とする公務員制度の具体的内容を定める規定とともに、旧官吏制度から新たな公務員制度への移行を円滑に進めるための必要性に基づいて置かれている経過的な意味合いの強い規定、すなわち新たな公務員制度が定着した現在ではその意味が分かりにくい規定も見受けられる。本条の第三項から第五項までの規定もそのような性格の規定である。また、令和三年の改正で削除された、旧附則第九条（在職高級公務員の資格再審査試験、いわゆるＳ―１試験の根拠）の規定もそうであった。このように旧官僚機構を打破し、新たな公務員制度をうちたてようとする意欲に燃えた本法を浅井元人事院総裁は「改革法」としても位置付けている（浅井清著『新版国家公務員法精義』三一頁）。

二　公務員の本質の変化

大日本帝国憲法の下における官吏とは、公務従事者の中でも天皇の任官大権により一定の官（武官以外の文官には、職務の大まかな種別等により、一般の文官のほか、外交官、技術官、教官、地方官等の区別があった。）の身分（地位）を与えられた者のことをいう。官は、ポストではなく、官吏としての身分（地位）を示すものであり、天皇との身分的な疎遠の関係により、勅任官（親任官を含む。）、奏任官（以上、高等官）、判任官のいずれかに分けられるとともに、更にそれぞれ複数の「官等」に位置付けられた。官吏は、一般国民に対しては天皇の名において行政を執行する特別の身分を有するものとされ、その行動規範は、官吏服務紀律（明二〇勅令三九）第一条の「凡ソ官吏ハ天皇陛下及天皇陛下ノ政府ニ対シ忠順勤勉ヲ主トシ法律命令ニ従ヒ其職務ヲ尽スヘシ」の規定に明瞭に示されているように、まず第一に「天皇陛下ノ官吏」であり、その身分に伴う忠実無定量の勤務義務を負い、給与も官吏としての体面を保つためにふさわしいものとして支給された。官吏以外の雇員、傭人は公務に従事していても、その法律関係は一般私法上の関係にあるものと解され、公務従事者は、ドイツ帝国（当時）の制度にならい官吏とそれ以外という二元的な構成がとられていた。

これに対し、日本国憲法では、「すべて公務員は、全体の奉仕者であつて、一部の奉仕者ではない。」（憲法一五２）と位置付けられ、「公務員を選定し、及びこれを罷免することは、国民固有の権利である。」（憲法一五１）とされ、日本国憲法の施行とともに旧官吏制度はその精神においてもその内容においても、根本的な改革が行われなければならなかった。すなわち、公務員が全体の奉仕者であることから、「天皇の官吏」であることはもはや許されなくなるとともに、公務に従事する者は、すべて全体の奉仕者でなければならず、この憲法上の理念に反する形での公務員の身分的な二元構成も許されないこととなった。また、憲法第一五条第一項は国民に個々の公務員の具体的任免の権能を与えたものではないとするのが憲法解釈上の通説であるものの、この規定により旧官吏制度のごとく官吏の地位が天皇の任官大権に由来するとするような考え方は根本的に否定され、公務員の地位は主権者たる国民の意思に基づくべきものであるとの考え方に立脚した公務員制度の樹立が要請されることになった。さらに、憲法第七三条第四号は、内閣が官吏に関する事務を掌理するについて、その基準は法律で定められるべきことを規定した。これは、旧官吏制度においては、任官大権に基づき勅令で自由に任用・給与等の基準を定めることができたものを、全体の奉仕者たる公務員制度の基準は、「国権の最高機関」（憲法四一）である国会が法律で決めることが相当であることと同時に、政治的中立性の確保が求められる公務員人事制度の基準を時々の政権の自由に委ねないことを明示したものと解される。

三　国家公務員法の目的

本条では、国家公務員に適用すべき各種の制度の根本基準を定めることと、職員の職務の遂行が最大の能率を発揮して行われるようにすることが本法の直接の目的として定められており、その職員の能率の発揮のため、そもそもの職員の選択、すなわち任用が民主的な方法で行われるべきこと、更に採用の後の指導も民主的な方法で行われるべきことが規定されている。ここに民主的とは、先に述べたように、大日本帝国憲法の下で天皇の官吏として任用され勤務に服した旧官吏制度における原理とは異なった、国民の意思に基づいた公務員制度が構築され、運営されるという意味を持つものである。この新たな原理に基づく新公務員制度によって、国民に対して公務が民主的に、かつ能率的に運営されることを保障することが本法の究極的な目的である。

公務が民主的に運営されるということは、選挙その他の方法によって明らかにされた国民の意思が時の内閣を通じて内閣及び各府省の行政事務に適切に反映されるということである。我が国は第二次世界大戦の敗戦を通じて、国政の運営が国民に不幸な生活を強いる結果をもたらすということを体験したのであり、その反省に立って行政運営全般にわたり、民主主義の考え方に立脚した諸改革が行われてきたところである。現実に各府省の行政事務を担うものは個々の国家公務員であるから、行政の民主的で公正な運営を確保するためには、国家公務員が安じて職務に当たれるよう、その人事制度（公務員制度）及びその具体的な運用の政治的中立性及び公正性が確保される必要がある。また、このことから、公務員の人事行政は、あらゆる行政の基礎となる「基盤行政」として評価されている（辻清明著『公務員制の研究』一二頁）。

公務は、国民の生命・身体・財産を保護し、その幸福を実現することを目指すものであるので、資本主義経済社会の中にあっても、民間企業と異なり、利潤を追求するものではない。それ故、原則として経済的な競争関係の下で、市場原理を適用して業務を遂行することはなじまない。しかしこの点を一方からみると、官僚組織は、権限強化のために組織拡充を図る傾向を有しやすいという特性があることがパーキンソンの法則によって指摘されているところである。このような性質を有する公務においては、近時は、民間的業務運営手法の導入等によりコスト意識も持ちながら、本来の目的実現に向けて個々の国家公務員が自覚的に、それぞれの職務の能率的な運営に努めることが期待されているのである。

行政運営の方法は時代とともに変化しているが、本法は、公務の民主的運営という価値と公務の能率的運営という価値を究極的に国民に対して保障する国家公務員制度を確立するため、各府省の行政事務に従事する公務員が、「その職務の遂行に当たり、最大の能率を発揮し得るように、民主的な方法で、選択され、且つ、指導さるべき」ように、各般の根本基準を定めているものである。成績主義の原則による任用制度、給与その他適正な勤務条件の保障に関する制度、人事評価制度、研修などの能率の発揮策、身分保障制度、服務制度等第三章で述べる公務員制度の各論を構成するものは全てこのような目的の実現のために定められた根本基準の内容をなすものである。

本法は、空席となった官職について、公務内外を問わずに適任者を補充するいわゆる開放型人事を原則としているようにも解されるが、我が国全体の雇用慣行の下、部内育成、長期雇用型の伝統的な公務員人事管理を否定するものではない。すなわち、前述の根本基準によって定められた制度の下で、職務遂行に求められる能力を実証され、採用された国家公務員が、職務遂行や研修を通じて、より高度の職務遂行能力を獲得しながら、適正な人事評価の下で適切に配置され、昇進し、同時にその身分と適正な勤務条件の保障を受けることができるという現行の人事システムは本法を具体化したものであり、これによって、職員個々人の職務の遂行について最大の能率が発揮されることが期待されているものである。そして職員個々人の能率が最大限に発揮されれば公務全体としての能率も最大限に発揮できるとするのが本法の考え方であり、このようにして公務全体の能率的運営を確保することによって、効率的な行政の実現をも意図したものと考えられる。

四　国家公務員法の性格

本法の性格については、①公務員法制の「基準法」であること、②人事行政の技術を規範化した「技術法」であること、③職員の福祉及び利益を保護する「保護法」であること、④新しい公務員制度を確立するための「改革法」であることが指摘されている（佐藤功・鶴海良一郎著『公務員法』二六〜二八頁）。

憲法第七三条には、内閣が官吏に関する事務を掌理する際の基準は法律で定められなければならないことが規定されている。前記①のとおり、この基準を定めるものこそが本法であり、内閣の下にあって官吏に関する事務を処理しているのが中央人事行政機関としての人事院及び内閣総理大臣である。ただし、法律技術的には本法は一般職の国家公務員に関する基準を定めるものであり、国会職員、裁判所職員、自衛隊の隊員などの特別職の国家公務員についてはその範囲のみを定め、人事制度に関する基準はそれぞれ別の法律に委ねられている。これら特別職の国家公務員についての法律も、民主主義に基づくその基本的思想、具体的な人事行政の展開については、本法に準拠しており、本法が我が国の公務員制度全体の根幹をなすものであるといえよう。

五　旧職階制と職階制廃止後の公務員制度

1　概観

職階制は、国家公務員制度全体の理念的な基盤をなす制度であったが、平成一九年の本法改正（平成二一年四月施行）の際、役職段階別に標準職務遂行能力を定めることにより、任用の定義や任用の際の能力実証の基準の明確化が可能であり、これによって、人事行政の運営の基礎を提供するという職階制の目的は実現できること、さらに、職階制は五十年以上にわたり実施されておらず、今後も実施の見通しがなく、加えて、給与制度では給与法により職階制の趣旨が実現されており、給与制度の基礎としても職階制を形式的に存置しておく必要性は認められないこと等の理由で廃止された。

既に述べたとおり、国家公務員法は、第二次世界大戦前の身分的な公務員制度を排し、公務の民主化、能率化を促進するため、それまでの身分や「人」を中心とした制度に代えて、「官職（仕事）」を中心とした民主的・科学的な人事管理制度を導入しようとしたものであり、それを実現するための基幹的な制度として職階制を採用したものである。

職階制は、多種多様な官職を職務と責任の類似性と相違性に基づいて分類し、職級（class）への格付けを行う米国連邦公務員の官職分類制度（position-classification plan）を参考にした制度である。官職を分類し、必要な資格要件を定めることにより、職務遂行能力の実証（メリット・システム）に基づく採用・昇任を行うとともに、官職の職務と責任に応じた給与制度を設け、科学的・民主的な人事行政を構築しようとしていた。

こうした職階制を実施するため、昭和二五年には職階法が制定され、人事院は、昭和二七年に職階制の実施案（「職種の名称及び定義」）を国会に提出するとともに、翌年それを前提とする給与準則案を国会及び内閣に勧告するなど準備を進めたが、結果として実施に至らなかった。

しかしながら、以上のような職務ないし仕事を中心として人事管理制度を構築するという職階制の基本的な考え方は、昭和三二年には給与面において給与法上の給与等級の分類を通じてゆるやかな形であるが実現され、その後も給与上の昇格管理を通じて定着していった。その後、平成一九年の本法改正において人事評価制度を導入する際に、全府省共通に役職段階（職制上の段階）別に職務遂行能力基準（標準職務遂行能力）を定めることとされ、従前から行われていた給与制度上の各役職段階の標準的な職務を踏まえながらそれらの能力が定められた。これに伴って、本法上、官職分類の基準としての職階制の規定は不要であると考えられ、その際に削除することとされたものである。このように標準職務遂行能力概念を導入した現行の国家公務員法には、給与実務で定着してきた職階制の基本が受け継がれており、国家公務員制度を理解する上で、職階制についての知識は重要である。したがって、職階制について、その概要を解説するとともに、その廃止後の公務員制度について概観する。

2　職階制に関する本法の旧規定の骨格

平成一九年の法改正で規定が削除されるまで、国家公務員法には、次のような職階制に関する規定が設けられていた。

(一)　職階制の確立（旧法二九）

職階制は、法律（職階法）で定め、人事院は、職階制を立案し、官職を職務の種類及び複雑と責任の度に応じて、分類整理しなければならないこと。

職階制においては、同一の内容の雇用条件を有する同一の職級に属する官職については、同一の資格要件を必要とするとともに、当該官職に就いている者に対しては、同一の幅の俸給が支給されるように、官職の分類整理がなされなければならないこと。

給与法第六条の規定による職務の分類は、（職階制が実施されるまでの間）職階制に適合するものとみなすこと。

(二)　職階制の実施及び官職の格付（旧法三〇、三一）

職階制は、実施することができるものから、逐次実施すること。

人事院は、職階制の適用される全ての官職をいずれかの職級に格付しなければならないこと。

㈢　職階制によらない官職の分類の禁止（旧法三二）

一般職の官職について、職階制によらない分類をすることはできないこと。

なお、一般職の官職のうち、①検察官の官職、②非常勤官職、③管理監督者以外の国営企業勤務職員の占める官職については、職階制は適用されないこととされていた。

3　職階制の意義

官民を通じて規模が大きな組織では、職員数も多く、仕事（職務）も多種多様に分かれており、職員一人ひとりに対する個別の対応では公正で効率的な人事管理の運営を行うことは容易ではなく、ポスト又は職員について、なんらかの分類を行い、それぞれに応じた人事管理を行うことが必要である。

制定時の国家公務員法は、このような実際的な要請とともに、冒頭に述べた第二次世界大戦前の身分的な「人」を中心とした制度に代えて、「仕事（官職）」を中心とした民主的・科学的な人事管理制度を導入するため、職階制による職務分類制度、すなわち官職の職務の種類及び複雑と責任の度のみを基準とした分類制度を導入し、これに基づいて、能力の実証に基づく採用や昇任を行い、職務の内容と責任に応じた公正な給与を支払い、研修に活用することを予定していた。

4　官職分類の手法及び格付け

職階制における官職分類は、「職務記述書」を用いた、積み上げ式のいわば帰納的な分類方式をとっており、具体的には、全ての官職について職務調査を行って「職務記述書」を作成し、これらを分析することにより、格付基準となる「職級明細書」を作成・公示し、個別の官職をこれに当てはめること（格付け）により、官職の分類を行うことが職階法に定められていた。

分類の段階としては、職階法上、「職級」及び「職種」の二段階が予定されており、「官職」を「一人の職員に割り当てられる職務と責任」と定義した上で、職務と責任が十分類似した官職のグループを、分類の最小かつ基本的な単位として「職級」と呼び、職務の種類が類似していて、複雑と責任の度が異なる「職級」のグループを「職種」と呼んだ。さらに、法律上の規定はなかったが、職階制をわかりやすくするため、類似の「職種」を大括りにした「職群」を設けることとしていた。

職種の数は、立案過程において変動があり、円滑な導入のため簡素化が図られていったが、昭和二九年時点では、全体で一二六種とされていた。例えば、主なものは、次のとおりであり、各職種は、職務の複雑と責任の度に応じて、それぞれ三から八程度の職級に分かれていた。

> 一般行政職、翻訳職、一般事務職、法制職、公正取引審査職、法務職、保護観察職、入国審査職、外事職、税関業務職、財政管理職、金融管理職、一般工学職、教育管理職、保険数理職、農林経済職、農務職、林務職、水産職、商業管理職、工業管理職、鉱山職、電波監視職、郵政管理職、労働管理職、労働基準監督職、警察職、矯正職、公安調査職　など

また、官職の職級への格付けは、分類整理の最終段階として、官職の分類体系において当該官職の位置付けを確定することを意味し、具体的な作業としては、個々の官職について、その職務の種類及び複雑と責任の度を表す要素を基準に照らして分析評価し、各官職をいずれかの職級に当てはめるものであった。このような格付けにより、当該官職への任用に際しての職級ごとの資格要件が具体的に明らかとなり、当該官職が属する職級についての給与準則の具体的な適用関係が明らかになるのであった。なお、外務職員については、外務公務員法により、官職の格付は外務大臣が行うこととされていた。

5　職階制の任用、給与への活用

人事院は、職階制の任用への活用について、昭和二七年に人事院規則（人規八—一二）を制定するとともに、翌年、職階制に基づく給与制度を定めた給与準則案を国会、内閣に勧告したが、職階制本体が実施に移らない中で、前者の人事院規則の職階制関係部分は施行されず、後者の給与準則案は法律化するに至らなかった。職階制下で想定していた任用、給与制度は次のとおりであった。

㈠　任用

任用制度から身分的な要素を排除し、官職への欠員補充であることを徹底するため、職級ごとに任用資格要件を定め、これを通じて職員の職務遂行能力を検証することとした。

また、異なる職種間を含めて、官職の上下関係を明らかにし、任免における能力実証主義を徹底するとともに、身分保障に資するように、各職種共通の任用等級（八等級）を設け、異なる職種の各職級との対応関係を整理し、採用後の任用行為が、上下異動か（昇任、降任）、平行異動か（転任、配置換）の明確化を図った。

例えば、次の表のとおり、職級が「三級翻訳職」の官職に就いている者を、「四級一般行政職」の官職に異動させようと

する場合は、任用等級五等級から四等級への異動であり、昇任に当たり、選考による能力実証が必要とされた。

（表）職級と任用等級の対応関係

職種＼任用等級	一等級	二等級	三等級	四等級	五等級	六等級	七等級	八等級
一般行政職	一級	二級	三級	四級	五級	六級	―	―
翻訳職	―	―	一級	二級	三級	四級	五級	―
警察職	一級	二級	三級	四級	五級	六級	七及び八級	―

（略）

㈡　給与

給与制度については、職務給原則の実現のため、各職級と、給与準則で設ける各俸給表の各等級との対応関係を整理し、職級が決まれば、俸給表と俸給表の等級が決定される仕組みとし、後は職務経験等を考慮して、俸給表の各等級の初号俸から最高号俸の間で、具体的俸給額（号俸）を決めればよいこととなった。

（表）職級と俸給表の等級の対応関係　――　行政職俸給表（当時）の場合

職種＼俸給表の等級（代表官職）	一等級（本省次官）	二等級（本省局長）	三等級（本省課長）	四等級（本省補佐）	五等級（上級係員）	六等級（中級係員）	七等級（初級係員）
一般行政職	一級	二級	三級	四級	五級	六級	―
翻訳職	―	―	一級	二級	三級	四級	五級
一般事務職	―	―	―	―	一級	二級	三級

（略）

6　職階制のその後の推移と廃止までの状況

国家公務員法の理念を実現すべく設計され、かつ、人事院によって、職務分類及び任用、給与等への活用の双方について、関係人事院規則等の制定（昭和二七年）、職種の全体像である「職種の名称及び定義」の国会への提出（昭和二七年五月）、「職階制に基づく給与準則」の制定についての国会及び内閣に対する勧告（昭和二八年七月）など様々な準備が進められた職階制であったが、国会における具体的な審議は進まず、実施の目途はつかなかった。このような中、昭和三〇年の公務員制度調査会や昭和三九年の臨時行政調査会の答申や意見などにおいて、簡素化した上で実施することも探られたが、結果として、昭和五七年の第二次臨時行政調査会基本答申で廃止の方向性が示されるに至り、更に平成一九年の法改正での廃止につながったものである（ちなみに、昭和五七年以降、人事院を中心に職階制廃止後の職階制に代わる現実に即して運用が可能となる新たな官職分類の導入の検討が試みられたが（昭和五八年人事院給与勧告時報告「別記」参照）、各種勤務条件制度の改正など当面の諸課題の処理が優先され、結果として成案が示されることはなかった。）。

次に、職階制が、結果として実施されなかった理由としては、以下のような状況が挙げられよう。

第一に、本法制定時に考えられた職階制は、厳格な官職中心で、かつ外部・公務部内を問わず適任者を任用するというオープンシステムの人事制度であったが、我が国の組織、人事風土と適合しなかったことである。例えば、我が国では、①個々の職員の従事する職務の範囲やその責任の程度は固定されておらず、職員相互に補完しながら集団で職務遂行している（集団的執務）ほか、②新規学卒者を定期採用して部内育成する人事管理が基本であり、組織内での広い範囲の定期異動を通じて、実務的経験を蓄積させ、昇進させること（長期継続雇用、人事当局主導による「人」を重視した管理）によって、組織活力の維持・向上を図るという考え方及びそれに基づく運用が民間を含めて一般的であったからである。

第二に、個々の職務分析の積み上げによる官職分類を行い、かつ、職務内容の変化に機動的に対応してこれを適正に維持するためには、膨大な人員と事務負担などのコストが必要とみられたことである。

第三に、制度が理念的かつ技術的になり過ぎた面もあり、実際の人事を行う各省庁から、専門性により職種を細分化すると異動・昇進の範囲が狭くなり、円滑な人事配置に支障を生ずるなど人事権の制約と受け取られ、また、人の属性をも考慮しつつ行っている人事の実情に合わないと考えられ、十分な支持が得られなかったことである。また、職員側からも、職階制の導入により、上下の給与格差が拡大し、一般職員の給与が抑制されるのではないか（上厚下薄）等の不安をもって受け取られたからである。

なお、職階制が実施されるまでの間の科学的な人事行政を担保する方策として、本法第一次改正（昭二三改正）により、「政府職員の新給与実施に関する法律第一四条の規定による職務の分類は、これを本条その他の条項に規定された計画であって、かつ、この法律の要請するところに適合するものとみなし、その改正が人事院によって勧告され、国会によって制定されるまで効力をもつものとする」（旧法二九5）とされていた。このような給与を通じた職務分類は、昭和三一年には、俸給表に八等級制が導入されることによって一応の確立をみることとなった。これを契機として職務給を基本とする給与制度が徐々に定着していくが、その際の俸給表の職務の級による職務分類が、前述の規定に基づいて、本法上の要請に適合する職階制の計画とみなされ、任用、給与等の基礎として用いられるなど、平成二一年に任用について「職制上の段階」及び「標準職務遂行能力」が導入されるまで職階制に代わる機能を果たしていた。このように、職階法が予定した精緻な官職分類による職階制は実施されなかったものの、本法が予定した職務と責任（官職）を基本とする人事管理の理念を実現するため、官職を基礎とした任用制度、職務給原則に基づく給与制度がそれぞれ俸給表上の職務の級の分類を活用して運用されてきた。実際の運用に当たっては、官職を基準とする人事制度の下で、部内育成と長期雇用を基本とする人事管理が適材適所を実現できるように、個々の職員の経験や能力伸長など「人」の要素を考慮しながら人事を行うことが可能な仕組みであった。これは、部内育成と「人」を重視した人事管理を前提とする公務組織において、能率的で公正な人事を実現する観点から必要なものであったが、結果としてみれば、これらの制度や運用が実際に機能しているが故に、本法の予定した職階制の本格実施の必要性が消え、むしろ長期にわたる暫定的な状況の継続の背景となったといえよう。

7　職階制規定削除後の公務員制度

既に述べたように、平成一九年の本法改正により職階制の節は削除され、その際、職階法も廃止されたことにより、「職階制を廃止した」と説明されている（平二〇・五・一四衆議院内閣委員会）。しかし、これまで説明してきたとおり、本法の体系の土台となる「職階制」を「官職分類による官職の格付けを基準として任用、給与等を実施する仕組み」と理解するなら、平成一九年の本法改正後も給与法による級別職務分類、級別定数の設定と職責に応じた俸給（職務の級）が実際の人事運用の中心にあることは変わっておらず、職階制の規定が削除された後も、これまでと同様に、「職階制」は給与法の中に実態として生きているということができる。法制的にみても、給与は「職務と責任」に応じて支給する（職務給原則）（法六二）、任用についても官職の属する職制上の段階を基準として「受験成績、人事評価又はその他の能力の実証に基づいて」行う（法三三1、三四1）とされており、職務を中心として組み立てられた本法の基本構造は変わっていない。もちろん、ここでいう実態としての「職階制」の具体的内容は、本法が当初予定していたものとは異なるものではあるものの、既に昭和三〇年代から給与法の職務分類を通じて、「人」の要素にも着目した上で、職務を中心とした人事管理が、給与、任用の両面において定着してきている。職階制の規定を削除した平成一九年の本法改正は、いわばこれらを正面から容認したものと評価することもできなくはない。しかしながら、その一方で、職階制の規定を削除する際、任用基準の統一性を担保する手段として、給与法の職務の級によるのではなく、官職の属する職制上の段階を用いて行うこととしたため、給与と任用の対応関係に不一致が生じる場合があるなど実務上の混乱も発生しているとの指摘もある（例えば、行政職俸給表㈠七級の室長が行政職俸給表㈠八級の地方機関の長に異動する場合、従前であれば、給与上の昇格は任用上の昇任として扱われていたが、現在では、本省と地方機関とは、部局等の組織区分が異なるため、官職の属する職制上の段階の上下関係が比較できないものとして、その間の異動は、給与上は昇格、任用上は転任とされている。）。官職の上下関係は組織区分が異なっていても、本来存在するものであり、他に手掛かりがないときには最終俸給水準（給与等級格付け）をみてそれを決めることには、合理性、納得性があるものといえよう。米国やドイツをはじめ諸外国の公務員制度をみても、給与の格付けは、任用の格付けの基礎となっているのが一般的であり、現行法のように給与と任用の分類を形式的ではあっても別体系としたことは、人事管理制度上、果たして適切であったのか疑問は残るところである。

また、任用基準についても、かつて職階制の理念として追求されたものの実現できなかった細かな官職グループ（職級）に対応する基準から、課長、課長補佐、係長など典型的な職制段階に求められる一般的な職務遂行能力（標準職務遂行能力）に改めたことは、現実的な対応であり、能力主義人事の実現を一歩前進させるものともいえようが、これまで「官職（仕事）」に求められる職務遂行能力を客観的に整理することが困難であったことが職階制の実現しなかった要因の一つであったことを踏まえると、果たして任用基準として本当に機能するものになるのか、仮にそうでない場合にはどのような仕組みを補助手段（サブシステム）として用いることが適当なのかなどについて分析及び検討が必要となろう。

さらに、現実の公務員人事管理については、依然として、採用試験による人事グループの存在と硬直的な昇進管理、個々の職員の専門能力の軽視や専門性の欠如などが繰り返して指摘されており、これらに伴う問題を解決するためには、能力主義人事管理の推進に向けた年次や年功を重視した人事の見直し、職務領域や専門分野を明確にした職員グループ・人材育成コースの形成、人事評価制度の定着・改善などが課題であるといえよう。これら課題の多くは、もともと職階制が適切に機能することによってその本質的な解決につながると考えられていた。民間企業においても仕事を基準とした「ジョブ型」正社員を検討すべきという議論が生じる中で、公務において職階制をどう捉え直すかが新しい課題ともいえる。なお、標準職務遂行能力は、その内容が抽象的であり、それだけでは十分な機能を発揮し得ない以上、官職を基礎に置きつつ、職員のこれまでの経歴や潜在的な能力等をも総合的に評価し得る人事管理をいかに合理的かつ科学的に確立していくのかという検討が必要であり、前述の諸課題に適切に対処する上でも、給与制度と任用制度が一体となって対応できるような概念の再構築が必要と考える。

〔解　釈〕

一　官吏と公務員

本条第二項においては、本法が憲法第七三条の定めるところにより内閣が掌理すべき官吏に関する事務の基準を定めるものであることを明らかにしているが、憲法では、「官吏」という用語と「公務員」という用語が併せ用いられている（官吏…憲法七、七三　公務員…憲法一五、一六、一七、三六、九九、一〇三）。しかしながら、「官吏」と「公務員」とが、憲法上の概念として二元的に対立し、並存しているわけではない。およそ全ての公務従事者は、国民全体ないしは地域住民全体に対する「全体の奉仕者」であり（憲法一五2）、国民主権主義に立脚する現行憲法上「全体の奉仕者」でない公務従事者の存在は認められないものである。したがって、憲法上の用語として官吏と公務員とが併用されていても、それは憲法制定当時の状況下での単なる用語上の問題であると解さざるを得ない。ただし、憲法の各規定を個別に検証すれば「公務員」の用語を用いている場合の方が、「官吏」の用語を用いている場合よりも公務従事者を広く把握して規定しているといえるであろう（例えば憲法第一五条の「公務員」は最も広い把握が行われており、公法人の役職員も同条の「公務員」に当たるとする説もあるほどである。）。一方、憲法第七三条第四号は、内閣は官吏に関する事務を掌理すると規定しており、現行憲法下でも国の公務員を「官吏」とする用例もある。なお、このほか、「官僚」という語が幹部ないし幹部候補者、あるいは企画立案部門等の国家公務員を念頭に用いられることもあるが、これは法律上の用語ではない。

二　日本国憲法第七三条の官吏の範囲と国家公務員法の適用対象

本法は憲法第七三条第四号の内閣が官吏を掌理する基準を定めるものであるが、そもそも同条にいうところの官吏には、三権分立の原則及び地方自治の原則上、国会議員及び国会の職員並びに地方公務員は含まれないものと考えられている。裁判官に関しては、その任命を内閣が行うことから（憲法七九、八〇）、憲法第七三条にいうところの官吏に含まれるとする説と、下級裁判所の裁判官は最高裁判所が指名することから（憲法八〇）、憲法第七三条にいうところの官吏には含まれないとする説とがある。いずれにしろ、裁判官には本法は適用されない（法二3⑬）。また、裁判官以外の裁判所職員は、最高裁判所が任命権を有していることから、同条にいうところの官吏に含まれない。

本法の適用対象となる公務員の範囲は国家公務員たる職員のうち、行政府の職員であっても国務大臣、自衛隊の隊員等の特別職の職員は含まれず（法二参照）、本法においては一般職の国家公務員（法二2）のみを対象とし、憲法第七三条にいう官吏に関する基準を定めている（昭和二六年三月三一日までの間、裁判官以外の裁判所職員が、同年一二月三一日までの間、国会職員が、それぞれ一般職の国家公務員とされ本法の適用を受けていたため、その間は憲法第七三条の官吏の範囲を超える公務従事者についての基準が定められていたことになるが、これは、近代的国家公務員制度としての本法の目的及び技術的性格がこれらの職員についても妥当するため、国会及び裁判所の職員についてそれぞれ立法措置が講じられるまでの間、暫定的にとられた措置である。なお、一般職、特別職を問わず適用される公務員関係法としては、退手法、旅費法等がある。）。

三　官吏に関する事務を掌理する基準、国家公務員制度を定める法体系

本法は、その目次に従って述べれば、第三章において、通則、採用試験及び任免の通則、採用試験、採用候補者名簿、任用、休職・復職・退職及び免職、幹部職員の任用等に係る特例、幹部候補育成課程、給与の通則、給与の支払、人事評価、研修、能率、降任・休職・免職等、定年、懲戒、勤務条件に関する行政措置の要求、職員の意に反する不利益な処分に関す

る審査、公務傷病に対する補償、服務、退職管理、退職年金制度、職員団体といった内容の基準を、「官吏に関する事務を掌理する基準」として具体的に定めている（法一2）。しかしながら、国家公務員制度は、趣旨においても述べたように本法のみならず多くの法律によって構成されており、そのそれぞれが「官吏に関する事務を掌理する基準」を定めているといえよう。また、後に述べるように本法は命令として人事院規則という特別の法源を創設しており、この人事院規則に数多くの立法の委任が行われている結果、人事院規則によって具体化されている官吏に関する基準も多い。

ここで、本法との関係において、広く公務員制度を構成する諸法律を大別すれば、①給与法、補償法など本法自体が特定の人事行政分野について別途制定を予定している法律（規定内容が技術的かつ詳細にわたるため、人事行政の基本法である本法に直接規定することが必ずしもなじまず、別法に委ねているもの）、②検察庁法、行政執行法人労働関係法、外務公務員法、名称位置給与法など特定の職種等について職務と責任の特殊性に基づき本法の特例を定める法律、③その他特定の人事行政分野に関する個別の法律で本法上は予定していないものに分類できよう（概説五1参照）。③については、さらに、(ア)宿舎法、旅費法など本法が規定している人事行政分野以外の事項を定める法律、(イ)国際機関派遣法、育児休業法、勤務時間法、任期付職員法、官民人事交流法、退手法など本法が規定している個別の人事行政分野について、特定の政策目的のために本法の特例を定める法律に整理できよう。この③(イ)は、近年、社会一般の諸情勢の変化等に応じるため、人事院の意見の申出等を通じて、増加している。

なお、特別職の国家公務員については、「国会法（昭二二法七九）」、「国会職員法（昭二二法八五）」、「裁判所法（昭二二法五九）」、裁判官報酬法、裁臨法、「自衛隊法（昭二九法一六五）」、防衛省給与法、特別職給与法等により必要な事項が定められているが、そこで定められている各種の基準の内容は、職務の特殊性等に応じた相違は認められるものの、基本的な考え方が本法を模範として定立されていることは、趣旨において述べたとおりである。

四　国家公務員法の規定の効力

1　国家公務員法の施行等の妨害行為の禁止

本条第三項は、本法や本法に基づく命令に対する違反行為及び違反を企て共謀する行為、本法や本法に基づく命令の施行に関しての虚偽行為及び虚偽行為をなそうと企てること並びに本法や本法に基づく命令の施行を妨げる行為を禁止している。

もともと国民の代表である国会が定めた法律、更にその委任等に基づき定められた命令を国民が尊重し、遵守すべきことは当然のことである。また、公務員については既に日本国憲法第九九条に憲法尊重擁護義務が定められ、憲法の下に成立した各種法令を遵守すべきことが要請されており、本法第九八条第一項には実体規定として国家公務員の法令遵守義務が定められている。これらのことからも、総則中に置かれた国家公務員法等の遵守に関する本条第三項の規定は、基本的にはいわゆる訓示的規定といえよう。ただ、本項には、「何人も（この法律）違反を「企て」若しくは「共謀」してはならない」という部分があり、例えば争議行為等の禁止規定（法九八2）のように個別に「企て」・「共謀」に関する規定がある場合を除いて、職員が本法の各規定違反の「企て」・「共謀」を行った場合には、本項違反として懲戒処分等がなされ得ることになる（なお、本項違反には刑罰の担保がなく、職員以外による「企て」・「共謀」に対する制裁の手段はない。）。本法は、先にも述べたように大日本帝国憲法の下における旧官吏制度を、ポツダム宣言にいう「民主主義的傾向ノ復活強化」の線に沿って打破し、日本国憲法の下での民主主義の政治体制にふさわしい新たな公務員制度を構築しようとする明確な目的意識の下に制定された法律であることから、このような目的の達成に対する旧来の勢力による抵抗を想定し、あえてこのような規定を置いたものと考えられる。

この規定では一般的、抽象的に本法等に関する違反行為、虚偽行為、妨害行為を禁止しているが、各章のそれぞれの規定の中に個別的、具体的な禁止規定があり、それらのうちの重要な禁止規定に対する違反行為については刑事罰が科せられることとなっている（法一〇九～一一三）。

2　失効等の場合の効力

本条第四項は、本法中の特定の規定が失効した場合においても、他の規定の効力には影響を及ぼさないこと、及び具体的な案件に対する本法の規定の適用が裁判所で違法、無効とされても、その違法、無効の判決の効力は当該案件に関してのみ生ずるものであり、当該規定の他の案件に対する適用はなんら影響を受けないことを宣言する規定である。「ある規定が、効力を失い」の部分に関して述べれば、法律中の特定の規定は、改正法律の施行により当該規定が削られるなどの改正を受け、又は相矛盾する後法が施行される場合に失効するのであって、このような場合に、改正されない規定及び後法と矛盾しない規定についてはなんら効力に変更がないことは自明の理である。一方、「その適用が無効とされ」の部分に関しては、憲法第八一条の最高裁判所の違憲立法審査権との関係における考察が必要である。

３　最高裁判所の違憲立法審査権

最高裁判所は、一切の法律、命令、規則又は処分が憲法に適合するかしないかを決定する権限を有する（憲法八一）が、この権限は具体的な訴訟事件を解決するための必要性から認められたものであるから、米国などと同様、具体的な事件に関して訴訟が提起された場合に限り、受動的かつ当該案件の解決に必要な限度で違憲審査が認められると解されている。すなわち憲法第八一条は、ドイツの連邦憲法裁判所などのように積極的、能動的に、具体的な法律上の争訟を離れて一般的、抽象的に法律の合憲性を審査するいわゆる憲法裁判所を認めたものとは解されないというのが、憲法解釈上の通説であり、最高裁判所もその旨判示しており（昭和二七年一〇月八日）、かつ、実際の訴訟法の体系においても憲法裁判の手続を認めた規定はない。

また、違憲判決が確定した場合の審査の対象となった法令の効力については、①当該案件における適用のみが無効となると解する説（個別的効力説）と、②審査の対象となった法令自体が絶対的に無効になってしまうと解する説（一般的効力説）とがある。通説としては、先に述べた最高裁判所に違憲審査権が認められた趣旨や、法令の改廃はそれぞれの制定機関が行うべきであり、特定の法令を絶対的に無効とする権限を最高裁判所に与えることは、とりもなおさず消極的立法権を最高裁判所に付与することになり、立法府及び行政府に対する司法府の過度の優越性を承認することになりかねず、憲法第八一条が憲法裁判所を認めたものでない以上採り得ない議論であることなどを基礎に、個別的効力説が採られており、最高裁判所も個別的効力説に立っているものと思われる（最高裁判所裁判事務処理規則一四（違憲判決の場合、国会又は内閣へ裁判書の正本を送付することを定めているのは、違憲判決の事後措置をそれぞれの制定権者に委ねている証左といえよう。））。

憲法第八一条の最高裁判所の違憲立法審査権の内容が個別的効力説によって説明される以上、仮に何らかの訴訟に関してこの法律中の特定の規定の適用が無効とされても、他の適用関係における効力に影響を及ぼすことがないことは、本条第四項の規定をまつまでもなく当然の結論として承認されるであろう。

以上により、本法の「ある規定が、効力を失い」及び「その適用が無効とされ」たいずれの場合についても、他の規定の有効性が影響を受けないことはいうまでもないことであり、結局、本条第四項は当然のことを定めた確認的規定と解される。

4　後法優先の原則の宣言

膨大な量の法令によって構成される国法の体系を整合的に理解するための法秩序保持のための基本原理としては、①法令の所管事項の原理、②法令の形式的効力の原理、③後法優先の原理、④特別法優先の原理があり、これら原理は法令の明文の規定を待つまでもなく、当然機能すべきものである。それにもかかわらず本法が本条第五項としてあえて後法優先の原理について明文の規定を置いているのは、本法が大日本帝国憲法の体系下における身分的な旧官吏制度を打破し、我が国に、日本国憲法の民主主義の政治理念の下で、それにふさわしい新たな公務員制度を樹立するために制定された法律である、というその基本的な性格のゆえであると考えられる。

このような本法の性格・目的を考慮すれば、旧官吏制度を支えてきた諸法令のうち日本国憲法施行後もなお外形上効力を有していた諸法令と本法との間に矛盾抵触関係が生じた場合に、両者の関係の理解を単に後法優先の原理という法令解釈上の基本原則に委ねるのみでは不十分と考え、自ら従前の法令の無効を宣言しているものと解される。

ただし、この規定が存在することによって、特別法である前法と一般法であり後法でもある本法とが矛盾抵触する場合には、その前法が本法附則第四条による特例として評価されない限り、特別法優先の原理の方が後法優先の原理に優先して機能するという一般的な解釈原則が修正されるという意味において、単なる宣言規定以上の意味合いを有するのである。例えば、検察庁法（昭二二法六一。昭二二・四・一六公布施行）は本法に対して従前の法令であるが、その第一八条、第一九条（検察官の任命叙級の資格）等は、国家公務員法の任用に関する規定に矛盾抵触することとなるため、検察庁法中にこれらの規定が本法附則第四条の規定に基づく特例であることを明らかにするための規定（検察庁法三二の二）を追加することにより、検察官の職務と責任の特殊性に基づく特別法としての機能を維持することとしたことなどは、本項の法的効果を示す一例であろう。

さらに、この規定は従前の法令と本法との関係を規律するにとどまり、本法と本法施行後に新たに制定される法律との関係は、一般原則によって律せられるので、一般職の職員の給与に関する法律においては、「この法律の規定は、国家公務員法のいかなる条項をも廃止し、若しくは修正し、又はこれに代わるものではない。この法律の規定が国家公務員法又は同法に基く法律の規定に矛盾する場合においては、その規定は、当然その効力を失う。」（給与法一2）旨定め、前法である本法の効力の優越性を承認している。この規定をもって、後法優先の原則を修正したものであると考えるかどうかは議論のあるところであるが、少なくとも、本法に矛盾する内容の公務員の給与制度は定めないとの国会の決意が示されていることは、間違いがないであろう。

本条の第三項から第五項までのように、現時点でみれば、法律的にはあまり意味のない規定が置かれているのは、本法制定の基本理念、すなわち戦前の身分的官吏制度の打破と新公務員制度創設という目標の達成に対する決意を内外に示すという効果をねらってのことと考えられる。

（一般職及び特別職）

第二条　国家公務員の職は、これを一般職と特別職とに分つ。

②　一般職は、特別職に属する職以外の国家公務員の一切の職を包含する。

③　特別職は、次に掲げる職員の職とする。

一　内閣総理大臣

二　国務大臣

三　人事官及び検査官

四　内閣法制局長官

五　内閣官房副長官

五の二　内閣危機管理監
五の三　国家安全保障局長
五の四　内閣官房副長官補、内閣広報官及び内閣情報官
六　内閣総理大臣補佐官
七　副大臣
七の二　大臣政務官
七の三　大臣補佐官
七の四　デジタル監
八　内閣総理大臣秘書官及び国務大臣秘書官並びに特別職たる機関の長の秘書官のうち人事院規則で指定するもの
九　就任について選挙によることを必要とし、あるいは国会の両院又は一院の議決又は同意によることを必要とする職員
十　宮内庁長官、侍従長、東宮大夫、式部官長及び侍従次長並びに法律又は人事院規則で指定する宮内庁のその他の職員
十一　特命全権大使、特命全権公使、特派大使、政府代表、全権委員、政府代表又は全権委員の代理並びに特派大使、政府代表又は全権委員の顧問及び随員
十一の二　日本ユネスコ国内委員会の委員
十二　日本学士院会員
十二の二　日本学術会議会員
十三　裁判官及びその他の裁判所職員
十四　国会職員
十五　国会議員の秘書
十六　防衛省の職員（防衛省に置かれる合議制の機関で防衛省設置法（昭和二十九年法律第百六十四号）第四十一

条の政令で定めるものの委員及び同法第四条第一項第二十四号又は第二十五号に掲げる事務に従事する職員で同法第四十一条の政令で定めるもののうち、人事院規則で指定するものを除く。）
十七　独立行政法人通則法（平成十一年法律第百三号）第二条第四項に規定する行政執行法人（以下「行政執行法人」という。）の役員
④　この法律の規定は、一般職に属するすべての職（以下その職を官職といい、その職を占める者を職員という。）に、これを適用する。人事院は、ある職が、国家公務員の職に属するかどうか及び本条に規定する一般職に属するか特別職に属するかを決定する権限を有する。
⑤　この法律の規定は、この法律の改正法律により、別段の定がなされない限り、特別職に属する職には、これを適用しない。
⑥　政府は、一般職又は特別職以外の勤務者を置いてその勤務に対し俸給、給料その他の給与を支払つてはならない。
⑦　前項の規定は、政府又はその機関と外国人の間に、個人的基礎においてなされる勤務の契約には適用されない。

〔趣　旨〕

一　国家公務員の意義

1　日本国憲法上の公務員

日本国憲法上、公務員に関する規定として、「公務員を選定し、及びこれを罷免することは、国民固有の権利である。」（一五1）、「すべて公務員は、全体の奉仕者であつて、一部の奉仕者ではない。」（一五2）、「何人も、公務員の不法行為により、損害を受けたときは、法律の定めるところにより、国又は公共団体に、その賠償を求めることができる。」（一七）、「天皇又は摂政及び国務大臣、国会議員、裁判官その他の公務員は、この憲法を尊重し擁護する義務を負ふ。」（九九）等の規定がある。

ここにいう公務員とは、極めて広い概念であり、広く国民に代わって国政に携わる者の全てを指すと解される。例えば、

憲法第一五条第一項の規定は、憲法前文に「そもそも国政は、国民の厳粛な信託によるものであつて、その権威は国民に由来し、その権力は国民の代表者がこれを行使し……」とあるのに対応するものであり、国政に携わる公務員は国民を代表する者であって、その地位の根拠が究極的には国民の意思に基づくものであることを宣言している。「国政」とは、広く国家の作用あるいは国家の事務をいい、かつ、ここでは地方公共団体の事務をも含む広い概念で捉えるべきであると解される。また、憲法前文は、国政の「権力」を国民の代表者が行使する旨規定しているが、これはいわゆる権力的作用を行う者のみを公務員と位置付けているわけではない。要は、憲法前文は、広く国家の作用全般を国家権力の行使ととらえているにすぎず、権力的作用を行う者のみならず、非権力的作用を行う者も憲法上の公務員に含まれることとなる。そこで、憲法でいう「公務員」の概念を整理すれば、直接的に国民を代表する国会議員はもとより、その他の立法部に属する職員、内閣総理大臣、国務大臣をはじめとする行政部の職員及び裁判官以下の司法部の職員の全てを含み、かつ地方公共団体についても、長、議員、その他の吏員の全てを含むものといえよう。

　また、憲法は、「国務大臣及び法律の定めるその他の官吏の任免……」（七⑤）、「法律の定める基準に従ひ、官吏に関する事務を掌理すること。」（七三④）として、「公務員」とは別に「官吏」という用語も用いている。「官吏」という表現を憲法が具体的にどのようなイメージで用いているのか、必ずしも明らかではないが、恐らく漠然と国の公務員のことを想定しているものと推察される。旧官吏制度下における官吏の意義等については、後に触れるとおりであるが、国民主権の理念に基づく現行憲法が旧制度下におけるような身分的色彩の強い「官吏」を積極的に容認しているとは考えがたく、現行憲法において「官吏」としている場合には、概ね常勤の国家公務員を指し、更に旧制度下において元来「官吏」という位置付けはなされていなかった国会議員は除かれるといえよう。なお、第一条〔解釈〕二で示したとおり、国会職員や裁判所職員等も憲法第七三条第四号の「官吏」には含まれないと考えられる。

2　国家公務員法上の公務員

　本法は、国家公務員たる職員に適用されるべき各般の根本基準を確立することを趣旨とする法律である（法一）。ところが、肝腎の国家公務員の定義については、本法はなんら規定を設けていない。これは、どのような考え方に基づくのであろうか。

もともと、戦前期においては、国家公務員といった包括的な概念は用いられていなかった。これは、後に述べるとおり、戦前期においては国の勤務者について官吏と雇員、傭人等を峻別し、それぞれ全く異なった取扱いを行っていたため、両者を統合した概念を設ける必要性が存しなかったからであろう。ところが、現行の本法は、戦前の制度に対する反省の下に、旧制度における身分的色彩を払拭し、国の勤務者は従来の雇員、傭人を含め全て国家公務員として位置付けたうえ、原則として統一的に本法の適用を行うことを基本としている。

そこで、このように国家公務員の範囲を広く捉えるとき、要するに国の勤務者と位置付けられれば国家公務員であることとなり、法律上国家公務員に関する定義規定を設けることは極めて困難であるとともに、仮に定義をしたとしてもその定義自体があまり意味を持たないこととなってしまう。また、現実問題としても、国の機関に勤務する定員内の常勤職員については それが国家公務員であることは疑問の余地のないところであり、国家公務員の範囲をめぐって問題が生ずるのは任用形態等が多種多様の非常勤職員についてである。これら非常勤職員について、限界事例まで取り込む形で定義することは技術的にも容易ではなく、また結局、最終的には個別的な判断が必要となることから、本法は、国家公務員に関し、定義規定を置くことはせず、むしろ国家公務員か否かの判断が困難な場合には、人事院が個別に決定することにより対処することとしている（法二4後段）。

このように、本法においては国家公務員の定義に関し、明文の規定は設けられていない。そこで国家公務員とは、端的には、国の勤務者を意味するものと考えられている。それでは、国の勤務者といい得るためには、どのような条件を満たせば足りるのであろうか。この点については、通常、①国の事務に従事していること、②国の任命権者によって任命されていること、③原則として国から給与を受けていることの三要件を充足することが必要であると考えられており、人事院が個別に国家公務員か否かを判断する際にもこの三要件にしたがって行っている。なお、国家公務員とは、「国との間に勤務関係に立ち、国の公務に公の根拠に基づいて従事し、国から給与を受けるものをいう。」（佐藤功・鶴海良一郎著『公務員法』四九頁）との説明もあるが、実質的に異なるところはない。

以下、それぞれの要件について説明を加えることとする。

(一)　国の事務に従事していること。

行政学の分野において、「政府の活動範囲」、「官民の役割」等は、重要な一大テーマであるが、国が本来、どのような役割を担うべきかについて、学問的にも政策的にも十分な議論とコンセンサスが得られているとはいえない。したがって本法における国家公務員の範囲を論ずるに当たって、「国の事務」を問題とするときには、国が本来、どのような役割を担うべきかに関する議論ではなく、現に国の機関がどのような事務を直接行っているかがポイントとなる。

国の事務とは、ここでは国家機関が自ら実施するものをいう。国が本来果たすべき役割に係る事務を地方公共団体の法定受託事務とした場合や、国の事務を独立行政法人、特殊法人等に行わせる場合は、それらの事務は地方公共団体や各法人の事務となる。したがって、国の勤務者たる国家公務員の範囲を問題とするときには、国家機関が自ら行う事務に限られる。行政機関の事務については、通常、各府省の設置法において、あるいは「警察法（昭二九法一六二）」、「私的独占の禁止及び公正取引の確保に関する法律（昭二二法五四）」等の作用法においてその所掌事務が規定され、更に各府省の組織令（政令）、組織規程（省令）等において所掌事務に関する細目的事項が規定されている。そこで、ある者が国家公務員か否かが問題となるときには、その者がこれら法令等に照らして「国の事務に従事している」といいうるか否かを判断する必要がある。

なお、国の事務には独立行政法人や特殊法人等の行う事務は含まれないことは前述したとおりである。しかしながら、平成一三年より設けられた独立行政法人のうち、業務の停滞が国民生活又は社会経済の安定に直接かつ著しい支障を及ぼすと認められるもの等については、独立行政法人通則法により、特定独立行政法人として、その役員及び職員は、例外的に国家公務員とされ、同法の平成二六年改正（平二七・四・一施行）で廃止された特定独立行政法人に代わり新たに設けられた行政執行法人の役職員が引き続き国家公務員とされている。

ところで、近年の特殊法人等の整理合理化により、公庫、公団、事業団等の大幅な改組・改廃が行われ、現在、これら特殊法人等は極めて限られたものとなっている。これら特殊法人の職員は本法でいう国家公務員に該当しないが、かつては公団等の職員は国家公務員とされていた時期もあり、その経緯につき簡単に紹介しておくこととしたい。

第二次世界大戦直後には、物資の配給、貿易の統制、産業復興等を行うために各種の公団が設立された。それら公団は、国と法人格は異にしていたものの、その資本金は全額国の出資とされ、予算、決算は国の例にならい国会に提出され、剰余金は国庫に納入し、その基本的運営について経済安定本部総務長官の承認を受けるなど、国との関係が非常に密接であった。なにより、行組法上も公団を「国家行政組織」の一部をなすものと位置付けており、各公団の設置法において、その役職員は「官吏その他の政府職員」とされていた。また、制定当初の本法も第二条において「現業庁、公団その他これに準ずるものの職員で、法律又は人事委員会規則で指定するもの」を特別職の国家公務員として掲げており、かつ「法律又は人事委員会規則で指定するもの」は「その他これに準ずるもの」のみにかかると解されていたことから、公団職員は全て特別職の国家公務員として整理されていた。当時、食糧配給公団をはじめ一五公団があり、それらの役職員がこのように国家公務員と位置付けられていたが、経済の安定等に伴い逐次廃止され、昭和二六年四月一日食糧配給公団を最後に全て廃止された。

公団が廃止された後、公庫、公社が設置された。公庫については、公団と異なり、行組法において国家行政組織の一部とはされなかったが、国民金融公庫等の役職員は、国との人事交流面を配慮してか国家公務員としていた時期があった。一方、国鉄、電電公社等の公社については、もともとその職員の労使関係を本法から除外するとともに、民間労働者とも異なった特別な法制下に置くことを目的として設置されたものであり、当初から行組法上国家行政組織でもなく、国家公務員でもないとの位置付けがなされていた。その後、昭和三〇年代以降新たに公団が設置されたが、その際には、公団職員は国家公務員ではないとの取扱いがなされた。なお、平成一五年から同一九年まで設けられていた日本郵政公社の役員及び職員については、現行の行政執行法人と同様、法律で国家公務員とされていた。

㈡　国の任命権者から任命されていること。

国家公務員であるためには、国の任命権者から任命されていなければならない。国家公務員は、国の勤務者、被用者であるから、使用者たる国から任命（雇用）されていなければならないのは当然である。ここで、任命権者とは、本法第五五条第一項前段に規定する者及び特別の法律による任命権者及び同条第二項の規定に基づきそれらの者から任命権の委任を受けた者をいう。したがって、これら正当な任命権を有する者以外の者が仮に任命を行ったとしても、国家公務員としての任命行為は無効である（ただし、任命行為は無効であるとしても、当該無効の任命を受けた者が現に国民に対して行った処分等の効力については、いわゆる事実上の公務員の法理（昭三五・一二・七最高裁大法廷）の適用により有効であるとされることもあろう。）。

なお、「任命」とあるが、具体的な発令の形式等にかかわらず実態に着目して判断することとしており、「委嘱」等の用語が用いられていても任命行為があったものと理解される場合がある。常勤職員の場合は、採用に当たっては「人事異動通知書」により、通常「○○に採用する」との表現を採ることとされていることから、特に問題となることはないが、非常勤職員、特に委員、顧問等について「委嘱」といった用語が使われている例が多く見受けられる。いずれにせよ、その場合、調査員の「委嘱」に関しては、「△△調査員」を委嘱しているのか、「××に関する調査」を委嘱しているのかについて留意しておく必要がある。後者の場合、通常は「××に関する調査」を委託するといった表現を採ることが多いものと考えられるが、いずれにしても前者の場合は、職員として雇用しようとする任命権者の意思があるのに対し、後者については特定の調査事務を依頼するにとどまり職員として雇用しようとする意思は任命権者に認められないと解すべきであろう。任命権者が当該者を国家公務員として任用ないし雇用しようとする意思があったか否かについて、事実関係に即して個別に判断することとなるが、任命権者においては、この点、問題が生じないよう、事前にその意思を明確化しておくことが求められよう。

(三)　原則として、国から給与を支給されること。

国の勤務者として雇用され、労務の提供を行う以上、反対給付として労務の提供に見合う報酬を受けることが原則である。そこで、ある職が国家公務員であるかどうか問題となる場合、その判断基準の一として給与の支給の有無をチェックすることとなる。支給の名目、予算の費目は本質的な問題ではない。例えば、非常勤職員の場合、予算上人件費の費目から支給されるか、いわゆる庁費から支給されるかは関係ない。しかしながら、給与という以上、勤務の対価と位置付けられるものでなければならず、単に実費弁償的な性格を有するものは、給与とはいえない。ただし、前記(一)、(二)の基準が国家公務員に該当するか否かの本質的な基準であるのに対して、給与支給の有無は必ずしも絶対的なものではなく、例外も認められている。例えば、保護司のように実費弁償のみ受け、給与は支給されないにもかかわらず、国家公務員とされている例が存するところである。

以上が国家公務員であるための要件であり、ある職が国家公務員であるか否かが問題となった場合は、これに照らして判断することとなる。先にも述べたとおり、国の機関に勤務する定員内の常勤職員について、その者が国家公務員か否かが問題となることは通常考えられず、問題となる事例の多くは、定員外で勤務時間も短い者が非常勤職員であるか否かについて、特に補償法の適用に関連して判断を求められるケースである。最終的には、人事院が判断を行うこととなるが、その判断に当たっての最大のポイントは任命権者がその者を職員として雇用する意思があるかないかという点にかかっているといえよう。いずれにせよ、非常勤職員であるとはいえ、国家公務員である以上、刑事罰に担保された厳格な服務義務など国家公務員法の諸規定が原則適用となるものであり、任命権者においては、問題が生じることがないよう、人事異動通知書等による発令など適切な対応が求められる。

ところで、本法では、このように国家公務員の範囲を極めて広く捉え、国の勤務者とみなせる者であれば単純な機械的業務、肉体的労務に従事する職員やパート職員、審議会等の委員、各種の調査員を全て国家公務員に含まれるものとして整理されている。既に述べたとおり、戦前の身分制度に対する反省として、公務の民主化を重視したため及び納税者によるその被用者のコントロールを考慮したためと思われるが、このような考え方に対してドイツ的な公法と私法を分ける観点からは、「私的な労務者と本質的に異なるところのない者にまで、本来不要な政治的行為の制限や労働基本権の規制を加えるという結果を生じているとともに、その一方で、このような制限を真に必要とする者について、服務規制の意味を希薄にし、公務員としての自覚を徹底させることができないという欠陥もみられる。勤務の内容、性質に着目し、それに応じた規制を行う観点から現行の公務員の範囲について見直すべきである。」（田中二郎著「公務員制度改革要綱案についての覚え書」（『ジュリスト』昭和三〇年九月一五日号）（要約））という批判もなされているところである。

また、諸外国の国家公務員の状況を眺めると、それぞれの国情に応じて区々である。米国は、軍人を除き、広く行政、立法、司法の任命された者を公務員（civil service）としている。英国も、政治職や司法職員以外の者を公務員（civil service）とする一方、国営医療機関等に勤務する者は公務員とはされていない。他方、ドイツでは、公務従事者を国家に忠誠義務を負う特別な身分である官吏（Beamte）と一般民間労働者並みの公務被用者（Tarifbeschäftigte）（かつての職員（Angestellte）・労働者（Arbeiter））に区分し、それぞれ身分関係、適用法令を異にしつつ、役割分担しながら業務遂行がなされている。フランスも、官吏（fonctionnaire titulaire）と非官吏（fonctionnaire non-titulaire）に区分されているが、非官吏は、正式任官前の見習職員や任期付の契約職員等に限られている。

参考までに、これまで、国家公務員か否かが問題となった事例のうち、代表的なものを紹介しておこう。

	業務内容等	判　定	備　考
公証人	法律行為その他私権に関する事実につき公正証書を作成し私署証書につき認証し定款に認証を与える	国家公務員ではない	法務大臣より任命されるものの（公証人法一一）、「国との間に勤務関係がなく、給与も受けない」（昭二七・七・二四東京地裁）
保護司	犯罪者の改善・更生を助け、犯罪予防のため世論の啓発を行う	一般職の国家公務員	法務大臣が委嘱し、無給であるが（実費弁償あり）（保護司法三、一一）、国の事務に従事（人規二一―〇等も一般職国家公務員であることを前提）
労働委員会の斡旋員	労働争議の関係当事者間をあっせんし、事件が関係されるよう務める	一般職の国家公務員	労働委員会会長が指名し（労調法一二1、一四の二）、国の事務に従事
在外公館の専門調査員	委嘱された調査・研究を行うほか、館務の補助的業務に従事する	国家公務員ではない	国の業務に従事するが、「国の任命権者により任命されていないし、原則として国から給与を受けているとは認められない」（平二五・九・三〇東京地裁）

右に掲げた事例のほか本法にいう国家公務員に当たるか否かが問題となるものとして国会議員がある。この点について考え方を整理すれば、次のとおりである。

制定当初、本法は、国会議員について「この法律で国家公務員には、国会議員を含まない。」（法一括弧書）と規定し、国会議員を同法上の国家公務員の範囲から除外していた。その理由は、①本法の規定は、およそ国会議員に適用するになじまず、②基本的に行政部の職員を適用対象とする本法が立法部を構成する国会議員について取り上げることは適当でないとするものであった。

次いで、昭和二三年の改正により、本法の国家公務員には国会議員を含まない旨の第一条括弧書が削られるとともに、本法第二条第三項第九号に「就任について選挙によることを必要とする職員」が特別職（後述【解釈】二14）として追加された。当時、この改正作業に携わった政府委員は、国会において、これは国会議員を特別職の国家公務員とする趣旨であると説明している（昭二三・一一・二四衆議院人事委員会）。その理由は、①国会議員は日本国憲法上も公務員であることは明らかであり、しかもその最たるものであること、②制定当初の本法も一般論として国家公務員に国会議員が含まれることは否定しておらず、それゆえに、同法上国会議員を国家公務員の範囲から除外するための規定をあえて設けていたものであること、③国会議員を国家公務員であるとしても、結局は特別職であり、後にみるとおり、本法の適用はないことから、実際上の支障はないことに求められよう。

他方、これには反対論があり、①昭和二三年の改正による第一条の括弧書の削除は、国会議員が本法の国家公務員ではないことを自明の理ととらえたにすぎないこと、②昭和二三年の改正により本法第一条第二項に「この法律は、もつぱら日本国憲法第七十三条にいう官吏に関する事務を掌理する基準を定めるものである。」の規定が加えられたが、従前の理解から「官吏」に国会議員を含まないことは明らかであり、現行国家公務員法はおよそ国会議員は射程外においているものであることを理由として、国会議員は本法でいう国家公務員に該当しないとの見解が主張されている。この問題は、仮に国会議員を本法上の国家公務員に当たると解釈しても、第二条第三項第九号の特別職に該当し本法の適用はなく、議論の実益には乏しいものであるが、昭和二三年の改正経緯、特に立案者の意図からは国会議員を特別職の国家公務員と位置付けると解するのが素直であろう。また、反対論者の指摘する本法第一条第二項の規定については、当時、人事院の独立性をめぐって日本国憲法との関係について危惧する意見があったことを配慮して、本法と日本国憲法との関係を明確にすることを目的として挿入されたものであって、当該規定の存在は国会議員の本法における位置付けを左右するものではないと考える。

3　その他の法律上の公務員

他の法律において「公務員」という用語が用いられていることがある。それぞれの法体系で公務員ないし国家公務員について定義又は概念整理されるのが基本であるが、解釈に当たって国家公務員法における国家公務員の概念が、重要な参考となろう。主なものについて概観しておくこととしたい。

㈠　刑　法

刑法第七条に「この法律において「公務員」とは、国又は地方公共団体の職員その他法令により公務に従事する議員、委員その他の職員をいう。」との規定がある。まず、「国の職員」であるが、具体的な定義はないが、基本的には本法の国家公務員と同義と解される。次に、「法令により公務に従事する職員」であるが、「法令により」とある部分について、「法律、政省令、条例等に限るべきであるとするのが学説であるが、判例は、……行政庁内部の通達、訓令の類も含むとしている

（昭二五・二・二八最高裁）」（前田雅英編集代表『条解刑法第四版』一六頁）。「公務に従事する職員」について最高裁は「単純な機械的、肉体的労務に従事するものはこれに含まれないけれども、当該職制等の上で「職員」と呼ばれる身分を持つかどうかは、あえて問うところではないと解すべきである」（昭三五・三・一最高裁）としている。「（最高裁の判例が）ある程度、精神的、頭脳的な判断作用を伴う業務に従事するものを指」すとしているのは、「一定の程度以上の地位にある者のみを公務員とすることによって公務員の品位の保持と公の作用の円滑適正な実現を図ることにある」（前記『条解刑法第四版』一七頁）などの説明がなされている。いずれにせよ、刑法上、「公務員」を構成要件としている主として公権力の行使や汚職等に係わる罰条における処罰妥当性の観点が、このような限定的な解釈の背景にあるものと考えられる。

なお、刑法においては、このように一方で公務員の範囲を限定するとともに、他方では、公益を確保するため、本法上は国家公務員としては位置付けていない公証人も公務員として扱っているほか、特別法において、刑法の適用上はその職責の公益性に鑑み「法令により公務に従事する者」とみなす旨の規定を設けている例が多数見受けられる。

㈡　国家賠償法

国賠法第一条は、「国又は公共団体の公権力の行使に当る公務員が……国又は公共団体が、これを賠償する責に任ずる。」と規定する。ここでいう「公務員」の意義が問題となるが、同法は、公務員の責任を規定することを主たる趣旨とするものではなく、むしろ「公権力の法主体」ともいうべき「国又は公共団体」の責任を定めることを趣旨としている。すなわち、国又は公共団体への責任の帰属の有無が同法における本質的な問題であり、その意味で「公務員」概念はむしろ第二次的である。従来、判例等を通じて同法上の公務員の範囲について合目的的に広く解されてきている傾向にあり、特に「公権力」概念の拡大につれ、例えば、「検察官から領置物件の保管を委託された民間会社の従業員」など本法の考え方に従えば、とうてい公務員とは捉えられないものも含めて公務員として扱う傾向が認められる。

なお、以上のほか、共済法、退手法、宿舎法、旅費法等において国家公務員という用語が用いられているが、これらの法律において国家公務員という場合は、本法でいう国家公務員を念頭に置いているものと考えられる。

４　旧官吏制度下における官吏等

ここで、旧官吏制度下における官吏の意義等について簡単に示しておくこととする。

大日本帝国憲法下において、国家事務に従事していた者としては、官吏、委員、雇員、傭人及び嘱託がある。

まず、官吏は、国家の特別選任により天皇及びその政府に対して忠実かつ無定量の勤務に服すべき公法上の義務を負う者とされていた。当時、官吏は、高等官と判任官に分けられ、高等官は、更に勅任官と奏任官に分けられていた。また、勅任官の中には、親任式をもって叙任される親任官があった。親任官を除く高等官は九等に、判任官は四等に分けられ、このような分類は天皇との距離に基づくものと理解されていた。

官吏に関する制度は、大日本帝国憲法上の天皇の任官大権に基づいており（大日本帝国憲法十）、帝国議会が定める法律によらず、官吏服務紀律、文官任用令、文官懲戒令、高等官官等俸給令等の枢密院への諮詢を経て天皇が制定する勅令により官吏制度に関する定めがなされていた。

次に、委員とは、土地収用法による収用委員会や健康保険法による保険審査会等の委員その他諮問機関等の委員をいい、これら委員は限られた国家事務のみを行うために国家により選任されたものであった。いわば特定の事務に関し国との間に委任の関係に立つものであり、官吏とは異なり忠実無定量の義務を負う者ではなかった。

他方、雇員、傭人は、国との間に公法関係は設定されずに、民法上の雇用関係を通じて国に雇用されていた。雇員と傭人の区別は必ずしも明確ではないが、典型的には前者は一般の行政機関において通常の事務を担当する者であり、後者は肉体的単純作業に従事する者といえよう。官吏の制度が各種の勅令により整備されていたのに対して雇員、傭人については基本的には各省ごとに取扱いを異にしていた。

嘱託も雇員、傭人と同様、国との間に公法関係はなく、私法上の関係を有するにすぎなかった。嘱託についても、任用、服務、分限等の制度は整備されておらず、各省ごとに区々の取扱いがなされていた。嘱託制度は、本来、主として特殊技能者、学識経験者を活用することを趣旨としていたが、その後官吏の定員不足を補う場合など、かなり幅広く利用されるようになった。本法の制定に伴い、昭和二三年三月、「嘱託制度の廃止に関する政令（政五六）」により廃止された。

二　国家公務員の種類

1　一般職、特別職

本法は国家公務員の職を一般職と特別職に分け、本条第三項において特別職を限定的に列挙し、それ以外の国家公務員の職を一般職としている。一般職と特別職を区分する趣旨は、後にも触れるが、国家公務員の範囲を広く捉えることとも関連して、国家公務員の職のうちには本法を一律的に適用することが適当でないものもあり、そのような本法の適用を適当としないものを特別職としてグルーピングしているものである。なお、本法においては、一般職の職のことを「官職」といい、官職を占める者のことを単に「職員」ということとしている（本条4）。

国家公務員に関する分類のうち、一般職と特別職の区分が最も基本的かつ重要な分類であるといえよう。

2　行政執行法人職員、旧現業職員

行政執行法人職員とは、前述のとおり、独立行政法人のうち、独立行政法人通則法により、例外的に一般職の国家公務員としているものである（行政執行法人の役員は、特別職の国家公務員である。）。これら職員には、行政執行法人労働関係法により、国家公務員法等の特例が設けられ、労組法、労基法、労調法の労働三法が適用され、争議行為は禁止されているものの、その勤務条件について団体交渉を通じて労働協約を締結することが可能である。

参考までに、行政執行法人職員に適用除外がなされている本法の規定を掲げると、次のとおりである。

㈠　行政執行法人労働関係法により適用除外されるもの

人事院等に関する規定（法三2から4まで、三の二）、人事院の調査等の規定（法一七、一七の二）、人事記録等の規定（法一九、二〇）、人事行政改善の勧告等の規定（法二二、二三）、研修・能率の規定（法七〇の五から七一まで、七三）、離職の規定（法七七）、人事院による懲戒の規定（法八四2）、行政措置要求の規定（法八六から八八まで）、服務の根本基準の実施の規定（法九六2）、争議行為等の禁止の規定（法九八2及び3）、再就職等監視委員会の調査等に係る守秘義務の規定（法一〇〇4）、職員団体に関する規定（法一〇八の二から一〇八の七まで）、労組法等の適用除外の規定（法附則六）

㈡　独立行政法人通則法により適用除外されるもの

給与の支払の監理の規定（法一八）、情勢適応の原則（法二八（前段を除く。））、給与に関する規定（法六二から七〇まで）、人事評価の実施等の規定（法七〇の三2及び七〇の四2）、降給の規定（法七五2）、勤務条件の規定（法一〇六）。

これらの適用除外されている規定は、基本的には団体交渉を前提とする場合に適用することが適切ではないと考えられるものであるが、中には本法第一七条（調査）や第二二条（人事行政改善の勧告）のように人事行政の公正確保にかかわる規定まで適用除外されているなど、疑問なしとしないものがある。

なお、このほか、平成二五年三月までは、現業職員と呼ばれる職員の類型が存在した。いわゆる現業職員とは、従前の国営企業（郵政、林野、印刷、造幣、アルコール専売）に勤務する一般職の職員のことをいい、行政執行法人職員と同様、国家公務員法の一部が適用除外され、給与その他の勤務条件が労使交渉によって決めることとされていた職員のことをいう。このうちアルコール専売事業については、昭和五七年一〇月に製造部門が新エネルギー総合開発機構に移管され、その他職員は、人事院勧告の対象となる職員等となった。印刷、造幣の現業職員については、平成一五年四月に独立行政法人化され、特定独立行政法人（当時。現行政執行法人）職員（一般職国家公務員）となった。郵政現業職員は平成一九年一〇月に民営化され、国家公務員としての地位を失った。最後に残った林野現業職員は、国営林野事業特別会計の廃止に伴い、現業職員の制度が廃止され、人事院勧告の対象となる一般職職員となった。ちなみに、法令上の用語ではないが、従前は、現業職員及び特定独立行政法人職員以外の一般職職員を総称して非現業職員と呼んでいたが、現業職員の制度が廃止され、国の行政機関に勤務する職員はあまねく人事院勧告の対象となった以上、この呼称は不要となったといえよう（給与制度面でも、一般職職員は、行政執行法人職員のほかは、検察官を除き、全て給与法適用職員となった。）。

3　常勤職員、非常勤職員

勤務形態による区分である。常勤職員は字義どおり、常時勤務に服する職員であり、常時勤務することを要する官職を占める職員である。これに対して非常勤職員は常時勤務を要する官職を占めないことから、常時勤務することを要しない職員と整理され、定員の外に置かれている（後述4参照）。

非常勤職員も一般職の国家公務員であり、服務をはじめとして本法の規定が適用されるが、その職務と責任の特殊性に基づいて（法附則四）、任用、勤務時間、給与等の特例が設けられている。非常勤職員は、期間業務職員（相当の期間任用される職員を就けるべき官職以外の官職である非常勤官職であって、一会計年度内に限って臨時的に置かれるもの（法第六〇条の二第一項に規定する短時間勤務の官職その他人事院が定める官職を除く。）に就けるために任用される職員（人規八―一二4⑬））とそれ以外の非常勤職員に分けられる。期間業務職員は、従前のいわゆる日々雇用の非常勤職員制度を廃止し、一会計年度の範囲内で任期を定めて採用できるとしたものであり、二回までは公募を経ずに前年度に続く採用が認められている（平二二・一〇・一施行）。その代表例として、事務補助員、技術補助員等単純定型的業務に従事する者がある。このほかの非常勤職員としては、一週間の勤務時間が常勤職員の四分の三以内の職員があり、その例としては、委員、顧問、参与、相談員等が挙げられよう。なお、定年前再任用短時間勤務職員（法六〇の二）や暫定再任用短時間勤務職員（国家公務員法等の一部を改正する法律（令和三年法律第六一号）（以下「令和三年一部改正法」という。）附則五）、職員の育児短時間勤務に伴う任期付短時間勤務職員（任期付育児短時間勤務職員）（育児休業法二三）は、非常勤職員と位置付けられているが、給与法上の俸給表が適用になるなど個々の法令において常勤職員と同様の取扱いとされている（人規八―一二　四六1、給与法二二、人規一四―七①など）（なお、育児短時間勤務職員自体は、常勤職員である。）。

ここで、非常勤職員の沿革について概要を示しておくこととする。

前述のとおり、旧官吏制度の廃止に伴い、昭和二三年三月、嘱託制度は廃止されたが、国家公務員法の規定が適用されるまでの暫定的な制度として新たに臨時職員制度が設けられた。同制度においては、職名を限定し、職務内容・権限等を具体的に定め、分限規定を設けるなど嘱託制度の問題点を解消するよう配慮がなされた。臨時職員制度は、当初昭和二三年六月末限りの措置とされていたが、数次にわたって延長された後、昭和二四年五月三一日、人事院規則八―八（臨時職員制度の廃止）が制定され、同日をもって廃止された。その際、常勤の臨時職員については同年六月一日施行の旧行政機関職員定員法の定員内の職員としての任用、非常勤の臨時職員については人事院規則八―七（非常勤職員の任用）に基づき新たに非常勤職員としての任用がそれぞれなされるか、法七八条第四号の規定により離職となった。なお、当時、各省庁には臨時職員の取扱いを受ける者以外に委員、顧問、参与、各種統計調査員や人夫等の単純な労務者など相当数の非常勤の勤務者が存在していたが、人規八―七はこれらも取り込んだものであった。

ちなみに単純な労務者は、旧官吏制度の下では傭人等として私法上の契約に服していたものであり、本法制定当初は、特別職とされていたが、昭和二三年改正で一般職となったものである。次いで、行政機関職員定員法が制定され、職員の範囲は「行政機関に常時勤務する国家公務員で一般職に属する者（二箇月以内の期間を定めて雇用される者…を除く。）」とされたため、これらの者は、当初、定員外の職員で人規八―七に規定する非常勤職員とされた。しかし、その勤務の実態が常勤職員に近いものがあったため、昭和二五年一〇月以降、「肉体的又は機械的労務に服する人夫作業員その他これに類する者で、一般職の職員の給与に関する法律第一四条の規定による勤務時間で勤務することを要し、職務の性質上継続して勤務することを例とするもの」は、出来高払いの給与の者を除き、二箇月以内の任期のある者であっても常勤職員（常勤労務者（後述（4㈢））と取り扱うことができることとなった（昭二五・九・二二任審発二六三、昭二五・九・二二任審発二七〇）。

人規八―七は、昭和二七年人事院規則八―一二（職員の任免）による新任用制度の確立と同時に廃止されるとともに、人事院規則八―一四（非常勤職員等の任用に関する特例）が制定された。その後、平成二二年に、前述のとおり、制度上、不安定な地位に置かれてきた日々雇用職員制度が廃止され、業務の性格に応じた適切な任期や再任のルールが設定できるよう、期間業務職員制度が新設された。現在、非常勤職員の任用は、人規八―一二の第四章によることとされている。

非常勤職員（定年前再任用短時間勤務職員や育児短時間勤務職員を除く。）の主な特例を整理すれば次のとおりである（なお、分限、懲戒、行政措置要求、不利益処分の審査、災害補償についての適用は、常勤職員と同じであり、特例はない。）。

任用	本法が定める採用試験又は選考によらず、適宜の方法による能力の実証。条件付任用期間（六月）について一部特例（期間業務職員は一月、審議会等の官職は適用除外）
給与	給与法が定める常勤職員の俸給、諸手当によらず、常勤職員との権衡を考慮して予算の範囲内で非常勤手当を支給（委員、顧問等は給与法で上限設定）
人事評価	実施しないことができる
定年	定年制の適用を除外
服務	原則常勤職員と同じ。ただし、服務の宣誓、政治的行為の制限（諮問的非常勤職員のみ）、兼業制限の適用を除外
勤務時間、休暇	勤務時間法が定める常勤職員の勤務時間、休暇によらず、職務の性質等を考慮して人規で定める（例えば、勤務時間は一日七時間四五分かつ常勤職員の一週間当たり勤務時間の範囲内、又は一週間当たり常勤職員の四分の三以内で各省各庁の長が任意に定める）
職員団体	原則常勤職員と同じ。ただし、諮問的非常勤職員は職員団体制度の適用を除外
倫理	原則常勤職員と同じ。ただし、諮問的非常勤職員は倫理制度の適用を除外

4　定員内職員、定員外職員

この分類は、その職員が行政機関の職員の定員に関する法律（定員法）に規定する定員内か否かによる。同法の規定による定員は、恒常的に置く必要がある官職に充てるべき常勤の職員の総数の限度をいい（定員法一1）、フルタイムの勤務者一人が基本となっている（諸外国では、時間換算等を通じてパートタイム勤務者を含めた人件費・定員管理が行われており、我が国においても今後の課題といえよう。）。この定員を占めている職員が定員内職員であり、定員の裏付けのない職員が定員外職員である。定員外職員を掲げれば、次のとおりである。

㈠　休職者及び休業者

休職者とは、本法第七九条及び人事院規則一一―四（職員の身分保障）第三条に規定する事由により休職にされた者をいう。さらに、専従許可を受けた職員も、許可の有効期間中、休職者とされている（法一〇八の六5）。休職者は、職務に従事しないことから（法八〇4）、定員法第一条の「恒常的に置く必要がある職に充てるべき常勤の職員」には含まれず、定員外であると解されている。

育児休業者、自己啓発等休業者及び配偶者同行休業者は勤務条件制度の一環として職員本人の請求に基づき任命権者が承認することによって休業が認められており、それぞれの法律で「職員としての身分を保有するが、職務には従事しない」（育児休業法五1、自己啓発休業法五1、配偶者同行休業法五1）とされており、同様である。

㈡　派遣職員

国際機関派遣法に基づき国際機関等に派遣された派遣職員も国の職務に従事しないことから（国際機関派遣法㈢）、休職者と同様に定員外とされる。官民人事交流法に基づく交流派遣職員や法科大学院派遣法に基づく派遣職員のうち専ら教授等の業務を行うために派遣されたいわゆるフルタイム派遣者も同様である（官民人事交流法八2、法科大学院派遣法一一）。これらのほか、近年、国の重要な施策に関する個別法の中に設けられた職員派遣規定に基づき、東京オリンピック・パラリンピック競技大会組織委員会、ラグビーワールドカップ二千十九組織委員会、福島相双復興推進機構、二〇二五年日本国際博覧会協会、福島イノベーション・コースト構想推進機構、二〇二七年国際園芸博覧会協会などへの派遣制度が設けられている。これら派遣職員は、法律上の根拠に基づき、職員としての身分が保障され、処遇面での配慮がなされるとともに、国家公務員としての一定の服務義務を引き続き負うことになる。具体的には、各制度ごとに人事院規則で詳細な取扱いが定められている。

㈢　常勤労務者

常勤労務者とは、3で述べたとおり、「二箇月以内の任期を限られた常勤職員」であり、また、任期は自動更新されるのが通例である。定員法第一条の「恒常的に置く必要がある職」に該当しないことから定員外とされる（現行の定員法の前身である旧行政機関職員定員法（昭二四法一二六）ではその旨、明定されていた。）。なお、常勤労務者については、昭和三六年の閣議決定により原則として新規採用はないものとされており、現在の在職は極少数となっている（同閣議決定では、特に新規に任命する必要があるときは、「行政管理庁に協議するもの」とされている。なお、当該閣議決定の改正はないものの、現在は内閣人事局がその役割を担っている。）。

㈣　非常勤職員

定員法第一条の定義上、非常勤職員が定員外であることは明らかである。

なお、人事院事務総局及び会計検査院事務総局については、定員法の適用はないが、これらについては、それぞれ本法及び検査院法に基づき定員に関する規則（人事院規則二―一四（人事院の職員の定員）、会計検査院事務総局定員規則）が定められているほか、いわゆる予算定員が定員内職員に相当するものと考えられる。

㈤　その他

以上のほか、いわゆる未帰還職員がある。未帰還職員とは、第二次世界大戦終結の時点である昭和二〇年八月一五日以降引き続き外地にいる職員のことをいう。戦後約八〇年を経過し、該当者は実質的に皆無になったといえよう。なお、給与法附則第三項には未帰還職員の給与の取扱いの規定が存置されている。

5　事務官、技官等

旧官吏制度の下においては、官吏は○○事務官、○○書記官、○○属等の官に任命され、官吏関係が設定された後、具体的に担任する事務を「○○課長に補する」、「○○課勤務を命ず」等の形で命じられていた。これを任官補職といい、各省大臣や事務次官等一官一職の場合を除き、官吏は官名と職名を有することとされていた。このような官の制度が身分的な官吏制度の基礎となっていたとの反省に立って、現行の公務員制度においては、このような任官補職の考え方をとらず、後述するとおり（第三三条〔趣旨〕一2、第三五条〔解釈〕一1など）、任用行為は全て○○課長、○○係長といった具体的な官職への欠員補充と整理されている。

しかしながら、本法の施行当時においては、恩給法が官にある者を適用の対象としていたこと、官にあることを任用上の資格要件とする職もあることなどを考慮して、職階法制定に伴う経過措置として国家行政組織法の一部を改正する法律（昭二五法一三九）附則第二項において、官に関する従来の種類及び所掌事項については、なお従前の例によることとされ、平成一九年の本法改正により職階法が廃止された際にも措置が講ぜられることなく、現在に至っている。従前の例の内容は、各庁職員通則（昭二一勅令一八九）等に定めるとおりであり、官の種類としては、個別に法律により設けられているもの（内閣法制局参事官、検察官、検察事務官、労働基準監督官等）のほか、府省名を付した事務官及び技官がある。このような官名は、労働基準監督官や検察官などのように特別の法律等で公権力の行使の権限付与の根拠等とされているものなどを除き、法律的な意味を喪失している。加えて、事務官・技官の別等にとらわれた人事管理がセクショナリズムの弊害等の要因となっているとの批判等もあるところであり、身分的な旧官吏制度に由来するこのような事務官・技官の呼称は、早期に見直しを図るべきものといえよう。

本法は、前述のとおり、任用を特定の官職に就くことと整理し、官職から離れた公務員身分を認めていない。しかし、現実には、多くの民間企業と同様、公務においても、新規学卒者を係員に採用し、時間をかけて組織内外での職務経験の付与や研修を通じて人材育成を行いながら、各役職段階での昇任に当たって選抜を行うことを基本とした人事システムが採られている。また、多くの欧米諸国の公務員制度とは異なり、職員が自らの発意によって官職を選択し、応募するのではなく、人事当局の裁量によって官職が選択され、人事配置がなされている。こうした人事システムの根底には、公務員を個々の官職とは離れた「職員」それ自身として意識する風土があり、この点を公務員法上どう位置付けるかは、今後の課題の一つであろう。ちなみに、講学的には「採用」は、他の任用行為が一方的な行政行為であるのに対して、本人の同意を必要とする行政行為とされるなど公務員関係の設定と設定後の個々の人事配置とは異なる位置付けがなされているほか、現行法上も、休職が制度化され、「職員としての身分を有するが、職務に従事しない」（法八〇4）とされるなど公務員としての身分保有も観念されている。加えて、「官房付」といった官職への任用発令も公務員としての地位と欠員補充原則との妥協の一例といえよう。

６　外務公務員、検察官

一般職の職員のうちには、行政執行法人職員や非常勤職員のほかにも本法の特例を認められた者がある。ここに掲げる外務公務員、検察官がそれである。以下その概要を紹介するが、特例措置の詳細については、本法附則第四条において述べることとする。

㈠　外務公務員

外務公務員法上、外務公務員とは、特命全権大使、特命全権公使、政府代表、全権委員、政府代表又は全権委員の顧問及び随員並びに外務職員をいう。このうち外務職員が一般職の職員であり、外務省本省に勤務する一般職の国家公務員のうち外交領事事務（これと直接関連する業務を含む。）及びその一般的補助業務に従事する者で外務省令で定めるもの並びに在外公館に勤務する全ての一般職の国家公務員が、これに該当する。

一般職たる外務公務員、すなわち外務職員には、その職務と責任の特殊性に基づき、同法において、標準職務遂行能力及び標準的な官職、欠格事由、選考による任命、在外公館に勤務する職員の給与、人事評価、勤務条件に関する行政措置の要求、懲戒処分についての不服申立て、休暇帰国等に関し特例が設けられている。

㈡　検察官

検察庁法上、検察官とは、検事総長、次長検事、検事長、検事及び副検事をいう（検察庁法三）。検察官については、検察庁法において、叙級、補職、欠格事由、定年、身分保障等に関し特例が認められている。なお、このほか、検察官の給与については、検察官俸給法により定められている。

７　廃止されたもの

㈠　地方事務官

平成一一年公布の「地方分権の推進を図るための関係法律の整備等に関する法律」（平一一法八七）（地方分権一括法）による改正前の地方自治法附則第八条の規定により設けられていた都道府県に勤務する者で、当分の間官吏とされていたものの総称である。地方事務官の制度は、第二次世界大戦後、国の業務がいわゆる機関委任事務として地方公共団体に移管された際、それらの事務に従事する者を暫定的に国家公務員としていたものである。都道府県等の組織に属し、これらの首長の職務命令を受けながら、国家公務員と位置付けられていた変則的・例外的な制度であり、本法その他の一般職の国家公務員に関する法令が適用される一方で、労使関係については、地公法の職員団体に関する規定も併せて適用されていたため、人事管理上の問題点も指摘されていた。かつては公立小学校の教員をはじめ陸運事務所の職員なども地方事務官とされていたが、漸次廃止され、平成一二年には、最後まで残っていた社会保険関係事務及び職業安定関係事務に従事する職員が国の組織に移管され、地方事務官の制度は全廃された。なお、類似の制度として、現在、地方警務官の制度があり、都道府県警察の警視正以上の警察官は、一般職の国家公務員とされている（警察法五六1）。

㈡　教育公務員

平成一六年に国立大学が法人化されるまで、教育公務員特例法上、学校教育法（昭二三法二六）の適用を受ける国立学校の学長、校長（園長を含む。）、教員（教授、助教授、教頭、教諭、助教諭、養護教諭、養護助教諭及び常勤の講師）及び部局長（大学の副学長、学部長、附置研究所長、附属図書館長、附属病院長等）が国家公務員たる教育公務員とされていた。これらの教育公務員については、同法上、任用の方法、降任・免職の手続、休職の期間、任期・停（定）年、懲戒の手続、勤務成績の評定、研修、兼業等に関して本法の特例が設けられていた。

三　一般職、特別職の分類の意義

本法は、国家公務員に適用すべき基準を定めることを趣旨とする法律であり、優秀な人材を公務に導入し、その能力を十分発揮させるとともに、安んじて職務に専念できるよう身分取扱い、処遇等について整備することをねらいとして、国家公務員の任用、給与その他の勤務条件、服務、身分保障等に関する共通の原則を規定している。

ところで、既に述べたように、本法は国の勤務者と認められる者は全て国家公務員としており、その結果、国家公務員の中には、本法の基準を一律的に適用することが必ずしも適当でないものも含まれている。そこで、本法は、国家公務員を一般職と特別職に区分し、前者には本法を適用し、後者には本法の適用を除外することとしたものである。なお、本法は、附則第四条において、職務と責任に特殊性がある場合には特例を認めることとしている。したがって、本法の規定する個別の制度について特例が必要となる場合には本法附則第四条に基づく特例措置が講ぜられることとなるが、包括的に本法の適用を除外することが適当と認められるものは、特別職として全面的に本法を適用除外しているものといえよう。

四　一般職、特別職の分類の基準

本法は、第二条第三項に具体的に職員を列記し、その職員の職を特別職としている。しかし、そこで特別職とされている職の基準は示されていない。

一般職・特別職の分類基準に関する主な学説を掲げれば、次のとおりであり、それぞれ特別職の基準として以下のとおり列挙している。

1　『新版 国家公務員法精義』（浅井清著）
①「行政」に対して「政治」を担当するもの
②自由な任免を適当とするもの
③一般の任用資格を離れて広く適任者を求むべきもの
④その職の性質上独立して人事管理を行うべきもの
⑤その他特別の事情のあるもの

2　『新版 公務員法』（鵜飼信成著）
①自由任用を適当とする職
②就任の基礎が一般公務員と異なっているもの
③地位職務に重要な特殊性があって、一般職とは扱いを異にする必要のある職
④専務的な職でないもの
⑤単純労務に雇用されるもの

3　『公務員法』（佐藤功・鶴海良一郎著）
①従来のいわゆる試験任用の職にあらざるいわゆる自由任用の職を中心とする政治的官職
②①に属しないものであってもその選任に当たって、適材を選ぶ必要及び国会などを関与せしめることによって民主

的な選任を確保する必要などから、一般の職員とは異なる特殊な方法がとられるべきもの

③　職務の特殊性から必ずしもこの法律によりその任用服務等を規制する必要のないもの

ところが、これらの説はいずれも現に特別職とされている職員について説明するための分類であり、必ずしも理論的な基準を示しているとは思われない。結局、特別職とは、なんらかの理由により本法の画一的な適用を排除することを適当とする職であり、その理由なり事情は、それぞれの職によって同一ではないということであろう。現在、特別職とされている職について、あらためてその理由を考えてみると、

⑴　裁判官、裁判所職員、国会職員については、三権分立の下でそれらの職員の人事管理は内閣から独立して行うべきものであること。

⑵　自衛官など防衛省の職員については、その職務の性質上、職務執行体制その他服務をはじめ人事管理に大きな特殊性があること。

⑶　その他の特別職については、まず人事管理の根幹たるべき任用方法について選挙による場合や政治家の信任を重視する場合など、厳密な成績主義に基づく任用制度を基盤とする本法の適用が適当ではないこと、また、職務の特殊性から分限、服務等についても一般職と同一に扱うことが適当ではないことなどがあげられる。

特に、⑶に関しては、本法は制定当初、精緻な職階制を導入し、それに基づき給与制度等を整備することを予定していたと考えられることから、職階制に基づき詳細に分類し、それをもとに各制度を設計する必要のないもの、また、それが適当ではないものを特別職として整理することもかなり意識していたのではないかということも想像される。

五　外国人との勤務契約

本法第二条第六項は、「政府は、一般職又は特別職以外の勤務者を置いてその勤務に対し俸給、給料その他の給与を支払つてはならない。」と規定する。これは、国の勤務者は全て国家公務員とし、本条第三項において限定列挙する特別職以外は全て一般職として本法の規律の下に置くこととし、あいまいな勤務者は排除することを趣旨としている。本法制定当時、特国との間に勤務関係の認められる者としては、官吏のほかに、雇員、傭人、嘱託といった様々な形態の勤務者が存在し、特に嘱託については乱用の弊害が生じていたことが、このような規定が設けられるにいたった背景として考えられよう。とこ

ろが、本条は、第七項において、「前項の規定は、政府又はその機関と外国人の間に、個人的基礎においてなされる勤務の契約には適用されない。」として、第六項に対する例外を設けている。明治維新以降のいわゆる「お雇い外国人」に端を発するものといえようが、外国人に限っては、一般職・特別職以外の勤務者として雇用する途を認めているわけである。

本法は外国人の官職への任用については、特段規定を設けておらず、判断を示していない。ところで、この点について内閣法制局の法制意見（昭二八・三・二五法制局一発二九）は、いわゆる当然の法理に基づき「公権力の行使又は国家意思の形成に参画する官職」への就任については日本国籍を要すると解している。したがってこれ以外の官職については、日本国籍を有しない者を任用することも可能であると解されている。

外国人の官職への任用も不可能ではないとするならば、それとは別に契約による雇用制度を認める本項の趣旨はどこに求めるべきであろうか。外国人を国家公務員に任用することは、その職が公権力の行使又は国家意思の形成に参画する官職でない限り、可能である。しかしながら、外国人を一般職の職員に任用したときには、本法の適用を受けることとなり、日本人の場合と同様に取り扱われることとなる。その場合、例えば、採用に当たっては、一律に本法第九七条の規定にしたがって服務の宣誓を行わなければならないが、その結果、当該外国人がその国籍を失う場合もあり得る。また、処遇面においても、一般職の職員として任用した場合、日本社会の人事風土を前提とした給与制度、休暇制度等が一律的に適用されるが、それでは必要な人材を確保できないおそれもある。そこで、このような事情を考慮して弾力的に雇用条件等を設定できるよう契約制度を導入しているものである。ただし、このような例外を広く認めることは適当でないとして、人事院規則において、勤務契約を認める要件を極めて限定的に規定している。

なお、前述の「当然の法理」は、単に一般職の職員に採用する場合のみならず、この勤務契約についても及び、勤務契約によっても外国人が公権力を行使し、又は国家意思の形成に参画することはできないものと解される。

近年、国際化の進展、特に我が国の国際社会における地位の向上等に伴い、公務部門についても永住外国人を含め外国人に門戸を開くべきであるとする意見など様々な意見が主張されている。既に国立研究所の研究公務員や国立大学の教官（平成一六年四月以降は国立大学法人化により国立大学教官は国家公務員ではなくなっている。）については、個別立法により「当然の法理」に対する特例措置が講じられ、外国人を任用できる範囲が拡大されている。

〔解　釈〕

一　職と職員

本条第一項は、「国家公務員の職は、これを一般職と特別職とに分つ。」と規定し、「職」という概念を用いている。「職」とはポジションのことであり、原則として一人の職員に割り振られるべき職務と責任の総体を示す概念である。本法においては、一般職に属する職を官職と称し、更に官職、すなわち一般職の職を占める者を職員と称している。

ところで、旧官吏制度においても「官職」という表現が存在した。しかしながら、その意味は現在と異なることに留意する必要がある。すなわち、旧官吏制度においては、既に説明したとおり、任官補職の考え方に基づき、「官」と「職」の概念が区別されていたが、官吏の担任する事務の範囲のことを「官職」と称し、勅任官など「○○局長」のように官名と職名が区別されない場合には任官行為により具体化し、「○○書記官」のように別途補職が必要な場合には補職により具体化されていた（美濃部達吉著『日本行政法 上巻』六八六頁）。他方、本法においては、公務員関係は直接「職」との関係で発生、変更、消滅等することとされており、事務官、技官等の「官」は、現時点においては、経過的な、かつ、一般的には呼称としての意味を持つものとして存在するにすぎないことから、「官職」の意義も従前とは変質し、現在は本法において「一般職の職」を示す用語として用いられている。

二　特別職

本法は、本条第三項において特別職の職員を具体的に列挙し、それ以外の職員の占める職を一般職とする。現在特別職とされる者を掲げれば次のとおりである。

1　内閣総理大臣

内閣の首長たる内閣総理大臣は、政治的な職であり、国会議員から両院の指名選挙で選ばれるものである（憲法六六、六七）など、任用、服務等につき一般職と同一の取扱いをすることは適当でなく、また不可能である。

2　国務大臣

国務大臣も合議体である内閣の構成員として、国会に対し連帯して責任を負うものであり（憲法六六）、内閣総理大臣と同様、政治的な職であり、任用、服務等につき一般職と同一の取扱いをすることは合理的でない。

3　人事官及び検査官

いずれも就任につき両議院の同意を要する職であり、任命の基礎として民主的コントロールを必要とする職である。本条第三項第九号にも該当するが、特にその職の重要性に鑑み個別に掲げているものと考えられる。

4　内閣法制局長官

内閣の補助部局である内閣法制局の長として、常に内閣と一体となって行動する職であるとともに、専門性の高い職でもあることなどから、特別職とされているものと考えられる。

5　内閣官房副長官

内閣官房の枢要ポストであり、内閣法制局長官と同様、内閣と一体となって行動を共にする職である。内閣官房副長官は三人置かれ（内閣法一四1）、衆議院及び参議院の国会議員から一人ずつ、一般職の幹部国家公務員であった者から一人、それぞれ任命されるのが通例となっている。なお、かつては、内閣官房長官も特別職として本法に掲げられていたが、現在は、同長官は、国務大臣をもって充てられることとされているため（内閣法一三2）、本法に掲げる必要がなくなり、削除された。なお、内閣総理大臣から指名された内閣官房副長官が内閣人事局長となる（内閣法二一〇4）。

6　内閣危機管理監

内閣危機管理監は、平成一〇年の内閣法の改正によって内閣における危機管理機能を強化するため設けられた内閣官房の枢要ポストである。内閣官房長官及び内閣官房副長官を助け、危機管理に関する内閣官房の事務を統理する職であり、内閣総理大臣の申出により内閣が任命することとされている（内閣法一五）。危機管理について内閣と一体となって行動し、かつ、高度の専門的な識見を有する者を広く各界から求めることとなるため、特別職とされたものである。

7　国家安全保障局長

国家安全保障局長は、我が国の安全保障に関する外交政策及び防衛政策の基本方針や重要事項をつかさどるために、平成二五年の内閣法の改正によって、内閣官房に設置された国家安全保障局の長である（内閣法一六）。内閣官房の枢要ポストとして、内閣危機管理監等と同様、内閣官房長官及び内閣官房副長官を助け、局務を掌理するものであり、内閣総理大臣によって、行政組織の内外から適任者を直接かつ機動的に選任し、登用する必要があること、加えて、国家安全保障局次長には、内閣官房副長官補（特別職）の中から充てられることとされていること（内閣法一六７）から、特別職とされたものである。

８　内閣官房副長官補、内閣広報官及び内閣情報官

内閣官房副長官補（内政担当、外政担当、事態対処・危機管理担当の三人）、内閣広報官及び内閣情報官は、平成一三年の中央省庁の再編の際に、内閣機能を強化するため設けられた内閣官房の枢要ポストである。いずれも内閣官房長官、内閣官房副長官、内閣危機管理監を助け、内閣官房の事務の一部を掌理するものである（内閣法一七、一八、一九）。これらの職も内閣と一体となって行動する必要があり、任用等につき一般職と同様の取扱いをすることが適当ではないため、特別職とされたものである。なお、一般職の幹部公務員出身者が就任するのが通例となっている。

９　内閣総理大臣補佐官

内閣総理大臣補佐官は、平成八年の内閣法の改正により、内閣機能の強化の観点から内閣総理大臣に対する補佐体制の充実を図るため設けられたものであり、内閣の重要政策のうち特定のものに係る内閣総理大臣の行う企画及び立案について、内閣総理大臣を補佐するポストである。当初は、内閣総理大臣に専ら意見を具申する役割であったが、平成二六年の本法改正の際の内閣法の改正により、国家公務員制度改革基本法に規定する国家戦略スタッフ（内閣の重要施策のうち特定のものに係る企画立案に関し、内閣総理大臣を補佐する職）に相当する措置として、改められたものである（国家公務員制度改革基本法五１②）。法律上、五人以内を置くとされるポストであり、時々の内閣総理大臣の固有の政治手法、抱える問題への柔軟な対応が可能となるよう設置は内閣総理大臣の裁量に委ねられている。常勤のほか、非常勤とすることもできる（内閣二一４）。内閣総理大臣補佐官の性格上、総理との間の信頼関係を活動の基礎とするものであり、国会議員を任用する場合も多いなど、任用等につき一般職と同様の取扱いをすることが適当ではないため、特別職とされたものである。

10　副大臣

副大臣は、平成一三年の中央省庁再編の際、従前の政務次官を廃止し、大臣政務官と併せて設けられたものである。内閣府には三人（内閣府設置法一三）、省にはそれぞれ一人又は二人（行組法別表第三）が置かれる。副大臣は、各省大臣の命を受け、政策及び企画をつかさどり、政務を処理し、あらかじめ各省大臣の命を受けて、大臣不在の場合、その職務を代行する

など政治的なライン職であるほか、その任免は、各省大臣の申出により内閣が行い、天皇が認証し、かつ時の内閣と進退を共にすることとされているなど、任用、服務等につき一般職と異なる取扱いがなされているため、特別職とされている。なお、国会議員が就くのが通例である。

11　大臣政務官

大臣政務官も、平成一三年の中央省庁再編の際に、従前の政務次官を廃止して設けられたものであり、府省ごとに一人ないし三人置かれる（行組法別表第三、内閣府設置法一四１）。大臣政務官は大臣を助け、特定の政策及び企画に参画し、政務を処理するなどスタッフとしての政治的な職であるほか、その任免は、各省大臣の申出により内閣が行い、かつ時の内閣と進退を共にすることとされているなど、任用、服務等につき一般職と異なる取扱いがなされているため特別職とされている。なお、副大臣と同様、国会議員が就くのが通例である。

なお、事務次官については、本法制定当初においては特別職とされていたが、昭和二三年の本法改正において一般職の範囲の拡大が図られた際、一般職に変更された。その理由として、「（事務）次官は、事務官の最高峰に位するもの。政策を企画する政策官と事務官との接触点にあるものとして特別職に入れているが、議院内閣制の下においては、大臣の下に政務次官があり、副大臣としての機能を果して行く意味において、（事務次官は）事務官の枠の中に入れ、国家公務員法の原則の適用を受ける方がよい」（昭和二三年一一月一九日参議院人事・労働連合委員会岡部政府委員）との答弁がなされている。

12　大臣補佐官

大臣補佐官は、平成二六年の本法改正の際の行組法等の改正によって、国家公務員制度改革基本法に規定する政務スタッフ（特定の政策の企画立案及び政務に関し、大臣を補佐する職）に相当する措置として、制度が設けられたものである（国家公務員制度改革基本法五１②）。特に必要がある場合に、各府省に設置できるものであり、内閣府には六人以内、各省は一人以内とされている（内閣府設置法一四の二、行組法一七の二）。大臣の命を受け、特定の政策に係る大臣の行う企画及び立案並びに政務に関し、大臣を補佐するものであり、また、国の行政機関の内外から人材を機動的に登用できるものとし、任用、服務等につき一般職と異なる取扱いがなされ、国会議員の兼任も可能とされていることから特別職とされている。

13　デジタル監

デジタル監は、令和三年のデジタル庁設置法の制定によって、デジタル庁の所掌事務に関する重要事項に関し進言等をデジタル大臣に行うとともに、デジタル庁の庁務を整理し、各部局及び機関の事務を監督するため設けられたポストである（デジタル庁設置法一一）。情報通信技術の活用に係る高い識見を有する者を得るために民間等各界からの人材登用をより柔軟なものとする必要があることから、特別職とされたものである。

14 内閣総理大臣秘書官及び国務大臣秘書官並びに特別職たる機関の長の秘書官のうち人事院規則で指定するもの

これら秘書官は、常に内閣総理大臣、国務大臣、その他特別職たる機関の長と行動を共にする職であり、広く適任者を求める必要があるほか、政務に携わる場合もありうることから特別職とされている。人事院規則一―五で、人事院総裁秘書官、会計検査院長たる検査官の秘書官、内閣法制局長官秘書官、宮内庁長官秘書官が指定されている。内閣総理大臣秘書官は五人（内閣官房組織令一二）、国務大臣その他の秘書官はそれぞれ一人（各省組織令等）とされている。人数を制限する趣旨は、仮にそれ以上「秘書官」を置いたとしても特別職としての特殊性を認め得るのは、当該人数に限定するところにある。ちなみに、大臣秘書官事務取扱という発令がなされる場合があるが、その場合はここでいう秘書官ではなく、大臣と各省の各部局の連絡に当たる一般職の官職である。

15 就任について選挙によることを必要とし、あるいは国会の両院又は一院の議決又は同意によることを必要とする職員

ここに掲げる職員は、いずれもその選任に当たって民主性、代表性が求められており、成績主義による任用を根本原則とする本法とは基本理念を異にしている。

前段の就任について選挙によることを必要とする職員とは、国会議員を指すものと考えられる（前述【趣旨】―2）。ただし、ここでいう選挙は、公選法に規定する選挙に限らない。例えば、かつて、日本学術会議会員は一定の資格を有する科学者の選挙により任命されていたため、これに該当していた。なお、現在日本学術会議会員は会員からの推薦を通じた内閣総理大臣への推薦制により選任されることとされ、後述20のとおり別途特別職として掲げられている。同様に、衆・参両議院の事務総長は、各議院における選挙により国会議員以外の者から選ばれることとなっており、「就任について選挙によることを必要とする職員」にも該当しうるが、本項では、特別職の職員として別に「国会職員」を掲げており、両議院事務総長は国会職員に含まれると解するのが素直であろう（国会法二六、二七）。

後段の「就任について国会の両院又は一院の議決又は同意によることを必要とする職員」の例は、次のとおりである。①国家公務員倫理審査会の会長及び委員、②公正取引委員会の委員長及び委員、③国家公安委員会委員、④公害等調整委員会の委員長及び委員、⑤中央労働委員会の公益委員、⑥運輸安全委員会の委員長及び委員、⑦原子力規制委員会の委員長及び委員、⑧総合科学技術・イノベーション会議の議員のうち国務大臣、関係行政機関の長以外の有識者議員、⑨原子力委員会の委員長及び委員、⑩再就職等監視委員会の委員長及び委員、⑪証券取引等監視委員会の委員長及び委員、⑫情報公開・個人情報保護審査会の委員など。

なお、「議決」、「同意」と使い分けているが、これはそれぞれの職の設置根拠を定める法律における用語の差異に基づくものであり、実質的には同じである。しいていえば、「同意」は内容に着目したいい方、「議決」は形式に着目した表現ということができよう。

ちなみに、法律上の制度ではないが、特に重要な人事案件については国会同意に当たって、両院の議院運営委員会で意見聴取が行われることとされており、人事官や検査官のほか、公正取引委員会委員長、原子力規制委員会の委員長及び委員が対象とされている。

16　宮内庁長官、侍従長、東宮大夫、式部官長及び侍従次長並びに法律又は人事院規則で指定する宮内庁のその他の職員いずれも、基本的には天皇及び皇族の側近にあって奉仕するという特殊性に着目して特別職とされている。ただし、式部官長については側近性というよりは、むしろその専門的性格から、適任者を求める必要性が高いことが特別職とする理由であろう。「法律」により宮内庁の職員を特別職と定めたものはない。人事院規則としては、人事院規則一―五（特別職）があり、同規則において、現在次の職員の占める職が特別職とされている。

①　宮務主管（一人）
②　皇室医務主管（一人）
③　侍従（七人）
④　女官長（一人）及び女官（六人）
⑤　侍医長（一人）及び侍医（三人）

⑥　上皇侍従（七人）
⑦　上皇女官長（一人）及び上皇女官（六人）
⑧　上皇侍医長（一人）及び上皇侍医（四人）
⑨　東宮侍従長（一人）及び東宮侍従（七人）
⑩　東宮女官長（一人）及び東宮女官（六人）
⑪　東宮侍医長（一人）及び東宮侍医（三人）
⑫　皇嗣職宮務官長（一人）及び皇嗣職宮務官（十人）
⑬　皇嗣職侍医長（一人）及び皇嗣職侍医（三人）
⑭　宮務官（四人）
⑮　侍女長（四人）

17　特命全権大使、特命全権公使、特派大使、政府代表、全権委員、政府代表又は全権委員の代理並びに特派大使、政府代表又は全権委員の顧問及び随員

諸外国に対し我が国を代表する職として、広く人材を求め自由任用とする必要があることなどが、これらの職を特別職とする理由であろう。「特派大使」、「政府代表」、「全権委員」については、外務公務員法に定義するところに従うこととなる。

18　日本ユネスコ国内委員会の委員

同委員は、形式上は文部科学大臣が任命することとしているものの、実質的には同国内委員会の推薦制となっており、このような任命上の特殊性に鑑み、特別職としているものと思われる。なお、同委員会の委員には国会議員から選出される者も含まれている。

19　日本学士院会員

日本学士院自体が、「学術上功績顕著な科学者を優遇するための機関」であるという、通常の行政機関とは異なった性格を有しており、その会員も終身であって、学術団体の推薦、部内の選考委員会の選考を経て、総会の承認により会員であることが決定されるなどの特殊性を有しており、これらに着目して特別職としているものと考えられる。

20　日本学術会議会員

かつては、同会議会員は、一定の資格を有する科学者の直接選挙により選出されることとなっていたため、本項第九号の「就任について選挙によることを必要と……する職員」に該当し特別職とされていたが、昭和五八年の日本学術会議法の改正により、その選出方法について同会議に登録された学術研究団体（いわゆる学会）の代表による会員候補者の推薦を経て、同会議が会員候補者を内閣総理大臣へ推薦する制度が導入された。このような推薦制は能力実証主義を基本原則とする一般職の任用理念とは異なるため、当該日本学術会議法の改正の際、本法も改正され、同会議会員を特別職として個別に掲げることとしたものである。なお、平成一六年の日本学術会議法の改正により、学術研究団体による推薦ではなく会員による推薦を経て内閣総理大臣へ推薦する仕組みに変更された。

21　裁判官及びその他の裁判所職員

一般職として本法を適用すれば、本法の定めるところに従い、内閣総理大臣及び人事院の権限が及ぶこととなるが、三権分立の原則の下、これらが裁判所における人事管理に関与することは適当ではないため、これを排除する趣旨で特別職としているものと考えられる。

なお、本法制定当初は、裁判官並びに最高裁判所長官秘書官（一人）及び裁判所調査官のみを特別職としていたが、昭和二三年の改正においてその他の裁判所職員も含め全て特別職とされることとなった。ただし、その際、裁判所において人事行政諸制度が整備されるまでの経過的な取扱いとして、昭和二六年一二月三一日までは、裁判所職員は一般職とされていた。同日以後は、裁臨法により、当分の間の措置として、現在に至るまで、本法、給与法、補償法、勤務時間法、育児休業法などの一般職に関する多くの法律の規定が準用されている。

22　国会職員

国会職員を特別職とする趣旨は裁判所職員の場合と同様、三権分立の原則の下、立法部における独立した人事管理を認めるためである。なお、国会職員は、本法制定当初から、特別職とされていたが、昭和二三年の改正において、裁判所職員の場合と同様の趣旨で、昭和二六年一二月三一日まで一般職とされ、その後ふたたび特別職に復帰している。国会職員の人事管理制度は、国会職員法の定めによるが、給与をはじめその具体の多くが両院議長の定めに委ねられている。

23国会議員の秘書

国会議員の秘書も広義においては、国会職員に属するともいえるが、国会職員法の適用対象外であること、及び秘書の職務の特殊性から、本法制定時から一貫して特別職として別に掲げているものである。なお、国会法第一三二条により、国会議員の秘書は各議員に二人と政策秘書一人が認められているが、これ以外にもいわゆる私設秘書を置いているのが一般的である。このような私設秘書はあくまで議員との間の私的契約によるものであり、国家公務員でないことはいうまでもない。

24　防衛省の職員（防衛省に置かれる合議制の機関で防衛省設置法第四一条の政令で定めるものの委員及び同法第四条第一項第二四号又は第二五号に掲げる事務に従事する職員で同法第四一条の政令で定めるもののうち、人事院規則で指定するものを除く。）

防衛省の職員は、いわゆる制服組である自衛官のほか、内部部局等で勤務する職員の大多数が自衛隊法上の自衛隊員として、「事に臨んでは危険を顧みず、身をもつて責務の完遂に努め」なければならない（自衛隊法五二）といった服務や勤務態勢に特殊性があるなど職の性質上、独立して人事管理を行うべきであることから特別職としている。

なお、人規一―五で定める職員としては、次のようなものがある。これらは、その職務内容等が通常の防衛省の職員とは異なり、それゆえに自衛隊法の下においても自衛隊の「隊員」とされていないことに着目し、一般職としているものである。

①　防衛人事審議会の委員
②　自衛隊員倫理審査会の委員
③　防衛調達審議会の委員
④　防衛施設中央審議会の委員
⑤　防衛施設地方審議会の委員
⑥　捕虜資格認定等審査会の委員
⑦　地方協力局労務管理課の職員

25　独立行政法人通則法第二条第二項に規定する行政執行法人（以下「行政執行法人」という。）の役員前述のとおり、平成一三年より設けられた独立行政法人のうち、行政執行法人については、その役員及び職員は、国家公務員とされているが、役員は、当該法人の経営責任を有するという職務の性格上、国家公務員法の諸規定を適用するのが適当ではなく、加えて広く各方面から人材を獲得する必要があるため特別職としたものである。

なお、右に述べたもののほか、かつて特別職の国家公務員とされていた主なものを列挙すると次のとおりである。

① 参政官（昭和二七年に廃止）
② 海上保安庁海上警備隊の職員（昭和二七年以降、一般職）
③ 失業対策事業のため公共職業安定所から失業者として紹介を受けて国が雇用した職員及び公共事業のため失業者として国が雇用した職員で、技術者、技能者、監督者及び行政事務を担当する者以外の者（平成七年に制度廃止）

本条第四項後段は、国家公務員であるか否かの認定とともに、特別職か否かについて疑義がある場合の決定も人事院が行うこととしている。実際には、特別職は本項に限定的に列挙されており、疑義の生じる余地は基本的には存しない。しいていえば、本条第三項第九号の選挙の範囲を認定したりすることが考えられよう。ただし、このような解釈運用の問題のほかに、人事院は、本項の委任を受けて一部の特別職について人事院規則でその範囲を確定することとされており、また同項の規定に改正を加え、新たに特別職の追加あるいは削除を行うような場合においては、人事院との協議がなされてきているなど、特別職の範囲の問題に関しては、広く人事院が関与することを本法は期待していることに留意しておく必要があろう。これは、一般職か特別職かは、本法の適用の有無を定める分岐点であり、極めて重要な意味を有することから人事院の判断に委ねることを適当としているものである。

三　特別職の人事管理法制

本条第五項は、「この法律の規定は、この法律の改正法律により、別段の定がなされない限り、特別職に属する職には、これを適用しない。」と規定して、本法が特別職には適用されないことを定めている。もともと本法の適用を除外する必要のあるものを特別職として整理しているのであるから、これは当然であり、確認的意味にとどまろう。

なお、人事官は特別職であるが、本法に任用資格、任期、任命手続、服務、罷免に関する事項等を規定し、さらに中央人事行政機関として種々の権限を付与している。また、内閣総理大臣も特別職であるが、これについても本法において中央人事行政機関としての権限を規定している。さらに、本法第三章においては、第二節第六款及び第七款の幹部職員の任用等に関する一部規定は防衛省の幹部職等（特別職）にも適用になるほか、第八節では、行政執行法人の役員（特別職）についての離職後の就職依頼等の規制や再就職等監視委員会の委員長や委員に関する規定が設けられている。これらの限りで本法は特別職にも一部適用されていることとなるが、本条第五項の趣旨は、本法の「職員に適用される基準」が一般職に係るものであることを宣言するところにあるものと考えられる。

参考までに、主な特別職の人事管理法制について概要を示せば次のとおりである。

	任用	給与	分限	懲戒	服務
内閣総理大臣	憲法	特別職給与法	憲法	―	―
国務大臣	憲法	特別職給与法	憲法	―	―
人事官	本法	特別職給与法	本法	同上（弾劾）	同上
検査官	検査院法	特別職給与法	検査院法	同上（退官）	同上（兼職禁止）
内閣法制局長官	内閣法制局設置法	特別職給与法	―	―	―
内閣官房副長官	内閣法（天皇の認証のみの規定）	特別職給与法	―	―	―
秘書官	―	特別職給与法	―	―	―
宮内庁の特別職職員	―	特別職給与法	―	―	―
特命全権大使・公使	外務公務員法	特別職給与法	外務公務員法（待命のみの規定）	―	外務公務員法（国家公務員法一部準用）
裁判官	憲法 裁判所法	裁判官報酬法	憲法 裁判所法 裁判官分限法	憲法 裁判官弾劾法 裁判官分限法	裁判所法

裁判官以外の裁判所職員	裁臨法	同上	同上	同上	同上
国会職員	国会職員法	国会職員法（両院議長の定め）	同上	同上	同上
防衛省職員	自衛隊法	防衛省給与法	自衛隊法	同上	同上

（注）「—」は、規定が未整備であることを示す。なお、本法制定時に既に存在していた職については、官吏任免法（国家公務員法の規定が適用せられるまでの官吏の任免等に関する法律（昭二二法一二一））により「従前の例による。」とされる。従前の例としては、「官吏の任免、叙級、休職、復職その他の官吏の身分上の事項に関する手続に関する政令」（昭二二政令一二）、官吏服務紀律、官吏分限令、官吏懲戒令等がある。ただし、これらのうち、官吏分限令、官吏懲戒令については、そこで求められている官吏高等懲戒委員会等を現時点において構成することは困難であり、実際上、例によりがたいものと考える。

四 一般職及び特別職以外の勤務者の禁止

本法第二条第六項は、「政府は、一般職又は特別職以外の勤務者を置いてその勤務に対し俸給、給料その他の給与を支払つてはならない。」と規定する。この規定の趣旨は、既に述べたとおりであるが、要約すると、本法は、国の勤務者は全て国家公務員とした上で、国家公務員を一般職と特別職に区分し、前者については本法で、任用、給与、服務等人事管理に関する基準を示しつつ、後者については別個にそれぞれに適した人事管理法制を設けることを予定するとともに、それ以外のあいまいな性格の勤務者を国が置くことを禁止しているのである。

本項は、「俸給、給料その他の給与を支払つてはならない」として、名目のいかんを問わず、給与の支給を禁止しているが、これは勤務（雇用）関係がある場合、通常給与を支給する関係にあることを前提としたものであり、給与を支給しないのであれば、勤務者を置いてもよいとの趣旨ではないと解される。したがって、一般職、特別職以外に「無給の勤務者」を雇用することも許されないものといえよう。

本項との関連では、次の二点に触れておく必要がある。

1　駐留軍労務者

駐留軍労務者は、「日本国とアメリカ合衆国との間の安全保障条約に基づき駐留する合衆国軍隊のために労務に服する者で国が雇用するもの」をいう。駐留軍労務者は、合衆国軍隊の業務に従事しており、その意味で使用者は合衆国軍隊であるが、「日本国とアメリカ合衆国との間の相互協力及び安全保障条約第六条に基づく施設及び区域並びに日本国における合衆国軍隊の地位に関する協定」に基づき日本国の援助の一環として置かれていることもあって、駐留軍労務者は国が雇用することとされている。このように、駐留軍労務者の制度は、変則的なものであるが、国の業務を行うものではないため、現在国家公務員とは位置付けられておらず、そのことは、昭和二七年の「日本国との平和条約の効力の発生及び日本国とアメリカ合衆国との間の安全保障条約第三条に基く行政協定の実施等に伴い国家公務員法等の一部を改正する等の法律（法一七四）」第八条第一項に明記されている。また、駐留軍労務者については、本法第二条第六項との関係も疑問となるが、この点については、前述昭和二七年の法律の第八条第二項において「駐留軍等労務者は、国家公務員法第二条第六項に規定する勤務者と解してはならない。」とされ、立法的に解決している。

なお、駐留軍労務者は、平和条約の発効に当たり、前記の法律によりそれまでの連合国軍労務者から切り替わったものであるが、前身の連合国軍労務者については、国家公務員と位置付けられ、特別職とされていた。

2　派遣労働者等

「労働者派遣事業の適正な運営の確保及び派遣労働者の保護等に関する法律（昭六〇法八八）」（労働者派遣法）は、「自己の雇用する労働者を当該雇用関係の下に、かつ、他人の指揮命令を受けて、当該他人のために労働に従事させる」労働者派遣事業を認めている。労働者派遣法は、国を派遣先から除外していないため、国が派遣労働者を受け入れることも可能であり、国が派遣先となることを前提とした規定もある（労働者派遣法四〇の六）。近年、厳しい定員管理の下で、技能・労務ないしＩＴ関連の部署等で活用が拡大してきている。その場合に本項との関係が問題となりうるが、派遣労働者を受け入れ、労務の提供を受けたとしても、国と派遣労働者の間には雇用関係は発生しておらず、派遣労働者は国の勤務者には該当しないものと考えられる。要するに、派遣労働者の身分はあくまで派遣元に属しており、国との間において身分関係は発生しないことから本項に違反するものではないといえるであろう。

このほか、国から業務委託を受けた民間法人の被雇用者によって、国の庁舎の内外で労働がなされることも増加しているが、国と契約関係にあるのは当該民間法人であって、国と当該被雇用者の間には、雇用関係はなく、加えて指揮命令の関係もないことから、当該被雇用者の利用は本項に反するものではない。

むしろこれらの場合は、行政執行を民間人に委ねるものということができ、行政の継続性、専門性、信頼性、効率性等の観点からその限界について十分議論しておく必要があると考えられる。

五　外国人との勤務契約

本法第二条第七項は「前項の規定は、政府又はその機関と外国人の間に、個人的基礎においてなされる勤務の契約には適用されない。」と規定する。

本項の「外国人」には無国籍人も含むものと解される。他方、二重国籍人については、外国の国籍を有しているとしても日本の国籍を有している限りは日本人であり、外国人ではないといえよう。「個人的基礎においてなされる勤務の契約」の意味は必ずしも明らかではないが、個別に個々のケースに応じて勤務条件等を決定することを意味していると思われる。

なお、本項による勤務契約により雇用された外国人は一般職でもなく特別職でもない国の勤務者であるが、その者は国家公務員といい得るであろうか。これら外国人勤務者を仮に国家公務員といってみても一般職ではないことから、本法の適用はなく、本法との関係においては、国家公務員とするかどうかは特に積極的な意味はないといえるが、先に掲げた三要件に照らして判断すれば国家公務員であるといっても差し支えないであろう。

ところで、本項の契約と講学上の「公法上の契約」あるいは「私法上の契約」との関係であるが、従来の学説においては、行政上の契約のうち公法的効果を発生させるものを「公法上の契約」として、私法的効果を発生させる「私法上の契約」と区分してきた。本項の勤務契約については、一応の理解としては、前者に該当するといえるであろう。しかしながら、両者を区別する基準は必ずしも明確ではなく、また概念的に区別してみても、裁判上の効果を含めて、その実益はほとんど認められないところである。そこで、今日においては、行政主体の締結する契約について、公法上の契約、私法上の契約に区分することなく、具体的類型ごとに関係法令と契約の性質に照らして規律内容を明らかにすべきであるとの主張が有力であり、本項の勤務契約について概念的に「公法上の契約」に該当するか否かを問うことの意味はさしてないといえよう。本項に関連しては、法人化前の国立大学と外国人教師との間の勤務契約について、「民法上の雇用契約であると解するのが相当」であり、「(本項に基づく勤務者は）労働基準法及びこれに基づく命令が適用される」が、「解雇権の濫用法理が類推適用されるといえるためには、契約期間の満了後も雇用契約に基づいて成立した雇用関係の継続を期待することに合理性があると認められなければならない。……財政法は、国の会計原則として予算の経費の年度間の融通を禁止した会計年度独立の原則を採用したのであって、……一年を超える契約期間を定めた雇用契約や期間の定めのない雇用契約を締結したとしても、その雇用契約は無効であると解されるから、……契約期間が満了したにもかかわらず、当該雇用契約の効力が失効しないという事態をそもそも観念することができないものと考えられ……そもそも解雇権の濫用法理を類推適用することはできない」との下級審の裁判例がある（平一一・五・二五東京地裁）。

なお、本項の契約については、実施命令として人事院規則一―七（政府又はその機関と外国人との間の勤務の契約）が定められている。同規則の概要は次のとおりである。

① 政府又はその機関は、本法第二条第七項に規定する個人的基礎においてなされる勤務の契約による場合には、日本の国籍を有しない者を雇用することができる（人規一―七　1）。

本項の内容を確認したものである。この規定振りからは、日本の国籍を有しない者を任用するにはこの契約によるしかないとのニュアンスが感じられなくはない。しかしながら、この点については先に述べたとおり、「当然の法理」に抵触しない限り、外国人を一般職の職員に任用することも可能と解されている。

② 本項の契約は、当該職の職務がその資格要件に適合する者を日本の国籍を有する者の中から得ることが極めて困難若しくは不可能な性質のものと認められる場合、又は当該職に充てられる者に必要な資格要件がそれに適合する者を日本の国籍を有する者の中から得ることが極めて困難若しくは不可能な特殊かつ異例の性質のものと認められる場合に限り、政府若しくはその機関又は行政執行法人と日本の国籍を有しない者との間において締結することができる（人規一―七　2）。

繰り返し述べたとおり、本法は一般職、特別職以外のあいまいな勤務者を国が雇用することを禁止し、唯一の例外として本項の契約を認めているが、その例外を認めるのも極めて限定的な特殊な場合に限っている。すなわち、本項の契約は、その職の職務が外国人にしか適任者を求められないような特殊なものである場合又はその職に充てられるべき者に必要な資格要件を満たせるのは外国人でしかないような場合にのみ可能とされている。前者と後者は、実質的には同様あるいは類似の要件を問題にしており、前者にあっては職の内容、性質から要件を整理しているのに対し、後者にあっては資格要件の観点からとらえているといえよう。本項による勤務契約は、外国人教師を採用していた国立大学が法人化されて以降は、在外公館の現地補助職員等への採用に限られている。

③　本項の契約には、服務に関し日本国政府に対する忠誠の宣誓を求めることを定めてはならない（人規一―七　3）。

例えばアメリカ合衆国移民国籍法第三四九条によれば「米国籍を放棄する意志を持って外国政府、又はその外国の政府関連機関に宣誓をした場合」が国籍喪失の原因の一つとされている。そこで、日本国に雇用されたため、図らずも国籍を喪失するというような事態を起こすことのないよう、当該外国人に日本国政府に対する忠誠の宣誓を求めることを契約に定めてはならないとしている。

④　日本の国籍を有しない者を雇用しようとするときは、その者が自国の法令の定により、その雇用によってその国籍を失うこととなるかどうかを自らの責任において明らかにしなければならないことを、あらかじめ文書をもってその者に注意しなければならない。日本の国籍と外国の国籍とを併せ有する者を官職に任命しようとするときにおいてもまた同様とする（人規一―七　4）。

③のアメリカ合衆国の例のほか、諸外国の法令の規定の中には、自国民が他国の政府に雇用された場合は国籍を喪失するとしているものがあることも想定されるため、この規則の第四項の前段において、外国人を雇用しようとするときは、当該契約のためその者の母国法により国籍を失うことのないよう自ら確認するよう、あらかじめ文書で注意しなければならないと定めている。

④の後段は、二重国籍者を一般職の職（官職）に任用する場合も契約による外国人任用の場合と同様の注意を喚起すべきことを定めている。趣旨は、前段と同様である。ただし、現行の国籍法は、外国の国籍を有する日本国民は、二重国籍状態となったのが一八歳以前であるときは、二〇歳までに、それが一八歳後であるときは、その時から二年以内にいずれかの国籍を選択しなければならないとしている（国籍法一四）。

　ところで、この規則は契約による外国人雇用に関する規則である。その中に二重国籍者（日本人）の官職への任用に関する事項を併せ規定することは、法制的には疑問の余地がなくはない。また、この後段については、二重国籍者の官職への任用のケースだけに限定し、外国人を官職に任用する場合については言及していない。第一項の規定及び第四項後段の規定の仕方からして、この規則の制定当時、外国人の官職への任用は想定していなかったとも思われるが、現に、「当然の法理」に抵触しない範囲で外国人任用は行われており、更に研究公務員（加えて、法人化前の国立大学の教官）については特別の法律で「当然の法理」を破って、上位の官職にまで外国人が就けることとされているところであり、外国人を官職に任用する場合についても、二重国籍者と同様の注意喚起が望まれるといえるであろう。

第二章　中央人事行政機関

（人事院）

第三条　内閣の所轄の下に人事院を置く。人事院は、この法律に定める基準に従つて、内閣に報告しなければならない。

② 人事院は、法律の定めるところに従い、給与その他の勤務条件の改善及び人事行政の改善に関する勧告、採用試験（採用試験の対象官職及び種類並びに採用試験により確保すべき人材に関する事項を除く。）、任免（標準職務遂行能力、採用昇任等基本方針、幹部職員の任用等に係る特例及び幹部候補育成課程に関する事項（第三十三条第一項に規定する根本基準の実施につき必要な事項であつて、行政需要の変化に対応するために行う優れた人材の養成及び活用の確保に関するものを含む。）を除く。）、給与（一般職の職員の給与に関する法律（昭和二十五年法律第九十五号）第六条の二第一項の規定による指定職俸給表の適用を受ける職員の号俸の決定の方法並びに同法第八条第一項の規定による職務の級の定数の設定及び改定に関する事項を除く。）、研修（第七十条の六第一項第一号に掲げる観点に係るものに限る。）の計画の樹立及び実施並びに当該研修に係る調査研究、分限、懲戒、苦情の処理、職務に係る倫理の保持その他職員に関する人事行政の公正の確保及び職員の利益の保護等に関する事務をつかさどる。

③ 法律により、人事院が処置する権限を与えられている部門においては、人事院の決定及び処分は、人事院によつてのみ審査される。

④ 前項の規定は、法律問題につき裁判所に出訴する権利に影響を及ぼすものではない。

〔趣　旨〕

一　中央人事行政機関の意義

個々の職員に対する人事管理は、第一義的にはその職員の所属する各府省（任命権者）において責任を持って当たる必要がある。人事管理とは、組織がその業務を実施する上で必要とする人材を誘致し、配置し、育成し、処遇することを主な作用としていると考えられるが、国の場合、所属職員の能力・適性や業務の実施上必要となる人材を熟知しているのは、各府省であり、また、処遇するに当たっても、職員の仕事振りを常日頃から把握しているのは、当該各府省であるからである。このようなことから、現行公務員制度の下においても、人事管理の直接の責任者は原則として各府省の長とされている。例えば、本法において、採用は、内閣、各省大臣、会計検査院長及び人事院総裁並びに各外局の長が任命権者として行うこととされている。昇任その他の任用行為についても同様である。平成二六年の本法改正により、幹部職員人事の一元管理が行われることとなったが、任命権者が人事権を持つことに変わりはない。また、本法は、分限・懲戒処分についても任命権者が行い、任用、給与等に関する意思決定の基礎となる人事評価については任命権者に相当する所轄庁の長が行うこととしている。さらに、給与の支給については、一般職の職員の給与に関する法律により各庁の長（内閣総理大臣、各省大臣、会計検査院長及び人事院総裁）が行うこととされている。このように、各制度により若干の差はあるものの、職員に対する直接的な人事管理権は各府省に委ねられているところである。

しかしながら、国家公務員は「各府省の公務員」ではなく、「日本国の国家公務員」であることからすれば、任命権者が分立し、個別の人事管理が府省ごとに行われる中にあっても、公務員の人事制度が全体として整合性をもって運用される必要があり、そのためには、一定の統一的な基準が必要となる。例えば、国の職員として同等の職責を有する者は所属府省が異なるとしても基本的には同等の処遇を受けるべきであり、そのためには、全府省を通じたなんらかの基準が求められることとなろう。また、各府省を通じ均衡のとれた人事管理を実現するためには、基準の設定に加えて、その基準の適正な運用を確保するとともに、各府省の実施する人事管理の方針等を総合的に調整することや、幹部職員の人事について全政府的な立場で関与することも必要となってくる。要は、個別の人事管理は原則としては各府省において行うとしても、人事管理に関する任用や給与等の基準の設定や全体的な調整に当たる機関が必要であり、このような趣旨で、本法は、中央人事行政機関として人事院を設置し、かつ、内閣総理大臣にも中央人事行政機関としての一定の権限を付与している。

国の行政機関における人事管理が、本法の趣旨に沿って公正に、かつ能率的に実施されるためには、各府省、人事院及び内閣総理大臣がそれぞれ協力し合わねばならないことはいうまでもない。

二　中央人事行政機関の沿革

中央人事行政機関の沿革は以下のとおりである。

1　まず、旧官吏制度においては、その法制面における統一的運用は法制局が中心となって行っていたが、そのほか、文官試験委員、文官懲戒委員会、文官銓衡委員会等が別個に内閣に設置されており、統一的な中央人事行政機関は存在しなかった。

このような状況は、第二次世界大戦後、我が国の公務員制度の改革に携わったフーバー顧問団にとって、重大な欠陥と捉えられ、「封建的官僚制度」を破壊し日本の公務員制度の民主化・効率化を図るためには中央人事行政機関の存在が必要であるとして、同顧問団は、日本政府に提示した国家公務員法原案を通じ、法律と同一の効力を有する命令制定権、独立予算権等極めて強力な権限を有する中央人事行政機関（人事院）を設置すべきことを勧告した。この国家公務員法原案は、中央人事行政機関のほかにも種々の抜本的な改革を提言しており、我が国政府側はそのあまりにも斬新な内容に困惑し、フーバー団長が米国に帰国中、我が国の実情に沿うよう修正を加えつつ法案をまとめあげていった。その中で、中央人事行政機関の問題についても、人事院を内閣総理大臣の所轄の下に置き、規則制定に当たってもその承認を要することとし、また予算上の独立も否定するなど、フーバー原案に比べ、大幅な修正を加えていた。このようにしてできあがった政府原案は、更に国会において「人事院」「総裁」「人事官」等の名称をそれぞれ「人事委員会」「委員長」「人事委員」等に改める修正を受けた後、昭和二二年一〇月に成立した。制定当時の本法は、人事委員会は、遅くとも昭和二四年一月一日には設置されなければならないとしており、それまでの間、臨時人事委員会が置かれ、本法の施行の準備に当たることとなった。

なお、**2**に述べるとおり、「人事委員会」は昭和二三年の改正において再び「人事院」に改められたが、ここで、参考までに政府案における「人事院」の名称の由来及び国会で「人事委員会」に修正された経緯について簡単に触れておくこととする。

まず、フーバー氏が提案した中央人事行政機関は“National Personnel Authority”であった。当時の米国の中央人事行政機関は連邦人事委員会（Civil Service Commission）であり、フーバー氏がなぜ“Civil Service Commission”ではなく“National Personnel Authority”を選んだのかは定かではない。

ともあれ、これを受けた政府側において“National Personnel Authority”は人事院と訳されることとなった。当時の先例として「院」を用いたものとしては、鉄道省の前身としての鉄道院、国勢院、企画院、更には逓信院があったが、いずれも「省」に準ずる格の高い行政機関であった。また、多少性格は異なるが、「院」は会計検査院や大審院、控訴院等の上級裁判所の名称としても用いられていた。このようなことから、当時の政府関係者は“National Personnel Authority”を相当重く評価して「人事院」という訳語を付与したものといえよう。

ところが、その後国家公務員法案が衆議院で審議されるうち、民主的な人事行政の運営の責に任ずべき中央人事行政機関が「人事院」といういかめしい名称を持つのは適切ではなく、むしろ「人事委員会」とすべきであるとの意見が国会の内外から生じ、法案の修正が行われ、併せて英文についても“National Personnel Commission”に変更されたのであった。

2　翌昭和二三年、未だ正式の人事委員会が発足しないうちに、本法は大幅な改正が行われ、その中で中央人事行政機関についても改正が行われた。すなわち、当時、国家公務員は原則として民間労働者と同一の労働法制の下に置かれていたが、そのような労働法制を背景として、昭和二二年の二・一ゼネスト、翌年の三月闘争、七月闘争など官公労組主導による労働運動が激化する中で、昭和二三年七月、いわゆるマッカーサー書簡が発せられ、公務員の団体交渉権及び争議権を否認するための本法改正が指示されるところとなった。この書簡を受けた政府は、当面の措置として同月、政令第二〇一号を公布するとともに本法の改正を行い、同年一二月、改正法が公布された。同改正法は、①一般職の職員に労働三法の適用を除外し、かつ、争議権等を否認し、②職員の服務規律を強化し、③特別職の範囲を縮小したほか、④人事委員会を再び人事院と改め、内閣の所轄の下に置き、国会及び内閣への勧告権を規定するなどその組織及び権限を強化し、政治的中立性を確保するための独立性を担保するとともに労働基本権制約の代償として位置付けることを趣旨としていた。この改正により基本的に現在の機構、権限を有する人事院が誕生することとなったのである。

3　ところが、発足間もない人事院は、早くも試練の時期を迎えることとなった。すなわち、米国を中心とする連合国による占領体制が終わりに近づく中で、中央人事行政機関の在り方を見直す機運が生じ、その後昭和二〇年代、三〇年代を通じて再三にわたって人事院の改組が論議されることとなった。この背景には、占領行政への批判に加えて強い独立性についての憲法上の問題を指摘する学界等の意見や、いわゆるＳ１試験（法旧附則第九条（令和三年一部改正法により削除）に基づく上級官職を対象とする競争試験）に対する各省庁の反感などがあったとされる。その概要について時を追って示せば、次のとおりである。

㈠　昭和二六年八月、「政令改正諮問のための委員会」の提出した「行政制度の改革に関する答申」の中で、①人事院を廃止して総理府に人事行政の連絡調整機関として人事局を設置すること、②調査、勧告及び不利益処分の判定に当たらしめるため、人事局に審議機関を設置することが提案された。政令諮問委員会は、昭和二六年五月の「日本政府は、占領中に発布された諸政令に再検討を加え、必要な修正を加えることを認められる。」とするいわゆるリッジウェイ声明に応えて設置されたものであるが、単に政令改正だけでなく、幅広く検討を行い、その一環として公務員制度も取り上げたのであった。

この答申の後、昭和二七年五月、人事院を「国家人事委員会」として総理府の外局とする内容の本法改正法案が提出されたが、審議未了、廃案となった。

㈡　次いで、昭和二七年一二月、行政管理庁長官から行政審議会に対し、行政制度及び行政運営について諮問が行われた。翌昭和二八年九月、答申第一号が提出され、その中で、人事院に総理府の外局としての行政委員会たる地位を与え、別に人事に関する部局を設ける必要を認める旨の提案がなされたため、政府は、これに応じて昭和二九年三月、昭和二七年の案と同様、人事院を国家人事委員会に改めることを内容とする改正法案を国会に提出したが、これも審議未了、廃案となった。

㈢　さらに、昭和三〇年一二月、行政管理庁長官から行政審議会に対して、再び現行の行政制度について改革すべき点を審議されたい旨の諮問がなされ、これに応えて翌昭和三一年二月に提出された答申第一号の中で、①総理府に人事局を置くこと、②人事院は廃止し、総理府に外局として人事委員会を設けることが提言された。

㈣　一方、昭和二九年三月に公務員制度全般にわたる改革を研究するため設置された公務員制度調査会においても、中央人事行政機関に関する検討が進められ、同調査会が昭和三〇年一一月に提出した「公務員制度改革に関する公務員制度調査会答申」においては、人事院は存置するとともに、総理府に新たに人事局を置くことが提言された。

㈤　㈢㈣の提言がなされた後、政府は、昭和三一年四月、総理府の内局として人事局を設置し、人事院を廃止して総理府の外局として国家人事委員会を設けることを内容とする改正法案を国会に提出したが、審議が難航し継続審査となった。その後もほとんど審議されないまま、昭和三三年、第二八回国会の解散により廃案となった。

㈥　一方、行政審議会は、昭和三四年一月、答申第二号を提出した。先の第一号答申が人事院の廃止を打ち出していたのに対し、人事院を分割して総理府に人事局を設けるといういわゆる「二分割」論を採用した点で従来と路線を変更した答申であった。この答申が出された後、政府部内において法案が準備されたが、結局国会には提出されなかった。

㈦　次いで、昭和三六年、行政制度及び行政運営の改善に関する基本的事項を調査審議することを目的として設置された臨時行政調査会において、公務員制度全般の検討の一環として中央人事行政機関についても議論が行われた。その結果、昭和三九年九月「公務員に関する改革意見」において、人事行政に関する内閣機能の確立を図る観点から内閣府に人事局を設ける一方、人事院は中立機関として、内閣に対する独立性は、むしろ強化する必要がある旨の提言がなされたが、同調査会の提案した行政改革がいずれも実施に移されないまま推移する中、公務員制度の改革についても、実現するに至らなかった。

㈧　以上は、行政改革の流れに沿った中央人事行政機関の改組をめぐる動きである。ところが、これらがいずれも実現しないまま終わる一方で、中央人事行政機関の在り方の問題は、別の流れの中で問題とされることとなった。ＩＬＯ第八七号条約批准問題がそれである。ＩＬＯ第八七号条約（結社の自由及び団結権の保護に関する条約）は、労使双方がそれぞれ公の機関から干渉を受けることなく自由に結社し団結することができるという原則を定めたものであるが、昭和三二年の第四〇回ＩＬＯ総会の場において、我が国労働側代表が同条約の早期批准を促す決議案を提出したことを機に、同条約批准問題が我が国にとって、重要な政治的課題としてクローズアップされていった。特に、当時の本法、地公法、公共企業体等労働関係法、地方公営企業労働関係法が明文あるいは解釈上、組合員及び役員を現職の職員に限定していた点が同条約との関係で問題となり、本法についても改正の是非が検討されることとなった。ところが、このような観点から検討が進められる過程で、同条約の批准のための本法整備の一環として、中央人事行政機関の問題も取り上げられることとなり、昭和三五年の第三四回国会を皮切りに、以後第四六回国会（昭和三八年）まで、総理府の内局として人事局を設置し、人事院の事務を大幅に人事局に移管することを内容とする改正法案が国会に提出されたが、いずれも審議未了、廃案となった。そして、最終的には、職員の労働基本権を制約することの代償としての人事院の機能に対する評価が高まり、昭和四〇年一月、各任命権者の行う人事管理、特に労務管理を参謀的な立場から支援する観点から、内閣総理大臣を各省庁の人事管理の統一保持上必要な総合調整等を行う中央人事行政機関と位置付けることとして、人事院の所掌事務については、服務、能率、厚生の一部事務を内閣総理大臣に移管する以外は、人事院の所掌を従来どおりとする新たな改正法案が国会に提出され、同年五月、法律第六九号として成立した。これにより人事院と内閣総理大臣を中央人事行政機関とする体制が確立した。

昭和二〇年代から延々と続けられてきた人事院の改組問題であったが、人事院は、労働基本権制約の代償機関として、また人事行政の公正を確保する機関として、重大な使命を果たしてきたものであり、このような人事院の実績を踏まえ、結局、昭和四〇年の改正においても、人事院の役割が再確認されることとなった。

昭和四〇年の改正に当たり、中央人事行政機関たる内閣総理大臣の補助部局として、総理府に内局として人事局が設置された。

(九)　昭和五六年、総理府に設置された第二次臨時行政調査会は、人事管理、組織・定員管理、行政監察機能の一体的、総合的運用を図ることが必要であるとして、第三次答申（昭和五七年）において、総理府人事局、行政管理庁等の事務を統合した総合管理庁を設置し、国家公務員等の人事管理に関する各行政機関の方針、計画等の総合調整等に当たらせることなどを提案した。その後、昭和五九年、行政管理庁及び総理府の一部を改組して、総務庁が設置され、総理府人事局が総務庁人事局に移行した。なお、総務庁の設置は、本法上の中央人事行政機関としての人事院と内閣総理大臣の関係になんら影響を与えるものではなく、内閣総理大臣の補助部局に関する組織整備と位置付けられよう。

(一〇)　平成八年に設置され、中央省庁の再編や内閣機能の強化について審議していた行政改革会議では、公務員の人事行政の分野においても、独立機関である人事院が法律の委任を受けて基準を定め、任用、給与等の制度を運用していることの適否について議論が行われた。同会議は、平成九年九月の中間報告の際、内閣総理大臣の人事管理機能の強化の一環として、中央人事行政機関の機能分担の見直し、新たな人材の一括管理システム、内閣官房等の人材確保システムの三課題について、同年に別途設置され、公務員制度に関する重要事項の審議を行っていた公務員制度調査会に検討を依頼した。これに対し公務員制度調査会は同年一一月、公務員制度調査会意見を提出した。同意見では人事行政の公正の確保及び労働基本権制約の代償措置という人事院の機能を維持することを前提に、政府の行うべき事務との整理を行うとともに、各府省に対する規制緩和を図る必要があるとしていた。これを受けた同年一二月の行政改革会議最終報告では、人事院と内閣総理大臣の性格にふさわしい機能分担とすべく、整理、見直しを行うべきであるとし、具体的な機能分担については、公務員制度調査会の意見に従い政府において具体的な検討を進めるべきであるとされた。

行政改革会議最終報告を実現するため制定されたいわゆるプログラム法である中央省庁等改革基本法（平一〇法一〇三）では「政府は、中央人事行政機関としての人事院及び内閣総理大臣の機能の分担の在り方について、所要の見直しを行うものとする。この場合において、人事院について、人事行政の公正の確保及び職員の利益の保護のためにふさわしい機能に集中するとともにその実効的な遂行が確保されることの重要性に配慮しつつ、内閣総理大臣について、各行政機関が行う国家公務員等の人事管理に関する事務の統一保持上必要な機能を担うものとし、総合的かつ計画的な人事管理、国家公務員全体について整合性のとれた人事行政等を推進するため必要な総合調整機能の充実を図るものとする。」（四九1）としていた。この条文は中央人事行政機関たる人事院や内閣総理大臣の具体的な所掌事務に変動を及ぼすものではないと理解されていた。

平成一三年一月の中央省庁再編に際しては、総務庁が廃止され、新たに総務省が設置された。総務省は中央人事行政機関たる内閣総理大臣の補佐事務を分担管理することとなり、そのため人事・恩給局が置かれた。

㈡　平成一一年、公務員の不祥事の再発防止のために、議員立法により国家公務員倫理法が制定された。これに伴い、職員の倫理の保持に関する事務を所掌する機関として新たに国家公務員倫理審査会が人事院に置かれ、国家公務員倫理規程（政令）の制定・改廃に関する内閣への意見の申出、倫理法違反に関する懲戒処分の基準の策定及び変更、倫理法違反の疑いがある場合の調査などの事務に当たることとされた。

㈢　行政改革の一環として規制緩和や独立行政法人の設置などによる分権化が進められる中、公務員人事行政についても、中央省庁の再編に先立つ平成一二年一二月、「国家公務員、地方公務員制度の抜本的改革」の一つとして、「中央人事行政機関等による事前規制型組織・人事管理システムの抜本的転換」を課題とする行政改革大綱が閣議決定された。この大綱の実施を推進するため、内閣官房に設けられた行政改革推進事務局では能力・実績主義導入のための能力等級制度の導入等の検討が進められ、級別定数の廃止等との関連で、労働基本権付与の検討も課題とされた。平成一三年一二月に閣議決定された公務員制度改革大綱では労働基本権については現行の制約を維持するとする一方、職階制に替えて能力等級制度を導入し、人事院は能力等級ごとの人員数（人件費予算として国会が決定）について意見の申出を行うこと、営利企業への再就職承認制度を改め人事管理権者（各府省）が基準にのっとって承認することなどとされた。この公務員制度改革大綱については労働基本権付与をめぐる職員団体の反対やマスコミ等からの天下り批判等から、これを具体化するための改正法案は提出されるに至らなかった。

㈢　平成一九年四月、経済財政諮問会議の議論を経て、第一六六回通常国会に、年功的人事管理といわゆる天下りに対処するため、人事評価制度の導入や再就職規制についての人事院による事前承認制の廃止・再就職あっせん禁止などを柱とする国家公務員法の改正法案が提出された。中央人事行政機関の所掌事務については、人事院の事務のうち、営利企業への再就職承認の事務及び職階制の事務が廃止された。さらに、勤務評定制度に替えて人事評価制度が設けられたが、それまで人事院規則に定められていた勤務評定に関する根本基準の実施に関する事項が法定されたことに伴い、根本基準の実施に必要な事務についての人事院規則への委任は廃止され、人事評価の実施に関する政令の制定に当たっては人事院の意見を聴くこととされた。

一方、同法案では、能力・実績主義の人事及び公務員の再就職の適正化を内閣の責任の下で進めるため、内閣総理大臣における事務について、新たに設けられた標準職務遂行能力に関する事務、採用昇任等基本方針に関する事務、人事評価に関する事務、退職管理に関する事務が加えられた。この退職管理に関する事務のうち、新設された再就職あっせんの禁止、行為規制に関する調査、監視等の権限は新設される再就職等監視委員会に、離職後の再就職の援助等の事務はこれも新設される官民人材交流センターに委任するとされていた。

同法案は、参議院本会議における内閣委員長の中間報告などを経て六月三〇日に可決・成立し、七月六日に公布日施行とされた一部の規定を除き同年一二月から順次施行された。

㈣　平成一九年改正法案提出の際の閣議決定では、採用から退職までの公務員制度全般の課題について総合的・整合的検討を進める有識者懇談会が内閣総理大臣の下に置かれることとされていた。これを受けて設置された「公務員制度の総合的改革に関する懇談会」（座長：岡村正株式会社東芝取締役会長）から平成二〇年二月に出された報告書を基に、同年四月、今後の公務員制度改革の課題とスケジュールを定めるプログラム法である国家公務員制度改革基本法案が第一六九回通常国会に提出された。同法案では、労働基本権について「協約締結権を付与する職員の範囲の拡大に伴う便益及び費用を含む全体像を国民に提示してその理解を得ることが必要不可欠であることを勘案して検討する」（第一二条）とし、人事管理について国民に対する説明責任を負うとともに、幹部職員人事の一元管理や総合職試験採用者の一括採用の事務等を所掌する内閣人事庁を置き、総務省、人事院等の人事行政に関する事務を必要な範囲で移管する（第一一条）とし、内閣人事庁の設置は法施行後一年以内、その他の課題についても三年以内に法制上の措置を講じるとしていた。法案に対しては総合職試験採用者の一括採用や幹部人事の一元管理への問題点の指摘、労働側から労働基本権付与が「検討」にとどまっているとの批判などがあり、この際に行われた与野党修正協議では、労働基本権に関する条文は「政府は、協約締結権を付与する職員の範囲の拡大に伴う便益及び費用を含む全体像を国民に提示し、その理解のもとに、国民に開かれた自律的労使関係制度を措置するものとする」と修正されるとともに、内閣は幹部人事の一元管理等に関わるが、人事権自体は移行しないことを前提に、内閣人事庁ではなく、コンパクトな内閣人事局を置くこととする修正がなされ、同年六月、同法案は可決・成立した（概説三９⑴参照）。

㈤　翌平成二一年三月、国家公務員制度改革基本法に基づいて設置された顧問会議等での議論を経て、国家公務員制度改革基本法に基づき内閣総理大臣の機能を強化する等のため国家公務員法等の一部を改正する法律案が第一七一回通常国会に提出された。同法案では内閣官房に内閣人事局を置き、幹部人事の一元管理の事務に加え、総務省が補佐事務を担っていた中央人事行政機関たる内閣総理大臣の事務及び総務省の組織・定員管理の事務に加え、人事院の事務のうち採用や研修の企画立案の事務、級別定数設定の事務を移管するとされていた。法案提出に当たって、人事院は採用試験の企画立案の事務の移管や労働基本権を制約したままでの級別定数事務の移管など人事院の事務の移管は「公務員人事の中立・公正性が確保できなくなることを懸念するとともに、労働基本権制約の代償機能が損なわれる」と考える旨の人事院総裁名の書簡を内閣総理大臣宛てに発出している。同法案は、同年七月、衆議院の解散に伴い審議未了・廃案となった（概説三９⑵参照）。

㈥　次いで、民主党を中心とした連立政権成立後の平成二二年二月、国家公務員法等の一部を改正する法律案が第一七四回通常国会に提出された。同法案においては新設される内閣人事局は幹部職員の一元管理等の事務を所掌するにとどまり、人事院や総務省の事務の移管は労働基本権付与と併せて措置すべく、改正法案には含まれていなかった。このほか、同法案では官民人材交流センターに代えて民間人材登用・再就職適正化センター、再就職等監視委員会に代えて再就職等監視・適正化委員会を置くとしていた。同法案は、平成二二年六月、審議未了・廃案となった。

㈦　さらに、平成二三年六月、非現業の一般職国家公務員に労働協約締結権を付与すること、これに伴い人事院勧告制度を廃止すること等を内容とする公務員制度改革四法案が第一七七回通常国会に提出された。そのうち国家公務員法等の一部を改正する法律案では、幹部人事の一元管理等の事務を行うため内閣官房に内閣人事局を置くこと、不利益処分の不服申立て審査等の事務を担う人事公正委員会を置くこと、人事公正委員会に再就職等監視・適正化委員会を置くこととする一方、人事院及び官民人事交流センターを廃止することとしていた。また、公務員庁設置法案では、それまで人事院及び総務省人事・恩給局、行政管理局の担ってきた人事行政や組織・定員管理の事務を広範に担う組織として公務員庁を設置することとしていた。加えて、国家公務員の労働関係に関する法律案では交渉不調の場合のあっせん、仲裁、不当労働行為の審査、労働組合の認証等の事務が新たに中央労働委員会の事務とされた。

人事院は法案の閣議決定に先立って基本事項の法定、人事公正委員会の機能等人事行政の公正を引き続き確保するため法令として措置すべき事項、当局の体制整備、交渉事項の範囲等、実効ある労使関係制度とするために必要な措置に関し、人事院総裁名の書簡を内閣総理大臣宛てに発出するとともに、その後も年次報告書や給与勧告の際に人事行政の公正の確保や協約締結付与に関する検討が必要な論点等について報告した。

同法案は第一七七回通常国会以降、引き続き継続審査とされ、平成二四年一一月第一八一回臨時国会において衆議院の解散により審議未了・廃案となった（概説三９⑷参照）。

㈧　平成二四年一二月の自公政権への交代の後、平成二五年六月、平成二一年法案を基本とし、同基本法の条文に即して制度設計を行う等の内容の国家公務員制度改革本部決定が行われた。この決定に基づいて法案化の検討が進められ、同年一一月、幹部職員人事の一元管理等の事務等を行うため内閣官房に内閣人事局を設置すること、人事院の事務の一部を内閣総理大臣に移管すること等を内容とする国家公務員法の一部を改正する法律案が第一八五回臨時国会に提出された。同法案は、臨時国会での審議を経て継続審議とされ、翌平成二六年の第一八六回通常国会において、定年延長に関する検討を行う等の附則の修正を行った上で、同年四月可決・成立した。

この改正における中央人事行政機関の機能分担見直しの概要は以下のとおりである。中央人事行政機関としての内閣総理大臣はこれまで担ってきた事務（総務大臣が補佐機関として実施してきた。）に加えて、

①　幹部人事の一元管理及び幹部候補育成課程に関する事務
②　任用に関する事務のうち、行政需要の変化に対応するために行う優れた人材の養成・活用に関する事務
③　採用試験に係る人材像等に関する事務
④　研修の総合的企画・調整に関する事務
⑤　級別定数の設定等の事務

等を担うこととされた。これらのうち①は新設されたものであり、②から⑤までは従来は人事院が人事行政の公正確保又は労働基本権制約の代償機能の観点から行うとされてきたものの一部について使用者の観点から関与することとされたものである。これらの事務とともに総務省が担ってきた退職手当等人事行政に関する事務、総務省が担ってきた機構・定員管理に関する事務が内閣官房の事務とされ、これをつかさどる内閣人事局が内閣官房に新設された。一方、人事院は引き続き公正の確保に必要な任免の基準設定や採用試験の企画・実施、職員育成、研修の企画・実施や研修実施の監視などの事務を担うとともに、採用試験に係る人材像等に関する政令の制定に当たっては人事院の意見を聞くこととされた。また、指定職俸給表適用職員の号俸決定方法及び級別定数の設定・改定に関する事務についてその勤務条件としての側面に鑑み、人事院の意見を聴き、これを十分尊重して定めることとされた。

人事院の事務の一部が内閣総理大臣に移管されたのは昭和四〇年以来であるが、平成二六年の改正においては基本法に基づく制度改正が実施される一方、自律的労使関係制度の措置が見送られる中で公務員人事の公正の確保と労働基本権制約の代償という人事院の基本的な機能はそのまま継続されることとなった。

三　人事院の設置目的、位置付け等

人事院は、昭和二三年の本法の改正により設置された中央人事行政機関であり、広く人事行政に関する事項を所管している。

人事院は、他の通常の行政機関に比べ、様々な点において特色を有しているが、ここでは、①人事院の設置目的、②人事院の行政機関としての位置付け、③人事院の機能の面から、その特殊性を述べておくこととしたい。

1　人事院の設置目的

現在の民主主義国家における行政は公正に、また、継続的、安定的、専門的かつ効率的に運営されることが求められている。そのような行政運営を実現するためには、行政の担い手である公務員に優秀な者を得て、中立・公正な人事管理によって高い士気を確保していくことが必要となる。

すなわち、行政とは、単純化していえば、国民のニーズを把握し、そのニーズに応えるための政策を立案し、それを法律案、予算案の形で具体化し、国民の代表たる国会に提示し、国会の承認を経てそれらの法律、予算を実施していく作用であると定義できようが、それらの作用は、民主的正統性を担う大臣等の政治家と、専門性や継続性を担う職業行政官が一体となって運営に当たることによって実現されるものである。特に行政の実務についてみると、公正で専門的かつ効率的な行政サービスが継続的、安定的に供給されるためには、行政運営に携わる国家公務員が有能であるかどうか、公正、誠実、勤勉に勤務に服しているかによって大きく左右されるといっても過言ではない。公務員制度を整備するのは、まさにこのためであり、適材を公務に誘致し、その能力を十分に発揮させ、安んじて職務に専念できるよう勤務条件その他の処遇や保障について整備することをその眼目としているのである。特に、我が国においては明治以来の伝統として、国家の発展に関して行政が非常に重要な役割を演じてきており、それだけに公務部内に有能な人材を確保することが強く求められてきた。

さて、有能な職員を確保するためには、採用、昇任その他の任用行為を行うに当たって、政治的圧力その他の情実を避け、厳正な能力の実証に基づくことを基本としなければならない。同様に、職員の地位が政治的圧力等によって、不当に影響を受けることもあってはならない。さらに、任用、身分保障に限らず、給与決定等についても、成績主義を原則として公正で能率的な人事管理を行うことが必要である。

例えば、かつて一九世紀の米国においては、選挙において勝利を収めた政権党が旧政権下の官僚群を排除し、代わって自己の政党に所属する者、選挙に協力した者を大量に政府部内に登用するという慣行、いわゆるスポイルズ・システム（猟官制）が一般的であった。そして、行政の質の低下などその弊害が極大化するに及び、連邦人事委員会が設立され、メリット・システム（成績主義）が導入されたという経緯がある。我が国においても、米国ほどではないが、大正から昭和初期にかけて政党による官僚の系列化が進み、政権交代の際、官僚も更迭されるといった事態を経験している。

政権交代に伴い官僚群を一新するのは、一面においては、多数の国民と価値観を共有する勢力が政府部内に迎え入れられることを意味し、民主主義の直接的な表現と位置付けられるが、他方、党派的な人事の増加により、行政の継続性、安定性、公正性が大きく損なわれることとなり、また、専門性の低い公務員の増加に伴って行政サービスの質が低下することも懸念される。さらに、「行政」に対し政党や政治家が政府の手続を経ずに関与することとなると、行政執行の公正性、中立性に影響を及ぼすおそれがあることも否定できない。

民主主義原則の徹底を求める本法が、職業公務員グループについては、政治的影響を排除し、厳格な成績主義の原則の下、中立公正な人事行政を展開することが必要であるとし、そのような基本理念に沿って各制度を構築することとしているのは、以上のような理由及び事情に基づくものであり、この人事行政の公正性・中立性を維持し、擁護することを機構面からも確保するため、中央人事行政機関として人事院が設置されている。これが、人事院の存立意義の一である。

現在では、米国においても部長級の九割の職員や課長級以下のクラスは政治任用ではなく、また、イギリス、ドイツ、フランスなどの諸国では、原則として職業行政官から幹部公務員が登用されており、各国によって歴史的に形成された政官関係は様々であるものの、職業行政官が大臣と協働しながら自発的に働くことにより行政の専門性や中立性が確保されることの重要性に対する理解は各国共通にみられるところである。

次いで、人事院を設置するもう一つの理由として、労働基本権制約に対する代償機能が挙げられる。民間労働者の場合、労働三権が保障され、労使自治の原則に従いその勤労条件については、労使交渉を通じて決定されることとなっている。他方、公務員も憲法第二八条の「勤労者」として労働基本権の保障を受ける対象となるが、全体の奉仕者たる地位の特殊性、職務の公共性等に鑑みて、本法は公務員の団体協約締結権、争議権を否認している。ただし、公務員の労働基本権を制約するに当たっては、代償措置が必要であり、その代償措置として、職員の勤務条件に関する基礎的事項は国民の代表たる国会が法律の形で定めるとともに（勤務条件法定主義）、人事院に職員の利益を保護するため、国会に対する勧告を含む様々な機能を付与している。すなわち、人事院は、専門的な第三者機関として、勤務条件の決定、改定に関して国会及び内閣に対して勧告を行い、さらに、法律の委任を受けて、勤務条件に関する細目的事項を労使双方に偏しない立場から人事院規則を通じて決定し、職員の不服、不満を審査するなど、労働基本権制約の代償措置の中でも中心的な機能を果たすこととされている。

さらに、人事院が人事行政に関する専門機関であることも重要な特色である。人事行政は、非常に広範な領域をカバーし、かつ、奥行きの深い専門的な分野である。また、民主主義の下の人事行政は社会経済情勢と密接な関係を持ち、その変化に対応しつつその改善を図っていくためには、絶えず人事行政の在り方について研究を行う専門的な機関が存在していなければならない。殊に、戦前においては、人事行政全般に関する専門機関が不在であり、そのことがフーバー顧問団の目には、旧官吏制度の重大な欠陥と捉えられたのであった。同顧問団にとって、人事行政の専門機関の設置は、我が国の第二次世界大戦後の公務員制度改革の重要な鍵であり、そのような専門機関としても人事院は大きな期待を担って誕生した。

2　人事院の行政機関としての位置付け

人事院は、政治的勢力その他の情実が公務員制度に介入することを排除し、人事行政の公正性・中立性を確保することを使命としている。また、人事院は、労働基本権制約に対する代償として、労使のいずれにも属さない第三者として公平に機能することも求められている。いずれにしても人事院がその権限を行使するに当たっては、その独立性が強く保障されている必要がある。

このようなことから、本法は、人事院に高度の独立性を与えている。すなわち、人事院は「内閣の所轄の下に」置かれているが、その意味するところは、業務実施について内閣の指揮、命令、監督を受けることはなく、完全に独立して業務を行うことが認められ、内閣との関係において人事院に求められるのは、内閣に対し本法に従い報告を行うことに限られている。

本法は、人事院の独立性を一層強固なものとするため、内部組織の管理権を人事院に全面的に委ね、かつ予算の面からも特例的な取扱いを認めるなどの配慮を加えている。

さらに、本法は、人事院の組織そのものにおいても、中立性を確保する必要があるとの考え方に基づき、独任制ではなく、三人の人事官からなる合議制の機関としている。合議制とすることにより高い専門性の確保も期待される。内閣は人事官の任命権を持つが、任命に当たっては国会の同意を必要とするとともに、解任権を有さない。人事院総裁は人事官の中から内閣が命ずることとされ、この点、院長を互選で決める（検査院法三）会計検査院とも異なっている。人事官の選任に当たっては、「任命の日以前五年間において、政党の役員、政治的顧問その他これらと同様な政治的影響力を持つ政党員であつた者等」は除外するとともに、人事官のうち二人が同一の政党に所属してはならないとするなど、詳細な規定が設けられている。

なお、このように人事院の構成を通じての政治的中立性の確保についてはきめ細かく配慮する一方、労使双方からの第三者性に関しては特に規定が設けられていない。この点については、改めて第五条で述べることとするが、要は、人事院が単なる労使紛争処理機関ではないことから、労働委員会類似の三者構成は必ずしも適当ではなく、労使バランスの確保については、むしろ人事官の良識に委ねることが適切であるとされたものと思われる。

３　人事院の機能

人事院は、合議制の行政機関であり、いわゆる行政委員会に属する。行政委員会には、処分権限をはじめとする行政的機能のほか、争訟判断等の準司法的機能及び規則制定等の準立法的機能を有するものが少なくないが、人事院も、国会及び内閣に対する給与等の勧告、採用試験の実施、勤務条件に係る基準の特例運用の承認業務等の行政的機能のほか、不利益処分審査請求制度に代表される準司法的機能及び人事院規則を制定する準立法的機能を有している。他の行政委員会と比べた場合、まず行政的機能の面では、本法第二三条の規定に基づく意見の申出や第二八条の規定に基づく勧告を直接国会に対しても行うこととされているが、これは他の行政委員会には例のない極めて特色ある機能である。また、準司法的機能についてみれば、不利益処分審査請求における人事院の判定は、原処分を直接修正し、取り消す効力を有しており、また準立法的機能についても内閣の同意なしに人事院規則を制定できることに加え、人事院規則に対しては法律により広範な委任がなされているなど、人事院には非常に強力な権限が付与されているといえよう。

人事院の機能を要約すれば次のとおりである。

㈠　行政的機能

本法に基づく行政的機能のうち、主なものは次のとおりである。

① ある職が国家公務員の職に属するか否か、一般職・特別職のいずれに属するかの決定（法二4）
② 人事行政に関する事項についての調査（法一七1）
③ 給与の支払の監理（法一八1）
④ 人事行政の改善に関する勧告（法二二）
⑤ 法令の制定・改廃に関する意見の申出（法二三）
⑥ 勤務条件の基礎事項の変更に関する勧告（法二八）
⑦ 職員の公正な任用及び免職の根本基準の実施（法三三4）
⑧ 採用試験の企画及び実施（法四二〜四九）
⑨ 採用候補者名簿の作成・管理（法五〇等）
⑩ 臨時的任用の承認（法六〇）
⑪ 給与簿の検査、是正命令、違法の支払に対する措置（法六九、七〇）
⑫ 人事評価等に関する政令案に対して意見を述べること（法七〇の三のほか、四五の二、六一の二、七〇の五等）
⑬ 研修に関する計画の樹立及び実施（法七〇の六1）
⑭ 研修に関する計画の樹立及び実施に関する監視（法七〇の六5）
⑮ 内閣総理大臣又は関係庁の長に対する研修の実施状況についての報告要求及び是正指示（法七〇の七）
⑯ 役職定年制（管理監督職勤務上限年齢による降任等）及び管理監督職への任用の制限の特例により異動期間が延長された者のその期間の更なる延長に係る承認（法八一の五2、4）
⑰ 定年に達し勤務延長された者のその期限の延長に係る承認及びその者が役職定年制及び管理監督職への任用の制限の特例により異動期間が延長されて定年退職日以後も引き続き管理監督職員として勤務することの承認（法八一の七1、

２）

⑱　職員に対する懲戒権の行使（法八四２）

⑲　職員団体の登録並びにその効力の停止及び取消し（法一〇八の三５、６）

なお、以上のほか、給与法、補償法、勤務時間法等においても種々の幅広い行政的機能が人事院に付与されている。

㈡　準立法的機能

準立法的機能とは具体的には人事院規則を制定することであるが、本法が人事院規則に委任する事項は、第一六条で述べるとおり極めて広範囲にわたっている。また、本法以外にも、官吏任免法、給与法、補償法、国際機関派遣法、法人格法、育児休業法、勤務時間法などの各法律において人事院規則への委任が行われている（人規一—〇参照）。

㈢　準司法的機能

①　勤務条件に関する行政措置の要求の審査（法八六～八八）

②　不利益処分の審査請求の審査（法九〇～九二）

③　株式所有関係等に関する人事院通知に対する異議申立て（新行服法の施行日以降は、審査請求）の審査（法一〇三５、６）

以上が本法に規定する準司法的機能であるが、このほか、給与決定に関する苦情の審査（給与法二一）、災害補償の実施・福祉事業の運営に関する申立ての審査（補償法二四、二五）、職員団体等の認証の取消しに関する聴聞（法人格法八２）も準司法的機能に該当する。

四　人事院と日本国憲法

日本国憲法は、「行政権は、内閣に属する。」（六五）とし、また、「内閣は、行政権の行使について、国会に対し連帯して責任を負ふ。」（六六３）と規定している。行政活動は、内閣以下の行政機関によって担当されなければならず、かつ、最高の行政機関である内閣は下級の行政機関を指揮監督し、議院内閣制の下、いっさいの責任を国会を通して究極的には主権者たる国民に対して負うものでなければならないとされているのである。

人事院は内閣からの独立性が強いだけに、今述べたような観点から、その成立に際し、政府部内においてその合憲性を問題とする向きがあった。また、かつての人事院改組論の中にも人事院の合憲性に疑問を呈するものが含まれていた。しかしながら、今日では、人事院についても人事官及び総裁の任命という一定の人事権及び予算を通じて内閣が間接にコントロールできることや、人事官の任命に当たっての同意及び人事官に対する弾劾訴追の権限によって国会が直接コントロールしていることを理由として、合憲であるとする考え方が定着している（芦部信喜著『憲法』（第七版）三三五頁、佐藤幸治著『日本国憲法論（第二版）』五二七頁以下）。

要するに、憲法が議院内閣制を採用し、行政を内閣の統制下に置き、責任体制を明確化するとともに、内閣を通じて国会の民主的コントロールに服させることとする仕組みを採る以上、内閣から完全に独立した行政機関を設立することは憲法上疑問であるといわなければならない。ただ、行政といってもその内容は一律ではなく、中にはその中立性、専門性等を担保するために内閣から独立した一定の権限を行使する機関を認めることが、より適切と考えられるものもあるといえよう。そこで、そのような場合に、内閣の関与は、人事、予算に限定し、具体的な業務実施は各機関の独立性に委ねるとすることは、憲法の否定するところではないものと考える。

加えて、人事院の有する二つの基本的機能をみると、人事行政の中立・公正の確保機能は憲法第一五条の公務員の全体奉仕者性、労働基本権制約の代償機能は憲法第二八条の勤労者の労働基本権の保障にそれぞれ由来するものであり、憲法上の位置付けを持つものといえよう（平一八・五・一八衆議院行政改革特別委員会阪田内閣法制局長官答弁）。

〔解　釈〕

一　内閣の所轄

本条第一項前段は、「内閣の所轄の下に人事院を置く。」と規定する。端的に「内閣に人事院を置く。」とせずに「所轄の下に」としたのは、人事院は内閣に属するものの、その権限行使に当たって内閣の指揮監督を受けないというニュアンスを示すためであろう。「所轄」という用語は、国家公安委員会（警察法四）、公正取引委員会（独占禁止法二七）等他の行政委員会においても「内閣総理大臣の所轄」に属するというように用いられている。これらの機関は内閣総理大臣の所轄の下に置かれるとされることにより、その直接の指揮監督を受けないものと解されている。一方、「内閣の所轄の下」とは、それより更に強い独立性を示したものと解される。ちなみに、昭和二三年改正前の人事委員会は「内閣総理大臣の所轄の下」に置かれていたものであり、昭和二三年改正に当たり、労働基本権制約等を契機として人事院の独立性が強化されたことを示すものといえよう。なお、一般の行政機関は、「内閣の統轄の下」（行組法一）に置かれる（日本法令外国語訳データベースシステム（法務省が運営）では、「内閣の所轄の下」を「under the jurisdiction of the Cabinet」と「内閣の統轄の下」を「under the control and jurisdiction of the Cabinet」とそれぞれ英訳しており、その差異は明瞭である。）。

なお、内閣法に「内閣官房の外、内閣に、別に法律の定めるところにより、必要な機関を置き、内閣の事務を助けしめることができる。」との規定がある（一二４）。現行制度上、内閣は政策決定、行政各部の指揮監督のほか、行政各部の調整機能をも有しており、そのような内閣の機能を十分に発揮できるよう、内閣の補助部局として、内閣官房以外に、内閣法制局、国家安全保障会議等の組織が設けられているが、人事院も内閣法における位置付けとしては、第一二条第四項の「別に法律の定めるところにより設置された必要な機関」に該当するものと解される。ただし、内閣官房などの組織や内閣法制局、国家安全保障会議が内閣の指揮監督を受けるのに対し、人事院はそれを受けないなど、内閣との関係は同一でないことに留意する必要がある。

二　報告の意義

本条第一項後段は、「人事院は、この法律に定める基準に従つて、内閣に報告しなければならない。」と規定するが、昭和四〇年改正前は、「内閣総理大臣」に報告するものとされていたため、その解釈がなかなか難解な規定とされた。その理解については次のように考えられる。

この規定は、昭和二三年の改正の際、挿入されたものである。まず、この規定が設けられるに至った経緯は次のとおりである。

昭和二三年、最初ＧＨＱ側から示された本法の改正原案においては、「内閣の所轄の下に人事院を置き、内閣総理大臣に直接報告せしめる。」となっており、次いで「人事院総裁は、所轄の事項について直接内閣総理大臣に報告する。」と案文の修正が行われた。これらの立案に当たったフーバー氏としては、「直接内閣総理大臣に報告する。」とすることにより、人事院は内閣に属するものの、その指揮命令は受けず、両者の関係は前者が後者の代表者たる内閣総理大臣に対して中間に誰をも介さず直接に報告するだけのものということを示そうとしたのである。アメリカの行政組織上の概念として、「報告する。」

（report to）は一方が他方に属することを示す用語として理解されていたため、フーバー氏としては「報告する。」という表現を抵抗なく用いたものと思われるが、当時日本側は、なかなかその意味を理解することができず、また、内閣からの独立制の強い機関を設置することに消極的であったため、ＧＨＱ側に対案として「人事院総裁は、内閣総理大臣に直属する。」との案を示し、両者の歩み寄りは困難を極めていた。

その後も平行線状態が続くうち、フーバー氏の方から「この法律に定める基準に従って」を挿入するよう提案がなされ、結局これが日本側にも受け入れられ、最終的に「人事院は、この法律に定める基準に従って、内閣総理大臣に報告しなければならない。」に落ち着くこととなった。

当時の記録によれば、フーバー氏としては、日本側があまりにも人事院の独立性と憲法の関係にこだわるため、まず、人事院及び本法と憲法との連絡をつけるため、第一条に「この法律は、もつぱら日本国憲法第七十三条にいう官吏に関する事務を掌理する基準を定めるものである。」との規定を加えるとともに、本項においても「この法律に定める基準に従つて」とすることにより、憲法第七三条に根拠を有する本法に従って報告する以上、人事院について憲法上なんら問題は生じないという論理を構成する意図であったことがうかがえる。法律論としては、分かりにくい説明であるが、フーバー氏苦心の作といえるであろう。

このように、立案者の意図によれば、本項後段の趣旨は前段とあいまって、人事院が内閣に属しつつもその指揮監督を受けることなく、独立して権限を行使できることを示すことにある。したがって、本項後段の規定は、単に人事院に形式的な報告義務を課すものではなく、むしろ人事院と内閣の基本的関係に関する規定ということができる。

ただし、本項後段の立法意図は前述のとおりであるとしても、その文理的な解釈としては、字句に忠実に「この法律に定める基準」とは、本法第二二条第二項（人事行政改善勧告の報告）、第二四条第一項（業務状況報告）、第二八条第二項（給与の報告）を指すものというべきであろう。なお、第二四条第二項、第二八条第二項は国会に対する報告についても規定しているが、ここではこれらの規定のうちの内閣に対する報告のみを定めているものである。

さらに、昭和四〇年改正の際に、本法上、内閣総理大臣が中央人事行政機関の一つとして明記されることとなったことから、本項の内閣総理大臣についても、上述した本法上の他の「報告」に合わせてその宛先を内閣に改めたものである。

三　人事院の所掌事務

人事院は、法律の定めるところに従い、次の1から9までに掲げる事務をつかさどる（法三２）。それぞれの事務の具体的内容については、別途各条文において述べることとし、ここではその要旨を述べることとする。なお、本条第二項の「法律」とは、本法のほか、給与法、勤務時間法、補償法、寒冷地手当法、国際機関派遣法等をいう。

1　給与その他の勤務条件の改善及び人事行政の改善に関する勧告に関する事務

「勧告」とあるが、狭義の勧告だけでなく、「意見の申出」も含まれるものと解される。法律事項の制定・改廃に関して国会及び内閣に行う勧告、意見の申出の根拠としては、本法第二三条、第二八条、第一〇八条、給与法第二条、勤務時間法第二条、寒冷地手当法第四条等がある。本法第六七条の給与に関する法律に定める事項、その改定案の国会及び内閣への提出もこれらと同様の意義を有している。他方、人事行政の運用面における改善に関する勧告としては、本法第二二条、第八八条が挙げられよう。また、宿舎法においては、同法に規定する事項のうち職員の勤務条件に関連する事項については、本法第二二条又は第二八条第一項の勧告の対象となる旨の規定を置いている。さらに、寒冷地手当法第三条第二項のように、寒冷地手当の支給に関し必要な事項を内閣総理大臣が定めるに当たって、人事院の勧告が必要である旨規定した例も見受けられる。

本法第二八条及び給与法第二条に基づく勧告は、一般に職員の労働基本権制約の代償措置として重要な意義を有しているとされるが、勧告制度全般としては、単に労働基本権制約の代償たる機能だけでなく、人事行政の公正の確保その他本法の目的である公務の民主的・能率的運営を確保することをも目的として行われることに留意する必要がある。

2　採用試験及び任免に関する事務

採用試験及び任免に関し本法が人事院の事務として掲げるもののうち主なものを列挙すれば次のとおりである。

①　任用の根本基準の実施につき必要な事項であって職員の公正な任用の確保に関するもの及び免職の根本基準の実施につき必要な事項を人事院規則で定めること（法三三４）。

②　選考により採用できる場合を定めること（法三六）。

③　欠格条項の適用除外について定めること（法三八）。

④　採用試験の実施について定めること（法四二）。
⑤　採用試験の受験資格を定めること（法四四）。
⑥　採用試験における対象官職及び種類並びに採用試験により確保すべき人材に関する政令を定めるに当たり意見を述べること（法四五の二４）。
⑦　採用試験の方法、試験科目、合格者の決定の方法その他採用試験に関する事項を定めること（法四五の三）。
⑧　採用試験の告知を行うこと（法四七）。
⑨　採用試験の試験機関を定めること（法四八）。
⑩　採用候補者名簿を失効させること（法五三）。
⑪　条件附採用に関し必要な事項等を定めること（法五九２）。
⑫　定年前再任用短時間勤務職員の選考による採用の実施、選考に係る情報、適用除外される官職について人事院規則で定めること（法六〇の二）。
⑬　幹部職員等の適格性審査及び幹部候補者名簿に関する政令を定めるに当たり意見を述べること（法六一の二６）。

3　給与に関する事務

本法に規定する事務としては、第二八条の報告・勧告、第六七条の給与に関する法律に定める事項の改定案の提出のほか、次のような事務がある。

①　給与の支払を監理すること（法一八１）。
②　俸給表の決定に当たり考慮すべき事項を定めること（法六四２）。
③　給与簿に関し必要な事項を定めること（法六八３）。
④　給与簿を検査し、是正を命じる（法六九）。
⑤　違法な支払に対し適当な措置を採ること（法七〇）。

また、人事院は給与法の完全な実施を確保する責めを負っており、同法において給与制度の改正に関する国会及び内閣に対する勧告のほか、主に次のような権限及び責務が人事院に与えられている。

⑥　給与法（指定職俸給表の適用を受ける職員の号俸の決定の方法並びに職務の級の定数の設定及び改定に関する事項を除く。）の実施及びその技術的解釈に必要な人事院規則を制定し、及び人事院指令を発すること（給与法二①）。
⑦　俸給表の適用範囲を決定すること（給与法二②）。
⑧　初任給、昇格、降格及び昇給の基準に関し人事院規則を制定し、及び人事院指令を発すること（給与法二④）。
⑨　会計検査院及び人事院の職員以外の指定職俸給表の適用を受ける職員の号俸決定についての内閣総理大臣の定めについて意見を述べること並びに会計検査院及び人事院の指定職俸給表の適用を受ける職員の号俸決定について定めること（法六の二）。
⑩　内閣総理大臣が会計検査院及び人事院の職員以外の職員の職務の級の定数を設定・改定する場合に適正な勤務条件の確保の観点から意見を述べること並びに会計検査院及び人事院の職員の職務の級の定数を設定・改廃すること（法八１、２）。

以上のほか、人事院は、国際機関派遣法、任期付職員法など給与法以外の法律に定める給与についても所管している。

４　研修に関する事務

本法における研修に関する人事院の事務を整理すれば、次のとおりである。

①　研修の根本基準の実施に関する政令を定めるに当たり意見を述べること（法七〇の五２）。
②　国民全体の奉仕者としての使命の自覚及び多角的な視点等を有する職員の育成並びに研修の方法に関する専門的知見を活用して行う職員の効果的な育成の観点から行う研修の計画を樹立し、実施すること（法七〇の六１）。
③　研修計画の樹立及び実施に関し、監視すること（法七〇の六５）。
④　内閣総理大臣又は関係庁の長に対し、研修の実施状況について報告を求め、法令に違反して研修を行った場合には、その是正のため必要な指示を行うこと（法七〇の七）。

５　分限に関する事務

本法に規定する分限に関する人事院の事務は、次のとおりである。

①　分限の根本基準の実施について必要な事項を人事院規則で定めること（法七四２）。

②　降任、休職、免職、降給の事由を定めること（法七五、七八、七九）。
③　欠格による失職を適用しない場合について定めること（法七六）。
④　離職に関する規定を定めること（法七七）。
⑤　幹部職員の降任に関する特例に関し、要件等を定めること（法七八の二）。
⑥　休職の期間を定めること（法八〇1）。
⑦　臨時的職員、条件付採用期間中の職員の分限について必要な事項を定めること（法八一2）。
⑧　役職定年制の対象となる官職、役職定年制の特例その他の官職への降任等に関し必要な事項について人事院規則で定めること（法八一の二）。
⑨　役職定年制及び管理監督職への任用の制限の特例が認められる事由、特定管理監督職群その他当該特例に関し必要な事項について人事院規則で定めること（法八一の五）。
⑩　特例定年について定めること（法八一の六2）。
⑪　勤務延長の期限の再延長について承認すること及び勤務延長に関し必要な事項について人事院規則で定めること（法八一の七2）。
⑫　定年退職者等の暫定再任用について定めること（令和三年一部改正法附則四～七）。

6　懲戒に関する事務

本法に規定する懲戒に関する人事院の事務は、次のとおりである。
①　懲戒の根本基準の実施について必要な事項を人事院規則で定めること（法七四2）。
②　停職の期間を定めること（法八三1）。
③　調査を経て職員を懲戒手続に付すこと（法八四2）。
④　刑事裁判所に係属中に懲戒手続を進めることについて承認すること（法八五）。

7　苦情の処理に関する事務

本条以外においては、本法は、「苦情の処理」という表現を用いていないが、基本的にはいわゆる公平制度を指している。

苦情の処理に関する事務の具体的内容は次のとおりである。

①　勤務条件に関する行政措置の要求の処理（法八六～八八）

②　不利益処分に関する審査請求の処理（法九〇～九二）

③　株式所有関係等に関する人事院通知に対する審査請求の処理（法一〇三5、6）

このほか、給与法第二一条により、給与決定に関し苦情のある職員は人事院に対し審査を申し立てることができるとされ、補償法第二四条及び第二五条においては、災害補償の実施に関する審査の申立て及び福祉事業の運営に関する措置の申立てが認められている。

また、以上のほか、人事院は、これら措置要求等に至らない、人事管理に関する苦情について、公平制度の一環として「職員からの苦情相談」を設けている。

８　倫理の保持に関する事務

平成一一年の倫理法の制定に伴い、人事院の事務に職員の倫理の保持に関する事務が追加され、同時にその事務を所掌するため人事院に国家公務員倫理審査会が置かれた。

倫理審査会は、

①　倫理の保持に関する調査（法一七の二）

②　倫理法に違反した職員に対する懲戒権（法八四の二）

を人事院から委任されるほか、倫理法に基づいて、

③　国家公務員倫理規程に関する内閣への意見の申出（倫理法一一①）

④　倫理法違反に係る懲戒処分基準の作成及び変更（倫理法一一②）

⑤　公務員倫理に関する研修の総合的企画及び調整（倫理法一一④）

⑥　各省庁の長等への指導及び助言（倫理法一一⑤）

などを所掌することとされている。

倫理の保持に関する事務は、倫理法制定前は、主に服務に関する事務の一部と考えられていたが、公務員の不祥事等を契

機として倫理法が制定されることとなり、懲戒なども含めた一連の独立した事務とされたものである。

9　その他職員に関する人事行政の公正の確保及び職員の利益の保護等に関する事務

1から**8**までに掲げるほか、人事院は種々の事務を所管している。本法に規定するその他の事務のうち、代表的なものを紹介すれば、次のとおりである。

①　能率の根本基準の実施につき必要な事項を定めること（法七一2）。

②　服務の根本基準の実施につき必要な事項を定めること（法九六2）。

③　禁止される政治的行為の範囲を定めること（法一〇二1）。

④　職員が営利企業の役員等の職を兼ね、又は自ら営利企業を営むことを承認すること（法一〇三2）。

⑤　株式所有の関係等について報告を徴し、当該関係の存続が職務遂行上適切でないときは、その旨通知すること（法一〇三4）。

⑥　勤務条件その他服務に関し必要な事項を定めること（法一〇六1）。

⑦　管理職員等の範囲を定めること（法一〇八の二4）。

⑧　職員団体の登録制度を処理すること（法一〇八の三）。

さらに、これらに加え、勤務時間法や補償法をはじめとする公務員制度関係諸法の実施に関する事務も所管するなど、人事院は、人事行政の公正の確保、職員の利益の保護を基本として、広範かつ重大な責務を負っている。

また、本条第二項に「職員に関する人事行政の公正の確保及び職員の利益の保護等に関する事務」とあるが、この「等」を挿入している理由は、中央人事行政機関として、給与についての調査研究（法六七）や年金制度の調査研究（法一〇八）など明文のあるものだけでなく、広く人事行政の調査研究を行うことなどを考慮したものであろうと考えられる。

なお、本条は昭和四〇年、平成一一年、一九年及び二六年の改正により現行のように改められたものである。昭和四〇年改正前の同条第三項は、

「人事院は、この法律に従い、左に掲げる事項について職員に関する諸般の方針、基準、手続、規則及び計画を整備、調整、総合及び指示し、且つ、立法その他必要な措置を勧告する。

一　職階、給与、重複給与、給与準則、試験、資格要件、募集、任用候補者名簿、任用候補者の提示、採用、条件附任用期間、臨時的任用、非常勤任用、重複任用、宣誓、昇任、降任、転任、復職、配置転換、退職、退職年金制度、免職、人員の減少、勤務成績の評定、人事行政用語の定義及びこれらに関連する事項
二　勤務時間、休暇、休職、保健、安全、元気回復、教育訓練、厚生、素行、政治的活動、私企業からの隔離、秘密の保持、規律、離職、公正な取扱、分限、保障、行政的措置の要求、苦情の処理、公務傷病に対する補償、政府の人事行政に関する調査、研究及び監察並びにこれらに関連する事項
三　人事記録及び人事統計並びにこの法律、人事院規則及び人事院指令に従つて給与が支払われているかどうかを確めるための給与簿の監理及び検査
四　人事主任官会議の開催
五　その他法律に基きその権限に属せしめられた事項」

と規定していたが、昭和四〇年改正により内閣総理大臣も中央人事行政機関の一と位置付け、事務の一部を移管するに当たって、現行規定のような包括的な表現に改められている。

四　決定・処分の審査権

人事院が独立して権限を行使するには、人事院の行う諸活動に対し他の行政機関による事前・事後のチェックがあってはならない。

本条第三項は、本条第一項の規定とあいまって人事院の自主性、独立性を確保することを目的として、人事院の決定や処分は人事院によってのみ審査され、他の行政機関の介入を認めるものではないことを明らかにしている。したがって、仮に人事院の決定、処分に不服が生じている場合でも、他の行政機関がそのような不服を受理し、審査することは許されない。

本条第三項は、宣言規定としての意義を有しており、現行制度上その趣旨を具体化するものを示せば、次のとおりである。

①　本法第八四条第二項の規定に基づき人事院が行った懲戒処分について不服がある場合、人事院に対して審査請求がなされること（法九〇１）。

②　本法第一〇三条第四項の規定に基づき株式所有の関係等について人事院が行った通知の内容に不服がある場合、人事院に対して審査請求がなされること（法一〇三５）。

③　給与法第二〇条の規定に基づき人事院が行った俸給の更正決定に苦情がある場合は、人事院に対し審査の申立てがなされること（給与法二一１）。

④　本法第九二条第一項及び第二項の規定に基づく不利益処分審査請求の判定に対する再審の請求は人事院に対してなされること（法九二３）。

本条第三項において、「法律により」とあり、「この法律により」としていないのは、給与法等本法以外の法律を意識してのことである。また、同項は、人事院が処置する権限を与えられている「部門」としているが、「部門」とは、事項といった意味であろう。したがって、「法律により、人事院が処置する権限を与えられている部門においては」とあるのは、要は「人事院の権限に属する事項については」というように置き換えることができるであろう。

なお、同項は、昭和二三年の改正に当たって、挿入されたものであるが、当初は「人事院の決定及び処分は、その定める手続により、人事院によつてのみ審査される。」とされていた。ところが、その後行服法の制定に伴い、本法に規定する不利益処分の審査請求は行服法に定める審査請求に含まれるものと位置付けられたため、昭和四〇年の改正の際に「その定める手続により」とある部分が削除され、現行の規定となっている。

五　裁判所の審査権

本条第四項は、「前項の規定は、法律問題につき裁判所に出訴する権利に影響を及ぼすものではない。」と規定し、本条第三項の規定により人事院の行った決定、処分については人事院のみが審査するとしても、それはあくまでも行政部内でのことであり、法律問題については、なお裁判の道が閉ざされていないことを明らかにしている。

ところで、憲法は、「何人も、裁判所において裁判を受ける権利を奪はれない。」（三二）と規定し、また、「すべて司法権は、最高裁判所及び法律の定めるところにより設置する下級裁判所に属する。」（七六１）、「特別裁判所は、これを設置することができない。行政機関は、終審として裁判を行ふことができない。」（七六２）と規定している。したがって、人事院の審査をもって終審とすることができないのは、憲法上も当然であり、同項の規定は、そのことを念のため確認した規定であるといえよう。同項も昭和二三年の改正により追加されたものであるが、このように憲法上の原則を確認したにすぎない規定をあえて設けたのは、第一条第二項や本条第一項と同様、憲法と人事院の関係を意識したためと解される。

本条第四項において、「法律問題につき裁判所に出訴する権利」とあることに関し、その意味するところが、「事実問題」あるいは「事実認定」についてはもはや裁判所に出訴できないとすることにあるのかどうかが問題となる。しかしながら、裁判は、まず具体的事実を認定した上、その認定した事実に対し法を適用することを本質としていることから、行政機関の行った事実認定が無条件に裁判所を拘束するものとすることは、憲法第七六条違反を免れないものである。したがって、「法律問題につき」とあるのは、「事実問題」に対する「法律問題」ではなく、むしろ「適法・違法の問題」をいうと解すべきであろう。すなわち、「当・不当」ではなく、「適法・違法」が問題となる場合には、当然裁判所に出訴する権利が認められ、かつ、その際には、法を適用する前提として事実認定についても裁判所において争うことが可能であるとするのが本条第四項の意図するところであると考える。

なお、私的独占の禁止及び公正取引の確保に関する法律には、「公正取引委員会の認定した事実は、これを立証する実質的な証拠があるときには、裁判所を拘束する。」（八〇１）、「実質的な証拠の有無は、裁判所がこれを判断するものとする。」（八〇２）との規定があり、裁判所が公正取引委員会の事実認定に実質的な証拠があると認めたときは、その認定を尊重し、それに依存することができるとされているが、本法にはこのような特別の規定はなく、これと同様の意味に解することはできない。

（国家公務員倫理審査会）

第三条の二　前条第二項の所掌事務のうち職務に係る倫理の保持に関する事務を所掌させるため、人事院に国家公務員倫理審査会を置く。

②　国家公務員倫理審査会に関しては、この法律に定めるもののほか、国家公務員倫理法（平成十一年法律第百二十九号）の定めるところによる。

〔趣　旨〕

人事院の所掌事務のうち、職務に係る倫理の保持に関する事務を所掌する独立機関として、人事院に国家公務員倫理審査会が設置されている。国家公務員倫理審査会は、人事院の持つ調査権（法一七）、懲戒権（法八四２）を委任されている（法一七の二、八四の二）。職務に係る倫理に関しては、国家公務員倫理法に具体的な規定が置かれている。

〔解　釈〕

一　国家公務員倫理法の制定

1　国家公務員倫理法制定に至る経緯

公務員の収賄、供応接待受領等の不祥事に対しては、従前、法第九九条の信用失墜行為の禁止、更には、綱紀粛正を定める閣議決定等（例えば、「官庁綱紀の粛正について」（昭和四八年一〇月三〇日閣議決定）、「綱紀粛正と行財政の刷新に関する当面の方針について」（昭和五四年一一月一二日内閣官房長官通知）、「官庁綱紀の粛正について」（昭和六三年一二月一六日閣議決定）。）によって対処してきた。しかし、平成八年に厚生省の前事務次官が収賄容疑で逮捕されるという不祥事が発生し、平成八年一二月一九日の事務次官等会議において「行政及び公務員に対する国民の信頼を回復するための新たな取組について」（事務次官等会議申合せ）が定められ、これに基づいて各省庁の訓令で公務員倫理規程が制定され、それを遵守させることによって国民の信頼回復を図ることとされた。

ところが、平成一〇年に金融不祥事（過剰接待事件）が発覚し、その不祥事の中には倫理規程制定後も継続していたものがあったため、当時の橋本龍太郎内閣総理大臣が公務員倫理に関する法制化などの検討を指示し、平成一〇年二月二日、公務員倫理問題に関する検討委員会が設置された。同委員会は、内閣官房副長官（事務）を委員長とし、内閣法制次長、全ての事務次官、警察庁長官、内閣官房内閣内政審議室長及び総理府次長を委員とし、人事院事務総長及び会計検査院事務総長も委員会に出席することとされた。同委員会は、与党における検討とも緊密な連携をとりつつ検討を進めた。

当時与党を構成していた自由民主党、社会民主党及び新党さきがけは、平成一〇年一月に与党公務員倫理に関する協議会を発足させ、公務員倫理法案の検討を進めた。

政府・与党における検討の結果、法案を議員立法で提出する考えが与党に強く、政府もあえてそれに異を唱えなかったため、法案は議員立法の形で提出することとされた。自由民主党、社会民主党及び新党さきがけの三党は、平成一〇年六月九日、「国家公務員倫理法案」（第一四二回国会衆法第三六号）及び「自衛隊員倫理法案」（第一四二回国会衆法第三七号）を衆議院に提出した。

他方、民友連、平和・改革、自由党及び日本共産党の四会派は、平成一〇年二月二七日に、「国家公務員の倫理の保持に関する法律案」（第一四二回国会衆法第三号）を衆議院に提出していた。

これらの三法案は、第一四五回国会まで継続審議となり、第一四五回国会において、各政党間の協議の結果、平成一一年八月五日、衆議院内閣委員会において、国家公務員倫理法案及び自衛隊員倫理法案の両案を委員会提出の法律案とすることが決定された。国家公務員倫理法案は、自由民主党、社会民主党及び新党さきがけの三党が提出した法律案を基本に、資産等報告の削除、株取引等報告及び所得等報告の義務を負う職員の範囲拡大等の修正を加えたものである。両法律案は、翌六日に衆議院本会議において全会一致で可決され、参議院に送付された。参議院においても八月九日の総務委員会及び本会議で全会一致で可決され成立し、国家公務員倫理法は平成一一年法律第一二九号として、また、自衛隊員倫理法は同年法律第一三〇号として、八月一三日に公布された。

このように国家公務員法とは別の法律として国家公務員倫理法が制定されることとなったが、当時の政治の判断として、深刻な公務員不祥事に対処するためには、官の自主的規制では不十分であり、政治主導で対処していくことができるよう内閣が責任を負うことを基本とする新たな倫理法が必要だと考えられたものであろう。また、政治責任の観点から厳しく規律していくにしても、任命権者や内閣は職員の直接の使用者として当事者であることから、不祥事に厳しく対処するためには専門の第三者機関が必要と考えられ、国家公務員倫理審査会が構想されたとみられる。

国家公務員倫理審査会については、自由民主党、社会民主党及び新党さきがけの三党が提出した法律案では人事院に置くこととされ、民友連、平和・改革、自由党及び日本共産党の四会派が提出した法案では総理府に置くこととされており、最終的に衆議院内閣委員会が起草、提出した国家公務員倫理法案では人事院に置くこととされた。特に、公務員不祥事に対応するためには、国家公務員倫理審査会に不祥事の調査及び懲戒処分の権限を持たせることが必要と考えられ、人事院が法第一七条及び第八四条に基づき有している調査権及び懲戒権を活用することが有効と考えられた。

２　国家公務員倫理法の概要

国家公務員倫理法の概要は以下のとおりである。

(1)　目的（第一条）

この法律は、国家公務員が国民全体の奉仕者であってその職務は国民から負託された公務であることにかんがみ、国家公務員の職務に係る倫理の保持に資するため必要な措置を講ずることにより、職務の執行の公正さに対する国民の疑惑や不信を招くような行為の防止を図り、もって公務に対する国民の信頼を確保することを目的とする。

(2)　適用対象（第二条第一項）

この法律が適用される「職員」は、国家公務員法第二条第二項に規定する一般職に属する国家公務員（非常勤の委員、顧問又は参与等を除く。）とする。

(3)　職務に係る倫理原則（第三条）

次の三つを職員が遵守すべき職務に係る倫理原則として定める。

①　職員は、国民全体の奉仕者であり、国民の一部に対してのみの奉仕者ではないことを自覚し、職務上知り得た情報について国民の一部に対してのみ有利な取扱いをする等国民に対し不当な差別的取扱いをしてはならず、常に公正な職務の執行に当たらなければならない。

②　職員は、常に公私の別を明らかにし、いやしくもその職務や地位を自らや自らの属する組織のための私的利益のために用いてはならない。

③　職員は、法律により与えられた権限の行使に当たっては、当該権限の行使の対象となる者からの贈与等を受けること等の国民の疑惑や不信を招くような行為をしてはならない。

(4)　国会報告（第四条）

内閣は、毎年、国会に、職員の職務に係る倫理の保持に関する状況等に関する報告書を提出しなければならない。

(5)　国家公務員倫理規程（第五条）

内閣は、職員の職務に利害関係を有する者との接触その他国民の疑惑や不信を招くような行為の防止に関し職員が遵守すべき事項等、職員の職務に係る倫理の保持を図るために必要な事項を定めた国家公務員倫理規程を、政令により定める。内閣は、国家公務員倫理規程の制定又は改廃に関しては、国家公務員倫理審査会の意見を聴かなければならない。各省各庁の長は、国家公務員倫理審査会の同意を得て、職務に係る倫理に関する訓令を定めることができる。国家公務員倫理規程及び訓令の制定又は改廃は、国会に報告する。

(6)　贈与等の報告（第六条）

本省課長補佐級以上の職員は、事業者等から受けた贈与等及び事業者等と職員の職務との関係に基づいて提供する人的役務に対する報酬（その価額が一件五千円を超えるものに限る。）を記載した贈与等報告書を、四半期ごとに各省各庁の長に提出しなければならない。何人も、各省各庁の長に対し、贈与等報告書のうち一件二万円を超える部分（国家公務員倫理審査会が認めた非公開事項に該当する部分を除く。）の閲覧を請求することができる。指定職以上の職員に係る贈与等報告書の写しは、国家公務員倫理審査会に送付される。

(7)　株取引等の報告（第七条）

本省審議官級以上の職員は、前年において行った株取引等について、株取引等報告書を、毎年、各省各庁の長に提出しなければならない。報告書の写しは、国家公務員倫理審査会に送付される。

(8)　所得等の報告（第八条）

本省審議官級以上の職員（前年一年間を通じて本省審議官級以上の職員であったものに限る。）は、所得等報告書を、毎年、各省各庁の長に提出しなければならない。報告書の写しは、国家公務員倫理審査会に送付される。

(9)　国家公務員倫理審査会（第一〇条以下）

人事院に国家公務員倫理審査会を置く。

審査会は、国家公務員倫理規程の制定又は改廃に関する意見の申出、国家公務員倫理法等違反に係る懲戒処分の基準の作成及び変更、公務員倫理に関する調査研究及び企画、公務員倫理に係る研修の総合的企画及び調整、各省庁における国家公務員倫理規程遵守の体制整備のための指導及び助言、贈与等報告書等の審査、国家公務員倫理法等に違反する疑いがある場合の調査、国家公務員倫理法等に違反する疑いがある場合の任命権者に対する必要な措置を講ずべき旨の要求、前記の調査を経て職員を懲戒手続に付すること等を所掌する。
　審査会は、会長及び委員四人をもって組織する。委員のうち一人は、人事官のうちから内閣が任命する者をもって充てる。会長及び人事官をもって充てる委員以外の委員は、両議院の同意を得て内閣が任命する。職員としての在職期間が二〇年を超える者は、会長又は委員（人事官をもって充てる委員を除く。）に任命することができない。
⑽　倫理監督官（第三九条）
　各省庁等に倫理監督官（一人）を置く。倫理監督官は、職員の倫理の保持に関し必要な指導、助言を行うとともに、国家公務員倫理審査会の指示に従い、職員の倫理の保持のための体制の整備を行う。
⑾　倫理法等違反に対する制裁措置（法第八二条、倫理法第二七条、第三二条）
　国家公務員倫理法等に違反した者は、国家公務員法上の懲戒処分の対象とする。国家公務員倫理法等の違反を理由として懲戒処分が行われた場合で、特に必要があると認めるときは、当該懲戒処分の概要を公表することができる。
⑿　特殊法人等の講ずる施策等（第四二条）
　特殊法人等は、国等の施策に準じて、職員の職務に係る倫理の保持のために必要な施策を講じなければならない。
⒀　地方公共団体の講ずる施策（第四三条）
　地方公共団体は、国等の施策に準じて、職員の職務に係る倫理の保持のために必要な施策を講ずるよう努めなければならない。
　なお、最終的に国家公務員倫理審査会が人事院に置かれるのであれば、職員の行為規範を定める国家公務員倫理規程は人事院規則で定めることが自然のように思える。倫理法が国家公務員倫理規程を国家公務員倫理審査会の意見に基づき政令で定めることとした（倫理法五）のは、前述のとおり、職員の綱紀粛正については従前、閣議決定や事務次官等会議申合せによって定められてきたところであり、また、職員の規律確保について内閣の側で自覚を持って対処することが必要と考えられた事情がある。倫理法等に違反した場合の懲戒処分の基準については、国家公務員倫理審査会の要求（倫理法三六）に基づいて人事院規則で定められている（人規二二―一）。

3　国家公務員倫理規程

倫理法では、職員の行為規範は、政令である国家公務員倫理規程で定めることとされている（倫理法五）。国家公務員倫理規程の制定又は改廃に際しては、内閣は、国家公務員倫理審査会の意見を聴かなければならないこととされている。

国家公務員倫理審査会は、平成一二年二月四日に国家公務員倫理規程の制定に関する意見の申出を内閣に対して行い、これに基づいて同年三月二八日に国家公務員倫理規程（平一二政令一〇一）が制定された（平成一二年四月一日施行）。国家公務員倫理規程は、倫理法の倫理三原則に二項目を加えた五項目の倫理行動規準を定めるとともに、利害関係者との間で禁止される行為、講演等に関する規制、贈与等の報告その他の報告に関する事項等を規定した。

その後、国家公務員倫理審査会は、国家公務員倫理規程について五年後の見直しを行い、平成一七年二月八日、内閣に対して、国家公務員倫理規程の一部改正に関する意見の申出を行った。この意見の申出は、一定の規制基準の簡明化等（書籍等の監修料の適正化、組織的違反行為の防止、本省幹部職員に適用されていた利害関係者のみなし規定の廃止や利害関係者との飲食について禁止行為からは除外し（割り勘なら可としつつ）自己の費用が一万円を超える場合は倫理監督官への届出制とするなど）、利害関係者をして第三者に利益を受けさせる行為の禁止等をその内容としていた。この意見の申出に基づき、国家公務員倫理規程の一部を改正する政令（平一七政令四一）が制定された（三月一六日公布、四月一日施行）。

現行の国家公務員倫理規程の概要は、以下のとおりである。

(1)　倫理行動規準

①　国民全体の奉仕者であることを自覚し、公正な職務執行に当たらなければならない。

②　職務や地位を私的利益のために用いてはならない。

③　国民の疑惑や不信を招くような行為をしてはならない。

④　公共の利益の増進を目指し、全力で職務遂行に取り組まなければならない。

⑤　勤務時間外も自らの行動が公務の信用に影響を与えることを常に認識して行動しなければならない。

(2)　利害関係者

職員が職務として携わる次の事務の相手方をいう。

許認可等、補助金等の交付、立入検査・監査・監察、不利益処分、行政指導、事業の発達・改善・調整、契約、予算・

級別定数・定員の査定

過去三年間の官職の利害関係者や、職員にその影響力を行使させることにより自己の利益を図るために接触していることが明らかな他の職員の利害関係者も、利害関係者とみなす。

(3)　禁止行為

次の行為を行ってはならない。

①　利害関係者から金品等の贈与を受けること。

②　利害関係者から金銭の貸付けを受けること。

③　利害関係者から又は利害関係者の負担により、無償で物品等の貸付けや役務の提供を受けること。

④　利害関係者から未公開株式を譲り受けること。

⑤　利害関係者から供応接待を受けること。

⑥　利害関係者と共に遊技・ゴルフや旅行をすること。

⑦　利害関係者に要求して第三者に対して前記の行為をさせること。

ただし、次の場合（利害関係者に要求して第三者に対してさせる場合を除く。）は、この限りではない。

①　広く一般に配布するための宣伝用物品、記念品の贈与を受けること。

②　多数の者が出席する立食パーティーにおいて、記念品の贈与を受けること。

③　職務上の訪問の際に、利害関係者から提供される物品を使用すること。

④　職務上の訪問の際に、利害関係者から提供される自動車（当該利害関係者がその業務等で日常的に利用しているものに限る。）を利用すること（周囲の交通事情等から相当と認められる場合に限る。）。

⑤　職務上の会議その他の会合において、茶菓の提供を受けること。

⑥　多数の者が出席する立食パーティーにおいて、飲食物の提供を受けること。

⑦　職務上の会議において、簡素な飲食物の提供を受けること。

(4)　禁止行為の例外

私的な関係がある利害関係者との間では、公正な職務執行に対する国民の疑惑や不信を招くおそれがない場合に限り、禁止行為とされる行為（利害関係者に要求して第三者に対してさせる場合を除く。）を行うことができる。

(5)　利害関係者以外の者等との間における禁止行為

利害関係者に該当しない事業者等から、社会通念上相当と認められる程度を超えて供応接待又は財産上の利益の供与を受けてはならない。

物品・不動産の購入・借受けの代金や役務提供の対価をその場に居合わせなかった者に支払わせる、いわゆるつけ回しをしてはならない。

(6)　特定の書籍等の監修等に対する報酬の受領の禁止

国の補助金等や費用で作成される書籍等、国が過半数を買い入れる書籍等について、監修又は編さんに対する報酬を受けてはならない。

(7)　職員の職務に係る倫理の保持を阻害する行為等の禁止

他の職員が倫理規程違反の行為によって得た財産上の利益であることを知りながら、これを受け取り、又は享受してはならない。

審査会等に対して、倫理法等違反行為を行った疑いがあると思料するに足りる事実について、虚偽の申述を行い、又は隠ぺいしてはならない。

管理職員は、部下が倫理法等違反行為を行った疑いがあると思料するに足りる事実を黙認してはならない。

(8)　利害関係者と共に飲食をする場合の届出

自己で費用を負担するか、利害関係者以外の第三者が費用を負担して、利害関係者と共に飲食をする場合に、自己の費用が一万円を超えるときは、あらかじめ倫理監督官に届け出なければならない。

(9)　講演等に関する規制

利害関係者からの依頼に応じて報酬を受けて、講演等をしようとする場合は、あらかじめ倫理監督官の承認を得なければならない。

⑽　倫理監督官への相談

相手方が利害関係者に該当するかどうか、行為が禁止行為に該当するかどうかを判断できない場合には、倫理監督官に相談するものとする。

⑾　各省各庁の長等、倫理監督官の責務

各省各庁の長等は、必要に応じ倫理に関する訓令又は規則を制定すること、倫理保持のための体制整備を行うこと、倫理法等違反行為に厳正に対処すること、倫理法等違反行為を通知した職員が不利益な取扱いを受けないよう配慮すること、職員の倫理感のかん養・保持に努めること。

倫理監督官は、職員からの相談に応じ指導・助言を行うこと、職員が特定の者と国民の疑惑や不信を招くような関係を持つことがないか確認に努めること、各省各庁の長等を助け倫理保持のための体制整備を行うこと、倫理法等違反行為があった場合に主任の大臣に報告すること。

二　服務と倫理

一般に倫理とは、職業倫理と呼ばれるとおり、心の在り方の問題を含めた広い概念であるが、本法における「職務に係る倫理」は、服務ないし服務義務の一部として位置付けられている。これは、第九六条第二項において、「前項に規定する根本基準の実施に関し必要な事項は、この法律又は国家公務員倫理法に定めるものを除いては、人事院規則でこれを定める。」と規定していることにも伺える。また、倫理法制定時に、提案者である二田孝治衆議院内閣委員長は、起草案の趣旨説明で、「国家公務員の服務に関しましては、国家公務員法においてその服務の根本基準を定め、これに基づき所要の措置が講ぜられてきたところでありますが、最近における不祥事の続発する現状を見るとき、公務に対する国民の信頼を確保するためには、これらの措置だけでは不十分であり、したがって、国家公務員の職務に係る倫理の保持を図るため、より一層適切な措置を講ずることが急務となっていると考え、ここに両法案の起草案を作成した」と説明している（平成一一年八月五日衆議院内閣委員会）。

（職員）

第四条　人事院は、人事官三人をもつて、これを組織する。

②　人事官のうち一人は、総裁として命ぜられる。

③　人事院は、事務総長及び予算の範囲内においてその職務を適切に行うため必要とする職員を任命する。

④　人事院は、その内部機構を管理する。国家行政組織法（昭和二十三年法律第百二十号）は、人事院には適用されない。

〔趣　旨〕

一　人事院の構成

人事院は、人事官三人をもって構成される合議制の行政機関であり、いわゆる行政委員会である。行政委員会には、人事院のほか、内閣府設置法に定める外局に当たるものとして、公正取引委員会、国家公安委員会及び個人情報保護委員会が、行組法に定める外局に当たるものとして、公害等調整委員会、公安審査委員会、中央労働委員会、運輸安全委員会及び原子力規制委員会がある。さらに、これらとは異なり、内閣の外にあって組織的にも内閣から独立してはいるものの、会計検査院も広い意味では行政委員会に該当するといえよう。

行政委員会制度は、二〇世紀前半に米国で発展した仕組みである。非権力的行政分野の拡大に伴って、広範な視野と永続的な見地に立ち、学問的な知見を基礎として、技術的・合理的な行政を能率的に遂行することが必要な領域が生じてきた。このような分野の行政について、一般の行政部から独立した行政委員会を設け、これに係る行政を行わしめ、かつその所掌行政に関してその政治的中立性や高い専門技術性に着目して、準立法的・準司法的機能を行わしめることとなったのである（佐藤・鶴海著『公務員法』八九頁）。このような行政委員会は、第二次世界大戦後、米国の影響により我が国に導入された。人事院はじめ前述の行政委員会の多くは行政の民主化、効率化の観点から占領下においてＧＨＱの指導の下に設置されたものである。なお、第二次世界大戦前から設置されていた会計検査院は、昭和二二年、憲法上内閣から独立した機関とされるとともに、合議体へと組織変更が行われたものである。

通常、行政機関は独任制を原則としている。行政責任の所在を明確にすること、効率的な行政運営を期することなどが独任制によることとする理由であろう。その一方、①行政の中立性を確保する必要がある場合、②高度の専門的知識を必要とする場合、③国民の権利保護の観点から特に慎重な手続を必要とする場合、④利害関係の調整のため利益代表者の参加を必要とする場合等、必ずしも独任制を適当としないものがあり、そのような要請に最も適した組織形態として合議制の行政委員会の制度が生み出されてきたものである。人事院についてみれば、合議制とする理由は、政治的圧力その他外部からの影響力を排し人事行政の公正性、中立性を確保する必要があること、職員の労働基本権制約に対する代償機関として、労使中立の立場に立って職員の勤務条件の決定等に関与する機関であること、人事行政という極めて専門性の高い分野を担当する機関であることに求められよう。

人事院を構成するのは三人の人事官である。他の行政委員会、例えば公正取引委員会（委員長以下五名）、国家公安委員会（委員長以下六名）、公害等調整委員会（委員長以下七名）、中央労働委員会（会長以下四五名）等と比較して、人事院は三人という合議制を構成し得る最小限の人数で構成されている点が注目に値する。なお、会計検査院も、人事院と同様、検査官の数は三名である。人事院をこのように少人数の合議体とした理由は、人事院には単なる紛争処理的機能、利益調整的機能だけではなく、人事行政全般について適正な運用を確保するなど、日常的な行政的機能を円滑に行うことも求められており、しかも、人事行政は極めて専門性の高い分野であることから、厳格な資格要件の下適任者を厳選する必要がある点にあるといえよう。

二　人事院の内部管理権

第三条で述べたとおり、人事院は中央人事行政機関として、人事行政全般にわたり広範な責務を有しており、人事官がいかに人格識見に優れた人事行政の専門家であるとしても、三人の人事官のみで、本法あるいは他の関連法により委ねられた事務を全て円滑に処理することは不可能であるといわなければならない。人事院が、本法の目的に沿ってその期待どおりに業務を遂行するには、補助部門として、事務機構が整備されていることが必要である。さらに、人事院は、内閣の所轄の下に置かれるものとされ、その業務の実施については、高度の独立性を保障されている。そこで、人事院がそのような独立性が適切である。このような観点から、本条は人事院の内部管理権について定めている。すなわち、まず、人事院は事務総長及び必要な職員を予算の範囲内で任命することができることとする。これにより必要とする事務機構のスタッフを自ら置くことが保障されているわけであり、財政民主主義の見地からなされる予算上の統制だけは受けるものの、他の行政機関のように、定員法や行政機関職員定員令の適用を受けることはない。次いで、本条は、人事院はその内部機構を管理する旨規定し、かつ、行組法は人事院には適用がないことを定めている。行組法は、平成一三年一月の中央省庁等再編の後においては、内閣の統轄の下における行政機関で内閣府以外のものの組織の基準を定めることを目的とし、行政機関の内部部局、施設等機関、地方支分部局に関する設置基準等について規定しているが、人事院については、行組法に規定する統一的な基準によることなく、必要な内部組織等を自ら設置、改廃できるよう同法の適用を除外しているものである。なお、平成一三年以降、内閣の統括の下にある行政機関は行組法又は内閣府設置法に組織基準が定められることとされたが、内閣の「所轄の下」にある人事院にそれらの法及び内閣による組織、定員の管理が及ばないことに変わりはない。この点にも人事院の特別な位置付けが見いだされる。

〔解　釈〕

一　人事院の構成

人事院は、三人の人事官によって構成される（法四1）。これは前述のとおり委員会構成としては最小限の人数である。そこで、なんらかの理由、例えば、人事官の退職後、後任の人事官の任命に関し、両議院の同意を得られないため人事官に欠員が生じているような場合、人事院が行政機関として正常に機能し得るかどうかが問題となる。

まず、人事官が一名欠けている場合であるが、この場合については、本法第一一条第三項が人事院総裁に事故があるとき又は人事院総裁が欠けたときは、先任の人事官が職務を代行するとしていること、人規二―一において、人事院会議の定足数を人事官の過半数とし、また、議決又は動議の採決は、人事官の多数決を必要とするとしていることから、一応二名の人事官が現に存在している限りにおいては、人事院は組織として合法的に機能し得るものといえるであろう。他方、人事官が二名欠員となり、一名のみになってしまった場合は、もはや合議体の組織としては、成り立ち得ないといわざるを得ない。

いずれにしても、人事院は人事官三人の合議体として、活動するものでなければならないことはいうまでもなく、そのため本法は、人事官に欠員を生じた場合に六〇日以内に人事官を任命しなかった閣員には罰則を科すこととして（両議院の同意を経なかった場合を除く。）（法一〇九③）、人事官の選任に遅滞がないよう配意している。

なお、昭和二三年の人事院の設立の際、新たに人事官を任命するに当たって、三人の人事官が全て同じ時期に任期満了を迎えることのないよう、最初の任期に関しては、三人の人事官のうち一人は三年、一人は五年（法旧附則四（令和三年一部改正法により削除））、他の一人は本法第七条第一項本文の規定によって四年とされていた。

本条第一項は、「人事院は、人事官三人をもつて、これを組織する。」と規定し、人事院は三人の人事官から構成される合議体自体をいい、事務機構はそれには含まれないこととしている。したがって、本法において「人事院」とある場合、原則として、三人の人事官からなる合議体を意味することとなる。しかし、その一方で、例えば第一四条において「事務総長は、……人事院の事務上及び技術上のすべての活動を指揮監督し、人事院の職員について計画を立て、募集、配置及び指揮を行い……」とする場合のように、一部、事務総局をも含んだ概念として人事院を捉えている規定も見受けられ、その用語は必ずしも一義的ではない。

ちなみに、会計検査院については、三人の検査官から構成される検査官会議と事務総局を併せたものをいうとされており、この点、人事院の場合とは異なった捉え方がなされている。

二　総　裁

人事官のうちから一人は総裁として命ぜられる（法四2）。総裁に関しては、本法第一一条にも定めがあり、同条第一項において「人事院総裁は、人事官の中から、内閣が、これを命ずる。」と規定している。この規定は、本条第二項の規定と一部重複する内容を含んでいるが、第一一条第一項の規定は、むしろ人事院総裁の任命権を内閣が有することを明らかにする点に意義があるものと考えられる。

なお、人事官の中から一人を総裁とする趣旨は、本法第一一条第二項に規定するとおりである。すなわち、合議体とはいえ、その活動を円滑に行うためには事務の総括者が必要であり、また対外的に人事院を代表する者が必要であるからである。他の行政委員会においても、例外なく委員長（会計検査院にあっては院長、中央労働委員会にあっては会長）が置かれ、事務の総理とともに対外的に組織の代表者としての役割を担っている。

三　人事院の内部管理権

1　本条は、内部管理権の一つとして、人事院は事務総長及び予算の範囲内において必要とする職員を任命する旨規定する（法四３）。他方、本法第五五条は、人事院総裁が人事院事務総局の職員の任命権者である旨規定している。

そこで、これら二つの規定の関係について整理すれば、第五五条が任命権者を定める規定であるのに対し、本条の規定は、具体的な任命行為を問題とするものではなく、人事院が予算の統制を受けながらも必要な事務機構のスタッフを独自に配置できることを保障する点に主眼があるものといえよう。要は、本条の規定は、事務機構の要員配置について、定員法や行政機関職員定員令を適用することなく人事院自らの判断に委ねることを通じ、人事院の業務実施の独立性を確保することを眼目としていると考えられる。また、このような観点から、平成二六年の本法改正後においても、人事院の幹部職員は幹部人事の一元管理の対象外になっているほか、人事院の職員の級別定数は人事院が設定するものとされている（法六一の八1、給与法八２）。

ちなみに、令和四年度においては、人事院及び事務総局並びに国家公務員倫理審査会及び事務局の予算定員は一般職六一七名、特別職（人事官、国家公務員倫理審査会会長、秘書官）五名計六二二名となっている（人規二一―一四等）。

2　次に、人事院はその内部機構を自ら管理することができるとされ、国家行政組織法は人事院には適用されない（法四4）。

各省や会計検査院及び内閣府に外局として置かれる行政委員会以外の他の行政委員会には、行組法が適用され、官房、局、部、課等については、行組法に定める基準に従い政令により設置されるが、人事院の場合は、行組法とは関係なく、独自に人事院規則等を通じ事務機構を設置、改廃できることとなる。ただし、この場合においても、財政民主主義の見地からの予算上のコントロールには服するので、人事院の事務組織の改廃については予算査定を受けることとなる。

なお、既に述べたとおり、人事院とは三人の人事官からなる合議体の組織をいうことから、本条第四項の「内部機構」という表現は厳密には適切ではなく、むしろ「事務機構を自ら管理する」などとすべきであろう。

現在、事務総局の組織については、人事院規則二―三（人事院事務総局等の組織）、人事院規則二―八（人事院の顧問及び参与）等において所要の定めがなされている。

㊟　点線の左側は、令和四年六月一七日から起算して三年を超えない範囲内において政令で定める日（新刑法の施行日）から施行となる。

（人事官）

第五条　人事官は、人格が高潔で、民主的な統治組織と成績本位の原則による能率的な事務の処理に理解があり、かつ、人事行政に関し識見を有する年齢三十五年以上の者のうちから、両議院の同意を経て、内閣を任命する。

②　人事官の任免は、天皇が認証する。

③　次の各号のいずれかに該当する者は、人事官となることができない。

一　破産手続開始の決定を受けて復権を得ない者

二　禁錮┊拘禁刑以上の刑に処せられた者又は第四章に規定する罪を犯し、刑に処せられた者

三　第三十八条第二号又は第四号に該当する者

④　任命の日以前五年間において、政党の役員、政治的顧問その他これらと同様な政治的影響力を有する政党員であつた者又は任命の日以前五年間において、公選による国若しくは都道府県の公職の候補者となつた者は、人事院規則で定めるところにより、人事官となることができない。

⑤　人事官の任命については、そのうちの二人が、同一の政党に属し、又は同一の大学学部を卒業した者となることとなつてはならない。

〔趣　旨〕

一　人事官の資格要件

本条は、人事官の任用資格要件とともに、その任命手続を定めている。

人事官は、公正中立かつ専門的な立場で、人事行政の公正、妥当性を確保することを任務とするものであるから、その人選に当たっては厳格な要件に適合する者を選任することが必要である。その資格要件としては、積極的に具備していなければならないもの（積極的資格要件）と、該当してはならないもの（消極的資格要件）とがある。

１　積極的資格要件

人事官の積極的資格要件として、本条は、①人格が高潔であること、②民主的な統治組織と成績本位の原則による能率的な事務処理に理解があること、③人事行政に関し識見を有する者であること、④年齢三五年以上であることを掲げる。年齢に係る要件以外は全て抽象的訓示的要件であるが、このような抽象的な形でしか選任基準を規定し得ないのは、人事官に要求されるものが高度かつ総合的な判断力であるため、どうしても、人格識見に重きを置かざるを得ないためである。これらの要件に合致するか否かは、選任しようとする個々の候補について、まず内閣、そして両議院が、人事行政の重要性、人事行政が行政一般に及ぼす影響等を踏まえた上で、良識に基づいて判断することとなろう。

このように、人事官の選任については、厳格な資格要件を課すこととしている。他の行政委員会における委員の選任基準と比較しても、厳しい内容となっているが、これは、人事官にどのような人材を得るかが、我が国の人事行政、ひいては、行政の民主的・能率的運営を左右するとして、本法が人事官の選任について特に意を配っているからにほかならない。

２　消極的資格要件

人事官の消極的資格要件として本条第三項が列挙するのは、

①　破産手続開始の決定を受けて復権を得ない者

②　禁錮（刑法等の一部を改正する法律（令和四年法律第六七号）の施行日（以下「新刑法の施行日」という。）以降は、拘禁刑）以上の刑に処せられた者又は第四章に規定する罪を犯し刑に処せられた者

③　第三八条第二号又は第四号に該当する者

であり、これらは、一般職の職員に関する欠格条項（法三八）を一部加重したものである。これらの要件に該当する者は前述１の積極的資格要件の適合性を問うまでもなく、人事官に就任する能力を欠くことになる。積極的資格要件への適合性については、年齢に係る要件を除き、基本的には内閣、両議院の判断に委ねられていたのに対し、この消極的資格要件は客観

的な要件である。これに違反して行われた任命は、明白かつ重大な瑕疵のある行為として無効であると解される。なお、従前消極的資格要件の一つとして、「禁治産者若しくは準禁治産者」が掲げられていたが、平成一一年の民法改正により禁治産等制度が廃止され、代わりに新たな成年後見制度が導入された際に、人事官には別途厳格な任命手続が設けられていることから、本項も改正され、当該部分は削除された。

以上の消極的資格要件のほか、本条第四項、第五項は、人事官の選任に当たっての消極的資格要件として、さらに、任命の日以前五年間において、政党の役員、政治的顧問等であった者又は任命の日以前五年間において、公選による公職の候補者となった者は、人事官となることができないこと、及び人事官の任命については、その中の二人が、同一政党に属し、又は同一の大学学部を卒業した者となることとなってはならないことを規定する。これらは、人事院の政治的中立性を人事官の選任を通じ人事院の構成の面からも確保するとともに、いわゆる学閥の弊を避けることを趣旨としている。後者の学閥の問題については、実際のところこれまで行政部門において出身大学や出身学部による派閥形成というような問題は生じていないが、いわゆる伝統的な法科中心人事や私立大学・地方大学出身者の採用が少ないことなどがこれに関連した問題として指摘されてきている。このような規定が設けられたのはフーバー顧問団をはじめとするＧＨＱ側の強い指示に基づいている。すなわち、明治以来の伝統として東京（帝国）大学法学部出身者が、行政部内の幹部職員の多数を占める特権的な官僚制であったが、ＧＨＱは、この点についての改革なくしては日本の民主化はあり得ないとの信念の下に、本項の規定を設けることを強く求めたのであった。なお、昭和二三年の改正前においては、人事委員のうち二人は、同一の大学学部又は高等学校における同一学科を卒業した者となることとなってはならないとし、現行の規定より更に徹底したものとなっていた。

二　人事官の任命手続

人事官は、前述一の２の消極的資格要件に該当しない者であり、かつ、一の１の積極的資格要件に該当する者について、内閣が両議院の同意を得て任命し、かつ、その任命は、天皇が認証することとなっている。

人事官の任命権が内閣の下にあるのは、人事院が内閣の所轄の下に置かれていることから、当然であろう。人事院以外の行政委員会のうち内閣が任命権を有するのは会計検査院のみであり、他の行政委員会はいずれも内閣の統括の下にある府又は省の外局として、任命権はそれぞれ主務大臣が有している。

次に、人事官の任命には、両議院の同意を必要とする。これはいうまでもなく、人事官の選任に当たって国民の代表たる国会を関与させることにより、民主的なコントロールを確保することを趣旨としている。憲法第一五条の趣旨を具体化したものと位置付けられよう。会計検査院、公正取引委員会、国家公安委員会等の他の行政委員会についても同様の規定が設けられている。

また、人事官の任免は、天皇が認証することとされている。

認証とは、事実の存在を確認し、証明することであり、なんらかの効果を新たに付与するものではないが、天皇が認証することにより人事官の任命の権威付けが図られている。現在、就任について天皇の認証が行われるのは、国務大臣（憲法七⑤）のほか、内閣官房副長官（内閣法一四２）、副大臣（行組法一六５）、長官以外の最高裁判所判事（長官は内閣の指名に基づき天皇が任命）、高等裁判所長官（裁判所法三九３、四〇２）、検事総長、次長検事、検事長（検察庁法一五１）、検査官（検査院法四４）、宮内庁長官、侍従長（宮内庁法八２　一〇２）、特命全権大使、特命全権公使（外務公務員法八１）、公正取引委員会委員長（私的独占の禁止及び公正取引の確保に関する法律二九３）、原子力規制委員会委員長（原子力規制委員会設置法七２）及び人事官である。行政委員会に関しては、検査官、公正取引委員会委員長、原子力規制委員会委員長及び人事官についてのみ天皇の認証を要することとしており、ここにも、人事官の地位をできるだけ高めようとする本法の意図がうかがえよう。なお、これら就任に当たり天皇の認証を要する者を俗に認証官と称しているが、これは通称であって法律上の用語ではない。

三　三者構成としない理由

人事院は、〔趣旨〕一に掲げたとおり、「人格が高潔で、民主的な統治組織と成績本位の原則による能率的な事務の処理に理解があり、且つ、人事行政に関し識見を有する年齢三十五年以上」の三人の人事官から構成されることとされ、いわゆる三者構成は採っていない。その理由は概ね次のとおりである。

まず、公・労・使の三者構成を採る行政委員会としては、中央労働委員会をはじめとする労働委員会があるが、労働委員会は労使の自治を前提として労使間に生ずる諸問題を実情に即して処理することを使命としており、労・使・公益の三者のそれぞれの立場を考慮した調整により労働関係を処理することを目的とした機関であるといってよい。

これに対し、人事院は、職員に対する労働基本権制約の代償機関としての役割だけでなく、このほかにも採用試験を実施し、あるいは職員の任免の基準を定めるなど政治から中立の立場で公正に広汎な行政権限を行使し、さらに、不利益処分審査請求に代表される準司法的権限も有しているのであって、その業務は労働関係だけでなく人事行政の公正確保全般にまで及んでいる。したがって、人事官の選任に際してもとりわけ高度の識見のある適任者を求める必要があり、その構成に労使の利益代表制を導入する三者構成は、適当ではないとされたのであろう。なお、労働委員会の場合も、準司法的効力を有する不当労働行為の判定や仲裁を行うときは、公益委員のみが関与することとされている。

〔解　釈〕

一　積極的資格要件

人事官の任命に当たって内閣は、本条第三項から第五項までに該当しない者で、かつ、一定の積極的資格要件を有する者を選任しなければならない（法五1）。その要件の第一は、「人格が高潔」であることである。人格の高潔性については、個々具体的な認定を待たなければならないが、例えば過去に破廉恥な行為があったような者は該当しないであろう。第二は、「民主的な統治組織と成績本位の原則による能率的な事務の処理に理解がある」ことである。言い換えれば、本法の目的である公務の民主的かつ能率的な運営に理解があることを意味している。要は、国民主権の意義と効率的な行政サービス提供の必要性を認識し、人事行政を通じて公務の民主的・能率的な運営の実現を図る知識、能力を有しているかが問題とされよう。第三は、「人事行政に関し識見を有する」ことである。人事官は極めて専門性の高い人事行政という行政分野を所掌するものである以上、これは当然のことであり、人事行政に関し十分な学識、見識を有する者でなければならない。第四に「年齢三十五年以上の者」でなければならない。三五歳以上という要件は、衆議院議員、市区町村長の被選挙権（満二五年以上）あるいは参議院議員、都道府県知事の被選挙権（満三〇年以上）より上である。恐らく人事官に特に成熟した人格と識見を期待したものであろう。

以上の四つの要件のうち、客観的に認定できる年齢要件を除いては、いずれも抽象的、訓示的な要件であり、いちいち要件の具備を具体的に検証することは容易ではなく、またその必要もないものといえよう。要は、人事官に選任しようとする者が、その職責の遂行を通じて、そのような要件を体現できるであろうことを任命に当たる内閣の責任において、判断することとなろう。

本条第三項が列挙する欠格事由は次のとおりである。

二　消極的資格要件（欠格事由）

1　破産手続開始の決定を受けて復権を得ない者

破産手続開始の決定を受けて復権を得ない者とは、破産開始手続の決定を受けた後、いまだ免責許可決定の確定、破産手続廃止決定の確定等（破産法二五五）により復権を得ていない者をいう。我が国の破産法は、いわゆる直接懲戒主義を採っておらず、同法上破産者に対して公私の資格を制限することとはしていないが、弁護士、公証人等社会的信用を特に必要とするものについては、それぞれの資格を定める法律において破産手続開始の決定を受けて復権を得ない者についてはそれらの職に就く資格を剝奪している。人事官についても、その職の重要性に鑑み、同趣旨の規定を設けたものである。

2　禁錮（新刑法の施行日以降は、拘禁刑）以上の刑に処せられた者又は本法第四章に規定する罪を犯し刑に処せられた者

一般職の職員については、禁錮（新刑法の施行日以降は、拘禁刑）以上の刑に処せられ、その執行を終わるまで又は執行を受けることがなくなるまでの者を欠格事由に該当するものとしている（法三八①）が、人事官については更に要件を厳しくし、過去に禁錮（新刑法の施行日以降は、拘禁刑）以上の刑に処せられたことのみをもって欠格事由としている。人格高潔が求められる以上、過去の犯罪歴についてもより厳しく臨むこととしているのであろう。ただし、禁錮（新刑法の施行日以降は、拘禁刑）以上の刑に処せられたことのある者であっても、刑法第三四条の二第一項の規定により刑の言渡しの効力が失われたときは、その犯罪歴は消滅するものと解される。

次に、本法の規定に違反し、本法第四章に定める罰則の適用を受けた者は、仮に禁錮（新刑法の施行日以降は、拘禁刑）よりも軽い罰金刑であったとしても、それだけで人事官への就任についての欠格事由に該当する。本法の完全な実施の責めを有する人事院の構成員たる人事官になろうとする者が、過去において本法に違反し罰則を科せられた経歴がある者であってはならないことは、説明を要しないであろう。ただし、この場合も刑法第三四条の二第一項の規定により刑の言渡しの効力が失われたときは、いわゆる「法律上の復権」が認められるものと解される。

3　懲戒免職の処分を受け、当該処分の日から二年を経過しない者（法三八②）

懲戒免職とは、本法第八二条の規定に基づくものをいう。したがって、一般職の職員として懲戒免職の処分を受けた場合、二年を経過するまでは、人事官に就き得ないこととなる。これは、一般職の職員の欠格事由と同様である。なお、人事官として在職中本法第八条第二項第二号に該当し、公開の弾劾手続を経て罷免された者については、欠格事由として規定されていないが、これは、そのような者を再度人事官に任命することはあり得ないことから規定するまでもないと判断したためであろう。

４　日本国憲法施行の日以後において、日本国憲法又はその下に成立した政府を暴力で破壊することを主張する政党その他の団体を結成し、又はこれに加入した者（法三八④）

一般職の職員の欠格事由と同様であり、その説明は第三八条に譲ることとする。要は、人事官は、他の一般職の職員の模範として、率先して憲法を尊重し擁護すべき立場にあるものであって、掲記のような日本国憲法又はその下に成立した政府を暴力で破壊することを主張する団体を結成し、あるいはこれに加入したような者については、その適格性が認められないのである。

三　政党との関係

本条第四項は、「任命の日以前五年間において、政党の役員、政治的顧問その他これらと同様な政治的影響力をもつ政党員であつた者又は任命の日以前五年間において、公選による国若しくは都道府県の公職の候補者となつた者は、人事院規則の定めるところにより、人事官となることができない。」と規定する。この規定の趣旨は、人事院の政治的中立性を人事院の内部機構においても確保するため、政党の役員等政党と深い関係を有していた経歴のある者や公選による一定の公職の候補者となった経歴のある者は人事官から排除しようとするものである。このような制限は、憲法上保障された政治的自由に影響を及ぼすものであり、また、憲法第一四条の平等原則との関係も問題となる。しかしながら、人事院の政治的中立性を守ることは人事行政の中立、公正を担保し、もって適切な行政執行を確保するために必要であり、そのことは一方で憲法の要請にこたえるものであることから、本項の制限は合理的なものとして憲法上も許されるものと考えられる。ただし、このような基本的人権に関する制限は必要最小限であるべきであり、過去の一切の経歴を問題とすることは適当でないとして、本項は、「任命の日以前五年間」についてのみ、そのような経歴を問題としている。

本項における「政党」、「役員」、「政治的顧問」等の意味は、本法第一〇二条における場合と同様である。「政党」とは、「政治上の主義若しくは施策を推進し、支持し、若しくはこれに反対し又は公職の候補者を推薦し、支持し、若しくはこれに反対することを本来の目的とする団体」（政治資金規正法三、人事院規則一四—七（政治的行為）の運用方針について（昭二四法審発二〇七八））をいい、「役員」とは、当該団体を代表し、あるいはその意思決定に参加する者をいう。また、「政治的顧問」とは、「その団体の幹部と同程度の地位にあつて、その団体の政策の決定に参与する者をいい、単なる技術的顧問は含まない。」ものと考えられ、「これらと同様な政治的影響力をもつ政党員」とは、「名称のいかんを問わず、役員又は政治的顧問と同等の影響力又は支配力を有する構成員」をいうものと解される（前記法審発二〇七八）。

また、「公選による国若しくは都道府県の公職の候補者」の意味については、人規一四—五に定めがある。すなわち、同規則は、本法及び規則中の「公選による公職」とは「衆議院議員、参議院議員、地方公共団体の長、地方公共団体の議会の議員」の職としている。同規則は、基本的には、本法第一〇二条の実施命令としての性格を有するものであるが、本項の解釈に当たってもそれに従うべきものといえよう。ただし、本項は、「国若しくは都道府県の公職」としていることから、同規則に掲げる職のうち国・都道府県以外に置かれる職は除くものと理解しなければならない。「候補者」とは、それらの選挙において「法令の規定に基づく正式の立候補届出又は推薦届出により、候補者としての地位を有するに至つた者」（前記法審発二〇七八）をいうものと解される。

ところで、本項には、「人事院規則の定めるところにより、人事官となることができない。」とあるが、本項の法律効果は要するに「任用資格を有しない」ことであり、特段、それ以上人事院規則で定めるべきことはないはずである。また、仮に法律効果に関して人事院規則で定めることを趣旨としているのであれば、現時点においてそのような人事院規則が存在しない以上、本項の法律効果は発生しないこととなり、極めて不都合な結果となってしまう。結局、本項が人事院規則に委任する事項は、政党の定義、公選による公職の範囲等むしろ法律要件に関してであろう。なお、現在、これらについて本項に基づいて制定された人事院規則はなく、いずれも本法第一〇二条における定義に従っていることは、前述のとおりである。

本項は、実質的に欠格条項を定めるものであり、前項の場合と同様に、本項に違反する任命は無効である。

次いで本条第五項は人事官の任命については、その中の二人が、同一政党に属してはならない旨規定する。人事官が単に党員としてある政党に属すること自体は直接禁止していないが、複数の人事官が同一の政党に属することは、たとえ一般の政党員としてであっても、人事院の政治的中立性に影響を及ぼすおそれがあるとして禁止しているものである。本項は「二人」としているが、これはもちろん「三人」であればいいというわけではない。人事官が同時に二人交替することは通常考えられないことから、「二人以上」とはしなかったのであろう。「政党」の意味については前述のとおりである。

なお、本項は、「人事官の任命については、その中の二人が……者となることとなつてはならない。」として、前二項の「人事官となることができない。」のように職に就くための能力を否定する表現とはなっていないが、これは、前二項が一人の人事官について問題とする欠格事由であるのに対し、本項は、二人以上の組合せが問題となることから、このような表現にしたものであり、その趣旨は、前二項と特に異なることはないと考えられる。

本項は、人事官の就任に関し政党所属関係を問題とするものであるが、人事官就任後の政党所属関係については本法第八条に規定があり、人事官のうち二名以上が同一の政党に所属することとなった場合には、同条第三項の規定に基づき、そのうち一名を除いては罷免されることとなる。

四　学閥との関係

本条第五項はまた「人事官の任命については、その中の二人が、……同一の大学学部を卒業した者となることとなつてはならない。」とする。これも消極的資格要件の一つである。この規定は先に述べたとおり、GHQ側の強い指示を受けて設けられたものであり、本法以外にこれに類似する立法例のないユニークな規定である。「大学学部」については、学校教育法第八五条にいう「学部」を意味するというべきであろう。ただし、同条自体が、「大学には、学部を置くことを常例とする。」として、例外を認めているとおり、大学には「学部」が存しない場合もあり得る。例えば、筑波大学においては「学部」ではなく「学群」「学類」が設けられている。このような場合には、それぞれの大学において他の一般の大学における学部とみなし得るものをもって本項の「大学学部」に該当すると解することとなろう。

なお、政党所属関係については、本法は人事官就任後複数の人事官が同一の政党に所属した場合を想定し解決方法を規定しているが（法八3）、学歴については、人事官が就任後新たに大学を卒業することは考え難いこともあって、それに相当する規定は設けていない。ただし、本項の規定も実質的には欠格条項と理解すべきことから、仮に、同一の大学学部の卒業者を重ねて任命した場合には、後の任命は無効であると解される。

五　人事官の任命手続

人事官の任命は内閣が行う。任命に当たっては、両議院の同意が必要である。昭和二三年の改正前においては、「人事委員の任命について、衆議院が同意して参議院が同意しない場合においては、日本国憲法第六十七条第二項の場合〔内閣総理大臣の指名〕の例により、衆議院の同意を以て両議院の同意とする」旨規定されていたが（法五２）、現在は、このような衆議院の優越は認められておらず、必ず両議院の一致した同意が必要となる。したがって、国会が閉会中である場合や衆議院が解散中である場合には両議院の同意が得られず人事官は任命できない。人事官については、前任者に関するいわゆる職務継続規定が設けられていないため（職務継続規定の例：国家公務員倫理審査会会長及び委員（倫理法一五５））、人事官が欠員となった場合には、新たな人事官が任命されるまでの間、その職務執行に関し空白が生じることになる。

本法は、内閣が人事官の任命を怠ることにより、人事院の業務の実施が妨げられることのないよう、両議院の同意を得られなかった場合を除き、人事官の欠員を生じた後六〇日以内に人事官を任命しなかった閣員に対し刑罰を科することとしている（法一〇九③）。

なお、人事官の国会同意に当たっては、平成二〇年以降、両院の議院運営委員会で人事官候補者に対する所信聴取が行われている。

次に、本条第二項は、人事官の任免については天皇が認証するとしている。天皇の認証は憲法第七条第五号に根拠を有し、内閣の権限に属する行為について、その行為が真正に成立したことを公に証明することを趣旨とする。その行為の効力は既に確定しており、天皇の認証はその行為を権威付けるために付加されるものといえるであろう。

認証は辞令書に天皇が親書することによって行われるが、一般に天皇の前で認証式（通称）が行われるのが例となっている。

ところで、ここで、認証の対象となる「人事官の任免」が何を意味するかが問題となる。まず、「任」については、新任の場合と再任の場合の両方を含むものと解される。したがって、本法第七条第二項の規定に基づき再任するときにも天皇の認証が必要とされる。問題は、「免」の方である。これについては、本法第八条第三項の規定に基づき内閣が人事官を罷免する場合が該当しよう。他方、第八条第一項各号に掲げる事由に該当して身分を失う場合については、第八条において説明するとおり、内閣の罷免行為は不要であり、認証の対象は存在しないものと考える。なお、認証を必要とする職にある者がいわゆる依願退職（辞職）する場合についても認証がなされることとされている。

（宣誓及び服務）

第六条　人事官は、任命後、人事院規則の定めるところにより、最高裁判所長官の面前において、宣誓書に署名してからでなければ、その職務を行つてはならない。

②　第三章第七節の規定は、人事官にこれを準用する。

〔趣　旨〕

一　人事官の宣誓の意義

本条は、まず、人事官の宣誓について規定する。

一般職の職員の宣誓については、本法第九七条に規定が設けられているが、人事官の宣誓も趣旨はこれと同様であり、憲法に従い、かつ、憲法を擁護しつつ国民全体の奉仕者として、誠実公正に職務を執行することを誓うことを通じて、その倫理的自覚を促すことを目的としている。人事官はじめ公務員が憲法尊重、擁護義務を有すること、全体の奉仕者として中立公正に職務に精励すべきことなどは、宣誓するまでもなく当然であるが、宣誓は、更にその心構えを新たにするためといえよう。

裁判における宣誓は、古く明治期から我が国に導入されていたが、公務員の服務に関する宣誓は、戦後、米国の影響によって我が国にもたらされたものである。もともと、このような宣誓の制度は、キリスト教の影響の大きい国では神に対するものとして行われている。そのような伝統のない我が国においては、宣誓は、専ら職員個人の良心と自覚によって担保されることとなる。

神に対する宣誓とは位置付けられない我が国の場合、宣誓は誰に対して行うかが問題となるが、これについては、憲法に対して行うとするか、自己の良心に対して行うとするか、国民に対して行うとするかなどの考え方があり得よう。

二　人事官の服務

本条は、人事官の服務について、一般職の職員について定められた本法の服務に関する規定を準用する旨規定する。

本法制定前においては、官吏の服務に関する統一的な法令として、官吏服務紀律が内閣総理大臣以下全ての官吏に適用されていたが、本法の制定に伴い、一般職の職員の服務については規定が整備された一方で、特別職の職員の服務については、一部、官吏任免法により従前の官吏服務紀律の例によっている職も認められるなどいまだに十分な法制的整備が完了していない状況にある。このような状況にあって、本法は、人事官の服務について、一般職の職員の服務に関する規定を準用する形でその服務を規律することとしている。

なお、後述するとおり、一般職の職員の服務に関する規定のうち、全てが人事官に準用されるわけではないことに留意する必要がある。

〔解　釈〕

一　人事官の服務の宣誓の内容等

人事官は、任命後、職務を行う前に、人事院規則で定めるところにより、最高裁判所長官の面前において宣誓書に署名しなければならない。

人事院規則として、人規一―○がある。同規則の定める宣誓の内容は次のとおりであり（人規一―○　1）、人事官が最高裁判所長官の面前において宣誓を行うに際しては、最高裁判所事務総長及び人事院事務総長が立ち会わなければならないとされている（人規一―○　2）。

宣　誓

私は、ここに主権が国民に存することを認める日本国憲法に服従し、且つ、これを擁護することを厳かに宣言します。

私は、国民全体の奉仕者として公務を民主的且つ能率的に運営すべき責務を深く自覚し、国民の意志によつて制定された法律を尊重し、誠実且つ公正に職務を執行することを固く誓います。

年　月　日

この宣誓文の内容を職員の服務の宣誓に関する政令（昭四一政令一四）に規定する一般職の職員の宣誓文の内容と比較すると、両者とも国民全体の奉仕者として憲法に従い公正に職務に従事することを誓う点において、基本的には同趣旨であるが、一般職の職員の宣誓文には「上司の職務上の命令に従い」といった文言があるなど、多少異なった表現となっている。

二　人事官の服務

本法第三章第七節の規定は、一般職の職員の服務に関する規定であり、特別職の職員には適用されないが（法二5）、本法は、特別職たる人事官について、これらの規定を準用する旨規定する。しかしながら、本法第三章第七節の規定が全て人事官に準用されるわけではなく、準用の必要性のないもの、現実には準用の余地のないもの等が混在している。この点について、説明すると次のとおりである。

1　第九六条第一項の規定は、服務の根本基準に関する規定であり、職員は国民全体の奉仕者として公共の利益のために全力を挙げて職務に専念すべきことを示しているが、これについては人事官に準用することで特に問題はない。次に、同条第二項の規定は、服務の根本基準の実施につき必要な定めについて人事院規則に委任する。一般職の職員に関し、同項を根拠として本法の解釈のための規則を設けたような場合に、人事官についても原則それに従うこととなる。なお、同項を根拠として専ら人事官の服務に関し自ら人事院規則で定めることを本法は予定していないといえよう。

2　第九七条は、一般職の職員の服務の宣誓に関する規定であり、人事官については本条の規定がある以上、準用する必要はない。

3　第九八条第一項は、法令及び上司の職務上の命令に従う義務を規定するが、法令についてはともかく、独立機関たる人事院を構成する人事官について「上司の職務上の命令」はあり得ず、この部分については準用の余地はない。このことは、「人事院の決定及び処分は、人事院によってのみ審査される」（法三3）とされていることからも、明白である。

同条第二項及び第三項は、争議行為等の禁止に関し規定するが、人事官が争議行為等をすることは、およそあり得ないであろう。なお、同条第二項後段は、争議行為等の企画、共謀、そそのかし、あおりを禁止するが、この禁止の名宛人は「何人も」とされていることから、準用するまでもなく人事官の職を占める者にも当然に適用される。

4　第九九条は、信用失墜行為の禁止に関する規定であるが、これについては、人事官にも準用されるものと解する。更にいえば、人事官については、通常の一般職の職員に比べ、より厳しく自らの行動を律することが期待されているといえよう。

５　第一〇〇条は、守秘義務に関する規定であるが、これについても準用することは問題ないであろう。ただし、同条第二項及び第三項は、法令による証人、鑑定人等となって、職務上の秘密に属する事項を発表する場合の所轄庁の長の許可に関する規定であるが、人事官には「所轄庁の長」は存しない。また、同条第四項は、人事院の行う調査、審理のため人事院が求めた情報については前述の許可は不要であることなどを定めているが、これも実際上人事官には準用の余地はないであろう。ただし、現に人事官である者又はかつて人事官であって職を退いた者が、人事院が正式に要求した情報について、人事院に対して陳述及び証言を行わなかった場合は、同項により罰則（法一一〇１⑱（新刑法の施行日以降は、法一一〇１⑰））の適用を受けることとなる。再就職等監視委員会が行う調査についても同様である（法一〇〇５）。

６　第一〇一条の職務専念義務の規定については、基本的に準用することで問題ない。ただし、同条第一項中段及び後段の官職を兼ねることを制限する規定及び他の官職を兼ねた場合にはそれに対して給与を受けてはならないとする規定については、本法第一五条により人事官は官職を兼ねることが一切禁止されていることから、準用の余地はない。また、同条第二項の規定は、地震、火災、水害その他重大な災害に際しては、本職以外の業務に従事し得ることを規定しているが、人事官に準用する必要はないであろう。ちなみに、人事官は三人とも常勤であるが、一般職のような勤務時間の概念はなく、したがって、勤務時間を前提とした職務専念義務免除の考え方もないといえよう。

７　第一〇二条は、政治的行為の制限に関する規定であるが、これについては準用されると解する。むしろ、公務における政治的中立性の確保を図るため、人事官は一般の職員より厳しく自らの行動を律することが求められているといえよう。

８　第一〇三条の私企業からの隔離に関する規定のうち、第一項の営利企業の役員等の職を兼ね、又は自ら営利企業を営むことを禁ずる規定については準用されるものと解するが、第二項の営利企業の役員等の職を兼ねること等に係る人事院の承認に関する規定についてもそもそも役員兼業は考えられないことから、また、第三項から第七項までの株式所有関係等に係る人事院の報告聴取及び通知、人事院に対する審査請求等の規定は、一般職の職員を前提とした技術的な規定であることから、準用になじまないものと思われる。ただし、第一項の趣旨からすれば、人事官が特定の営利企業の株式所有等により経営に参加し得る地位に立つことは不適当であるといえよう。

9　第一〇四条は、いわゆる兼業の制限に関する規定である。同条は、職員が報酬を得ていかなる事業に従事し事務を行うにも内閣総理大臣及び所轄庁の長の許可を要するとするが、人事官について同条の準用が必要となるような事態は考え難い。人事官が報酬を得て兼業をするような事態が生じること自体、内閣総理大臣の許可が必要とされることとなり、人事官の地位の特殊性に鑑み、不適当であるといえよう。

10　第一〇五条は、職員の職務の範囲に関する規定である。同条の趣旨は、いわゆる職務の定量性を宣言することにある。人事官の職務は本法その他の法律において定められているが、通常の職員と同レベルで職務の定量性を論じる意味がなく、同条を準用する実益はないものと思われる。

11　第一〇六条は、職員の勤務条件その他服務に関し必要な事項についての定めを設けることを人事院規則に委任する規定であるが、第九六条第二項の場合と同様、専ら人事官の勤務条件その他服務に関する事項を人事院規則で定めることを本法は予定していないといえよう。

三　罰則の準用の有無

ところで、本法第三章第七節の服務の規定の中には、第一〇〇条第一項・第二項、第一〇二条第一項のように本法第四章において罰則をもってその履行を担保しているものがある。そこで、人事官について、それら一般職の職員の服務に関する規定を準用することとした場合、同時に本法第四章に規定する罰則についても準用されるかどうかが問題となる。

罪刑法定主義の原則からみると、明文で罰則規定も含め準用する旨規定していない以上、刑罰を科すことはできないと理解する。

（任期）

第七条　人事官の任期は、四年とする。但し、補欠の人事官は、前任者の残任期間在任する。

②　人事官は、これを再任することができる。但し、引き続き十二年を超えて在任することはできない。

③　人事官であつた者は、退職後一年間は、人事院の官職以外の官職に、これを任命することができない。

〔趣　旨〕

一　人事官の任期・再任

本条は、まず人事官の任期及び再任について規定する。

任期とは、「その地位にあることのできる一定の限られた期間」をいい、合議制の行政機関（行政委員会）の構成員については例外なく任期が設けられている。例えば、主な行政委員会についてみると、会計検査院の検査官にあっては七年、国家公安委員会委員、公正取引委員会委員及び公害等調整委員会委員にあっては五年、公安審査委員会委員、中央労働委員会委員にあっては二年の任期がそれぞれ定められている。

このように行政委員会の構成メンバーの職に任期が付されている趣旨は、これらの職の重要性、影響力の大なることに鑑み、同一人が長期にわたり在職することによる弊害を防止するとともに、その任期中は身分を保障して安んじて職務に専念せしめることにあるといってよい。

本法は、人事官について四年の任期を設定する。前述の各行政委員会の委員に比較したとき、人事官の任期は、どちらかといえば短期に属するものといえよう。

任期を設定する場合、任期満了時に再任を認めるのが一般的である。前述の各行政委員会においても、全て再任制を導入している。在任期間を通じその職に対する適格性を十二分に実証した者については、再度活用する途を設けておくのが適当であるからである。このような趣旨で、本条第二項も、人事官は任期満了の際再任され得ることを定めている。

ただし、同項は、人事官の再任を認める一方で、人事官は引き続き一二年を超えては在任できないとして、その通算在任期間を制限している。その理由は、人事行政の中立性、公正性を確保することを使命とする人事官の職の性格上、いかに適任者であるとしても同一人が余りに長期間在任することによる悪影響を懸念したためであろう。これに対し、前述の各行政委員会においては、このような通算在任期間制限は行っていない。類似の趣旨の規定として、会計検査院の検査官について、一回の任期が長期であることにも配慮して、再任回数を一回に限定している例が見受けられるのみである（検査院法五1）。なお、検査官については、このほか定年（六五歳）が定められており（同法五3）、再任回数制限とあいまって、長期在任による弊害が生じないよう配慮されている。

二　人事官の退職後の就官制限

本条第三項は、人事官の退職後の就官制限についても定めている。すなわち、人事官の職にあった者は退職後一年間は、人事院の官職以外の官職（一般職の職）に任命することができないとされている。その趣旨は、人事官の職にある者が在任中にその影響力を行使して、人事院以外の行政機関に属する官職への就職を図ることを避けるとともに、人事官であった者が人事院以外の行政機関の官職を占めることとなった場合、外部から人事院に対して影響力を及ぼすことにより人事行政の公正性がゆがめられるおそれがあることを配慮して、あらかじめそのような危惧を排除しておくことにある。そこで、このような観点から、人事院の権限が及ばず、人事管理体系を異にする特別職の職に就くことについては、一般にそのようなおそれがないとして制限がなされていない。

なお、このような制限は、基本的人権にも関わるものであって、必要最小限とすることが適切である。本法も、そのような趣旨で、退職後一年経過後の就任であれば懸念するような事態、悪影響はもはや生じないとして、退職後一年間に限り人事院以外の行政機関の官職への就任を制限している。

〔解　釈〕

一　任　期

人事官の任期は四年とされている。ただし、前任の人事官が四年の任期の中途で死亡し、あるいは一二年の通算在任期間制限に該当することなどにより離職した後、その後任として就任した人事官（補欠の人事官）の任期は、前任者の残任期間とされている。この取扱いは、他の行政委員会の場合も同様である。

ところで、人事官の任命については、両議院の同意を得る必要もあって、前任の人事官の離職後、後任の人事官の就任までの間には、ある程度空白期間が生じているのが実態である。この場合、後任の人事官の任期に関し、その空白期間をどのように取り扱うかが問題となるが、この点については、後任の人事官の任期についてその空白期間分が延長されることはなく、後任の人事官は、補欠の人事官として、前任者について定められていた四年の任期の末日まで在任するものと解されている（昭三六・一・二四法制意見）。

なお、昭和二三年の改正により人事院が発足するに当たり、同時に三人とも任期を迎えることを避けるため、初代の人事官については、そのうち一人は任期五年、一人は三年とされ、その指定は内閣が行うこととされた（法旧附則四（令和三年一部改正法により削除））。

二　再　任

人事官は再任することができる。ただし、引き続き一二年を超えて在任することはできない。前述のとおり、適任者は再度活用することとする一方、人事官という職の性格上一定の歯止めが必要であるとするのがその趣旨である。

再任の手続は、基本的には最初の任命の場合と同様であり、内閣が両議院の同意を得て任命する。天皇の認証が必要であることも、最初の任命と異ならない。

一回の任期が四年であることから、単純計算上再任は二回まで認められることとなるが、本条第一項但書の補欠の人事官として最初就任した場合においては、再任は、最多三回に及ぶこととなる。

なお、「引き続き」とあるが、これは任期満了の日と再任の日との間に文字どおり一日の空白もない場合のみを指すのではなく、任期満了により欠員となった人事官の職が他の者によって占められることなく、若干の空白期間経過後、再び同一人によって占められることとなった場合も含むものである。現実問題として、両議院の同意を求める関係上、空白期間が生ずることがあるのは避けられず、また、一日でも空いておれば、「引き続き」ではないとすれば、本条の脱法的な運用を認める結果となってしまうであろう。

先に述べたとおり、補欠の人事官の任期については、前任者の離職後当該補欠の人事官が就任するまでの空白期間は無視することとされている。また、一二年の通算在任期間制限については、各人事官が個人として現に在職した期間が問題となり、その算定の起算は任命の日から行うとともに、四年の任期満了後再任されるまでの間人事官として在任していない期間（空白期間）は一二年に含まないものとして取り扱われている（昭三五・一一・一八法制意見）。この点について、具体例に沿って説明してみよう。

Ａ人事官	昭和三五・二・一一	任命	
	昭和三七・七・二五	死亡	
Ｂ人事官	昭和三七・九・三	任命	」一年五月八日

昭和三九・二・一〇　任期満了
　　　　　　　　　　　　　一三日
昭和三九・二・二四　再任
　　　　　　　　　　　　　四年
昭和四三・二・二三　任期満了
　　　　　　　　　　　　　一二日（閏年）
昭和四三・三・七　再任
　　　　　　　　　　　　　四年
昭和四七・三・六　任期満了
　　　　　　　　　　　　　八日
昭和四七・三・一五　再任

この場合、B人事官の最初の任期は、前任のA人事官の任期満了日である昭和三九年二月一〇日に満了する。以後、任期満了後空白期間を有しつつ再任され、第三回目の再任が昭和四七年三月一五日に行われており、これに対応する四年の任期は、昭和五一年三月一四日に満了することとなるが、その任期中に在任一二年の制限に該当することとなる。具体的には、B人事官の最初の任命日（昭和三七・九・三）の一二年後における応当日（昭和四九・九・三）から起算して空白期間の総現日数（三三日）だけ延長されると解され、昭和四九年一〇月五日が在任一二年の末日となる（実際には、B人事官は昭和四九年九月一二日死亡）。

三　退職後の就官制限

人事官であった者は、退職後一年間は人事院の官職以外の官職に任命することができない。その趣旨は、既に述べたとおり、人事官が在職中その影響力を行使して他の行政機関の官職を求めることを防止し、更に人事官が他の行政機関の官職に就任後人事院に対して圧力を及ぼすことを排除し、もって人事行政の公正を損ねることのないよう配慮しているものである。結局、人事官は、退職後一年間は、特別職の職は別として、一般職の職（官職）については、人事院に属するものにのみ就任できることとなる。これまでの人事運用等に照らせば、人事院に属する職といっても、人事官であった者が事務総長以下の常勤の事務総局職員になることは考え難く、実際に可能性があるのは法律顧問その他参与等の非常勤の職ではなかろうか。現に、人事官であった者が法律顧問や顧問に就任した例がある。

なお、本条第三項は、「退職後」と規定しているが、これには、辞職の場合をはじめ、罷免された場合、任期が満了した場合、一二年の在任期間制限に該当する場合や欠格条項に該当して失職した場合などあらゆるケースが含まれると解される。その意味で、一般職における「離職」（法一〇六の二）と同じ概念であるといえよう。

（退職及び罷免）

第八条　人事官は、左の各号の一に該当する場合を除く外、その意に反して罷免されることがない。

一　第五条第三項各号の一に該当するに至つた場合
二　国会の訴追に基き、公開の弾劾手続により罷免を可とすると決定された場合
三　任期が満了して、再任されず又は人事官として引き続き十二年在任するに至つた場合

②　前項第二号の規定による弾劾の事由は、左に掲げるものとする。

一　心身の故障のため、職務の遂行に堪えないこと
二　職務上の義務に違反し、その他人事官たるに適しない非行があること

③　人事官の中、二人以上が同一の政党に属することとなつた場合においては、これらの者の中一人以外の者は、内閣が両議院の同意を経て、これを罷免するものとする。

④　前項の規定は、政党所属関係について異動のなかつた人事官の地位に、影響を及ぼすものではない。

〔趣　旨〕

一　人事官の身分保障

人事院が独立して、中立公正にその職権を行使するには、人事官の身分を保障する必要がある。人事院を構成する人事官の身分が外部の力によって左右されるようであっては、人事院にその中立性、公正性を期待することはおぼつかないからである。そこで、このような見地から、本条は人事官の身分保障について規定している。

まず、本条は、第一項において、人事官がその意思に反して身分を失う場合として、①本法第五条第三項各号の一（いわゆる欠格条項）に該当するに至った場合、②国会の訴追に基づき、公開の弾劾手続により罷免を可とすると決定された場合、③任期が満了して再任されず又は人事官として引き続き一二年在任するに至った場合の三つを掲げ、第二項において、

前述②の弾劾の事由は「心身の故障のため、職務の遂行に堪えないこと」、「職務上の義務に違反し、その他人事官たるに適しない非行があること」とする。さらに、第三項において「人事官の中、二人以上が同一の政党に属することとなつた場合においては、これらの者の中一人以外の者は、内閣が両議院の同意を経て、これを罷免するものとする。」としている。これが、人事官がその意に反して身分を失う場合の全てであり、これ以外の事由により人事官が強制的に離職させられることはない。

ところで、他の行政委員会においても、それぞれの委員会の設置に関する法律において委員の身分保障に関する規定が置かれている。それらの規定を通じ、概ね共通的に、禁錮（新刑法の施行日以降は、拘禁刑）以上の刑に処せられたこと、心身の故障により職務に堪えないこと、職務上の義務違反又は非行があったことを、委員がその意に反して身分を失う事由とし、さらに、委員会によっては、人事官の場合と同様に委員の政党所属関係を罷免事由とするなど、それぞれの必要性に応じて罷免事由を追加している。

これら他の行政委員会の身分保障に関する規定と本条に規定する人事官の身分保障に関する規定を比較した場合、人事官にみられる特徴として、本条第一項第二号に規定する公開の弾劾手続が挙げられよう。すなわち、他の行政委員会にあっては、心身の故障のために職務の執行ができないこと及び職務上の義務違反その他非行があることの認定は、当該委員会自体が行うかあるいは、当該委員の任命権者が行うかのいずれかである（ただし任命権者が行う場合には、当該委員会あるいは両議院の同意を得ることとされている。）。これに対し、人事官の場合にあっては、心身の故障や職務上の義務違反・非行を理由として罷免する場合には、国会の訴追に基づき公開の弾劾手続によることとされている。現在我が国において公務員の罷免に関し弾劾手続を有するのは、人事官のほかは、裁判官のみであり、その意味では、人事官には本法により裁判官に準じた身分保障が与えられているといえるであろう。

なお、本条は人事官の身分保障に関する規定であり、人事官がその意に反して身分を失う場合について規定しているが、人事官の自発的な退職、いわゆる辞職については触れていない。人事官の辞職に関しては本法の他の条項にも規定が見当たらないが、健康問題をはじめとする一身上の理由等により辞職したいとする人事官を任期満了までその職を全うさせるのは合理的とはいえず、そのような場合には人事官からの申出に対し内閣が辞職を承認することにより身分を失うものとして取り扱われている。ちなみに、本法は、一般職の職員についても、辞職に関しては明文の規定を設けていないが、この点については、「職員の離職に関する規定は、この法律及び人事院規則でこれを定める。」とする本法第七七条の委任を受けて人規八―一二第五一条において辞職が認められている。

二　政党所属関係による人事官の罷免

二人以上の人事官が同一政党に属することとなった場合には、そのうち一人以外は罷免されることを一において述べたが、ここで改めてその趣旨を説明しておくこととする。この規定の趣旨は、いうまでもなく、人事院の存立の基礎たる政治的中立性を人事官の政党所属関係の上からも確保することにある。既に第五条で述べたとおり、人事官の任命に当たっては複数の者が同一の政党に属さないようあらかじめチェックされているが、任命後においてもその状態を確保し続けようとするのが本項の趣旨である。本項と同様の規定は、国家公安委員会、公安審査委員会等他の一部の行政委員会に見受けられるが、それらはいずれも政治的中立性が強く求められる機関であるといえよう。

なお、本条第三項は、人事官のうち二名以上が同一の政党に所属することとなった場合の解決方法を規定する形となっているが、むしろ、このような規定を通じ、人事官に対しそのような事態を引き起こさないよう注意を喚起することをねらいとしているものと考えられる。現行の憲法の下において、いずれの政党に属するかは個人の基本的人権として保障されているが、第五条第五項の場合と同様、このような制限は、人事院の政治的中立性を確保するために必要な制限であって、それを通じて行政の中立性、公正性が保持できるものである以上、憲法上の問題はないといってよいであろう。

〔解　釈〕

一　人事官の身分保障

本条第一項は、「人事官は、左の各号の一に該当する場合を除く外、その意に反して罷免されることがない。」と規定する。また、本条第三項において、人事官の政党所属関係の変動による罷免について規定するが、これについては〔解釈〕二で説明することとする。

本条第一項の規定からすると、あたかも同項各号には罷免事由が掲げられているごとくであるが、当該各号に掲げられているのは必ずしも罷免される場合だけではない。まず、第二号については、一般的な意味において、罷免に該当するといえよう。ところが、第一号に掲げる場合は、いわゆる欠格条項に該当する場合である。一般職の職員については、本法第三八条に規定する欠格条項に該当するに至ったときは当然失職する旨規定されているが（法七六）、人事官についてもこれと同様、欠格条項に該当した場合にはなんら罷免行為を要さず当然に身分を失うと解すべきであろう。また、第三号に規定する任期（四年）満了の場合及び通算在任期間（一二年）経過の場合についても、客観的にそのような事実が発生すれば、当然に身分を失うものと考えられ、罷免行為は不要である。そこで、このような理解を前提とすれば、この部分の表現は、むしろ「左の各号の一に該当してその地位を失う場合のほか」などとするのが適切であったといえよう。

本法の制定当初、本項は、

「人事委員は、左の各号の一に該当する場合においては、当然退職するものとする。

一　第五条第四項各号の一に該当するに至つた場合

二　内閣総理大臣の訴追に基き、公開の弾劾手続により罷免を可とすると決定された場合

三　人事委員として引き続き十二年在任するに至つた場合」

とされており、前述のような疑問は生じない表現となっていた。昭和二三年の改正により、現在の条文となったわけであるが、その間の経緯については、当時の資料においても、明らかにされていない。恐らく人事官の身分保障を厚くするニュアンスをより強く打ち出すために現行のような表現にしたのではなかろうかとも想像される。なお、本条の見出しは「（退職及び罷免）」とされているが、本条には「退職」という文言は用いられていない。これは、制定当初の表現の名残りであるとともに、現在も、前述のとおり退職の場合も含めて、規定しているとの意識があるからであろう。

本条第一項の規定により、人事官がその意に反して地位を失う場合を整理すれば次のとおりである。

１　本法第五条第三項各号の一に該当するに至った場合

本法第五条第三項は、人事官の欠格条項に関する規定であり、①破産手続開始の決定を受けて復権を得ない者、②禁錮（新刑法の施行日以降は、拘禁刑）以上の刑に処せられた者又は第四章に規定する罪を犯し、刑に処せられた者、③第三八条第二号又は第四号に該当する者（懲戒免職の処分を受け二年を経過しない者、憲法又は憲法の下に成立した政府を暴力で破壊することを目的とする団体を結成し、又はこれに加入した者）は人事官となることができない旨規定するが、本条第一

号は、人事官がこれらに該当した場合にはその地位を失うことを示している。この場合、いわゆる失職に該当するのであって、なんらかの罷免行為は必要としないことは、先に述べたとおりである。

ところで、これらの欠格事由の中には、失職事由としてそのまま用いることには、若干問題があるものが存在することに留意しておく必要がある。例えば、①の破産手続開始の決定を受けた者についていえば、破産手続開始の決定を受けた時点で失職することとするのが合理的であり、破産手続開始の決定を受けて復権を得ないことを失職の事由とするのは論理的に成り立ち難いものと思われる。また③の懲戒免職とは、欠格条項に関して説明したとおり、一般職の職員として本法第八二条に基づいて処分を受けた場合を意味すると解されるが、一方、人事官は本法第一五条の規定により官職を兼ねることができないとされていることから、人事官が在任中ここでいう懲戒免職の処分を受けることはあり得ない。人事官の任命後、一般職の職員として懲戒処分を受けてから二年以内であることが判明した場合が問題となり得るが、この場合には、むしろ欠格条項違反の任用として任命行為自体が無効となるものと解されよう。いずれにしても、規定上の経済を図るため欠格条項の規定を包括的に引用して、失職事由を定めていることから、このように若干無理が生じているものといえよう。

２　国会の訴追に基づき、公開の弾劾手続により罷免を可とすると決定された場合

この弾劾制度は、先に述べたとおり、他の行政委員会には例のない人事官に独特の制度である。

弾劾の事由は、①心身の故障のため、職務の遂行に堪えないこと、及び②職務上の義務に違反し、その他人事官たるに適しない非行があることとされている。裁判官の場合、①に相当する事由については、裁判官分限法に基づき高等裁判所又は最高裁判所において裁判が行われ、②に相当する事由については、両議院の議員により組織する弾劾裁判所において処理されることとなり、いわゆる分限事由と懲戒事由を区別して取り扱っているが、人事官の場合は、分限事由、懲戒事由とも、弾劾手続において処理する点に特徴がある。ここで、「心身の故障のため、職務の遂行に堪えない」とは、精神的あるいは身体的な障害のため、人事官の職務を行い得ない状況となり、かつ、その回復が困難と認められる場合をいうと考えるべきであろう。また、「職務上の義務に違反」した場合とは、職権濫用等の積極的な義務違反のみならず、故意に職務を懈怠するなど消極的な義務違反の場合も含むものと解される。さらに、「人事官たるに適しない非行」があった場合とは、職務の執行中あるいは職務外において、人事官としての威信を失わしめる行為を行った場合、社会的な非難を受ける行為があった

場合をいうものと解される。

なお、「公開の弾劾手続」は、最高裁判所における裁判により行われるが、その具体的手続等に関しては本法第九条に規定が設けられている。

ところで、本条第一項第二号により、公開の弾劾手続において罷免を可とすると決定された場合、更に人事官の任命権者たる内閣による罷免行為を要するかが問題となり得る。「罷免を可とすると決定」とあるのは、他に罷免行為があることを予定しているとも考えられ、また、人事官の任命権を持たない最高裁判所の判断のみで手続が全て完了するのは不自然な感がなくはなく、このようなことから、形式的に別途内閣の罷免行為が必要であるとする考え方もあるかもしれない。しかしながら、先に掲げた制定当初の本法において、本号の場合も含めて「当然退職するものとする。」としていたこと、昭和二三年の改正に当たって積極的にこのような取扱いを変える方向での議論が行われた形跡がないこと、仮に内閣による罷免行為を要するとすれば、両議院の同意の必要性の有無等その手続が規定されているはずであるのにそれがないこと、内閣として最高裁判所と異なった判断を行う余地はないことなどから、内閣による罷免行為は不要であると解すべきものと考える。

３　任期が満了して、再任されず又は人事官として引き続き一二年在任するに至った場合

四年の任期及び一二年の通算在任期間については、前条において説明したとおりである。四年の任期が満了した場合及び一二年の通算在任期間が経過した場合は、人事官は自動的に身分を失うこととなる。なお、「任期が満了して、再任されず」とあるが、任期満了と再任とが一日の空白もなく引き続いている場合は別として、その間に一日でも空白期間がある場合は、一旦人事官の身分を失うこととなるのは当然である。

二　政党所属関係による人事官の罷免

本条第三項は、人事官のうち二人以上、すなわち二人又は三人全員が同一の政党に属することとなった場合、二人の場合はそのうち一人、三人の場合はそのうち二人が罷免されるべきことを定めている。本条第一項各号に掲げる事由と同様、本項も人事官がその意に反して身分を失う場合を規定するものであるが、前述のとおり、第一項各号に該当する場合には内閣の罷免行為は不要であると解されるのに対し、本項においては内閣が罷免することとしていること、本項は特定の一人の人事官の問題ではなく、複数の人事官の組合せが問題となることなど、要件効果とも規定すべき事柄が第一項各号の場合に比

して複雑であることから、別の項で規定を設けているものである。また、本項の規定は、先にも述べたとおり現実に罷免の根拠として発動するよりは、むしろ人事官に対する行動規範を提示することに意味があり、この点においても第一項各号の規定とは多少性格を異にしているといえるであろう。

人事官の選任に当たっては、そのうち二人以上が同一の政党に属していてはならないこととされていることから（法五5）、本項の想定する事態が生ずるのは、就任時には政党に所属していなかった人事官が任命後、新たに他の人事官の属する政党に加入した場合や別の政党に属していた人事官が他の人事官の属する政党へ移った場合、さらに、二人以上の人事官が新たに同一の政党に加入したような場合が挙げられよう。また、複数の政党が合併して一つの政党となり、その結果二人の人事官が同一の政党に属することとなった場合もこれに該当するものといえよう。

このような事態が生じたとき、内閣は両議院の同意を得て同一の政党に属する人事官のうち一人を除き罷免することとなる。両議院の同意を要するとしているのは、人事官の罷免という重要案件であることから任命の場合と同様、国民の代表たる国会を関与させるとともに、特に、政党所属関係に基づく罷免であることから、政党と深い関係を有する国会の関与を求めることとしたのであろう。本法は、両議院の同意が得られなかった場合について規定を置いておらず、その同意が得られなかったときには、内閣は罷免を行い得ないこととなる。しかしながら、これは、国会の良識を前提として、同意が得られない場合は予想していないものといえよう。

次に、本条第四項は「前項の規定は、政党所属関係について異動のなかつた人事官の地位に、影響を及ぼすものではない。」と規定し、罷免の対象となるのは、政党関係に異動のあった人事官であることを示している。この規定の趣旨は、特定の人事官を罷免させることを目的として、内閣との連絡の下に他の人事官が当該人事官と同一の政党に入党し、本条第三項に基づいて当該人事官を罷免するといった事態を避けることにある。本項は、政党関係の異動の有無について、人事官への就任前と比較して問題とするのか、あるいは、複数の人事官が同一の政党に属するという事態の発生の前後を通じて問題とするのか明らかにしていないが、同項の趣旨から当然、後者の意に理解すべきであろう。すなわち、複数の人事官が同一の政党に属するという事態を生ぜしめた直接の原因となる者が「異動のあった者」に該当するものと考えられる。したがって、例えば三人の人事官がともに就任時以来政党に所属していなかったと仮定し、その後まずＡ人事官が甲政党に所属し、次いでＢ人事官も甲政党に所属した場合については、当然、Ｂ人事官が罷免の対象となるものと解される。なお、複数の政党が合併した場合においては、通常、なんらかの形で新党への加入手続が採られることが予想されるため、その手続の前後で判断することとなろう。極端なケースであるが、全く同時に二人の人事官が同一の政党に入党したものと認定されるような事態が仮に生じたときには、双方とも政党所属関係に異動があったものとして内閣の責任において、そのうちいずれかを罷免することとなろう。

なお、本条第三項及び第四項における「政党」の意義は、第五条において説明したところと同様である。

（人事官の弾劾）

第九条　人事官の弾劾の裁判は、最高裁判所においてこれを行う。

② 国会は、人事官の弾劾の訴追をしようとするときは、訴追の事由を記載した書面を最高裁判所に提出しなければならない。

③ 国会は、前項の場合においては、同項に規定する書面の写を訴追に係る人事官に送付しなければならない。

④ 最高裁判所は、第二項の書面を受理した日から三十日以上九十日以内の間において裁判開始の日を定め、その日の三十日以前までに、国会及び訴追に係る人事官に、これを通知しなければならない。

⑤ 最高裁判所は、裁判開始の日から百日以内に判決を行わなければならない。

⑥ 人事官の弾劾の裁判の手続は、裁判所規則でこれを定める。

⑦ 裁判に要する費用は、国庫の負担とする。

〔趣　旨〕

人事官の弾劾

前条は、人事官がその意に反し身分を失う事由の一として、国会の訴追に基づき公開の弾劾手続により罷免を可とすると決定された場合を掲げている（法八1②）。本条は、これを受けて、人事官の弾劾手続を規定している。

弾劾とは、元来罪を暴くとの意味であり、一定の公職にある者、特に強い身分保障がある者が非違行為等を行った場合に、その者の任免機関ではなく、国民が直接、又は国民の意思を代表する機関が国民に代わって不信任の意を表明することをいう。弾劾制度の起源は中世のイギリスに求められるとされており、かつて機能していた当時、単に身分の剥奪のみならず刑罰を科すことも可能とされていた。現在、イギリスにおいては、議院内閣制及び不信任決議制度の発達により弾劾制度は休眠状態にあるが、時代遅れで民主的公正な手続きにそぐわないとして、近年、議会内の委員会等から廃止が求められている（イギリス型）。

イギリスで発祥した弾劾制度は、その後他の諸国に受け継がれ、特に米国において、刑罰は科さずに身分のみを剥奪する制度として発達している（米国型）。

本条に定める人事官の弾劾手続は、いうまでもなく米国の影響を受けて設けられたものであり、弾劾裁判の結果罷免を可とされた場合に更に刑罰を科されることはない。現在、我が国において、弾劾制度の適用を受けるものとしては、人事官のほか、裁判官がある。他の行政委員会には例を見ないこのような罷免手続を行政部内で唯一導入している点に、本法が、いかに人事官の地位の民主的コントロールを重要視しているかがうかがえよう。人事官及び裁判官に係る弾劾の制度は、いずれも国民主権の原則に則り公務員を選定しこれを罷免することは国民固有の権利であるとする憲法の精神から由来するものであるが、裁判官の弾劾制度は、両議院の議員の中から選挙された同数の訴追委員で組織する訴追委員会が行い、裁判も両議院の議員で組織する弾劾裁判所で行われるのに対し、人事官の場合は、訴追は国会が行う一方、裁判は最高裁判所が行うこととされているなどの相違が認められる。なお、裁判官の場合は、懲戒事由のみが弾劾裁判所で扱われるが、人事官については懲戒事由のみならず分限事由についても弾劾手続において処理されることとなっており、この点にも両者の違いがあることは第八条で述べたとおりである。なお、沿革的には、昭和二三年の改正前は、本法第七七条は「職員の弾劾に関する規程は、別に法律でこれを定める。」として、人事委員のみならず、一般職の職員についても弾劾手続を定めることが予定されていたが、昭和二三年の改正により人事院に職員に対する懲戒権が付与されることとなったことに伴い（法八四２）、当該規定は削られ、現在本法においては人事官のみが弾劾手続により罷免されることとされている。

〔解　釈〕

一　訴追の手続

人事官弾劾の訴追については、本条に「国会は、人事官の弾劾の訴追をしようとするときは、訴追の事由を記載した書面を最高裁判所に提出しなければならない。」（法九２）、「国会は、前項の場合においては、同項に規定する書面の写を訴追に係る人事官に送付しなければならない。」（法九３）と規定されているほか、人事官弾劾の訴追に関する法律（昭二四法二七一。以下「訴追法」という。）及び人事官弾劾訴追手続規程（昭二四衆議院議決、参議院議決。以下「訴追規程」という。）が定められている。また、人事官弾劾の裁判手続について定める人事官弾劾裁判手続規則（昭二五最高裁判所規則第五号。以下「裁判手続規則」という。）にも訴追に関する規定が設けられている。これらの規定に基づく訴追手続の概要は次のとおりである。

(1)　人事官弾劾の訴追をするには、国会の議決を必要とする（訴追法一）。「国会」の議決とあることから、両議院一致の議決が必要である。訴追規程によれば、訴追案の発議は、議員が行う場合と人事委員会が行う場合があるとされている（訴追規程一、二）。議員が発議する場合、当該議員は、訴追に係る人事官の官職、氏名及び訴追の事由を記載した書面をその属する議院の議長に提出し、証拠書類があるときには、その写を訴追案に添付しなければならないとされている（訴追規程一）。また、人事委員会が発議する場合には、委員長をもって発議者とすることとされている（訴追規程二）。人事委員会が発議する場合の要式の規定はないが、議員が発議する場合と同様の書面等を準備することとなろう。

なお、「人事委員会」は、訴追規程が決定された昭和二四年当時、国会法に基づき衆・参両議院に常任委員会として設置されていたが、昭和三〇年の国会法の改正により常任委員会の統合が行われた際、人事委員会は廃止され、以来、人事院の所管に属する事項については内閣委員会、次いで総務委員会を経て、現在、再び内閣委員会が所管することとされている。したがって、将来仮に人事官弾劾の発議の必要性が生じたときには、訴追規程を改正する必要があろう。

(2)　訴追案は、人事委員会に付託される。当該人事委員会は、訴追案について他の議院の人事委員会との合同審査会を開かなければならない（訴追規程四、五）。

(3)　人事官弾劾の訴追について、両議院の議決が一致したときは、衆議院議長は、訴追状を最高裁判所に提出するとともに、その写を訴追に係る人事官に送付する（訴追規程六）。訴追状には、訴追の事由のほか、訴追をしようとする人事官の官職及び氏名を記載し、訴追について国会を代表する者が、これに記名し、印を押さなければならない。証拠書類がある場合には、その写を訴追状に添えなければならない（裁判手続規則三）。

（4）人事官の訴追については、衆議院議長が国会を代表する（訴追法二一）。また、人事官弾劾の訴追があったときは、衆議院議長は、参議院議長と協議して衆議院又は参議院の議員を指定しその訴追を行わせることができ、当該指定を受けた議員は、当該訴訟について裁判上の一切の行為をする権限を有する。ただし、訴訟代理人の選任その他重要な事項については、衆議院議長と協議するものとされている（訴追法二二）。

（5）衆議院議長は、必要があると認めるときは、参議院議長と協議して、（4）の指定を取り消すことができる（訴追法四）。

（6）衆議院議員の任期が満了し又は衆議院が解散されたときは、新たに衆議院議員が選挙されるまで参議院議長が訴追法に定める衆議院議長の権限を行う（訴追法五）。

二　裁判手続

弾劾裁判の手続に関しては、本条に規定するほか、本条第六項の規定により裁判所規則へ委任され、これを受けて先の人事官弾劾裁判手続規則が定められている。これらによる裁判手続の概要は次のとおりである。

（1）人事官弾劾の裁判は、最高裁判所において行われる（法九1）。さらに、裁判手続規則により、大法廷で行うことが定められている（裁判手続規則二）。

（2）最高裁判所は、訴追状を受理した日から三〇日以上九〇日以内の間において裁判開始の日を定め、その日の三〇日以前までに、国会及び訴追に係る人事官に、これを通知しなければならない（法九4）。

（3）国会が本条第三項の規定により訴追状の写を訴追に係る人事官に送付したことを証する書面を提出したときは、最高裁判所は、訴追状の送達を省略することができる（裁判手続規則四）。一般に裁判においては、訴状（の写）を被告に送達することとされているが、訴追状の写が当該人事官に送達されていることが明らかな場合には、それを省略することができることとしたものである。

（4）訴追に係る人事官は、最初の口頭弁論の期日の一〇日以前までに答弁書を提出しなければならない。証拠書類がある場合には、その写を答弁書に添えなければならない（裁判手続規則五）。

（5）訴追に係る人事官は、口頭弁論の期日に自ら出頭しなければならない。ただし、やむを得ない事由がある場合には、裁判所の許可を受けて訴訟代理人を出頭させることができる（裁判手続規則六）。
(6)　主張又は証拠の申出は、全て最初の口頭弁論の期日にしなければならない。ただし、裁判所の許可を受けたときは、その後の口頭弁論においてもすることができる（裁判手続規則七）。
(7)　最高裁判所は、同一の事由について刑事訴訟が係属する間は、手続を中止することができる（裁判手続規則八）。
(8)　最高裁判所は、人事官の弾劾の訴訟が提起されたとき又は係属しなくなったときは、直ちにその旨を内閣に通知する（裁判手続規則九）。
(9)　最高裁判所は、裁判開始の日から一〇〇日以内に判決を行わなければならない（法九5）。罷免を可とする内容の判決が出されたときは、それにより当該人事官は自動的にその地位を失うこととなるものと思われる（法八参照）。
(10)　裁判に要する費用は、国庫の負担とする（法九7）。
なお、以上のほか、人事官の弾劾裁判の手続については、行訴法に定める機関訴訟の例によることとされている（裁判手続規則二）。機関訴訟とは、「国又は公共団体の機関相互間における権限の存否又はその行使に関する紛争についての訴訟」をいう（行訴法六）。機関訴訟には、①処分又は裁決の取消しを求めるもの、②処分又は裁決の無効の確認を求めるもの、③それ以外のものがあるが、本件弾劾手続は③に相当すると考えられる。行訴法上、③の機関訴訟については、原則として当事者訴訟に関する規定を準用するとされ（行訴法四三）、さらに、当事者訴訟については抗告訴訟に関する規定の準用がなされている（行訴法四一）。そこで、これらを通じ人事官の弾劾手続についても抗告訴訟に関する規定が準用されることとなるが、実際問題としては、前述裁判手続規則において詳細な規定が設けられていることもあって、行訴法の例による余地はほとんどないものと考えられる。

（人事官の給与）
第十条　人事官の給与は、別に法律で定める。

人事官の給与

〔趣　旨〕

本条は、人事官の給与は法律で定められるべきことを規定する。昭和三三年の特別職の職員の給与に関する法律等の一部を改正する法律（昭三三法八六）による改正前は、本条は「人事官は、国務大臣と同じ基礎に基く給与を受けるものとし、人事官に支払われる給与の総額は、いずれの国務大臣が受ける給与の総額よりも少くてはならない。」とされていた。そして、これに基づき具体的には特別職給与法において人事院総裁及び他の人事官は国務大臣と同額の給与額が定められていた。

その後、昭和三三年法律第八六号による改正において、特別職の職員の俸給月額の改定を行うとともに、特別職の職員の給与制度全般について整備が行われ、その一環として人事院総裁と他の人事官の間に給与額に差が設けられることとなり、人事院総裁には国務大臣と同額の給与が、他の人事官にはそれより低い額が支給されることとなった。この改正については、当時の国会において政府委員より「職務の内容その他行政組織内の秩序というものを考えて」従来の序列について若干変更することとしたものとの説明が行われている。

なお、昭和三三年法律第八六号において会計検査院の検査官の給与についても同様の改正がなされ、それまでは検査官は全て国務大臣と同額の給与が支給されていたのが、会計検査院長のみ国務大臣と同額の給与を支給されることとなった。

〔解　釈〕

人事官の給与

人事官の給与を定める法律として、前述の特別職給与法がある。この法律によれば、人事官に支給される給与の種目は、俸給、地域手当、通勤手当及び期末手当とされる。人事官の給与制度の概要を示せば次のとおりである。

１　俸　給

まず、いわゆる基本給としての人事官の俸給は、特別職給与法において、総裁については会計検査院長と並んで国務大臣と同額の俸給月額が定められ、他の人事官については検査官、大臣政務官、公害等調整委員会委員長などと同額の俸給月額が定められている（特別職給与法別表第一）。特別職給与法に定める特別職の現行の俸給表は次頁に掲げるとおりである。

官職名	俸給月額
内閣総理大臣	二、〇一〇、〇〇〇円
国務大臣 会計検査院長 人事院総裁	一、四六六、〇〇〇円
内閣法制局長官 内閣官房副長官 副大臣 国家公務員倫理審査会の常勤の会長 公正取引委員会委員長 原子力規制委員会委員長 宮内庁長官	一、四〇六、〇〇〇円
検査官（会計検査院長を除く。） 人事官（人事院総裁を除く。） 内閣危機管理監 国家安全保障局長 大臣政務官 デジタル監個人情報保護委員会委員長 公害等調整委員会委員長 運輸安全委員会委員長 侍従長	一、一九九、〇〇〇円
内閣官房副長官補、内閣広報官及び内閣情報官 常勤の内閣総理大臣補佐官 常勤の大臣補佐官 国家公務員倫理審査会の常勤の委員 公正取引委員会委員 国家公安委員会委員 原子力規制委員会委員 式部官長	一、一七五、〇〇〇円
個人情報保護委員会の常勤の委員 カジノ管理委員会の常勤の委員 公害等調整委員会の常勤の委員 中央労働委員会の常勤の公益を代表する委員 運輸安全委員会の常勤の委員 総合科学技術・イノベーション会議の常勤の議員 原子力委員会委員長 再就職等監視委員会委員長 証券取引等監視委員会委員長 公認会計士・監査審査会会長 中央更生保護審査会委員長 社会保険審査会委員長 東宮大夫	一、〇三五、〇〇〇円
食品安全委員会の常勤の委員 原子力委員会の常勤の委員 公益認定等委員会の常勤の委員 証券取引等監視委員会委員 公認会計士・監査審査会の常勤の委員 地方財政審議会委員 行政不服審査会の常勤の委員 情報公開・個人情報保護審査会の常勤の委員 国地方係争処理委員会の常勤の委員 電気通信紛争処理委員会の常勤の委員 中央更生保護審査会の常勤の委員 労働保険審査会の常勤の委員 社会保険審査会委員 運輸審議会の常勤の委員 土地鑑定委員会の常勤の委員 公害健康被害補償不服審査会の常勤の委員	九一三、〇〇〇円

（令和五年四月一日現在）

2　地域手当

人事官の地域手当は、給与法の適用を受ける職員の例によることとされている（特別職給与法七の二）。

給与法に規定する地域手当は、当該地域における民間の賃金水準を基礎とし、当該地域における物価等を考慮して人事院規則で定める地域に在勤する職員などに支給される手当である。東京都特別区に所在する官署に在勤する指定職職員の場合は、平成三〇年四月一日からは俸給月額の二〇パーセントが地域手当として支給されることとされており、人事官についても、この例により俸給月額の二〇パーセントの地域手当が支給される。

3　通勤手当

人事官に支給される通勤手当についても、給与法の適用を受ける職員の例によることとされている（特別職給与法七の二）。なお、実際には官用自動車を利用することが多く、その場合には通勤のため交通機関等の利用を常例とすること等の支給要件に該当しない。

4　期末手当

人事官に支給される期末手当についても、給与法の適用を受ける職員の例によることとされている（特別職給与法七の二）。

給与法に規定する期末手当は、同法に規定する勤勉手当と合わせて、民間における賞与等に見合うものとして支給される特別給である。期末手当は民間における賞与等のうちのいわゆる一律支給分に相当し、勤勉手当は民間の成績査定分に相当するものとしての性格を有している。人事官については、特別職給与法の適用を受ける他の常勤の幹部公務員と同様、勤勉手当の制度はなく、期末手当の支給月数は、指定職職員の期末手当と勤勉手当の支給月数を合算した月数に相当する月数に読替えがなされている。

5　その他

その他特別職給与法には、新たに同法の適用を受けることとなった場合や退職した場合における給与の支給の始期・終期、日割計算等に関し、一般職の職員の場合と同趣旨の規定が設けられている。

また、同法は、給与の支払期日についても、一般職の職員の例によることとしており、人事官にあっては、俸給及び地域手当については、人事院事務総局職員の俸給支給定日（原則として毎月一六日）に、期末手当については、六月三〇日及び一二月一〇日に支給される。

なお、人事官を含む特別職の職員の給与については、概ね人事院勧告に基づく一般職の職員の給与改定の趣旨に沿って改定されてきている。

以上の給与のほか、特別職給与法は、人事官を含む特別職の職員の災害補償についても規定を設けており、人事官の公務上の災害又は通勤による災害に対しては、同法により一般職の職員の例による補償及び福祉事業が行われることとなる（特別職給与法一五）。

（総裁）

第十一条　人事院総裁は、人事官の中から、内閣が、これを命ずる。

② 人事院総裁は、院務を総理し、人事院を代表する。

③ 人事院総裁に事故のあるとき、又は人事院総裁が欠けたときは、先任の人事官が、その職務を代行する。

〔趣　旨〕

一　総裁の任命及びその権限

人事院は人事官三人をもって組織される合議制の行政機関（いわゆる行政委員会）であり、機関としての意思決定は原則として三人の人事官の合議によって行われる。しかしながら、合議体の機関においても、その意思決定を行うに当たって会議を円滑に進行させるためにはそれを主宰する者が必要であり、また、対外的に機関を代表する者を置くことが便宜的である。さらに、三人の人事官の合議が原則ではあるものの、例えば日常的な内部管理に関する案件をはじめ事柄によっては、いちいち合意を得るまでもなく、代表者に処理を委ねる方が適切である場合もあり得よう。

このような趣旨で、本条は、総裁に院務を総理する権限を付与するとともに、対外的には総裁が人事院を代表することとしている。

本法第四条第二項に「人事官のうち一人は、総裁として命ぜられる。」との規定があるが、同条は人事官のうち一人が総裁として任命されるべきことを定めているものであり、本条第一項は、その総裁の任命権を内閣に付与する趣旨の規定であると解される。

二　総裁の職務代行

人事院総裁が事故により職務を行えないとき、あるいは人事院総裁の離職後、後任の総裁の就任までの間に空白期間があるようなときにも、人事院の業務を支障なく実施するためには、〔趣旨〕一に述べたような趣旨で、院務を総理し対外的に人事院を代表する者が必要とされる。そこで、本条は、人事院総裁に事故のあるとき、人事院総裁が欠けたときには、先任の人事官が、人事院総裁の職務を代行することを定めている。

〔解　釈〕

一　総裁の任命

人事院総裁は人事官の中から内閣が命ずる（法一一1）。

人事官の任命の場合と異なり、人事院総裁の発令に当たっては、両議院の同意や天皇の認証は不要である。また、総裁としての資格要件についても、本法は定めを設けていない。内閣の責任において、適任者を選任することとなろう。

総裁たる人事官が離職又は死亡した場合、後任の総裁として新たに総裁たる人事官を選任するか、あるいは、既に在職している人事官の中から後任の総裁を選任し、別途新たに人事官の補充を行うか、二つのケースがあり得る。この場合、前者については、「人事官に任命する。」旨の内閣辞令（天皇の御璽御名の記されたもの）とともに、「人事院総裁を命ずる。」旨の内閣辞令が出される。他方、後者については、在職している人事官に対して「人事院総裁を命ずる。」旨の内閣辞令が発せられることとなる。

他の行政委員会においては、委員長と委員は、法律上全く別のポストとして位置付けているのが通例であるが、本法においては「人事官の中から総裁を命ずる」こととしており、両者の関係が必ずしも明らかでない。この点については、人事官の中には、院務総理権及び代表権を有するものとそれらを有しないものの二種類があり、かつ、院務総理権、代表権の付与は人事官の任命とは別になされるものであって、それら院務総理権等を付与された人事官を人事院総裁と称すると解することが妥当であろう。

いずれにせよ、人事官であることが総裁に在任する前提条件であるから、失職、罷免、任期満了等により人事官でなくなった場合には同時に人事院総裁の地位も失うこととなる。逆に、総裁であった者が総裁たる地位だけを失い、その後も人事官として在任することは可能であると解されよう。ただし、本法は、人事院総裁の任期については、なんら規定しておらず、このことからすれば、一旦発令された以上、人事官としての在任期間中、総裁として在職することを基本としているものと思われる。

二　総裁の権限

人事院総裁は院務を総理し、人事院を代表する（法一一２）。

まず「院務を総理」することの意味であるが、院務とは、人事院の事務のことであり、本法第三条第二項及び本法各条並びに他の法律において人事院が所掌すべきこととされている事務をいう。また、これには、内部管理的な事務も含まれよう。

ところで、人事院は合議制の行政機関であり、その意思決定は合議体として行われるのが基本である。すなわち、本法第一二条は、人事院の権限のうち重要なものについては人事院会議における議決を経なければならないと規定するが、人事院会議における意思決定は多数決により決せられることとされており、表決権としては人事院総裁といえども他の人事官と同等の資格を有するにとどまるものである。しかしながら、人事院会議の開催に当たっては議事をリードし、議論を整理するなど会議を主宰する者がいなければスムーズな議事運営は期待できないであろう。そこで、このような趣旨で、人事院会議を主宰すること、これが「院務を総理」することの内容の一つであると解される。

次いで、本法第一二条第六項の反対解釈として、本法は人事院の権限のうち、人事院会議の議決を経る必要がないものの存在を認めている。そのような事項については、基本的になんらかの形で人事官の合意が確保されていれば足るものと思われるが、特に日常的な軽微な事務処理については、包括的に一人の人事官に委ねることも許されるべきであろう。そこで、「院務を総理」することの今一つの意味としては、このような日常的・軽微な案件について総裁が単独で事務処理を行う場合を示しているものと解される。ただし、人事院の権限のうち、何が総裁の院務総理権の対象となるのかについては、法律上明らかにされておらず、この点については、三人の人事官の明示的あるいは暗黙の合意に委ねられているものといえよう。

なお、総裁の院務総理権に関連して、フーバー原案においては、更に徹底して強力な権限を総裁に与えていた。すなわち、フーバー原案においては、「総裁は、人事院を総理する。総裁は人事院の業務実施の長（chief executive officer）となり、主としてこの法律及び人事院規則の実施の責に任ずる。……総裁は、人事院の名において、人事院の権限に属する事項であって人事院規則に規定されていないものについて、執行命令を発して決定又は処分を行う権限及び人事院規則を制定することを除き、この法律によって人事院に附与された一切の権限を有する。」として、総裁の権限を詳細に規定するとともに人事官と総裁の間に極端な差を設けていた。それが、政府案において、現行と同様の案に変わるうちに若干あいまいなものとなったといえるであろう。

次に、「人事院を代表する」とは、人事院の意思、行為等を外部に表示するには総裁の名義をもって行い、逆に総裁の対外的な行為は基本的に人事院の行為とされることを示している。例えば、人事院規則、人事院公示の公布、人事院指令の発出、国会及び内閣に対する意見の申出・勧告、国会及び内閣に対する報告その他対外文書の発出等は人事院総裁の名義において行われている（ただし、不利益処分の審査請求に関する判定については、同制度の手続全体が民事裁判の例により構成されていることもあって、裁判における判決書のスタイルに倣い、人事官三名の氏名を連記して、人事院指令を発出している。）。なお、人事院総裁の対外的行為は人事院の行為と評価されると述べたが、本法第一二条において議決事項とされている権限の行使についてはこの限りでない。人事院会議の議決が必要とされているにもかかわらず、それを経ずに又は議決に反して外部に行った行為の効力は、行政機関の意思決定の基礎を欠くものとして無効であると解すべきであろう。これに対し、議決事項以外の事項について、他の人事官の合意を得ないまま、総裁が外部に人事院の意思として表示した場合には、院務総理権を発動したものとして、対外的には有効であるといわざるを得ないのではないかと考えられる。

以上のほか、本法は、総裁に事務総局職員等人事院に属する職員に対する任命権者としての権限を付与しており（法五五1、六一、八四1）、また総裁には、人規八―一二における試験機関の長としての権限、人規一六―〇における補償の実施機関の長としての権限等、各制度を通じ個別の権限が付与されている。

三　総裁の職務代行

総裁に事故があるとき又は総裁が欠けたときには、先任の人事官が総裁の職務を代行する（法一一３）。

公務部門において人事管理は日々休むことなく行われるものであり、総裁に事故があり、また総裁が欠けているからといって、人事院の機能が停止するようなことがあってはならない。このような場合も人事院の業務が支障なく遂行されるよう保障することをねらいとして、本条第三項は、総裁の職務代行について定めている。

職務代行は、いわゆる法定代理の範疇に属するが、法定代理においては、代理権は被代理者の権限の全てに及ぶことから、職務代行をする人事官は、当該代行の期間中、院務総理権、代表権はもとより、任命権者としての権限等、総裁の全ての権限を代理行使することができると解される。

本条第三項の「総裁に事故のあるとき」とは、総裁は在職しているもののなんらかの理由によって現在その職務を行い得ない状態にあることをいう。病気療養や海外出張等がその典型的な例であろう。期間の長短は、必ずしも本質的ではない。要するに人事院総裁の行為が必要な場合であるにもかかわらず、それが得られないときに職務代行の必要性が生ずるといえよう。ただし、そうはいっても実際問題としては、事故の期間がある程度長期にわたる場合に、職務代行の具体的必要性が生ずることが多いであろう。

次に、総裁が「欠けたとき」とは、総裁である人事官が失職、罷免、任期満了、通算在任期間満了、辞職により身分を失った場合及び死亡した場合が該当する。人事官の任命について両議院の同意を要するとされていることもあって、外部から後任の総裁たる人事官を選任するに当たって若干の空白期間が生ずることも想定され、主としてこのような場合に備えて、規定されているものである。

「先任の人事官」とは、人事官としての在任期間の長い者であり、それは客観的に定まっていることから指定行為は必要としない。ただし、人事院発足時の人事官については、先任者が存しないため、本法旧附則第五条（令和三年一部改正法により削除）において、本条第三項中「先任の人事官」とあるのは「任期の長い人事官」と読み替えることとされていた。

前述のとおり、総裁の職務代行については、その必要性が現実化したときには、先任の人事官が当然行えるものであるが、現実の取扱いとしては、総裁の海外出張の際に総裁名で先任の人事官に職務代行を命ずる旨の発令を行っている例がある。これは、法律上は発令の有無は関係ないとしても、対外的に責任の所在を明らかにするとともに、総裁の帰国を待って処理すべきか留守を守る人事官が判断に迷うケースもあり得ることから、事務処理に滞りがないようにするためあらかじめ総裁名により包括的に職務代行を命じているものといえよう。

（人事院会議）

第十二条　定例の人事院会議は、人事院規則の定めるところにより、少なくとも一週間に一回、一定の場所において開催することを常例としなければならない。

② 人事院会議の議事は、すべて議事録として記録しておかなければならない。

③ 前項の議事録は、幹事がこれを作成する。

④ 人事院の事務処理の手続に関し必要な事項は、人事院規則でこれを定める。

⑤ 事務総長は、幹事として人事院会議に出席する。

⑥ 人事院は、次に掲げる権限を行う場合においては、人事院の議決を経なければならない。

一　人事院規則の制定及び改廃

二　削除

三　第二十二条の規定による関係大臣その他の機関の長に対する勧告

四　第二十三条の規定による国会及び内閣に対する意見の申出

五　第二十四条の規定による国会及び内閣に対する報告

六　第二十八条の規定による国会及び内閣に対する勧告

七　第四十八条の規定による試験機関の指定

八　第六十条の規定による臨時的任用及びその更新に対する承認、臨時的任用に係る職員の員数の制限及びその資格要件の決定並びに臨時的任用の取消（人事院規則の定める場合を除く。）

九　第六十七条の規定による給与に関する法律に定める事項の改定案の作成並びに国会及び内閣に対する勧告

十　第八十七条の規定による事案の判定

十一　第九十二条の規定による処分の判定
十二　第九十五条の規定による補償に関する重要事項の立案
十三　第百三条第五項の審査請求に対する裁決
十四　第百八条の規定による国会及び内閣に対する意見の申出
十五　第百八条の三第六項の規定による職員団体の登録の効力の停止及び取消し
十六　その他人事院の議決によりその議決を必要とされた事項

〔趣　旨〕

一　人事院会議

人事院は三人の人事官より構成される合議制の行政機関（行政委員会）であり、その意思決定は、三人の人事官の合議によりなされるのが原則である。その意思決定を行う場が人事院会議である。ただし、後述するとおり、本法は、人事院の権限行使の全てを人事院会議の議決により行うことは求めておらず、少なくとも人事行政の基本に関わる重要な事項については人事院会議の議決を通じ行うことを定めている。

本法は、人事院の基本的な意思決定機構である人事院会議の重要性に鑑み、本条において自ら、定例の人事院会議は少なくとも一週間に一回、一定の場所において開催することを常例としなければならないこと、事務総長は幹事として人事院会議に出席すること、人事院会議の議事は全て幹事が作成する議事録に記録すべきことなどを規定している。その一方で、人事院の事務処理の手続に関し必要な事項は人事院規則で定める旨規定し、人事院会議の手続等に関する細目的事項についても人事院規則に委任している。これは、独立機関たる人事院の内部運営については、その自主性に委ねることが必要であるからである。

二　人事院会議による議決事項

本条は、人事院の行使する権限のうち人事院会議による議決を経なければならないものについて列挙している。
会議により意思決定を行う意義は、もとより意思決定に参画する権限を有する者が一堂に会し、互いに意見を交換し、相互の見解に対する疑問点をその場で質すことにより意思疎通を図り、十分な議論を行うことを通じて合議体としての意思を形成していくことにある。ところで、このように会議形式による意思決定においては、意思決定権を有する者が存分に議論を尽くした上、結論に到達することとなるなど、意思決定の質を高める点において大きなメリットを有する反面、機動性に欠ける嫌いがあることは否定できない。実際、人事院の行うべき意思決定を軽微なもの、日常的なものも含めて全て人事院会議にかけることとすれば、そのためにかえって人事院の活動の効率を阻害するおそれもある。

そこで、本条は、人事院の権限のうち、人事行政の基本に関わる重要事項を具体的に列挙し、これについては必ず人事院会議の議決を必要とすることとしている。さらに、本条は、議決事項として具体的に列挙するものに加え、人事院の判断により議決事項とすることが適当であるとされるものがあれば、それについても人事院会議の議決を経ることを求めている。

このように、本条は、人事院の権限のうち一部に限り、必ず人事院会議の議決を経なければならないとしているが、それでは人事院会議の議決を必要としないとされた事項については、本法はどのような手続により意思決定を行うことを予定しているのであろうか。この点については、例えば会議の形式を採らずにいわゆる持回り決裁により人事院の合意を形成することや、基本的な処理方針をあらかじめ人事院の合意として確定しておいた上で、個別案件の処理は院務総理権を有する総裁に委ねることなどがありうる。また、任命権等に基づいて基本的な権限行使が認められている日常的な組織運営等に関する事柄については、直接、総裁が院務総理権を発動することなどにより処理することも許されよう。

なお、本条第四項は、「人事院の事務処理の手続に関し必要な事項は、人事院規則でこれを定める。」と規定し、人事院規則への委任の内容を人事院会議の手続等に限定していない。この文理からすれば、本法は、人事院会議以外の手続によって人事院の意思決定を行うことを人事院規則で定めることも予定していると解される。

〔解　釈〕

一　人事院会議

本条第一項及び第四項の規定により制定された人事院規則二―一（人事院会議及びその手続）に定める人事院会議の開催及び議事手続は次のとおりである。

1　会議の種類

人事院会議には、定例の会議と臨時の会議がある。

2　定例の会議

少なくとも一週間に一回、東京都内の人事院の庁舎において行うことを常例とする。ただし、人事官の多数決により国内の他の場所において開くこともできる。

3　臨時の会議

臨時の会議は、総裁の召集又は人事官の過半数の要求に基づき、東京都内の人事院の庁舎又は人事官の多数決による他の場所において開くことができる。臨時の会議を開く場合には、人事官に対しあらかじめ適時に通知しなければならない。

4　定足数・採決

会議は人事官の過半数をもって定足数とする。議決又は動議の採決は、人事官の多数決を必要とする。人事官の過半数、多数とは、いずれも二名をいうものと解される。したがって、任期満了後再任されるまでの間、あるいは後任の人事官が任命されるまでの間のいわゆる空白期間において、人事院会議を開催し、議決するためには残りの二人の人事官の出席及び賛成が必要である。

人事院の議決及び動議は、会議において採決することとされ、また議決及び動議は、別段の定めがない限り、採決のときにおいてその効力を発生する。なお、「別段の定」は現在のところ存在しない。

5　幹　事

事務総長が幹事として会議に出席する。会議において説明等を行うため、適宜、他の事務総局の職員が出席することも差し支えない。なお、事務総長の出席は会議の成立の要件ではない。

6　議事日程

幹事は、各会議において議題となる事項を記載した議事日程を作成し、定例の会議の議事日程については、少なくとも会議の四八時間前に、各人事官にその写を送らなければならない。議事日程に掲載されていない事項は、出席人事官全員の同意がなければ議題とすることができない。

7　議事録

議事録は幹事が作成する。会議の議事録は、人事官の承認を経て確定する。議事録は、人事院の定める場所において適時に公衆の閲覧に供しなければならない。なお、「人事院の定める場所」とは、人事院の庁舎とされている。

8　会議の公開

会議は、人事官の過半数の同意によって公開することができる。会議は、その議決によって、重要と認める事項に関し意見を聴く機会を利害関係者に与えるため公開することができる。公開の会議の議事日程の写は、人事院の定める場所において、公衆の閲覧に供しなければならない。なお、この人事院会議の公開に関する規定は、フーバー氏の要請を受けて設けられたものであるが、少なくとも今日まで人事院会議が公開されたことはない。

二　議決事項

本条第六項は、「人事院は、次に掲げる権限を行う場合においては、人事院の議決を経なければならない。」として、必要的議決事項を各号に掲げている。人事院の権限について本法第二一条は、人事院規則で定めるところにより他の機関に委任できることとしているが、必要的議決事項とされた権限については、委任は認められない。

本条第六項は、「人事院の議決」と規定しているが、これが人事院会議における議決を指すことはいうまでもない。また、前述〔解釈〕一4において示すとおり、その議決は、人事院会議において採決されなければならない。

必要的議決事項を掲げれば次のとおりである。

①　人事院規則の制定及び改廃
②　第二二条の規定による関係大臣その他の機関の長に対する人事行政の改善に関する勧告
③　第二三条の規定による国会及び内閣に対する法令の制定、改廃に関する意見の申出
④　第二四条の規定による国会及び内閣に対する業務状況の報告（年次報告）
⑤　第二八条の規定による国会及び内閣に対する勤務条件の基礎事項の変更に関する勧告
⑥　第四八条の規定による試験機関の指定
⑦　第六〇条の規定による臨時的任用及びその更新に対する承認、臨時的任用に係る職員の員数の制限及びその資格要件

の決定並びに臨時的任用の取消し（人事院規則の定める場合を除く。）。なお、人規八―一二第四一条第一項において、臨時的任用及びその更新に関する承認については、人事院の権限を部内の職員に委任することができるとしているが、これがここでいう「人事院規則の定める場合」に該当するものと考えられる。

⑧　第六七条の規定による給与に関する法律に定める事項の改定案の作成並びに国会及び内閣に対する勧告

⑨　第八七条の規定による勤務条件に関する行政措置要求の事案の判定

⑩　第九二条の規定による不利益処分審査請求の事案の判定

⑪　第九五条の規定による補償に関する重要事項の立案

⑫　第一〇三条の規定による営利企業との関係に係る人事院の通知に関する審査請求に対する決定

⑬　第一〇八条の規定による国会及び内閣に対する年金制度に関する意見の申出

⑭　第一〇八条の三第六項の規定による職員団体の登録の効力の停止及び取消し

⑮　その他人事院の議決によりその議決を必要とされた事項

この⑮によって人事院が人事院会議を開催することを適当と思料する案件については、全て人事院会議の議決を要することとなる。本法に規定する権限であるか、給与法をはじめとする他の関連法律に規定する権限であるかは問わない。その場合、議決を要する事項をあらかじめ概括的に決定しておくことも考えられるが、他方、個別の案件ごとに現に人事院会議を開催して、議決によりその案件を処理することを通じて、当該事項が⑮に該当することもあり得よう。

なお、以上のほか、昭和二三年の改正直後の本法では「第十三条の規定による応急予備金の支出」（法一二6②）、「第二十九条の規定による職階制の立案」（法一二6⑦）、「第三十六条（第三十七条において準用する場合を含む。）の規定による選考基準の決定及び選考機関の指定」（法一二6⑧）、「第六十三条の規定による給与準則の立案」（法一二6⑪）、「第六十七条の規定による給与準則の改訂案の作成」（法一二6⑫）及び「第七十二条の規定による関係庁の長に対する勧告及び表彰又は矯正方法に関する立案」（法一二6⑬）が、また、昭和三八年の改正後の本法では「同条（第一〇三条）の規定による国会及び内閣に対する（離職後の就職の承認に関する）報告」（法一二6⑰）が必要的議決事項とされていた。「応急予備金の支出」については昭和二六年までの臨時的な措置であったこと、「職階制の立案」、「給与準則の立案」等については平成一九年の改正により職階制が廃止されたこと、「選考基準の決定及び選考機関の指定」については同年の改正により選考による採用及び昇任は任命権者が標準職務遂行能力及び適性を有すると認められる者の中から行うこととされたこと、「表彰又は矯正方法に関する立案」については昭和四〇年の改正により「勤務成績の優秀な者に対する表彰に関する事項及び成績のいちじるしく不良な者に対する矯正方法に関する事項を立案」（法七二３）が内閣総理大臣の権限とされたこと、離職後の就職の承認に関する「国会及び内閣に対する報告」については平成一九年の改正により再就職に関する規制が改正され、当該承認の仕組みが廃止されたことから、本条第六項の現行規定からは削除されている。

なお、繰り返し述べたとおり、本条において、人事院会議における議決を要する事項とされるのは、人事院の権限のうち、基本的かつ重要なものに限られている。本法には人事院の権限として数多くの権限が掲げられているが、そのうち、本条により人事院会議の議決を要するとされるのは一部であり、例えば次のような権限については、人事院会議の議決は必須とはされていない。

○ある職が国家公務員の職に属するか否か、一般職に属する職か特別職に属する職かを決定すること（法二４）。

○官職に欠員が生じた場合において、任命の方法を指定すること（法三五）。

○公告された採用試験又は実施中の採用試験の取消し、変更を行うこと（法四七５）。

○採用候補者名簿を失効させること（法五三）。

これらは、必要的議決事項とされている前述の権限に比べれば、どちらかといえば、個別的、実務的な権限であり、その迅速な処理を図る上からも、これらについては人事院会議における議決という形ではなく、〔趣旨〕二で述べたとおり、持回り決裁によるなど他の方法により適宜実質的な人事院の合意を確保すれば足りるといってよいであろう。

（事務総局及び予算）

第十三条　人事院に事務総局及び法律顧問を置く。

②　事務総局の組織及び法律顧問に関し必要な事項は、人事院規則でこれを定める。

③　人事院は、毎会計年度の開始前に、次の会計年度においてその必要とする経費の要求書を国の予算に計上される

ように内閣に提出しなければならない。この要求書には、土地の購入、建物の建造、事務所の借上、家具、備品及び消耗品の購入、俸給及び給料の支払その他必要なあらゆる役務及び物品に関する経費が計上されなければならない。

④　内閣が、人事院の経費の要求書を修正する場合においては、人事院の要求書は、内閣により修正された要求書とともに、これを国会に提出しなければならない。

⑤　人事院は、国会の承認を得て、その必要とする地方の事務所を置くことができる。

〔趣　旨〕

一　国家行政組織

国の行政機関の組織は、法律で定めるのが原則であり、具体的には内閣法（昭二二法五）を頂点として、省、委員会及び庁については行組法及び各省設置法（法律）により、局、部、課、室等については各省組織令（政令）、各省組織規則（省令）等によって、その設置、名称、位置、所掌事務等が定められ、内閣府については、その地位の特殊性から行組法は適用されず、内閣府設置法以下の法令によって行組法によるのと同様に組織や所掌事務等が定められている。これに対して、内閣の所轄の下に置かれた人事院については、その内閣からの独立性を担保する趣旨で行組法が適用されないこととなっている（法四4参照）（人事院の前身である臨時人事委員会は内閣に直属する組織ではなく、内閣総理大臣に属する組織であったため、臨時人事委員会に対しても行組法が適用されていたが、昭和二三年の本法の大改正に際し、人事院の独立性を強化する趣旨で、人事院は内閣に直属するものとし、同時に行組法も非適用となったものである。）。

一方、本法においては人事院の設置については具体的に規定しているが、事務総局及び法律顧問については設置の根拠のみを定め、必要な事項は人事院規則で定めることとしている。すなわち、これらについては人事院の自律性に委ねられ、行政組織の設置改廃に関する内閣の統制を受けないこととされている（ただし、行政組織の設置改廃は国費の出費を伴うこととなるので、内閣の予算編成権との関係においてはその統制に服することとなるが、一方、人事院の組織の改廃、その業務計画等が全面的に内閣の予算編成権に服するときは、人事院の内閣から独立した立場での業務展開が困難となる場合も予測されるので、〔趣旨〕四に述べるごとく人事院についても、憲法上の独立機関に準ずる二重予算制度が採られている。）。

人事院の事務総局の組織に関しては具体的には人事院規則二―三（人事院事務総局等の組織）、法律顧問に関しては人事院規則二―九（人事院の法律顧問）の各規則において必要な事項が定められている。

なお、内閣から強い独立性を認められている人事院と憲法第七三条との関係については、かつては一部に人事院違憲論もあったが、現在では、人事及び予算を通じた国会及び内閣のコントロール等を理由として、人事院を合憲とする考え方が定着している。

二　行政委員会の事務部門

人事院は三人の人事官によって構成される合議制の行政機関すなわち行政委員会であり、その事務をつかさどる部門が事務総局である。行政委員会には法律の定めるところによりその事務部門として事務局が置かれるのが通例であり（内閣府設置法五二1、行組法七7）、公正取引委員会（私的独占の禁止及び公正取引の確保に関する法律三五）には事務総局が、個人情報保護委員会（個人情報の保護に関する法律一四一）、公害等調整委員会（公害等調整委員会設置法一九）、公安審査委員会（公安審査委員会設置法一四）、中央労働委員会（労組法一九の一一）、運輸安全委員会（運輸安全委員会設置法一七）及び原子力規制委員会（原子力規制委員会設置法二七）には事務局が、国家公安委員会（警察法一五）には警察庁が、それぞれその事務部門として設置されている。会計検査院は他の行政委員会が複数の委員によって構成されるのと異なり、検査官会議と事務総局とによって構成される組織であって、会計検査院の事務総局は他の行政委員会の事務部局とはその趣を異にするものである（検査院法二）。

三　人事院の財政的基盤

人事院がその活動を行うためには、国の予算にその必要とされる予算が計上されなければならず、その予算は人事院の活動に必要な全ての経費を賄うに足りるものでなければならない。国家が法律により中央人事行政機関として人事院を設置し、これにその機能の発揮を求めている以上、その活動に必要な経費が予算に計上されるのは当然のことであるが、米国においては人事委員会の活動が財政的な締付けによって阻害された歴史があることに鑑みて本条にあえて第三項のような規定を置いたと説明されている（浅井清著『新版国家公務員法精義』一三一頁）。

なお、人事院発足当初昭和二七年までの間、人事院の予算には独立の応急予備金が本条第三項の必要な経費の中に含まれていなければならないことが定められていた（昭和四〇年の改正前の本条第四項では「昭和二十七年三月三十一日までは、前項の経費の中には、応急予備金が設けられなければならない。応急予備金は、総裁がこれを管理する。応急予備金を支出するには、人事院の議決を経なければならない。」と規定されており、現に昭和二四年度予算から昭和二六年度予算まで毎年三〇〇万円の応急予備経費が人事院の予算に計上されていたが、結局支出されるには至らなかった。）。独立の予備金は、国会及び裁判所については認められているが（国会法三二　裁判所法八三）、一行政機関について暫定的なものとはいえ、独立の予備金が設けられることは極めて異例のことである。人事院というそれまでの行政機関とはかなり異質の、新たな制度を設けたことを考慮し、人事院の機能が完全に発揮されるようになるまでの間に限って、予備金の制度を設けたものであろう。

四　二重予算制度

人事院がその活動を行うためには、国の予算にその必要とされる経費が計上されなければならないが、人事院が内閣に提出した経費の要求額と、内閣が国会に人事院の予算として提出した要求額とが異なるとき、すなわち内閣によって人事院の予算要求が修正された場合には、原要求額と修正要求額とをともに国会に提出し、国会にその是非の判断を求めようとする趣旨のものである。いわゆる二重予算制度であって、国会、裁判所及び会計検査院については財政法（昭二二法三四）第一九条に同趣旨の規定がある。

人事院の使命は、公務の民主的かつ能率的な運営を国民に保障するために人事行政の中立・公正を確保するとともに、労使の間で中立的な立場に立って労働基本権の制約されている国家公務員の利益の保護を図ることにあるが、これらの使命は議院内閣制を採る我が国の政治制度の下で、かつ公務員の使用者としての性格をも併せ有する内閣にとっては、いわゆる煙たい存在として意識される可能性を本質的に内在しているといってよい。本法においては人事院に内閣からの独立的地位を認め、内閣の指示命令を受けることなくその権限を行使し得ることとしているのであるが、内閣が予算編成権を盾に人事院の業務に対する締付けを図った場合には、人事院はほとんどこれに抵抗する手立てを持ち得ない。そこで本法は人事院の予算についても国会、裁判所及び会計検査院に準ずる形の二重予算制度を認め、人事院の要求額と内閣の編成した予算額とが異なる場合には人事院の予算額の是非を国会の判断に委ねることとしているものである。

五　地方行政組織

地方自治法は「国の地方行政機関……は、国会の承認を経なければ、これを設けてはならない。」と定めている（地方自治法一五六⑷）が、これは憲法の要請である「地方自治の本旨」に即し、地方分権の強化のため地方の行政は原則として地方自治体で処理することとし、仮に国の機関が直接地方において行政事務を処理しようとする場合でも、これを内閣のみの判断に委ねるのではなく、国会の判断に係らしめようとするものである。

国の地方行政機関の設置に関する問題は国と地方公共団体との間の事務配分の根本に関わる問題であり、地方的な行政は全て地方公共団体において処理するものとすれば国の機関としての地方行政機関は必要のないものになるが、実際には外務省等を除く大多数の府省に地方支分部局が置かれており（内閣府設置法四三、五七、宮内庁法一七、行組法九）、その数はいわゆる管区機関だけでも二〇〇前後に上っている。このような地域住民の生活に直接に関わりのある行政事務を処理する国の行政機関の増大に歯止めをかけ、地方分権の強化を図るために先に述べた地方自治法第一五六条第四項の規定が置かれているのであるが、一方、国の行政事務として絶対的に留保されている事務等については国の機関が直接地方において行政事務を処理することを妨げる必要性はないので同条もその第五項では、司法行政及び懲戒機関、検疫機関、税関、税務署、航空現業官署、気象官署、海上警備救難機関、専ら国費をもって行う工事の施行機関等については、同条第四項の国会の承認を経ることなく地方行政機関を設けることができることとしている。なお、同項の国の地方行政機関には、内閣府設置法、宮内庁法及び行組法の地方支分部局のほか、これらの法律の施設等機関及び特別の機関も含まれるものである（昭和六二年四月の改正前の行組法第八条第二項では、当時の附属機関の地方への設置につき、地方自治法第一五六条の規定の適用があることが明示されていた。）。

人事院の事務組織については、これを法律で定めることはせず、人事院の自律に委ねるというのが、本法の基本的な考え方であるが、地方自治法第一五六条第四項が要請している「地方自治の本旨」の実現のため、地方の事務所の設置については国会の承認を得ることを条件としたものである。

しかしながら、地方自治法第一五六条第五項に列挙されているその設置につき同条第四項の国会の承認を経る必要のない国の地方機関が相当の数に上ること、一方、人事院の地方の事務所は、国家公務員採用試験の実施を除き、地域住民の生活に直接に関わりのある行政事務を処理する場面が少なく、各府省の地方機関の職員を主たる相手として、広い意味での行政官庁の内部管理事務を処理するものであり、地方自治体の自治行政権を侵す危険性は認められないことなどの現状を考慮すると、その設置について国会の承認を必要とする規定は、必要性に乏しいものと考えられる。

〔解　釈〕

一　人事院事務総局の組織及び法律顧問

1　事務総局の組織

人事院の事務総局は、総務課、企画法制課、人事課、会計課及び国際課の五課（事務総局に直属）、職員福祉局、人材局、給与局及び公平審査局の四局と公務員研修所並びに八か所の地方事務局（北海道、東北、関東、中部、近畿、中国、四国及び九州）及び沖縄事務所等によって構成されている（令和四年度末現在）（人規二―三　四、六四、七六、八七）。

人事院の発足当初は、事務総局には任用部、給与部、能率部、公平部、調査部、広報部、法制部及び管理部の八部並びに八か所の地方事務所が置かれていたが、翌昭和二四年には部が局とされるとともに、管理部から人事局が分離し、任用局、給与局、公平局、能率局、調査局、広報局、法制局、管理局及び人事局の九局となった。昭和二七年からは人事院は組織の簡素化を図り、同年には人事局を管理局に吸収するとともに能率局と調査局とを併せて職員局とし、広報局は広報課とすることによって六局体制とした。昭和二八年には法制局を管理局に吸収することによって管理局、任用局、給与局、公平局及び職員局の五局体制とした。昭和三四年には研修の実施体制を強化するため公務員研修所を設置し、昭和四一年には地方事務所を地方事務局と改称するとともに昭和四七年には沖縄の本土復帰に伴って沖縄事務所を設置した。平成一三年の中央省庁等再編の際には各省で一局削減を行うこととされたことから、人事院も自主的に合理化を行い、給与局と職員局を統合して勤務条件局とした上で、総務局、人材局、公平審査局の四局体制とした。しかしながら、勤務条件局の業務規模が大き過ぎることから、平成一六年に、総務局を廃止する一方で勤務条件局を分割し、先に述べた職員福祉局、人材局、給与局、公平審査局の四局体制となった。この間、行政全体の複雑高度化、専門化、行政需要の多様化等を反映して、人事行政面においても、国民各層の要望等を踏まえた行政施策を展開していく必要性に対処するため、必要最小限の課、参事官等の新設、改廃を行ってきている。これらの結果、最も多いときには九局、一部、一三三課、定員一、三二四人であったものが、令和四年度末現在では四局、一七課、定員六〇五人と半減するほどの事務組織の減量が図られている。

職員福祉局は、服務、懲戒、能率、保健、安全保持、福祉、災害補償、職員団体等に関する事務をつかさどるものとされている（人規二一―三　一三）。すなわち、政治的行為の禁止等の職員の服務、服務規定に違反した職員に対する懲戒の基準の設定、健康安全の維持増進等の基準の設定、公務上の災害にあった職員に対する災害補償や福祉事業の実施及び運営、職員団体の資格審査等の職員団体に関する事務等を処理するほか、勤務時間、休日及び休暇制度等給与以外の勤務条件について国会及び内閣に勧告し、又は自ら決定する等の事務をつかさどっている。

人材局は、試験、任免、分限、派遣制度、研修等に関する事務をつかさどるものとされている（人規二一―三　一四）。すなわち、一般職の国家公務員の採用、昇任等の人事に関する基準を作成し、各府省統一の採用試験を企画し、実施するなどして職員の能力の実証をも行うほか、職員の身分保障、国際機関等派遣制度、官民人事交流制度、研修に関する事務等を処理している。

給与局は、給与、定年、退職年金等に関する事務をつかさどるものとされている（人規二一―三　一五）。すなわち、一般職の国家公務員の給与水準及びその配分（俸給表や諸手当の設定・改定）について国会及び内閣に勧告するほか、俸給制度及び手当制度により、各府省における職員の具体的な給与決定の基準を定める等の業務（級別定数の設定及び改定、指定職の号俸決定について、内閣総理大臣に意見を述べることを含む。）を行っている。さらに、定年等の高年齢職員の退職管理に関する事務、公務員の退職年金、退職手当に関する調査研究等を行っている。

公平審査局は、不利益処分についての審査請求その他の審査請求についての審査、災害補償の実施に関する審査の申立て及び福祉事業の運営に関する措置の申立てについての審査、給与の決定に関する審査の申立てについての審査並びに行政措置の要求についての審査並びに苦情処理に関する事務をつかさどるものとされている（人規二一―三　一六）。すなわち、職員に対する不利益処分等についての公平審査を行うほか、職員の勤務条件に関する行政措置要求の処理や一般的な苦情の処理を行っている。

以上の四局は、行組法第七条の局に相当するものである。これらのほか、各府省でいえば、大臣官房に当たる部局として、総務課、企画法制課、人事課、会計課及び国際課並びに公文書監理室及び情報管理室が置かれ、総括審議官が総括整理している。これらの課室では、人事院会議及び人事官に関する事務、人事管理官との連絡、事務総局の事務の総合調整、内部組織、広報、法令案の審査、法令の解釈、国家公務員制度の総合的調査研究、事務総局職員の定員及び人事並びに人事院の財務に関する事務、人事行政に係る国際協力に関する計画の立案・実施、外国の公務員制度に関する総合的調査研究、人事院の保有する情報の公開や個人情報の保護に関する事務、人事院の所掌事務に関するサイバーセキュリティの確保に関する事務等をつかさどるものとされている（人規二―三　九、一〇、一一、一二、一二の二、一二の三、一二の四）。

公務員研修所は、各府省の上級管理者を対象とする高度の行政能力を啓発するための研修、各府省の各役職階層の職員を対象とする行政遂行に必要な高度の知識能力を習得させるための育成研修、行政職俸給表㈠二級の係員官職に採用された者等を対象とする採用直後の初任研修等の実施に関する事務をつかさどるものとされている（人規二―三　六五）。すなわち、国民全体の奉仕者としての使命の自覚及び多角的な視点等を有する職員の育成、研修の方法に関する専門的知見を活用して行う職員の効果的な育成の観点から、各府省の職員を対象に合同研修を実施しているものである。公務員研修所は、性格的には行組法第八条の二の施設等機関に相当するものと考えてよいであろう。

各地方事務局及び沖縄事務所は、それぞれの管轄区域において人事院の業務計画を実施するものとされており、具体的には、各府省統一の採用試験の実施、地方における各府省職員に対する研修の実施、地方における公平審査の実施、民間企業の賃金の調査等に当たっている。所在地及びその管轄区域は次に掲げるとおりであるが、各府省の地方支分部局の管轄区域と各地方事務局及び沖縄事務所の管轄区域が異なる場合には、事務総長は各地方事務局及び沖縄事務所の管轄区域を調整することができるものとされている（人規二―三　七六）。各府省の職員を対象として展開されなければならない人事行政の特質上、各府省の地方支分部局の管轄区域と各地方事務局及び沖縄事務所の管轄区域が異なる場合に生ずる問題を回避するための措置である。各地方事務局及び沖縄事務所は、性格的には行組法第九条の地方支分部局のうち、いわゆる管区機関に相当するものである。

北海道事務局	札幌市	北海道
東北事務局	仙台市	青森県、岩手県、宮城県、秋田県、山形県、福島県
関東事務局	さいたま市	茨城県、栃木県、群馬県、埼玉県、千葉県、東京都、神奈川県、山梨県、新潟県、長野県
中部事務局	名古屋市	岐阜県、静岡県、愛知県、三重県、富山県、石川県、福井県
近畿事務局	大阪市	滋賀県、京都府、大阪府、兵庫県、奈良県、和歌山県
中国事務局	広島市	鳥取県、島根県、岡山県、広島県、山口県
四国事務局	高松市	徳島県、香川県、愛媛県、高知県
九州事務局	福岡市	福岡県、佐賀県、長崎県、熊本県、大分県、宮崎県、鹿児島県
沖縄事務所	那覇市	沖縄県

なお、人事院の地方事務局の設置についての国会の承認については〔**趣旨**〕**五**で述べたとおりであるが、実務上の取扱いとしては、人事院の地方事務局及び沖縄事務所設置の際に、本条及び地方自治法第一五六条第四項の両規定を根拠として国会の承認を得る手続が採られている。公務員研修所は人事院の地方の事務所ではないので、その設置について国会の承認を得る手続は採られていない。

このほか、事務総局には、公平審査の審理を実施するための公平委員会、職員の苦情処理を審査するための苦情審査委員会、災害補償に関する不服申立てについて審査するための災害補償審査委員会が必要に応じて設置できることになっている（人規二—三　八七、人規一三—一　一九、人規一三—二　九、人規一三—三　一二）。

事務総局には、事務総長のほかそれぞれ局長、課長その他の必要な職員が配置されている。

2　法律顧問

人事院は自ら人事院規則を定め、不利益処分の審査を行うなど、いわゆる準立法的機能、準司法的機能を発揮しなければならず、また、一般行政事務についても、内閣から独立した立場で、法令を解釈運用し、これを処理しなければならない。このような法律論的な立場からの業務処理について、専ら専門的な立場から、必ずしも法律専門家が構成員になるとは限らない人事院に助言する機関として、人事院には法律顧問が置かれることになっている。

法律顧問は第一項の規定の仕方からみても、人事院の他の事務職員等とは異なり、事務総局には属せず、したがって事務総長の指揮監督を受けることなく、直接人事院に属するものと考えられている。法律顧問は一名とされ、法律問題に関する重要事項について人事院の諮問に答えるほか、人事院の権限に属する人事行政の基本に関する事項について、人事院に意見を述べることができるものとされている。法律顧問は任期二年の非常勤官職であり、人事行政に関し識見を有し、かつ、法律に関し学識経験のある者のうちから、総裁が委嘱することとされている（人規二―九）。

3　顧問及び参与

人事院には法律顧問のほか、顧問及び参与が置かれている。

顧問は人事行政に見識の深い者から人事院の行政一般について意見を聞く趣旨で置かれるものである。顧問は、人事院の所掌する事務のうち、人事行政上の重要事項について、人事院の諮問に答えるものとされている。顧問は任期二年の非常勤官職であり、人事行政に関し学識経験のある者のうちから、総裁が委嘱することとされている（人規二―八　一）。

参与は人事院が種々の行政施策を展開していく際に、広く世間一般の意見をも参考とする趣旨で置かれているものであり、人事院の所掌する事務のうち、重要な事項について人事院に意見を述べるものとされている。参与は任期二年の非常勤官職であり、学識経験のある者のうちから、総裁が委嘱することとされている（人規二―八　二）。

顧問及び参与は、法律顧問と異なり事務総局に属するものではあるが、その委嘱の趣旨に鑑み、諮問事項に関して事務総長の指揮監督を受ける関係にはないものと考えられる。

二　二重予算制度

人事院に二重予算制度が認められている趣旨については〔趣旨〕四で述べたとおりであるが、ここでは実際の予算編成の手順、手続の流れに従って、国会、裁判所及び会計検査院について認められている二重予算制度と人事院に認められている二重予算制度との差異について述べることとする。

財政法に定められている予算作成の手順、手続としては、まず内閣総理大臣及び各省大臣がその所掌に係る歳入、歳出、継続費、繰越明許費及び国庫債務負担行為の見積りに関する書類を作製し、これを財務大臣に送付することとなっている（財政法一七2）。財務大臣はこれらの見積りを検討して必要な調整を行い、歳入、歳出、継続費、繰越明許費及び国庫債務負担行為の概算を作製し、閣議はこれを決定する（財政法一八１）。内閣総理大臣及び各省大臣は概算閣議決定の範囲内で予定経費要求書、継続費要求書、繰越明許費要求書及び国庫債務負担行為要求書を作製し、これを財務大臣に送付しなければならない（財政法二〇２）。財務大臣は各省各庁の予定経費要求書等に基づいて予算を作成し、閣議の決定を経なければならない（財政法二一）。

以上が一般の行政機関の場合の予算作成の手続であるが、国会、裁判所及び会計検査院の三つの独立機関の予算に関しては、財政法にも特別の規定があり、それによればこれらの機関もその所掌に係る歳入、歳出、継続費、繰越明許費及び国庫債務負担行為の見積りに関する書類を内閣に送付しなければならず（財政法一七１）、内閣においては各省大臣から送付された書類とともに必要な調整を行った上、歳入、歳出、継続費、繰越明許費及び国庫債務負担行為の概算を決定するが、その際、国会、裁判所及び会計検査院に係る歳出の概算については、それぞれ衆参両院議長、最高裁判所長官、会計検査院長の意見を聴かなければならない（財政法一八２）。また、内閣がこれらの機関の歳出見積りを減額した場合には、その詳細を歳入歳出予算に附記するとともに、国会が内閣提出の予算案を修正する場合に必要な財源を明記しなければならないこととされている（財政法一九）。

この財政法の予算作成の手続に関する規定と本項の規定を引き比べた場合、国会等の三独立機関の予算に関しては、事前の意見聴取が義務付けられており、また内閣がこれらの機関の予算を減額した場合には、国会が政府提出の予算案を修正するときの財源を明示しなければならないが、人事院の予算に関しては内閣が減額した場合にも、単に原要求書と内閣の修正後の要求書とをともに国会に提出するをもって足りる点に相違がある。

人事院は、財政法上は独立の扱いを受けておらず、内閣の一機関として、内閣総理大臣によって財政法上の手続が進められる。人事院の歳出等に係る見積りに関する書類等も、内閣総理大臣によって内閣官房、内閣法制局その他の内閣部局の歳出等に係る見積りに関する書類と一緒に財務大臣に送付される。本条に規定されている人事院の予算を考える場合の「内閣」は、予算の所管大臣としての内閣総理大臣ではなく、字義どおり国会に対して予算を提出する内閣である。

三　人事院と地方公共団体の人事委員会等との関係

地方公共団体に勤務する公務員についての制度を定めている地公法により、一般職の地方公務員は一般職の国家公務員と同様に労働協約締結権と争議権とを否認されている（地公法三七、五五2）。これに対する代償措置として、都道府県及び政令指定都市にあっては人事委員会を、人口一五万以上の市及び特別区にあっては人事委員会又は公平委員会を、人口一五万未満の市、町村等にあっては公平委員会を条例で設置するものとされている（地公法七）。人事委員会は、人事行政に関する記録と統計、勤務条件、研修等の研究とその成果の提出、条例に関する意見の申出、人事行政の運営に関する勧告、給与、勤務時間その他の勤務条件に関する勧告、競争試験及び選考の実施、給与の支払いの監理、勤務条件に関する措置要求の審査、不利益処分の審査請求の審査等の事務を、公平委員会は、勤務条件に関する措置要求の審査、不利益処分の審査請求の審査等の事務をつかさどるものとされており、その権限も所掌する事務に応じほぼ人事院の有する権限と同種の権限を有している（地公法八。ただし、人事委員会には、他の部局の職員に対する懲戒権、公務災害補償制度の計画の立案及び実施の権限はない。）。なお、以上のとおり、人事院と地方の人事委員会ないし公平委員会とは、設置目的や権限等において共通する面は多いが、国が議院内閣制の下で府省による分担管理制にある中で、人事院は中央人事行政機関としての役割を付与される一方、地方においては首長公選制の下でいわば大統領型の組織の中で、実質的に単独の任命権者として首長部局の役割は相対的に大きく、中央人事行政機関に相当する概念はない。実際、人事官は三名とも常勤であるが、地方の人事委員会等委員には非常勤の者が多い。

個々の地方公共団体における地方公務員制度の運用は基本的に各地方公共団体の自治事務であり、国の指揮監督を受けるものではなく、総務省も各地方公共団体の人事行政が地公法によって確立された原則に沿って運営されるように協力し、及び技術的助言をすることができるにとどまっている（地公法五九）。人事院は、現在は法律上は地方公共団体に対し助言、指導する立場にはないが、新公務員制度導入後まもなく、昭和二六年七月一日前においては（主として地公法制定、施行までの間という趣旨であると考えられる。）、各地方公共団体において、本法によって国家公務員について確立された原則に沿って、それぞれ人事機関が設置され、かつ、運営されるように協力し、及び技術的援助を行うことができるものとされていた（法旧附則一五（令和三年一部改正法により削除））。また、地公法においても、人事委員会の委員及び事務局長その他の職員は、地方自治庁（総務省の前身）が人事院の協力を得て行う人事行政に関する研修を受けるものとされており（地公法附則3、4）、地方公共団体における新公務員制度の定着のために人事院に寄せられた期待には大きなものがあった。

現在においては、人事院は都道府県、政令指定都市、和歌山市及び特別区の各人事委員会と、民間準拠の考え方により公務員給与を決定する際の重要な資料となる職種別民間給与実態調査を共同して実施し、調査対象となる民間事業所の重複を避けるなど調査の効率的実施を図っているところである。

（事務総長）

第十四条　事務総長は、総裁の職務執行の補助者となり、その一般的監督の下に、人事院の事務上及び技術上のすべての活動を指揮監督し、人事院の職員について計画を立て、募集、配置及び指揮を行い、又、人事院会議の幹事となる。

〔趣　旨〕

事務総長

事務総長は、合議制の行政委員会たる人事院とその事務部門である事務総局との接点に位置し、院務総理権と人事院の代表権を有する人事院総裁の職務執行の補助者であるとともに、総裁の一般的、概括的監督の下に事務総局の全ての活動を指揮監督し、事務総局の全ての職員の配置を行い、また人事院会議の幹事となるのである。要すれば、事務総長は事務総局の事務を総括する（人規二―三　二）ものである。

事務総長は人事院が任命すると定められているが（法四３）、一方、第五五条第一項の規定では一般職の人事院の職員に対する任命権者は人事院総裁とされており、事務総長は一般職の職員であることから、事務総長の任命は人事院が行うのか人事院総裁が行うのかという疑義が生じる。実務上は人事院総裁が事務総長を任命しているが、思うに第四条はその第四項に内部機構の自主管理権に関する規定が置かれているように人事院の独立性を確保する趣旨の規定であり、同条第三項も積極的に人事院にその職員に対する人事権を付与するのではなく、消極的に人事院以外の機関が人事院の職員に対する人事権を行使することがないことを規定しているものと解するのが妥当であるということであろう。

事務総長は、会計検査院事務総長、警察庁長官などと並び、合議制の行政委員会等の事務部局の長として、各府省事務次官と同額の俸給を受けることとなっているが、次官連絡会議の構成員とはなっていない。人事院の内閣からの独立性確保の見地からの措置であろうが、ＩＬＯの国際労働基準の国家公務員への適用問題など人事院の所掌事務と密接な関係があり、対外的に日本政府は一体となって対応するような案件については、人事院事務総長が次官連絡会議に出席することもありうるものと考えられる。

〔解　釈〕

事務総長の権限及び責務

人事院の事務上及び技術上の全ての活動とは、人事院事務総局の全ての活動という意味である。人事院の職員の任命権者は人事院総裁であるから、人事院の職員について、募集、配置を行うといっても、事務総長が職員の人事発令を行うわけではない。人事院会議の幹事としては人事院会議に出席し、意見を述べることはできるが、議決に加わることはできない。幹事は人事院会議の議事録を作成するものとされている（法一二2、3）。

事務総長は、本条に定められた責務、その他法律及び人事院規則により定められた責務を遂行するために、人事院の職員並びに国の各機関及び行政執行法人に対して、人事院細則及び通達を発する権限を有する（人規三―〇）。内閣府設置法及び行組法によれば、各府省大臣、各委員会、各庁の長は所管の諸機関及び職員に対して、訓令又は通達を発出できるものとされている（内閣府設置法七、五八　行組法一四）。各事務次官、次長等は権限の委任等が行われれば、所管の諸機関及び職員に対して訓令又は通達を発出できることとなるが、所管外の諸機関及び職員に対しては訓令又は通達を発出することはできない。事務総長は国の諸機関に対しても、人事院細則及び通達を発し得る点に特色がある。事務総長の責務すなわち権限及び所掌事務には、人事院規則で直接規定されている事項もあれば、本法第二一条及び人規二―四第二項又は第三項の定めるところに従い、人事院又は人事院総裁から委任された事項もある。

なお、人事院細則は、通達と目的や性格に異なるところがないことから、順次、通達に統合されてきている。

（人事院の職員の兼職禁止）

第十五条　人事官及び事務総長は、他の官職を兼ねてはならない。

〔趣旨・解釈〕

一　兼職の禁止

人事院は、人事行政の展開を通じて、公務の民主的かつ能率的な運営を実現するため、内閣からの独立的な地位のほか、種々の権限を有する強力な機関であり、その構成員である人事官や事務総局を指揮監督する事務総長は、人事行政の実施を通じて、事実上、各府省行政に大きな影響力を行使し得る立場にある。このような人事官及び事務総長が他の官職を兼ねた場合には、その官職と人事官及び事務総長の職責との間で利益相反の事態が生じないともいえないので、人事官及び事務総長はこのようなことのないように、他の官職を兼ねることが一切禁止されるのである。

本条によって禁止されるのは、他の官職を兼ねることであるので、官職に当たらない他の職、例えば特別職に属する職、地方公務員の職などを兼ねることは差し支えない。けだし、これらの職を兼ねてもその職には本法は適用されず、前述のようなおそれが少ないからである。

ただし、事務総長は一般職の国家公務員として、その服務に関し、本法第一〇三条及び第一〇四条の規定の適用を受けており、営利企業の経営が禁止され、また給与を受けてする非営利事業への従事（官職以外の職に就くことや公益事業に従事することなど）が制限されている。また、総裁を含む人事官は一般職の国家公務員ではないが、本法第六条第二項（宣誓及び服務）によって本法第三章第七節（服務）の規定が準用されている結果、事務総長と同様に営利企業の経営や非営利事業への従事等が禁止又は制限されている。したがって、本条では禁止されていない特別職や地方公務員の職を兼ねることも、報酬を受ける場合には本法第一〇四条の規定により原則として許されないこととなる。

さらに本法第一〇一条第一項は、職務専念義務の内容として、「法律又は命令の定める場合を除いては、官職を兼ねてはならない。」としており、一般職の職員について人事院規則で定める場合には兼職（併任）が可能であるが、本条が特別法として適用される結果、事務総長の兼職禁止は絶対的なものとなっている。総裁及び人事官は、本条により兼職が絶対的に禁止されている結果、第一〇一条の規定は実質的に準用の余地がないものと考えるべきであろう。

公正取引委員会の委員長及び委員等の行政委員会の構成員についても、それぞれの法律により、営利企業を営むこと、金銭上の利益を目的とする業務を行うこと、内閣総理大臣の許可なくして報酬を得て他の職務に従事すること、議員の職を兼ねること等が禁止されている（私的独占の禁止及び公正取引の確保に関する法律三七　警察法一〇　行政手続における特定の個人を識別するための番号の利用等に関する法律四七　公害等調整委員会設置法一一　労組法一九の六　運輸安全委員会設置法一二　原子力規制委員会設置法一二）。非常勤の一般職の国家公務員である行政委員会の委員長及び委員については、兼職は禁止されていない。

地方公共団体の常勤の人事委員会の委員は、地公法の規定により、許可なくして営利企業の地位に就き、営利企業を営み、報酬を得て他の事務事業に従事することを禁止されている（地公法九の二、三八）。

二　公選による公職との兼職禁止

地公法上は、人事委員会及び公平委員会の委員は地方の議会の議員との兼職が禁止されている。人事官の場合には議員との兼職の禁止に関する規定はないが、過去五年以内に公選による公職（衆参両議院議員、地方公共団体の長及び議会の議員の職をいう。人規一四―五）の候補者となった者は、人事院規則の定めるところにより人事官になれないものとされている（法五4）。現に人事官である者が公選による公職の候補者となった場合に人事官の地位がどうなるかは、本法中には定めがないが、公選法により、立候補に制限のある公務員（公選法八九。人事官は立候補に制限がある公務員である。）が立候補したときはその公務員の職を辞したものとみなされる（公選法九〇）ため、公選による公職の候補者となった人事官はその地位を失うこととなる。

（人事院規則及び人事院指令）

第十六条　人事院は、その所掌事務について、法律を実施するため、又は法律の委任に基づいて、人事院規則を制定し、人事院指令を発し、及び手続を定める。人事院は、いつでも、適宜に、人事院規則を改廃することができる。

②　人事院規則及びその改廃は、官報をもつて、これを公布する。

③　人事院は、この法律に基いて人事院規則を実施し又はその他の措置を行うため、人事院指令を発することができる。

〔趣　旨〕

一　行政庁の発する命令

法治国家においては、行政は法律の定めるところに従って運営されなければならないが、現代の複雑化し、専門化した行政課題を国家が適切に処理していくために、あらかじめ全ての事項について法律を定立しておくわけにはいかないし、また、たとえ一時それを果たし得たとしても、変遷流転する社会現象との間に乖離が生じることが少なくない。そこで、現代国家においては、多くの行政分野において法律以外の法、すなわち行政庁の発する命令が重要な位置を占めるようになってきている。憲法においても第七三条で内閣の事務として政令を制定することを掲げ、命令の存在を積極的に認めている。

しかしながら、国民の代表者である国会の意思とは無関係に命令が発せられ、執行されることになれば、国民主権の憲法上の理念に反することとなる。また、大日本帝国憲法では、議会の制定する法律とは関係を持たない命令として独立命令が認められていると解されてきたため、種々の国民の権利を制限し、義務を課する勅令が発せられ、国民の福祉の観点から様々な問題が生じることとなった。憲法では、国会が唯一の立法機関として位置付けられていることから、命令には法律の委任に基づき定められるいわゆる委任命令と、法律を執行するために定められる執行命令の二種しか認められていない（内閣府設置法七　行組法一二）。

二　命令の種類

憲法では、命令の法源としては政令が認められているだけであるが、内閣府設置法及び行組法においては、「内閣総理大臣は、内閣府に係る主任の行政事務について、法律若しくは政令を施行するため、又は法律若しくは政令の特別の委任に基づいて、内閣府の命令として内閣府令を発することができる。」（内閣府設置法七）、「各省大臣は、主任の行政事務について、法律若しくは政令を施行するため、又は法律若しくは政令の特別の委任に基づいて、それぞれその機関の命令として省令を発することができる。」（行組法一二）旨の規定を置き、内閣府の長たる内閣総理大臣と各省大臣に命令発出権を付与しており、内閣府令及び省令が発せられている。加えて、内閣人事局の設置等に伴う内閣法の改正により、内閣官房令が設けられた（内閣法二五３）。また、これらの法律では「各委員会及び各庁の長官は、法律の定めるところにより、政令及び内閣府令以外の規則その他の特別の命令を自ら発することができる。」（内閣府設置法五八）、「各委員会及び各庁の長官は、別に法律の定めるところにより、政令及び省令以外の規則その他の特別の命令を自ら発することができる。」（行組法一三）旨定めており、具体的には公正取引委員会規則（私的独占の禁止及び公正取引の確保に関する法律七六）、国家公安委員会規則（警察法一二）、個人情報保護委員会規則（個人情報の保護に関する法律一四五）、公害等調整委員会規則（公害等調整委員会設置法一三）、公安審査委員会規則（公安審査委員会設置法一三）、労働委員会規則（労組法二六）、運輸安全委員会規則（運輸安全委員会設置法一六）、海上保安庁令（海上保安庁法三三の二）、原子力規制委員会規則（原子力規制委員会設置法二六）等の命令を発し得ることがそれぞれの法律により定められている。

内閣に対し独立の地位を有する（検査院法一）会計検査院は、検査院法第三八条に基づき会計検査院規則を発することができる。

なお、国会については議院規則を、裁判所については裁判所規則を制定することが憲法上認められており、また、地方公共団体は条例を、知事、市長、教育委員会などの地方公共団体の機関はそれぞれの規則を制定することが、憲法、地方自治法等によって認められている。

三　人事院の立法権限

本条は、内閣の所轄の下に置かれる機関である人事院に対し、法律を実施するため、又は法律の委任に基づいて、人事院規則を制定し、又は人事院指令を発出する権限を付与している。

我が国のいわゆる行政委員会は、行政機構の官僚化と政党による行政への介入を排除しながら、高度に専門的な行政を担わせるため、その構成員に専門能力を有した適切な人材を配し合議制により各府省から独立して行政上の意思決定を行わせることが、各行政委員会の所掌する行政分野の公正、かつ、民主的な運営にとって有益であるとの認識の下に設けられたものである。このような行政委員会制度導入の趣旨からすれば、程度の差こそあれ内閣を頂点とする通常の行政機関の系統からの職権行使の独立性を保障される必要があり、通常その独立性の保障は所管行政分野における行政権限行使の独立性の保障のほか、所管行政分野についての準立法的権限及び準司法的権限の付与とこれらの権限行使についての独立性の保障によって担保される場合が多い。

人事院は、行政委員会の一つであり、行政委員会共通の属性としての準立法的権限及び準司法的権限を保障される必要があるが、更に人事院は国家公務員について労働協約締結権及び争議権を否認していることに対する代償措置としての役割を有し、使用者たる政府と被用者たる公務員との間にあって中立的な立場に立って業務を行うことが求められており、その行政権限、準立法的権限及び準司法的権限の行使についての独立性の保障はより強力なものであることが要請されるといえよう。

このような要請に基づき、人事院の準立法的権限の保障は、①本法による人事院規則という形式の法源の創設、②人事院規則の制定、改廃について内容面での人事院の完全な自主性の保障、③内閣の承認を要しないなど人事院規則制定、改廃に関する手続面での独立性などを定めることにより具体化されている。

四　人事院規則の特質

公務員制度は、その基本を法律で定めることは当然であるが、現行の人事行政は極めて広範囲に及び、また、その内容は多岐にわたっているため、その細部までは到底法律に規定することはできず、また、人事行政については専門的、技術的な事項や情勢の変化に対応して柔軟に改定を要する事項などが数多く存するため、専門的な中立機関に対して立法の委任を行う方がより合目的的であると考えられたことが、人事院規則への委任の背景にある。したがって、命令をもって規定する事項が多くなることは必然的な結果であるといえよう。

さらに一般職の国家公務員（行政執行法人職員を除く。）の場合は、労働協約締結権が認められておらず、勤務条件法定主義が採られているが、民間の労使関係では個別の労働協約や就業規則で定められている細かな事項を全て法律で定めることは不可能であり、細則に委任することが不可避となる。その場合、使用者側である内閣や各府省の政省令に勤務条件の細則の決定を委任することは労働基本権を制約していることから適当ではなく、代償機関である人事院が代償機能の発揮として実務運用が可能となるよう勤務条件の細部にわたるまで基準を定めなければならない事情がある。なお、第一項後段の規定は、人事院が人事院規則の制定権を有する以上、その改廃をも適宜に行い得るはずであり、あえて明文の規定を置くまでの必要はないように思われるが、今述べたような人事院規則という法源を創設した事情等に鑑み、特に人事院規則の改廃についても言及したものと思われる。人事院規則の制定及び改廃については人事院の議決を要する（法一一6①）。

人事院規則の所管事項は、第一項に定められているとおり、人事院の所掌する事務の範囲の全てであり、政令その他の命令の所管を排除する専属的なものであると解されている。

人事院規則も他の命令と同様に法律を実施するため、及び法律の委任に基づいて定められるものである。人事院規則に委任をしている主な法律としては、本法のほかに、官吏任免法、給与法、補償法、国際機関派遣法、法人格法、育児休業法、勤務時間法、任期付研究員法、倫理法、官民人事交流法、任期付職員法、法科大学院派遣法、留学費用償還法、自己啓発等休業法及び配偶者同行休業法並びにこれらの法律の一部を改正する法律がある。

また、本法における人事院規則への委任事項を掲げれば次のとおりである。

第二条第三項第八号　特別職たる機関の長の秘書官のうち特別職の職員たる秘書官の指定
　　第一〇号　特別職の職員たる宮内庁職員の指定
　　第一六号　一般職の職員たる防衛省職員の指定
第五条第四項　政党所属関係による人事官の消極的資格要件
第六条第一項　人事官の宣誓の方式
第一二条第一項　人事院会議の開催の方式
　　第四項　人事院の事務処理の手続
　　第六項第八号　人事院の議決を経なければならない臨時的任用の承認等の例外
第一三条第二項　事務総局の組織及び法律顧問に関し必要な事項
第二一条　人事院の権限の委任
第三三条第四項　任用の根本基準の実施につき必要な事項であって職員の公正な任用の確保に関するもの及び免職の根本基準の実施につき必要な事項
第三五条　任命の方法の制限の例外
第三六条　競争試験による採用の対象となる係員の官職に準ずる官職、競争試験による採用の例外
第三八条　欠格条項の例外
第四四条　受験の資格要件

第四五条の三	採用試験の方法、試験科目、合格者の決定の方法その他採用試験に関する事項
第四七条第三項	採用試験の告知の方式
第四八条	採用試験の試験機関
第五〇条	採用候補者名簿の作成の方式
第五九条第二項	条件附採用に関し必要な事項及び条件附採用期間であって六月を超える期間を要するもの
第六〇条第一項	臨時的任用の方式
	臨時的任用の更新の方式
第六〇条の二第一項	定年前再任用短時間勤務職員の任用の方式、選考に係る情報及び適用除外官職の指定
第六一条	休職、復職、退職及び免職の方式
第六八条第三項	給与簿に関し必要な事項
第七〇条の七第一項	研修に関する報告要求の方式
第七一条第二項	能率の根本基準の実施につき必要な事項
第七四条第二項	分限、懲戒及び保障の根本基準の実施につき必要な事項
第七五条第一項	意に反する降任、休職、免職の事由
第二項	降給の事由
第七六条	欠格条項該当による失職の例外
第七七条	職員の離職に関する規定
第七八条	意に反する降任、免職の方式
第七八条の二柱書き	幹部職員の特例降任の方式
第一号	当該幹部職員が他の幹部職員に比して勤務実績が劣っているものとされる要件
第二号	特定の者が当該幹部職員より優れた業績を挙げることが十分見込まれる場合の要件
第三号	当該幹部職員について、他の官職の適性が他の候補者と比較して十分でない場合とされる

	要件、又は他の官職の職務を行う場合に他の職員より優れた業績を挙げることが十分見込まれる場合の要件、幹部職員の任用を適切に行うため当該幹部職員を降任させる必要がある場合
第七九条	意に反する休職の事由
第八〇条第一項	休職の期間
第八一条第二項	臨時的職員、条件付採用期間中の職員の分限に関し必要な事項
第八一条の二第一項	役職定年制の対象官職及び対象外官職の指定
第二項第一号	役職定年（管理監督職勤務上限年齢）が六二年となる管理監督職の指定
第二号	役職定年を六〇年とすることが著しく不適当と認められる官職の指定及びその職を占める職員の役職定年の指定
第三項	役職定年制の実施に関し必要な事項
第八一条の五第一項第一号	役職定年により公務運営に著しい支障が生ずると認められる事由の指定
第二号	役職定年により当該管理監督職の欠員補充が困難となり公務運営に著しい支障が生ずると認められる事由の指定
第三項	特定管理監督職群の指定及び役職定年により特定管理監督職群に属する管理監督職の欠員補充が困難となることで公務運営に著しい支障が生ずると認められる事由の指定
第五項	役職定年制及び管理監督職への任用の制限の特例に関し必要な事項
第八一条の六第二項	定年年齢六五年とすることが著しく不適当であると認められる官職を占める医師及び歯科医師その他の職員並びに六五年を超え七〇年を超えない範囲内の定年年齢
第八一条の七第一項第一号	定年退職により公務運営に著しい支障が生ずると認められる事由の指定
第二号	定年退職により当該職員が占める官職の欠員補充が困難となり公務運営に著しい支障が生ずると認められる事由の指定

第三項	勤務延長に関し必要な事項
第八二条第二項	辞職出向前の非違行為が懲戒処分の理由となる人事交流の対象とする法人の指定
第八三条第一項	停職の期間
第九二条第三項	不利益処分の審査の判定の再審査の方式
第九六条第二項	服務の根本基準の実施に関し必要な事項
第一〇二条第一項	制限される政治的行為
第一〇三条第二項	営利企業の経営の制限規定の適用除外の方式
第三項	株式の所有関係等についての報告を徴する方式
第四項	株式の所有関係等が職務遂行上適当でない旨通知する方式
第七項	株式の所有関係等を絶つか退職するかしなければならない期間
	株式の所有関係等を絶つか退職するかの方法
第一〇六条第一項	職員の勤務条件その他職員の服務に関し必要な事項
第一〇八条の二第四項	管理職員等の範囲
第一〇八条の三第一項	職員団体の登録の申請書に記載すべき事項、職員団体の登録の申請の方式
第五項	職員団体の登録及びその通知の方式
第六項	登録職員団体の登録の効力の停止及び取消しの方式
第九項	登録職員団体の規約等の変更の届出の方式
第一〇項	登録職員団体の解散の届出の方式
第一〇八条の五の二第一項	人事院規則の制定改廃に関する職員団体からの要請の方式
第一〇八条の六第六項	給与を受けながらする職員団体のための活動等の禁止の例外
附則第四条	職務と責任の特殊性に基づく本法の特例
附則第五条	本法施行の際有効な政府職員に関する法令の規定の改廃及び本法施行の際の経過的特例

附則第七条　当分の間における在籍専従期間の限度
附則第八条第二項　六五年から段階的に七〇年まで定年を引き上げる対象となる医師、歯科医師等の職員の指定
　第三項　六三年から段階的に六五年を超え七〇年を超えない範囲内まで定年を引き上げる対象となる庁舎管理その他の庁務等の業務に従事する職員の指定
　第四項　職務と責任の特殊性や欠員補充の困難性により段階的に六五年を超え七〇年を超えない範囲内まで定年を引き上げる職員の指定
　第五項　前項の職員に係る定年引上げ過程における段階的な定年年齢
附則第九条　情報提供・意思確認制度において提供すべき情報の内容や情報提供の手続、情報提供等を行う年齢を六〇年超とする職員及びその年齢等

なお、人事院の前身である臨時人事委員会も臨時人事委員会規則の制定権という準立法権を有していたが、臨時人事委員会は、内閣総理大臣の所轄の下に置かれる機関であったため、臨時人事委員会規則の制定、改廃に関しては内閣総理大臣の承認が必要であるとともに、臨時人事委員会規則の公布は内閣総理大臣が行うものとされているなど、その準立法権の内容は、行政委員会の独立性を担保するものとしては制約の多い不十分なものであった。昭和二三年の改正の際に、労働基本権の制約に対応して、人事院の独立性は強化され、内閣の所轄の下に置かれることとなり、人事院規則の制定、公布も現行のように改められたという経緯がある。

五　人事院規則に対する委任の限界

人事院規則に対する本法の委任の仕方には概括的なものが少なくないため、先に述べた国会が唯一の立法機関であることとの関係上、本法の人事院規則に対する委任の仕方は広範かつ概括的にすぎ、憲法に違反するのではないかという議論がある。特に本法第一〇二条が職員の政治的行為を制限するに当たり、禁止される政治的行為の範囲の決定をほぼ全面的に人事院規則に委ねていることが、憲法第七三条第六号の「政令には、特にその法律の委任がある場合を除いては、罰則を設けることができない。」とする憲法上の法律の委任の限界との関連でしばしば裁判上の争いにもなっている。この件に関しては

「国家公務員法第一〇二条第一項が人事院規則に委任した「政治的行為」は無制限ではなく、そこには一定の限界の存することが認められるが、その程度の限界の定め方は、全体の奉仕者である国家公務員がその中立性を維持する上からいってまことにやむを得ない制限といわざるを得ないから、その授権の方法は委任事項に関する限り適当であるというべく、……人事院は内閣の所轄の下にある官庁ではあるが、……①…官吏に関する事務は包括的に人事院に委任され、内閣としてはこれに干渉する制度が認められていない…②…人事官は身分保障を有し、内閣は任意にこれを罷免できない。③（省略）④人事院は自からその内部機構を管理し、国家行政組織法は人事院には適用がない…⑤人事院は…直接国会に対し報告、勧告、意見の申出…を提出できる…⑥（省略）ことなどからみて、人事院は一般の行政官庁とは著しく異った特殊の性格をもっている機関であり、政治的意図によって左右され難い官庁であることが明らかであるから国会がその立法権の一部を授権する相手方としては、人事院は通常の行政官庁よりもはるかに信頼度の高い機関であるということができる。かようにみてくると、国家公務員法第一〇二条第一項は、委任事項の内容からいうも、また委任の相手方たる機関の面からいっても、毫も不当なところはないから、その授権の仕方は相当であるというべく、従って同条項は憲法に違反しないのは勿論、これが罰則である同法第一一〇条第一項第一九号も違憲でないといわねばならない。」との判決がある（昭三〇・九・二〇東京高裁）。

また、鵜飼教授は「公務員の政治的行為の制限という、その基本的人権の根本にかかわる事項について、法律が極めて一般的な委任を、人事院規則に与えることが、憲法上の委任立法の限界をこえたものではないかという疑問は、かなり強い根拠のあるものである。恐らくこれに対するほとんど唯一の解答は、右の委任された機関が、通常の行政機関ではなくて、人事院という、この法律の完全な実施を確保するために特別に設けられた、独立性をもった機関だということであろう。」と述べている（鵜飼信成著『（新版）公務員法』二五六頁）。

昭和三八年二月一八日、当時の佐藤達夫人事院総裁がＩＬＯ第八七号条約の批准に伴う本法の一部改正法案に対して総理府総務長官に宛てた文書（昭三八・二・一八管管一六八）で述べた意見の中に、「……例えば、イ　任免、分限、懲戒の基準の設定、職階制、研修、政治的行為の制限等に関する事項を総理府の所掌とすることは、人事行政の公正確保、特に公務員の身分保障及び利益保護、中立性の確保の見地からみて相当とは認めがたい。ロ　勧告制度を存置するとしても、公務員に団交権が認められていないことにかんがみ、給与、勤務時間その他の勤務条件に関する事項を総理府の所掌とすることは、これらをいわば労使の当事者ともいうべき政府の決定に委ねるものであって、事柄の性質上、相当とは認めがたい。なお、公務員法、給与法等において人事院規則に大幅な委任がなされているのは、合議機関としての人事院の中立性、公平性に信頼してのものとされている。貴案では、現在人事院規則に委ねられている事項の大部分について、これを、政令、総理府令に代える措置をとられているが、右の観点からみてその中には事柄の性質に応じ、法律の規定に格上げする必要があるものがあると認められる。……」と記されている部分があるが、人事院規則への委任が通常の命令に対する委任に比べかなり広範にわたっていることと、その合憲性の論拠は合議機関としての人事院の中立性、公平性にもとめられることを人事院自らも認めたものであり、先の鵜飼教授の見解と通ずるものがある。

六　法令の公布

人事院規則の内容を国民一般にも広く知らしめるという趣旨から、人事院規則の制定改廃は、官報によって公布することとされている。

法令の公布とは、それぞれの法令の制定権者（法律の場合なら国会、人事院規則の場合は人事院）の下で既に適正に成立している法令を国民一般が了知し得る状態におく行為であり、法令施行の前提条件であると解されている。法令の公布により国民は自己の権利義務に関し、新たな法令がいかなる取扱いをしようとしているかという、その法令の内容、法令に違反した場合の罰則等を知るとともに、知ったものとみなされるという法的効果が生じる。

このような法的効果を生じさせる必要のない法令（例えば、国会の内部規律を定める議院規則等）については、関係者に対してその法令を通知するだけで十分であり、公布という手続を採ることを要しないものと考えられている。憲法改正、法律、政令及び条約については憲法第七条の規定により天皇の国事行為として公布が行われる。

七　人事院指令

人事院指令は、法律を実施するため、若しくは法律の委任に基づいて（法一六1）又はこの法律に基づいて人事院規則を実施し若しくはその他の措置を行うため（法一六3）に発せられる。法律を実施するために発せられる人事院指令としては、不利益処分の審査請求に対して人事院がその判定をなす場合（法九二）のもの等がある。法律の委任に基づいて発せられる人事院指令としては、本法制定後の各規定の経過的な逐次適用に関するもの（本法旧附則一2（令和三年一部改正法により削除））

等があった。この法律に基づいて人事院規則を実施する場合のものとしては、人規八―一八による試験機関を指定する人事院指令が挙げられる。また、この法律に基づいてその他の措置を行うための人事院指令としては、国家公務員給与等実態調査の実施に関するもの等がある（もっとも、本法の規定の逐次適用については、人規一―三によって措置されたため、実際には法律の委任に基づいて発せられた人事院指令はなかった。また、国家公務員給与等実態調査の人事院指令による実施は、昭和三七年調査までであり、現在は人事院事務総長名の依頼文で実施している。）。

人事院指令という制度は本法によって新たに設けられたものであるが、人事院規則が法令であるのに対し、人事院指令は行政処分と解されている。先に述べたように不利益処分の審査請求に対して人事院がその判定をなすについては人事院指令の形式によっているが、行政処分の本質上その人事院指令は特定の名宛人（請求者及び処分庁）に対して発せられている。

これらのほか、行政処分ではあるがその内容が一般的普遍的であるため、処分の効力が不特定多数の者にも及ぶ場合があり、このような場合の人事院指令の名宛人は各省各庁の長とされている。

このように人事院指令には、個別具体的な案件について処理するために発せられるものから、不特定多数の一般人にもその効果が及ぶいわゆる一般処分と呼ばれるものまであり、後者については実質上人事院規則と相違がないということもできよう。ただし、この場合にはその効果は処分の対象となる人が当該処分の内容を知り得べき状態に置かれていることが必要であると解すべきである。このような趣旨から、例えば、本法旧附則第九条（令和三年一部改正法により削除）の試験（在職高級公務員の再審査試験。いわゆるS―1試験）の対象となる官職を指定した人事院指令第一八号が昭和二四年一一月一二日付けの官報によって公布されたような例もある。しかしながら、一般的には人事院指令は先に述べたように関係者に対して送達されているので、公布の必要性はないといえよう。

〔解　釈〕

一　人事院規則の形式的効力

人事院規則は人事院が制定改廃する命令であり、その形式的効力は当然法律より劣る。内閣が制定改廃する政令との関係においては、所管事項が競合することがないため形式的効力の優劣を議論する実益はないとされているが、一般的には同等の形式的効力を有していると考えられており、内閣府令や内閣官房令、省令との関係においては、これらの法令に勝ると解されている（昭和四〇年の本法の改正の際、新たに中央人事行政機関となった内閣総理大臣の所掌事務に関する本法の下位法に対する委任の態様は、従前の人事院規則への委任から政令への委任に変更されたこと（人事記録に関し必要な事項を定める第一九条における委任、証人等として秘密事項の発表を行う際の所轄長の許可について定める第一〇〇条における委任等は、人事院規則から政令へ変更された。）をみても、そのことが窺われる。）。

二　人事院規則の形式的特色

人事院規則は、法律、政省令その他の国内法令と比べた場合に、その立法技術上特殊な点が多い。

まず、規則番号の与え方であるが、一般法令の場合、法令の種類ごとに暦年の一連番号が与えられるが（本法は昭和二二年に第一二〇番目の法律として制定されたものであるから、法令番号は昭和二二年法律第一二〇号である。）、人事院規則の場合には、その人事院規則が対象とする人事制度の種類ごとにあらかじめ定められているシリーズ別の系列番号の次に「―」（ダッシュ）及び通し番号を付した規則番号が与えられる。

人事院規則のシリーズ別の系列番号は総則から配偶者同行休業まで次のとおりに定められている。

総則	一―〇の系列
人事院	二―〇の系列
事務総長	三―〇の系列
任免	八―〇の系列
給与	九―〇の系列
研修及び能率	一〇―〇の系列
分限	一一―〇の系列
懲戒	一二―〇の系列
公平審査	一三―〇の系列
服務	一四―〇の系列
勤務時間、休日及び休暇	一五―〇の系列

災害補償　一六―〇の系列
職員団体等　一七―〇の系列
国際機関等派遣　一八―〇の系列
育児休業　一九―〇の系列
任期付研究員　二〇―〇の系列
官民人事交流　二一―〇の系列
倫理　二二―〇の系列
任期付職員　二三―〇の系列
法科大学院派遣　二四―〇の系列
自己啓発等休業　二五―〇の系列
配偶者同行休業　二六―〇の系列

例えば、人事院規則八―一二（職員の任免）は、任免というジャンルの人事制度について制定された第一二番目の人事院規則であり、人事院規則九―四〇（期末手当及び勤勉手当）は、給与というジャンルの人事制度について制定された第四〇番目の人事院規則であることを示している。なお、この一連番号はそれぞれのジャンルの人事制度の中で更に相当程度の完結性を有している制度について定める規則ごとに付与されることとなっており、既存の人事院規則の一部を改正する人事院規則については、昭和五九年以前においては、規則番号を付与することなく、もしその人事院規則を特定する必要があるときは、制定日付と改正される人事院規則の名称とによって特定していたが、同年立案方式の変更を行い、既存の人事院規則を改正する人事院規則についても、改正される人事院規則の規則番号に更に「―」及び番号を付して、これを規則番号とすることとされた。例えば人事院規則九―二四―四（人事院規則九―二四（通勤手当）の一部を改正する人事院規則）のごとくである。

次に、法令の施行期日や適用期日は、一般の法令の場合には附則中にその旨の規定を置くが、人事院規則の場合には、かつて新規制定の場合には規則番号の直後に施行期日や適用期日を明示する一方、既存の人事院規則を改正する人事院規則の場合には、その規則中には施行期日や適用期日を一切規定することなく、改正される人事院規則中の改正の対象となっている条項号等ごとに法文の末尾に改正後の規定がいつから効力を有するかということを示す意味で括弧書の施行期日や適用期日が加えられるという方法が採られていた。これも立案方式の変更により、一般の法令と同様、附則中に施行期日や適用期日に関する規定が置かれるようになった。ただし、立案方式の変更後、いまだ改正される機会のない人事院規則の中には、法文の末尾に「（昭和二九年七月二〇日施行）」という形の括弧書が残されている例が見受けられる。

なお、ここで令和五年四月一日現在効力を有している主な人事院規則を掲げれば、次のとおりである。

人事院規則一―〇（規則の法的根拠）
人事院規則一―一（規則の分類）
人事院規則一―二（用語の定義）
人事院規則一―三（法の規定の適用）
人事院規則一―四（現行の法律、命令及び規則の廃止）
人事院規則一―五（特別職）
人事院規則一―七（政府若しくはその機関又は行政執行法人と外国人との間の勤務の契約）
人事院規則一―九（沖縄の復帰に伴う国家公務員法等の適用の特別措置等）
人事院規則一―一二（日本国有鉄道退職希望職員及び日本国有鉄道清算事業団職員を採用する場合の任用、給与等の特例等）
人事院規則一―二四（公務の活性化のために民間の人材を採用する場合の特例）
人事院規則一―三四（人事管理文書の保存期間）
人事院規則一―三八（人事院関係法令に基づく行政手続等における情報通信の技術の活用）
人事院規則一―三九（構造改革特別区域における人事院規則の特例に関する措置）
人事院規則一―四五（人事・給与関係業務情報システムを使用する場合の人事関係手続の特例）
人事院規則一―五七（復興庁設置法の施行に伴う関係人事院規則の適用の特例等に関する人事院規則）

人事院規則一―一六四（職員の公益財団法人東京オリンピック・パラリンピック競技大会組織委員会への派遣）
人事院規則一―一六五（職員の公益財団法人ラグビーワールドカップ二〇一九組織委員会への派遣）
人事院規則一―一六九（職員の公益財団法人福島相双復興推進機構への派遣）
人事院規則一―一七二（職員の令和七年国際博覧会特措法第一四条第一項の規定により指定された博覧会協会への派遣）
人事院規則一―一七四（職員の公益財団法人福島イノベーション・コースト構想推進機構への派遣）
人事院規則一―一八〇（職員の令和九年国際園芸博覧会特措法第二条第一項の規定により指定された国際園芸博覧会協会への派遣）
人事院規則二―一〇（人事官の宣誓）
人事院規則二―一（人事院会議及びその手続）
人事院規則二―三（人事院事務総局等の組織）
人事院規則二―四（人事院の職員に対する権限の委任）
人事院規則二―八（人事院の顧問及び参与）
人事院規則二―九（人事院の法律顧問）
人事院規則二―一〇（国家公務員倫理審査会事務局の組織）
人事院規則二―一一（交流審査会）
人事院規則二―一二（人事院の職員に対する行政文書の開示に係る権限又は事務の委任）
人事院規則二―一三（人事院の職員に対する個人情報の取扱いに係る権限又は事務の委任）
人事院規則二―一四（人事院の職員の定員）
人事院規則二―一五（人事院の職員に対する個人情報の取扱いに係る権限又は事務の委任）
人事院規則三―〇（事務総長の権限）
人事院規則八―一二（職員の任免）
人事院規則八―一八（採用試験）

人事院規則八―二一（年齢六〇年以上退職者等の定年前再任用）
人事院規則九―一（非常勤職員の給与）
人事院規則九―二（俸給表の適用範囲）
人事院規則九―五（給与簿）
人事院規則九―六（俸給の調整額）
人事院規則九―七（俸給等の支給）
人事院規則九―八（初任給、昇格、昇給等の基準）
人事院規則九―一三（休職者の給与）
人事院規則九―一五（宿日直手当）
人事院規則九―一七（俸給の特別調整額）
人事院規則九―二四（通勤手当）
人事院規則九―三〇（特殊勤務手当）
人事院規則九―三四（初任給調整手当）
人事院規則九―四〇（期末手当及び勤勉手当）
人事院規則九―四三（休日給）
人事院規則九―四九（地域手当）
人事院規則九―五四（住居手当）
人事院規則九―五五（特地勤務手当等）
人事院規則九―八〇（扶養手当）
人事院規則九―八二（俸給の半減）
人事院規則九―八九（単身赴任手当）
人事院規則九―九三（管理職員特別勤務手当）

人事院規則九―九七（超過勤務手当）
人事院規則九―九九（給与法別表第一イの備考(二)等の規定の適用を受ける職員）
人事院規則九―一〇二（研究員調整手当）
人事院規則九―一〇七（再任用短時間勤務職員の俸給月額等の端数計算）
人事院規則九―一二一（広域異動手当）
人事院規則九―一二二（専門スタッフ職調整手当）
人事院規則九―一二三（本府省業務調整手当）
人事院規則九―一二九（東日本大震災及び東日本大震災以外の特定大規模災害等並びに新型コロナウイルス感染症及び特定新型インフルエンザ等に対処するための人事院規則九―三〇（特殊勤務手当）の特例）
人事院規則一〇―四（職員の保健及び安全保持）
人事院規則一〇―五（職員の放射線障害の防止）
人事院規則一〇―六（職員のレクリエーションの根本基準）
人事院規則一〇―七（女子職員及び年少職員の健康、安全及び福祉）
人事院規則一〇―八（船員である職員に係る保健及び安全保持の特例）
人事院規則一〇―一〇（セクシュアル・ハラスメントの防止等）
人事院規則一〇―一一（育児又は介護を行う職員の早出遅出勤務並びに深夜勤務及び超過勤務の制限）
人事院規則一〇―一二（職員の留学費用の償還）
人事院規則一〇―一三（東日本大震災により生じた放射性物質により汚染された土壌等の除染等のための業務等に係る職員の放射線障害の防止）
人事院規則一〇―一四（人事院が行う研修等）
人事院規則一〇―一五（妊娠、出産、育児又は介護に関するハラスメントの防止等）
人事院規則一〇―一六（パワー・ハラスメントの防止等）

人事院規則一一―四（職員の身分保障）
人事院規則一一―八（職員の定年）
人事院規則一一―九（定年退職者等の再任用）
人事院規則一一―一〇（職員の降給）
人事院規則一一―一一（管理監督職勤務上限年齢による降任等）
人事院規則一一―一二（定年退職者等の暫定再任用）
人事院規則一二―〇（職員の懲戒）
人事院規則一三―一（不利益処分についての審査請求）
人事院規則一三―二（勤務条件に関する行政措置の要求）
人事院規則一三―三（災害補償の実施に関する審査の申立て等）
人事院規則一三―四（給与の決定に関する審査の申立て）
人事院規則一三―五（職員からの苦情相談）
人事院規則一四―五（公選による公職）
人事院規則一四―七（政治的行為）
人事院規則一四―八（営利企業の役員等との兼業）
人事院規則一四―一七（研究職員の技術移転事業者の役員等との兼業）
人事院規則一四―一八（研究職員の研究成果活用企業の役員等との兼業）
人事院規則一四―一九（研究職員の株式会社の監査役との兼業）
人事院規則一四―二一（株式所有により営利企業の経営に参加し得る地位にある職員の報告等）
人事院規則一五―一四（職員の勤務時間、休日及び休暇）
人事院規則一五―一五（非常勤職員の勤務時間及び休暇）
人事院規則一六―〇（職員の災害補償）

人事院規則一六―二（在外公館に勤務する職員、船員である職員等に係る災害補償の特例）
人事院規則一六―三（災害を受けた職員の福祉事業）
人事院規則一六―四（補償及び福祉事業の実施）
人事院規則一七―〇（管理職員等の範囲）
人事院規則一七―一（職員団体の登録）
人事院規則一七―二（職員団体のための職員の行為）
人事院規則一七―三（職員団体等の規約の認証）
人事院規則一七―四（規則の制定改廃に関する職員団体からの要請）
人事院規則一八―〇（職員の国際機関等への派遣）
人事院規則一九―〇（職員の育児休業等）
人事院規則二〇―〇（任期付研究員の採用、給与及び勤務時間の特例）
人事院規則二一―〇（国と民間企業との間の人事交流）
人事院規則二二―〇（倫理法の適用を受けない非常勤職員）
人事院規則二二―一（倫理法又は同法に基づく命令に違反した場合の懲戒処分の基準）
人事院規則二二―二（倫理法又は同法に基づく命令の違反に係る調査及び懲戒の手続）
人事院規則二二―三（倫理法第四章の規定の適用を受ける行政執行法人の職員の官職）
人事院規則二三―〇（任期付職員の採用及び給与の特例）
人事院規則二四―〇（検察官その他の職員の法科大学院への派遣）
人事院規則二五―〇（職員の自己啓発等休業）
人事院規則二六―〇（職員の配偶者同行休業）

三　法令の公布

１　公布の方式

一般の法令の公布の方式について定めている法令はない。大日本帝国憲法下においては公式令（明四〇勅令六）第一二条の「前数条ノ公文ヲ公布スルハ官報ヲ以テス」の規定により法令の公布方式は明らかであった。しかしながら、憲法施行と同時に公式令は廃止され、これに代わる新法の制定が行われなかったため、現在は公布行為の方式について明らかでない面があり、政令第二〇一号違反等被告事件では「ラジオ放送による法令の周知」により公布がなされたといえるかどうかが争われた。最高裁は、公式令廃止後の状況下における法令公布の方法として官報以外の方法を採用する余地のあることを認めつつも、官報に代わる他の適当な方法で法令の公布を行うものであることが明らかにされない以上は、法令の公布は従前どおり、官報をもってすると解するのが相当であると判示し、昭和二三年政令第二〇一号の内容についてラジオ放送のあった時点から官報に掲載されたことにより一般国民が知り得べき状態に置かれるまでの間に行われた同令違反の行為について無罪を言い渡した（昭三二・一二・二八最高裁大法廷）。

しかしながら、学説は公式令廃止後の現状においては、官報によって法令の公布を行うという不文法の存在を認め、官報に代わる他の適宜の方法による法令の公布は認められないとの見解を有するものが多い。

人事院規則は本条の規定により官報によって公布することが明らかにされている。

人事院規則の公布は、人事院総裁の名によって行われる。

２　公布の時期

法令施行の前提として、その内容を国民に周知せしめるために法令の公布がなされることは〔趣旨〕六において述べたとおりであるが、それでは、どのような時点で公布がなされたこととなるかという問題がある。一般的にはその法令が掲載された官報の日付によればよいが、刑罰を適用する場合などは「時」によって議論する必要がある。

覚せい剤取締法違反容疑に問われた被疑者の実行行為の時期が、覚せい剤取締法違反行為に対する罰則を強化するため制定された覚せい剤取締法の一部改正法（昭二九法一七七）の公布の日であったため（その附則において同法は「公布の日から施行する。」旨定められていた。）、被疑者に対して改正前の軽い罰を科するか、改正後の重い罰を科するかが裁判上争われたことがある。最高裁は、一般の希望者が問題となっている官報を閲覧し又は購入しようとすればそれをなし得た最初の場所である印刷局官報課の官報閲覧室又は東京都の官報販売所に覚せい剤取締法の一部を改正する法律の内容が掲載されている官報が配布された「時」が、その法令の公布の時期であると判示した上、その「時」より後に行われた覚せい剤取締法違反の行為に関し、被疑者に対して改正後の重い罰を適用した例がある（昭三三・一〇・一五最高裁大法廷）。

四　人事院指令の形式的特色等

人事院指令についても、人事院規則と同様の方式による指令番号が付せられる。すなわち昭和二六年人事院指令一―一（指令の分類）によれば、人事院指令は次のようなシリーズに分類される。

一の系列　総則
二の系列　人事院
三の系列　人事院事務総長
八の系列　任免
九の系列　給与
一〇の系列　研修及び能率
一一の系列　分限
一二の系列　懲戒
一三の系列　公平審査
一四の系列　服務
一五の系列　勤務時間、休日及び休暇
一六の系列　災害補償
一七の系列　職員団体等
一八の系列　派遣
一九の系列　育児休業
二〇の系列　任期付研究員
二一の系列　官民人事交流

個々の人事院指令にはそれぞれの系列ごとに暦年ごとの一連番号が付されることになっている。人事院発足当時の人事院指令は系列別に分類されることなく、第一号から発出順に指令番号が付されていた。

人事院指令の発出は本法第一二条第六項に掲げられている人事院の議決を要する事項ではないが、不利益処分の審査請求に対する判定を人事院指令で行う場合その他同項に掲げられている事項を人事院指令により処理する場合には、人事院の議決が必要になる。もっとも実務上の扱いではそれ以外の人事院指令も人事院の議決を経て発出されている。

本条第一項の「手続を定める」については問題がある。「手続を定める」ことは行政機関がその所掌事務を遂行するに当たり、明文の規定を待つまでもなく当然になし得ることであり、それを本法があえて規定していることから問題が生じているものである。すなわち、同項で創設されている法源は、人事院規則及び人事院指令のみと解するか、そのほかに「手続」として第三の法源が予定されていると解するかの差であるが、ここでは前者の解釈を採用し、「手続を定める」とは内容的な事項――あえて規定するを要しない事項――が規定されていると解しておく。これによれば人事院がその所掌事務を遂行するに当たり手続を定める場合には、必要に応じ人事院規則、人事院指令、人事院細則（第一四条参照）その他の文書形式によることができることとなる。実務上もこのように取り扱われている。ただし、本法第一二条第四項では人事院の事務処理の手続に関し必要な事項は人事院規則で定めることとされており、人事院規則に定められていない任意の文書形式を選択することは許されていない。

鵜飼教授はこの「手続」を一種の法源として考える立場をとり、具体的には人事院細則がここでいう「手続」に当たるものと考えておられるようである。

（人事院の調査）

第十七条　人事院又はその指名する者は、人事院の所掌する人事行政に関する事項に関し調査することができる。

②　人事院又は前項の規定により指名された者は、同項の調査に関し必要があるときは、証人を喚問し、又は調査すべき事項に関係があると認められる書類若しくはその写の提出を求めることができる。

③　人事院は、第一項の調査（職員の職務に係る倫理の保持に関して行われるものに限る。）に関し必要があると認

めるときは、当該調査の対象である職員に出頭を求めて質問し、又は同項の規定により指名された者に、当該職員の勤務する場所（職員として勤務していた場所を含む。）に立ち入らせ、帳簿書類その他必要な物件を検査させ、又は関係者に質問させることができる。

④　前項の規定により立入検査をする者は、その身分を示す証明書を携帯し、関係者の請求があつたときは、これを提示しなければならない。

⑤　第三項の規定による立入検査の権限は、犯罪捜査のために認められたものと解してはならない。

〔趣　旨〕

一　強制的調査権

本条は、中央人事行政機関としての人事院が有する強制的調査権についての規定である。人事院は、行政的権限のみならず、準立法的権限及び準司法的権限を有しており、これらの権限を適正に行使して、人事行政の公正を確保し、職員の利益を保護する必要がある。この任務を遂行し、科学的な人事行政を確立するためには、人事院は、必要に応じ各府省等に対して調査を行い、公正な判断の前提となる資料を確実に入手する必要がある。このために、本法は、人事行政に関する事項についての広範な調査権を人事院に付与しているのである。なお、同じく中央人事行政機関である内閣総理大臣については、従来、調査権の規定はなかったが、平成一九年の本法改正により、職員の再就職等に関する規制が導入されるとともに、その実効性を確保するため、内閣総理大臣に職員の退職管理に関する事項のうち第一〇六条の二から第一〇六条の四までに規定するものに関する調査権が付与された（法一八の三）。これにより、本条の見出しは「（調査）」から現行の「（人事院の調査）」に改められている。

本条第二項は、証人喚問権と書類提出要求権を規定しており、罰則を伴う強制調査権の規定である。本項に基づいて証人として喚問され、虚偽の陳述をした者、証人として喚問され、あるいは書類又はその写しの提出を求められたが、正当な理由なくしてこれに応じなかった者、書類又はその写しの提出を求められ、虚偽の事項を記載した書類又は写しを提出した者は、それぞれ、三年以下の懲役（新刑法の施行日以降は、拘禁刑）又は一〇〇万円以下の罰金に処せられることとなっている（法一一〇１③～⑤（新刑法の施行日以降は、法一一〇１②～④））。

本条のほか、本法の各条において二のとおり特定事項についての調査、報告、研究等の権限及び責務を定められているが、準司法手続きに係る調査が本条によっているほか、その他の事項も必要に応じて本条を根拠として行うことができるのはいうまでもない。

ところで、本条第三項から第五項までは、倫理法の制定時に追加された規定である。当時、人事院の調査権及び懲戒権を公務員不祥事に際して発動させるためには、それらと任命権者の有する調査権及び懲戒権との役割分担に関する法的整備が必要であるとの認識の下、本条第三項から第五項までの規定を追加するとともに、それに併せて、倫理法において調査の端緒に係る任命権者から国家公務員倫理審査会への報告、任命権者及び国家公務員倫理審査会それぞれの調査及び懲戒についての定めが置かれ、任命権者と人事院に置かれる国家公務員倫理審査会との間の役割分担について法制的な整理が行われた。本条の調査権限のうち、職員の職務に係る倫理の保持に関して行われるものに限り、かつ、審査請求に係るものを除き、国家公務員倫理審査会に委任されている（法一七の二）。

第三項は、調査の対象である職員に対する質問権と立入検査権を規定している。これらの権限は、職務に係る倫理の保持に関して行われる調査に限り認められる。本項の規定による検査を拒み、妨げ、若しくは忌避し、又は質問に対して陳述をせず、若しくは虚偽の陳述をした者は、三年以下の懲役（新刑法の施行日以降は、拘禁刑）又は一〇〇万円以下の罰金に処せられることとなっているが、自己に不利益な供述の強要禁止（憲法三八１）の趣旨から、第一七条第一項の調査の対象である職員本人は罰則の対象から除外されている（法一一〇１⑤の２（新刑法の施行日以降は、法一一〇１⑤））。

第四項は、立入検査をする者は、その身分を示す証明書を携帯すること、関係者から請求があったときはそれを提示することを規定している。身分を示す証明書については、人規二二―二にその様式が定められている。

第五項は、立入検査権は犯罪捜査のために認められたものと解してはならないことを規定している。憲法第三五条との関係から、行政機関の職員が裁判官の令状なくして立入検査をすることについて違憲でないことを明らかにするために規定されているものである。

二　本条以外の調査権

本法が定める本条以外の個別的な「調査」には、次の三つの種類がある。

第一は、特定の事項に関し特定の者からの請求により人事院が行う調査である。勤務条件に関する行政措置の要求における「調査、口頭審理その他の事実審査」（法八七）、不利益処分審査請求における「調査」及び「口頭審理」（法九一1、2）、私企業からの隔離に関する審査請求の「口頭審理」及び「調査」（法一〇三6、7）である。

第二は、人事行政の諸制度の立案・改善に関する調査研究である。給与に関する法律に定める事項の改定に関する「調査研究」（法六七）、研修による職員の育成についての「調査研究」（法七〇の五3）、職員の能率の発揮・増進についての「調査研究」（法七一3）、定年に関する制度の実施に関する施策の「調査研究」（法八一の六）、補償制度の「研究」（法九五）、退職年金制度の「調査研究」（法一〇八）である。

第三は、適正な人事行政を確保するための調査である。離職後の就職に関する規制に関する「調査」（法一八の三）、管理職への任用状況についての「報告」を求めること（法六一の五1）、幹部候補育成課程の運用状況についての「報告」を求めること（法六一の一〇1）、給与簿の「検査」（法六九）、研修の実施状況についての「報告」を求めること（法七〇の七1）、人事院による懲戒権行使のための「調査」（法八四2）、株式所有関係についての「報告」を徴すること（法一〇三3）である。

以上の個別的調査権に基づく調査のほかに、一般職の国家公務員の任用状況調査、国家公務員給与等実態調査などは、本条自体に基づいて行われている。

ところで、昭和四〇年改正前の本条第一項においては、「官職についての就職状況、人事管理の状況その他人事行政に関する事項について調査することができる。」とされていたところであり、人事院の所掌する「人事行政に関する事項」全般にわたって調査を行うことができるとするのが本条の趣旨である（佐藤功・鶴海良一郎著『公務員法』一八頁）。したがって、本法以外の他の法律、例えば、給与法、勤務時間法、補償法等においてもそれぞれ人事院の行う調査について規定しているが（給与法二　勤務時間法二①　補償法二六、二七）、これらの法律に規定する調査においても一で述べたとおり、本条の調査として行うことができる。なお、補償法においては、同法に規定する人事院の調査に対する虚偽の報告、検査の拒否等に対して六月以下の懲役（新刑法の施行日以降は、拘禁刑）又は二〇万円以下の罰金が規定されている（補償法三四）。

三　行政執行法人の職員についての適用除外

行政執行法人労働関係法第三七条第一項は、行政執行法人の職員については、本法第一七条を適用しないこととしている。行政執行法人労働関係法第三七条は、昭和二七年の改正により、旧現業職員にも公共企業体等労働関係法（現行の行政執行法人労働関係法）が適用されたことに伴って設けられた規定（その後、独立行政法人制度の創設に伴って行政執行法人職員にも同条を適用）であり、その趣旨は、本法その他の法律規定のうち、一般職の国家公務員の身分と不可分のものを除き、労働組合の結成及び団体交渉を認めた趣旨に抵触するものの適用を除外し、それらの法律と公労法との関係を調整しようとするものであるとされている（峯村光郎著『公労法・地公労法：新コンメンタール』二六〇頁）。

このように、行政執行法人職員には本条の適用が除外されているが、不利益処分審査請求制度は行政執行法人職員に適用されていることから、その場合の証人等に関する人事院の調査権の根拠規定が問題となる。不利益処分審査請求に関して、本条が行政執行法人職員に適用されないことは、第一項についてみると、行政執行法人職員が行った不利益処分の審査請求は、「人事行政に関する事項」に当たるものではあるが、これを同項によって人事院は調査できないことを意味し、また、行政執行法人職員以外の一般職職員が行った不利益処分の審査請求に関し、行政執行法人職員を同項により調査の対象とすることもできないことを意味していると解される。次に、強制調査権を規定した本条第二項が行政執行法人職員に適用されないとは、行政執行法人職員は、同項によって証人として喚問することができず、また、行政執行法人職員に対して、同項によって書類又はその写しの提出を要求することができないことと解される。以上に述べたように、行政執行法人職員の不利益処分審査請求については、人事院は、本条による調査を行うことができないため、本法第九一条の「直ちにその事案を調査しなければならない。」との規定を根拠として調査を行っている。しかし、同条は、本法第一七条と異なり、罰則を伴う強制調査権ではないため、その調査には限界があるという問題がある。

人事院は、不当労働行為に関するものを除き、行政執行法人職員の不利益処分審査請求に関して審理を行う権限があり、審理の証人等に罰則が適用されるか否かは、労働者保護とは直接関係はなく、真実発見は請求者の保護にもなるのであるから、証人は行政執行法人職員か否かを問わず、罰則の適用があってもよいと考えられる。行政執行法人職員に本条を適用除外することには合理的な理由はなく、少なくとも行政執行法人職員の不利益処分審査請求の審理には、当然本条が適用されてしかるべきであり、行政執行法人職員について本条の適用を全面的に除外した行政執行法人労働関係法第三七条には問題があるといえよう。ただし、倫理法第四一条第二項では行政執行法人職員の一部も本条の調査対象としている。

なお、地方公務員の場合は、地方公営企業の企業職員には不利益処分に関する審査請求制度を適用しないこととされている（地方公営企業法三九）。

〔解　釈〕

調　査

人事院の「指名する者」には、事務総長その他の人事院の職員を指名する場合だけではなく、他の行政機関に委託する場合も含まれる。また、不利益処分審査請求に関する調査を行うために人事院により指名される公平委員及び設置される公平委員会は、本条の人事院の「指名する者」に当たるとされている（昭二四・一〇・三人事院議決）。指名の方法には特別の辞令を用いるなどの規定はないが、調査を受ける者の求めに応じて適宜の方法で指名を受けた者の資格を明らかにする必要があることから、一般に、調査の相手方に対して指名を受けた者の氏名を通知することが行われている。

「人事院の所掌する人事行政に関する事項」とは、本法第三条第二項に規定する人事院の所掌する事務に関する事項をいう。すなわち、人事院は、「法律の定めるところに従い、給与その他の勤務条件の改善及び人事行政の改善に関する勧告、採用試験（採用試験の対象官職及び種類並びに採用試験により確保すべき人材に関する事項を除く。）、任免（標準職務遂行能力、採用昇任等基本方針、幹部職員の任用等に係る特例及び幹部候補育成課程に関する事項（第三十三条第一項に規定する根本基準の実施につき必要な事項であつて、行政需要の変化に対応するために行う優れた人材の養成及び活用の確保に関するものを含む。）を除く。）、給与（一般職の職員の給与に関する法律（昭和二十五年法律第九十五号）第六条の二第一項の規定による指定職俸給表の適用を受ける職員の号俸の決定の方法並びに同法第八条第一項の規定による職務の級の定数の設定及び改定に関する事項を除く。）、研修（第七十条の六第一項第一号に掲げる観点に係るものに限る。）の計画の樹立及び実施並びに当該研修に係る調査研究、分限、懲戒、苦情の処理、職務に係る倫理の保持その他職員に関する人事行政の公正の確保及び職員の利益の保護等に関する事務をつかさどる。」とされており（法三2）、これらの人事行政全般にわたる調査を行うことができ、各府省、職員、民間人を調査の対象とすることができる。国が職員に貸与する宿舎、職員が公務のために旅行する場合に支給される旅費、療養の給付、退職年金等の共済給付、職員が長期間勤続して退職する場合に支給される退職手当等については、それぞれ宿舎法、旅費法、共済法、退手法に規定され、財務省又は内閣人事局の所管となっているが、これらの他府省が所掌する事項についても、人事院は、職員の勤務条件の改善ないし職員の利益の保護等の観点から、人事行政改善の勧告（法二二）、法令の制定改廃に関する意見の申出（法二三）を行うことができるものであり、そのための調査を行うことができるものと解される。

「必要があるとき」の判断は、人事院又は指名された者が行うものであるが、その判断には客観性がなければならない。本法上の個別的な調査権限の規定は、この必要性を客観的に明確化したものでもある。「証人」とは、具体的な事実の有無等につき、自己の経験により知り得たところを供述する者である。「書類」とは、文字その他の記号の組合せによって思想的意味を表現した紙片等の有形物をいい、電磁的記録も含まれる。書類提出要求権には、報告を求めることも含まれる。

本条第二項については、罰則をもって担保されていることから、自己に不利益な供述の強要禁止の観点から、疑惑の対象となっている職員本人には同項の権限は及ばないと解されている。一方、本条第三項は、先に述べたとおり倫理法の制定時に創設されたものであるが、同項の質問権及び立入検査権は調査の対象である職員をも対象とする。これは、倫理法の制定に当たり、同法違反が疑われる事案について実態を解明するためには、疑惑の対象となっている職員についても調査を行うことが必要であることから、罰則の対象から除いた上で調査の対象としたものである。

本条第三項の立入検査については、裁判官の令状を要しないが、他方、捜索及び押収にわたるようなことはできない。また、立入検査は、その対象となる私人の権利の制約となることから、その範囲は合理的に必要最小限とする必要があるため、調査の対象である職員の勤務する場所及び職員として勤務していた場所に限定して認められている。

職員が職務上知ることができた秘密についての守秘義務は、人事院の調査の際、人事院から求められる情報に関しては例外とされている（法一〇〇４）。

（国家公務員倫理審査会への権限の委任）

第十七条の二　人事院は、前条の規定による権限（職員の職務に係る倫理の保持に関して行われるものに限り、かつ、

第九十条第一項に規定する審査請求に係るものを除く。）を国家公務員倫理審査会に委任する。

〔趣　旨〕

第一七条の規定による人事院の調査権限のうち、職員の職務に係る倫理の保持に関して行われるものを、国家公務員倫理審査会に委任する規定である。

〔解　釈〕

第一七条の規定による人事院の調査権限のうち、職員の職務に係る倫理の保持に関して行われるものであって、かつ、第九〇条第一項に規定する審査請求の審査に係るもの以外のものは、本条により、国家公務員倫理審査会に委任されている。

国家公務員倫理審査会は、倫理法又は倫理法に基づく命令（倫理法第五条第三項の規定に基づき各省各庁の長が定める当該各省各庁に属する職員の職務に係る倫理に関する訓令及び第五条第四項の規定に基づき行政執行法人の長が定める当該行政執行法人の職員の職務に係る倫理に関する規則を含む。）に違反する行為について、調査を行い、懲戒処分を行う権限を有している。この調査権限の根拠となるのが本条の規定である。

本法において、懲戒処分は、組織秩序維持の観点から任命権者の権限とされているが（法八四1）、任命権者が適時適切な処分を行わなかったりした場合には人事院も懲戒処分を行うことができることとされ（法八四2）、その際には第一七条の調査が活用されることも想定されている。

公務に対する国民の信頼を確保するためには、職員が不祥事を行った疑いがあるときは、それについて調査を行い、その調査結果に基づいて懲戒処分その他必要な措置を採ることが必要である。調査は、通例、組織を管理し職員の服務を統督する各省各庁の長が行うが、身内の調査であることから限界があるのではないかという批判があった。このため、倫理法制定時に、国家公務員倫理審査会は、任命権者が行う調査・処分を監督するとともに、場合によっては自ら調査を行い、懲戒処分を行うことができる権限を付与することとされ、人事院が有していた調査権及び懲戒権を活用することとして、国家公務員倫理審査会を人事院に設置して、人事院の調査権及び懲戒権の行使を国家公務員倫理審査会に委任するという枠組みが採られた。

なお、不祥事に関する調査を行うには、倫理法による改正前の本法第一七条の規定では本人尋問を行うことができないこと（第一七条第二項の規定により証人喚問に応じなかった場合に罰則の対象となるため、不祥事の疑いがある職員について同項の証人喚問を行うと自己に不利益な供述の強要となるため、不祥事の疑いのある職員本人は同項の証人喚問の対象ではないと解されていた。）、立入検査を行うことができないことから、十分ではなかった。このため、倫理法制定時に、調査の対象となる職員本人については罰則の対象から除外した上で（法一一〇1⑤の2（新刑法の施行日以降は、法一一〇1⑤））証人喚問の権限が設けられるとともに、職員の勤務場所に対する立入検査を行う権限が設けられた（法一七3）。

また、従前の本法第一七条及び第八四条第二項では、調査を行い、懲戒処分を行うについて、人事院と任命権者との権限関係が十分に整理されておらず、人事院による懲戒権行使の前例はなかった。このため、倫理法第二二条から第三二条までの規定を通じて、倫理法等違反の行為に係る調査及び懲戒に関しての国家公務員倫理審査会と任命権者との関係について、まずは任命権者が調査し、懲戒処分を行うことを基本としつつ、審査会はその調査に関与し、懲戒処分を行う旨の勧告を行うことができ、更に必要なときは自ら調査し懲戒処分も行うことができる旨、整理された。

すなわち、任命権者は、職員に倫理法又は倫理法に基づく命令に違反する行為を行った疑いがあると思料するときは、その旨を審査会に報告しなければならない（倫理法二二）。審査会は、任命権者に調査を行わせることができ、その際には、任命権者から報告を受け、任命権者に意見を述べることができる（倫理法二三、二四）。審査会は、任命権者と共同して調査を行うこともできる（倫理法二五）。任命権者は、職員に倫理法又は倫理法に基づく命令に違反する行為があることを理由として懲戒処分を行おうとするときは、あらかじめ、審査会の承認を得なければならない（倫理法二六）。

審査会は、職員に倫理法又は倫理法に基づく命令に違反する行為を行った疑いがあると思料する場合であって、職員の職務に係る倫理の保持に関し特に必要があると認めるときは、自ら調査を行うことができる（倫理法二八）。調査の結果、任命権者において懲戒処分を行うことが適当であると思料するときは、審査会は、任命権者に対し、懲戒処分を行うべき旨の勧告をすることができる（倫理法二九）。また、審査会は、調査を経て、必要があると認めるときは、当該調査の対象となっている職員を自ら懲戒手続に付することができる（倫理法三〇）。

（給与の支払の監理）

第十八条　人事院は、職員に対する給与の支払を監理する。

②　職員に対する給与の支払は、人事院規則又は人事院指令に反してこれを行つてはならない。

〔趣　旨〕

給与の支払の監理

人事院は、給与に関する事務を所掌するが（法三②）、本条は給与に関する事務のうち給与の支払を監理することが、人事院の権限であることを明らかにしたものである。本条に基づいて、給与の支払に関しては、本法第六八条から第七〇条までに個別の規定が置かれている。

第六八条から第七〇条までの個別規定とは別に包括的規定として本条が設けられた理由は、現実の給与の支払事務は人事院が自ら行うのではなく、各府省が行うことになっていることに鑑み、適正妥当な給与の支払を給与制度及び給与実施実務の両面から確保することについて、人事院が最終的な権限及び責務を有することを明らかにしておくためと解される。なお、本条の規定に違反して給与を支払った者等には、罰則の適用がある（法一一〇⑥、一一一）。

〔解　釈〕

一　監理の意義

「人事院は、職員に対する給与の支払を監理する。」と規定されているが、「監理」とは、ある人又はある機関の行為が、その遵守義務に違反することなく行われているかどうかを監視し、それが正しく行われるよう指導統制することをいうものと解されている。類義語として「監督」という語があるが、「監督」の場合は、監督を行う者はその行為の処理に関する当面の責任を負わないのに対して、「監理」の場合には、監理を行う者も責任を分担することを意味することがある（民法三二七、建築士法（昭二五法二〇二）二⑦）。本条の「監理」も人事院の権限を明らかにするとともに、その責務を示しているものと解される。

給与の支払の監理の方法としては、①給与の支給及び支払手続に関する法律及び人事院規則を整備すること、②給与簿制度を設けるとともに、給与簿の検査を実施すること、③違法・不当な支払が明らかになった場合には、これを是正させるなどの所要の措置を採ることなどが考えられる。

二　対象となる給与

本条の対象となる給与は、一般職の職員（行政執行法人の職員を除く。）が受ける全ての給与を指すものと解されるので、人事院がその実施に責任を持つ給与法等に基づく給与に限らず、検察官の給与、寒冷地手当などの他の法令を根拠として支払われる給与も含まれることになる。なお、これらの人事院が実施の責を有しない法令を根拠として支払われる給与に関しては、人事院は専ら本法第六八条以下の給与簿検査等の方法によって、給与の支払の監理を行うこととなる。

三　給与の支払に関する法令の意義

本条第二項は、給与の支払は、人事院規則又は人事院指令に反してこれを行ってはならないと定めており、支払の根拠法令としては人事院規則及び人事院指令のみが示されている。しかしながら、給与の支払に関しては、本法はもちろん、給与法（三、七、九、九の二、一一の二、一五など）その他の関係法令に規定があり、これらの法令に違反してはならないことは当然のことと解される。

なお、給与の支払に直接関係する人事院規則としては人規九―五及び人規九―七がある。

（内閣総理大臣）

第十八条の二　内閣総理大臣は、法律の定めるところに従い、採用試験の対象官職及び種類並びに採用試験により確保すべき人材に関する事務、標準職務遂行能力、採用昇任等基本方針、幹部職員の任用等に係る特例及び幹部候補育成課程に関する事務（第三十三条第一項に規定する根本基準の実施につき必要な事務であつて、行政需要の変化に対応するために行う優れた人材の養成及び活用の確保に関するものを含む。）、一般職の職員の給与に関する法律第六条の二第一項の規定による指定職俸給表の適用を受ける職員の号俸の決定の方法並びに同法第八条第一項の規定による職務の級の定数の設定及び改定に関する事務並びに職員の人事評価（任用、給与、分限その他の人事管理の基礎とするために、職員がその職務を遂行するに当たり発揮した能力及び挙げた業績を把握した上で行われる勤務成績の評価をいう。以下同じ。）、研修、能率、厚生、服務、退職管理等に関する事務（第三条第二項の規定により人事院の所掌に属するものを除く。）をつかさどる。

②　内閣総理大臣は、前項に規定するもののほか、各行政機関がその職員について行なう人事管理に関する方針、計画等に関し、その統一保持上必要な総合調整に関する事務をつかさどる。

〔趣　旨〕

一　政府の使用者としての責任体制の整備

昭和四〇年のＩＬＯ第八七号条約の批准に伴う関係国内法改正の一環として、内閣総理大臣が人事院とともに中央人事行政機関となった。

政府が人事管理に関し責任を負うべきであるとする意見は、昭和二三年にＧＨＱの強い指導の下に、人事行政の中立性・公正性の確保等を目的として政府から独立した人事院が設立されて以来、繰り返し主張されてきた。これによれば、行政についての最終責任を負う内閣が職員の人事管理に関する責任を有しているので、内閣が人事行政の総合調整を行う必要があるとされた。

昭和四〇年の中央人事行政機関に関する規定の改正は、ＩＬＯ第八七号条約の批准による職員団体に関する規定の整備に伴い、前述のような従来からの論議も踏まえ、正常な労使関係を確立、維持することを目的として、政府の責任体制を整備するために行われたものである。

すなわち、ＩＬＯ第八七号条約の批准により職員団体の役員に国家公務員以外の者の就任が可能になるなど職員団体の自主性の確立が図られることに対して、人事行政に関する中立機関、労働基本権制約の代償機関である人事院とは別に、使用者である政府を代表する機関——人事・労務担当機関——を明確にすることを目的として内閣総理大臣を中央人事行政機関として定め、その責任を明らかにすることとしたのである。その後、この内閣総理大臣の役割は、平成一九年改正及び平成二六年改正により拡大強化されている。

二　内閣総理大臣の事務

本条で規定する内閣総理大臣の事務は、採用試験の対象官職及び種類並びに採用試験により確保すべき人材に関する事務、標準職務遂行能力及び採用昇任等基本方針、幹部職員の任用等に係る特例及び幹部候補育成課程に関する事務、指定職俸給表の適用を受ける職員の号俸の決定の方法並びに職務の級の定数の設定及び改定に関する事務、職員の人事評価、研修、能率、厚生、服務、退職管理等に関する事務及び各行政機関が行う人事管理に関する方針、計画等に関し、統一保持上必要な総合調整に関する事務である。

このうち、標準職務遂行能力及び採用昇任等基本方針に関する事務、人事評価、退職管理に関する事務は、平成一九年の本法の改正により、勤務評定に代えて人事評価制度が導入されたこと、再就職あっせんの禁止や事後規制が導入されたこと等に伴って能力・実績主義の人事及び公務員の再就職の適正化のために内閣総理大臣の事務に加えられたものであり、具体的な事務の内容は本法の各条の定めるところとされている。退職管理の事務の一部は本法によって設置された官民人材交流センターと再就職等監視委員会に委任されている。

また、指定職俸給表の適用を受ける職員の号俸の決定の方法並びに職務の級の定数の設定及び改定に関する事務（会計検査院及び人事院の職員に関する事務を除く。）は、平成二六年の本法改正によって、内閣総理大臣の事務となったものである。

能率、厚生、服務に関する事務は、昭和四〇年の本法改正の際に、採用試験の対象官職及び種類並びに採用試験により確保すべき人材に関する事務、研修に関する事務は、平成二六年の本法改正の際に、それぞれ人事行政の公正の確保、職員の利益の保護等の事務以外のものとして人事院から内閣総理大臣に移管されたものである。ただし、本条第一項括弧書で明示されているように、これらに関する事務であっても人事院の所掌に属するものは除かれる。例えば、能率については、その根本基準の実施につき必要な事項は、人事院が人事院規則により制定するものであり（法七一２）、内閣総理大臣は、それを前提として職員の能率の発揮及び増進について計画を樹立するなどの事務を行うものである（法七三）。

総合調整に関する事務は、中央人事行政機関たる内閣総理大臣の人事管理の責任体制の確立のための事務である。従来、各府省職員の人事管理は、法律及び人事院規則等に基づいて専ら各任命権者が行っていたが、昭和四〇年に本条が設けられたことにより内閣総理大臣は各任命権者が行う人事管理に関する方針、計画等に関し、その統一保持上必要な総合調整を行うことができることとなったものである。なお、これらの内閣総理大臣の事務は総理府総務長官（国務大臣）が補佐することとされ、総理府においてこれを担当する部局として人事局が設置された。

その後、昭和五六年に設置された第二次臨時行政調査会は、その翌年の第三次答申において政府の総合調整機能の強化を求め、人事、組織による調整機能を高めるため、総理府人事局と組織定員を管理する行政管理庁を統合し、総合管理庁を設置することを提言した。この提言に基づき、昭和五九年七月総務庁が設置された。

さらに、平成一三年の中央省庁再編に伴い、総務庁が廃止され、新たに設けられた総務省において、これらの中央人事行政機関たる内閣総理大臣の事務の補佐事務が所掌されることとなった。

平成二六年の本法等の一部改正の際に、内閣法等の改正が行われ、中央人事行政機関としての内閣総理大臣の事務については従前の総務省のような補佐機関（中央省庁等改革基本法別表第二備考一、平成二六年改正前の総務省設置法四②）を置くことなく、内閣総理大臣が自ら行うこととし、それを担当する部局として、内閣官房に内閣人事局が置かれた。

三　中央人事行政機関相互と各任命権者との関係

中央人事行政機関である人事院及び内閣総理大臣の相互の関係と、中央人事行政機関と各任命権者との関係はおよそ次のとおりである。

人事院と内閣総理大臣の関係は、中央人事行政機関として基本的に並列的な関係にある。

人事院は、中立的、第三者的、専門的な人事行政機関として、勧告及び公平審査の機能のほか、試験・任免、給与、分限、懲戒等その所掌に属する事項について各府省職員の人事管理に関する基準の設定等を主たる任務としており、この面では内閣総理大臣と競合するところはない。また、能率、服務についてもその根本基準の設定機能を保有しているので、この面では内閣総理大臣は、人事院が定める各根本基準を前提として能率、厚生、服務等の事務を処理することとなる。さらに研修についてもそれぞれの立場に応じて所管することとされている。

また、各任命権者は、人事院の設定した基準や内閣総理大臣が定めた人事評価の基準やその他の能率、服務等に関する指針に従って所属する職員の管理を行う責任を負っている。内閣総理大臣の「総合調整」については、任命権者はあくまで、採用昇任等基本方針や退職管理基本方針に従って人事管理に関する方針、計画等を決めて、個別人事を行うこととなるが、それらの方針や計画等について政府全体としての統一保持上必要な場合に内閣総理大臣の総合調整を受けることになる。

〔解　釈〕

一　内閣総理大臣

中央人事行政機関としての内閣総理大臣の事務は、一部は内閣府設置法により内閣総理大臣（内閣府）の分担管理事務とされ、官民人材交流センターや再就職等監視委員会が置かれている。また、残りの事務は内閣法により内閣官房による内閣補助事務と位置付けられているが、平成二六年の本法改正の際の内閣法の改正により、内閣官房に係る主任の行政事務についての内閣総理大臣による閣議請議の規定や法令の形式として内閣官房令が新設されたことなどを踏まえれば（内閣法二五2、3）、実質的には内閣総理大臣が主任の大臣として分担管理する事務ともいえなくはない。

二　所掌事務

本条で規定する内閣総理大臣の所掌事務は、「採用試験の対象官職及び種類並びに採用試験により確保すべき人材に関する事務、標準職務遂行能力、採用昇任等基本方針、幹部職員の任用等に係る特例及び幹部候補育成課程に関する事務、一般職の職員の給与に関する法律第六条の二第一項の規定による指定職俸給表の適用を受ける職員の号俸の決定の方法並びに同法第八条第一項の規定による職務の級の定数の設定及び改定に関する事務並びに職員の人事評価、研修、能率、厚生、服務、退職管理等に関する事務（第三条第二項の規定により人事院の所掌に属するものを除く。）」及び「各行政機関がその職員について行なう人事管理に関する方針、計画等に関し、その統一保持上必要な総合調整に関する事務」である。これらの事務のうちでも採用試験や任用に関する事務の基本的事項は、本法が直接定めるところとなっている。

1　標準職務遂行能力に関する事務

標準職務遂行能力については本法第三四条に定められている。

すなわち、内閣総理大臣は、政令で定める職務の種類と係員、係長、課長補佐、課長など職制上の段階に応じて、職制上の段階の標準的な官職の職務を遂行する上で発揮することが求められる能力を定めることとされている（法三四）。職制上の段階は、採用、昇任等の任用の定義の基礎となる（法三四）ほか、採用試験において検証される能力（法四五）、選考による採用（法五七）、昇任・転任・降任（法五八）や人事評価制度においても職責を計る重要な概念となる。

標準職務遂行能力は平成一九年の国家公務員法の改正で新設されたものであり、具体的な定めは、標準的な官職を定める政令（平二一政令三〇）、標準職務遂行能力について（平成二一年内閣総理大臣決定）により行われている。

２　採用昇任等基本方針に関する事務

採用昇任等基本方針については本法第五四条に定められている。中央人事行政機関としての内閣総理大臣は従前から総合調整権を有していたが、その実効性に関する規定を欠いていた。平成一九年の本法の改正により、内閣総理大臣は、職員の採用、昇任、降任及び転任に関する制度の適切かつ効果的な運用を確保するための基本的な方針の案を作成し、閣議の決定を求めなければならない（法五四1）との規定が新設され、これにより各省大臣は、その方針の下で人事管理を行うことが法律上求められることになった。

各省大臣は、公務員人事を適正に実施するため本法及び人事院の定める人事院規則などのルールに従って任命権を行使するが、採用、昇任等の具体的な任命権の行使について内閣として閣議決定が行われれば、これに従って行使することが求められる。採用昇任等基本方針は、こうした人事権の行使についての運用方針についての内閣としての基本的な方針を定めるものであり、これ以外にも省庁間交流などについて各種の人事に関する方針の閣議決定が行われてきている。

採用昇任等基本方針は平成二一年三月三日に閣議決定され、同年四月一日から適用された。また、平成二六年の本法の改正に伴い、同六月二四日に同基本方針の改定の閣議決定がなされている。

また、平成一九年の本法改正では、内閣の基本的な人事管理方針の一つとして内閣総理大臣が退職管理に関する事務の中で退職管理基本方針を定めることも追加されている（法一〇六の二六）。

３　幹部職員の任用等に係る特例及び幹部候補育成課程に関する事務

幹部職員の任用等に係る特例については、第三章二節第六款（法六一の二―六一の八）に、幹部候補育成課程については、同節第七款（法六一の九―六一の一二）に定められており、いずれも平成二六年の本法の改正により新設されたものである。

幹部職員の任用等に係る特例及び幹部候補育成課程に関する事務は、政府全体（防衛省を含む。）として責任を持って一元的に管理する必要があることから、本条により、中央人事行政機関である内閣総理大臣の所掌に属するものとされている。

幹部職員の任用等に関する特例としては、適格性審査及び幹部候補者名簿（法六一の二）、幹部候補者名簿に記載されている者の中からの任用（法六一の三）、内閣総理大臣及び内閣官房長官との協議に基づく任用等（法六一の四）、管理職への任用に関する運用の管理（法六一の五）、任命権者を異にする管理職への任用に係る調整（法六一の六）、人事に関する情報の管理（法六一の七）が定められている。なお、適格性審査及び幹部候補者名簿に関する政令については、公正確保の観点から、人事院の意見を聴いて定めることとされている（法六一の二⑥）。

また、幹部候補育成課程については、各大臣等は、幹部職員の候補となり得る管理職員としてその職責を担うにふさわしい能力及び経験を有する職員を育成するための課程を設けることとされており、この課程は、内閣総理大臣の定める基準に従い、運用するものとされている（法六一の九）。また、内閣総理大臣は、幹部候補育成課程の運用の管理を行うこととされている（法六一の一〇）。

内閣総理大臣は、これらの事務を所掌することにより、各大臣等が行う幹部候補者の育成から管理職員、幹部職員の人事までの一連の人事管理に一定の関与を行うことになる。

4　指定職俸給表の適用を受ける職員の号俸の決定の方法並びに職務の級の定数の設定及び改定に関する事務

指定職俸給表の適用を受ける職員の号俸の決定の方法に関しては、給与法第六条の二、職務の級の定数の設定及び改定に関しては同法第八条第一項及び第二項に規定されている。

平成二六年の本法及び給与法の改正により、それまで人事院が所掌していた指定職俸給表の適用を受ける職員の号俸の決定の方法並びに職務の級の定数の設定及び改定（以下「級別定数の設定及び改定等」という。）に関する事項については、組織管理の側面を持つことから、内閣総理大臣の所掌に属するものとされた。しかしながら、同時に、指定職職員の号俸決定や職務の級の定数は給与決定の基本をなすという点で勤務条件の側面を有するものであり、労働基本権制約の代償機能が十分に確保される必要があることから、内閣総理大臣は、級別定数の設定及び改定等に当たって職員の適正な勤務条件の確保の観点からする人事院の意見を聴取し、これを十分に尊重することとされている。この人事院の意見は、労働基本権制約の代償機能として行われるものであり、人事院勧告と同様の性格のものである。

実際に級別定数の設定及び改定案は、毎年の予算編成過程において、人事院が各府省の給与処遇等の現状を踏まえ、労使双方の意見も聴取して勤務条件確保の観点に立って作成する職務の級の定数の設定・改定案を意見として内閣総理大臣に提出し、内閣総理大臣はそれに基づいて定数の設定・改定を行うことが基本となる。

なお、会計検査院及び人事院の指定職俸給表の適用を受ける職員の号俸並びに両院の職員の職務の級の定数の設定及び改定については、これらの機関が内閣から独立した機関であり、人事・組織が内閣から独立していることから、引き続き内閣の所轄の下に置かれる人事院が定めることとされている（給与法六の二2、八2）。

5　人事評価、研修、能率、厚生、服務、退職管理等に関する事務

(一)　人事評価に関する事務

人事評価に関しては本法第七〇条の二から七〇条の四までに規定されている。

国家公務員の評価制度については、本法の制定当初から勤務評定制度が設けられており、人事委員会（昭和二三年の第一次改正以降は人事院）の事務とされていたが、昭和四〇年の改正により、引き続き根本基準の実施に関し必要な事項は人事院規則で定めることとするものの、勤務評定の実施の手続と記録に関する事項は能率の事務の一部として内閣総理大臣の事務とされた。しかしながら、管理運営事項とされた勤務評定は職場での労使対立の対象とされ、その趣旨どおりには運用されなかった。

その後、民間において、能力・実績主義人事制度の拡大に伴って人事考課・人事評価が定着したことを踏まえ、公務においても、平成一九年の本法改正により勤務評定制度に替えて人事評価制度が導入され、新たに本法に「第三章第四節　人事評価」が設けられた際に、内閣総理大臣の事務として特記されることとなったものである。

内閣総理大臣は、人事評価の基準及び方法に関する事項その他人事評価に関し必要な事項を、人事院の意見を聴いた上で立案し、政令で定める（七〇の三2）こととされている。この政令としては人事評価の基準、方法等に関する政令（平二一政令三一）が定められている。

(二)　研修に関する事務

研修に関しては本法第七〇条の五から七〇条の七までに規定されている。

国家公務員の研修制度については、「第三章第五節能率」の一環として定められ、人事院の事務とされていたが、平成二六年の本法改正により、新たに「第三章第四節の二研修」が設けられ、①研修の根本基準の実施につき必要な事項を人事院の意見を聴いて政令で定めること（法七〇の五2）、②幹部育成課程対象者の政府全体を通じた育成又は内閣の重要施策に関する理解を深めることを通じた行政各部の施策の統一性の確保の観点から行う研修を計画・実施すること（法七〇の六1②）、③内閣総理大臣及び関係庁の長が行う研修についての計画の樹立及び実施に関し、その総合的企画及び関係各庁に対する調整を行うこと（中央人事行政機関たる人事院の計画・実施する研修は対象とならない。）（法七〇の六3）等が内閣総理大臣の事務とされた。

他方、人事院は、同改正により、国民全体の奉仕者としての使命の自覚及び多角的な視点等を有する職員の育成並びに研修の方法に関する専門的知見を活用して行う職員の効果的な育成の観点から、自ら研修を計画・実施するとともに（法七〇の六1①）、研修における公正性の確保のため、研修の根本基準の実施に関する政令の制定・改廃についての意見表明（法七〇の五2）、内閣総理大臣及び関係庁の長の計画・実施する研修について監視、報告聴取、是正指示（法七〇の六5、七〇の七）を行うこととされている。

㈢　能率・厚生に関する事務

職員の能率・厚生に関しては、本法第七一条から第七三条の二までに規定されており、内閣総理大臣の事務と人事院の事務とが整理されている。

人事院は、人事行政の公正の確保及び職員の利益の保護等の観点から、能率の根本基準の実施に必要な事項を所掌し、その他能率に関する事務は基本的には内閣総理大臣の所掌である。

内閣総理大臣の所掌に属する事務は次のとおりである。

①　職員の能率の発揮及び増進についての調査・研究及び適切な方策の実施（法七一3）
②　保健、レクリエーション、安全保持及び厚生についての計画の樹立及び実施（法七三1）
③　②に関する総合的企画及び関係各庁に対する調整及び監視（法七三2）

なお、右の②に関しても本法の根本基準の実施に必要な事項は人事院の所掌とされているので、例えば、レクリエーションについては人事院規則一〇―六（職員のレクリエーションの根本基準）が制定され、これを受けてレクリエーション行事の運用について総理府総務副長官依命通知（「職員のレクリエーション行事の実施について」（昭四一・二・一九総人局九三））が各省各庁宛てに発出されている。

（四）　服務に関する事務

職員の服務に関しては、本法第九六条から第一〇六条までに規定されているが、このうち服務の根本基準の実施に必要な事項の制定（法九六②）、政治的行為の制限に関する事務（法一〇二）、私企業からの隔離に関する事務（法一〇三）及び勤務条件その他職員の服務に関し必要な事項の制定（法一〇六）は、人事院の所掌とされており、その他の服務に関する事務は、内閣総理大臣の所掌である。具体的に列挙すると、服務の宣誓（法九七）、法令遵守義務（法九八）、信用失墜行為の禁止（法九九）、秘密を守る義務（法一〇〇）、職務専念義務（勤務条件の基準としての性格を有する事項は人事院）（法一〇一）、他の事業又は事務の関与制限（法一〇四）及び職員の職務の範囲に関する事務（法一〇五）である。また、職務に係る倫理の保持に関する事務は人事院（国家公務員倫理審査会）の所掌とされている（法三の二）。

職員の服務については、その根本基準の実施に関する事項は人事院が定め、その実施は各任命権者が行うので、内閣総理大臣の実際の事務は、服務の宣誓及び兼業の許可に関する政令の制定のほか、前述した事項について各省庁の調整、指導等を行うことである。

（五）　退職管理に関する事務

退職管理に関しては本法第一八条の三及び第一八条の五に規定があるほか、第一〇六条の二から第一〇六条の二七までに定められている。

国家公務員の退職管理については、本法制定時から官民癒着を防止するため、営利企業への再就職承認制度が設けられ、人事行政の公正の確保の事務として人事委員会（昭和二三年の第一次改正以降は人事院）の事務とされてきたが、営利企業だけでなく特殊法人や公益法人を含めた職員の再就職（いわゆる天下り）に対する批判が高まったことなどにより、平成一九年の改正により抜本的な改正が行われ、内閣の責任の下で厳正な退職管理を実現する観点から内閣総理大臣の事務とされたものである。

新しく設けられた退職管理に関する規制の具体的な内容は、
① 他の役職員の再就職についての依頼等の規制（いわゆる「あっせん禁止」）（法一〇六の二）
② 在職中の求職の規制（法一〇六の三）
③ 再就職者による依頼等の規制（いわゆる「働きかけ規制」（法一〇六の四））
であり、これらの事務に関する調査や承認の事務は、本法により再就職等監視委員会に委任されている（法一八の四）。

一方、内閣総理大臣は、
④ 職員の離職に際しての離職後の就職の援助（法一八の五1）
の事務を行うとされ、この事務は本法により官民人材交流センターに委任されている（法一八の六）。

このほか、
⑤ 再就職の状況に関する報告及び公表（法一〇六の二五）
⑥ 退職管理基本方針案の作成（法一〇六の二六）
⑦ 営利企業等への再就職後の公表（法一〇六の二七）
などの事務が退職管理に関する事務として本法に規定されている。

㈥　その他の事務

その他、内閣総理大臣が所掌する事務としては、各府省の行う人事管理に関する総合調整を行うための前提として本法第一九条に規定されている人事記録に関する事務及び本法第二〇条による人事統計報告に関する事務がある。

また、国家公務員の定年制の導入に伴い、各府省が行う定年の事務の調整、定年制度の実施に関する施策の調査・研究等が内閣総理大臣の事務とされている（法八一の六）。

6　総合調整に関する事務

内閣総理大臣の総合調整作用は、各府省の人事管理を改善するための企画、調整をすることを目的としており、その内容は、各任命権者が行う人事管理について、政府全体としての統一性を持たせるために、方針を立て、計画を作成し、指導を行うことである。この権限は、各任命権者が行う人事管理の全般に及ぶものであるが、方針、計画等に関するものであることから、個別の任命行為に及ぶものではない。具体的に総合調整に関する事務を令和四年度における人事管理運営方針（第二五条〔解釈〕参照）でみると、今年度特に注力すべき重点項目として、業務効率化・デジタル化の推進等、マネジメント改革の推進、人材確保・育成に関する戦略的アプローチが挙げられているほか、継続的に取り組む項目として、服務規律の確保と倫理の確立、勤務時間管理の徹底と長時間労働の是正、仕事と生活の両立支援等、多様な人材の確保と育成、能力及び実績に基づく人事管理の徹底、女性職員の活躍推進、シニア職員の活用、健康の増進等、適正な退職管理の推進、労務管理の充実、非常勤職員の制度の適正な運用及び処遇改善の取組の推進等が挙げられている。

なお、昭和五七年に行われた第二次臨時行政調査会の第三次答申は、この総合調整権に触れ、「各省庁間の過度のセクショナリズムを打破するため、人事管理に関する総合調整機能を十分発揮すべきである。」とし、具体的な機能として、幹部職員等の人事交流の積極的推進、省庁間の配置転換のための施策の推進、特定専門技術職等の職員の採用、昇進等の調整を推進することなどを挙げている。

（内閣総理大臣の調査）

第十八条の三　内閣総理大臣は、職員の退職管理に関する事項（第百六条の二から第百六条の四までに規定するものに限る。）に関し調査することができる。

②　第十七条第二項から第五項までの規定は、前項の規定による調査について準用する。この場合において、同条第二項中「人事院又は前項の規定により指名された者は、同項」とあるのは「内閣総理大臣は、第十八条の三第一項」と、同条第三項中「第一項の調査（職員の職務に係る倫理の保持に関して行われるものに限る。）」とあるのは「第十八条の三第一項の調査」と、「対象である職員」とあるのは「対象である職員若しくは職員であつた者」と、「同項の規定により指名された者に、当該職員」とあるのは「当該職員」と、「立ち入らせ」とあるのは「立ち入り」と、「検査させ、又は関係者に質問させる」とあるのは「検査し、若しくは関係者に質問する」と読み替えるものとする。

〔趣　旨〕

一　再就職等規制に関する調査権

本条は、中央人事行政機関としての内閣総理大臣が再就職等規制に関して有する調査権についての規定である。

平成一九年の本法改正によって、職員の退職管理に関する事項については、政府として職員の再就職（いわゆる天下り）問題に関する国民からの批判を受け止める必要があり、行政運営自体に責任を持つ内閣総理大臣がつかさどることとされた（平成一九年の本法改正について、第一〇六条の二に関する解説も参照。）。その際、当該事項のうち本法第三章第八節第一款の離職後の就職に関する規制（第一〇六条の二の他の役職員の再就職についての依頼等の規制、第一〇六条の三の在職中の求職の規制及び第一〇六条の四の再就職者による依頼等の規制。いわゆる再就職等規制）に関し、調査権が定められたものである。再就職等規制の違反の疑いがある行為について調査を行う場合は、本条が基本的な根拠となる。

当該改正の前まで中央人事行政機関としての内閣総理大臣には調査権限は認められていなかったが、新たに内閣総理大臣の事務とされた再就職等規制は、官民の癒着の原因となって公務の公正で能率的な運営に対する国民の信頼を損ねるおそれの高い行為を禁止するものであり、その実効性を確保するために再就職等監視委員会への権限委任を前提にしつつ、これに関する調査権限が規定されたものである。

なお、特別職の国家公務員ではあるが、行政執行法人の役員又は役員であった者及び自衛隊員のうち定年年齢が六〇歳以上とされる一般定年等隊員については、本条第一項の規定が準用されるなど、内閣総理大臣（再就職等監視委員会）の下で一般職と同様の取扱いがされることとなっている（独立行政法人通則法五四、自衛隊法六五の八等（平二六法二二により追加））。

二　調査権の内容

本条による再就職等規制に関する調査権の内容としては、本条第二項が、本法第一七条第二項及び第三項を準用し人事院（国家公務員倫理審査会）が有するものと同様の罰則を伴う強制調査権を内閣総理大臣に付与することによって、実効性のある厳正な調査を確保しようとしている。調査手続については、本条第二項において、人事院（国家公務員倫理審査会）の調査に係る本法第一七条第四項及び第五項が準用されている。

本法には、再就職等規制に関して、本条の調査のほかに、再就職等規制違反行為が疑われる場合の調査の規定がある。その本法第一〇六条の一九及び第一〇六条の二〇に規定する（再就職等監視委員会による）調査は、本条に規定する調査の具体的な態様であって、調査権の内容・手続としては本条の一部と理解されるものである。

なお、本条（第一八条の四）は行政執行法人の職員又は職員であった者に対しても適用されるのに対し、人事院（国家公務員倫理審査会）の調査権限（第一七条（第一七条の二））については、行政執行法人労働関係法第三七条により、行政執行法人の一般職員への適用は除外されている（ただし、倫理審査会の調査権限は行政執行法人の管理監督職員に対して適用される（倫理法四二））（第一七条関係〔趣旨〕三参照）。

〔解　釈〕

一　調　査

本条による調査は、「職員の退職管理に関する事項（第百六条の二から第百六条の四までに規定するものに限る。）」に関し行われる。

職員の再就職等規制の遵守は、一義的には、服務の義務を負っている職員とその服務を統督すべき各府省等において確保されるべきものである。しかし、従来各府省における退職管理の一環として行われていた職員の再就職の支援が批判の対象となったことなどから、平成一九年の本法改正により、そのような批判を受け止めつつ、行政運営自体にも責任を持つ内閣総理大臣に、後述のとおり独立機関である再就職等監視委員会に権限委任することを前提として、再就職等規制に関する調査権限が付与されている。実際の調査は、同委員会において、本法第一〇六条の一九又は第一〇六条の二〇の規定に従って実施される。当該調査については、それらの規定において再就職等監察官に行わせることができると規定されており、再就職等監察官は同委員会に委任された罰則を伴う強制的調査権限を行使できる。

本条第一項は、調査を行うことができる旨を明らかにしている基本的な規定である。本条第二項では、この本条第一項の調査について、人事院の調査権に関する本法第一七条第二項から第五項までの規定を準用している。これにより、内閣総理大臣の調査においても、本法第一七条第二項及び第三項の証人喚問権などの罰則を伴う強制調査権が行使され得るところとなる。また、内閣総理大臣による調査に関し適用される罰則も人事院（国家公務員倫理審査会）による調査に関する罰則と同じである。

二　本法第一七条第二項から第五項までの準用

本条第二項による準用により読み替えられた本法第一七条第二項から第五項までの規定は、それぞれ次の①から④までのとおりである。

①　内閣総理大臣は、第一八条の三第一項の調査に関し必要があるときは、証人を喚問し、又は調査すべき事項に関係があると認められる書類若しくはその写の提出を求めることができる。（第一七条第二項の読替）

②　内閣総理大臣は、第一八条の三第一項の調査に関し必要があると認めるときは、当該調査の対象である職員若しくは職員であった者に出頭を求めて質問し、又は当該職員の勤務する場所（職員として勤務していた場所を含む。）に立ち入り、帳簿書類その他必要な物件を検査し、若しくは関係者に質問することができる。（第一七条第三項の読替）

③　前項の規定により立入検査をする者は、その身分を示す証明書を携帯し、関係者の請求があつたときは、これを提示しなければならない。（第一七条第四項の読替）

④　第三項の規定による立入検査の権限は、犯罪捜査のために認められたものと解してはならない。（第一七条第五項の読替）

内閣総理大臣が行使できる具体的な調査権限は、証人喚問、書類提出要求、調査対象である職員又は職員であった者への質問及び立入検査である。その解釈については、当該各権限が本法第一七条第二項自体により付与される人事院（又は国家公務員倫理審査会）のものと同じであるため、罰則に関する事項も含めて、同項等に関する解釈と同様である。

読み替えられた本法第一七条第二項には、紙による文書を指す「書類」とあるが、電磁的な形態を採る記録についても「書類」に含まれるものと解する。特に再就職等規制違反を疑われる行為は、主に関係者間の情報のやりとりによるものと想定されるところであり、当該行為に係る調査の際には、近年の有力な情報伝達手段である電子メール等の電磁的記録が調査すべき事項に関係あるものとして重要となることは言うまでもない。

また、読み替えられた本法第一七条第三項には、職員に加えて「職員であった者」に対する質問権限が定められている。これは主に、本法第一〇六条の四のいわゆる働きかけ規制（再就職者による依頼等の規制）について、規制される働きかけ行為の行為主体が再就職した元職員であることから、調査の対象となった元職員本人からの事情聴取を予定したものである。各府省における職員に対する服務統督権限は元職員にまでは及ばないことからも、規制違反の疑いのある行為をした本人である元職員に対する質問権限を内閣総理大臣（再就職等監視委員会）に付与することが必要となる。この際、自己に不利益な供述の強要禁止の趣旨から、元職員についても本項に係る罰則の対象からは除外されている。また、同じ元職員に関する調査といっても、元職員の現に「勤務する場所」に対する立入検査権限が付与されているわけではない。なお、職員が職務上知ることができた秘密についての守秘義務は、調査権限の委任を受けた同委員会の再就職等監察官が行う調査に関して例外とされている（法一〇〇5）。

（再就職等監視委員会への権限の委任）

第十八条の四　内閣総理大臣は、前条の規定による権限を再就職等監視委員会に委任する。

〔趣　旨〕

本法第一八条の三の内閣総理大臣の調査権限は、全て、内閣府に設置された再就職等監視委員会に委任される。したがって、同委員会の再就職等規制に関する調査権限の根拠となるのが本条の規定である。

再就職等監視委員会は独立して職権行使することを保障される委員会であり、委員長及び委員は国会同意の手続を経て任命される。同委員会は当時中央人事行政機関たる内閣総理大臣の補佐機関であった総務省でなく、内閣府に設置されているが、これは各府省等の任命権者や民間法人の幹部等を調査するなどの任務を担う同委員会は内閣総理大臣の直接の管理下に置くべきものと考えられたためである。その際、厳正・公正な調査を確保するため、自らが任命権者の立場も有している内閣総理大臣から独立機関である同委員会へ権限の委任が行われたものである。こうした調査はもともと職務遂行の独立性を保障された機関が行うことに適した性質のものであり、法第一八条の三の調査権限は本条による同委員会への権限委任を前提にして設けられている。

〔解　釈〕

一　委任される権限の内容

本条の規定に基づき委任される権限は、再就職等規制に関する調査権（法一八の三1）の全てであり、これには、強制調査権（証人喚問権、書類提出要求権、調査対象である職員又は職員であった者への質問権及び立入検査権（法一八の三2））も含まれる。再就職等監視委員会は、独立機関として、自己の名においてこれらの調査権を行使できる。

二　再就職等監視委員会

再就職等監視委員会についての詳細は設置規定等の条文に関する解説に譲るが、同委員会は内閣総理大臣の調査権限が委任されることを前提に設置されており、客観的に公正な調査が行われるよう、法律上、委員長及び委員の資格要件、任命手続、身分保障等について定められている。

（内閣総理大臣の援助等）

第十八条の五　内閣総理大臣は、職員の離職に際しての離職後の就職の援助を行う。

②　内閣総理大臣は、官民の人材交流（国と民間企業との間の人事交流に関する法律（平成十一年法律第二百二十四号）第二条第三項に規定する交流派遣及び民間企業に現に雇用され、又は雇用されていた者の職員への第三十六条ただし書の規定による採用その他これらに準ずるものとして政令で定めるものをいう。第五十四条第二項第七号において同じ。）の円滑な実施のための支援を行う。

〔**趣　旨**〕

一　職員の離職に際しての就職の援助

かつては各府省等の人事当局等により、退職管理の一環として離職する職員に対して再就職あっせんが行われてきた。この各府省等による再就職あっせんは、各府省等が有する予算や権限等を背景にした優越的地位に基づくものなのではないかとの批判を招き、本条が追加された平成一九年の本法改正では、職員が他の役職員の再就職をあっせんする行為は公務の公正性に対する国民の信頼を損なうおそれがあるとして禁止され（法一〇六の二参照）ることとなった。この結果、各府省等による再就職あっせんはできないこととなった。

一方、高年齢者等の雇用の安定等に関する法律（昭四六法六八）第四条第一項では、雇用する高年齢者等について再就職の援助等を行うことにより、その意欲及び能力に応じた雇用の機会の確保等が図られるよう努めることが事業主の責務として定められており、同項の規定は国家公務員にも適用があるものとされている。

こうした状況を踏まえ、本条第一項の規定により職員の離職に際しての離職後の就職の援助を内閣総理大臣の事務と位置付けた上で、後述のとおり、各府省等の予算や権限から距離を置く専門的な機関である官民人材交流センターを内閣府に設置し、職員の離職に際しての離職後の就職の援助を一元的に行わせることとしたものである。

なお、本条第一項及び第二項の内閣総理大臣の事務は、中央人事行政機関としての事務と位置付けられる。

二　官民人材交流の円滑な実施のための支援

本条第二項の「官民の人材交流」における交流は、官民人事交流法に基づく民間企業等との交流をはじめ、大学等の非営利法人も含む幅広い国以外の法人と各府省等が行う任期付職員法や中途採用制度の各種制度を活用するもの全般を想定したものとなっている。内閣総理大臣は、この官民の人材交流の円滑な実施のため、事実行為としての支援を行うこととされ、その事務は官民人材交流センターが行うこととされている。

〔解　釈〕

一　職員の離職に際しての就職の援助

「離職に際しての」離職後の就職とは、離職に当たって、離職と一連とみなされる就職を意味するものである。例えば、離職前から就職の援助を行っているが就職に至らないまま先に離職した職員については、一定期間引き続き援助を行うことも想定し得るが、既に離職後一回就職した者について、二回目の就職の援助を行うことは、「離職に際しての離職後の就職の援助」には当たらないものと解される。

「職員の離職に際しての離職後の就職の援助」を行うため、官民人材交流センターの職員は本法第一〇六条の二第一項に規定する再就職の「あっせん行為」を行うことができることとされている（法一〇六２③）が、「官民人材交流センターに委任する事務の運営に関する指針」（平二六・六・二四内閣総理大臣決定）により、組織の改廃等により離職を余儀なくされることとなる職員についてのみ、官民人材交流センターは同項に規定されている行為を直接行うことができるものとされている。

　なお、退手法第八条の二に規定する早期退職募集制度の施行に伴い、「民間の再就職支援会社を活用した再就職支援の実施について」（平二五・八・二六官民人材交流センター長決定）に基づいて、平成二五年一〇月より官民人材交流センターが再就職支援会社と費用負担に関する契約を締結し、職員が再就職支援会社から受ける再就職支援に係る費用を負担するという形での再就職支援が行われているが、このような再就職支援も「職員の離職に際しての離職後の就職の援助」に含まれるものとされている。

二　官民の人材交流の範囲

　内閣総理大臣がその円滑な実施のための支援を行うこととなる「官民の人材交流」の範囲については、本条第二項に明示されている官民人事交流法に基づく交流派遣及び民間企業に現に雇用されている者等の職員への選考採用のほか、これらに準ずるものを政令で定めることとされている。官民の人材交流の範囲を定める政令（平二〇政令三九二）において、交流派遣に準ずるものとして、研究休職による研究機関への派遣、法科大学院派遣法に基づく派遣などが、民間企業に現に雇用されている者等の職員への選考採用に準ずるものとして、官民人事交流法に基づく交流採用、任期付職員法に基づく採用などが規定されている。なお、退職手当通算法人（法一〇六の二③参照）に定年前の復帰を前提として一時的に退職して出向するいわゆる退職出向については支援の対象には含まれない。

三　円滑な実施のための支援

　官民人材交流の支援業務として、官民人材交流センターは、各府省等及び民間企業等に対する官民人材交流に関する情報提供、官民人材交流に関する制度やその運用状況に関する広報、人事院及び内閣人事局とともに構築した「官民人事交流推進ネットワーク」を通じての支援に携わっている。なお、以上の本条第二項に基づく内閣総理大臣の支援業務は、あくまで交流等に関する既存の各制度を前提に、それらの円滑な実施のための事実行為として行われるものであり、これら各制度の所掌等に影響を及ぼすものではない。

（官民人材交流センターへの事務の委任）

第十八条の六　内閣総理大臣は、前条に規定する事務を官民人材交流センターに委任する。

②　内閣総理大臣は、前項の規定により委任する事務について、その運営に関する指針を定め、これを公表する。

〔趣　旨〕

内閣総理大臣が行うこととされている前条の事務は本条により官民人材交流センターに委任される。前条に規定する職員の離職に際しての離職後の就職の援助、官民の人材交流の円滑な実施のための支援については、その事務の性質上、各府省等が有する予算や権限等を背景とした優越的な地位に基づいて行われているのではないかとの疑念を招くことのないように行う必要がある。このため、内閣府に中立的な機関である官民人材交流センターを設置し、これらの事務を行わせることとされたものである。一方、官民人材交流センターに委任されているこれらの事務は、退職管理の適正化や公務組織の活性化等の政府全体を通ずる国家公務員の人事管理の観点を持って行われるべき事務であることから、権限を委任した内閣総理大臣（内閣官房）が一定程度関与する必要があるとの考えに基づき、平成二六年の本法改正により本条第二項が追加されている。権限の委任では、通常、権限そのものが受任者に移り、委任者に指揮監督権は残らないが、本条は特に委任者が委任する事務の運営に関する指針を定めることを認めている。同項の規定に基づき、「官民人材交流センターに委任する事務の運営に関する指針」（平二六・六・二四内閣総理大臣決定）が定められている（「権限の委任」については第二一条参照）。

（官民人材交流センター）

第十八条の七　内閣府に、官民人材交流センターを置く。

②　官民人材交流センターは、この法律及び他の法律の規定によりその権限に属させられた事項を処理する。

③　官民人材交流センターの長は、官民人材交流センター長とし、内閣官房長官をもつて充てる。

④　官民人材交流センター長は、官民人材交流センターの事務を統括する。

⑤　官民人材交流センター長は、官民人材交流センターの所掌事務を遂行するために必要があると認めるときは、関係行政機関の長に対し、資料の提出、意見の開陳、説明その他必要な協力を求め、又は意見を述べることができる。
⑥　官民人材交流センターに、官民人材交流副センター長を置く。
⑦　官民人材交流副センター長は、官民人材交流センター長の職務を助ける。
⑧　官民人材交流センターに、所要の職員を置く。
⑨　内閣総理大臣は、官民人材交流センターの所掌事務の全部又は一部を分掌させるため、所要の地に、官民人材交流センターの支所を置くことができる。
⑩　第三項から前項までに定めるもののほか、官民人材交流センターの組織に関し必要な事項は、政令で定める。

〔趣旨・解釈〕

本条は、官民人材交流センターの設置、所掌事務及び組織について定めている。

官民人材交流センターは、内閣府設置法第四〇条第二項に規定する内閣府本府に置かれる特別の機関であり、その長は内閣官房長官をもって充てることとされている。

本条第二項の「他の法律の規定によりその権限に属させられた事項」としては、行政執行法人の役員に対する第一八条の五第一項に規定する事務（独立行政法人通則法五四1）のほか、自衛隊員のうち定年年齢が六〇歳以上とされている一般定年等隊員に対する第一八条の五第一項に規定する事務（自衛隊法六五の一〇2（平二六法二二により追加））がある。

本条第一〇項に基づく政令として官民人材交流センター令（平二〇政令三九一）が制定されており、官民人材交流センターに審議官一人を置くこと、官民人材交流センターの内部組織は内閣府令で定めることなどが規定されている。

（人事記録）

第十九条　内閣総理大臣は、職員の人事記録に関することを管理する。

②　内閣総理大臣は、内閣府、デジタル庁、各省その他の機関をして、当該機関の職員の人事に関する一切の事項に

ついて、人事記録を作成し、これを保管せしめるものとする。
③　人事記録の記載事項及び様式その他人事記録に関し必要な事項は、政令でこれを定める。
④　内閣総理大臣は、内閣府、デジタル庁、各省その他の機関によつて作成保管された人事記録で、前項の規定によるる政令に違反すると認めるものについて、その改訂を命じ、その他所要の措置をなすことができる。

〔趣　旨〕

人事記録の管理

本条は、科学的、統一的な人事行政の運営に資するための人事記録に関する制度を定めている。職員に関する正確な人事記録は、任命権者にとって人事管理を行うための基礎的な資料であることはもとより、中央人事行政機関にとっても、統一性のある公正な人事行政を実現するために極めて重要な資料である。

人事記録の作成、保管の責任は、内閣府、デジタル庁（、復興庁が廃止されるまでの間は復興庁（復興庁設置法附則三①））、各省その他の機関にあり、人事記録に関する「管理」責任は、政府として一体的な人事管理を推進する責任を有する内閣総理大臣にある。この「管理」の権限は、人事記録の統一性と信頼性を確保する趣旨から定められており、昭和四〇年の本法の改正により人事院から内閣総理大臣の所掌に移されたものである。

本条の規定に違反して故意に人事記録の作成、保管又は改訂をしなかった者は、一年以下の懲役（新刑法の施行日以降は、拘禁刑）又は五〇万円以下の罰金に処せられる（法一〇九⑥）。

〔解　釈〕

一　人事記録の記載事項等

人事記録とは、職員の人事に関する一切の事項についての記録であり、その記載事項、様式等は、「人事記録の記載事項等に関する政令」（昭四一政令一一）及び「人事記録の記載事項等に関する内閣官房令」（昭四一総理府令二）で定められている。

人事記録の記載事項は次のとおりである。

別記様式（甲）（平成12総府令155・全改、令元内官令２・一部改正）

○ 人 事 記 録（甲）				（ふりがな） 氏 名		No.
本籍		性別		改姓後の氏名及び改正年月日	（ふりがな）	年 月 日
					（ふりがな）	年 月 日
				年 月 日 生		
学歴	学校名・学部科名	修学期間		卒・修・中退の別		
		・ ～ ・		第 学年		
		・ ～ ・		第 学年		
		・ ～ ・		第 学年		
		・ ～ ・		第 学年		
		・ ～ ・		第 学年		
試験・資格						
研修						
表彰						
公務災害						
備考						

別記様式（乙）（平成12総府令155・全改、令元内官令２・一部改正）

○ 人 事 記 録（乙）	（ふりがな） 氏 名		No.
	改正後の氏名	（ふりがな） （ふりがな）	

年	月	日	勤務記録事項	発令者

①　氏名及び生年月日
②　学歴に関する事項
③　採用試験及び資格に関する事項
④　勤務の記録に関する事項
⑤　その他内閣官房令で定める事項（ア．本籍　イ．性別　ウ．二〇時間又は三日を超えて行われた研修及び任命権者が必要と認めるその他の研修の名称及び期間　エ．職務に関して受けた表彰に関する事項　オ．公務災害に関する事項で(i)傷病名及び(ii)災害発生年月日、及び治癒又は死亡に関する事項　カ．その他任命権者が必要と認める事項）

人事記録の様式は前頁のとおりであり、その作成方法等は、前記内閣官房令に定められている。

また、人事記録は、任命権者が保管するものとされ、その期間については、職員が死亡した場合において、退職年金に関する手続その他人事管理上の事務について保管の必要がなくなったと認められるときを除いて永久に保管しなければならないものであり（前記内閣官房令五）、職員が任命権者を異にして、昇任、降任又は転任させられたときは、旧任命権者は、新任命権者に当該職員の人事記録を移管しなければならないものとされている（前記内閣官房令七）。そのほか、任命権者は、職員が提出した履歴書、学校の卒業、修業又は在学の証明書で必要と認めるもの等の書類を人事記録の附属書類として保管しなければならない（前記政令四）。

二　内閣総理大臣の管理

人事記録に関する内閣総理大臣の管理の内容は、第一に「人事記録の記載事項及び様式その他人事記録に関し必要な事項」を政令で定めることであり、第二に前記政令に違反すると認める人事記録について、その改訂を命じ、その他必要な措置を行うことである（法一九3、4）。

また、この権限を担保するために、前記政令第五条には「内閣総理大臣は、内閣官房令で定める職員（内閣官房内閣人事局の職員）をして、人事記録の作成並びに人事記録及びその附属書類の保管の状況について、実地に検査させることができる。」ことが規定されている。

（統計報告）

第二十条　内閣総理大臣は、政令の定めるところにより、職員の在職関係に関する統計報告の制度を定め、これを実施するものとする。

② 内閣総理大臣は、前項の統計報告に関し必要があるときは、関係庁に対し随時又は定期に一定の形式に基いて、所要の報告を求めることができる。

〔趣　旨〕

在職関係の統計報告

職員の在職関係に関する正確で迅速な統計が、科学的で統一的な人事行政を展開するための基礎であることはいうまでもない。本条は、従来ややもすれば遅れがちであった人事統計についての確実な情報の収集を、人事管理に関する総合調整を行う内閣総理大臣の責任としたものである。この権限も、従来、人事院の所掌であったものを、昭和四〇年の本法改正の際に内閣総理大臣に移したものである。

本条により、内閣総理大臣は、政令の定めるところにより統計報告の制度を定め、実施するとともに、関係庁に対し、必要に応じ、随時又は定期に、一定の形式に基づいて所要の職員の在職関係に関する統計報告を求めることができ、また、本条の規定に違反して、故意に報告しなかった者は、一年以下の懲役又は五〇万円以下の罰金に処せられる（法一〇九⑦）。

〔解　釈〕

在職統計の種類等

本条に基づく政令として「人事統計報告に関する政令」（昭四一政令一一）が定められている。この政令では、人事統計報告の種類として次のものが定められている（同政令二）。

① 常勤職員在職状況統計報告
② 休職状況統計報告
③ 検察官在職状況統計報告

（別記）

様式第１—１

常勤職員在職状況統計報告（職務の級別）

部局名		官署名		年７月１日現在	作成責任者官職氏名

俸給表名		職務の級（号）											計	備考
		1	2	3	4	5	6	7	8	9	10	11		
	計													
	うち女性													
	計													
	うち女性													
	計													
	うち女性													
総計														
うち女性　計														

④　常勤労務者等在職状況統計報告
⑤　非常勤職員在職状況統計報告
⑥　給与支払状況統計報告
⑦　その他内閣官房令で定める統計報告（再任用職員在職状況統計報告）

これらの人事統計報告は、各任命権者が職員の人事管理に役立たせるために作成しなければならない。また、各任命権者は、作成した統計報告を三年間保管する義務がある（同政令一）。その詳細は、「人事統計報告に関する内閣官房令」（昭四一総理府令二）により、その人事統計報告の種類ごとに調査時点、内容、様式及び作成期限が定められており、「一般職国家公務員在職状況統計表」としてまとめられ、発表されている。さらに、任命権者は、作成期限後一〇日以内に内閣総理大臣に送付するものとされている（同官房令八）。

参考として①の常勤職員在職状況統計報告の様式を示せば、前頁のとおりである。

（権限の委任）
第二十一条　人事院又は内閣総理大臣は、それぞれ人事院規則又は政令の定めるところにより、この法律に基づく権限の一部を他の機関をして行なわせることができる。この場合においては、人事院又は内閣総理大臣は、当該事務に関し、他の機関の長を指揮監督することができる。

〔趣　旨〕
中央人事行政機関の権限の委任

本条は、中央人事行政機関である人事院及び内閣総理大臣の権限の委任について規定している。人事行政に関する中央人事行政機関の事務は多岐にわたるものであることから、適切な実施を確保しつつ、効率的に執行するため、その権限の一部を委任することができることを定めたものである。

およそ行政機関の権限は、法律をもって定められるものであるから、その変更についても法律の規定を必要とするものと解されている。また、行政機関の権限の委任は公法上の委任であり、委任された範囲内でその権限は受任者に移転し、委任者の権限はなくなるとともに、受任者は、自己の権限として、すなわち、自己の名と責任において当該権限を行使することとなる。本条は、人事院及び内閣総理大臣は、権限を委任した場合においても、受任機関に対して指揮監督ができることを明らかにしているが、これは人事行政が全体として円滑かつ効率的に運営されることを確保すること、並びに人事院及び内閣総理大臣が人事行政全般に対して最終的な責任を負うものであることに基づく権限である。

本条による権限の委任には、中央人事行政機関の下位の機関に委任する場合とそれ以外の他の機関に委任する場合とがある。下位の機関、すなわち上下の関係の委任の場合は、委任者は本来、受任者を指揮監督する地位にあるが、本条は、法律でもって、人事院及び内閣総理大臣の権限として明らかにしているものである。本条による委任は人事院規則又は政令で定めることが要件である。なお、下位の機関が上位の機関の名において、補助執行として行う専決、代決等は、本条の権限の委任ではなく、職務命令、内部規定等により行われるものである。

次に、下位の機関以外の機関に権限を委任する場合は、上下関係すなわち指揮命令関係にあるわけではないため、一般的には受任した機関に対して、委任者の指揮監督が及ぶものではないが、本条による場合は、本条の規定に基づいて人事院及び内閣総理大臣は委任した権限について受任者を指揮監督できるものである。

権限を委任できる範囲については、明文の規定はないが、昭和二三年の改正以前の本条では、「重要でないものについて」と規定されていた。人事院については、本法第一二条第六項各号に定められている人事院の議決を要する事項、例えば人事院規則の制定及び改廃等の準立法的権限、勤務条件に関する行政措置の要求に対する審査及び判定等の準司法的権限、情勢適応の原則に基づく国会及び内閣に対する勧告権限等の人事行政の基本に関わる重要な権限については、委任の対象となり得ないと解すべきである。内閣総理大臣の人事管理に関する総合調整権限等も、同様の趣旨で包括的な委任の対象とすることはできないと解される。

なお、本法では、人事院又は内閣総理大臣の権限又は事務を個別に法律上委任する規定がある。第一七条の二では、第一七条の規定に基づく人事院の調査権のうち、職員の職務に係る倫理の保持に関して行われるもの（第九〇条第一項に規定する審査請求に係るものを除く。）を国家公務員倫理審査会に委任しており、また、第八四条の二では、第八四条第二項の規定に基づく人事院の懲戒権のうち倫理法又は倫理法に基づく命令に違反する行為に関して行われるものを、国家公務員倫理審査会に委任している。第一八条の六では、第一八条の五の規定に基づく内閣総理大臣の職員の離職に際しての離職後の就職の援助等に関する事務を官民人材交流センターに委任している。第一八条の四では、第一八条の三の規定に基づく職員の退職管理に関する事項に関し行われる内閣総理大臣の調査権を、第一〇六条の三第三項及び第一〇六条の四第六項では、第一〇六条の三第二項第四号及び第一〇六条の四第五項第六号の規定による退職管理に関する内閣総理大臣の事務を、それぞれ再就職等監視委員会に委任している。

また、現在、一部の採用試験が人事院以外の行政機関によって行われているが、これは人事院の権限の委任によるものではなく、本法第四八条に基づく試験機関の指定である。

〔解　釈〕

権限の委任の内容等

本条の規定に基づき権限の委任を受ける「他の機関」には、中央人事行政機関の下位の機関及び各行政機関がある。人事院の職員に対する権限の委任については、人事院規則二―四（人事院の職員に対する権限の委任）が定められており、本法第一二条第六項各号に定めるものを除き、人事院会議の議決を経て、事務総長に人事院の権限及び所掌事務の一部を委任することができる。さらに事務総長は、その権限及び所掌事務の一部を局長、地方事務局長等に委任することとなっており、再委任を認めている。

各行政機関への委任については、人事院規則一四―八（営利企業の役員等との兼業）第二項により一定の職員についての営利企業の役員等との兼業を承認する権限を所轄庁の長又は行政執行法人の長に、職員の兼業の許可に関する政令（昭四一政令一五）第一条第二項により職員が地方公共団体の非常勤の職員の職を兼ねる場合における兼業の許可に関する権限を所轄庁の長に委任している例がある。本条の趣旨が人事行政に関する事務の効率的執行であること、委任した事務についても人事院及び内閣総理大臣が指揮監督することができることなどからして、中央人事行政機関の権限はこのように所轄庁の長はもとより、各行政機関の付属機関の長、例えば研究所の長等に委任することも可能であると解される。

次に人事院及び内閣総理大臣の委任した事務に関する他の機関の長に対する「指揮監督」の内容であるが、それぞれの下位の機関については上位機関の権能として特段の問題はないが、各行政機関の長に対して委任した場合にこれを指揮監督することは、一般に公法上の委任は、権限そのものが受任された者に移転し、委任者の権限はなくなると解されていることから、立法上、このような規定を設ける例は限られている。他の立法例としては、国土交通大臣から防衛大臣への委任に関する航空法（昭二七法二三一）第一三七条第四項や経済産業大臣から税関長への委任に関する外国為替及び外国貿易法（昭二四法二二八）第五四条第一項が挙げられる。本条後段の規定は、人事院及び内閣総理大臣は最終的に人事行政全般について責任をもって処理すべき地位にあるので、権限を委任した場合においても適切に指揮監督する権限を有し、権限を委任した趣旨をまっとうしなければならないことを明らかにしたものと解される。なお、昭和四〇年の改正前は、人事院は、その権限を委任した場合においても、「その権限の行使について責任を免かれることができない。」と規定されていたところである。

本条に基づき権限を委任する場合は、人事院規則又は政令で定める必要があるが、委任の内容は、明確で具体的でなければならない。この点について前述人規二―四第五項においては、人事院の権限の部内の職員に対する委任に関して、「委任を行おうとするときは、その効力の発生する前に、委任を受ける職員の職名、委任する権限及び所掌事務並びにその効力の発生する日を官報で公示しなければならない。」と規定されている。

（人事行政改善の勧告）

第二十二条　人事院は、人事行政の改善に関し、関係大臣その他の機関の長に勧告することができる。

②　前項の場合においては、人事院は、その旨を内閣に報告しなければならない。

〔趣　旨〕

一　人事行政の改善に関する人事院の勧告

本条第一項は、中央人事行政機関たる人事院の関係大臣その他の機関の長に対する人事行政の改善に関する勧告権を定めている。

本法は、公務の民主的かつ能率的な運営を保障することを究極の目的としており、その実現のため中央人事行政機関として内閣の所轄の下に人事院を設置し、職員がその職務の遂行に当たり、最大の能率を発揮しうるよう職員の利益の保護に関する事項を含め、職員に適用されるべき各般の基準を本法及びその委任に基づく人事院規則で定めている。任命権者たる各省大臣等がそれらの基準に従い、かつ、内閣総理大臣の定める採用昇任等基本方針の下、その人事権を行使することになるが、加えて人事院には所定の行政権限のほか準立法的権限、準司法的権限をも付与して、同法の目的達成の責めに任ぜしめることとしている。

すなわち、人事行政は、本法及び本法に基づく人事院規則、その他の法令を基本法令として、内閣総理大臣の定める基本方針の下で、任命権者としての各省大臣その他の人事当局の人事権の発動を通じて展開されるものであるが、本条は、その人事行政の実際の運用が本法の趣旨に沿ったものであるよう、中立・専門機関としての人事院の行政権限の一として必要な助言ないし勧告の権能を付与し、もって人事行政の一層の公正、的確な運用を図ろうとするものである。

人事行政の基礎となる人事制度は、本法の趣旨に沿って、常時、調査研究が重ねられ、法令の制定・改廃を通じて必要な改善が図られることとなるが、その法令の制定、改廃については、第二三条の意見の申出を通じて実現されることが期待されているところであり、本法は、本条の勧告と第二三条の意見の申出により、運用面、制度面の両面から本法の趣旨の一層の徹底を図っているといえるのである。なお、本条及び第二三条の規定による一般的、概括的な勧告権、意見の申出権のほか、中央人事行政機関たる人事院の権限として、本法その他の法律に基づき、個別的施策の実施のために、次のような勧告権又は意見の申出権が認められている。

① 給与、勤務時間その他の勤務条件の改定に関する勧告（法二八1）
② 俸給表の改定に関する勧告（法二八2）
③ 給与に関する法律に定める事項の改定に関する勧告（法六七）
④ 給与額の改定に関する勧告（給与法二③）
⑤ 給与の地域差に対応する措置に関する勧告（給与法二⑤）
⑥ 給与額又は割合の改定に関する勧告（給与法二四）
⑦ 寒冷地手当に関する勧告（寒冷地手当法四）

⑧　勤務時間、休日及び休暇に関する制度の改定についての勧告（勤務時間法二①）
⑨　退職年金に関する意見の申出（法一〇八）
⑩　任期付研究員の採用、給与及び勤務時間の特例の改定に関する勧告（任期付研究員法一二）
⑪　任期付職員の採用及び給与の特例の改定に関する勧告（任期付職員法一一）

これらの意見表明権は、いずれも本法の目的達成上必要な個別的施策に関し、国会により、法律をもって定められるべき事項について、中立・専門機関としての人事院の見解に基づくべきことを定めているものであり、法令の制定・改廃を念頭に置いたものである点及び国会及び内閣に対する勧告又は意見の申出である点において、本条の勧告とは異なる性格のものである。

このほか、個別の行政上の措置に関するものとして、勤務条件の改善に関する行政措置要求の判定の結果採るべき措置に関する勧告（法八八）がある。

さらに、勧告又は意見の申出権に類する人事院の権限として、本法は、なるべく速やかに、災害補償制度を研究し、その成果を国会及び内閣に提出すること（法九五）を定めている。これは、本法がその趣旨、目的を達成するために、十分な調査研究に基づき、別に立法措置をもって臨む必要があると認めた事項に関し、独立・専門機関である人事院に、その早急な調査研究とその結果に基づく見解表明権及びその実施を求めているものである。その趣旨とするところは、前述の勧告又は意見の申出を人事院に付与していることと実質的に差異はない。なお、災害補償制度については、昭和二六年に人事院から国会及び内閣に対して、国家公務員の災害補償に関する研究の成果の提出及び法律制定に関する意見の申出が行われ、それに基づき補償法が成立している。

二　内閣への報告

本条第二項は、人事行政の改善に関し、人事院が関係大臣その他の機関の長に対し勧告を行った場合に、その旨を内閣に報告する義務を人事院に課している。

内閣は官吏に関する事務を掌理し、行政各部を指揮して公務の公正適確な運営に関し最終責任を負うものである（憲法七二、七三4）。また、行政は行政各部を通じて統一的に運営される必要がある。かかる観点から、人事院が人事行政の改善に関して勧告した場合には、それが特定の人事機関に対するものであっても、内閣に対し報告義務を課しているものである。

〔解　釈〕

一　勧告の対象となる人事行政の範囲

本条第一項の勧告の対象となる人事行政の範囲は、本法及び本法に基づく人事院規則等を根拠として展開される人事権の発動として行われる一切の作用をいうものと解され、任命権者等の不作為も対象になる。

人事行政は、本法を基本法令として、本法又は本法に基づく人事院規則等の各種法令に基づいて展開されるが、その基礎となる人事制度そのものについて法令の制定、改廃を要する場合には、第二三条の国会及び内閣に対する意見の申出を通じてその実現を図ることとしており、したがって、本条の勧告は、法令の制定、改廃以外の行政上の運用全般を対象として、能率的な公務運営の確保を図りつつ、人事行政の公正性確保、労働基本権制約の代償機能の発揮という観点から行われることとなる。したがって、公務の能率的運営に寄与するとの観点で勧告が行われることはもとより、職員に適用される個別的勤務条件等職員の利益保護に関する事項も対象となる。

ところで、本条の勧告権が中央人事行政機関としての内閣総理大臣の総合調整権の対象事項（法一八の二）にまで及ぶか否かが問題となる。昭和四〇年の改正前の本法では、本条は次のとおり規定されていた。

①　人事院は、人事行政の改善に関し、関係大臣その他の機関の長に勧告することができる。

②　人事院は、政府全体の行政運営の能率増進に資するため、政府部内各機関相互の間における、職員の配置転換、人事の交流、その他労力活用に関する事項について、関係大臣その他の機関の長に勧告することができる。

③　前二項の場合においては、人事院は、その旨を内閣に報告しなければならない。

このように、人事院は、第一項の人事行政の改善に関する勧告権のほか、第二項において特に政府全体の能率向上の観点から政府部内各機関相互の労力活用等についても勧告権も有していたものである。昭和四〇年改正において、この第二項が削除されるとともに、第一八条の二に次のような規定が設けられた。

①　内閣総理大臣は、法律の定めるところに従い、職員の能率、厚生、服務等に関する事務（第三条第二項の規定により人事院の所掌に属するものを除く。）をつかさどる。

② 内閣総理大臣は、前項に規定するもののほか、各行政機関がその職員について行う人事管理に関する方針、計画等に関し、その統一保持上必要な総合調整に関する事務をつかさどる。

この立法の経緯から、従前の第二項にかかる部分はいっさい人事院の所掌を離れ、人事院は内閣総理大臣の総合調整権の対象事項については勧告権を持たなくなったとする考えもありえよう。しかし、元来、旧第二項は第一項の人事行政の改善に関する勧告権に包摂される権限を、政府全体の能率向上を図る観点から取り出して、独立して定めたものと解すべきであり、また、人事行政は統一的に実施されることが必要である以上、総合調整権の対象事項についても、人事行政の公正性の確保や労働基本権制約の代償機能の発揮の観点から必要と認められる場合には、勧告の対象になるというべきであろう。

本条第一項に基づく勧告は、これまで行われた例はない。ただし、人事院から各行政機関に対して文書又は口頭による業務改善指導を行う例はある。これは、各制度の適切な運用を確保することを目的として行われるものであるが、本条も背景にしたものといえよう。

二　勧告の対象者

本条の勧告の対象は、関係大臣その他の機関の長とされている。具体的には、勧告の内容に応じて定められる。

関係大臣とは、内閣総理大臣をはじめとする各省庁の大臣をいい、その他の機関の長とは、会計検査院長、宮内庁長官、外局の長（大臣を除く。）等任命権を有する各機関の長をいうものと解される。人事院総裁がその他の機関の長に含まれるか否かが問題となるが、人事院総裁は、中央人事行政機関の長としての特別の権限を有しているほか、機関の長として任命権を有し、人事院職員の人事行政を実施する立場にあるものであるから、理論上は、本条第一項の「その他の機関の長」に含まれると解される。

三　勧告の効力

勧告は、一般に、上級官庁の下級官庁に対して有する指揮監督権に基づくものではなく、独立機関の特別権限として付与されるものであり、法的拘束力は有しないが、専門的・中立的機関が行うものであることに鑑み、勧告を受けた者は勧告を尊重し、実施する深い道義上、行政上の責任を有するものと解される。

四　内閣への報告

本条第二項の規定による人事行政改善に関する勧告の内閣への報告は、内閣が官吏に関する事務を掌理し、政府全体としての能率向上に寄与する責務を負うものであることから、人事院が関係大臣その他の機関の長に対して勧告を行った事実とその具体的内容の全てについて行うべきものであると解される。

報告の手続については、人事院の自由な判断に委ねられているが、本法第三条第一項の報告として、同項に従い、内閣の代表者たる内閣総理大臣に提出されることになる。

（法令の制定改廃に関する意見の申出）

第二十三条　人事院は、この法律の目的達成上、法令の制定又は改廃に関し意見があるときは、その意見を国会及び内閣に同時に申し出なければならない。

〔趣　旨〕

一　法令の制定・改廃に関する意見の申出

本条は、本法の目的達成上必要な場合の人事院の法令の制定・改廃に関する意見の申出権を定めている。

本法は、公務の民主的かつ能率的な運営を保障することを究極の目的として、職員に適用されるべき各般の基準を定め、その細則については人事院に準立法的権能を付与することによって、人事行政制度の確立を図っているほか、官職の職務の特殊性に基づく本法の特例法の制定を認めており、これらを通じて人事行政の基礎となる法令が整備されている。

本条は、本法を含め、本法の目的達成上必要な場合の法令の制定・改廃に関しては、本来立法府の権限とされる法律についても、また、内閣又は各省大臣の権限に属する政省令等の法令に関しても、およそ人事行政に係るものについては、専門的・中立的機関としての人事院の意見に基づくべきものとし、そのために、特に、人事院に意見の申出権を付与しているものである。

本条の文言上、義務的に表現されているが、これは人事院が意見を申し出る場合は国会及び内閣に対して同時になすべきことを義務付けているものであり、意見の申出そのものは人事院の適切な判断に基づいてなされるものである。

本条による意見の申出は、制定時から本法に規定されており、昭和二三年の第一次改正において人事院の事務として「立法その他必要な措置を勧告する」（法三旧３）とされた際に文言の統一が図られることなく残ったものである。本条による意見の申出は人事院が国会及び内閣に対してする人事院の公式の意見表明であり、その性質は昭和二三年の第一次改正後の本法第三条第三項（現第二項）に定める勧告となんら変わらない。

法律の制定・改廃は、議会制民主主義の下、国権の最高機関たる国会の専権に属するものであり、本条が国会の発議権を制約するものでないことは当然である。

一方、人事院が内閣の所轄の下に独立機関として設置され、国家公務員の人事制度について意見の申出権を有していることに鑑み、政府が人事行政の基礎となる法令の改廃を行う場合には、人事院の見解を求めることが必要である。

二　国会及び内閣への意見の申出

本条に基づく意見の申出は、国会及び内閣に対して同時になされなければならない。

本法制定当初の本条は、「人事委員会は、この法律の目的達成上、法令の制定又は改廃に関し意見があるときは、その意見を内閣総理大臣に申し出なければならない。」とされ、専ら内閣総理大臣に対する意見の申出として規定されていたのであるが、昭和二三年の第一次改正の際、現行のように改められた経緯がある。すなわち、本法制定時の人事委員会は内閣総理大臣の所轄の下に置かれ（制定時の本法三本文）、人事委員会の行政機関としての性質は総理府の外局であると理解されていたが、憲法第七三条によれば官吏に関する事務は内閣が所管するところであること、また、人事行政はその性質上政府との間に強い独立性を有する中央人事行政機関たる人事院によってコントロールされることが望ましいことなどの理由により、分担管理大臣としての内閣総理大臣の下に置かれるよりは、むしろ人事院は内閣そのものの所轄の下に置かれるべきであるとされたものである。

このように、人事院の独立性が尊重された結果、人事院は行組法上の組織ではなくなり、総理府の長たる内閣総理大臣を通じて法律等の閣議請議を行うという立場には立たないこととなった。一方、憲法では、内閣は、「法律の定める基準に従ひ、官吏に関する事務を掌理すること」（七三４）としており、我が国では立法は内閣提出法案により行うことが一般的であることからすると、人事行政の基準について人事院に委ねた場合、それをいかに立法化するかという問題が生じる。昭和二三年の第一次改正法は人事院の内閣からの独立性を強めることとする一方で、人事院に立法機関である国会に対し直接法案の制定・改廃を促す権能を与えることとしたものである。これによって、人事院の専門的な意見が立法に反映されるよう、内閣と同時に国会に対しても意見の申出をすべきこととなったものである。

なお、政令・府省令は政府・各府省の権限に属するものであるが、法律を基礎とした執行命令又は委任命令として作用するものであるので、法律と一体として理解される必要があることから、政令・府省令の制定・改廃についても、立法府としての国会に同時に見解を表明することとしているものである。

〔解　釈〕

一　意見の申出の範囲

本条に基づく人事院の意見の申出は、本法の目的達成上必要な法令について行われるものである。

本法は、公務の民主的かつ能率的運営を保障することを究極の目的とし、そのために、職員の利益保護に関する事項を含め、広く職員に適用されるべき根本基準を定め、また、官職の特殊性等に基づく本法の特例法の制定を認めているところである。したがって、本条に基づく意見の申出の対象となる範囲は、およそ人事行政の基礎として職員に適用されるべき法令の全てについてである。もっとも、公務の能率的運営は、単に人事行政のみに限らず、行政管理全般を通じて図られる必要があるが、本条の人事院による意見の申出は、人事行政に関する部分に限られると解すべきであろう。

本法の目的達成上必要がある場合の法令の制定・改廃に関しては、常に必ず人事院の意見の申出が必要であるかどうかについては、人事院はおよそ職員に適用されるべき法令の制定・改廃の全てについて意見の申出権を有するものであるが、法令の制定・改廃の内容が極めて軽微かつ技術的なものである場合、あるいは条理上当然のものであるような場合などには、必ず人事院の意見の申出を前提としなければならないと解する必要はないと考えられる。この場合においても、人事行政の諸基準に責任を持つ立場から、具体的な改正事項を確認のため内閣に通知するなどの手続が必要となる。現に、昭和四三年の労災保険法との均衡を保つための補償法の改正の際は、人事院事務総長から総理府総務副長官あての文書をもって人事院の意見の表明を行い、これを基礎に同法の改正を行った例もある。また、昭和五六年の定年制の導入に係る本法の改正は、昭和五四年の総理府総務長官あて人事院総裁の書簡に基づくものである。さらに、平成一九年の新たな人事評価制度の導入や再就職あっせん等の禁止を内容とする本法改正の際には、主として使用者としての政府の問題意識に基づいて改正が進められたため、人事院は意見の申出を行っていないが、人事行政の公正性を確保し、労働基本権制約の代償機関である人事院の立場に立って、人事院総裁から公務員制度改革担当大臣に対して文書で必要な意見を述べている。同様に、平成二六年の幹部人事一元化等を内容とする本法改正の際にも、人事院総裁から公務員担当大臣に対して文書で意見を述べている。

なお、人事院自体は、本法により準立法的権能を付与され、人事院規則その他の法令の制定権を有しているが、これは人事院が自ら専門機関として立法するものであるから、人事院規則の制定・改廃に関しては、本条の規定は適用されないのはいうまでもない。

職員に適用されるべき法令の制定・改廃に関しては、人事院が自らの発意によりその調査研究の成果を踏まえて意見を申し出る場合のほか、政府の発意により人事院の見解を求める場合がある。この場合、本条によって国会及び内閣に対し同時に意見を申し出るか否かは、事柄の性質による。例えば、昭和五四年に、人事院は、定年制度の創設に関し、政府からの意見表明の依頼に応じ、総裁名の文書をもって専ら政府に対してその見解を表明した例がある。また、いわゆる法令協議を通じて各府省に対し人事院の見解が表明されることも実際に頻繁に行われている。

二　意見の申出の具体例

本条に基づく意見の申出の例は過去に多くを数えるが、類型的に分類すると次のとおりとなる。

①　国家公務員法自体の改正について意見の申出を行う場合
②　給与勧告に伴う法令の改正について意見の申出を行う場合
③　本法のほかの規定（法九五、一〇八等）との関連で、本条をも根拠として意見の申出を行う場合
④　その他人事院の調査研究の成果を法律化するための意見の申出を行う場合

①の意見の申出は、国家公務員をめぐる状況の変化や人事管理上の要請等に対応して、国家公務員たる職員について適用すべき各般の根本基準を定める本法体系それ自体について改定する必要があると、人事院が判断した場合に行うものである。例えば、平成一〇年には、新たな再任用制度を導入するための国家公務員法等の改正に関する意見の申出、地方公共団体等へ辞職出向し復帰した職員等に対する懲戒についての措置を講じるための国家公務員法の改正に関する意見の申出を

行っている。また、平成二三年及び平成三〇年には、国家公務員の定年を段階的に六五歳に引き上げるための国家公務員法等の改正についての意見の申出を行っている。

②については、昭和三〇年代初頭まで続いたものであり、昭和二五年九月九日の給与勧告の実施を求めるための給与法の改正に関する意見の申出等の事例がある。当時は、給与に係る勧告は勧告として、それを給与法の改正を通じて実現するとの観点から、別に本条に基づく意見の申出をも併せ行ったものである。しかしながら、勧告はそれ自体で人事院の公式見解であり、法制面に限って改めて意見を表明する実益は少ないところから、現在ではこのパターンによる意見の申出は行われていない。

③の意見の申出は、本法が別に法律の制定されることを予測して、特に本法上、人事院にその調査研究の義務を課し、その結果を法律案として提出することを期待していることに対応するものであり、昭和二六年の補償法の制定に関する意見の申出、昭和二八年の新年金制度に関する意見の申出等がその例である。

④の意見の申出は、行政をめぐる環境の変化等に応じ、職員に適用されるべき法令を的確に整備する観点から、人事院の調査研究の成果として、本法体系のほかに別個の法律を制定し、あるいは改定する場合のものである。例えば、次のような例がある。

- 昭和四五年の国際機関等に派遣される一般職の国家公務員の処遇等に関する法律の制定に関する意見の申出
- 平成三年の一般職の国家公務員の育児休業等に関する法律の制定についての意見の申出
- 平成五年の一般職の職員の勤務時間、休暇等に関する法律の制定についての意見の申出
- 平成九年の研究業務に従事する一般職の職員の任期を定めた採用等に関する法律の制定についての意見の申出
- 平成九年の国と民間企業との間の人事交流を適正に実施するための一般職の職員の身分等の取扱いに関する法律の制定についての意見の申出
- 平成一二年の一般職の任期付職員の採用及び給与の特例に関する法律の制定についての意見の申出
- 平成一七年の一般職の職員の留学費用の償還に関する法律の制定についての意見の申出
- 平成一八年の一般職の職員の自己啓発等休業に関する法律の制定についての意見の申出

・平成二五年の一般職の職員の配偶者帯同休業に関する法律の制定についての意見の申出

このほか、既存の公務員関係法律の一部改正を申し出る例は多い。

なお、本条に基づく意見のほか、人事院は、採用試験により確保すべき人材等、適格性審査等、人事評価の基準及び方法等、研修の根本基準の実施等に関する政令の定めについて本法の規定（法四五の二4、六一の二6、七〇の三2、七〇の五2）に基づき意見を述べているほか、指定職俸給表の適用に関する内閣総理大臣の定めや職務の級の定数についての内閣総理大臣による制定・改定について給与法の規定（給与法六の二1、八1）に基づき意見を述べている。また、国際連合平和維持活動等に対する協力に関する法律（平四法七九）に基づく国際平和協力手当に関し必要な事項について政府が定める政令の制定又は改廃に際しては、内閣総理大臣は人事院の意見を聴かなければならないこととされていることから（同法一六3）、近年では、東ティモール国際平和協力隊の設置等に関する政令（平二二政令二〇一）、南スーダン国際平和協力隊の設置等に関する政令（平二三政令三四五）、ウクライナ被災民救援国際平和協力隊の設置等に関する政令（令四政令一八六）等の制定又は改正に際しての意見照会に対し、人事院総裁名で回答を行っている。

このほか、人事院は、人事行政を担当する行政機関として、本条に基づく法令の制定・改廃に関する意見表明に至る以前に、人事行政に関する制度・運用について、国会、内閣、各任命権者等に対して意見を表明することがある。例えば、昭和三九年に職員の住宅取得に関して内閣総理大臣あて要望等を提出した例や、昭和五一年及び昭和五三年に週休二日制の施行基準及び再試行についてそれぞれ見解を表明した例、平成九年に不祥事に係る職員の期末手当及び勤勉手当の取扱いについて見解を表明した例、平成一五年に法科大学院に派遣される一般職の国家公務員の身分、給与等に関する事項について見解を表明した例など多数ある。

三　意見の申出の手続

本条に基づく意見の申出は、国会及び内閣に対し同時になされなければならない。この場合、「同時に」とは、厳密な意味に同時刻と解する必要はなく、近接した時刻であれば足りるものである。

国会及び内閣に申出する意見は、事柄の性質上、文書をもってなされる。

意見を受ける側が、それぞれ官吏に関する事務を掌理する内閣と、法律の議決機関である国権の最高機関たる国会という点において相違はあるが、人事院が職員に適用されるべき法令としてとりまとめる見解は一つであるので、意見申出の内容も当然に一つであり、したがって、国会及び内閣に対する意見申出の文書は、宛名こそ違え、同文で行われる。

意見の申出は、内閣総理大臣あて及び衆参両院議長あての計三通が正式のものとなる。この正式文書には意見の申出をするに至った背景事情及び法令の制定・改廃を通じて実現されるべき具体的措置案が記載される。この具体的措置案については、第二八条による給与その他の勤務条件の改善のための勧告が、法律をもって実現されるべき事項をその対象としているのに対し、本条に基づく意見の申出では、その実現されるべき内容に応じ、法律事項に止まらず新設又は改正する制度の全体像を示すために、人事院規則事項等についても触れられることがある。この違いは、法第二八条に基づく勧告の場合、同時に行われる報告において法律事項以外の説明を行うことが可能だが、本条にはそうした報告が存在しないことによる。

四　意見の申出の効力

意見の申出は、勧告と同様、中立専門機関としての人事院の正式な見解の表明であり、法的拘束力は有しないが、政府及び国会は、政治的、道義的な意味で最大限に尊重すべきであることは当然である。

意見の申出がなされると、政府は必要な法案の策定作業に入ることになるが、年金制度にかかわるものなど、政府の関係審議会に付議する必要のある場合には、別途、そのような手続が採られることがある。

これまで人事院が意見の申出を行ったもののうち、昭和二八年の新年金制度に係るもの（法二三、一〇八）、同年の給与準則に係るもの（法二三、旧六三）、昭和四七年一二月二七日の当時の農業、水産、工業又は商船に係る産業教育に従事する国立及び公立の高等学校の教員及び実習助手に対する産業教育手当の支給に関する法律（三3）・高等学校の定時制及び通信教育振興法（五2）に基づく手当の支給に関して人事院に勧告権を付与することについての意見の申出、平成二三年の定年を段階的に六五歳に引き上げるための国家公務員法等の改正についての意見の申出（法二三）を除いては、いずれも人事院の意見の申出の内容が基本的にそのまま実現されている。なお、定年を段階的に六五歳に引き上げるための国家公務員法等の改正については、その後、平成三〇年に人事院が改めて検討した上で提出した意見の申出の内容を踏まえて法制化がなされている。

意見の申出は、政策を具体化した法律案の要綱を示すことにより行われるが、通常、人事院の見解として法律等の案文も添えられる。政府がこの法律案文に法的に拘束されることはないが、政府案の策定に際しては、専門機関としての人事院の案が尊重されている。

（人事院規則の制定改廃に関する内閣総理大臣からの要請）

第二十三条の二　内閣総理大臣は、この法律の目的達成上必要があると認めるときは、人事院に対し、人事院規則を制定し、又は改廃することを要請することができる。

② 内閣総理大臣は、前項の規定による要請をしたときは、速やかに、その内容を公表するものとする。

〔趣旨・解釈〕

人事院規則の制定・改廃に関する内閣総理大臣からの要請

本条は、中央人事行政機関である内閣総理大臣が、本法の目的達成上必要があると認める場合に、人事院に対し、人事院規則の制定・改廃に関する要請をすることができることを定めている。

人事院規則は、内閣からの高い独立性を有する中央人事行政機関である人事院が、本法によって付与された準立法的機能により、人事行政の公正の確保及び労働基本権制約の代償機能という中立第三者機関としての責務を果たすために、法律に基づいて自らの判断で適時に制定・改廃するものである（法一六）。平成二六年の本法一部改正により本条が新設されるまでの間も、中央人事行政機関としての内閣総理大臣は、本法の目的達成上必要があると認める場合には、人事院に対し、事実上の行為として必要な措置の検討を要請することは可能であった。本条は、人事院規則の制定・改廃についての要請ができることを法律上明らかにしたものである。

内閣総理大臣からの要請は、「要請」である以上、法的拘束力は有しないのは当然であるが、要請を受けた人事院は、法律の規定に基づく要請であることを踏まえ、人事院規則の制定・改廃を行うか否かを含め、必要な検討を行うこととなる。

また、第二項において、内閣総理大臣は、要請の内容を速やかに公表するものとされている。これは、国民に対する説明責任を果たすとともに、独立性が強く保障されている人事院に対する要請の乱用を防止する意味を有している。

内閣総理大臣から人事院に対して、人事院規則の制定・改廃についての法律上の要請を認めることは、人事院の内閣からの独立性を確保する上での支障になるのではないかとの議論もあり得るが、従前から事実行為として可能であったこと、要請には法的拘束力がないことに加え、要請の内容は公表することとされていることを踏まえると、内閣総理大臣と人事院との間に透明性の高い意思疎通の方法ができたものと評価することができる。

なお、現実には、従来、内閣は人事院の独立性を尊重し、具体的に人事院規則の制定・改廃を問題としたことはなく、仮に実務上の問題が内閣から提起されたとしても、人事院規則の具体的な制定・改廃や法令の制定・改廃の意見の申出を行うか否かは人事院の判断によることとされていた。その意味で、本条の運用に当たっては、人事院の独立性を踏まえた対応が求められよう。

本条の規定は、勤務条件に関しては、使用者側、職員団体側のそれぞれの立場に応じたものとして、本法第一〇八条の五の二の人事院規則の制定・改廃に関する職員団体からの要請の規定と対をなすものとなっている。

（業務の報告）

第二十四条　人事院は、毎年、国会及び内閣に対し、業務の状況を報告しなければならない。

②　内閣は、前項の報告を公表しなければならない。

〔趣旨・解釈〕

一　人事院の報告

本条は人事院の業務の運営状況を国会及び内閣に報告するべきことを定めた規定である。

人事院は内閣の所轄の下に置かれる機関であり、他の行政機関に比較した場合、格段に強力な内閣からの独立性を有している。そのことゆえに、議院内閣制を採る我が憲法との関係において違憲論議が生じたこともあるほどである。

内閣は、人事院に対しては、国会の同意を得て行う人事官の任命、人事院の予算の査定・編成（第一三条の二重予算制度により国会のチェックを受ける。）及び人事院からの報告を徴することの三点により権限を行使することができ、これにより憲法上の議院内閣制の要請に沿うことができるという関係が保たれている。第三条第一項が、人事院の設置に続き、人事院に内閣に対する報告義務を課しているのもこのような憲法上の要請に沿うためのものである。

本条は、第三条第一項にいう「この法律に定める基準」をなすものである。同項との関係においては内閣への報告に関する基準だけで十分であり、昭和二三年の改正前は、本条は人事委員会が内閣総理大臣の所轄の下に置かれていたため、本条は内閣総理大臣への報告についての規定であった。人事委員会を内閣の所轄の下に置かれる人事院に改めるに際して、国会の審議の段階で国会への報告をも含む規定に修正が行われたため、第三条との関係が不鮮明になったのは否めない（第三条関係〔解釈〕二参照）。国会は、公務員の究極の使用者である国民を代表するものとして、更には公務の民主的、能率的な運営を国民に対して保障するという本法の目的が十分に達成されているかどうかを監視するため、人事院の業務の状況を直接報告させようとしているものである。

本条の規定は人事院の活動の全般にわたる報告について定めているが、このほか職員の給与の状況についての報告（法二八２）、交流派遣職員の派遣先企業における地位及び交流派遣の書類提出時に占めていた官職、交流採用職員の占める官職及びその直前に交流元企業において占めていた地位等についての報告（官民人事交流法二三２③）のように、個別の事項について国会及び内閣への報告を義務付けている規定もある。

本条の規定により、人事院は毎年一回その業務の報告を行わなければならない。実務上、人事院は、毎年六月頃に前年度における人事院の活動の状況を、年次報告書として国会及び内閣に提出している。

二　報告の公表

人事院の業務の運営状況は国民一般にも広く周知せしめる必要があるので、人事院から業務の状況について報告を受けた内閣は、その報告を公表しなければならないこととされている。公表は、人事院からの報告書の全文を官報に掲載することによって行われる。また、報告書の全文は公務員白書として各地の政府刊行物センターや官報販売所において一般向けに頒布されるとともに、人事院ホームページ上に公表されている。

令和三年度の人事院の年次報告書は令和四年六月一〇日に国会及び内閣に対して提出された。同年次報告書は、人事行政について記述している第一編と国家公務員倫理審査会の業務について記述している第二編から成っている。第一編は三部構成となっており、第一部では人事行政この一年の主な動き、第二部では人事行政をめぐる特別課題（令和三年度においては、「人材確保に向けた国家公務員採用試験の課題と今後の施策」）、第三部では令和三年度業務状況についてそれぞれ記述している。

また、第一編の各部及び第二編はそれぞれ複数の章で構成されており、第一編については、第一部は、人材の確保及び育成、妊娠、出産、育児等と仕事の両立支援、良好な勤務環境の整備、定年の引上げ及び能力・実績に基づく人事管理の推進、適正な公務員給与の確保等、グローバル社会における人事行政分野の取組、同第二部は、採用試験の実施状況、民間企業・大学生等の変化、就職活動を終えた学生を対象とする意識調査、人事院として取り組むべき採用試験見直し、同第三部は、職員の任免、人材の育成、職員の給与、職員の生涯設計、職員の勤務環境等、職員団体、公平審査、国際協力、人事・給与等業務のＩＴ化の推進、人事院総裁賞及び各方面との意見交換となっている。また、第二編は、職員の倫理意識のかん養及び倫理的な組織風土の構築、倫理法に基づく報告制度の状況、倫理法等違反への厳正かつ迅速な対応の各章から成っている。

（人事管理官）

第二十五条　内閣府、デジタル庁及び各省並びに政令で指定するその他の機関には、人事管理官を置かなければならない。

②　人事管理官は、人事に関する部局の長となり、前項の機関の長を助け、人事に関する事務を掌る。この場合において、人事管理官は、中央人事行政機関との緊密な連絡及びこれに対する協力につとめなければならない。

第二十六条　削除

〔趣　旨〕

人事管理官の設置

中央人事行政機関である人事院及び内閣総理大臣は、人事行政に関する事務をそれぞれつかさどるが、個々の人事管理を実際に行っているのは各任命権者である。したがって、人事行政を適切に展開するためには、各任命権者の人事管理体制を整備するとともに、相互に、また中央人事行政機関との間で適宜、適切な連絡、情報の交換、協力等が必要不可欠である。このような趣旨から本条は、内閣府、デジタル庁、復興庁（復興庁が廃止されるまでの間に限る（復興庁設置法附則三1)。）及び各省並びに政令で指定する機関に人事管理官を設置すること及びその任務を定めている。

なお、昭和四〇年の本法改正前は、中央人事行政機関は人事院のみであったので、各省庁に人事主任官を置き、人事院に人事主任官会議を置くこととされていた。

人事管理官の任務は、人事に関する部局の長となり、その事務を処理するとともに中央人事行政機関との緊密な連絡をとり、また、協力をすることである。

〔解　釈〕

人事管理官会議等

人事管理官は、内閣府、復興庁及び各省並びに人事管理官を置く機関を指定する政令（昭四〇政令二六一）により定められる機関に置かれる。同政令によって定められた機関は、次のとおりである。

① 会計検査院
② 人事院
③ 内閣官房及び内閣法制局
④ 宮内庁並びに内閣府及び各省の外局

中央人事行政機関と人事管理官との連絡等は、通常定期的に開かれる人事管理官会議を通じて行われている。このうち中央人事行政機関たる内閣総理大臣の事務を担う内閣人事局主催の人事管理官会議の運営については、平成一三年三月の人事管理官会議総会で申合せが行われ（当時の補佐機関は総務省（人事恩給局））、総会及び幹事会が置かれている。現在のところ、内閣人事局と人事管理官との連絡等は、月二回の幹事会により行われ、毎年原則三月に翌年度の人事管理の統一方針である人事管理運営方針が総会で了承されている。また、人事院主催の人事管理官会議の運営については、昭和四〇年一一月の人事管理官会議で申合せが行われ、当初は総会及び幹事会が置かれていたが、昭和六三年の改正により定例開催は三月の総会のみとされ、幹事会は必要に応じて随時開催することとされた。現在、人事院と人事管理官との連絡等は、毎年春の総会で行われてきており、各府省の人事管理に関する関心事項、要望等が提出され、人事院から翌年度の人事行政に関する基本方針が示されるほか、人事行政が抱える重要課題に関する人事院としての基本的考え方や今後の取組方針等が示されている。

人事管理官は、「人事に関する部局の長となり」と規定されていることから、少なくとも各行政機関の課長以上である必要があり、また、それには、「その庁の職員」が任命されなければならない。通常は各行政機関の人事担当課長が人事管理官に任命されている。

なお、第二次臨時行政調査会の答申を受けて政府としての適切かつ一体的な人事管理運営の一層の推進に資するため、昭和五八年六月一三日の事務次官等会議申合せにより、各府省の官房長等を構成員とする人事管理運営協議会が設けられている。このほか、中央人事行政機関の事務ではないが、各府省人事当局の連絡調整のため、内閣官房内閣審議官が議長を務める各府省人事担当課長会議が開催されている。

第三章　職員に適用される基準

第一節　通　則

（平等取扱いの原則）

第二十七条　全て国民は、この法律の適用について、平等に取り扱われ、人種、信条、性別、社会的身分、門地又は第三十八条第四号に該当する場合を除くほか政治的意見若しくは政治的所属関係によつて、差別されてはならない。

〔趣　旨〕

一　職員に適用される基準

本法第二七条から第一〇八条の七までの規定、すなわち本法の大部分の規定は第三章「職員に適用される基準」に属している。本法全体の構成からみると、第一章の総則で本法の基本原則を明らかにするための規定が設けられ、第二章で中央人事行政機関に関する「組織法」が規定されているのに対し、第三章においては、個々の職員の身分取扱いないしは権利義務に関する規定が第一節から第十節までにそれぞれ区分して定められている。本章の標題は、平成一九年の本法改正前までは公務員制度の基本は官職にあることから「官職の基準」となっていた。しかし、職階制の廃止等を行った平成一九年の改正において、官職分類の前提となる職階制が廃止されたことや本章の実質的内容は元来むしろ職員に関する基準というべきものであったことを踏まえ、地公法の例をも参考にして「職員に適用される基準」と改められたものである。「基準」という用語は、憲法第七三条第四号で「(内閣は) 法律の定める基準に従ひ、官吏に関する事務を掌理する」とされていることにも由来するものと考えられる。「職員」といっても対象となるのはただの個人ではなく「官職に就いている個人」であることは当然といえよう。本章では、国家公務員人事管理諸制度が総合的、体系的に規定され、職員又は職員となろうとする者、更には職員であった者に直接関係する「作用法」の規定が網羅されている。なお、本章の第八節「退職管理」中、第二款「再就職等監視委員会」の規定は、「組織法」ともいえようが、同委員会は中央人事行政機関ではなく、また同委員会の役割等は就職規制に関する実体規定と関連性が高いため、平成一九年の本法改正の際に、本章に置かれたものである。

第三章の各規定を通じる基本的な考え方は、次の二点である。

１　全ての職員に共通する規範

第三章の規定は、一般職に属する全ての国家公務員に共通して適用される規範である。

本章で、所属する府省、組織のいかんを問わず、全職員共通の規範としての基準が定められているのは、職員はその勤務場所がどこであれ、また、その職務の内容がいかなるものであれ、ひとしく公共の福祉のために勤務し、全体の奉仕者（憲法一五2、法九六1）として全力を尽くすという点で共通の性格を有していることに基づくものである。なお、職務と責任の特殊性に基づいて、法律又は人事院規則等により、特例を規定することができるとされている（法附則四）。

２　人事管理の自主性と弾力性

職員に適用される基準は全職員共通の規範であるが、そのような基準設定は、各任命権者の自主的な人事管理を否定するものではない。本章の規定は「基準」であり、また、本法の目的（法一）に明示されているように、本法は人事行政に関する「根本基準」を確立することをその目的としている。この根本基準は人事行政全体の中で、適正な勤務条件の確保や人事管理の中立・公正性の確保の観点などから基礎的な部分を規定しているものであって、それぞれの任命権者である各省大臣等がこの基準の範囲内で、所管行政の特質を考慮しつつ、運用に工夫を凝らし、自主的かつ弾力的な人事管理を展開することが本法の趣旨であるといえる。

二　通　則

第三章第一節は、職員に適用される基準の通則として、平等取扱いの原則、人事管理の原則及び情勢適応の原則を定めている。これらは、形の上では、本章の第二節以下の採用試験及び任免、給与、人事評価、研修、能率、分限、懲戒及び保障、服務、退職管理、退職年金制度、職員団体の各規定の通則とされているが、実質的には、平等取扱いの原則は、本章に限らず、本法の全ての規定の適用についての原則であり、第一章総則で規定されるべきものであろう。一方、人事管理の原則は、主として任用等に関わる原則であり、また、情勢適応の原則は、給与、勤務時間その他勤務条件に関する原則であるといえよう。

しかしながら、これらの原則は本法の実際の運用上、とりわけ重視しなければならないものであることに鑑み、第三章の冒頭に「通則」として規定されたのであろう。

なお、これら三原則のほかに、第八節以下を除き、各節の冒頭に根本基準の規定が置かれている。第二節「採用試験及び任免」では能力実証主義（法三三）、第三節「給与」では職務給の原則（法六二）、第六節「分限、懲戒及び保障」では公正の原則（法七四）などであり、これらも国家公務員制度の基本に関わる重要な原則といえよう。このうち、能力実証主義は、メリットシステム、すなわち能力・実績主義の任用制度面での具現化であり、給与制度面では、成績主義として昇格、昇給、勤勉手当など個別制度で具体化されている。

三　平等取扱いの原則

全ての国民が法の下に平等であるとする原則は、近代国家の大原則であり、多くの国の権利宣言や憲法が明文の規定を置いている。憲法においても第一四条第一項に「すべて国民は、法の下に平等であつて、人種、信条、性別、社会的身分又は門地により、政治的、経済的又は社会的関係において、差別されない。」と規定されている。大日本帝国憲法の第一九条が「資格ニ応シ均ク文武官ニ任セラレ及其ノ他ノ公務ニ就クコトヲ得」と公務就任の機会に限って規定していたのと対照的である。

本条の平等取扱いの原則は憲法第一四条第一項の規定を受けたものであり、全ての国民に対し本法を平等に適用することは、憲法上の要請である。採用試験の公開平等（法四六）は更にこれを任用について具体化した規定である（ちなみに、地方公務員については同様の平等取扱いの規定が地公法第一三条に設けられているほか、民間労働者については均等待遇、男女同一賃金の原則の規定が労働基準法（第三条、第四条）に設けられている。）。

平等取扱いの原則は、このように国家公務員法の適用に当たっての最も重要な原則の一つであるが、それは単なる宣言規定にとどまるのではなく、実体的な強行規定である。すなわち、本条に違反して差別をした者に対しては罰則を科することとされている（法一〇九⑧）。もっとも、社会の実態がますます高度化し複雑化する今日、具体的に何が平等取扱いの原則に合致し、あるいは違反するかどうかを網羅的に明らかにすることは容易ではない。個々具体的に憲法の理念と本法の精神に基づいて判断するほかなく、また、社会環境や社会通念の変化に応じてその判断も変わりうるものといえよう。

ここで留意しておかなければならないことは、憲法あるいは法律における平等取扱いの原則は、個々の条件にかかわらず、絶対的・機械的に均等に取り扱うことを意味するものではないということである。法は具体的な人間の規範であり、具体的な人間が事実上多くの差異をもっている以上、絶対的平等ということは実際に妥当するものではないのである。（法学協会編『註解日本国憲法上巻』三五二頁）。最高裁も「（憲法第一四条第一項及び地公法第一三条（平等取扱いの原則）は）国民に対し絶対的な平等を保障したものではなく、差別すべき合理的な理由なくして差別することを禁止している趣旨と解すべきである」と判示（昭三九・五・二七最高裁大法廷）しており、相対的平等の立場をとっている。

したがって、職員の身分取扱いについても、例えば、妊娠中の女子職員に一定の就業制限をかけたりしても、そうすることについて合理的な理由がある限りは、それは不合理な差別的取扱いではなく、平等取扱い原則の違反とはならない。また、「懲戒処分は、懲戒権者が……諸般の事情を総合的に考慮し、自由な裁量をもって、懲戒処分をすべきか否か……決定する弾力的なものであるから、たとえ同じ程度・態様の非違行為に対する処分に不相違があっても、……直ちに不公平なものと結論づけることはでき」ないとされている（昭五八・一〇・三一名古屋高裁）。

なお、憲法に定める法の下の平等については、前述の絶対的平等・相対的平等に関する議論のほかに、形式的平等と実質的平等のいずれを保障しているかの議論がある。形式的平等とは法律上の均一的取扱い、すなわち機会の均等を意味するのに対して、実質的平等とは劣位にあるものを有利に扱うなどして結果が平等になることを求めることである。通説は、あくまで形式的平等が原則であるとした上で、一定の合理的な範囲内でのみ実質的平等の観点から別異取扱いが許容され得るにとどまるとしている（芦部信喜著『憲法（第七版）』一二九頁、辻村みよ子著『憲法（第七版）』一五七頁）。本条についても、積極的改善措置の導入については同様の趣旨と理解するべきであろう（〔解釈〕二3参照）。

〔解　釈〕

一　平等取扱いの原則の適用関係

平等取扱いの原則は、全ての国民について適用される。「国民」には外国籍の者は含まれない。なお、本章の章名が「職員に適用される基準」とされているとおり、本法は一般職国家公務員の公務員関係に関する各種基準を定めるものであり、本条で「全て国民」とされてはいるものの、採用に関する諸規定や、条文上、「何人も」とされている規定（法一3、三九、四〇、九八2、一〇〇4）などを除き、実質的には、「国民」とは、職員と同義といえよう。

本条は「この法律の適用について」差別してはならないことを定めており、具体的には、採用、昇任等の任用をはじめ、給与その他の勤務条件の決定、分限及び懲戒処分等の本法の適用が対象となる。憲法における法の下の平等（一四1）は、法の内容そのものについても平等であることを要求する（法内容平等（立法者拘束）説が判例、通説である。）が、本条においては、「この法律の適用について」と明記していることから、あくまで本法の具体的条項の運用に当たって平等であることを求めているものである。本法は、職員の身分取扱いの基本法であり、本法の細則を定めた下位法令である人事院規則等の適用に当たっても本条が適用になるほか（人規八―一二　二等）、本法の特別法ないし関連法律である給与法、勤務時間法、補償法などの適用に当たっても、本条の趣旨に従ってそれぞれの法令が適用されなければならない。本法の委任命令又は施行命令たる人事院規則等の適用において差別的取扱いをしたときも、「この法律の適用」の違反であり法第一〇九条第八号の罰則の適用もあり得る。なお、人事院規則等の規定内容についても、憲法の規定や本条の趣旨を踏まえ、平等原則を満たすよう措置することが求められている。

二　平等取扱いの具体的内容

本条と類似の構成をとる憲法第一四条第一項は、後段の差別禁止事由の列記が限定列挙なのか、例示なのかとの議論があるが、通説は「前段の平等原則を例示的に（限定的ではない）説明したものと解するのが正しい。それらの列挙に該当しない場合でも、不合理な差別的取扱いは前段の原則によってすべて禁止される。」とした上で、「（後段に列挙された事由による）差別の合憲性が争われた場合には、（他のより制限的でない手段が存在しない場合に合憲とする）「厳格審査」基準、

「厳格な合理性」の基準を適用するのが、妥当」（芦部信喜著『憲法（第七版）』一三五頁）と解しており、本条についても同様に解釈するのが適当であろう（最高裁も憲法第一四条第一項及び地公法第一三条に列挙された事由について「列挙された事由は例示的なものであって、必ずしもそれに限るものではないと解するのが相当である」と判示している（前記昭三九・五・二七最高裁大法廷）。）。ただし、本条の規定に違反して差別した者は、刑事罰の対象となるものであり（法一〇九⑧）、刑事罰の適用に当たっては、より限定的な対応が求められよう。

以下、本条の後半で列挙された事由について概説する。

1　人種

「人種」（race）とは、人類学的種別であり、本来、民族とは異なる概念である。ただ、憲法第一四条の人種の解釈に当たっては、米国において民族も人種と同視されていることの影響もあり、民族も含める議論も多い。人種等が異なっても、日本国籍を有する我が国の国民である以上は、国家公務員制度上、なんらの差別を受けてはならないことは当然である。

2　信条

「信条」（religious faith）は、本来は宗教上の信仰をいうものであるが、ここでは、「宗教上の信仰にひとしいと考えられるほど堅固なものとしての信念もしくは主義（佐藤功・鶴海良一郎著『公務員法』一四二頁）、すなわち政治上、道徳上の主義、信念あるいは世界観に基づく信念も含まれると解する。政治上の信念は6の「政治的意見」とほとんど同じ概念であるが、強いていうならば「意見」は理論的な主張であるのに対し、「信条」は思想的な確信であるといえよう。同じく後述の「政治的所属関係」も政治的な信条や政治的意見と深い関わり合いを持つが、信条や意見が個人の思考、思想の問題であるのに対し、所属関係は事実上の帰属状態をいうものである。政治的信条及び意見については、政治的所属関係の場合と異なり、いかなる政治的信条、意見を有していても、それが具体的な行動に結び付いて欠格条項や分限処分ないし懲戒処分の事由に該当する場合は別として、それによって差別的な取扱いを受けることはないとされている（憲法一九、二一1）。したがって、服務義務に反する行動をとらない限り、いかなる信条を有していたとしても、公務員制度上、なんら差別されてはならない。また、道徳上の信念についてもそれによって差別してはならないことは当然であるが、例えば、公序良俗に明らかに反する道徳上の信条を有し、これを公言している者を職員として採用しないことは、平等取扱いの原則に反するものではない。これは、公共の福祉の見地から職員たるべきものについて社会通念上妥当な限界を定めることは、合理的な区別と考えられるからであり、そもそもそのような者は、平等取扱いの原則との関係を論ずるまでもなく、試験又は選考を通じて、就けようとする官職に求められる能力を有していないと判断されるのが通例であろう（法三三、四五、五六、五七）。

3　性別

「性別」（sex）、すなわち男女の別については具体的な問題を惹起する場合が多い。民間企業の場合、女性であることを理由として男性と異なる定年を定めることは、後述の男女雇用機会均等法に違反するが、国家公務員の場合も、女性についてこのような取扱いをするとすれば本条違反になるものである。

また、民間企業の場合、男女に異なる職務を与え、これを前提に別個の採用手続を行い、賃金、昇進につき別個の処遇を行う、いわゆる男女別コース制について、従業員の募集、採用につき女子に男子と均等な機会を与えないという点において、男女を差別するものであり、かかるコースの採用は合理的な理由を欠き、日本国憲法第一四条の趣旨に反するとする判例（昭六一・一二・四東京地裁）がある。コース別人事管理が、後述の男女雇用機会均等法の下で、適法と評価されるためには、合理的なコース転換制度が用意されているかどうかが重要な判断要素とされている（平二〇・一・三一東京高裁）。国家公務員の場合には、同様のコース別人事管理の仕組みはないものの、実態として固定的な昇進管理が行われている場合には、本条違反となることもある。

次に、職員の採用について、男子を収容する刑務所の刑務官を男性に限るようなことは、合理的な理由があり、本条違反とならない。このため、刑務官の採用試験も、男性、女性をそれぞれ対象とした別の試験区分を設けている。しかしながら、任命権者において、日勤を通常とする一般の事務職員の採用を男子又は女子に限ることを募集に当たって明示することは本条違反となるものと解される。ちなみに、かつては女性保護等の観点から、特定の職種等に係る採用試験の区分等の受験資格において女性を制限している例もあったが、社会環境の変化の下、現在においては、そのような受験資格の制限はない。

また、女性に産前産後の特別休暇や妊産婦の就業制限の措置などを設けることは、男女間の身体的条件の相違に基づく合理的なものであるので、平等取扱いの原則に反するものではない。ちなみに、従前は、公務災害補償について女性の容貌を損ねた場合により手厚い補償が認められていたが、民間の労働災害補償における同種の措置について性別による差別的取扱いとの判決がなされたこと（平二一・五・二七京都地裁）に伴って、労働災害補償制度でこの点における男女差の解消を内容とする措置がなされたことを踏まえ、平成二三年二月、公務においても同様の制度改正が行われた。

なお、近年、民間の労働法制に係る男女雇用機会均等法は、当初の女性を保護対象とした片面的なものから、男性女性双方を保護対象とした両面的性格に変化したほか、いわゆる間接差別（使用者が設定した、一見、性に中立的な要件が、実際上は一方の性に不釣合に作用すること）についても、限定的な場合につき禁止規定が設けられるなど、社会環境の変化に応じた累次の改正がなされている。国家公務員については、同法は適用除外規定（同法三二）を設けている。適用除外とされている条項は、同法第二章等となっているが、この第二章は、募集及び採用、配置及び昇進等について、女性に対して男性と均等な取扱いとすることを事業主に義務付けた同法の中心部分である。これらの規定が適用除外とされたのは、一般職の国家公務員については、本法中に、性による差別その他不合理な差別を禁止する本条が置かれており、男女雇用機会均等法の規定を適用するまでもなく、同法の趣旨を実現できることによる。

ところで、平成一一年に制定された男女共同参画社会基本法は、男女が社会のあらゆる分野における参画の機会が確保されることを目指し、機会に係る男女の格差を改善するための積極的改善措置（ポジティヴ・アクション）を推進することを求めている。国家公務員においても、国家公務員の女性活躍とワークライフバランス推進のための取組指針（女性職員活躍・ワークライフバランス推進協議会（議長 内閣人事局長））を受けて、各任命権者は、数値目標を含めた拡大計画を策定し取組を進めている。これらは努力目標であるが、更に進んで法令が数値の達成を義務付けるいわゆるクオーター制の導入が可能なのかについて議論がある。現行法の下では、そのような義務付け措置は、本条や成績主義ないし能力実証主義（法三三1）との関係で疑義が大きいといわざるを得ない。ちなみに、立法論としてみた場合、このような積極的な優遇措置がどこまで許容されるのかについては、憲法の法の下の平等が形式的平等と実質的平等のいずれを保障しているかの議論とも関連する。形式的平等とは機会の平等の意味であり、実質的平等とは結果の平等の意味であるが、後者はいわば逆差別の問題を伴うものである。前述のとおり、通説は、あくまで形式的平等が原則であるとした上で、一定の合理的な範囲内でのみ別異取扱いが許容され得るにとどまるとしている（前記辻村著『憲法（第七版）』一五九頁では、「社会経済的条件等によって特定者の権利実現が著しく制約されている場合や（将来にわたって）実質的平等を実現する要請が強い場合など、根拠や目的・手段が合理的な範囲に限って、（憲法）一四条のもとで特別の措置が認められると解される」としている。）。本条についても、基本的には通説と同様に理解するべきであろう。

4　社会的身分

「社会的身分」（social status）という言葉の定義は、必ずしも明確ではないが、永続的に固定した社会的「地位」を指すものと考えられる。「身分」という言葉は、身分制度を想像させるが、そのように狭く解釈する必要はなく、職業等も含まれ、それによって差別すること、あるいは、特定の地域の出身であることによって差別するようなことは、本条の違反となる。なお、公務員の地位に基づく科刑の差異が許されるか否かについて、量刑の当否を判断するに際し、諸般の事情とともに被告人の公務員としての地位に伴う社会的、道義的責任を斟酌しても、憲法第一四条に違反しないとの判例（昭二六・五・一八最高裁）がある。

5　門地

「門地」（family origin）とは、家柄を意味するものと解され、第二次世界大戦前の爵位等の華族制度や旧士族と旧平民の別等がこれに該当する。このような区別は民主国家にそぐわず、我が国では廃止され、現在は存在しない。なお、華族の制度は憲法上、明文で禁止されている（憲法一四②）。

6　政治的意見、政治的所属関係

「政治的意見」（political opinions）とは、政治についての具体的な見解であり、前述の政治上の「信条」に基づく場合が多いであろう。また、「政治的所属関係」（political affiliation）とは、政治団体等に所属し又は所属していないことをいう。ここで政治団体とは、政治資金規正法第三条第一項の「政治団体」とほぼ同じと解してよいが、「政治的所属関係」というときはそれよりも広く、団体には属さないで個人的に政治活動を支持するような場合も含まれるものと解する。政治上の見解を有していること又は政治的な所属によって差別することは本条違反となるが、「第三十八条第四号に規定する場合」は例外であるとされている。同号は、日本国憲法施行の日（昭和二二年五月三日）以後において日本国憲法又はその下に成立した政府を暴力で破壊することを主張する政党その他の団体を結成し、又はこれに加入した者の就官能力を否定するものであり、このような団体は具体的には、破壊活動防止法によって規制される団体と解されているが、このような団体は憲法秩序を否定するものである以上、平等取扱い原則の保障の対象にはならないとされているのである。このような取扱いは諸外国でも同様である（合衆国法典第五部七三一一②、ドイツ連邦官吏法七１②など）。本法第三八条第四号に該当する場合は、文理上は政治的意見及び政治的所属関係の両方についての平等取扱いの原則の例外に当たるものと言うことができるが、同号が専ら政治的な所属に着眼したものであることからすれば、政治的意見について平等取扱いの原則の例外を定めたものということは適当ではない。したがって、本法においては政治的意見のみによる差別的取扱いはいっさい禁止されているというべきである。同号に該当する者は職員となることができず（法三八）、また、現に職員である者は失職するが（法七六）、このような取扱いを受けることが平等取扱いの原則には違反しないことが本条において明示されているわけである。なお、本条では、第三八条第四号が例外であることのみ規定されているが、このほか、本法では政治的行為の制限として政党の役員等となることが禁止されており（法一〇二）、これに違反したときは懲戒処分や刑事罰の対象となるとされている（法八二、法一一一の二②（新刑法の施行日以降は、法一一〇１⑱））。これは、公務に携わる者の職務及び身分の特殊性に基づいて政治的中立性を確保するための合理的な措置であって、平等取扱いの原則に反するものではない。本条後半の人種等の差別禁止事由は、その重要性に鑑みれば、恣意的な取扱いがなされることがないよう、法文上に根拠があるなど高い合理性がある場合に限るなど、厳格に解される必要があろう（〔解釈〕二柱書参照）（「政治的意見、政治的所属関係」については、本法制定時には、本条後段の列記に含まれていなかったが、昭和二三年の本法第一次改正の際に、その重要性に鑑み、追加された経緯がある。）。

以上の本条後段の列挙事由以外であっても、不合理な差別は本条に違反するものであることは冒頭で述べたところである。例えば、議論になるものとして年齢差別の問題が挙げられよう。定年退職制度や採用試験の受験年齢のように、民間でも広く普及し、合理性があるものとして本法等で設けられた制度はともかく、例えば、民間から人材を募集しようとする場合、任命権者において年齢制限を設けることは、特段の合理性がない限り本条違反となろう。このほか、例えば、特段の合理性のない採用試験の別による任用上や処遇面の差別や障害者であることによる差別も同様である。なお、障害者の雇用の促進等に関する法律第三八条に基づき国の任命権者に対して障害者の雇用がいわゆる法定雇用率を下回る場合には、当該雇用率以上となるよう、計画作成を義務付けているが、これは合理的な積極的改善措置の一種といえよう。

三　平等取扱い違反への対応

本条の規定に違反して差別をした者は、一年以下の懲役（新刑法の施行日以降は、拘禁刑）又は五〇万円以下の罰金に処せられる（法一〇九⑧）。

本条に違反する分限処分その他著しく不利益な処分を受けた者、若しくは本条に違反する著しい不利益な処分を受けたと思料する者、又は本条に違反する懲戒処分を受けた者は、本法第九〇条第一項の規定に基づき、不利益処分の審査請求を行うことができる。また、本条に違反して、昇任、昇格に関し差別されていると思料する者は、人事院に対する苦情相談（人規一三—五）のほか、当該差別取扱いの是正を求めて、本法第八六条の規定に基づき、勤務条件の改善に関する行政措置の要求を行うことができる。

（人事管理の原則）

第二十七条の二　職員の採用後の任用、給与その他の人事管理は、職員の採用年次、合格した採用試験の種類及び第六十一条の九第二項第二号に規定する課程対象者であるか否か又は同号に規定する課程対象者であつたか否かにとらわれてはならず、この法律に特段の定めがある場合を除くほか、人事評価に基づいて適切に行われなければならない。

〔趣　旨〕

本条は、職員の採用後の人事管理は、職員の採用年次、合格した採用試験の種類及び幹部候補育成課程対象者であるか否か又は同課程対象者であったか否かにとらわれてはならないこと、及び人事評価に基づいて適切に行わなければならないことを定めている。この原則は、平成一九年の本法改正の際に、新たに設けられたものである。本条の趣旨は、平等取扱いの原則（法二七）や能力実証主義（法三三1）と重なるところが多いが、従前の各府省における人事管理、すなわち昇任や人事配置、あるいは昇格等の任用、給与等の実際の運用が、採用年次や採用試験の種類等を基礎とした年功序列的、画一的なものであったことへの反省の下、新たな人事評価制度の整備に併せて、個々人の能力・実績をより一層反映させるなど人事管理の基本を抜本的に見直すことを目指して、その基本的考え方を人事管理の原則として本法上、明らかにしたものである。

ちなみに、本条と同旨の提言等は、従前から幹部選抜方式の見直しという観点などに立って、「新たな時代の公務員人事管理を考える研究会報告」（人事院・平一〇）や公務員制度調査会答申（総務庁・平一一）でなされている。我が国においても、試験による資格任用制をとっているドイツやフランスの官吏制度と同様に長期勤続を前提とした「閉鎖型」人事管理体系の下で、優秀な若年者を公務に誘致し、育成してきている。長年の人事慣行により、採用試験別の人事管理が行われてきたが、ドイツやフランスには見られない採用年次を基本とする昇進システムがとられていたことから、ドイツやフランスに比べても昇進選抜が柔軟性に欠け、採用試験で将来が決まるといわれるような硬直的な運用となる傾向がみられた。このような状況の下で、平成一九年の本法改正による本条の追加により、成績主義に基づく人事管理の徹底が義務付けられることとなった。

〔解　釈〕

一　人事管理の原則の対象

人事管理の原則は、各府省における人事管理の基本原理に関する規定であり、各府省の任命権者をはじめ、人事管理に関わる者全体に対して義務を課すものである。

この原則は、職員の「採用後」の人事管理に関するものであり、採用及び臨時的任用には適用されない。したがって、例えば、職員に対する採用時の研修が、採用試験の別に応じて行われても、本条に直ちに違反するものではない。同様に、定年前再任用短時間勤務職員の任用（法六〇の二）も、任用行為としては採用の一形態であり、本条の直接の適用対象となるものではない。

「任用、給与その他の人事管理」とは、昇任や人事配置などの任用、昇格、昇給などの給与のほかに、研修などの人材育成その他公務員人事管理全般に関わるものである。また、本法自体の適用のほか、本法の委任命令ないし実施命令の適用（人規八―一二　一二）をはじめ、給与法及びその下位法令の適用についても、この原則の趣旨は当然に及ぶものである。

「合格した採用試験の種類」とあるが、職員が複数の国家公務員採用試験に合格していることはあり得ることで、正確には当該職員の採用に係る採用試験の種類ということであろう。「採用試験の種類」には、本法第四五条の二及び人事院規則八―一八（採用試験）第三条にいう総合職試験（院卒者試験）や一般職試験（大卒程度試験）などの採用試験の種類のほかに、同規則第四条にいう総合職試験（大卒程度試験）「法律」区分や同「工学」区分などの採用試験の区分も含まれるものと解してよいであろう。さらに、国家公務員の採用の方法としては、採用試験のほか、選考があり、選考による採用者も相当程度在職している。本条は、採用年次のほかは、採用試験の種類のみを規定しているが、これは、本条が冒頭述べた各府省の人事運用を改めることを強く意識して設けられた経緯によるものであり、特定の選考採用にとらわれた人事管理が仮になされるのであるならば、本条の精神に反するものといえよう。

二　人事管理の原則の効果

各府省の任命権者その他人事管理に関わる者は、本条の趣旨に基づき、採用試験の種類によってその後の昇進等を決めるような人事管理を行ってはならず、人事評価の結果を基本に能力・実績に基づいためりはりのついた人事管理を実現していくことが、法律上の義務として求められることとなる。

なお、本条では、人事管理に当たって、採用年次や採用試験の種類、幹部候補育成課程対象者であるか否か等にとらわれることを禁止しているが、その趣旨は、任命権者が、昇任者の決定や人事配置などの検討において、対象職員の採用年次や採用試験の種類等に基づいて人事を行ってはならないとするものであり、合理的な範囲で、それぞれの要素を人事の考慮要素の一つとすることまで否定されるわけではない。

「この法律に特段の定めがある場合」とは、本法第五八条第三項又は第六一条の三第四項に基づき、国際機関又は民間企業に派遣されていたこと等の事情により、人事評価が行われていない職員について、人事評価以外の能力の実証に基づき任用（昇任、降任並びに転任及び配置換）を行う場合のこと及び本法第六一条の二第一項に基づき適格性審査を行う場合のことをいう。ところで、「人事評価」とは、「任用、給与、分限その他の人事管理の基礎とするために、職員がその職務を遂行するに当たり発揮した能力及び挙げた業績を把握した上で行われる勤務成績の評価」（法一八の二1）のことであり、現行法体系においては、本法第四節及び「人事評価の基準、方法等に関する政令」（平二一政令三一）で具体的に定められている人事評価を指すものといえようが、本条の基本原理という性格に鑑みれば、ここでいう人事評価とは、第一八条の二第一項の定義の趣旨に合致する評価、いわば一般名詞としての人事評価であり、必ずしも前記政令の枠組みによる人事評価制度に限定されるわけではないといえよう。

本条の違反に対しては、罰則規定は設けられていないが、任命権者の具体的な行為によっては、平等取扱いの原則や能力実証主義の規定など他の条項違反として罰則の対象となり得ることがあるほか、不適切な人事管理については、人事院による人事行政改善の勧告（法二二）の対象となるものである。

（情勢適応の原則）

第二十八条　この法律及び他の法律に基づいて定められる職員の給与、勤務時間その他勤務条件に関する基礎事項は、国会により社会一般の情勢に適応するように、随時これを変更することができる。その変更に関しては、人事院においてこれを勧告することを怠つてはならない。

②　人事院は、毎年、少くとも一回、俸給表が適当であるかどうかについて国会及び内閣に同時に報告しなければならない。給与を決定する諸条件の変化により、俸給表に定める給与を百分の五以上増減する必要が生じたと認められるときは、人事院は、その報告にあわせて、国会及び内閣に適当な勧告をしなければならない。

第二十九条から第三十二条まで　削除

〔趣　旨〕

一　勤務条件の情勢適応の原則

本条は、職員の勤務条件に関する基礎事項が、国会により社会一般の情勢に適応するように変更されることを定めている。すなわち、職員の勤務条件決定の基準は「情勢適応の原則」及び「勤務条件法定主義」であること、及び勤務条件に関する国会の判断のよりどころを人事院の勧告に委ねることを定めている。

公務員の勤務条件を何に基づき、かつ、どのように決定すべきかは、公務員の国家体制の中での位置付け、国家の形成、発展過程あるいはその国の国情に応じて様々な類型がある。すなわち、公務員の種類あるいは範囲は国によって異なり、公務員の勤務関係も同様に国によりその体系は様々である。我が国の場合、近代的な公務員制度が導入されたのは明治時代であるが、大日本帝国憲法の下では、公務員は天皇の官吏であり、一般の勤労者と同質のものとは認識されておらず、その給与も労働に対する対価としてではなく、あくまでも天皇の官吏としての体面を保つために下賜されるものと観念されていた。これに対し、第二次世界大戦後の我が国の公務員は、日本国憲法の下で国民全体の奉仕者とされ、その給与も「俸給は……勤務に対する報酬」と位置付けられるようになった（給与法五1）。また、給与をはじめとするその勤務条件は、議会制民主主義によって国会が法律で定めることとされた（憲法七三④）。

ところで、民間企業にあっては、利潤追求が企業活動の基本であり、従業員の勤務条件（労働条件）についても基本的には企業利益の配分として行われるものであり、同業他社の状況その他様々な状況は付加的に考慮されるものである。また、民間企業における労働条件は、労使の対等決定原則（労基法二1、労組法一、労契法三1）の下、争議権を背景とする団体交渉を通じて締結される労働協約によって決定されるものである（憲法二八）。このような仕組みの下、労組法、労基法、最低賃金法等の労働関係諸法令において団体交渉等に係る労使の行動基準や労働条件の最低基準などが定められている。

他方、公務については、国民全体の奉仕者たる公務員の究極の雇用主は国民であること（憲法一五2）から、〔趣旨〕二で述べるとおり、憲法で「（内閣は）法律の定める基準に従ひ、官吏に関する事務を掌理する」（勤務条件法定主義）（憲法七三④）と定めており、給与等の勤務条件は法律によって定められる必要がある。また、憲法上、財政民主主義の原則（憲法八三）も定められていることから、国家公務員の勤務条件の決定は、国会の民主的なコントロールの下、内閣だけでは完結しないという構造的な特徴を有する。また、そもそも行政サービスは、法律に基づき採算を犠牲にしても公益のためにその実施を義務付けられたものであり、公務には、民間企業の賃金決定における利潤の分配といった枠組みが当てはまらず、倒産などの市場の抑制力という内在的制約も存在しない。

また、公務員の給与は税によって賄われるものである以上、その勤務条件は納税者である国民一般の理解が得られるものである必要がある。さらに、それは公務員たる職員にとっても納得し得るものであり、労働市場において公務に必要な人材を確保し得るに十分なものでなければならない。

このような要請を満たす勤務条件決定の基準として、本条は情勢適応の原則を定めているのである。すなわち、情勢適応の原則とは、全体の奉仕者たる公務員の在り方を念頭に置きつつ、これら公務員の勤務条件が、我が国の社会、経済上の一般情勢の変化に応じ、適宜、機動的に定められるべきものであることを表明したものである。同時に、労働基本権が制約された公務において、民間の労使であれば当然に団体交渉に至るような情勢の変化が生じた場合に職員の勤務条件をこの規定によって保障する意義を有している。社会、経済上の一般の情勢それ自体を一義的に明らかにすることは困難であるが、具体的には、民間における給与、勤務時間等の勤務条件の実態を適切に把握し対応することになる。なお、社会一般の情勢を判断する際には、例えば、俸給表については「生計費、民間における賃金その他人事院の決定する適当な事情」を考慮して定められなければならないとしていること（法六四２）も一つのよりどころとなろう。

二　勤務条件法定主義

本条は、また、公務員の勤務条件の決定の手続について、それが国会により変更せられること、すなわち「勤務条件法定主義」を定めている。第二次世界大戦後の公務員制度を戦前のそれとの対比において一八〇度転換させた思想は、公務員の使用者が究極的には国民とされたことである。憲法第一五条は公務員の地位が国民に由来するものであることを宣言し、公務員は、国民の信託に基づき、国民全体の奉仕者として職務を遂行すべきことが要請されている。したがって、国民と乖離したところに公務員制度が存在することはありえず、公務員の処遇を考えるに当たっても、その処遇の在り方を国民の関与ないし監視の下に置くことが必然的に要請されることとなる。これが公務員の勤務条件の決定について国民の代表者としての国会又は議会の統制に服せしめることとするゆえんである（憲法七三④）。

また、公務員の勤務条件が国会の法律で定められるいま一つの理由は、公務員労働法制に基づくものである。

公務員の労働基本権の制約については、第九八条及び第一〇八条の二以下でくわしく述べるが、その概要は次のとおりである。

第二次世界大戦後、本法制定前に制定された労組法（昭和二一年三月施行）は、労働者に団体交渉権、争議権を認めており、当初、警察、消防、監獄職員等を除き、命令で別段の定めをすることは可能であったものの、原則全ての官吏に適用されていた（旧四条）。その後、昭和二一年九月に成立した労調法において、現業部局職員、試験研究機関職員、教員、単純労務職員等には争議権を認めつつも、警察等職員を含め、全ての非現業の官吏等の争議権が禁止された。さらに、官公労職員による労働攻勢の激化に対して発せられたマッカーサー書簡及びこれに基づく昭和二三年政令第二〇一号により、公務員の争議行為が全面的に禁止されるに至った。さらに、昭和二三年一二月、右政令第二〇一号に基づく本法の改正（第一次改正）が行われ、国家公務員の争議行為禁止並びに団結権及び団体交渉権の制限（団体協約締結権の否認）の法制が確立された。そしてこの労働基本権の制約に伴い、人事院勧告制度が創設されたのである。現行の勤務条件法定主義は、人事院の給与勧告等とともに、法律の委任の下でその細目決定を第三者機関である人事院に委ねることも含めて、労働基本権制約の代償措置としての意義をも持つものである（昭四八・四・二五最高裁大法廷（全農林警職法事件判決））。

三　人事院の国会及び内閣に対する勧告権

公務員制度に係る人事院の勧告あるいは意見の申出については、既に第二二条及び第二三条において述べたところであるが、第二二条に基づく人事行政の改善に関する勧告、あるいは第二三条に基づく法令の制定・改廃に関する意見の申出等が、人事行政の法制面、運用面について本法の定める目的を達成するための中立・専門機関としての人事院の権限であるのに対し、本条に基づく勧告は、それに加えて、公務員の労働基本権を制約したことに対する代償措置としての特質を有している。すなわち、制定時の本条においては、「勤務条件に関する基礎事項は、社会一般の情勢の変化に適応するように、国会の定める手続に従い、随時変更せられうるものとする」と定められていたが、昭和二三年の本法第一次改正により、労働基本権が制約されるのに併せて、国会及び内閣に対する人事院の勧告が制度化されたものである。また、人事院は、内閣の所轄の下に置かれる機関（法三1）であるとはいえ、内閣の一部を構成する行政機関が国会に対して直接勧告する権能を付与されていることは、他に例をみないものである。これは、本条の勧告が労働基本権という憲法上の権利を制約することの代償措置であることを重く受け止め、労使交渉に代わる勧告が、勤務条件の決定権者である国会に直接伝わるよう制度化されたものと考えられる。前述のとおり、公務員の勤務条件決定に関しては、公務は民間における企業活動等とは異なり、市場原理が直接的には及ばないため、公務部内にこれら勤務条件を決定する基準を見いだすことが困難であり、また、納税者である国民一般の理解を得るとともに、公務員の利益も確保し得るよう措置する必要がある。本条は公務員の勤務条件の決定について、情勢適応の原則によるべきことを国会に求めているが、その国会の機能を補強するために、労働基本権制約の代償機関としての人事院の勧告が必要とされているのである。

ところで、本条に基づく勧告は、国会と内閣に対して同時になされるという特色を有している。我が国の法制上、内閣に対する報告や勧告はほかにも例が多いが、行政機関が国会と内閣に同時にかつ直接に報告、勧告を行うことは他に例をみない。人事院は、前身の臨時人事委員会の時代である昭和二三年一一月に職員の給与改訂に関する第一回の勧告を行ったが、当時の第二八条には勧告権が定められておらず、臨時人事委員会は、当時の第六七条の規定の趣旨に基づいて内閣総理大臣に対して勧告を行った。当時の臨時人事委員会は内閣総理大臣の所轄の下（総理府の外局）に置かれており、内閣総理大臣に勧告する以外方法がなかったのであるが、次に述べる本法の第一次改正が近々にあることを念頭に、実質的には内閣に対し勧告を行い、国会の関係委員会にも直ちに資料として提出されていたようである。この勧告が行われた直後、本法は大幅な第一次改正が行われ、人事院は内閣の所轄の下に置くこととされ、強い独立性、中立性が付与され、本条も現行規定に改められ、給与等の勧告は本条に基づいて国会にも勧告することとされた。なお、前述第一回の勧告は、本法改正後の同年一二月、改めて国会及び内閣に対して正式に行われた。

一般的に勧告とは、「ある意見を申し出て、相手方に対してその申出に沿う処置を勧め、または促す行為」（佐藤功・鶴海良一郎著『公務員法』一四六頁）であり、その内容が専門的、技術的なものが多い。また、勧告は通常、受け手に対してその実施に関する法的拘束力を生じさせるものではない。しかしながら、国家公務員の給与等の勤務条件は、前述のとおり、本法制定当初、内閣を一方当事者とした労使交渉により決定する位置付けであったものを、本法第一次改正の際に労働基本権を制約するに伴って、人事院による第三者的立場からの科学的な調査に基づいて決定することとし、国会及び内閣に対する勧告によることに改めたものである。したがって、国会も代償措置の必要性を前提とした上で人事院勧告の権威・役割を承認していたものといえるほか、内閣を一方当事者とした労使交渉の廃止は、内閣に対しても人事院勧告の尊重義務が求められたものと解されよう。いずれにせよ、人事院の給与等の勤務条件に関する勧告は、憲法第二八条が保障する労働基本権の制約に対する代償である以上、その受け手が政治的、道義的な意味で最大限尊重すべきであることはいうまでもない。憲法解釈上もその尊重が本来的に強く要請されており、「仮に代償機能が画餅にひとしいとみられる事態が生じた場合には、公務員が争議行為にでたとしても憲法上保障された争議行為」（前記昭四八・四・二五最高裁大法廷・追加補足意見）とされており、その意味において憲法の要請による拘束力があるといってよいであろう（最高裁は、その後も平一二・三・一七の判決（全農林五七年人勧凍結反対闘争事件判決）で「労働基本権の制約に対する代償措置がその本来の機能を果たしてい」るかどうかを（合憲性を）「判断するに当たっての重要な事情」と位置付けている。また、政府も累次の国会質疑で、人事院勧告の最大限尊重を答弁している。例えば、「労働基本権制約の代償措置の一つとして人事院勧告制度が位置づけられております。したがって、政府としては、この制度を最大限尊重する取扱いを行わなければならないと考えているわけでございます」（平二一・五・二八参議院総務委員会　鳩山邦夫総務大臣答弁）などがある。）。

四　報告及び勧告の趣旨、取扱い等

１　報告の趣旨

本条第二項は、人事院に対し俸給表の適否について国会及び内閣に報告すべきことを定めている。本法上、人事院に報告を求める条項は本条第二項に限られず、第三条第一項、第二二条第二項、第二四条第一項にも規定がある。通常、報告とはある任務を与えられたものが、その遂行の状況、結果について述べることとされているが、事実の通知のみならず、報告者の価値判断や意見を表明するケースが多い。本条第二項の報告は、俸給表の適否について人事院の判断が問われることとなるだけでなく、その結論に至った背景等について人事院の考えが示されることとなる。特に、本条に基づく報告は、通常所要の勧告を伴う点に特徴があり、判断の結果、俸給表の改定が必要となれば、この報告に併せて勧告を行うこととなる。この人事院の報告は、「毎年、少くとも一回」行うことが法律上の義務となされている。

２　勧告制度の役割と意義

前述のように、公務員については労働基本権が制約されており、その代償措置として公務員の勤務条件の決定に際しては、中立第三者機関である人事院勧告に基づくこととされている。

この人事院勧告制度については、過去の様々な議論を経て、今日では広く国民一般の理解を得て、我が国公務員制度の中に定着しているといってよいであろう。特に、公務員労使関係が、勧告を媒体として安定的に推移してきたことは、公務運営に対して大きな意義を有するものといえる。また、この勧告制度は、直接的には管理職層を含めた一般職国家公務員全体（行政執行法人の職員を除く。）約三〇万人を対象としている。近年、大幅な定員削減や独立行政法人化等により、勧告の対象職員はかつての約五〇万人と比べて大きく減少しているとはいえ、人事院の給与勧告は約三〇万人の特別職国家公務員や二八〇万人に及ぶ地方公務員の給与等がそれに準拠しており、更には多くの独立行政法人や特殊法人、国立大学等の職員給与のほか、病院、社会福祉施設や中小企業の従業員給与などにも事実上、大きな影響を及ぼしているなど人事院勧告の社会的意義と重要性は引き続き極めて大きいものがある。

3　給与勧告の取扱い

人事院の給与改定の勧告について大きな問題となってきたのは、勧告の実施の問題である。草創期において、人事院は実施時期を明示せず、政府に速やかなる実施を要望するという形で勧告を行ってきた。しかし、勧告は春季賃金改定を経た一定時期（現在、毎年四月）の民間給与を基礎として行われるものであるにもかかわらず、政府が決定する実施時期は常にそれよりも遅れていたことなどを考慮し、いわゆるラスパイレス方式による現行の給与勧告の仕組みが確立した昭和三五年以降は、実施時期を明示した勧告を行ってきている。当初は勧告で示す時期より遅れて実施される状態が続いたが、昭和四五年にようやく内容、実施時期ともに勧告どおり実施されるに至った。以後約一〇年間、時期、内容ともに勧告の完全実施の状況が続いたが、昭和五〇年代後半に至り、財政状況の極度の悪化を理由として、他の歳出削減策と併せて、勧告の実施見送り（昭和五七年）、あるいは内容の抑制という事態が生じた。このような取扱いは緊急避難的な異常の措置とされたが、こうした取扱いをめぐって各方面から議論がなされ、また、勧告の実施を求める争議行為が頻発し、それに対する懲戒処分が行われ、更には裁判闘争がなされる中、勧告制度や労使関係に及ぼす影響についても大きな関心が持たれることとなった。政府においても、勧告の最大限尊重の基本方針の下、完全実施に向けた努力が行われ、昭和六一年の勧告からは（平成九年及び一九年の指定職俸給表の取扱いを除き）時期、内容ともに再び完全に実施されてきている。なお、平成二三年の勧告については、人事院勧告によることなく、既に提案されていた国家公務員給与臨時特例法案（〔解釈〕五参照）との関係で、政府は一旦、勧告不実施の閣議決定を行ったが、国会における議論を経て、議員立法で勧告の実施が措置された。平成二四年の勧告（昇給制度の見直し）については、政権交代後に実施の閣議決定がなされたが、既に勧告で示した実施時期（平成二五年一月一日）を経過していたため、結果として、一年遅れでの実施となった。また、令和三年の勧告（期末手当の引下げ）については、同年一〇月三一日に衆議院議員総選挙が行われたこと等から、一一月二四日に、勧告どおり期末手当の引下げを行うこととした上で、令和三年度の引下げに相当する額については、令和四年六月の期末手当から減額することを内容とする閣議決定が行われ、その後実施された（〔解釈〕五参照）。

なお、ＩＬＯも、勧告の実施に関する職員団体側からの提訴を受けて、人事院勧告が完全に実施されることの重要性を再三にわたり指摘している。

〔解　釈〕

一　勤務条件

本条第一項は「給与、勤務時間その他勤務条件に関する基礎事項」が社会一般の情勢に適応するように変更されるべきことを定めている。勤務条件一般については後に詳しく述べるが（一〇六、一〇八の五参照）、まず、勤務条件の意義については、地公法第二四条に規定する勤務条件に関する法制意見では、「勤務条件とは、労働関係法規において一般の雇用関係についていう「労働条件」に相当するもの、すなわち、同条項に例示されている給与及び勤務時間のような職員が自己の勤務を提供し、又はその提供を継続するかどうかの決心をするにあたり、一般的に当然考慮の対象となるべき利害関係事項であるものを指すと解するのが相当である。」（昭三三・七・三法制意見）とされている。また、行政執行法人労働関係法第八条は、行政執行法人の職員の交渉事項としての勤務条件を次のとおり規定するとともに、管理及び運営に関する事項は、交渉事項とすることができない旨を規定している。行政執行法人職員以外の一般職職員の勤務条件の内容も基本的にはこの勤務条件と同様と解してよいであろう。

①　賃金その他の給与、労働時間、休憩、休日及び休暇に関する事項

②　昇職、降職、転職、免職、休職、先任権及び懲戒の基準に関する事項

③　労働に関する安全、衛生及び災害補償に関する事項

④　前三号に掲げるもののほか、労働条件に関する事項

ちなみに、給与法第八条が定める職務の級の定数、いわゆる級別定数は、組織管理に関連する側面を有する一方、職員の職務の級の決定基準として重要な勤務条件であり、労働基本権制約の代償機能の対象に含まれる。このため、平成二六年の本法改正で所管が人事院から内閣総理大臣（内閣人事局）に移管されるに際しても、「内閣総理大臣は、職員の適正な勤務条件の確保の観点からする人事院の意見については、十分に尊重するものとする」（同法八３）ことが、明記された。

ところで、退手法に基づく国家公務員の退職手当制度が、給与の後払いとしての勤務条件なのか、長期勤続報償なのかについて、議論がある。政府は、「基本的には長期勤続報償なんですね。勤務条件じゃない、給与じゃない。しかし、退職後

の生活保障的な性格があることは否めない」（平一五・五・二七参議院総務委員会　片山総務大臣答弁）とし、基本的には長期勤続報償としての立場をとっている。一方、民間における退職金については、賃金の後払い性格と功労報償的性格との複合的性格であることが判例・通説とされている（荒木尚志著『労働法（第五版）』一四九頁）。実際、公務の退職手当の水準は、人事院が専門機関として関与して行う官民の退職給付調査に基づき決定されていることをも踏まえると、公務においても、退職手当の勤務条件性について、否定する理由はないと考える。

なお、管理及び運営に関する事項とされている事項であっても、勤務条件としての側面を有する場合には、当該事項に関わる部分が勤務条件であることはいうまでもない。例えば、現行の人事評価制度は、管理及び運営に関する事項との見方があるが、民間企業でも、人事考課・人事評価は労働条件と解されているほか、公務においても昇給や勤勉手当などの決定に人事評価の結果が直接用いられることとされており、人事評価自体もそのような観点からみた場合、管理及び運営に関する事項としてだけでは律せられない部分が相当程度あるといえよう（地方公務員（単純労務職員）に関する中央労働委員会の命令においても、「管理運営事項であっても、労働条件に影響が及ぶ場合には、団交応諾義務がある。」と判示している（平一九・一二・六　広島県（教育委員会）不当労働行為再審査事件）。）。

次に、本条第一項は「勤務条件に関する基礎事項」と規定しているが、その意義は勤務条件に関する最低基準を指すとする考え方もあり得る。憲法第二七条第二項が「賃金、就業時間、休息その他の勤務条件に関する基準は、法律でこれを定める。」と規定し、具体的には、労働基準法等の労働関係法令がこれらの最低基準を定めていることから類推される考え方である。民間企業にあっては、労働基準法等の規定を最低基準として、個々具体的な勤務条件は労働協約に基づき就業規則等で定められている。しかしながら、勤務条件法定主義を採る本法の下にあっては、具体的な勤務条件を定めている法律、人事院規則等は民間企業における就業規則としての性格を有するものである。したがって、法律は最低基準を定めるというより、勤務条件の基本的事項を法定事項としているということが適切であろう。例えば、給与法においては、俸給表で具体的な俸給額や、各手当の上限及び下限の金額や支給基準等が定められており、本項の「法律に基づいて定められるべき……基礎事項」とは勤務条件に関する最低基準という意味ではなく、法律で定められる重要な勤務条件と解することができよう。

なお、法律は人事院規則に詳細な事項を委ねており、その限りにおいては、法律は基本的な枠組みを定めるものともいえる。

　また、平成二六年の本法改正により、「この法律及び他の法律に基づいて定められる」とされているが、改正前においては「この法律に基づいて定められる」とされていた。「この法律」とは、直接的には本法を指すものといわざるを得ないが、職員の勤務条件は本法をはじめ、給与法や勤務時間法など各種の法律によって定められているところであり、これら一般職国家公務員の勤務条件に関する法律も、国家公務員制度の基本法である本法の趣旨ないし理念の下に定められているものといえる。例えば、給与については本法において「別に定める」（法六三）とされており、この法律に基づくものといえよう。そもそも情勢適応の原則は、勤務条件一般に妥当する原則であり、「この法律」を厳密に本法に限定して適用することは、本法自体が勤務条件全般を網羅的に規定する構成をとっていない以上、適当ではないし、仮に限定したとすると本条が給与法改正を求める給与勧告の根拠とならなくなり、不合理な結果となったであろう。少なくとも給与や勤務時間については本条で明確に例示しているものであり、もともと本条に基づいて勧告が行われることを当然に想定していたものといえよう。いずれにせよ、以上のような問題については、平成二六年の本法改正により、立法的に解決された。なお、〔解釈〕三２で後述するとおり、勤務時間法の改正勧告を給与勧告と同時に行う場合が通例であり、その場合は、本法、給与法、勤務時間法が勧告の根拠として併記されることになる。ちなみに、平成三年の完全週休二日制の導入に関する給与法改正に係る勧告に併せて、必要となった行政機関の休日に関する法律の改正を勧告した例がある。

　ところで、検察官を対象とした検察官俸給表（検察官俸給法）や在外公館に勤務する外務公務員の在勤手当（在外公館名称位置給与法五）について人事院の勧告権が及ぶのかが、論点としてある。検察官や外務公務員は、一般職職員であるものの、検察官俸給法や在外公館名称位置給与法は、職務の特殊性等に基づいて本法の特別法である検察庁法や外務公務員法で別に法律で定めることとされていることに従って規定されているものであり、それぞれ給与法の改定に準じて、あるいは関係審議会の勧告を経て、給与改定が行われているほか、改定に必要な基礎的データの把握・収集といった実務上の観点からも、本条第一項の勧告がなされることは通常は予定されてはいないといえよう。しかしながら、これら給与が「勤務条件に関する基礎事項」であることは確かであり、検察官俸給法や在外公館名称位置給与法に本条の適用除外規定が置かれているわけではなく、情勢適応の原則の下で、特段の事情があれば、人事院がこれら給与の改定について勧告を行う余地はあり得るものと解される。実際、例えば、昭和二五年に検察官俸給表の改定について勧告を行った実例があるところである。

以上のほか、宿舎法のように、本法自体が予定した関連法ないし特別法とは位置付けられていないが、立法的に本条第一項の勧告に係る事項に含まれることを明記している例もある（同法二一）。

二　官民均衡の基準

本条の情勢適応の原則を具体化するに際しての基本的な考え方は、官民均衡であり、具体的には「民間準拠の原則」である。すなわち、公務員の勤務関係における特殊事情を考慮する必要はあるが、公務員も勤労者であること、その給与は国民の負担によって賄われていることなどを考慮すれば、民間に準拠することが、最も納得性のある基準であるといってよいであろう。給与についてのこの官民均衡の原則に基づく決定の仕組みは次のとおりである。

まず、公務員の給与に関する原則として、第六二条は「職員の給与は、その官職の職務と責任に応じてこれをなす。」と定め、職務給の原則を明らかにしているが、第六四条第二項は、「俸給表は、生計費、民間における賃金その他人事院の決定する適当な事情を考慮して定められ……」と規定し、給与決定の具体的なよりどころを示している。これら指標のうち、現在、最も重視されているのが民間賃金であり、この民間賃金に準拠しつつ、公務員の給与水準を定める方式として、人事院は公務員を基準とするラスパイレス方式による給与の比較方式を採用している。これは、公務員の給与水準と民間の給与水準とを全体として均衡させるとの考えに基づく方式であり、基本的には次のような算式に基づいて官民の給与較差を算定し、この較差を埋めることによって官民給与の均衡を図ることとするものである。

$$\frac{\Sigma P_1 Q_0}{\Sigma P_0 Q_0}$$

P_1：民　間　給与
P_0：公務員給与
Q_0：公　務　員　数

なお、本条第二項は「俸給表」とされ、情勢適応の原則により改定するのは俸給であるがごとき規定となっているが、民間において俸給に相当する基本給と諸手当の合計額をもって毎月の所定内賃金とするのが一般的であることを踏まえれば、官民の月例給の総額比較により官民比較を行うのが理にかなっている。

この方式により官民の給与を比較する場合、単純に全体平均で比較するのではなく公務においては一般の行政事務を行っている常勤の行政職俸給表㈠適用職員、民間においては公務の行政職俸給表㈠と類似すると認められる職種（事務・技術関係職種）の常勤の従業員について、官民を通じて給与を決定する上で基本要素となる仕事の種類、役職段階、在勤する地域、学歴、年齢が同等の者同士の給与額を比較し、それを公務員の人員構成（公務員ウェイト）で加重して全体の官民較差を求めており、給与の比較方式として極めて精緻なものである。なお、この算式で民間給与として算出される金額は、現実に存在している公務員に対して調査結果に基づく民間給与を支給すると一人当たりいくらになるかという額であり、民間給与実態調査結果そのものではない。したがって、近年のように平均年齢の高齢化が進み、地方機関の定員が減って相対的に給与水準が高い都市部の職員数が増加すると、それによってこの算式の民間給与は増加することとなる。現在、人事院は毎年の給与勧告に当たり、新規採用職員等を除いた給与法対象職員約二五万人全員（このうち官民給与比較の対象となるのは、一般的な事務を担当している行政職俸給表㈠の適用者約一四万人）について給与等の実態調査を行うとともに、民間企業については、地方公共団体の人事委員会と共同で企業規模五〇人以上、かつ、事業所規模五〇人以上の全国約五四、九〇〇の事業所の中から約一一、八〇〇の事業所を産業や企業規模等を考慮して層化抽出し、そこに勤務する従業員のうち約四五万人の個人別給与を職種別に調査員が調査する（職種別民間給与実態調査（対象事業所数等は、令和四年の数値））作業を毎年四月末頃から六月中旬頃までの期間で行っている。その結果については、大企業に偏ることがないよう、母集団の従業員ウェイトで復元して集計を行っている。例年、調査完了率は八割を超えており、人事院勧告に対する国民の理解の基礎となっている（この調査の対象となる民間事業所について、昭和二三年当初は事業所規模五〇人以上としていたところ、昭和三九年に公共企業体等労働委員会の仲裁裁定において当時の現業職員の比較対象が企業規模一〇〇人以上とされていたことを踏まえ、翌年から、従業員一〇〇人以上の企業の従業員五〇人以上の事業所が対象となった。その後、平成一八年からは、より小規模企業の賃金水準を反映すべきとの国会の議論や世論を踏まえ、役職段階別調査が可能であることなどを考慮して対象企業の規模を五〇人以上に引き下げた。）。

給与の比較方式としては、このほか、民間の従業員数で加重するパーシェ方式、及びラスパイレス方式で求められた値とパーシェ方式で求められた値との幾何平均値を求めるフィッシャー方式があるが、人事院が考慮すべきものは公務員給与であるので、国家公務員の人員構成をウェイトとして用いるラスパイレス方式が用いられており、納得性の高いものといえよう。

民間給与に関しては様々な統計調査があるが、人事院の民間給与実態調査としばしば比較されるものに国税庁の民間給与実態統計調査（国税庁調査）がある。国税庁調査の結果によると、一年を通して勤務した給与所得者の平均給与額は令和三年には四四三・三万円（正社員（正職員）五〇八・四万円、パート・アルバイト等一九七・六万円）となっており、人事院の民間給与実態調査結果に基づいた官民比較の結果である国家公務員の同年の平均年収六六四・二万円と一見すると大きな差がある。この背景には、国税庁調査には労働時間や労働日数が少ないパートタイマーやアルバイトなどの非正規労働者も調査対象に多数含まれているほか、事務・技術系労働者に限らず自動車運転手など全ての職種の労働者が含まれる一方で、人事院調査においては、既に述べたとおり一般の行政事務を行っている常勤の国家公務員の給与と比較するため、これら公務員と類似する業務を行っている民間の事務・技術系従業員を調査対象としているという事情がある。加えて、国税庁調査の結果は全体の単純平均値となっているが、国税庁調査の対象労働者の平均勤続年数は一二・六年（これに対し国家公務員は二一・〇年）と短く、男女別給与で見ると男性五四五・三万円、女性三〇二・〇万円となっており、このような違いが結果として国税庁調査と公務員給与との差の原因となっていると考えられる（ちなみに、国税庁調査における国家公務員の平均勤続年数と同程度の勤続年数階層（二〇年から二四年）の民間男性労働者の平均年間給与は六七四・〇万円となっている。）。

このようにして、官民給与の水準を均衡させることになるが、人事院勧告では、このような全体としての水準を合わせることのほかに、個々の給与制度すなわち俸給制度、各種手当制度の改廃など具体的配分が取り扱われる。これらについても本条第一項の情勢適応の原則の下、改定を行うものであるが、民間企業における給与制度は企業によって区々であることから、水準比較のような厳密な意味での民間準拠ではなく、民間企業における賃金制度やその実態等を参考としながら、公務内における部内の均衡、職務の特性等を踏まえ、職種間、世代間、地域間等において適切なめりはりのついた給与配分となるよう、職務給の原則や成績主義などの諸原則に基づいて必要な制度設計が行われている。

このほか、「社会一般の情勢」に財政事情が含まれるのかという議論がある。これは、人事院が勧告するに当たって民間賃金のほかに、国の財政事情も考慮すべきという議論と通じるものである。「財政事情を考慮する」とは、国家運営における国の歳入と歳出についての優先度に関する政治的な判断であり、このような財政事情を、人事院が労働基本権制約の代償措置としての勧告を行うに当たって考慮することは、その能力や権能を超えるものであり、かつ、政治的にそのような判断を行った場合には、勧告に対する不信を招き、本来の機能を適切に果たせなくなるおそれがあることから、不適当といえよう。他方、幅広い立法裁量権を有する国会が、国家公務員の給与の改定を判断するに当たって財政事情を考慮することは、国会の権能であるが、その場合も人事院勧告の憲法上の労働基本権制約の代償という意義に鑑みれば、人事院勧告を尊重することが強く求められているといえよう。また、財政事情のそのような性格からして、これを軽々に個々の公務員の責に負わせ、「身を切る」などとして人事院勧告を「値切る」ことは、適切とも考えられない。公務員給与は国の予算の中から支払われるものである以上、財政破綻の危機が生じ、各予算の項目が削減されるような事態になれば、給与の削減もあり得るところであろうが、そのことは本条の「社会一般の情勢」を超えた政治的な非常事態というべきである。

次に、給与以外の勤務条件、すなわち勤務時間、休日、休暇等の官民均衡の図り方については給与の場合と異なり、具体的よりどころを示す規定は存在しない。しかしながら、勤務時間等についても情勢適応の原則に基づき、民間企業における勤務時間等の制度の実態及び普及状況等を踏まえて勧告を行うこととなる。

なお、国家公務員には、労働基準法や船員法等の民間労働法制は適用にならない（法附則六）が、これらの法律は広く民間の勤労者に適用されているものであり、これまで述べてきた官民均衡の考え方を採る以上、国家公務員の勤務条件を定めるに当たっては、労働基準法等に定められている最低基準等は、公務運営の必要上、特段の事情等がある場合を除き、十分考慮する必要があるといえよう（地方公務員に関しては、労働基準法等の多くの規定が適用されている（地公法五八３））。

三　人事院の勧告

１　給与勧告

本条第一項と第二項の関係は、文理上は必ずしも明らかではない。まず、本条第一項は、国会が自ら情勢適応の原則に従って随時勤務条件の内容を決めるべきことを定めており、人事院はその決定に資するための勧告を怠ってはならないことを規定している。したがって、この場合の人事院の勧告は、国会との関係が強く意識されているが、このことは、本法のほか給与法にもみられるところであり、同法第二四条は「国会は、給与の額又は割合の改定が必要であるかどうかを決定するために、……人事院の行つた調査に基づき、定期的に給与の額及び割合の検討を行うものとする。この目的のために、人事院は……事実の調査を行い、給与に関する勧告を作成する。」と定めている。これに対し、本条第二項は、俸給表の変更について勧告すべき具体的な義務を直接人事院に課している。

このように、本条第一項は国会を主体とし、第二項は人事院を主体として規定している。第一項がそのような国会を主体とした規定の仕方をしているのは、職員の勤務条件の基礎事項の最終的決定が国会によって行われることに由来するからである。ちなみに、労働基本権の制約がなされた本法の第一次改正において人事院勧告に関する本項後段及び第二項が追加されたという経緯がある。すなわち、勤務条件に関する基礎事項を変更する権能を有するのは国会であるが、人事院は第一項によって、勤務条件という労使関係の中で定められる事項について、政治の場にいる国会が常に適切な判断を行えるよう中立第三者かつ勤務条件についての専門性を持つ立場から国会に対して必要な勧告を行うことを義務付けられている。第一項では、情勢適応の原則に基づき、給与を含む職員の勤務条件全般についての包括的な勧告義務が含められている。さらに、第二項によって、人事院は勤務条件の中心である俸給表の適否についての報告及び必要な勧告について拘束的な義務を負っているということができよう。したがって、後者の勧告は前者の勧告の一態様であると理解すべきものと考えられる。

ところで、本条第二項は、人事院が俸給表について勧告することを拘束されるのは「百分の五」以上の増減を要する場合と明記しているため、その「百分の五」の意味が問題となる。まず、「百分の五」という数字の根拠は必ずしも明確ではないが、物価が激しく変動し、我が国経済全体が混乱していた第二次世界大戦直後に本条が定められたため、当時の状況から少なくとも俸給表を五パーセント以上増減する必要がある場合を俸給表改定の目途としたのではないかと推測される。

次に、俸給表に定める給与を一〇〇分の五以上増減する必要がある場合に勧告すべきことを拘束されていることから、それ未満の増減の場合は、勧告するか否かは専ら人事院の任意に委ねられているかどうかが問題となる。このことについては、前述のように第二項の勧告は、第一項の勧告の一態様であり、人事院は、一〇〇分の五未満の増減であっても改定を適当と判断する場合には、給与を決定する諸条件の変化を十分勘案した上、第一項の情勢適応の原則に従って勧告を怠ってはならないものというべきである。昭和六一年以降、毎年の官民給与較差は五パーセントを下回っているが、民間企業において一〇〇〇円、二〇〇〇円という単位でベースアップが行われている状況（例：平成一三年中労委四現業職員仲裁裁定二〇三円（〇・〇七％））にあっては、これに相応する対処を行うことが民間準拠と考えられることから、官民較差が極めて小さく、俸給表改定等の配分が困難な場合を除き、官民較差を埋めるための給与勧告が行われている。なお、近年では、表（給与勧告と実施状況の経緯）のとおり、給与水準の引下げ改定も行われている。

また、民間企業では俸給に相当する基本給と諸手当の合計額をもって毎月の所定内賃金とするのが一般的であり、民間準拠の観点からすると官民の給与水準は俸給及び諸手当（実績給を除く。）の合計額が均衡するようにすべきである。この観点からすると第二項の「俸給表」は「給与月額」と理解する必要がある。

実際の給与勧告に当たっては、任期付研究員法、任期付職員法の制定以後、これらの法律に規定される俸給表等の改定の勧告も、これらの法律の人事院の勧告の規定に基づき、同時に同一の勧告・報告文で行われるのが通例であり、本法及び給与法のほか、これらの法律も給与勧告の根拠とされている。

2　給与以外の勧告

給与以外の勤務条件に関する勧告としては、主として勤務時間、休暇等の改定に関するものがある。平成六年の勤務時間法制定前は、勤務時間、休日及び休暇に関する規定は給与法に設けられていた（休日及び休暇については昭和六〇年改正以後）ため、本法及び給与法が根拠とされていたが、勤務時間法制定以後は、本法及び勤務時間法が根拠となっている。ただし、給与勧告と同時期に勧告が行われる場合は、同一の勧告・報告文で行われるのが通例である（例　平成二八年勧告）。

3　勧告と意見の申出

人事院の勧告あるいは意見の申出については、第二二条及び第二三条において述べたとおり、その目的、実現されるべき内容、相手等に応じ様々な類型が考えられる。本条に基づく勧告は、職員の勤務条件が社会一般の情勢に適応するよう、主として内容の面からの改定を求めるものであり、かつ、勤務条件の中にあって、法律で定められる基礎事項についてであることから、当然に法令の改廃と結びつくこととなる。一方、法令の制定・改廃に関する第二三条の意見の申出は主として法制面に着目して改定を求めるものであり、両者は別個のものとして、併存しうるものと解されている。実際上も、昭和三〇年代初頭までは、給与勧告に伴う法令の改正について、改めて第二三条に基づく意見の申出を行った事例がある。しかしながら、勧告自体が具体的な給与法等の改正要綱により行うものであり、仮に意見の申出を行うにしても若干の精粗の差はあるにせよ、法律改正案要綱であることには違いはなく、改めて国会及び内閣に対して法律の改廃についての意見を申出する実益は乏しく、現在は給与勧告のみが行われ、事務的に人事院給与局長から政府における担当部局である内閣人事局人事政策統括官（平成二六年勧告前は人事院事務総長から総務事務次官）に対する書簡で法律改正の案を伝達している。

ところで、法令の改廃を伴う勤務条件の改善を本条の勧告ではなく、意見の申出によって行うことが可能かどうかということであるが、人事院は昭和四八年に、期末手当の支給に関し、昭和四九年三月期の期末手当の一部を繰り上げて昭和四八年一二月期に支給するための措置を、第二三条の意見の申出によって行った例がある。第二三条の意見の申出権は、本法を含め、本法の目的達成上必要な場合の法令の制定・改廃の全てについて、およそ人事行政に関わるものである限り意見の申出をすることができるものであるから、たとえそれが勤務条件の変更であっても、法律上はこれを行うことが可能であるといえよう。ただ、勤務条件の変更は、労働基本権制約に伴う代償措置に直接関わるものであることから、本条を根拠とする勧告を行うことがより適切であるというべきであろう。

四　人事院の報告

本条第二項は俸給表の適否について、毎年一回、国会及び内閣に報告することを人事院に義務付けている。報告とは、一般には、調査研究の結果を客観的事実や評価として伝達することを意味しているが、本項においては、そうした調査研究の結果の伝達だけではなく、人事院の意思の表明を含んだものとなっている（例えば、平成二五年の「職員の給与等に関する報告」では、「第五　適正な給与の確保の要請」において「本院としては、給与減額支給措置による減額前の月例給及び特別給の水準について、本年は民間給与と均衡していることから給与水準改定のための勧告を行わないこととしたが、労働基本権制約の代償機関としては、給与減額支給措置が終了する平成二六年四月以降の国家公務員の給与については、本報告に基づく民間準拠による給与水準が確保される必要があると考える。」のように、事実上の給与据置き及び特例減額措置の解消についての勧告を行っている。）。

実際の報告においては、給与法第二条も根拠としており、俸給表のみならず、諸手当を含む給与全体についての人事院の考え方が示されている。さらに、給与以外の勤務条件についても、勤務時間法第二条、任期付職員法第一一条等に根拠規定が設けられており、人事院が給与勧告に際して行う報告は、勤務条件に関する総合的な報告となることが多い。

報告では、職員の給与をめぐる一般情勢の分析、職員給与及び民間給与の実態調査結果、官民給与の比較結果等を明らかにし、給与改定の必要性及びその内容が示されることが通例である。また、近年、報告において、高齢期雇用の問題を含め人事行政全般や公務員制度改革についての人事院の考えを必要に応じて表明してきている。これらも、給与その他の勤務条件と直接間接に関連するものであり、本項や給与法第二条、勤務時間法第二条等に基づくものである。

五　人事院勧告の取扱い

人事院の勧告は、国会及び内閣に対して同時に行われる。勧告の名宛人は、国会については衆・参両院の議長、内閣については内閣総理大臣であり、給与勧告については、実際においても内閣に関しては内閣総理大臣に直接提出しているところである。なお、衆議院解散のため議長が欠けている場合は、衆議院事務総長が正式な名宛人となる。

勧告及び報告を受け取った国会は、自らの立法権に基づき、法案化を進めることも可能である。そのような国会の権能も前提にしてのことと思われるが、人事院勧告が行われた後、国会の関係委員会で人事院勧告に関する審査が行われている。ただ、人事院の勧告に基づく給与法等の法律改正については、国会と同時に人事院から勧告及び報告を受けた内閣が法案を作成して国会に提出し、審議が行われるのが通例である。これは、そもそも我が国の法律案において内閣提出法案が一般的であるということのほか、行政府における職員の人事制度に関わる事項であり、また、給与等の改定は予算にも関係がある事項であることもあり、まずは時の内閣が責任を持った判断を行うのが適当であるからである。ただ、もとより国会が内閣と異なる判断を行うことはあり得、実際、平成二三年の給与勧告は、一旦、政府は不実施を決定したが、国会は与野党協議を経て、憲法上の位置付けを有する人事院勧告制度を尊重する立場から、議員立法により同勧告の実施のための給与法の改正を行った（平成二三年六月に政府は一部職員団体との間で労働基本権付与及び厳しい財政事情や東日本大震災に対処する必要性から行う給与の平均約七・八％の引下げに合意し、これを踏まえた国家公務員給与臨時特例法案（平均七・八％削減）を閣議決定したが、その後の同年九月に給与を〇・二三％引き下げる内容の給与勧告が行われた。政府は、同年一〇月、給与臨時特例法案は給与勧告の趣旨も内包しているとして、勧告の不実施を閣議決定したが、人事院は、給与勧告と臨時特例法案とは趣旨・目的が異なるものであり、給与勧告の実施を国会等の場で強く主張した。その結果、翌二四年二月、給与勧告による俸給表の引下げ改定を実施した上で、平均七・八％となるように給与削減を行うことについて与野党の合意がなされ、議員立法で措置されたものである。）。

政府における手続は次のとおりである。政府は、まず勧告取扱いについて関係大臣間で協議を行う。そのため、給与勧告の取扱いを協議する閣僚会議として、「給与関係閣僚会議」が開催され、その構成員は時々で変動がある。かつては政府与党の代表が参加していたこともあったが、最近では、総務大臣、財務大臣、厚生労働大臣、内閣府特命担当大臣（経済財政政策）、国家公務員制度担当大臣及び内閣官房長官が通例となっており、内閣官房長官の主宰である。関係閣僚会議で給与勧告の取扱い方針が決定されると、閣議での方針決定を経て、内閣官房及び内閣法制局を中心に改正法案が立案され、国会に提出されることになる。

勧告及び報告を受け取った国会及び内閣において、いつまでに取扱いを決定し、法律改正を行う必要があるのかについては、明文の規定はないが、勧告及び報告が労働基本権の代償として民間の労使交渉等を通じた賃金改定に代わる役割を有するものであること、官民給与比較は四月分給与について行われていることから、早急に実施についての判断が行われ、差額の年内支給などの措置が行われることが求められているといえよう。また、実際問題として、近年、一二月期の期末手当・勤勉手当の引下げ改定や同手当を通じた月例給引下げ改定に係る給与の年間調整が行われるのが例となっており、遅くとも一一月末までに給与法等の改正が行われていることが実務上も必要となっている。また、期末手当や勤勉手当を引き下げる勧告の場合、一一月中に法律改正が行われないと法制的にも処理が極めて複雑となる。期末手当や勤勉手当を引き下げる勧告を実施するための法律改正が一一月中に行われなかった例としては、令和三年の勧告（期末手当の引下げ）がある。同年、人事院は、期末手当の〇・一五月分の引下げを勧告し、同年度は一二月期の期末手当を引き下げ、令和四年度以降は、六月期と一二月期が均等となるよう支給月数を定めることとした。この勧告の取扱いについて、政府において検討が進められたが、勧告実施の閣議決定が衆議院議員総選挙後の令和三年一一月となったため、勧告どおりの期末手当の引下げを行った上で、令和三年度の引下げに相当する額については、令和四年六月の期末手当から減額する調整を行うこととされた（公務員の給与改定に関する取扱いに係る閣議決定（令和三年一一月））。その後、これらを内容とする給与法改正法案が国会に提出（令和四年二月）され、成立（令和四年四月）したことにより、当該調整が実施されることとなった。なお、当該調整を行うことについては、当該閣議決定の前に、政府から人事院の見解を求められ、人事院は、当該決定の時期等に鑑み差し支えないとの回答を行っている。

ところで、国会及び内閣が人事院の勧告及び報告を経ずに、給与など勤務条件の改正を行うことが可能なのかという問題がある。これについては、既に述べたとおり、現行の法体系は、憲法により保障されている労働基本権が、国家公務員については その地位の特殊性及び職務の公共性に鑑みて制約されているため、本法は代償措置として人事院の勧告及び報告の制度を設け、これを踏まえて国会が給与等の改定を行うとしたものである。本条第一項及び第二項で、人事院に勧告及び報告を義務付け、これらを踏まえて国会が最終的に決定する仕組みをとっており、このような仕組みは憲法上の要請といえよう。現行の法体系がこのような法律上の制度となっている以上、政府が毎年の人事院の勧告及び報告を待つことなく、給与改定に関して法案を提出することは本法、更には憲法との関係で大きな疑問を生じさせるものであるといえよう。また、国会との関係についても、国会は「唯一の立法機関」（憲法四一）として、広い立法裁量を有しているとはいえ、現行の法体系を前提とする以上、本法は国会が、専門的な代償機関である人事院の勧告及び報告を経ないで給与改定を行うことは本来予定していないものといえよう。この点に関し、「国会は、公務員の給与は人事院の科学的、専門的な調査に基づいて国会が定めるものとし、その意味での人事院の権威をみずから承認したのである。すなわち、国会は、その最終的決定権はみずからに留保しつつ、人事院の勧告を尊重することをみずから認めたのである。内閣についても、同様である。人事院勧告の効果・拘束力の問題は、以上のような勧告制度の性質そのものから論ぜられなければならないと思われる」（佐藤功著「公務員労働基本権と人事院勧告―人事院勧告制度の憲法問題」『法学セミナー』一九八一年一二月号）や「（本条第一項後段は）国会の判断のよりどころを人事院の勧告に委ねる趣旨と解されるから、いわば勧告前置主義を定めている」（大石眞著「公務員制度改革をめぐる憲法論議」『人事院月報』二〇一一年一二月号）などの論考がある（関係論考　和田肇著「人事院勧告なしに制定された給与関係法の合憲性」『名古屋大学法政論集』二五三号）。

給与勧告の実施状況は次の表のとおりである。

給与勧告と実施状況の経緯

年	勧告			国会決定	
	勧告月日	内　　容（較差）	実施時期（月例給）	内　　容	実施時期（月例給）
昭和23	12.10（金）	6,307 円水準	—	6,307 円水準	23.12. 1
24	12. 4（日）	7,877　〃	—	実施見送り	—
25	8. 9（水）	8,058　〃	—	7,981 円水準	26. 1. 1
26	8.20（月）	11,263　〃	8.1	10,062　〃	26.10. 1
27	8. 1（金）	13,515　〃	5.1	12,820　〃	27.11. 1
28	7.18（土）	15,480　〃	—	15,483　〃	29. 1. 1
29	7.19（月）	報告のみで勧告なし	—	—	—
30	7.16（土）	期末、勤勉手当の増額	—	原則として勧告どおり	30.12.14
31	7.16（月）	俸給制度の抜本改正	—	一部修正実施	32. 4. 1
32	7.16（火）	期末手当の増額、通勤手当の新設	—	勧告どおり	32.11.18
33	7.16（水）	俸給表改定（初任給改善）	—	〃	34. 4. 1
34	7.16（木）	俸給表改定（中級職員給与改善）	—	〃	35. 4. 1
35	8. 8（月）	12.4 %　2,682 円	5.1	〃	35.10. 1
36	8. 8（火）	7.3 %　1,859 円	〃	〃	36.10. 1
37	8.10（金）	9.3 %　2,496 円	〃	〃	37.10. 1
38	8.10（土）	7.5 %　2,206 円	〃	〃	38.10. 1
39	8.12（水）	8.5 %　2,792 円	〃	〃	39. 9. 1
40	8.13（金）	7.2 %　2,651 円	〃	〃	40. 9. 1
41	8.12（金）	6.9 %　2,820 円	〃	〃	41. 9. 1
42	8.15（火）	7.9 %　3,520 円	〃	〃	42. 8. 1
43	8.16（金）	8.0 %　3,973 円	〃	〃	43. 7. 1
44	8.15（金）	10.2 %　5,660 円	〃	〃	44. 6. 1
45	8.14（金）	12.67 %　8,022 円	〃	〃	勧告どおり
46	8.13（金）	11.74 %　8,578 円	〃	〃	〃
47	8.15（火）	10.68 %　8,907 円	4.1	〃	〃
48	8. 9（木）	15.39 %　14,493 円	〃	〃	〃
49	7.26（金）	29.64 %　31,144 円	〃	〃	〃
50	8.13（水）	10.85 %　15,177 円	〃	〃	〃
51	8.10（火）	6.94 %　11,014 円	〃	〃	〃
52	8. 9（火）	6.92 %　12,005 円	〃	〃	〃
53	8.11（金）	3.84 %　7,269 円	〃	〃	〃
54	8.10（金）	3.70 %　7,373 円	〃	〃	〃（ただし、指定職は10.1 実施）
55	8. 8（金）	4.61 %　9,621 円	〃	〃	〃（　〃　）
56	8. 7（金）	5.23 %　11,528 円	〃	管理職員等・調整手当改定年度内繰り延べ 期末・勤勉手当旧ベース算定	〃
57	8. 6（金）	4.58 %　10,715 円	〃	実施見送り	—
58	8. 5（金）	6.47 %　15,230 円	〃	2.03 %	勧告どおり
59	8.10（金）	6.44 %　15,541 円	〃	3.37 %	〃
60	8. 7（水）	5.74 %　14,312 円	〃	勧告どおり	60. 7. 1
61	8.12（火）	2.31 %　6,096 円	4.1	勧告どおり	勧告どおり
62	8. 6（木）	1.47 %　3,985 円	〃	〃	〃
63	8. 4（木）	2.35 %　6,470 円	〃	〃	〃
平成元	8. 4（金）	3.11 %　8,777 円	〃	〃	〃
2	8. 7（火）	3.67 %　10,728 円	〃	〃	〃
3	8. 7（水）	3.71 %　11,244 円	〃	〃	〃
4	8. 7（金）	2.87 %　9,072 円	〃	〃	〃

5	8. 3(火)	1.92 %	6,286 円	〃	〃	〃
6	8. 2(火)	1.18 %	3,975 円	〃	〃	〃
7	8. 1(火)	0.90 %	3,097 円	〃	〃	〃
8	8. 1(木)	0.95 %	3,336 円	〃	〃	〃
9	8. 4(月)	1.02 %	3,632 円	〃	〃	〃（ただし、指定職は10.4.1 実施）
10	8.12(水)	0.76 %	2,785 円	〃	〃	〃
11	8.11(水)	0.28 % （改定 1,034 円）	1,054 円	〃	〃	〃
12	8.15(火)	0.12 % （子等に係る扶養手当引上げ） （改定　434 円）	447 円	〃	〃	〃
13	8. 8(水)	0.08 % （特例一時金）	313 円	〃	〃	〃
14	8. 8(木)	△ 2.03 %	△ 7,770 円	（注 1）	〃	〃 （14.12.1）
15	8. 8(金)	△ 1.07 %	△ 4,054 円	〃	〃	〃 （15.11.1）
16	8. 6(金)	水準改定の勧告なし（0.01%）。寒冷地手当等の改定勧告		—	勧告どおり	—
17	8.15(月)	△ 0.36 %	△ 1,389 円	（注 1）	勧告どおり	勧告どおり （17.12.1）
18	8. 8(火)	水準改定の勧告なし（0.00%）。広域異動手当の新設等の勧告		—	勧告どおり	—
19	8. 8(水)	0.35 %	1,352 円	4.1	勧告どおり（ただし、指定職は実施見送り）	勧告どおり
20	8.11(月)	水準改定の勧告なし（0.04%）。医師の初任給調整手当の改定、本府省業務調整手当の新設等の勧告		—	勧告どおり	—
21	8.11(火)	△ 0.22 %	△ 863 円	（注 1）	勧告どおり	勧告どおり （21.12.1）
22	8.10(火)	△ 0.19 %	△ 757 円	〃	〃	勧告どおり （22.12.1）
23	9.30(金)	△ 0.23 %	△ 899 円	〃	勧告どおり	勧告どおり （24.3.1）
24	8. 8(水)	水準改定の勧告なし（△0.07%）。昇給制度の見直し勧告		（昇給制度見直し、25.1.1）	昇給制度見直し、勧告どおり（ただし、実施時期 26.1.1）	
25	8. 8(木)	水準改定の勧告なし（0.02%）		—	—	—
26	8. 7(木)	0.27% 給与制度の総合的見直し	1,090 円	4.1 27.4.1 等	勧告どおり	勧告どおり
27	8. 6(木)	0.36 %	1,469 円	4.1	〃	〃
28	8. 8(月)	0.17 %	708 円	〃	〃	〃
29	8. 8(火)	0.15 %	631 円	〃	〃	〃
30	8.10(金)	0.16 %	655 円	〃	〃	〃
令和元	8. 7(水)	0.09 %	387 円	〃	〃	〃
2	10. 7(水) 10.28(水)	水準改定の勧告なし（△ 0.04%） （注 2）		—	〃	—
3	8.10(火)	水準改定の勧告なし（0.00%）		—	〃	—
4	8. 8(月)	0.23 %	921 円	4.1	〃	勧告どおり

（注）1　改正法公布日の属する月の翌月の初日（公布日が月の初日であるときは、その日）

2　令和２年は、10 月７日に期末・勤勉手当の改定を先行して勧告。月例給については、10 月 28 日に改定しないことを報告。

第二節　採用試験及び任免

（任免の根本基準）

第三十三条　職員の任用は、この法律の定めるところにより、その者の受験成績、人事評価又はその他の能力の実証に基づいて行わなければならない。

② 前項に規定する根本基準の実施に当たつては、次に掲げる事項が確保されなければならない。

一　職員の公正な任用

二　行政需要の変化に対応するために行う優れた人材の養成及び活用

③ 職員の免職は、法律に定める事由に基づいてこれを行わなければならない。

④ 第一項に規定する根本基準の実施につき必要な事項であつて第二項第一号に掲げる事項の確保に関するもの及び前項に規定する根本基準の実施につき必要な事項は、この法律に定めのあるものを除いては、人事院規則でこれを定める。

〔趣　旨〕

一　任用の性質

1　行政行為説と契約説

任用のうち、職員の採用について、それが行政法上の行政行為であるという説と、公法上の契約であるという説（鵜飼信成著『（新版）公務員法』七七頁）とがある。両説の違いは、直接には任命権者の優越的な立場を認めるか、あるいは任命権者と職員とを対等な立場とみるかにある。

実定法からみた場合には、公務員の身分は分限規定によって保障され、自由な合意、契約としての取扱いがなされていないこと（例えば、定年制は法律事項とされ、一方的な契約解除の自由がないこと）、労使対等の原則の適用がないこと（労基法第二条の適用除外（法附則六）。ただし、行政執行法人の職員には適用がある。）、公務員の服務について相当に包括的な支配を行うことが公務秩序の上から望ましいと考えられること（特に行政権限を行使する職員の場合）、任用について、それが行政処分であることを前提とする行政不服審査及び行政訴訟が認められていることなどから判断して、公務員の採用は、行政行為であると解することが妥当であると思われる。しかし、個人の意思に反して強制的に公務員として採用するようなことは認められるべきではないので、採用は、「相手方の同意を要する行政行為」と考えるべきであろう（田中二郎著『新版行政法（全訂第二版）』中巻二四六頁）。

ところで、以上のような採用の法的性格の議論とも関連して、国と国家公務員との勤務関係は特別権力関係なのかどうかという議論がなされてきた。特別権力関係（besonderes Gewaltverhältnis）とは、ドイツ行政法学に由来する概念であり、国家と国民の関係のように法律に基づくことなく権利の制限、義務の賦課をすることができない関係（一般権力関係）と異なり、官吏ないし公務員の勤務関係、刑務所における受刑者の在監関係、法人化前の国立病院や国立大学における在院関係や在学関係のように、合理的な範囲内で法治主義の原則の適用が除外され、組織内部の秩序維持等の観点から、組織の目的上必要な範囲内で包括的な支配をすることができる関係であり、裁判的な救済も限定されるとされてきた。このような伝統的な概念については、法治主義の広く妥当する現行の憲法構造に合致しない、あるいは（これら関係であっても法律の規制の下にあり）一般権力関係と本質を異としない等の観点から、多くの批判がなされ、現在においては、「特別権力関係という観念を用いることの意味がほとんど失われ」た（田中二郎著『新版 行政法（全訂第二版）』上巻九一―九四頁）とするのが一般的理解である。最高裁もかつては公務員関係は「特別権力関係に立つ」（昭四〇・七・一四最高裁大法廷）ことを前提にしていたが、近時は、必ずしもこの概念を用いることなく、個別の法律関係の実情等に応じた判断を行う傾向にある（昭五〇・二・二五最高裁（原審の特別権力関係との理由のみをもってした判決を破棄した。））。実際、公務員の勤務関係については、憲法が定める議会制民主主義ないし勤務条件法定主義（憲法四一、七三④）の下、本法をはじめ各種法律やその委任を受けた人事院規則等によって規定されている一方、法令の定めのない事項は任命権者の裁量に属し、裁量権の逸脱、濫用にわたらない限り、内部秩序維持の観点から任命権者の判断で行うことは認められているわけであって、そのことをどう呼ぶかに過ぎないともいえよう（私企業の勤務関係や私立学校の在学関係にも内部秩序維持のための包括的な支配関係があり、「私法上の特別権力関係（特殊の社会関係）」と称する意見もある（前記田中九四頁）。特別権力関係の概念の沿革、今日的問題については、藤田宙靖著『行政法総論　上　新版』七四―八六頁に詳しい。）。

２　官職と身分

任用に関するいま一つの問題は、職員の採用が身分を付与する行為か、官職に充てる行為かということである。旧官吏制度の下においては、天皇の任免大権に基づき特定の官に任じて身分を付与した上（任官）、その者に対して具体的に職務を与えるもの（補職）とされていた。しかし、本法では、欠員のある特定の官職に就けることが任用であるとされ、したがって、身分のみを有して官職を有しない任用は考えられない。例えば、休職中の職員についても、本法上は身分は保有するが職務に従事しないと規定されているが（法八〇４）、人規一一―四第四条第一項において、「休職中の職員は、休職にされた時占めていた官職又は休職中に異動した官職を保有するものとする。」と規定されている。ただ、休職者の占める官職には、後補充が可能とされており（同規則四２）、「任用＝欠員官職の補充、官職とは一人に割り振られた職務と責任（旧職階法三①）」という考え方は、現実的必要性との関係で一定の調整が図られている。このほか、育児短時間勤務職員（育児休業法一五）の場合、同一官職に二名の者が就くことができるとされており（並立任用）、いわゆるジョブシェアとして欠員補充の考え方に一定の修正が図られているものといえよう。

なお、身分の付与と官職に就くことが一体であると解する限り、「任用」（法三三、六〇等）と「任命」（法五五等）とを区別する実益はなく、両者は同義の概念と理解してよい。あえて違いをいうならば、「任命」は、より具体的な発令手続の側面に着目した用語といえよう。

二　成績主義の原則

本条は任用の根本基準として、職員の任用は本法の定めるところにより、受験成績、人事評価その他の能力の実証に基づいて行わなければならないことを明らかにしている。これが成績主義（メリット・システム）又は能力実証主義と呼ばれる基本原則である。

任用について特にその根本基準として成績主義の原則がうたわれているのは、次のような考え方によるものと考えられる。

まず、人事行政にとって極めて重要なことの一つに、人事は公正でなければならないことが挙げられる。そして、人事の公正を妨げるものとしては情実による人事の弊害が大きい。成績主義（メリット・システム）に対立する概念として猟官主義（スポイルズ・システム）があるが、これは任命権者等の縁故（ネポティズム）や個人的なつながり等に基づいて任用する制度であり、封建的な任用制度や、選挙に伴う論功行賞の一環等として行われてきたものである。一般行政を担う公務員についてスポイルズ・システムを採ることは、諸外国における官僚制度の歴史や我が国の戦前における政党政治下の実際からみれば、しばしば実務能力の低い者がポストに就くなどして、その長所よりも弊害の方が多く、このような過去の経験に鑑み、スポイルズ・システムによる情実人事の弊を排除するために任用上の成績主義の原則が強調されているのである。

我が国では、明治維新以降、近代的公務員制度の確立のために、いくたびか成績主義による人材の採用・登用がうたわれ、同時に分限、懲戒制度の制度化による身分保障の確保が図られた。しかしながら、大正デモクラシー等により政党政治の進展が図られる中で、高級官僚の党派化を通じ、官僚人事の政治化などが進み、これが一つの要因となって政党政治への不信が生じ、その結果、政党政治の否定、軍部主導・大政翼賛体制の道につながったという歴史を体験している。そこで、このことへの反省も踏まえて、本法は、行政の専門性や中立性を確保するよう、公務員人事の党派性を排するため、成績主義の原則を特に任用について定め、成績主義に反して任用を行った者には罰則を適用することとし（法一一〇１⑦）、公務の能率の向上を図るとともに、不公正な人事による弊害の除去を図っているものである。

国の行政の運営が民主的かつ能率的に行われるためには、専門性を有する公務員が公正にかつ安定継続して業務遂行を行うことができるような人事制度が必要となるが、その条件として最も重要なものの一つが成績主義に基づく人事の原則であり、優秀な人材を確保し、職員を活用することである。優秀な人材を得るための具体的方法は職員の採用に当たって広く人材を選抜すること、すなわち、職員採用のための競争試験又は選考に際して能力・実績主義に徹することであり、優秀な人材を活用する具体的な方法の一つは、能力主義によって登用を行い、より優れた人材に行政運営の責任と権限を与えることである。

このように任用における成績主義の原則は、公正で高い質の行政を提供することを通じて公務の能率を向上させ、ひいては国民福祉を増進するための絶対的な要件であるといってよいのであり、この原則が任用について特に重視されている理由である。

なお、成績主義の原則は、公務能率の増進のために欠くことのできない原則であると同時に、個々の職員にとっても昇進や処遇の公正を実現するためにも欠くことのできない条件であるから、それは単に任用についての根本基準にとどまるものではなく、それ以外の人事管理、例えば、給与の決定についても、当然に妥当し、かつ、実現させなければならない原則である。

成績主義を実現させるための能力実証の手続としては、採用における競争試験があるほか、勤務成績については人事評価（法七〇の二〜七〇の四）がある。採用後の職員の任用、給与その他の人事管理は、人事評価に基づいて適切に行われなければならないとされているところである（法二七の二）。

ところで、本法が制定されるに当たって参考とされた米国連邦公務員制度における成績主義（メリット・システム）の原則は、現在、条文上（合衆国法典第五部第二三〇一条）、①採用は社会の全ての部分から構成される労働力となるよう努めた適切な供給源から得られる資格ある者から行うとともに、選考及び昇任は全ての者が平等な受験機会を確保される公正で公開の競争によって相対的な能力、知識及び技術のみに基づいて決定されること、②職員、応募者に対する平等取扱いの原則を守ること、③同一価値労働同一給与の原則によること、全米・地域ごとの官民給与均衡の原則、高い勤務成績に対する適切な報酬によるインセンティヴ付与の原則により処遇すること、④高い水準の廉潔性、行動、公共の利益に対する関心を維持すること、⑤連邦の労働力は、効率的・効果的に用いられるべきこと、⑥不適切な職務行動は是正され、勤務成績が基準に達しない者は離職されるべきこと、⑦職員には効果的な研修が付与されること、⑧職員は、個人的な好みや、党派的行動から保護されるとともに、公的地位を利用した選挙活動は禁止されること、⑨職員は証拠に基づいて行った違法・不正行為の通報等に対する報復措置から保護されることとされ、比較的広範囲に定義されている。我が国の公務員制度を理解する上でも参考となろう。

三　本条の改正の経緯

平成一九年の能力・実績主義人事管理の推進を内容とする本法改正により、本条第一項は新たな人事評価制度の導入に伴って「能力の実証」の例示として従前の「勤務成績」に代えて「人事評価」が明記されたほか、競争試験について採用試験、昇任試験の両者を兼ねるものかどうかの人事院の決定に関する従前の第二項は昇任試験制度の廃止に伴い削除された。

また、平成二六年の幹部職員人事の一元管理や内閣人事局の設置等を内容とする本法等の改正により、現第二項が追加され、任用の根本基準の実施に当たって確保されなければならない事項として、①職員の公正な任用、②行政需要の変化に対応するために行う優れた人材の養成及び活用が定められた。

〔解　釈〕

一　成績主義の原則（能力実証主義）

本条第一項は、職員の任用について成績主義の原則（能力実証主義ともいう。）を定めたものであり、一般の行政事務に従事する職員をはじめ全ての一般職職員に適用される。ここで「任用」とは、具体的には本法第三四条及び第三五条に規定されている採用、昇任、降任、転任並びに人規八―一二第四条で規定されている配置換及び併任を指すものである。

なお、「臨時的任用」（法六〇）についても一応本条の適用はあるが、臨時的任用は正式任用の前提となるものではなく、緊急の場合等に短期間に限り行われるものであるから（法六〇）、採用、昇任等の他の任用の場合のように厳格に成績主義の原則は適用されないが、成績主義の原則は任用の基本であることを踏まえ、選考の方法に準じて能力実証を行うよう努めるものとされている（人規八―一二　三九２）。

成績主義の実現は、「受験成績、人事評価又はその他の能力の実証」に基づいて行われる。「受験成績」とは、職員となろうとする者の競争試験又は選考の成績である。競争試験は採用のときにのみ行われるが、それぞれの試験において定められた試験種目についての結果を総合して得られた成績ということになる。選考については、選考される者が、採用しようとする官職に係る標準職務遂行能力及び適性を有するかどうかを、任命権者が定める基準に適合しているかどうかに基づいて判定するものとし、その判定は、人事院が定めるところにより、筆記試験、論文試験、人物試験、経歴評定等の方法の中から選択して行うものとされている（人規八―一二　二一）ので、その場合の受験成績とは、これらの方法によって得られた成績なり判定の結果ということになる。

「人事評価」とは、既に職員である者の勤務成績の評価であって、その評価は、職員が職務を遂行するに当たり発揮した能力及び挙げた業績を把握した上で行われる（法一八の二1）。

「その他の能力の実証」とは、例えば、医師の採用の場合には医師の免許（医師法二）、教員の場合には、教育職員の免許（教育職員免許法三）、自動車運転手の場合には運転免許（道路交通法八四）というように官職に応じて求められる各種の免許や資格等を得ていることが挙げられよう。選考による採用の場合に、専門的な学校を卒業し、あるいはその一定の課程を履習したことなども挙げられようが、それらは、むしろ選考における経歴評定としていわば受験成績の一部と捉えるべきであろう。ところで、採用試験による採用の場合、平成一九年の改正により、従前のいわゆる提示制度に代えて、「採用候補者名簿に記載された者の中から、（任命権者が）面接を行い、その結果を考慮して行うものとする」（法五六）ことに改められたが、この任命権者による面接も、それぞれの府省の業務内容や名簿記載者の将来性等を踏まえながら、成績主義の原則に則して公正に行うべきものであることは当然であり（人規八―一二　八2）、「その他の能力の実証」に当たるものといえよう。

要するに、能力の実証のためには各種の資料を用いることができるが、その資料は客観的な事実でなければならない。また、例えば、特定の技術ポストへの昇任を行う場合には、人事評価の結果と併せて、専門的な学歴・職歴という具合に、各種の資料を用いることももちろん可能であるが、どのような資料を選ぶかについては、任用しようとする官職との関係で合理的な結びつきがなければならない。

本条第一項に違反して任用を行った者に対しては、三年以下の懲役（新刑法の施行日以降は、拘禁刑）又は一〇〇万円以下の罰金が科せられる（法一一〇1⑦）。前述のように、本条は全ての一般職の職員の任用について適用されるものであり、したがって、この罰則も全ての任命権者（法五五）の本条違反の任用について科せられることになる。さらに、国家公務員であるとそれ以外の者であるとを問わず、本条違反の任用を企てたり、命じたり、故意にそのような企画や指示を容認したり、そそのかしたり、あるいはほう助した者も同じ刑罰に処せられる（法一一一）。通常、教唆、ほう助等は主たる犯罪の実行があって処罰されるが（刑法六一、六二）、本条の企画、命令、容認、教唆及びほう助は、それぞれ独立して犯罪構成要件となるものと解され、本条違反の任用が実際に行われたことは要件ではないと解される。具体的には、例えば、ある任命権者が有力者の依頼で能力の乏しい者を情実採用したような場合には、当該任命権者と有力者の双方が刑罰に処せられるが、任命権者が拒否したときは、その有力者のみが刑罰の対象となる。

二　任用の根本基準の実施に当たって確保すべき事項

本条第二項は、同条第一項の任用の根本基準の実施に当たって確保すべき事項を定めている。職員の任用については、本法第三条及び第一八条の二のとおり、中央人事行政機関である人事院と内閣総理大臣がそれぞれの立場から役割を担っているところ、本項第一号の「職員の公正な任用」については、人事行政の公正性の確保をつかさどる人事院が、第二号の「行政需要の変化に対応するために行う優れた人材の養成及び活用」については、各行政機関が行う人事管理の統一保持上必要な総合調整をつかさどる内閣総理大臣が担うこととされている。

具体的には、人事院は、本条第四項の委任に基づき、人規八―一二をはじめとする各人事院規則で職員の公正な任用の確保に関して必要な基準や制度を定めている。一方、内閣総理大臣が担う行政需要の変化に対応するために行う優れた人材の養成及び活用の確保については、規範性のある制度としてではなく、政府全体の統一的な人事管理の目標として各府省が徹底していくことが重要となるものであり、本法第三三条の二に基づく本法第五四条の採用昇任等基本方針（閣議決定）で「職員の採用、昇任、降任及び転任に関する制度の適切かつ効果的な運用の確保に資する基本的事項」を定めている。

なお、本条第二項第一号の「職員の公正な任用」は、成績主義の根幹をなすものであることから、同号に関して必要な事項であれば、同条第二項第二号に関わるものであっても人事院規則で定めることとなるのはいうまでもない。

三　免職事由の法定

「免職」とは、「職員をその意に反して退職させること」をいう（人規八―一二　四⑩）。ここでいう免職は、分限免職（法七五1、七八）のことであり、懲戒免職（法八二1）は含まれない。分限免職に関しては、本条のほかに、職員の身分保障の観点から第六節第一款において、降任、休職とともに規定が設けられている。

成績主義の原則を貫けば、能力の実証を経て任用されたものは安んじて職務の遂行に従事できるように身分を保障する必要がある一方、十分な職務遂行能力を有せず、かつ、配置換、転任、降任をしても、十分な職務遂行を期しえない職員、又は職員として適性を欠くものは、公務能率の確保の観点から、免職処分により公務から排除せざるをえない。すなわち、成績主義の原則は身分保障と密接不可分の関係にあるので、いやしくも、任命権者の恣意による免職は許されず、職員の免職は、法律に定める事由に基づいて行うべきことを任免の根本基準に関する規定の中で特に規定したものである。

第七五条第一項において、「職員は、法律又は人事院規則に定める事由による場合でなければ、その意に反して、降任され、休職され、又は免職されることはない。」と規定されているが、本条の規定により、免職は、法律に定める事由が存する場合に限定される。

四　人事院規則に対する包括的委任

本条第四項に定める任用の「根本基準の実施につき必要な事項であつて第二項第一号に掲げる事項の確保に関するもの」及び免職の「根本基準の実施につき必要な事項」とは、単に実施細目的ではなく、法律で定めるもののほか、任用制度の運営上、必要な各般の基準を含んだものであり、その制定は、この規定によって人事院規則に委任されている。任用制度を定めた人事院規則としては、人規八―一二等がある。

第三十三条の二　第五十四条第一項に規定する採用昇任等基本方針には、前条第一項に規定する根本基準の実施につき必要な事項であつて同条第二項第二号に掲げる事項の確保に関するものとして、職員の採用、昇任、降任及び転任に関する制度の適切かつ効果的な運用の確保に資する基本的事項を定めるものとする。

〔趣旨・解釈〕

行政需要の変化に対応するために行う優れた人材の養成及び活用

職員の任用の根本基準（法三三1）の実施につき必要な事項のうち、「職員の公正な任用」（法三三2①）の確保に関するものについては、人事院規則で定めることとされているが（法三三4）、「行政需要の変化に対応するために行う優れた人材の養成及び活用」（法三三2②）の確保に関するものについては、中央人事行政機関である内閣総理大臣が、各府省における職員の採用、昇任、降任及び転任に関する制度の適切かつ効果的な運用の確保に資する基本的事項を採用昇任等基本方針（法五四1）に定めることとされており、これを法律上明らかにしているのが本条である。各府省はこの基本方針を踏まえて人事管理を行うこととなる。

採用昇任等基本方針は、閣議決定で定められる（法五四１）が、当然のことながら、第三三条第四項の規定に基づき、職員の公正な任用を確保するために定められる人事院規則に反する内容のものを定めることはできない。

なお、本条の規定は、平成二六年の本法の改正の際に新たに設けられたものである。

第一款　通　　則

（定義）

第三十四条　この法律において、次の各号に掲げる用語の意義は、当該各号に定めるところによる。

一　採用　職員以外の者を官職に任命すること（臨時的任用を除く。）をいう。

二　昇任　職員をその職員が現に任命されている官職より上位の職制上の段階に属する官職に任命することをいう。

三　降任　職員をその職員が現に任命されている官職より下位の職制上の段階に属する官職に任命することをいう。

四　転任　職員をその職員が現に任命されている官職以外の官職に任命することであつて前二号に定めるものに該当しないものをいう。

五　標準職務遂行能力　職制上の段階の標準的な官職の職務を遂行する上で発揮することが求められる能力として内閣総理大臣が定めるものをいう。

六　幹部職員　内閣府設置法（平成十一年法律第八十九号）第五十条若しくは国家行政組織法第六条に規定する長官、同法第十八条第一項に規定する事務次官若しくは同法二十一条第一項に規定する局長若しくは部長の官職又はこれらの官職に準ずる官職であつて政令で定めるもの（以下「幹部職」という。）を占める職員をいう。

七　管理職員　国家行政組織法第二十一条第一項に規定する課長若しくは室長の官職又はこれらの官職に準ずる官

職であつて政令で定めるもの（以下、「管理職」という。）を占める職員をいう。

② 前項第五号の標準的な官職は、係員、係長、課長補佐、課長その他の官職とし、職制上の段階及び職務の種類に応じ、政令で定める。

〔趣　旨〕

一　任用の基礎

官民を通じて規模の大きな組織では、職員数も多く、仕事（職務）も多種多様に分かれており、職員一人ひとりに対する個別の対応では、公正で、かつ、効率的な採用、昇進、人事配置等の人事管理を行うことは容易ではない。そこで、ポストないし職員について、種類やレベルに関するなんらかのグルーピング（分類）を行い、それぞれに求められる資格、経験、能力等をあらかじめ明らかにした上で、試験や人事考課などを通じて適任者を選別していくことが、適切な人事管理を行うためには不可欠である。

一般職国家公務員の任用制度については、旧官吏制度下の身分的な「人」を中心とした官吏制度（天皇の任官大権に基づく任官補職による任用制度（〔概説〕二参照））を抜本的に改め、民主的かつ科学的な人事行政が実現されるよう、米国の連邦公務員制度を参考に、本法において、職階制による職務分類制度を導入することとし、これに基づいて、「仕事（官職）」を中心とした任用制度を確立することを目指した。しかしながら、本書第一条〔趣旨〕五の「旧職階制と職階制廃止後の公務員制度」で述べたとおり、本法が当初予定していたものは、詳細かつ精緻な職務分類に基づいた厳格な官職中心の公務外にもオープンな任用システムであったため、我が国の組織、人事風土に馴染みがたく、かつ、職務分類に伴う実際の事務上の負担も大きかったことなどから、本格実施には至らなかった。他方、そのような状況において、人事管理の基本であると同時に、勤務条件として極めて重要な給与制度については、職階制が実施できないからといって、従前の身分的な年功給をいつまでも維持することは適当でないと考えられた。そこで、昭和三二年の給与法改正においては、俸給表は役職段階を基本とした給与等級による構成とし、給与等級に対応する標準職務を定めることにより職務の分類を行い、これにより、職階制に代わる職務分類及び格付け機能が実現されることとなった（平成一九改正前の本法二九５）。各府省においては、このような職階制の理念を踏まえつつ、個々の職員の職務経験・勤続期間など「人」の要素も考慮した給与制度に基づいて、職務（官職）を基礎としながら、採用試験の別をグループ別人事管理の中心に置く人事運用が実施されてきた。

平成一九年の本法改正（同二一年施行）では、能力実績に基づく人事管理の徹底の観点から、新たな人事評価制度が導入されたが、その運用に当たって、役職段階別の統一的な運用を担保する必要が生じた。職階制の本格実施が見込めない中で、それを行うため、従来から行われてきた給与制度上の各役職段階の標準的な職務を踏まえて任用上の定義を整理することとした。その結果、任用制度では、課長、課長補佐、係長等の職制上の段階を基礎に官職間の上下関係を判断し、また、新たに策定した標準職務遂行能力を有することを能力実証基準ないし任用資格基準として位置付けることとし、これに伴って職階法は廃止された。従前の給与法上の職務の級による分類は職務や役職段階をベースとするものであったことから、新たな制度への移行は比較的円滑になされたといえよう。

二　任用の定義

本条は、任用の基礎的概念である採用、昇任、降任等の定義及び任用に当たっての能力実証基準となる標準職務遂行能力の定義等を定めるものである。

任用の定義については、本法制定当初は、法律上、職階制を前提としたものが設けられていたが（例えば、「この法律において昇任とは、現に官職に就いていることに基づいて、その官職と同一の職種に属する上の等級の官職に任命することをいう。」（旧三四3））、昭和二三年の本法第一次改正で用語の定義は人事院規則に委ねることとされ（旧三四）、人規八―一二において具体的な規定が設けられていた（なお、昭和四〇年の本法改正の際、法律上、用語の定義に関する具体的な委任規定は削除されていた。）。ただ、職階制が実施されていなかったことから、これらの規定も適用されず、用語の定義については、職階制が実施される日までの間の暫定的な運用として、給与上の昇格（上位の職務の級への変更（人規九―八　二②））や公の名称（課長、課長補佐、係長等の役職名など）の与えられている上位の官職への任命を昇任として取り扱う（降任はその逆）等の「従前の例」による（人規八―一二の運用通知）こととされていた。

平成一九年の本法の改正に伴い、〔趣旨〕一で述べたとおり、任用に当たっての能力実証の基準として、新たに標準職務遂行能力を定めることとされるとともに、本法において任用の定義が設けられ、昇任、降任及び転任の定義については、役職段階である職制上の段階の上下の別に着目して本法において定義されることとなった。

また、平成二六年の本法の改正において、本法第三章第二節中に幹部職員の任用等に係る特例として、幹部職員及び管理職員を対象とした制度が設けられたこと等に伴い、幹部職員及び管理職員の範囲を定義する必要が生じたことから、幹部職員及び管理職員についての定義規定が設けられた。

〔解　釈〕

一　採用、昇任、降任及び転任

第三三条で述べたように、本法では、欠員のある特定の官職に人を就けることが任用とされている。官職に欠員のある場合の補充の方法として、本法第三五条は採用、昇任、降任及び転任を定めており、本条ではこれらの用語の定義を規定している。なお、人規八―一二では、これらに加え、任用の方法として、配置換（転任の一類型）及び併任について定めている（第三五条参照）。

採用は、公務部外の者を官職に就けるものであり、「職員以外の者を官職に任命すること」と定義されている。ただし、臨時的任用（第六〇条参照）については、緊急の場合、臨時的な場合等に限って、正規の任用の例外として行われるものであることから、採用には含まれないとされている。

昇任、降任及び転任については、前述のとおり職制上の段階の上下の別に着目して、昇任は「職員をその職員が現に任命されている官職より上位の職制上の段階に属する官職に任命すること」と、降任はその逆と、転任は「職員をその職員が現に任命されている官職以外の官職に任命することであって昇任又は降任に該当しないもの」とそれぞれ定義されている。このような定義の結果、職制上の段階の上下関係が客観的に明確な場合には、昇任又は降任となる。他方、職制上の段階が同一又は同レベルであることが明確である場合は本法上の転任となるが、異なる部局等の間の異動などで必ずしも職制上の段階の上下関係が明確でない場合（例えば、地方出先機関の課長から本府省の係長への異動の場合など）にも、転任となる。なお、同一の任命権者間の転任のうち、同一部局等の間の異動で、かつ職制上の段階が同一の官職間の異動について、前記人規八―一二は配置換と定義している（同規則四⑤）。

この職制上の段階とは、国の行政組織における指揮監督の系統や序列等の階層を踏まえた概念である。個々の官職は、行組法、各府省設置法、各府省組織令、各府省の訓令等の組織法令等により、いずれかの職制上の段階に属すると判断されることとなる。また、同一の職制上の段階に属する官職については、その職務を遂行する上で、一定の共通した能力が求められている。各府省で実際には、前述のとおり、職制上の段階である役職段階を基本に設定された給与等級を前提に、成績主義に基づく昇格管理を行うこととされてきており、平成一九年の改正において昇任等の定義が職制上の段階の上下の別に着目して設けられたのは、このような現実を踏まえたものである。

なお、同改正前においては、前述のとおり、給与上の「昇格」又は「降格」も任用上の「昇任」又は「降任」として取り扱われていたが、改正後は、給与上の「昇格」又は「降格」は任用とは別のものと取り扱われている。

二　標準職務遂行能力と標準的な官職

職員の採用、昇任、降任及び転任に当たっては、任命しようとする官職の属する職制上の段階の標準的な官職に係る標準職務遂行能力及び当該任命しようとする官職についての適性を有するかどうかを、採用においては採用試験又は選考により、昇任等においては人事評価に基づき判断することとされている（法四五、五七、五八）。標準職務遂行能力は、特定の職制上の段階の標準的な官職に求められる職務遂行能力をいい、また、適性は、個々の官職に求められる能力をいい、いずれも能力実証基準ないし任用資格基準として任用制度上、重要な役割を有するものである。具体的な任用に当たっては、まず、その職制上の段階に求められる標準的な能力、すなわち標準職務遂行能力を有することを確認するとともに、当該官職に求められる具体的な能力・経験等、すなわち適性を有するかを確認した上で、人事の計画その他の事情を考慮して、最も適任と認められる者について昇任や転任を行うこととなる（人規八―一二　二五、二六1等）。標準職務遂行能力の有無の判断は、人事評価（能力評価）に基づいて行われることとなるため、その評価項目は「標準職務遂行能力の類型を示す項目」（人事評価の基準、方法等に関する政令（平二一政令三一）四3）とされている。平成二六年の本法改正で導入された幹部職員人事の一元管理制度において、その基幹となる適格性審査は、「幹部職に係る標準職務遂行能力を有することを確認するための審査」と位置付けられている（法六一の二1）。このように現行の国家公務員の任用制度においては、標準職務遂行能力がその基本に置かれているといえよう。

標準職務遂行能力は、標準的な官職の職務を遂行する上で発揮することが求められる能力として、標準的な官職ごとに定められるものである。標準的な官職は、標準職務遂行能力を定める上で必要となるものであり、各府省の組織法令等による組織編制において既に明らかとなっている職制上の段階を端的に表すため、それらの職制上の段階に属する官職のうち、係員、係長、課長補佐、課長などの一般的な職名を持つ代表的な官職を表すものが標準的な官職として確認的に定められている。国の行政事務は多種多様であることから、標準的な官職は、職制上の段階の上下の別のほか、職務の種類の別や部局又は機関等の別にも応じて定められている。具体的には、職務の種類については、一般行政、公安、研究、研修・教育、医療、調剤、看護、福祉、技能・労務、植物防疫、動物検疫、航空交通管制等の三〇種類に区分されており、また、部局等については、例えば、一般行政の場合、内部部局、施設等機関、管区機関（大規模）、管区機関（小規模）、府県単位機関、地方出先機関などに区分されている。

標準的な官職及び標準職務遂行能力は、「標準的な官職を定める政令（平二一政令三〇）」及び「標準職務遂行能力について（平二一・三・六内閣総理大臣決定）」により定められているが、例えば、職務の種類が一般行政の場合の本府省における標準的な官職及び当該標準的な官職ごとの標準職務遂行能力は次のように規定されている。

○標準的な官職を定める政令（平二一・三・六政令三〇）（一般行政・本府省）

国家公務員法第三十四条第二項の標準的な官職は、次の表の第一欄に掲げる職務の種類及び同表の第二欄に掲げる部局又は機関等に存する同表の第三欄に掲げる職制上の段階に応じ、それぞれ同表の第四欄に掲げるとおりとする。

職務の種類	部局又は機関等	職制上の段階	標準的な官職
一　二の項から三十の項までに掲げる職務以外の職務	一　法律の規定に基づき内閣に置かれる各機関、内閣の統轄の下に行政事務をつかさどる機関として置かれる各機関及び内閣の所轄の下に置かれる機関並びに会計検査院（以下「行政機関」と	一　…（略）…内閣府の事務次官、…（略）…国家行政組織法（昭和二十三年法律第百二十号）第十八条第一項に規定する事務次官、人事院の事務総長及び会計検査院の事務総長の属する職制上の段階	事務次官

いう。）のうち、次号から第七号までに掲げる部局又は機関等を除いたもの

職制上の段階	標準的な官職
二　…（略）…内閣府設置法（平成十一年法律第八十九号）第十七条第五項に規定する局長、…（略）…国家行政組織法第二十一条第一項に規定する局長、人事院の事務総局に置かれる局長及び会計検査院の事務総局に置かれる局長の属する職制上の段階	局長
三　…（略）…内閣府設置法第十七条第五項に規定する部長、…（略）…国家行政組織法第二十一条第一項に規定する部長、人事院の事務総局に置かれる審議官及び会計検査院の事務総局に置かれる審議官の属する職制上の段階	部長
四　…（略）…内閣府設置法第十七条第五項に規定する課長、…（略）…国家行政組織法第二十一条第一項に規定する課長、人事院の事務総局の局に置かれる課長及び会計検査院の事務総局の局に置かれる課長の属する職制上の段階	課長
五　前号に規定する官職の指揮監督を受け、課の所掌事務を分掌する室の長の属する職制上の段階	室長
六　第四号又は前号に規定する官職を補佐し、次号又は第八号に規定する官職のつかさどる事務を整理する官職の属する職制上の段階	課長補佐
七　課の所掌事務を分掌する係の長の属する職制上の段階	係長
八　前号に規定する官職の指揮監督を受ける官職の属する職制上の段階	係員

〇標準職務遂行能力について（平二一・三・六内閣総理大臣決定）（一般行政・本府省）

別表第一の一（第二条第一項関係）

標準的な官職	標準職務遂行能力	
一　事務次官	一　倫理	国民全体の奉仕者として、高い倫理感を有し、部局を横断する課題や府省の重要課題に責任を持って取り組むとともに、服務規律を遵守し、公正に職務を遂行することができる。
	二　構想	大局的な視野と将来的な展望に立って、所管行政を推進することができる。
	三　判断	部局を横断する課題や府省の重要課題について、豊富な知識・経験及び情報に基づき、冷静かつ迅速な判断を行うことができる。
	四　説明・調整	所管行政について適切な説明を行うとともに、組織方針の実現に向け、特に重要な課題について、高次元の調整を行い、合意を形成することができる。
	五　業務運営	国民の視点に立ち、不断の業務見直しを府省内に徹底することができる。
	六　組織統率	強い指導力を発揮し、部局及び機関の統率を行い、成果を挙げることができる。
二　局長	一　倫理	国民全体の奉仕者として、高い倫理感を有し、局の重要課題に責任を持って取り組むとともに、服務規律を遵守し、公正に職務を遂行することができる。
	二　構想	所管行政を取り巻く状況を的確に把握し、先々を見通しつつ、国民の視点に立って、局の重要課題について基本的な方向性を示すことができる。
	三　判断	局の責任者として、その重要課題について、豊富な知識・経験及び情報に基づき、冷静かつ迅速な判断を行うことができる。
	四　説明・調整	所管行政について適切な説明を行うとともに、組織方針の実現に向け、困難な調整を行い、合意を形成することができる。
	五　業務運営	国民の視点に立ち、不断の業務見直しに率先して取り組むことができる。
	六　組織統率	指導力を発揮し、部下の志気を高め、組織を牽引し、成果を挙げることができる。
三　部長	一　倫理	国民全体の奉仕者として、高い倫理感を有し、担当分野の重要課題に責任を持って取り組むとともに、服務規律を遵守し、公正に職務を遂行することができる。

	二　構想	所管行政を取り巻く状況を的確に把握し、先々を見通しつつ、国民の視点に立って、担当分野の重要課題について基本的な方針を示すことができる。
	三　判断	担当分野の責任者として、その重要課題について、豊富な知識・経験及び情報に基づき、冷静かつ迅速な判断を行うことができる。
	四　説明・調整	所管行政について適切な説明を行うとともに、組織方針の実現に向け、局長を助け、困難な調整を行い、合意を形成することができる。
	五　業務運営	国民の視点に立ち、不断の業務見直しに率先して取り組むことができる。
	六　組織統率	指導力を発揮し、部下の統率を行い、成果を挙げることができる。
四　課長	一　倫理	国民全体の奉仕者として、高い倫理感を有し、課の課題に責任を持って取り組むとともに、服務規律を遵守し、公正に職務を遂行することができる。
	二　構想	所管行政を取り巻く状況を的確に把握し、国民の視点に立って、行政課題に対応するための方針を示すことができる。
	三　判断	課の責任者として、適切な判断を行うことができる。
	四　説明・調整	所管行政について適切な説明を行うとともに、組織方針の実現に向け、関係者と調整を行い、合意を形成することができる。
	五　業務運営	コスト意識を持って効率的に業務を進めることができる。
	六　組織統率・人材育成	適切に業務を配分した上、進捗管理及び的確な指示を行い、成果を挙げるとともに、部下の指導・育成を行うことができる。
五　室長	一　倫理	国民全体の奉仕者として、担当業務の課題に責任を持って取り組むとともに、服務規律を遵守し、公正に職務を遂行することができる。
	二　企画・立案	組織方針に基づき、行政ニーズを踏まえ、課題を的確に把握し、施策の企画・立案を行うことができる。
	三　判断	担当業務の責任者として、適切な判断を行うことができる。
	四　説明・調整	担当する事案について適切な説明を行うとともに、関係者と調整を行い、合意を形成することができる。

	五　業務運営	コスト意識を持って効率的に業務を進めることができる。
	六　組織統率・人材育成	適切に業務を配分した上、進捗管理及び的確な指示を行い、成果を挙げるとともに、部下の指導・育成を行うことができる。
六　課長補佐	一　倫理	国民全体の奉仕者として、担当業務の第一線において責任を持って課題に取り組むとともに、服務規律を遵守し、公正に職務を遂行することができる。
	二　企画・立案、事務事業の実施	組織や上司の方針に基づいて、施策の企画・立案や事務事業の実施の実務の中核を担うことができる。
	三　判断	自ら処理すべき事案について、適切な判断を行うことができる。
	四　説明・調整	担当する事案について論理的な説明を行うとともに、関係者と粘り強く調整を行うことができる。
	五　業務遂行	段取りや手順を整え、効率的に業務を進めることができる。
	六　部下の育成・活用	部下の指導、育成及び活用を行うことができる。
七　係長	一　倫理	国民全体の奉仕者として、責任を持って業務に取り組むとともに、服務規律を遵守し、公正に職務を遂行することができる。
	二　課題対応	担当業務に必要な専門的知識・技術を習得し、問題点を的確に把握し、課題に対応することができる。
	三　協調性	上司・部下等と協力的な関係を構築することができる。
	四　説明	担当する事案について分かりやすい説明を行うことができる。
	五　業務遂行	計画的に業務を進め、担当業務全体のチェックを行い、確実に業務を遂行することができる。
八　係員	一　倫理	国民全体の奉仕者として、責任を持って業務に取り組むとともに、服務規律を遵守し、公正に職務を遂行することができる。
	二　知識・技術	業務に必要な知識・技術を習得することができる。
	三　コミュニケーション	上司・同僚等と円滑かつ適切なコミュニケーションをとることができる。
	四　業務遂行	意欲的に業務に取り組むことができる。

三　幹部職員と管理職員

本法第三章第二節第六款「幹部職員の任用等に係る特例」においては、幹部職員についての適格性審査、幹部候補者名簿、任免協議等の幹部職員人事の一元管理に関する規定、管理職への任用に関する運用の管理、任命権者を異にする管理職への任用に係る調整に関する規定等幹部職員及び管理職員を対象とした規定が置かれている。

これらの規定は、平成二六年の本法の改正の際に設けられたものであるが、その際、幹部職員及び管理職員の範囲を明確にする必要があるため、本条において、これらの職員の定義が設けられた。

幹部職員については、職制上の段階に着目して、各府省等の内部部局等の部長ないし審議官相当以上の職員が定められており、具体的には、次の官職を占める職員をいうとされている（本条1⑥）。

① 内閣府及び各省に置かれる庁の長官（内閣府設置法五〇、行組法六）

② 各省の事務次官（行組法一八1）

③ 各省の内部部局の局長（行組法二一1）

④ 各省の内部部局の部長（行組法二一1）

⑤ ①～④に準ずる官職であって政令で定めるもの

⑤の官職として、政令において、内閣に置かれる機関、人事院、内閣府、警察庁、各省に置かれる委員会及び庁、会計検査院等に属する官職で、①～④の官職に相当する官職が定められている。

管理職員は、各省の内部部局の課長又は室長（行組法二一1）、これらの官職に準ずる官職であって政令で定めるものを占める職員をいう（本条1⑦）。政令において、幹部職員と同様の機関に属する官職で、課長又は室長に相当する官職が定められている。

なお、人事院、会計検査院、警察庁等の幹部職員や管理職員は、内閣からの独立性や政治的中立性が強く求められることなど職務の特殊性により、前述の「幹部職員の任用等に係る特例」を一律的に適用することが適当でないとして、必要な適用除外等の特例が設けられている（法六一の八）。

○幹部職員の任用等に関する政令（平二六・五・二九政令一九一）（抄）
（事務次官、局長又は部長の官職及び課長又は室長の官職に準ずる官職）

第二条　法第三十四条第一項第六号の政令で定める官職は、次に掲げる機関に属する官職（内閣府設置法（平成十一年法律第八十九号）第五十条及び国家行政組織法（昭和二十三年法律第百二十号）第六条に規定する長官、同法第十八条第一項に規定する事務次官並びに同法第二十一条第一項に規定する局長及び部長の官職（中略）を除く。）であって、標準的な官職を定める政令（平成二十一年政令第三十号）本則の表一の項第二欄第一号に掲げる部局若しくは機関等に存する同項第三欄第一号、第二号若しくは第三号に掲げる職制上の段階又はこれらと同等の職制上の段階（職制上の段階のうち、上位の職制上の段階及び下位の職制上の段階以外のものをいう。以下同じ。）に属するものとする。

一　法律の規定に基づき内閣に置かれる機関（内閣府及びデジタル庁を除く。）又は内閣の所轄の下に置かれる機関（人事院に置かれる公務員研修所、地方事務局及び沖縄事務所を除く。）

二　内閣府（内閣府設置法第三十七条、第三十九条、第四十条及び第四十三条に規定する機関を除く。）、宮内庁（宮内庁法（昭和二十二年法律第七十号）第十六条及び第十七条第一項に規定する機関を除く。）又は内閣府設置法第四十九条第一項若しくは第二項に規定する機関（同法第五十四条から第五十七条までに規定する機関及び私的独占の禁止及び公正取引の確保に関する法律（昭和二十二年法律第五十四号）第三十五条の二第一項に規定する機関を除く。）

三〜十　（中略）

十一　警察庁（警察大学校、科学警察研究所、皇宮警察本部、管区警察局、東京都警察情報通信部及び北海道警察情報通信部を除く。）

十二　デジタル庁

十三　国家行政組織法第三条第二項に規定する機関（同法第八条から第九条までに規定する機関及び労働組合法（昭和二十四年法律第百七十四号）第十九条の十一第二項に規定する機関を除く。）

十四　検察庁（高等検察庁、地方検察庁及び区検察庁を除く。）

十五　厚生労働省死因究明等推進本部

十六　会計検査院（会計検査院法（昭和二十二年法律第七十三号）第十九条に規定する機関を除く。）

2　法第三十四条第一項第七号の政令で定める官職は、前項各号に掲げる機関に属する官職（国家行政組織法第二十一条第一項に規定する課長及び室長の官職並びに行政の特定の分野における高度の専門的な知識経験に基づく調査、研究、情報の分析等を行うことによる政策の企画及び立案等の支援に関する事務をつかさどる官職を除く。）であって、標準的な官職を定める政令本則の表一の項第二欄第一号に掲げる部局若しくは機関等に存する同項第三欄第四号若しくは第五号に掲げる職制上の段階又はこれらと同等の職制上の段階に属するものとする。

四　今後の課題

職制上の段階及び標準職務遂行能力を基礎とした任用制度については、第一条の〔趣旨〕五の「旧職階制と職階制廃止後の公務員制度」７で述べたものと重複するが、次のような課題があるものと考えられる。

平成一九年の本法改正前における任用における職務分類は、給与法上の職務の級の分類を用いていたため、（俸給表の種類が異なる場合を除き）本省、管区機関、府県単位機関等の異なる部局等の間においても、統一的に官職の上下関係を判断することができていた。しかしながら、同改正後においては、職制上の段階は、部局等の区分ごとのものであるため、給与法上の職務の級といった共通の指標ないし尺度がないことから、原則として、異なる組織区分での上下関係を判断することができない。

このため、配置換・転任を繰り返しているうちに、給与法上の職務の級との関係から見ると降格していると言わざるを得ない場合が出てきたりすることがあり、成績主義の徹底、身分保障の観点から、運用状況を確認していく必要がある。

職階法は廃止されたが、本法の基本構造は官職を中心とした人事管理にあることは変わりない。職階制に代わる機能が求められる標準職務遂行能力は、給与法上の職務の級の分類基準となる役職段階を大くくり化した役職段階（行政職俸給表（一）で言えば職務の級は十段階に対して標準職務遂行能力は本省課長級まで五段階）がベースとなって組み立てられているので、各府省では、任用上の基準として円滑に取り入れられた。しかしながら、それ故の課題も見えてくる。すなわち、標準職務遂行能力は同じ職制上の段階に属する官職で複数の職務の級にまたがるライン官職から様々なスタッフ的官職についての共通の任用資格基準として機能するように設定されているため、その内容は概略的、一般的にならざるを得ない。現実には、職務遂行能力育成中である職員が多く配置される下位の官職においては職階制が予定したような精緻な職務分析に基づく資格基準や能力・経験の評価を前提にする必要もなく、そこでは一般的、概略的な標準職務遂行能力を基準としても足りよう。しかしながら、専門性の求められる官職や課長級以上の管理職などについてはこうした概略的な基準だけで、恣意的な判断を排して、昇任者を決め、最適任者を具体的な官職に配置するという成績主義原則が担保できるとは言いにくい。実際にも、官職への当てはめでは標準職務遂行能力とは別に官職の求める能力や経験が「適性」として考慮されている。標準職務遂行能力は普通だが適性としての能力の高い者を昇任の際にどう扱うのか、そこに情実の余地はないかという類いの問題がある。なお、現状の標準職務遂行能力は、職員がどのレベルの役職を担えるのかを一般論的な基準で示すという点では、人に対する評価になっており、人に着目した人事管理と調和している。いわゆるジョブ型の職務遂行能力とは異なるものなのである。

一般的、概略的な標準職務遂行能力と実際に求められる職務遂行能力の乖離をいかに埋めるかという制度上の改善と個別官職への当てはめにおいて情実が入りにくい公正な昇進・人事手続きの整備が課題といえよう。

（欠員補充の方法）

第三十五条　官職に欠員を生じた場合においては、その任命権者は、法律又は人事院規則に別段の定のある場合を除いては、採用、昇任、降任又は転任のいずれか一の方法により、職員を任命することができる。但し、人事院が特別の必要があると認めて任命の方法を指定した場合は、この限りではない。

〔趣　旨〕

一　任命をめぐる問題

既に述べているように、本法は、職員の任命（任用）を「官職」に人を就けることと観念している。すなわち、まず国家公務員という身分を付与し、しかる後に職務（仕事）を割り当てるという旧官吏制度下における任官補職的な考え方は採らず、国には一定の業務があり、その業務が官職の単位に分割され、その官職に具体的な人を充てることが任命であるとされている。この考え方を純化すれば、かつての精緻な職階制導入の試みにつながる。しかし、職務記述書に従って割り当てられた仕事を遂行するという欧米風の労働慣行がなく、採用に当たっては、組織の一員となることが強く意識され、職務の遂行に当たっては、係、課、部等の組織内で一体となって互いに労力を融通し合いながら目的達成に努めるという我が国の人事・組織風土の下では、新規採用職員を職務経験などを通じて部内育成し、選抜していくという人事管理が基本型となっており、個別の官職にふさわしい能力・経験を有する者を公務内外から誘致するという方法は、採られてこなかった。

例えば、任命のうち採用は、部内育成を前提とする長期継続雇用の慣行の下では、公務員関係の設定という面を持ち、長期にわたる職業生活への入口として重要な意味を持っている。採用以外の任命方法にしても、勤務環境その他の勤務条件の変化を伴うことから、士気に影響するとともに、人材育成にも大きく関係するという側面を有している。したがって、現実の人事管理の上では単に欠員補充の方法としての任命権発動の形式として捉えるだけでは十分ではないという事情がある。

二　任命の手続

職員の任命について、本法は各種の基準等を設けているが、その要点は次のとおりである。

(1) 職員の任免は、平等取扱いの原則（法二七）、人事管理の原則（法二七の二）、任免の根本基準（法三三）及び職員団体の構成員であること等を理由とする不利益取扱いの禁止（法一〇八の七）の規定に従って行われなければならない。

(2) 欠格条項（法三八）に該当する者を採用することはできない。

(3) 任免に関する人事院規則の制定、採用試験の方法等の企画及び実施、採用試験による採用のための採用候補者名簿の作成並びに臨時的任用等についての承認は人事院が行う。これ以外の任用の手続は幹部職員人事の一元管理の場合を除き任命権者（法五五）が行う。

(4) 職員の任用の方法は、正式任用のための手続（法三五）と臨時的任用のための手続（法六〇）及び人事院規則で定められた手続（配置換、併任）に限定される。

(5) 条件付任用期間を良好な成績で勤務しない限り正式に任用されない（法五九）。

(6) 正式任用された職員は、法律又は人事院規則に定める事由によらない限り、その意に反して不利益な任用又は免職をされることはない（法七五、七八～八〇）。

本法が任命（任用）に関して定めている主な規定は以上のとおりであるが、各任命権者が人事管理を行うに当たっては、これら任用の基準等のほか、内閣総理大臣が制度の適切かつ効果的な運用の確保に資するよう閣議決定を経て作成する採用昇任等基本方針によることとなる（法三三の二、五四）。

(1)から(6)までに示した諸規定を通じて、本法が任用において実現しようとしている目的は、次の二点である。

1　公正の確保

職員の任用は、職員自身あるいはその取り扱う職務に関係する者にとって様々な利害があるため、現実問題として情実人事を求める圧力や働きかけによって、又は任命権者の恣意によって左右されるおそれがある。このようなことは任用の公正を阻害し、ひいては公務の適正な執行を妨げ、更には国民全体の利益に反することにもなりかねない。こうした弊害を防止するため、本法は前述の⑴及び⑵のような任用の基本原則を定め、また、⑶で述べたように任免に関する基準等は中立的な独立機関たる人事院に行わせ（幹部職員人事の一元管理の場合は、人事院に関与させ）、更には⑷で述べたように任用の方法を限定することとし、また、⑹で述べたところにより不当な任用上の取扱いを防止する手続を定めて、任用が公正に行われることを保障することとしているのである。本法がかなり詳細に任用に関する一連の手続を定めているのは、任用における公正の確保を特に重視しているためであるということができる。

2　能力実証主義の具体化

本法が任命について詳細な規定を設けている第二の目的は、その手続を忠実に守ることによって、任用の根本基準である能力実証主義（法三三）を実現することにある。既に第三三条で述べたように、能力実証主義を貫徹することによって公務能率の増進が図られ、ひいては国民の福祉の向上という公共の目的に合致することになるものである。

能力実証主義を国の全ての組織を通じ具現するためには、採用試験や任免の基準・手続を具体的に定めておく必要があり、受験の欠格条項、受験の資格要件、採用試験の内容、採用試験の方法等、採用候補者名簿、採用試験による職員の採用の方法、選考による職員の採用の方法、選考の方法・手続、昇任・降任・転任・配置換の方法（人事評価結果の活用方法を含む。）等が本法及び人事院規則等で詳細に定められている。これらの基準・手続に基づいて、能力実証主義が具体的に実現され、職員の適材適所の配置とそれにふさわしい処遇がなされることにより、人事における公正が実現されることにもなり、職員の士気の高揚と能率の向上が図られることになるものである。さらに、行政の内容が年々複雑化、高度化している今日においては一層創造的な能力と高い識見を持った職員が必要であり、能力実証主義に基づく人事管理が一段と強く求められるようになっている。

〔解　釈〕

一　任命を行うことができる場合と任命の方法

１　官職と欠員補充

任命権者が職員を任命することができるのは、「官職に欠員を生じた場合」である。「官職」とは個々の職員に割り当てられる仕事のまとまりをいうものであり、〔趣旨〕一で述べたように、本来、本法は「官職」を前提とし、当該官職の職務を遂行すべき者としてこれに具体的な人を充てるといった米国流の官職分類を基礎とした欠員補充による任用を、基本的な考え方としていたものである。しかしながら、官民を通じた我が国の人事慣行、すなわち部内育成を前提とした長期継続雇用の慣行の下においては、厳格な官職分類を前提とした任用の考え方は必ずしもなじまず、一般的・共通的な一定の地位、例えば、課長、課長補佐、係長といった役職段階に就任することが実際には重視されてきた。平成一九年の本法改正で、職階制が廃止され、職制上の段階やそれらごとの標準職務遂行能力の概念が導入されたのも、そのような任用の実情を踏まえたものといえよう。

ただ、同改正によって、職階制が廃止されたとはいえ、本法が「官職」を前提とした任用制度を維持している点に変更があるわけではなく、したがって、任命権者が職員を任命することができるのは、個々の官職に「欠員」がある場合であって、全体の定員に欠員が生じているということではない。しかしながら、例えば、○○課長のように組織法令上位置付けが明確な官職はともかくとして、係員の官職のように、現実には個々の官職が明確な設置根拠の下で整理され、設置されているわけではない場合も多い。したがって、欠員があるかどうかは、任命の重要な前提であるが、○○課長の官職が欠員となっているような明白な場合はともかく、係員の補充等の場合には、個々の事案について具体的に判断するほかはない。

定員と任命の関係については、行政機関の定員を定めることは、本法上の制度ではなく、定員法、行政機関職員定員令及び各省令の定めるところであるが、任命の前提となる制度であり、また、定員の改廃は分限処分の事由でもあるため（法七八④）、任用と密接な関係を有するものである。定員が実員より多く、その余裕の中で職員を任命する場合には定員との関係では当該任命に問題は生じない。しかし、通常は想定されないが、仮に定員の枠を超えて職員が任命されたときは、その効力が問題となる。判例は、地方公務員の採用につき、「条例定数を超えて任用できないこと〔中略〕は任命権者の義務ではあるけれども、これらの義務に違反したからといつて、任用された者または他の吏員に対する関係において違法行為があつたということはできない。」（昭三九・五・二七最高裁）との見解を示している。このような任命は手続上の瑕疵があるものといわざるを得ないが、例えば、特定部局での係員ポストへの任命のように、組織全体の定員との関係や当該官職の設置自体が必ずしも明確ではない場合があり、そうした任命については専ら任命権者に責任があるので、事後に定員が増加された場合及び欠員が生じて定員内として措置し得ることとなった場合には、瑕疵ある任命が治癒されるものと解すべきであろう。

次に任命が重複した場合が問題となる。本来、任命は欠員がある場合に行われるものであるから、任命が重複することはあり得ないのであるが、例えば、休職中の課長ポストに他の職員を任命する場合、あるいは分限免職が行われ、そのポストに他の職員が任命された後に当該免職の取消しが行われたような場合には、重複任用の問題が生じる。前者については、休職者はその官職を保有するものとしながら他の職員をその官職に充てることは差し支えないものとされており（人規一一―四　四2）、制度的に任用が認められている。後者の場合は、やはり重複任用となるが、速やかにいずれかの職員を異動させることにより、運用上解決すべきものである。このようにやむをえない場合以外は、後の任命行為が無効となるものと解する（なお、第三三条〔趣旨〕一2で述べたとおり、育児休業法では、同一の常勤官職を二名の育児短時間勤務職員（常勤職員）で分担することを前提とした並立任用の制度を設けており、いわゆるジョブシェアとして欠員補充の考え方に一定の修正が図られているといえよう（育児休業法一五）。）。

2　任命の種類

㈠　これまで述べてきたように、「官職」に「欠員」があるときに初めて「任命」が可能になる。任命の種類は、本法上は、採用、昇任、降任、転任の四つに限定しているが、人事院規則では、更に、これらのほかに配置換及び併任を認めている。その各々の定義は、本法第三四条及び人規八―一二第四条に定められている。

採用に臨時的任用を含まないことは明文上明らかであるが（法三四1①）、臨時的任用されている者も職員にほかならないので、臨時的任用されている者について、昇任、降任、転任、配置換、併任を行い得るかが問題となる。定義規定の文理上は、職員に特段の制限を設けていないが、後述するように、臨時的任用は緊急の場合、臨時的な場合に認められる任用であり、成績主義の特例でもあるので、この地位に基づいて、他の官職への異動を認めることには問題があり、他の官職への異動ができないこととされている（人事院事務総長通知（平二一・三・一八人企五三二）で明記）。なお、非常勤官職についても、採用、昇任、降任、転任、配置換又は併任のいずれかの方法によって任命しなければならないことはいうまでもない。

降任について、平成一九年の改正前においては、「職員の同意がある場合には、分限上特に規制もなく、法第三五条により降任させることができる」（昭三四・七・二七任企四七四）との解釈により、いわゆる意による降任が行われてきた。この分限処分ではない降任については、降任は職員の分限に関わるものであることから、同改正の際に、人規八―一二第二九条第二項において「任命権者は、職員から書面による同意を得て、降任させることができる」ことが明文で規定された。

配置換は、本法自体には定義が設けられていないが、人事院規則において、「職員をその職員が現に任命されている官職と任命権者を同じくする他の官職（部局又は機関等及び職制上の段階を同じくするものに限る。）に任命すること」と定義されている（人規八―一二　四⑤）。配置換については、従来より、異なる任命権者間での異動である転任と区別した形で定着していることなどから、人事院規則において、転任と別に定義が設けられているものである。配置換は転任の一類型であることから、人規八―一二第四条第五号において「任命権者を同じくする他の官職（部局又は機関等及び職制上の段階を同じくするものに限る。）に任命すること」と定義した上で、同条第四号において転任については本法第三四条に規定する転任のうち、配置換に該当するものを除くことが規定されている。転任と配置換は、いずれも、昇任、降任の定義の当てはまらない官職間の異動であり、基本的には同等の官職間の異動である。ただし、本法における職制上の段階に関しては、異なる組織間や異なる職務の種類ごとの官職の上下関係（いわゆる横串）が明示されていないことから、転任に当たっては、標準職務遂行能力及び適性の検証が必要となる（法五八1、人規八―一二　二六1）。配置換は、同一の職制上の段階に属する官職の間での異動であるため、改めて標準職務遂行能力の検証は不要であり、適性の検証のみで足りる（人規八―一二　二七）（なお、同一の職制上の段階に属する官職間の異動であっても、任命権者が異なる場合には、転任に当たるため、標準職務遂行能力の検証は必要である。）。加えて、転任の場合、組織間の官職の上下関係が不明確な場合において当該組織間で転任を繰り返すことにより、結果的にかつて就いていた官職より下位の職制上の段階の官職への異動となることが起こり得る。このような実質的に降任の効果を有する転任が行われるのは、職員にとって不利益となり、能力主義人事管理の考え方にそぐわないことから、「任命権者は、降任された場合、職員の同意を得た場合その他特別の事情がある場合を除き、職員がかつて属していた部局又は機関等で占めていた官職より……下位の職制上の段階に属する官職に転任させることとならないようにしなければならない」旨定められている（人規八―一二　二六３）。ちなみに、このほか、部局等を異にする転任の結果、給与制度上、職務給の原則により、職務の級が下位の格付けとなるような異動についても、降格として降給となる（人規一一―一〇　三、四）ものであり、職員の同意や勤務実績不良等の一定の要件に該当しない限り、行うことができない。

㈡　転任、配置換の法的性質について、多くの判例は、行政処分として取り扱っている（昭四九・三・二八大阪高裁）。人事院に対する審査請求についても、転任、配置換は行政処分であり、その中には、当該職員にとって不利益なものもあるので、「思料不利益処分」として、審査請求が認められている。

転任、配置換について職員の同意を要しないことについては、「配置換につき当該公務員の同意を要せず、かつ任命権者の公権力の行使としての配置換をするについて裁量を許容したものと解すべきである。」との判例がある（前記昭四九・三・二八大阪高裁）。

転任、配置換が、職員の同意を要しない行政処分であり、任命権者の裁量に委ねられるといっても、それが、裁量権の範囲を超え、又はその濫用があった場合には、当該処分は違法であり、取消しの対象となる（行訴法三〇）。

転任処分が違法であるとした判例としては、例えば、公立小学校の教頭たる教諭から公立中学校の教頭の地位にない教諭への転任処分につき、「職員団体の構成員であること」ないしは、「職員団体のために正当な行為をしたこと」のゆえをもって行われた「不利益な差別的取扱」であるから、地公法に違反し、取消しを免れないとしたもの（昭四一・九・一二岐阜地裁）がある。

ところで、以上のように転任等における任命権者の裁量を比較的広く容認しているのは、我が国の公務員法制における大きな特色である。例えば、本法が制定時に理念的に参考とした米国の連邦公務員制度においては、ポスト主義の観点から、公募された空席ポストへの本人の応募が異動の前提であるというのが伝統的な考え方であるほか、ドイツ官吏制度においては、任用行為は行政処分と位置付けるものの、官吏に対する強い身分保障の観点から、他の官署への転任（Versetzung）は原則本人の同意が必要とされている（ドイツ連邦官吏法二八）。我が国におけるこのような取扱いは、官民を通じた長期継続雇用の慣行の下での育成、選抜の必要性がその背景にあるものと考えられるが、最近の職業生活と家庭生活との両立の重視など職業意識の変化の中で、例えば、異動の範囲（転勤など）が限定的な人事システムなどについても今後、検討が必要となろう。

また、任命権者を異にする異動については、当該職員が現に任用されている官職の任命権者の同意がなければならないとされている（人規八―一二　六３）。転任のほか、任命権者を異にする昇任、降任がこのケースに当てはまる。仮に、他の任命権者に所属する職員を自由に任用することを認めるならば、職員を引き抜かれた任命権者が当該職員の在職を前提として展開している業務計画に混乱、支障が生ずることは必至であるからである。同意を与えた任命権者は、職員に対し、「……に出向させる」という人事異動通知書を発令することとされている（「人事異動通知書の様式及び記載事項等について」昭二七・六・一　一三―七九九）。なお、この「出向」発令は、任用行為の一種ではなく、職員本人に事実を伝える事実行為と解される。

次に、各府省の採用事務上、採用発令日の相当以前に、採用予定者に対して「採用内定」の通知がなされるのが、常態であるが、この通知は、あくまで、採用に先立つ事実行為であって、法律上、なんらの効果を持つものではないとされている。最高裁は、地方公務員の採用内定につき、「本件採用内定の通知は、単に採用発令の手続を支障なく行うための準備手続としてされる事実上の行為にすぎず、……職員たる地位を取得するものではなく、……東京都知事において職員として採用すべき法律上の義務を負うものでもない」（昭五七・五・二七）と判示しており、「他の就職内定を断っていることもあるのでこの点をいかに考えるかの問題があるが、最高裁判所の立場からするとそれは損害賠償の問題として処理すべきものとなる」（塩野宏著『行政法Ⅲ（第五版）』三二四頁）（ちなみに、この最高裁判決の第一審では、「（内定）通知が到達したことにより……効力発生の始期を……四月一日とする採用行為がなされた」と判示していた（昭四九・一〇・三〇東京地裁）。）。

ところで、民間企業における採用内定の法的性質については、「当初学説は、単なる労働契約締結の過程（契約締結過程説）ないし卒業後に労働契約を締結するという予約に過ぎない（予約説）と解していたが、……昭和四〇年代になると、学説・裁判例は採用内定によって既に労働契約が成立……（労働契約成立説）を採るようになって……このような解釈を最高裁が支持したのが大日本印刷事件（昭五四・七・二〇）」であり、「当該事件については……採用内定通知によって「始期付解約権留保付の労働契約」が成立していると判示した」（荒木尚志著『労働法（第五版）』三八七・三八八頁）。

以上のとおり、公務員と民間企業従業員とで採用内定の法的性格を異にするのが最高裁判例の立場であるが、「内定者の保護」等の観点から「官公庁においても、内定通知と誓約書提出で職員としての地位を認め、その反面、内定取消事由を明示し、辞令の要否についても明確にしておく必要がある」として批判的見解を示している学説もある（山本吉人「東京都採用内定取消事件について」『ジュリスト』七七三号）。また、小早川光郎東京大学教授（当時）は、「公務員の採用においても、民間企業の場合における労働契約の予約の法理に対応して、信義則の適用……を肯定することについては、現行公務員法が、公務員の任用を可及的に法令の定めるところによって行わせることをもってその基本原理としていると解されることとの関係で慎重を要する」（『公務員判例百選』）としつつ、「内定取消のケースを含めて採用を拒否された者には取消訴訟の途を開くべきではないかと考えられる」（前記『ジュリスト』「公務員の採用拒否と司法救済」）としている。人材確保施策の観点からも傾聴すべき指摘であろう。

３　法律又は人事院規則による欠員の補充

(1)　法律に欠員補充について別段の定めのある場合としては、本法第六〇条に基づき臨時的任用を行うことができる場合のほか、他の法律の規定により、一定の官職に任用されている者が、当然に他の一定の官職に充てられる場合（例　内閣府設置法（平一一法八九）四二４③）、行政組織の改廃に際して、旧組織に任用されている職員が別段の辞令を発しない限り、事務を引き継ぐ新組織の職員となる旨を法定している場合（例　中央省庁等改革のための国の行政組織関係法律の整備等に関する法律（平一一法一〇二）附則三（職員の身分引継ぎ））がある。

(2)　人事院規則に欠員補充について別段の定めのある場合としては、前述の「配置換」のほか、「併任」がある。「併任」とは、「採用、昇任、降任、転任又は配置換の方法により現に官職に任命されている職員を、その官職を占めさせたまま、他の官職に任命することをいう。」（人規八―一二　四⑥）ものである。

併任ができる場合は、①法令の規定により、併任が認められている場合（例　法務省設置法（平一一法九三）附則③）、②現に任命されている官職と勤務時間が重ならない他の官職に併任する場合、③併任の期間が三月を超えない場合、④国家行政組織法第八条の審議会等の非常勤官職又はこれらに準ずる非常勤官職に併任する場合、⑤非常勤職員を非常勤官職に併任する場合、⑥これらのほか、併任によって当該職員の職務遂行に著しい支障がないと認められる場合に限定されている（人規八―一二　三五、四九）。任命権者を異にする官職に職員を併任するについては、当該職員が現に任命されている官職の任命権者の同意がなければならない（人規八―一二　六３）。任命権者はいつでも併任を解除することができるとともに、併任を必要とする事由が消滅した場合には、任命権者は速やかに当該併任を解除しなければならない。また、併任の期間が定められている場合においてその期間が満了したとき、職員が休職又は停職にされた場合等においては、当該併任は当然終了するものとされている（人規八―一二　三七）。

併任に係る給与については、本法第一〇一条第一項後段において「職員は、官職を兼ねる場合においても、それに対して給与を受けてはならない。」と規定されているが、人規八―一二第三八条は、勤務時間の重ならない部分に対しては、本法第一〇一条第一項後段の規定は、なんらの影響を及ぼすものではないと規定している。

ところで、いわゆる「専ら併任」と呼ばれる併任が行われる場合がある。「専ら併任」とは、法令上の用語ではないが、併任の期間中、主として併任先の官職の業務に従事する場合を指した通称である。厳しい定員管理の下で、定員を上回る業務ニーズを処理等するため行われる場合もみられる。このような併任も、前記人事院規則で認められる場合に該当しなければならないことはいうまでもない。ちなみに、給与上の取扱いに関して、平成二一年の関連規定の改正で、職員の職務従事の実態に鑑み、併任官職に基づき支給できる手当の範囲が地域手当等にも拡大されたところであるが、専ら併任先の官職の業務に従事させるような形態の併任はできるだけ解消することが必要である（「併任制度の適正な運用について」（平二一人事院事務総局人材局企画課長・給与局給与第三課長））。

なお、本条但書において規定する「人事院が特別の必要があると認めて任命の方法を指定した場合」については、現在まで指定は行われていない。

４　任命類似の運用上の措置

職員の任命の方法は、国家公務員制度上は、採用、昇任、降任、転任及び配置換、並びに特例的任用としての臨時的任用及び併任に限定されているが、各府省の人事管理の実際の運用においては、職員に対して、他の官職の職務を、職務命令により職務付加して行わせることがある。例えば、かなり長期にわたる海外出張中の職員の官職については、欠員が生じているわけではないので、後任者を任命することはできないが、当該職員の上司又は部下に対し、当該職務をも処理することを職務命令で命ずる場合がある。各府省の慣行としては、上司が部下の職務を一時的に行う場合を「事務取扱」とし、部下が上司の職務を一時的に行う場合を「事務代理」と称することが一般的であり、対外的にもその旨公表され、一定の職務権限の行使も認められる。

一方、例えば、「課長心得」といった呼称を用いる府省もある。これは、標準職務遂行能力及び適性を有すると認められる者を正規任用した上で、別途の部内バランスの事情から呼称しているに過ぎず、昇任そのものであり、能力主義人事管理の推進の観点からは、そのような呼称を用いる必要性はなく、今後は、用いないこととなっていくであろう。

二　任用の期限

(1)　職員の任用に期限を付すことができるか否かについては本法には規定はないが、人規八―一二第四二条第一項において、「任命権者は、臨時的任用及び併任の場合を除き、恒常的に置く必要がある官職に充てるべき常勤の職員を任期を定めて任命してはならない。」としている。

これは、臨時的任用、併任といった特例的任用を除いた正式任用により、恒常的な官職に職員を就ける場合、有為な人材を確保し、活用する観点を重視するとともに、その者の身分を不安定にするような期限を付することは、職員の身分を保障し、職員をして安んじて自己の職務に専念させる上で適当ではないとの趣旨によるものであり、本法は任期を定めない職員の採用を原則としていると考えられることが前提となっている。

しかしながら、任期付任用を必要とする特段の事由が存在し、身分保障に反しないような場合には、任期を付すことは可能であるとされている（昭三八・四・二最高裁）。

具体的には、前記人規八―一二第四二条第二項は、次の場合には、任期を定めて職員を採用することができることを規定している。

①　三年以内に廃止される予定の官職に、当該官職が廃止されるまでの期間を超えない範囲内の任期で採用する場合

②　特別の計画に基づき実施される研究事業（いわゆるプロジェクト研究）に係る五年以内に終了する予定の科学技術に関する高度の研究業務であって、当該研究事業の能率的運営に特に必要と認められる業務を職務内容とする官職のうち、部内の職員を昇任等の方法により補充することが困難である官職に、当該業務が終了するまでの期間を超えない範囲内の任期で採用する場合

③　産前・産後の休暇を取得する職員の業務を処理することを職務内容とする官職（代替要員）で、昇任等の方法により補充することが困難である場合

①及び②の場合は、一定の業務計画により一定の期間内に業務終了の時期が確定している官職については、任用の期限を付することができることとされたものであり、特に②については、科学技術に関する高度の研究業務について、部内から適任者を得られない場合に、任期を定めることにより、公務員以外の研究者の一時的な参加を容易にするため設けられたものである。

これらの任期は、規定上、①については三年以内、②については五年以内となるが、①の任期が三年に満たない場合は採用した日から三年を、②の任期が五年に満たない場合は同じく五年をそれぞれ超えない範囲内において、その任期を更新することができる（人規八―一二　四三）。

③の場合は、出産・育児に伴う勤務環境の整備の一環として、平成二八年に措置されたものであり、産休代替の任期付職員を引き続き育児休業代替の任期付職員として採用する場合には、公募によらない採用も可能となっている。

以上のように人事院規則により任期を定めて採用された職員の任免・勤務条件その他の身分取扱いについては、その任用について任期が付されている点を除いては、一般の定員内常勤職員と全く同様である（例外　国際機関派遣の除外（人規一八―〇　二）等）。

なお、非常勤職員や定員外の常勤労務者（任期二箇月）にも任期が付されて任用されている（人規八―一二　四二1）。

(2)　前述したとおり、本法は、任期を定めない職員の採用を原則としていると考えられるが、平成に入り、研究職等の分野で米国のように若手研究員などの流動化を促進するため、任期付任用制度を制度化する要請が高まり、研究職の分野に任期制度を導入したことをはじめとして、一般の行政分野についても高度の専門性を有する専門家を活用する場合など任期を定めた職員の採用が必要となる場合には、その根拠を法律で定めることとし、併せて当該任期を定めて採用された職員の給与等の勤務条件について特例を定める立法が行われている。

①　任期付研究員法

世界的に自然科学研究をリードしている米国では、若手研究員を任期制の下で競争させ、一流となった研究者に初めて終

身雇用権（tenure）が与えられる仕組みを採る大学・研究所が多い。しかも、その終身職に就いた後も、優秀な研究者の多くは研究費や研究体制など研究環境の魅力に応じて流動的に異動するといわれている。こうした人事システムもモデルとして、柔軟で競争的な研究開発環境の実現を目指して、研究者の流動性を高め、研究活動の活性化を図るため、研究者としての実績を挙げている特に優れた研究者を招へいして、高度の専門的な知識経験を必要とする研究業務に従事させる「招へい型」と、高い資質を有する若手研究者の能力のかん養に資する研究業務に従事させる「若手育成型」の二つの型の任期付採用制度を導入することとし、任期を定めた採用を可能とするとともに、給与及び勤務時間の特例を定めた「一般職の任期付研究員の採用、給与及び勤務時間の特例に関する法律（平九法六五）」（任期付研究員法）が平成九年六月に制定された。この法律は、同年三月に人事院が行った意見の申出に基づくものであり、その概要は次のとおりである。

ア　任期を定めた採用の要件及び任期

(ア)「招へい型」

既にこれまでの研究業績等により当該研究分野で特に優れた研究者と認められている者を招へいして、当該研究分野に係る高度の専門的な知識経験を必要とする研究業務に従事させる場合（任期は、原則として五年を超えない範囲内）

(イ)「若手育成型」

いわゆるポスドク（博士研究員：postdoctoral fellow）などを経て、独立して研究する能力があり、研究者として高い資質を有すると認められる者を、当該研究分野における先導的役割を担う有為な研究者となるために必要な能力のかん養に資する研究業務に従事させる場合（任期は、原則として三年を超えない範囲内）

イ　給与

これらに対する給与は、昇給制度の適用のない号俸のみからなる特別の俸給表を設定し、手当制度についても扶養手当等は支給しないなど簡素な仕組みとしているが、「招へい型」については公務員給与体系の中で最高の給与の水準まで支給できるような仕組みとする一方、「若手育成型」についても任期があることに鑑み、一般の研究員の俸給の水準より高い俸給の水準が設定され、諸手当を含めた給与水準全体でみても遜色がない仕組みとしている。

特に顕著な研究業績を挙げた場合には、任期付研究員業績手当（俸給月額相当額）を支給することができる。

ウ　勤務時間

各省各庁の長は、「招へい型」について、研究業務の能率的な遂行のために必要であると認める場合には、勤務時間の割振りを行わないで職務に従事させること（裁量勤務）ができる。

②　任期付職員法

行政課題の高度化、多様化、国際化などが進展する中で、国民の期待する行政を遂行していくためには、例えば、金融の専門家、情報の専門家など部内育成では得られない高度の専門的能力や特別な専門性を有する人材を公務外から誘致する必要がある場合が生じる。この場合、そうした人材を任期を付さずに採用することもあり得るが、そうした特別な能力を有する者が必ずしも特定の組織に縛られた勤務を望まない場合、通常の給与水準ではそうした人材の確保が難しい場合や、対象となる専門的な知識等が活用できるのが限られた期間である場合などがあることから、有為な民間人材を公務に円滑に確保することができるよう、公務に有用な専門的な知識経験等を有する者を任期を定めて採用し、高度の専門的な知識経験等を有する者についてはその専門性等にふさわしい給与を支給することを定めた「一般職の任期付職員の採用及び給与の特例に関する法律（平一二法一二五）」（任期付職員法）が平成一二年一一月に制定された。この法律は、同年八月に人事院が行った意見の申出に基づくものであり、その概要は次のとおりである。

ア　任期を定めた採用の要件

(ア)　高度の専門的な知識経験又は優れた識見を有する者をその者が有する当該高度の専門的な知識経験又は優れた識見を一定の期間活用して遂行することが特に必要とされる業務に従事させる場合

(イ)　(ア)の場合のほか、専門的な知識経験を有する者を当該専門的な知識経験が必要とされる業務に従事させる場合において、次に掲げる場合のいずれかに該当するときであって、当該者を当該業務に期間を限って従事させることが公務の能率的運営を確保するために必要であるとき

i　当該専門的な知識経験を有する職員の育成に相当の期間を要するため、当該業務に従事させることが適任と認められる職員を部内で確保することが一定の期間困難である場合

ⅱ　当該専門的な知識経験が急速に進歩する技術に係るものであることその他当該専門的な知識経験の性質上、当該業務に当該者が有する専門的な知識経験を有効に活用することができる期間が一定の期間に限られる場合

ⅲ　ⅰ及びⅱに準ずる場合

イ　任期

五年を超えない範囲内

ウ　給与

前記アの(ア)に該当して採用された職員（特定任期付職員）についてはその能力等を踏まえ、高い水準を設定することとし、

• 高い専門性にふさわしい水準で、かつ、号俸のみからなる特別の俸給表を設定
• 極めて高度の専門性を有する者等を採用する場合で特に必要があるときには、給与法適用職員の最高額（指定職俸給表八号俸）までの範囲内で、特例的な俸給月額を定めることが可能
• 特に顕著な業績を挙げた場合には、特定任期付職員業績手当（俸給月額相当額）を支給することが可能

とする仕組みとしている。

また、前記アの(イ)に該当して採用された職員については、給与法に定められた俸給表がそれぞれ適用される。

なお、任期付職員の採用に当たっては、任命権者は、情実人事等を求める圧力の影響を受けることなく、採用の公正が確保されるよう、募集は公募等による必要があり、また、適宜、選考委員会を設けることが必要とされている。

これらのほか、法律で任期が付される場合として、定年前再任用短時間勤務職員の採用（法六〇の二）、官民人事交流法による交流採用、育児休業法による任期付採用、配偶者同行休業法による任期付採用があり、いずれも人事院の意見の申出に基づき定められたものである。さらに、更生保護法（平一九法八八）第一八条により、任期三年と定められている地方更生保護委員会の委員がある。また、科学技術・イノベーション創出の活性化に関する法律（平二〇法六三）においては、外国人研究者の採用につき任期を付しうることとされている。

三　任命の方式

職員の任命をどのような方式で行うか、すなわち、要式行為であるか否かについては、人事院規則に委ねられ、法律上の

定めはないが、人規八―一二第六章任免の手続の規定によって、特定の場合を除き、人事異動通知書を交付して行うこととされている。

人規八―一二第六章は、任用にとどまらず、休職、免職等を含め任免一般の手続について定めている。

１　任免の手続

およそ人事上の異動については、それを職員本人に明確に知らしめることが、職員の身分関係を明らかにし、円滑な人事管理上適当であると考えられることから、人規八―一二第五三条及び第五四条は、任命権者に対し、当該異動の対象である職員本人に人事異動通知書を交付することを義務付けている。

まず、人規八―一二第五三条は、「任命権者は、次の各号のいずれかに該当する場合には、職員に人事異動通知書を交付しなければならない。」と規定しており、その場合として、次の場合を掲げている。

①　採用、昇任、転任、配置換、又は任期の更新の場合
②　職員を他の任命権者が任用することについて同意を与えた場合
③　任期を定めて採用された職員が任期の定めのない職員となった場合
④　臨時的任用を行い、又はこれを更新した場合
⑤　併任を行った場合、併任を解除した場合、又は併任が終了した場合
⑥　職員を復職させた場合、職員が復職した場合
⑦　職員が失職した場合
⑧　職員の辞職を承認した場合
⑨　職員が退職した場合（免職又は辞職の場合を除く。）

次に、人規八―一二第五四条は、分限処分について、「任命権者は、次の各号のいずれかに該当する場合には、職員に人事異動通知書を交付して行わなければならない。」と規定している。

①　職員を降任させる場合
②　職員を休職にし、又はその期間を更新する場合

③　職員を免職する場合

人規八―一二第五三条と第五四条が書き分けられているのは、後述するように、人事異動通知書の交付と任免の効力発生時期の関係において、第五三条に規定する異動と第五四条に規定する異動で差異があるからである。

なお、行政機関の課相当組織の単位内で配置換をする場合、非常勤官職に職員を転任させる場合、併任が終了した場合等異動内容の重要性等に照らして必ずしも人事異動通知書の交付を徹底する必要が認められない場合、及び降任、休職、免職を行う場合で、人事異動通知書の交付によることができない緊急の場合にあっては、人規八―一二第五三条又は第五四条の規定にかかわらず、人事異動通知書に代わる文書の交付その他適当な方法をもって人事異動通知書の交付に代えることができるとされている（人規八―一二　五五）。

また、降任、休職、免職を行う場合における人事異動通知書の交付は、これを受けるべき者の所在を知ることができない場合においては、その内容を官報に掲載することをもって、これに代えることができるものとし、掲載された日から二週間を経過したときに通知書の交付があったものとみなす（公示送達）ものとされている（人規八―一二　五六）。

ところで、人事異動通知書の交付と任免の効力の発生時期の関係は、その異動の性質に応じ、①人事異動通知書の交付とかかわりなく、任命権者が発令したときに生ずる場合、②分限処分の場合のように、当該職員が人事異動通知書の交付を受けるなどその異動内容を了知し得る状態に置かれたときに生ずる場合、③欠格事由に該当することによる当然失職など一定の事由が生じたときに当然に生ずる場合に分かれる。

①の任命権者の発令によって効力を生ずる異動にあっては、発令したときとは後述するように異動内容を直接職員本人に通知した場合だけではないと解されるから、職員本人への通知は唯一の効力発生要件ではなく、また、③の一定の事由が生じたときに当然に効力が生ずる異動にあっては、職員本人への通知が効力発生要件ではないことはもちろんである。

人規八―一二第五三条の各号に掲げる異動は、①のように任命権者がその意思を外部へ表示したとき（発令をしたとき）にその効力が発生するものと、③のように一定の事由が生じたことにより当然にその効力が発生するものに区別され、前者については、その効力は任命権者が発令したときに生ずることから、「発令主義」による異動と呼ばれる。「発令したとき」について、行政実例は、「発令したときとは、任命権者がその意思を外部に表示したときと解する。ここで外部に表示するとは、本人に通知する場合だけでなく、本人の所属部局の長など、任命権者（人事課長のような任命権行使の補助的な業務を行う者を含む。）以外の者に表示することであり、人事異動通知書その他の文書によると否とを問わない。」（昭三四・一二・一九任企九三九）としている。本人に対する人事異動通知書の交付を通じた発令が基本であろうが、職場のＬＡＮ等を通じた本人に対する通知でも足りるし、また、本人が発令日に休暇等のために職場で人事異動通知書が受取ができない場合や本人が受取を拒否しているような場合であっても、例えば、省内に人事異動速報が回覧された場合には意思を外部に表示した場合に当たり、発令の効力は生じたといえる。

したがって、人規八―一二第五三条に基づく人事異動通知書の交付は、異動の効力の発生とは直接かかわりなく、専ら、当該異動内容を職員本人に明確に通知するためのものであるといえる。なお、任命権者の発令があった場合においても、職員本人がその異動を了知するまでの間は、当該職員の不利益に取り扱うことは許されない（平二一・三・一八人企五三二）ものとされている（不利益な取扱いが許されない例として、「転任処分について本人の了知が遅れた場合の赴任期間の計算等」（飯野達郎編『公務員任用制度詳解』三二四頁）が挙げられよう。）。

次に人規八―一二第五四条に掲げる異動は職員にとっては著しく不利益なものであり、身分保障の観点から、「職員に人事異動通知書を交付して行わなければならない。」とされているものである。「人事異動通知書を交付して行わなければならない。」とは、これらの異動については、人事異動通知書の交付が異動の効力発生の必須の要件であることを意味している。すなわち、当該異動の効力は人事異動通知書が職員本人に交付されたときに発生するものである。したがって、任命権者が当該異動を発令した日とその異動の効力発生日とは必ずしも一致しないことになる。

これらの異動は当該職員に人事異動通知書が交付されること（すなわち、人事異動通知書が当該職員に到達すること）が効力発生要件であるから、「到達主義」による異動と呼ばれるが、この場合、職員本人が人事異動通知書の内容を現実に了知することまでは必要ではなく、職員本人がその内容を了知し得る状態に置かれたことをもって足りる。この点については、休職辞令を職員宅に持参したところ職員不在のため、ただ一人で留守番をしていた長女（当時高等学校在学中一七歳）に対して職員に渡してくれるよう依頼して辞令を交付した地方公務員に係る事例に関して、「長女が当時すでに受領能力を有していたことは明らかであるから、休職辞令は適法に職員に送達されたものといえる。」との裁判例（昭三二・七・二二長崎地裁）がある。

なお、例えば、遠隔地において勤務する職員に対して人事異動通知書を郵送する場合、配達等に要する時間を見込んで余裕をもって処理するため、当該異動の発令日（人事異動通知書に記入された日付）前に人事異動通知書が職員本人に到達することがある。これがいわゆる先日付の辞令と呼ばれるものである。この場合であっても、当該異動の効力発生日は人事異動通知書に記入されている日付、すなわち任命権者が意図している当該異動の効力発生日であることは当然である。

いわゆる先日付の辞令については、採用、昇任、配置換等の場合は実際に問題になることはないであろうが、免職等職員の不利益となる異動の場合は争われることがままある。この点について、「本件免職辞令の日付が昭和三十七年三月三十一日であるにもかかわらず、原告が右辞令書を交付されたのはそれ以前の三月十八日であったから処分の効力は生じないと主張するが、仮に原告主張のとおり免職辞令の日付である三月三十一日前に交付されたとしても所謂附款付免職処分があったものと解すべく、免職自体は有効であり、ただ免職処分の効力の発生が三月三十一日の到来にかかるにすぎないのであって、免職辞令の日附と辞令交付の日が異なるからといって、免職処分の効力がないとはいえない。」との裁判例（昭三八・九・三〇福島地裁）がある。

2　人事異動通知書の様式及び記載事項

人事異動通知書の様式及び記載事項は、人事院が定めることとされ（人規八—一二　五八）、これを受けて、「人事異動通知書の様式及び記載事項等について」（昭二七・六・一　一三—七九九人事院事務総長）が定められている。

同運用通達に則った具体例のうち代表的なものは以下のとおりである。

（例一）　採用し、俸給の決定に関する事項を通知する場合

人　事　異　動　通　知　書

氏名　○　○　○　○	（現官職）

（異動内容）
係員（○○局○○課）に採用する
行政職俸給表(一)○級○号俸を給する

（例二）　昇任させ（昇格を伴う）、俸給の決定に関する事項を通知する場合

人　事　異　動　通　知　書

氏名　○　○　○　○	（現官職）　○○局○○課係員

（異動内容）
○○係長（○○局○○課）に昇任させる
行政職俸給表(一)○級○号俸を給する

（例三）　転任させる場合

人　事　異　動　通　知　書

氏名　○　○　○　○	（現官職）　○○地方○○局○○課長

（異動内容）
課長補佐（○○局○○課）に転任させる

（例四）　配置換し、同時に他の官職に期間を限って併任する場合

人事異動通知書

氏名	（現官職）
○○○○	○○局○○課課長補佐

（異動内容）
××局××課課長補佐に配置換する
××局△△課課長補佐に併任する
併任の期間は○○年○月○日までとする

（例五）　非常勤官職に採用し、任期を定める場合（期間業務職員を採用する場合）

人事異動通知書

氏名	（現官職）
○○○○	

（異動内容）
期間業務職員（○○局○○課）に採用する
任期は　年　月　日までとする
給与日額（又は1時間当り）　円を給する

（採用の方法）

第三十六条　職員の採用は、競争試験によるものとする。ただし、係員の官職（第三十四条第二項に規定する標準的な官職が係員である職制上の段階に属する官職その他これに準ずる官職として人事院規則で定めるものをいう。第

四十五条の二第一項において同じ。）以外の官職に採用しようとする場合又は人事院規則で定める場合には、競争試験以外の能力の実証に基づく試験（以下「選考」という。）の方法によることを妨げない。

第三十七条　削除

〔趣　旨〕

一　採用の方法

およそ任用は、全て能力の実証に基づいて行われるものである（法三三Ⅰ）。特に、職員でない者を官職に任命する方法である採用（このほかに臨時的任用がある。）については、広く国民に開かれ、かつ公正な能力実証を図ることができるよう、公開、平等の競争試験によることを原則とし、例外的な場合に限って、競争試験によらず特定の者の能力を実証する選考によって行うことができることとされている。

二　競争試験及び選考の意義

職員を採用するための競争試験は、「受験者が、当該採用試験に係る官職の属する職制上の段階の標準的な官職に係る……標準職務遂行能力及び当該採用試験に係る官職についての適性……を有するかどうかを相対的に判定することを目的とする。」ものである（人規八―一八　二Ⅰ）。すなわち、受験者は、相互に競争の関係にあり、試験の結果、各受験者の標準職務遂行能力及び適性について順位が確定される。そして、採用予定数等を考慮して上位から合格者が決定される。したがって、人材確保の観点から採用試験が有効に機能するためには、まず、標準職務遂行能力及び適性を有すると考えられる、できる限り多くの受験者を確保することが重要な条件となる。

これに対し、選考は、「選考される者が、補充しようとする官職の属する職制上の段階の標準的な官職に係る……標準職務遂行能力及び当該補充しようとする官職についての適性……を有するかどうかを判定することを目的とする。」ものである（人規八―一二　一九）。選考は、任命権者が選考基準をあらかじめ設定し、個々の受験者が補充しようとする官職に係る標準職務遂行能力及び適性を有しているか否かを絶対的に判定するものであり、この点が競争試験との相違点である。実際には、選考の態様は多様であり、採用予定数をはるかに上回る応募者があるような場合は、外見上は、競争試験とほとんど変わらず、得点の下位の者がふるい落とされるケースもあるが、理念的には、選考の受験者は、受験者間で相対的、競争的地位に置かれるものではなく、選考基準に照らして個々の受験者ごとに判定されることとなる。

結局、競争試験とは、特定の官職に就けるため、不特定多数の者の競争によって選抜を行う方法であり、選考とは、特定の者が特定の官職の適性を有するかどうかを一定の基準に基づき判定する方法であるということができる。両者は、いずれも客観的な能力の実証を行う試験という点では全く同じ目的のものであり、競争試験がより厳格な方法で、選考はそうでないといった違いは本来存在しない（なお、制度的には、競争試験の場合には、その合格者（通常一定数の規模）の中から任命権者が更に面接を行い、採用者を選択する行為がある（この場合の面接にも成績主義の原則が及ぶのは当然である。）（法五六）が、選考の場合には、任命権者により選考された者が採用（予定）者となる点で違いがあるといえよう。）。競争試験及び選考は、条件付任用期間の制度（法五九）とあいまって、任用における成績主義の実現手段とされているのである。競争試験又は選考は、ある官職に就くために最初に行われる能力の実証であり、その意義は極めて大きいものがある。

平成一九年の本法の改正前においては、選考の主体は、人事院又は人事院の定める選考機関（具体的には各府省の任命権者等）とされていたが（旧三六2）、個々の官職の特性等に通暁した任命権者が選考を行うのが現実的かつ適当であり、また、人事院が選考の主体とならなくても、選考の公正性ないし能力実証の確保は、人事院規則等によって選考の基準及び手続等を定めることで担保することができることから、同改正の際、旧第三六条第二項を削除し、本法第五七条に任命権者が選考の主体となること等を定めた。

また、平成二六年の本法の改正により、本条の規定上、係員級の官職以外の官職に採用する場合は選考の方法によることができることが明定された。なお、同改正の前は、人事院規則において同様の規定が置かれていた（人規八—一二　旧一八2）。

〔解　釈〕

一　競争試験による採用と選考の方法による採用

本条は、国家公務員に採用するための方法を定めている。国家公務員の採用は、競争試験によることが原則となる。しかしながら、国家公務員の官職は、様々であることから、全ての官職への採用について、競争試験により標準職務遂行能力及び適性を判定して行うことは困難である。したがって、本条及び人事院規則で定める場合には、選考の方法により採用することを妨げないこととされている。

二　選考の方法により職員を採用することができる官職

(1)　係員の官職（これに準ずる官職として人事院規則で定めるものを含む。）以外の官職

係長級以上の官職については、現在の各府省の人事管理において、通常は上級の係員が順次昇任していくことが実態となっていることから、従前から原則として競争試験により採用を行う試験対象官職とはされていない。ただし、民間企業における実務の経験その他これに類する経験を有する者を採用するための競争試験である経験者採用試験を実施する場合には、同試験は係員の官職より上位の職制上の段階に属する官職を対象とするものであることから、係長級以上の官職であっても試験対象官職となる。

係員の官職に準ずる官職については、人規八―一二第七条の二及び平成二六年人事院公示第一三号第一項に定められており、具体的には、航海士補、研究官、研究補助員等が係員の官職に準ずるものとなる。なお、医師、看護師等については、免許を必要とする官職であり、改めて競争試験を実施する必要がないことから、係員の官職に準ずる官職とされておらず、係員の官職以外の官職として選考の方法により採用することができる。

○人事院規則八―一二（職員の任免）

（標準的な官職が係員である職制上の段階に属する官職に準ずる官職）

第七条の二　法第三十六条の標準的な官職が係員である職制上の段階に属する官職に準ずる官職として人事院規則で定める官職は、次に掲げる官職とする。

一　法第三十四条第二項に規定する標準的な官職（次号及び第十九条において単に「標準的な官職」という。）が、標準的な官職を定める政令本則の表二の項第三欄第三十一号、同表五の項第三欄第一号及び第二号、同表十八の項第三欄並びに同表二十五の項第三欄第二号から第五号までに規定する内閣官房令で定める職制上の段階のうち人事院が定める職制上の段階に属する官職

二　行政執行法人の職員の占める官職のうち、標準的な官職が係員である職制上の段階に属する官職に相当する官職

○平成二六年人事院公示一三号（平二六・五・二九）

1　人事院規則八―一二（職員の任免）（以下「規則」という。）第七条の二第一項第一号の人事院が定める職制上の段階は、国家公務員法（昭和二二年法律第一二〇号）第三四条第二項に規定する標準的な官職（以下単に「標準的な官職」という。）が、標準的な官職を定める政令に規定する内閣官房令で定める標準的な官職等を定める内閣官房令（平成二一年内閣府令第二号）第二条第一一項各号の表の下欄に掲げる航海士補、同令第五条第一項の表の下欄に掲げる研究官、同条第二項の表の下欄に掲げる研究補助員、同令第一八条の表の下欄に掲げる審査官補及び同令第二五条第二項から第五項までの表の下欄に掲げる海事技術専門官である職制上の段階とする。

(2)　係員の官職のうち人事院規則で定める官職（人規八―一二第一八条第一項各号に掲げる官職）

本条に基づき、人規八―一二第一八条第一項により、次の官職に採用しようとする場合には、選考の方法によることを妨げないこととされている。

①　特別職に属する職、地方公務員の職、行政執行法人以外の独立行政法人に属する職、沖縄振興開発金融公庫の職等に現に正式に就いている者をもって補充しようとする官職でその者が現に就いている職と同等以下と認められる官職（人規八―一二　一八1①）

本号は、一般職の国家公務員に類似する職にある者について、当該組織の採用手続を経て採用され、更に実務に携わった実績を能力実証主義の観点から尊重しようとする趣旨である。したがって、就くべき官職は、その者が当該組織において占めていた職と同等以下と認められるものに限られる。

なお、「正式に就いている者」とは、いわゆる正規の職員のことをいい、条件付任用期間中の者及びこれに類する者、臨時的に任用されている者並びに非常勤の者を除く趣旨である。

②　かつて職員であった者をもって補充しようとする官職でその者がかつて正式に任命されていた官職と職務の複雑と責任の度が同等以下と認められる官職（人規八―一二　一八1②）

本号は、かつて職員として在職していた者を採用しようとする場合は、再度競争試験により能力の実証を行う必要がないことによるものである。したがって、就くべき官職は、その者がかつて任命されていた官職と同等以下と認められるものに限られる。

③　採用試験を行っても十分な競争者が得られないことが予想される官職又は職務と責任の特殊性により職務の遂行能力について職員の順位の判定が困難な官職で、選考による採用について人事院が定める基準を満たす官職（人規八―一二　一八1③）

本号は、例えば、特殊の知識又は技能を必要とする研究官に大学院博士課程の修了要件を満たした者を採用しようとする場合などは、競争試験により標準職務遂行能力及び適性を相対的に判定することが困難なことから、選考の方法による採用ができることとするものである。

人事院が定める基準としては、次のものがある。

(ア)　試験研究機関等の研究官の官職に、大学院修士課程の修了要件を満たし高度の研究業績を有する者又は大学院博士課程の修了要件を満たした者を採用する場合であること。

(イ)　選考対象者の募集に当たって、できる限り広く募集が行われていること。

(ウ)　複数の者によって構成される選考委員会の審査を経て選考が行われていること。

なお、特殊の知識又は技能を必要とするとはいえないまでも、相当高度な知識又は技能を有する者をもって補充する必要がある官職は、後述④の平成二六年人事院公示第一三号第二項に定める官職に類似しており、同項において定めることもあり得るが、同項に定めるには至らない官職については、(イ)及び(ウ)の手続を経ることにより公正性を確保しつつ、個別的に選考を認めるべきものといえよう。

④　特別の知識、技術又はその他の能力を必要とする官職で、当該特別の知識、技術又はその他の能力に照らして採用試験によることが不適当であると認められるものとして人事院が定める官職（人規八―一二　一八1④）

本号は、採用試験の区分試験で検証される能力との関係で特別の知識、技術等の能力を必要とする官職や職務遂行上、免許を必要とする官職等については、採用試験によることが不適当であると認められることから、選考の方法により採用することができることとするものであり、具体的な官職は、平成二六年人事院公示第一三号第二項に掲げられている。

2

○平成二六年人事院公示第一三号（平二六・五・二九）

規則第一八条第一項第四号の特別の知識、技術又はその他の能力を必要とする官職で、当該特別の知識、技術又はその他の能力に照らして採用試験によることが不適当であると認められるものとして人事院が定めるものは、次のとおりとする。

一　主として政策の企画立案等の高度の知識、技術又は経験を必要とする業務に従事することを職務とする官職のうち、次に掲げる官職のいずれかに該当する官職

(1)　次に掲げるもののいずれか一に関する専門的知識又は技術を特に必要とする官職

日本史学、歯学、保健学、繊維学、獣医学、美術学、意匠学又は体育学

(2)　次に掲げるいずれか一の免許等を有する者をもって充てるべき官職

ア　電波法（昭和二五年法律第一三一号）による無線従事者の免許

イ　船舶職員及び小型船舶操縦者法（昭和二六年法律第一四九号）による海技士の免許

ウ　航空法（昭和二七年法律第二三一号）による定期運送用操縦士、事業用操縦士、一等航空整備士又は二等航空整備士の資格についての航空従事者技能証明

二　主として事務処理等の定型的な業務に従事することを職務とする官職のうち、次に掲げる官職のいずれかに該当する官職

(1)　次に掲げるもののいずれか一に関する専門的知識又は技術を特に必要とする官職

生物学、薬学、原子力工学、造船工学、繊維学、畜産学、獣医学、水産学、美術学、意匠学又は体育学

(2)　次に掲げるいずれか一の免許等を有する者をもって充てるべき官職

ア　電波法による無線従事者の免許

イ　船舶職員及び小型船舶操縦者法による海技士の免許

ウ　航空法による定期運送用操縦士、事業用操縦士、一等航空整備士又は二等航空整備士の資格についての航空従事者技能証明

(3)　次に掲げる官職

ア　宮内庁の楽師の官職

イ　空港事務所及び空港出張所の飛行場の警務又は飛行場等における事故に関する消火及び救助を行うことを職務とする官職

ウ　独立行政法人国立印刷局の校正の作業を行うことを職務とする官職

三　主として少年院における在院者の矯正教育その他の処遇、少年鑑別所における在所者の観護処遇並びに刑事施設における受刑者の改善指導及び教科指導に関する業務に従事することを職務とする官職のうち、少年院の職業指導又は教科指導に従事する教官の官職

⑤　庁舎の監視その他の庁務等を職務の内容とする官職で、当該職務の内容に照らして採用試験によることが不適当であると認められるものとして人事院が定める官職（人規八―一二　一八１⑤）

本号は、守衛、用務員、自動車運転手等が従事する事務をつかさどる官職については、職務の内容に照らして採用試験によることが不適当であることから、選考の方法により採用することができることとするものであり、具体的な官職は、平成二六年人事院公示第一三号第三項に掲げられている。

○平成二六年人事院公示第一三号（平二六・五・二九）

3　規則第一八条第一項第五号の庁舎の監視その他の庁務等を職務の内容とする官職で、当該職務の内容に照らして採用試験によることが不適当であると認められるものとして人事院が定めるものは、標準的な官職が、標準的な官職を定める政令に規定する内閣官房令で定める標準的な官職等を定める内閣官房令第一五条第三項の表の下欄に掲げる係員である職制上の段階に属する官職とする。

⑥　その他選考の方法により採用することができる官職

①から⑤までの官職のほか、次の官職については、選考の方法により採用することができる。

ア　補充しようとする官職に係る名簿がない官職又は補充しようとする官職に係る名簿において、当該官職を志望すると認められる採用候補者が五人に満たない官職で選考による採用について人事院の承認を得た官職（人規八―一二　一八１⑥）

本号は、名簿がない場合はおよそ採用することができず、また、志望者が五人未満の場合は適任者を得られないことが予想されることから、このような場合に、新たな名簿が確定するまでの間、欠員のままにしておくことにより各府省の業務執行に支障を与えることがないよう、選考の方法により採用することができることとするものである。

イ　次に掲げる者をもって補充しようとする官職（人規八―一二　一八１⑦）

(ア)　かつて職員であった者で、任命権者の要請に応じ、引き続き特別職に属する職、地方公務員の職、行政執行法人以外の独立行政法人に属する職、沖縄振興開発金融公庫に属する職その他これらに準ずる職に就き、引き続いてこれらの職に就いているもの

(イ)　特別職に属する職、地方公務員の職、行政執行法人以外の独立行政法人に属する職、沖縄振興開発金融公庫に属す

る職その他これらに準ずる職に就いている者で、採用後一定期間を経過した後に退職し、これらの職に復帰することが前提とされているもの

本号は、特別職、地方公共団体、行政執行法人以外の独立行政法人、国立大学法人及び公庫、事業団等（いわゆる特・地・公等）との人事交流による採用の場合は、競争試験を行う必要がないこととするものである。ちなみに、①の場合と類似しているが、①と比べて、(i)「正式に就いている者」でなくてもよいこと、(ii)復帰が前提になっていること、(iii)必ずしも「同等以下」でなくてもよいことが異なる。

ウ　育児休業法第七条第一項又は第二三条第一項の規定により任期を定めて採用された者をもって補充しようとする官職（人規八―一二　一八1⑧）

本号は、育児休業職員及び育児短時間勤務職員の業務を処理するための代替要員を任期を定めて採用する場合は、当該業務を処理するために育児休業又は育児短時間勤務の請求期間を限度として行う採用であることに鑑み、競争試験を行う必要がないこととするものである。

エ　配偶者同行休業法第七条第一項の規定により任期を定めて採用された者をもって補充しようとする官職（人規八―一二　一八1⑨）

本号は、配偶者同行休業職員の業務を処理するための代替要員を任期を定めて採用する場合は、当該業務を処理するために配偶者同行休業の請求期間を限度として行う採用であることに鑑み、競争試験を行う必要がないこととするものである。

オ　第四十二条第二項の規定により任期を定めて採用された者をもって補充しようとする同項第三号に掲げる官職（人規八―一二　一八1⑨の2）

本号は、産前産後休暇を取得した職員の業務を処理するための代替要員を任期を定めて採用する場合は、当該業務を処理するために産前産後休暇の請求期間を限度として行う採用であることに鑑み、競争試験を行う必要がないこととするものである。

カ　その他採用試験によることが不適当であると認められる官職で選考による採用について人事院の承認を得た官職（人規八―一二　一八1⑩）

本号は、例えば、国家的な政策上の見地から、ある特定の者を公務員とする必要があるような場合に適用される。かつて、炭鉱離職者の採用に本号（旧九8）を適用したのがその例である。

また、人事管理上、真にやむを得ない事情があると判断される場合にも適用される余地があろう。

三　本府省課長相当以上の官職（特定官職）への任用の特例

任用における成績主義の原則は、公務の入口においては、人事院による採用試験の厳格な実施、あるいは、選考採用における選考の方法、手続等についての人事院による基準の設定によって実現されており、これらを通じて厳正な能力の実証を求めることにより、スポイルズなど情実人事の排除が行われている。

他方、採用試験の対象官職より上位の官職、すなわち係長級以上の官職への任用については、民間と同様、長期雇用・部内育成を人事管理の基本としており、入口で厳格なチェックを受けた者がジョブ・ローテーションを繰り返しながら、その間の勤務成績の評価を通じて累次昇任していくという実態にある。人事院は、各府省が行う昇任等の任用行為についても成績主義の原則を実現すべく、人事評価の結果等を活用した基準を定めている（第五八条〔解釈〕参照）。

とりわけ、本府省課長相当以上の官職にある職員は行政運営の中核にあり、その行政権限も大きく、不正な任用が行われた場合の影響も大きい。また、これらの職員については、高度の行政能力と識見が必要とされることはいうまでもない。かかる観点から、本府省課長相当以上の官職（特定官職）への任用については、成績主義を貫徹し、スポイルズを排除するための特例が設けられている（人規八―一二　七、一八3、三〇）。特定官職への選考採用については、幹部職員人事の一元管理の対象となる幹部職への採用の場合や、特別職の属する職等からの採用等の場合であって一定の要件を備えている場合を除いて、人事院との事前の協議が必要とされている（人規八―一二　一八3）。なお、特定官職への昇任等については、人事評価の結果等を活用した基準に加えて、人事院は、任用に当たっての追加要件の設定及び手続的な関与を行っており、特例の内容については、第五八条の〔解釈〕二において具体的に説明している。

㊟　点線の左側は、令和四年六月一七日から起算して三年を超えない範囲内において政令で定める日（新刑法の施行日）から施行となる。

（欠格条項）

第三十八条　次の各号のいずれかに該当する者は、人事院規則で定める場合を除くほか、官職に就く能力を有しない。

一　禁錮（拘禁刑）以上の刑に処せられ、その執行を終わるまで又はその執行を受けることがなくなるまでの者

二　懲戒免職の処分を受け、当該処分の日から二年を経過しない者

三　人事院の人事官又は事務総長の職にあつて、第百九条から第百十二条までに規定する罪を犯し、刑に処せられた者

四　日本国憲法施行の日以後において、日本国憲法又はその下に成立した政府を暴力で破壊することを主張する政党その他の団体を結成し、又はこれに加入した者

〔趣　旨〕

欠格条項の意義

本条においては、欠格条項に該当する者は、人事院規則で定める場合を除いては、官職に就く能力を有しないことを定めている。欠格条項に該当しないことは、採用に当たっての条件であるだけでなく、職員としての身分を保持するための条件でもあり、したがって、職員となった後にこれらの条項に新たに該当することとなった場合は、当然にその職を失うこととされている（法七六）。これは、欠格条項に該当しないことが官職に就くための絶対的能力要件であり、これらに該当する者をおよそ公務から排除することを趣旨とするものである以上当然の措置であり、本条と失職条項を併せ規定することによって、その目的を完全に達成することができるものである。

欠格条項の特例を人事院規則で定めることができるものとされており、その立法趣旨は、単純労務職員について特例を認めるようなことであるとする見解（佐藤功・鶴海良一郎著『公務員法』二二四頁）もあるが、現在、この例外を定めた人事院規則はない。

なお、従前、本条旧第一号は、欠格条項として「成年被後見人又は被保佐人」を掲げていたが、採用時に競争試験や選考

による能力実証手続を経ることにより適格性を判断し、その後、心身の故障等により職務を行うことが難しい場合においても分限免職などの規定が整備されていることを踏まえ、成年後見制度の利用の促進に関する法律（平成二八年法律第二九号）に基づき制定された、成年被後見人等の権利の制限に係る措置の適正化等を図るための関係法律の整備に関する法律（令和元年法律第三七号）により削除され、同年九月施行された。

〔解　釈〕

一　欠格条項の内容

本条は、欠格条項として第一号から第四号までの四つの場合を定めているが、それぞれの内容は次のとおりである。

1　禁錮（新刑法の施行日以降は、拘禁刑）以上の刑に処せられ、その執行を終わるまでの者又はその執行を受けることがなくなるまでの者

禁錮（新刑法の施行日以降は、拘禁刑）以上の刑とは、死刑、懲役及び禁錮（新刑法の施行日以降は、死刑及び拘禁刑）をいう（刑法九、一〇）。「刑に処せられ」とは、刑を言渡した判決（執行猶予の言渡しが付いていると否とを問わない。）が確定することをいう。「執行を受けることがなくなる」場合の主な例としては、刑の執行を猶予されている者が、執行猶予期間を無事経過し、刑の言渡しが効力を失う場合（刑法二七）（新刑法の施行日以降は、刑法二七1）があり、そのほか、刑の時効が完成し執行が免除された場合（刑法三二）及び恩赦の一種としての刑の執行の免除（恩赦法八）がなされた場合がある。

2　懲戒免職の処分を受け、当該処分の日から二年を経過しない者

懲戒免職された者は、服務規律に違反し、行政組織の秩序維持のため最も重い処分を受けたものであり、このような者を職員として採用することは望ましくないとされたものである。しかし、本人の反省も期待しうるので、欠格条項に該当する期間は二年間に限定されている。

本号に該当するのは懲戒免職（法八二）の処分を受けた者に限られ、分限免職（法七八）の処分を受けた者や、失職した者（法七六）については本号に該当しない。

期間の計算は、懲戒免職処分の日から起算するが、それは、処分の効力が有効に発生した日の意味であり、処分書の日付にかかわりなく、当該処分書が本人に到達した日又は本人が了知しうべき状態になったと認められる日が起算日である。ま

た、この期間は、年をもって計算するので、処分のあった日は算入せず、その翌日から暦によって計算することになる（民法一四〇、一四三）。

３　人事院の人事官又は事務総長の職にあって本法第一〇九条から第一一二条までに規定する罪を犯し刑に処せられた者人事院の人事官又は事務総長は中央人事行政機関たる人事院の中枢を占めるものであり、本法を通じ、人事行政の公正の確保を図っていくべき最高の責任者である。これらの者が犯す本法違反は、他の者が行った場合に比し、著しい義務違反があったものといわざるをえない。したがって本号においては、これらの者が本法違反によって刑に処せられたときは、職員としての適格性を否定することとされているのである。

この場合、人事官、事務総長の職に在職する者が本法上規定された罪を犯したことが要件であり、刑に処せられたときに人事官等でなくなっていた場合も本号に該当する。

なお、本号の「刑」は、本法第一〇九条から第一一二条の罰則であり、その罰則として懲役（新刑法の施行日以降は、拘禁刑）及び罰金が規定されているが、たとえ罰金刑であっても欠格条項に該当することになるものである。

また、第一号の場合は、刑の執行を終わり、又は執行を受けることがなくなることによって欠格条項に該当しないこととなるが、本号の場合は、過去に刑に処せられた者は引き続き欠格条項に該当することになる。しかし、刑法の規定により、刑が執行猶予となった場合にそれを取り消されることなくその期間を経過したときには刑の言渡しは効力を失うとされているほか（刑法二七）（新刑法の施行日以降は、刑法二七１）、刑の執行が終わり、又はその執行の免除を得た後、所定の条件の下に一定期間を経過したとき（例えば、禁錮（新刑法の施行日以降は、拘禁刑）以上の刑の場合は、罰金以上の刑に処せられないで一〇年を経過したとき）にも刑の言渡しは効力を失うとされているので（刑法三四の二（刑の消滅））、これらの場合には、「将来に向かって刑の言渡しを受けなかった者と同一に取り扱われることになる」（前記『条解刑法』七七頁）。したがって、裁判官（裁判所法四六①）、検察官（検察庁法二〇①）、弁護士（弁護士法七①）、保護司（保護司法四①）、学校の校長・教員（学校教育法九①）などの欠格条項の取扱いと同様、職員となる資格を回復することとなる（弁護士資格についての平成六年六月三日衆議院法務委員会における政府答弁参照）。また、不時に行われる大赦、特赦又は復権により、特に定められたときも（恩赦法二～五、九、一〇）、職員となる資格を回復することがある。

4　日本国憲法施行の日以後において、日本国憲法又はその下に成立した政府を暴力で破壊することを主張する政党その他の団体を結成し、又はこれに加入した者

公務員は、日本国憲法を尊重し擁護する義務を負うものであり（憲法九九）、日本国憲法又はその下に正当に成立した政府を暴力で破壊しようとする団体を結成したり、その一員となることが職員の本分にもとることは明白で、このような者は絶対的な欠格者とされる。

「日本国憲法施行の日」は昭和二二年五月三日であり（憲法一〇〇1）、「その下に成立した政府」とは国の行政権を行使するもの（内閣）を直接には指しているが、およそ国権をつかさどる国の立法、司法、行政の各機関を含むものと解してよいであろう。ただし、地方公共団体の機関は含まれない。「暴力で破壊」とは、およそ非合法な手段の一切をいうものであり、内乱、外患誘致、騒擾等の手段が含まれる。「政党その他の団体」とは、政治上の主義主張を持つ継続的な結合体（連合体を含む。）をいうものと考えられる。このような団体としては、具体的には破壊活動防止法（昭二七法二四〇）により、団体活動の制限あるいは解散の指定を受ける団体が考えられる。団体を「結成」するとは、新たにこのような団体を組織することであり、「加入」とは既存のこれらの団体に参加することである。なお、現在まで、同法によって団体活動の制限、あるいは、解散の指定を受けた団体はない。

二　欠格条項違反の任用

本法第七六条においては、職員が本条各号の一に該当するに至ったときは、当然失職する旨を規定している。次に、例えば、禁錮（新刑法の施行日以降は、拘禁刑）以上の刑に処せられ、執行猶予期間中の者がそれを隠して、競争試験や選考に応募して合格した場合で、任命権者が本条に該当する事実を知らないで採用するようなことがあり得る。このような採用は明らかに法律に違反し、しかもその違反は極めて重大なものである以上、当該採用は法律上当然に無効となる（平一九・一二・一三最高裁）。この場合、欠格条項に該当していることを発見するまでの日時が長期間であった場合、その者が行った行為は、その効力及びその者が受けた給与の取扱いが問題となる。一般に、欠格条項に該当する者が形式上職員として行った行政上の行為は、理論上、無権限者の行ったものである以上、無効であるといわなければならないが、善意の第三者の保護、あるいは、既成の行政秩序の安定の見地から、無効行為の転換により、有効な行為と解さざるを得ないであろう。また、給与の取扱いにつ

いては、次のような行政実例（昭二八・六・三〇法制局一発六一法制局第一部長）がある。

1　問題

国家公務員法第三八条各号の一に該当する者が一般職たる国家公務員に任命され、一定期間、俸給その他の給与を受けた後において、任命の無効が明らかにされたときは、その者に既に支給された俸給その他の給与は、いかに取り扱われるべきであるか。

2　意見及び理由

一般職の職員の給与に関する法律その他現行の法律に基いて一般職たる国家公務員に支給される俸給その他の給与は、ある者が一般職たる国家公務員に有効に任命された場合に、その者に支給されるべきものであり、また、国家公務員法第三八条の規定の文言を見て明らかなとおり、人事院規則に特段の規定のない限り、同条各号の一に該当する者が一般職たる国家公務員に任命されたとしても、その任命は当初から無効なものと解する外はないから、お示しの者に支給された俸給その他の給与は、一般職の職員の給与に関する法律に基く俸給その他の給与ではなく、その者が法律上の原因なくして受けた利益の一種として見ることが正当であろう。

しかしながら、……（中略）……その者は、国に対して一定の勤務を提供しているのが通例であるから、かかる事情の下においては、国の側においてもまた法律上の原因なくして受けた一定の利益の存在することを否定するわけにはゆかない。そこで、お示しの場合においては、相互に受けた利益を比較し、もし、任命の無効が明らかにされた者の受けた利益が国がその者から受けた利益よりも大であるとすれば、国は、この者に対してその限度において不当利得返還請求権を有するものとみるのが、法律上は正当であろう。

ただ、問題は、このような場合、必ず相互に受けた利益の比較をなし、一定の限度において国の側から不当利得返還請求権が行使されなければならないか否かにあるが、右の者の提供した勤務によって国がいかなる利益を受けたかを正確に判定することはきわめて困難であるのみならず、むしろ、この者はその職に適法に任命された者と実際上同様の勤務をなしたとみられるのが通常であろうから、その勤務とその職に対する俸給その他の給与との間には正当な均衡があるものと解するのが妥当であり、従って、明らかにその間の均衡を欠くと認められる特別な場合を除き任命の無効が明らかにされた後において右の如き比較及びそれに伴う不当利得返還請求権の行使がされないとしても、必ずしも財政法第八条を含む財政関係法規に違反するものとは考えられない。

三　欠格条項の法律による特例

本条の欠格条項については、法律により次の特例が定められている。

(1)　外務公務員については、本法第三八条の欠格事由に該当する場合のほか、「国籍を有しない者又は外国の国籍を有する者は、外務公務員となることができない。」とされており（外務公務員法七1）、外務公務員が当該規定により外務公務員となることができなくなったときは、当然失職する（外務公務員法七２）。

なお、平成六年五月の外務公務員法の改正前においては、外務公務員本人のほか、配偶者が日本国籍を有しない場合又は外国の国籍を有する場合も欠格事由とされ、外務公務員が日本国籍を有しない者又は外国の国籍を有する者と婚姻した場合には、日本国籍を有しない配偶者が四年以内に日本国籍を取得していないとき、あるいは外国の国籍を有する配偶者が一年以内に当該外国の国籍を離脱しないときは、当然失職とされていた（旧外務公務員法施行令一）。しかしながら、「近年の国際社会の緊密化、我が国の国際化等にかんがみ」（平八・四・五衆議院外務委員会提案理由）、また、我が国が昭和六〇年に批准した女子差別撤廃条約第九条（「……外国人との婚姻……が、……夫の国籍を妻に強制することとならないことを確保する。」）の趣旨を踏まえ、配偶者に係る条項を削除する改正が行われたものである。

(2)　検察官については、他の法律の定めるところにより一般の官吏に任命されることができない者のほか、①禁錮（新刑法の施行日以降は、拘禁刑）以上の刑に処せられた者、②弾劾裁判所の罷免の裁判を受けた者は検察官に任命することができないとされている（検察庁法二〇）。①については、禁錮（新刑法の施行日以降は、拘禁刑）以上の刑に処せられた者は、就官能力を絶対的に失う点において、前述の本法第三八条第三号の場合と同様であって、同条第一号の規定とは異なる（なお、①については、同様の規定が、一般職の国家公務員とされている保護司（保護司法四①）にも設けられている（前記一３）。）。

四　国籍要件

日本国籍を有しない者が国家公務員となることができるか否かについては、「一般にわが国籍の保有がわが国の公務員の就任に必要とされる能力要件である旨の法の明文の規定が存在するわけではないが、公務員に関する当然の法理として、公権力の行使又は国家意思の形成への参画にたずさわる公務員となるためには日本国籍を必要とするものと解すべきであり、他方においてそれ以外の公務員となるためには日本国籍を必要としないものと解せられる。」とする法制局の見解がある（昭二八・三・二五法制局一発二九）。なお、「公権力の行使または国家意思の形成への参画にたずさわる公務員であるかどうかは、当該公務員の任用にかかる官職の職務内容を検討して具体的に決定すべきものと解する。」との行政実例があり（昭三〇・三・一八　一二一―二二六人事院事務総長）、具体例としては、「上司の指揮監督の下に単なる定型的な職務に従事する看護婦の官職に日本の国籍を有しない者を任用することはさしつかえないものと解します。」との行政実例（昭三五・一・一九任企二四任用局長）等がある。

また、現在、外国人を任用できることを明らかにしている法律に、「科学技術・イノベーション創出の活性化に関する法律」があり、旧研究交流促進法（昭六一法五七）の規定を引き継ぎ、試験研究機関等の長等を除き、外国人を任用できるとしており、法律により当然の法理を一部修正したものと解せられる。なお、同様の規定は、国立大学法人化前のかつての国立大学の教員（一般職国家公務員）にも設けられており（旧「国立又は公立の大学における外国人教員の任用等に関する特別措置法」（昭五七法律八九））、立法措置により、外国人を教授、助教授、講師に任用することができ、かつ、これら教員が教授会等の構成員となり、議決に加わることも認められていた（ただし、学長や部局長（学部長等）については、同法の対象にはなっておらず、外国人の任用はできなかった。なお、助手は当然の法理には抵触しないということで立法前においても外国人の任用が行われていた（昭五七・八・一〇参議院文教委員会提案者答弁）。）。

○科学技術・イノベーション創出の活性化に関する法律（平二〇・六・一一法六三）

（外国人の研究公務員への任用）

第十四条　国家公務員法第五十五条第一項の規定その他の法律の規定により任命権を有する者（同条第二項の規定によりその任命権が委任されている場合には、その委任を受けた者。以下「任命権者」という。）は、外国人を研究公務員（第二条第十二項第二号に規定する者を除く。）に任用することができる。ただし、次に掲げる職員については、この限りでない。

一　試験研究機関等の長である職員

二　試験研究機関等の長を助け、当該試験研究機関等の業務を整理する職の職員その他これに準ずる職員として政令で定めるもの

三　試験研究機関等に置かれる支所その他の政令で定める機関の長である職員

2　任命権者は、前項の規定により外国人を研究公務員（第二条第十二項第一号及び第三号に規定する者（一般職の任期付職員の採用及び給与の特例に関する法律第五条第一項に規定する任期付職員並びに任期付研究員俸給表適用職員及び同号に規定する者のうち一般職の任期付研究員の採用、給与及び勤務時間の特例に関する法律第三条第一項の規定により任期を定めて採用された職員を除く。）に限る。第十六条において同じ。）に任用する場合において、当該外国人を任用するために特に必要であるときには、任期を定めることができる。

なお、現行の国家公務員採用試験では、受験資格において日本国籍を有しない者の受験を認めていない（人規八―一八

九１③）。このことに関しては、税務職、公安職など「公権力の行使」の観点から国籍を要件とする必要があると考えられる採用試験は別として、一般行政職の係員を対象とした試験については、国籍要件を課す必要はないのではないかとする意見もある。しかし、現状では、長期雇用・部内育成が人事慣行となっており、たとえ、公務に入った時は係員であっても、相当経験を積んだ後は累次昇任し、国家意思の形成への参画に携わる官職に就くこととなるのが通例である以上、国籍を要件とすることが適当と考えられ、現在は全ての採用試験の受験者は日本国籍を有することが受験資格とされている。

（人事に関する不法行為の禁止）

第三十九条　何人も、次の各号のいずれかに該当する事項を実現するために、金銭その他の利益を授受し、提供し、要求し、若しくは授受を約束したり、脅迫、強制その他これに類する方法を用いたり、直接たると間接たるとを問わず、公の地位を利用し、又はその利用を提供し、要求し、若しくは約束したり、あるいはこれらの行為に関与してはならない。

一　退職若しくは休職又は任用の不承諾

二　採用のための競争試験（以下「採用試験」という。）若しくは任用の志望の撤回又は任用に対する競争の中止

三　任用、昇給、留職その他官職における利益の実現又はこれらのことの推薦

〔趣　旨〕

人事に関する不法な行為の禁止

本法第三三条から第三六条までにおいては、成績主義を確立するための理念とその具体的枠組が定められているが、本条から第四一条までにおいては、不法な手段によって任用その他の人事に情実が介入することを防止するため、①人事に関する不法行為、②人事に対する虚偽行為及び③受験又は任用の阻害及び情報の提供を禁止し、人事行政の公正を阻害する行為を防止することとしている。

〔解　釈〕

不法行為の禁止の内容

本条は、不法な手段により任用その他の人事に介入することを防止するための規定である。

まず、「退職」とは失職の場合及び懲戒免職の場合を除いて職員が離職することをいい（人規八—一二　四⑨）、離職とは職員が職員としての身分を失うことをいう（人規八—一二　四⑦）。したがって、辞職及び免職はともに退職に含まれる。「休職」とは本法第七九条により分限処分としてなされた休職を意味し、官職を保有したまま職員を職務に従事させないことをいう。

「任用の不承諾」とは、採用の手続の進行中において、採用の同意をしないことがその典型であるが、昇任、転任その他の任用において、その受諾を事実上拒むことも含まれると解される。

「採用試験の志望の撤回」とは、採用試験の受験の申込をし、それが受理されたものが、当該申込を取り下げることをいうものと解される。「任用の志望の撤回」とは、採用候補者名簿に記載されている者が辞退したり、一部志望官庁を取り下げることなどを指すものと解される。また、「任用に対する競争の中止」とは、採用試験の試験場において白紙答案を提出するなど、採用試験又は採用試験に基づく任用において自ら競争を放棄する全ての行為を指すものと解される。

「任用」については第三三条の説明を参照されたい。「昇給」とは、現行給与制度上では、同じ職務の級内において、職員の俸給月額を上位の俸給月額に変更することをいう。職員の「昇格」は、職員の職務の級を同一俸給表内において上位の職務の級に変更するものであり、現行給与制度上は、「昇給」には含まれないが、本条の適用に当たっては、「昇給」を広義に解釈し、「昇格」を含めて差し支えないものと考える。「留職」とは、本来、職階制に由来する用語であり、現行任用制度上、通常用いられる用語ではないが、ある官職に任用されている職員を異動等させることなく、引き続きその官職に留任させることと解すればよく、例えば、免職を免れるために不正な働きかけを行うことなどが当たるものといえよう。「その他官職における利益の実現」とは、例えば、先ほどの昇格のほか、諸手当の受給、留学等の研修機会の付与等が当たるものと考えられる。

不法行為中、「公の地位」とは、本条各号の事項の実現になんらかの影響を与え得る公の地位を指す。したがって、一般職の国家公務員の官職のみならず、本条各号の事項の実現になんらかの影響を与えるものであれば、特別職の職、地方公務員の職をも含むものと解すべきである。

本条の規定による禁止に違反した者は、三年以下の懲役（新刑法の施行日以降は、拘禁刑）又は一〇〇万円以下の罰金に処せられる（法一一〇1⑧）。違反した者の収受した金銭その他の利益は、これを没収し、その全部又は一部を没収することができないときは、その価額を追徴する（法一一〇2）。

不法行為によって、任用等の処分が実現されたときは、当該不法行為が重大かつ明白な瑕疵である場合には、それらの任用等の処分は無効であると解される。また、脅迫、強制等によって余儀なくなされた任用の不承諾等は、それがなかったものとして扱われることになろう。

（人事に関する虚偽行為の禁止）

第四十条　何人も、採用試験、選考、任用又は人事記録に関して、虚偽又は不正の陳述、記載、証明、採点、判断又は報告を行つてはならない。

〔趣旨・解釈〕

人事に関する虚偽、不正行為の禁止

本条は、能力の実証方法である採用試験、選考をはじめ、各種の任用が真正な資料に基づき厳正に行われること、及び任用の基本資料である人事記録の正確さを確保するため、試験、人事記録等に関する虚偽又は不正の陳述、記載等の行為を禁止したものである。これらの虚偽行為等は、人事の関係者に限らず、「何人」に対しても禁止されるものである。

本条の規定に違反した者は三年以下の懲役（新刑法の施行日以降は、拘禁刑）又は一〇〇万円以下の罰金に処せられる（法一一〇1⑨）。これらの行為を企て、命じ、故意にこれを容認し、そそのかし又は幇助をした者も同様の刑に処せられる（法一一一）。

（受験又は任用の阻害及び情報提供の禁止）

第四十一条　試験機関に属する者その他の職員は、受験若しくは任用を阻害し、又は受験若しくは任用に不当な影響を与える目的を以て特別若しくは秘密の情報を提供してはならない。

〔趣旨・解釈〕

受験等の阻害行為の禁止

本条は、試験及び任用に関し情実を排除し、成績主義の原則が損なわれることのないよう、受験者又は任用対象者を平等公正な条件の下に置くことを目的としている。

本条の禁止の対象者は、第三九条、第四〇条のそれが「何人」であるのに対し、「試験機関に属する者その他の職員」とされている。「試験機関」は、人事院又は人事院の定める機関（法四八、人規八—一八　一一）であり、採用試験を実施し管理するための機関である。「属する者」は一般職の職員に限らず、試験機関の組織に属する特別職の国家公務員も含まれる。しかし、委託契約によって、試験に関連する事務に携わっている民間人は含まれないと解される。この場合には、委託契約において私法上の義務として秘密の保持を確約させるべきであろう。「その他の職員」とは、各府省の上級管理者のみならず、全ての一般職の職員を指す。

「特別の情報」とは、秘密の程度には至らないが、一般に公知されていない事実で、一部のものがこれを知るときは他の者に比して明らかに有利になるおそれのあるものをいうと解される。「秘密の情報」とは、守秘義務の秘密（法一〇〇）と同じく形式秘ではなく実質秘であると解される。すなわち、一般に公知されていない事実で、それを漏らすことにより、他の受験者の利益又は国の利益を害することが客観的に明らかなものであり、試験問題はその典型である。

本条の規定に違反して受験若しくは任用を阻害し又は情報を提供した者は、三年以下の懲役（新刑法の施行日以降は、拘禁刑）又は一〇〇万円以下の罰金に処せられる（法一一〇1⑩）。これらの行為を企て、命じ、故意にこれを容認し、そそのかし又は幇助をした者も、同様の刑に処せられる（法一一一）。

受験又は任用を阻害された受験生、任用対象者については、試験機関、任用担当部局に責任がある場合は、可能な限り追試験、任用の手続の再開始の措置がなされるべきであろう。不正な情報を得た者が既に職員として採用されているときは、その官職に必要な適格性を欠くものとして（法七八③）、分限免職すべきものである。また、そもそも能力実証自体に瑕疵があるものとして、採用自体が取り消され、又は無効となり得るものともいえよう。

第二款　採用試験

（採用試験の実施）

第四十二条　採用試験は、この法律に基づく命令で定めるところにより、これを行う。

〔趣旨・解釈〕

採用試験の実施

採用試験は、公務員への任用の入口として、公正な人事行政の基本となるものである。したがって、どのような採用試験をどのように実施し、どのようにして合格者を決定するのかという採用試験の企画及びその実施に関しては公正性の確保が重要となる。そこで、採用試験の方法、試験科目、合格者の決定の方法等は、採用試験の公正性確保の観点、更にその技術的性格に鑑み、第四五条の三に基づく人事院規則により定められることとされている一方、採用試験の対象官職及び種類、採用試験により確保すべき人材に関する事項は、使用者側が職員採用に当たり人材確保の観点から定めることが適切な事項であることから本法第四五条の二及び同条の規定に基づく政令により定められている。

本条は、採用試験は、これらの命令（政令及び人事院規則）で定めるところにより実施する旨を定めたものである。

なお、本条は、平成二六年の本法の改正前は、採用試験の実施に関する人事院規則への委任の根拠規定であったが、本法の改正により、第四五条の二及び第四五条の三が新設され、採用試験に関して人事院規則への委任規定のほか、政令への委任規定が設けられたことに伴い、現行の規定となっている。

（受験の欠格条項）

第四十三条　第四十四条に規定する資格に関する制限の外、官職に就く能力を有しない者は、受験することができない。

〔趣　旨〕

受験者の消極的要件

採用試験の実施は、その後の採用を前提とするものであるから、そもそも職員として採用することができない者に受験を認める余地はない。本条は、官職に就く能力を有しない者、すなわち、本法第三八条の欠格条項に該当する者は職員として採用することはできないので、これらの者については受験できないことを規定している。次条に規定する受験の資格要件もそれを満たさない者は受験できない点では同じであるが、受験の資格要件は、採用試験の実施目的に照らして、個々の採用試験の対象官職に応じて採用試験の種類や区分ごとに積極的な要件として決められるものであるのに対し、本条の受験の欠格条項は、全ての官職について就官能力を有しない者は、およそ全ての採用試験を受験できないとする消極的要件を定めたものである。

〔解　釈〕

欠格条項の内容

本条で、官職に就く能力を有しない者とは、本法第三八条の欠格条項に該当する者であり、これらの者は試験を受験することができない。受験の時点で欠格条項に該当しているが、採用の時点では該当しなくなる者も、本条の規定により受験することができない。また、仮に、官職に就く能力を有しない者が受験したとしても、その行為は当然に無効であり、何らの効果も生じないものである。

（受験の資格要件）

第四十四条　人事院は、人事院規則により、受験者に必要な資格として官職に応じ、その職務の遂行に欠くことのできない最小限度の客観的且つ画一的な要件を定めることができる。

〔趣　旨〕

受験資格の意義

採用試験は、不特定多数の者から適格者を選抜するものであり、多数の者が受験することは適格者を確保するための前提条件であるといってよい。また、採用試験はできる限り広くかつ平等に公開されるべきものである。しかしながら、個々の官職の職務の内容あるいは性質に基づき、一定の資格を有する者を採用することが合理的である場合がある。このような見地から本法は、最小限度の範囲で職務遂行上の必要性に基づいて受験資格を定めることができることとしている。「最小限度の受験資格」の具体的範囲は、当該官職の職務の内容、社会的妥当性等に基づいて決定すべきものである。このような合理性を欠く受験資格の決定は、本法第二七条の「平等取扱いの原則」に反することになるものというべきであろう。

〔解　釈〕

採用試験の受験資格の内容

本条に基づき、人事院は、人事院規則により、職務遂行に欠くことのできない最小限度の客観的かつ画一的な受験資格を定めることができる。採用試験の具体的な受験資格は、採用試験の種類又は区分ごとに人事院規則等で定められている（人規八―一八　八、別表三等）。これらの受験資格の内容は、年齢に関するもの、学歴等に関するもの、性別に関するものに分類することができる。

年齢に関する受験資格は、経験者採用試験を除き、原則として全ての採用試験について、新規学卒者を中心に長期に部内育成を図る観点から設けられており、受験資格を一定の年齢層の者に限っている。なお、各種の大学校の学生の官職への採用試験等では、学校卒業後の経過年数を受験資格としているが、年齢による受験資格と同様の観点から設けられているものである。

国家公務員採用試験は、学歴にかかわらず、広く国民に受験の機会が与えられるよう、原則学歴による受験資格は設けていないが、国家公務員採用総合職試験（院卒者試験）、航空保安大学校学生採用試験、海上保安大学校学生採用試験等の一部の採用試験について、学歴による受験資格が定められている。所定の学歴が受験資格とされているのは、国家公務員採用総合職試験（院卒者試験）のように採用試験の内容ないし能力実証の方法が所定の学歴の習得を前提とし、又はそれにふさわしいものとしている場合、大学校の学生の官職への採用試験など採用後の教育や研修の基礎として一定の教育課程の履修を前提とする場合等である。なお、所定の学歴と同等の資格があると認められる者についても受験資格が認められている。また、国家公務員採用総合職試験（院卒者試験）の法務区分については、学歴に加えて、司法試験の合格が受験資格となっている。

性別に関する受験資格は、かつて若干の試験について、その受験資格が男子に限られていたが、昭和五〇年代に逐次その制限が撤廃され、現在は、特に合理的な理由がある場合に限って例外的に認められている。具体的にみると、法務省専門職員（人間科学）採用試験の「矯正心理専門職」「法務教官」区分と刑務官採用試験において、性別の受験資格が設けられているが、これは、被収容者等と同性の者が業務に従事することが必要となっているためである。

以上の受験資格のほか、日本国籍を保有することが全ての受験の条件になっている（人規八―一八　九1）。これは公務員に関する当然の法理として、公権力を行使する又は国家意思の形成に参画する公務員となるためには、日本国籍が必要であるとされているからである。公権力を行使し、又は、国家意思の形成に参画する官職は、一般的には比較的上位の官職と考えられるが、下位の官職に採用された職員も長期にわたって勤務するにつれて上位の官職に昇任し、このような権限を行使する蓋然性があると考えられている。

なお、外務公務員については、国籍を有しない者又は外国の国籍を有する者は、外務公務員になることができないとされている（外務公務員法七1）。これらの者は、外務省専門職員採用試験及び専ら外交領事事務に従事する職員の官職を対象とする経験者採用試験を受験することができない（人規八―一八　九2）。また、日本国籍と外国の国籍を有する者は、総合職試験、一般職試験を受験することができるが、合格をしても、外務公務員になることができないとされている。

（採用試験の内容）

第四十五条　採用試験は、受験者が、当該採用試験に係る官職の属する職制上の段階の標準的な官職に係る標準職務遂行能力及び当該採用試験に係る官職についての適性を有するかどうかを判定することをもつてその目的とする。

〔趣　旨〕

採用試験の目的

採用試験は、受験者が、当該採用試験に係る官職の属する職制上の段階の標準的な官職に係る標準職務遂行能力及び当該採用試験に係る官職についての適性を有するかどうかを確認し、検証するための手段である。採用試験は、採用により官職に任命するのに先立って行われる能力の実証の主要な手段であり、成績主義の原則を実現する上で重要な役割を果たすものである。

採用試験の目的が十分に達成されるためには、採用試験自体がその目的が最大限に実現されるよう有効に機能するものでなければならない。このような観点から、採用試験は次の二点を満足させるものでなければならない。

第一は、その結果の信頼性が高いものでなければならないということである。いかなる試験も絶対的な尺度となり得るものではないが、実際に採用を行う任命権者の恣意性を排し、採用試験の信頼性を高めていく上で、できるだけ客観的に判断し得る方法を主体とすべきである。近年は、人物試験を重視する方向となっているが、客観的で公正な試験とする必要がある。

第二は、実用性のある選択ができるものでなければならないということである。採用試験により判定されることが求められているのは、公務員として必要な基礎的な能力、専門的な知識、対人的能力等である。そのためには、単なる知識や技術の有無を判定するだけでは不十分であるといわなければならない。さらに、特に部内育成に重点が置かれている現行の人事システムの下では、実際上、係員等として求められる標準職務遂行能力や適性の中で、「将来の成長可能性」もみていくこととなる。

〔解　釈〕

一　採用試験の目的

採用試験の目的は、標準職務遂行能力及び適性の有無を判定することである。人事院規則では、採用試験の目的は、「受験者が、当該採用試験に係る官職の属する職制上の段階の標準的な官職に係る法第三十四条第一項第五号に規定する標準職務遂行能力及び当該採用試験に係る官職についての適性……を有するかどうかを相対的に判定すること」とされている（人規八―一八　二）が、ここで「相対的」というのは、標準職務遂行能力及び適性を有するとされた者の中での相対的評価であり、標準職務遂行能力及び適性の有無自体は絶対的に評価されなければならない。また、ここで「採用試験に係る官職についての適性」というのは、採用試験の対象となる官職に係る標準職務遂行能力以外の職務遂行能力を意味するものである。例えば、総合職試験では、係員としての共通の標準職務遂行能力のほか、「政策の企画及び立案又は調査及び研究に関する事務を職務とする官職」に係る職務遂行能力（＝適性）を有するかどうかを判定することとなる。

二　採用試験の内容

採用試験の内容については、本法に具体的な規定はなく、試験の種目については、人事院規則において採用試験の種類又は区分ごとに定められている（人規八―一八　六、別表二）。

試験種目は、その検証の対象となる知識、能力等の種類及びその検証方法の種類に応じていくつかの方法に分けられる。検証の対象の種類の面からみれば、例えば、公務員として必要な基礎的能力（知能及び知識）を対象とする基礎能力試験、各試験の区分に応じて必要な専門的知識等を対象とする専門試験、人柄、対人的能力等を対象とする人物試験、健康状態を対象とする身体検査等がある。

また、検証方法の種類の面からみれば、筆記試験、面接試験、検査・測定等の方法がある。

筆記試験は、答案作成の方法が筆記によるもので、最も一般的な試験方法であり、多肢選択式及び記述式が用いられている。前者は、大量の受験者がある場合でも、比較的短時間に幅広く知識の状況を検証することができ、採点も容易で客観的に行われる。後者は、記憶偏重を避け、思考能力をはじめ、公務に欠かすことのできない文章表現力等を検証するのに適している。後者については、問題の出し方が偏ることのないよう、また、採点が主観的にならないよう留意する必要がある。

面接試験は、試験官の質問に対し、受験者が口頭で答える形式で行われることが多いが、数人の受験者がグループで討論を行い、試験官が採点するという方法の試験も行われている。面接試験は、受験者の性格、情緒等の内面的なものや積極性や意欲その他対人関係の能力等を検証できるが、主観的な判定に陥るおそれもあるので、複数の試験官によって行うなどの工夫が必要である。

検査・測定の方法は、身体の健康状態や体力の検査、身長、体重、視力、聴力等の測定に用いられる。これらの身体面の検査、測定は、職務の遂行に身体的に十分に堪え得るかどうかを確かめるために行われるものであり、所定の肉体的労力を必要とする官職については重要なものである。なお、身体障害者については、任命権者は障害者の雇用の促進等に関する法律第三七条第二項に定める対象障害者である職員の数が職員の総数に一定の率を乗じて得た数以上となるよう採用に関する計画を作成しなければならないこととされている（同法三八）ことでもあり、それが職務の遂行に支障がない限り、身体検査で不利にならないよう配慮すべきである。

また、刑務官採用試験の刑務Ａ（武道）区分、刑務Ｂ（武道）区分については、実技試験（柔道又は剣道）が試験種目となっている。

なお、採用試験は、多数の受験者を対象として、複数の試験種目により、効果的、かつ、効率的に採用試験の合否を決定する必要があることから、第一次試験及び第二次試験、又は、第一次試験、第二次試験及び第三次試験に分けて実施することとされている（人規八―一八　七）。

（採用試験における対象官職及び種類並びに採用試験により確保すべき人材）

第四十五条の二　採用試験は、次に掲げる官職を対象として行うものとする。

一　係員の官職のうち、政策の企画及び立案又は調査及び研究に関する事務をその職務とする官職その他これらに類する官職であつて政令で定めるもの（第三号に掲げるものを除く。）

二　定型的な事務をその職務とする係員の官職その他の係員の官職（前号及び次号に掲げるものを除く。）

三　係員の官職のうち、特定の行政分野に係る専門的な知識を必要とする事務をその職務とする官職として政令で定めるもの

四　係員の官職より上位の職制上の段階に属する官職のうち、民間企業における実務の経験その他これに類する経験を有する者を採用することが適当なものとして政令で定めるもの

② 採用試験の種類は、次に掲げるとおりとする。

一　総合職試験（前項第一号に掲げる官職への採用を目的とした競争試験をいう。）であつて、一定の範囲の知識、技術その他の能力（以下この項において「知識等」という。）を有する者として政令で定めるものごとに、受験者が同号に掲げる官職の属する職制上の段階の標準的な官職に係る標準職務遂行能力及び同号に掲げる官職についての適性を有するかどうかを判定することを目的として行うそれぞれの採用試験

二　一般職試験（前項第二号に掲げる官職への採用を目的とした競争試験をいう。）であつて、一定の範囲の知識等を有する者として政令で定めるものごとに、受験者が同号に掲げる官職の属する職制上の段階の標準的な官職に係る標準職務遂行能力及び同号に掲げる官職についての適性を有するかどうかを判定することを目的として行うそれぞれの採用試験

三　専門職試験（前項第三号に掲げる官職への採用を目的とした競争試験をいう。）であつて、同号に規定する特定の行政分野に応じて一定の範囲の知識等を有する者として政令で定めるものごとに、受験者が同号に掲げる官職の属する職制上の段階の標準的な官職に係る標準職務遂行能力及び同号に掲げる官職についての適性を有するかどうかを判定することを目的として行うそれぞれの採用試験

四　経験者採用試験（前項第四号に掲げる官職への採用を目的とした競争試験をいう。）であつて、同号に規定する職制上の段階その他の官職に係る分類に応じて一定の範囲の知識等を有する者として政令で定めるものごとに、受験者が同号に掲げる官職の属する職制上の段階の標準的な官職に係る標準職務遂行能力及び同号に掲げる官職についての適性を有するかどうかを判定することを目的として行うそれぞれの採用試験

③ 採用試験により確保すべき人材に関する事項は、前項各号に掲げる採用試験の種類ごとに、政令で定める。

④ 前三項の政令は、人事院の意見を聴いて定めるものとする。

〔趣　旨〕

本条は、採用試験における対象官職及び種類並びに採用試験により確保すべき人材について定めたものであり、平成二六年改正により新設されたものである。

採用試験制度は、人事行政における基本的制度であり、成績主義の実現と採用の公正性確保の観点から極めて重要な意義を有するものである。このため、平成二六年改正前においては、内閣の指揮を受けない人事院が採用試験の企画立案・実施を一貫して所掌することとされ、採用試験の実施について必要な事項は、本法の定めがあるもののほかは、本法の委任に基づき全て人事院規則において定められていた。平成二六年改正では、採用試験に係る事務は引き続き基本的に人事院が担うものとしつつ、政府としての人材戦略を推進するため新たに内閣官房に設置される内閣人事局に必要な人材の確保の観点から採用試験に係る事務の一部（採用試験の対象官職及び種類並びに採用試験により確保すべき人材に関する事務）を担わせることとし、人事院から内閣総理大臣（内閣人事局）に当該事務を移管することとされた。

この際に、各試験の対象官職の範囲や採用試験の種類を時の政権の判断により自由に設定できるようにした場合、公正な試験への信頼が揺らぎ、国家公務員の採用試験制度が不安定になるおそれがあると考えられた。また、採用試験の種類が頻繁に変更されるようなことがあれば、試験機関において、採用試験の方法、試験科目、合格者の決定の方法等を適切に設計できない事態も生じ得る。このような懸念に対し本条は、採用試験制度を構築する際の基礎となる重要事項である採用試験の対象となる官職や採用試験の種類について基本的事項を法定したものである。しかし、特定の行政分野における専門職試験や経験者採用試験については、その対象官職や種類の詳細は、実際に採用を行う側のニーズを踏まえて決定することが適当と考えられることから政令で定めることとされ、当該政令は、公正性確保の観点から人事院の意見を聴いて定めるものとされている。

なお、本条で規定されている採用試験の対象官職や種類等は、平成二六年改正時点における実際の採用試験を反映した仕組みである。この仕組みは、能力・実績に基づく人事管理への転換の契機とすること、新たな人材供給源に対応し、多様な人材の確保に資する試験体系とすること等を目指して人事院が行った採用試験の基本的見直し（平成二四年度より実施）に基づくものである。

〔解　釈〕

一　採用試験の対象となる官職

採用試験においては、受験者が、当該採用試験に係る官職の属する職制上の段階の標準的な官職に係る標準職務遂行能力及び当該採用試験に係る官職についての適性を有するかどうかを判定することとされているところ（法四五）、本条では、それぞれの採用試験において対象となる官職群を定めている。

係員の官職群については、その職務の内容、各府省における採用ニーズ等を踏まえ、①政策の企画及び立案又は調査及び研究に関する事務をその職務とする官職（③に該当するものを除く）、②定型的な事務をその職務とする係員の官職その他の係員の官職（①及び③に該当するものを除く。）、③特定の行政分野に係る専門的な知識を必要とする事務をその職務とする官職として政令で定めるものの三種類に大別されており（法四五の二１①～③）、それぞれ、①は総合職試験、②は一般職試験、③は専門職試験の対象とされている（法四五の二２①～③）。また、特許庁の審査官補の官職のように、標準的な官職が「係員」とされていない官職群のうち、総合職試験の対象とすることが適当なものについては、①の官職群に類するものとして、政令で定められている（法四五の二１①）。

係員の官職より上位の職制上の段階に属する官職群（経験者採用試験の対象となる官職群）については、民間企業における実務の経験その他これに類する経験を有する者を採用することが適当なものとして政令で定めるものとされている（法四五の二２④）。

なお、これらの官職群の詳細については政令に委任されているが、公正性確保の観点から、当該政令は人事院の意見を聴いて定めることとされている（法四五の二４）。

二　採用試験の種類

採用試験を適正かつ公正に実施するためには、試験の対象となる官職群と当該官職に求められる知識、技術その他の能力の程度に応じて分類された者について、それぞれ適切な方法によって標準職務遂行能力及び適性の判定を行うことが求められる。このため、採用試験は、試験の対象となる官職群に求められる知識等の程度に応じて分類された者を対象とするものとして種類分けがなされている（法四五の二２）。

総合職試験及び一般職試験については、一定の範囲の知識等を有する者（例　大学院修士課程の修了者、大学卒業程度の者、高校卒業程度の者）として政令で定めるものごとに、それぞれ採用試験を行うこととされている。また、専門職試験については、特定の行政分野に応じて一定の範囲の知識等を有する者として政令で定めるものごとに、それぞれ採用試験を行うこととされている。それぞれの採用試験に求められる知識等の程度やそれぞれの専門職試験が対象とする特定の行政分野については、行政需要や公務への人材供給源の変化などに対応し、随時見直す必要があることから政令に委任されているが、公正性確保の観点から、当該政令は人事院の意見を聴いて定めることとされている（法四五の二４）。

なお、平成二六年改正前においては、採用試験の種類は人規八—一八において「国家公務員採用総合職試験（院卒者試験）」、「国家公務員採用一般職試験（大卒程度試験）」等の名称をもって定められていたが、同改正により制定された採用試験の種類について定める政令では、特定の行政分野と対応する知識の程度等のみを定め、採用試験の種類ごとの具体的な名称は付されていない。採用試験の種類ごとの名称については、採用試験の方法等を定める際に必要となることから、平成二六年改正後も人事院規則八—一八において定めている（人規八—一八　三）。総合職試験、一般職試験及び専門職試験におけるそれぞれの採用試験の名称は、次に掲げるとおりである。

① 国家公務員採用総合職試験（院卒者試験）
② 国家公務員採用総合職試験（大卒程度試験）
③ 国家公務員採用一般職試験（大卒程度試験）
④ 国家公務員採用一般職試験（高卒程度試験）（注）
⑤ 皇宮護衛官採用試験（大卒程度試験）
⑥ 皇宮護衛官採用試験（高卒程度試験）
⑦ 刑務官採用試験
⑧ 法務省専門職員（人間科学）採用試験
⑨ 入国警備官採用試験
⑩ 外務省専門職員採用試験

⑪ 財務専門官採用試験
⑫ 国税専門官採用試験
⑬ 税務職員採用試験
⑭ 食品衛生監視員採用試験
⑮ 労働基準監督官採用試験
⑯ 航空管制官採用試験
⑰ 航空保安大学校学生採用試験
⑱ 気象大学校学生採用試験
⑲ 海上保安官採用試験
⑳ 海上保安大学校学生採用試験
㉑ 海上保安学校学生採用試験

（注）平成二六年改正により、従前の国家公務員採用一般職試験（高卒者試験）及び国家公務員採用一般職試験（社会人試験（係員級））は、対象となる官職群、一定の範囲の知識等がいずれも共通することから、両者を統合して新たな一般職試験の種類（国家公務員採用一般職試験（高卒程度試験））として整理した上で、新たに区分試験として受験資格（年齢）により区分して実施することとされた。ただし、受験者等への影響を考慮し、試験公告等の実務上の取扱いにおいては、引き続き従前の名称が用いられている。

三　採用試験により確保すべき人材

それぞれの採用試験の種類について、どのような知識、教養等を有する人材を確保することを想定しているかについて、行政に求められている人材の能力等を踏まえ、政令において理念的な定めを設けることとされている（法四五の二③）。なお、この政令を制定する際には、公正性確保の観点から、人事院の意見を聴くこととされている（法四五の二④）。

政令においては、採用試験により、国民全体の奉仕者として、高い気概・使命感・倫理感を持って、専門的知見・幅広い視野に基づき行政課題に的確・柔軟に対応し、民主的・能率的な行政の総合的推進を担う職員となるべき人材を確保する旨を定めるとともに、このような人材に求められる知識・技術、能力及び資質に関する事項について、採用試験の全てに通ずるもの、それぞれの採用試験に必要なものに分けて定めている（採用試験の対象官職及び種類並びに採用試験により確保すべき人材に関する政令（平二六政令一九二）三、別表）。

（採用試験の方法等）

第四十五条の三　採用試験の方法、試験科目、合格者の決定の方法その他採用試験に関する事項については、この法律に定めのあるものを除いては、前条第二項各号に掲げる採用試験の種類に応じ、人事院規則で定める。

〔趣　旨〕

本条は、採用試験の方法、試験科目、合格者の決定の方法等に係る事項について、人事院規則に委任する旨を定めたものであり、平成二六年改正で新設されたものである。

平成二六年改正前においては、採用試験に関する事項は包括的に人事院規則に委任されていたが（法旧四二）、当該改正により、採用試験における対象官職及び種類並びに採用試験により確保すべき人材に関する事項を法律で規定した上で、詳細事項を政令に委任するとともに（法四五の二）、本条において、採用試験の方法、試験科目、合格者の決定の方法その他採用試験に関する事項について、採用試験の公正を確保する上で極めて重要であることから、本法に定めがあるものを除き人事院規則に委任することとしたものである。

〔解　釈〕

採用試験の方法等

本条の委任を受けて、人規八—一八において、それぞれの採用試験における区分、試験種目（基礎能力試験、専門試験（多肢選択式・記述式）、人物試験等）及び受験資格、最終合格者の決定方法、試験機関の権限など、採用試験の実施に関し必要な事項が定められている。これらは、いわば採用試験の具体的な企画といえよう。

採用試験のうち多くのものは、試験の対象官職に必要とされる専門的な知識、技術、その他の能力等に応じていくつかのグループに区分して実施されている（人規八―一八　四１、２、別表一等）。例えば、国家公務員採用総合職試験（院卒者試験）は、行政、人間科学、デジタル、工学等の十の区分試験に分けられている（人規八―一八　別表第一）。また、特定の地域に所在する官署等に属する官職群に応じて、区分を設けて実施することができることとされている（人規八―一八　五）。例えば、国家公務員採用一般職試験（大卒程度試験）の行政区分は、全国を九の地域に分けて、それぞれの地域ごとの地域試験として実施されている。

さらに、採用試験は、受験者が当該採用試験に係る官職の属する職制上の段階の標準的な官職に係る標準職務遂行能力及び当該採用試験に係る官職についての適性を有するかどうかについて、相対的に判定することを目的とする（人規八―一八　二）ことから、受験者の成績を相対的に判定することができる適切な方法により実施する必要がある。このため、試験機関である人事院において、それぞれの採用試験について、出題分野別の出題数、試験種目別の配点比率、得点の算出方法等について定めるとともに、透明性の確保の観点から、これらを公表しているところである。

なお、これらの採用試験は、一部の採用試験を除き、それぞれ毎年一回以上行うこととされている（人規八―一八　一七）。

（参考）総合職試験及び一般職試験における区分試験の一覧

総合職試験（院卒者試験）　行政、人間科学、デジタル（注１）、工学、数理科学・物理・地球科学、化学・生物・薬学、農業科学・水産、農業農村工学、森林・自然環境、法務

総合職試験（大卒程度試験）　政治・国際、法律、経済、人間科学、デジタル（注１）、工学、数理科学・物理・地球科学、化学・生物・薬学、農業科学・水産、農業農村工学、森林・自然環境、教養

一般職試験（大卒程度試験）　行政（注２）、デジタル・電気・電子（注１）、機械、土木、建築、物理、化学、農学、農業農村工学、林学

一般職試験（高卒程度試験）　事務（注２）、事務（社会人）（注２）、技術（注２）、技術（社会人）（注２）、農業、農業（社会人）、農業土木、農業土木（社会人）、林業、林業（社会人）

（注１）これらの区分試験については、令和二年一二月に閣議決定された「デジタル社会の実現に向けた改革の基本方針」において、令和四年度以降の実施に向けて総合職試験に新たな区分（「デジタル」（仮称））を設けることなどに関する検討の要請が人事院に行われたことを受け、人事院において検討を行い、令和四年度の国家公務員採用試験から実施している。

（注２）これらの区分試験については、地域試験として九つの地域に区分して実施している。

（採用試験の公開平等）

第四十六条　採用試験は、人事院規則の定める受験の資格を有するすべての国民に対して、平等の条件で公開されなければならない。

〔趣　旨〕

公開平等の意義

採用試験は、不特定多数の者の中から標準職務遂行能力及び適性の実証に基づいて適格者を選抜し、国家公務員として任用するための基本的な手段である。したがって、その応募は、本法第二七条の「平等取扱いの原則」に則り、受験資格を有する全ての国民に広く平等に公開されなければならないものである。本法は、本条の採用試験の公開平等の原則を踏まえ、第四七条で採用試験の告知の方法等について規定するとともに、第四九条では、採用試験の時期及び場所の決定の方針を規定している。

〔解　釈〕

公開平等の内容

本条は、採用試験が平等な条件で国民に公開されるべきことを定める。採用試験は、職員以外の者がこれを受験することが普通であることから、国民に対する平等な公開が要請されるものである。

採用試験が平等な条件で公開されるのは、本法第四四条に基づく受験資格を有する全ての国民に対してである。これは、国民の法の下の平等を定めた憲法第一四条及び本法第二七条の規定を受けたものであり、受験資格を有する以上、何らの差別をすることなく、受験を希望する全ての国民に受験させなければならない。

例えば、同じ種類、区分、試験問題の採用試験において、試験時間を異にするようなことは平等の条件に反するものであろうし、次条に定める試験の日時等の告知を一部の者に限って行うようなことは公開の原則に反することとなろう。

（採用試験の告知）

第四十七条　採用試験の告知は、公告によらなければならない。

② 前項の告知には、その採用試験に係る官職についての職務及び責任の概要及び給与、受験の資格要件、採用試験の時期及び場所、願書の入手及び提出の場所、時期及び手続その他の必要な受験手続並びに人事院が必要と認めるその他の注意事項を記載するものとする。

③ 第一項の規定による公告は、人事院規則の定めるところにより、受験の資格を有するすべての者に対し、受験に必要な事項を周知させることができるように、これを行わなければならない。

④ 人事院は、受験の資格を有すると認められる者が受験するように、常に努めなければならない。

⑤ 人事院は、公告された採用試験又は実施中の採用試験を、取り消し又は変更することができる。

〔趣　旨〕

採用試験の公告

採用試験の公開平等の原則を実現するためには、採用試験の実施に関する基本的事項を関係者に広く知らせる必要がある。本条はそのための方法を具体的に規定している。また、人事院に対し、受験資格保有者が採用試験を受験するよう常に努めるよう求めている。これは、公開平等な試験制度を用意するばかりでなく、進んで多くの者が受験するように努めることが、公務の公開平等の原則の実現に寄与するからであり、更には公務に有為な人材を誘致することにもなるからである。

本条第三項の規定に違反して採用試験の公告を怠り、又は、これを抑止した職員については、一年以下の懲役又は五〇万円以下の罰金に処せられる（法一〇九⑨）。

〔解　釈〕

一　告知の方法及び内容

採用試験の告知は公告によることとされている（法四七1）。「公告」とは、ある事項を一般に知らせることを意味するが、具体的には、官報により行うこととされている（人規八―一八　一九1）。

告知の内容は、本条第二項に定められている事項も含め、人事院規則で次のとおり定められている（人規八―一八　一九2）。

① 採用試験の種類ごとの名称及び区分試験又は地域試験が行われる場合のその名称
② 採用試験の対象となる官職の職務と責任の概要
③ 採用試験の結果に基づいて採用された場合の初任給その他の給与
④ 受験資格
⑤ 試験種目並びに出題分野及び内容
⑥ 採用試験の実施時期及び試験地
⑦ 合格者の発表の時期及び方法
⑧ 採用候補者名簿の作成方法及び採用候補者名簿からの採用方法
⑨ 受験申込用紙の入手及び受験申込書の提出の場所、時期及び手続その他必要な受験手続
⑩ その他試験機関が必要と認める事項

これらは、いずれも採用試験を受験しようとする者にとってあらかじめ了知しておくことが必要な事項であるといえる。告知をいつ行うかについては明文の規定はないが、事柄の性質上、試験の実施に先立って告知が行われるべきことは当然であり、遅くとも受験申込みが始まる前にある程度の余裕をもって行われるべきである。

本条第四項で、人事院は、受験資格を有すると認められる者が受験するように、常に努めなければならないとされているが、具体的には、新聞、放送、インターネット等による採用試験の周知（人規八―一八　二〇）や学校の就職指導担当への情報の提供等が考えられる。周知の方法としては、一般社会において有意な伝達方法を用いることが必要であり、インターネットによる電子情報の活用が一般化する中で、実際に、人事院のホームページやＳＮＳ（ソーシャルネットワーキングサービス）等において受験案内等が周知されているほか、インターネットによる受験者からの受験申込み、合格者の掲示等が行われている。

広く国民に対し採用試験の内容を周知するためには、官報等による一時的な情報提供だけでなく、前述のような募集活動

等を通じて、日常的に広く周知をしていくことが重要であろう。

二　採用試験の取消し、変更

本条第五項は、公告された採用試験又は実施中の採用試験を取り消し、又は、変更することができることとしている。一旦公告され、あるいは、実施されている試験の取消し、変更は、受験予定者あるいは受験者に重大な影響を与えることから、みだりに行うべきでないことはいうまでもない。しかしながら、例えば、諸般の事情の変化によって欠員が発生しないことが明確になった場合、災害等により当該試験が物理的に実施不能となった場合などにおいては、試験の取消し、変更を行わざるを得ないことになる。なお、人事院規則では、採用試験の再実施が認められている。再実施することができるのは、「天災その他避けることのできない事故により採用試験の全部又は一部を受けることができなかった受験申込者がある場合」及び「答案等の判定資料の滅失等やむを得ない事情により合格者の適正な決定ができない場合」であり、このような場合には、関係する受験申込者に限って採用試験の全部又は一部を再実施することができることとされている（人規八―一八　二三）。採用試験を全て取り消すことは関係者の全員に大きな影響を与えるので、可能な場合には、必要な範囲内に限って試験の再実施を行うことが適当であるとされているのであるが、この場合は、元の試験の受験者と再実施される試験の受験者との間で平等性が確保されるよう特段の配慮が必要となろう。

（試験機関）

第四十八条　採用試験は、人事院規則の定めるところにより、人事院の定める試験機関が、これを行う。

〔趣　旨〕

試験機関の意義

本条は、採用試験の実施主体について、試験機関の概念を設け、試験機関が採用試験を行うことを定めている。採用試験の専門的技術的性格や採用試験の公正の確保の要請等に鑑み、実際の採用を行う任命権者とは別の主体が採用試験の実施に当たるのが適当とされたのである。現在、試験機関は原則として人事院であり（人規八―一八　一二）、人事院以外の試験機関として定められているのは、外務省専門職員採用試験についての外務省のみである。

〔解　釈〕

試験機関の権限等

採用試験における試験機関の権限は次のとおりである（人規八—一八　一二1）。

①　採用試験の実施に関する基本的な事項の計画
②　採用試験の告知及び周知
③　受験の申込みの受理
④　採用試験の実施
⑤　合格者の決定
⑥　採用候補者名簿の作成
⑦　採用試験の施行に必要な事項の調査
⑧　その他採用試験の施行に関する事務の処理

これらの権限は、試験機関の長が行うが、その権限の一部を部内の職員に委任することができる（人規八—一八　一二2、3）。人事院が試験機関となっている採用試験の場合、試験機関の長としての人事院総裁の権限の一部は、人事院事務総長に委任されているところである。また、試験機関は、その事務の一部を他の機関又は他の機関に属する者に委託することができるものとされている（人規八—一八　一二4）が、例えば、申込みの受理、試験場の設営、試験監督等の事務を委託することが考えられよう。

また、試験機関の長は、当該試験機関が行う採用試験について、本法第一七条第一項の規定により指名された者として必要な調査を行うことができる（人規八—一八　一三）。

人事院は、人事院以外の機関が試験機関として行う採用試験が適切に行われるよう、試験機関からあらかじめ募集方法、採用試験の日時及び場所、採点又は評定の方法、合格者予定数等について協議を受ける（人規八—一八　一四1）とともに、試験の施行後速やかにその結果について報告を受けることとされている（人規八—一八　一四2）ほか、試験機関の行う採用試験の状況及び結果を随時監査し、本法及び人事院規則に違反していると認めた場合には、その是正を指示することができることとされている（人規八―一八　一五）。

（採用試験の時期及び場所）

第四十九条　採用試験の時期及び場所は、国内の受験資格者が、無理なく受験することができるように、これを定めなければならない。

〔趣　旨〕

採用試験の時期及び場所の決定

本条は、採用試験の実施に当たり、できる限り多くの応募者を得て、優秀な人材を獲得するため、採用試験の時期及び場所について、受験資格者が無理なく受験することができるように配慮すべきことを規定している。これは、国民に対し、採用試験の受験の機会を実質的に保障することによって採用試験の公開平等の原則を実現することにもなるものである。

〔解　釈〕

時期及び場所の決定方法

採用試験の時期及び場所の決定は、試験機関の権限に属する（人規八―一八　一二）。ただし、人事院以外の機関が試験機関となっている場合には、当該試験機関は、その決定に先立ってあらかじめ人事院に協議しなければならない（人規八―一八　一四）。

また、本条の受験資格者とは、本法第四四条に規定する受験の資格要件を満たす者である。

「無理なく受験することができる」状態が具体的にどのようなものであるかについては、受験者の状況、交通の便等に基づいて具体的に決定すべきものである。受験者の利便の面からは、なるべく試験場が多いことが望ましいであろうが、同時に、試験実施の効率を考慮する必要がある。

第三款　採用候補者名簿

（名簿の作成）

第五十条　採用試験による職員の採用については、人事院規則の定めるところにより、採用候補者名簿を作成するものとする。

〔趣　旨〕

採用候補者名簿の作成

本条から第五三条までは、採用試験を行った場合において作成すべき採用候補者名簿についての規定を定めている。任命権者は、補充しようとする官職を対象として行われた採用試験の結果に基づいて作成された採用候補者名簿の中から任用すべき者を選択することが義務付けられていることから、この採用候補者名簿は任用制度の基礎となるものである。本法及び人規八―一二において、採用候補者名簿についての規定を設けている。

〔解　釈〕

採用候補者名簿の作成の手続

採用試験による職員の採用については、採用候補者名簿が作成されなければならないが、その作成の手続規定は技術的なものであるので、これを人事院規則に委ねており、現在、人規八―一二に具体的な規定が設けられている。

採用候補者名簿の作成は、試験機関の長がこれを行い、この権限は部内の職員に委任することができる（人規八―一八―一二）。

採用候補者名簿は、採用試験又は採用試験の区分ごとに作成する（人規八―一二　一〇1）。

採用候補者名簿は、試験機関が、最終の合格者を発表した日から効力を生ずる（人規八―一二　一〇3）。

試験機関の長は、「名簿管理者」として、その機関が作成した採用候補者名簿を管理する（人規八―一二　一一1）。この権限は、部内の職員に委任することができ、この場合においては、その委任を受けた者を名簿管理者とする（人規八―一二　一一2）。また、名簿管理者は、任命権者の求めに応じ、任命権者が採用を行うに当たり必要な範囲で、採用候補者に関する情報を提供することができる（人規八―一二　一一3）。

（採用候補者名簿に記載される者）

第五十一条　採用候補者名簿には、当該官職に採用することができる者として、採用試験において合格点以上を得た者の氏名及び得点を記載するものとする。

〔趣旨・解釈〕

採用候補者の記載

「当該官職」とは当該採用試験の試験対象官職を意味する。採用候補者名簿が、前条で述べたように採用試験の区分ごとに作成される場合においては、当該採用試験の区分の試験対象官職を意味する。

採用候補者名簿に記載されるのは、採用試験で合格点以上を得た合格者の氏名と得点であり、記載の順序は得点順である（人規八―一二　一〇2）。「合格点」は、試験機関が採用予定者数その他の事情を考慮して決定した合格者の最低の得点である。したがって、「合格点」は、一定の水準を考慮して定めることは当然であるが、採用予定者数との兼合いや試験問題の難易等によって具体的に決定されることになり、画一的な一定の点数ではない。これは、採用試験がいわゆる資格試験ではないため、採用試験ごとに採用予定数等に応じて合格点を決定する必要があるためである。

試験機関の長は「名簿管理者」とされ（人規八―一二　一一1）、採用候補者名簿からの採用候補者の削除、採用候補者名簿への採用候補者の復活等を行う権限を有する。

名簿管理者は、採用候補者が次のいずれかに該当する場合には、当該採用候補者を採用候補者名簿から削除しなければならないとされている（人規八―一二　一二1）。

①　当該名簿から任命された場合
②　当該名簿から任命される意思のないことを名簿管理者又は関係の任命権者に申し出た場合
③　任命に関する再三の照会に応答しないこと等の事由により当該名簿から任命される意思がないと認められる場合
④　試験機関の調査の結果、心身の故障のため当該名簿の対象となる官職の職務の遂行に支障があり、又はこれに堪えないことが明らかとなった場合
⑤　試験機関の調査の結果、当該名簿の対象となる官職に必要な適格性を欠くことが明らかとなった場合
⑥　試験機関の調査の結果、当該名簿の対象となる官職に係る採用試験を受ける資格が欠けていたことが明らかとなった場合
⑦　試験機関の調査の結果、当該名簿の対象となる官職に係る採用試験の受験の申込み又は当該採用試験において、主要な事実について虚偽又は不正の行為をしたことが明らかとなった場合
⑧　死亡した場合

また、名簿管理者は、前記の②～⑤に該当して採用候補者名簿から削除された採用候補者から当該採用候補者名簿への復活の申出があった場合において、相当の理由があると認めるときは、当該採用候補者を当該採用候補者名簿に復活することができることとされている（人規八―一二　一三1）。

なお、採用候補者の削除、採用候補者の復活のほかは、名簿の作成の過程における漏れ、書き損じその他の事務上の誤り及び採用候補者の氏名その他の名簿の記載事項についての変更があったことを確認した場合に限り、採用候補者名簿の訂正又は変更を行うことができる（人規八―一二　一六　運用通知）。採用試験と任用の公正を確保するためである。

（名簿の閲覧）

第五十二条　採用候補者名簿は、受験者、任命権者その他関係者の請求に応じて、常に閲覧に供されなければならない。

〔趣旨・解釈〕

採用候補者名簿の閲覧

採用候補者名簿は、その時々において採用することが可能な者の状況を表しているものである。

この採用候補者名簿の役割からすれば、各任命権者及び各府省の採用担当職員に対して、名簿を閲覧する機会を保障することは当然である。また、受験者の中には各府省に応募する時点で採用候補者名簿に残存している合格者の状況を確認したい者もあろう。

本条は、以上の趣旨から、採用候補者名簿の関係者に対して、その請求に応じ、採用候補者名簿を閲覧に供しなければならないとしている。なお、閲覧の対象者及び範囲は、採用候補者名簿に記載されている事項に個人情報が含まれていることを踏まえ、関係者に限定され、かつ、その関係者に応じて、適当な範囲に限るものとされている（人規八―一二　一五　運用通知）。「その他関係者」の範囲は必ずしも明確ではないが（佐藤功・鶴海良一郎著『公務員法』二四七頁）、個人情報保護の観点も踏まえれば、受験者の代理者など限定的に解する必要があろう。「請求に応じて、常に」とあるが、執務時間外に閲覧に供する必要はない（人規八―一二　一五）。

（名簿の失効）

第五十三条　採用候補者名簿が、その作成後一年以上を経過したとき、又は人事院の定める事由に該当するときは、いつでも、人事院は、任意に、これを失効させることができる。

〔趣旨・解釈〕

採用候補者名簿の失効とその手続

名簿の失効とは、採用候補者名簿の効力を失わせること、すなわち、採用候補者名簿に記載されている者について採用候補者としての地位を失わせることである。国家公務員採用試験に合格し当該採用候補者名簿に記載されたという採用候補者の地位は永続的なものではないという点でも、国家公務員採用試験は、「資格試験」ではないといってよい。

採用候補者名簿の有効期間は、次の採用試験を除き、名簿の効力が発生した時から一年とされている（人規八―一二　一四1）。

①　国家公務員採用総合職試験（院卒者試験）、国家公務員採用総合職試験（大卒程度試験）、国家公務員採用一般職試験（大卒程度試験）、国税専門官採用試験及び労働基準監督官採用試験　三年

②　航空管制官採用試験　一年二月

なお、総合職試験と一般職大卒程度試験等の有効期間については、令和五年の試験から、総合職試験教養区分以外の試験等については五年、総合職試験教養区分については六年六箇月にそれぞれ延伸された。

多くの名簿を一年で失効させる現在の運用の背景には、我が国の一般的な雇用慣行が毎年の新規学卒者を中心とした定期採用により行われており、公務においても、毎年、採用試験を行って新規の採用候補者名簿を作成しているという事情がある。

名簿管理者は、災害その他特別の事情により、前述の採用候補者名簿の有効期間により難いと認める場合には、必要と認める期間、当該採用候補者名簿の有効期間を延長することができる。この場合、名簿管理者は、その旨を官報により告知しなければならない（人規八―一二　一四2）。

第四款　任　用

（採用昇任等基本方針）

第五十四条　内閣総理大臣は、公務の能率的な運営を確保する観点から、あらかじめ、次条第一項に規定する任命権者及び法律で別に定められた任命権者と協議して職員の採用、昇任、降任及び転任に関する制度の適切かつ効果的な運用を確保するための基本的な方針（以下「採用昇任等基本方針」という。）の案を作成し、閣議の決定を求めなければならない。

②　採用昇任等基本方針には、第三十三条の二に規定する基本的事項のほか、次に掲げる事項を定めるものとする。
一　職員の採用、昇任、降任及び転任に関する制度の適切かつ効果的な運用に関する基本的な指針
二　第五十六条の採用候補者名簿による採用及び第五十七条の選考による採用に関する指針
三　第五十八条の昇任及び転任に関する指針
四　管理職への任用に関する基準その他の指針
五　任命権者を異にする官職への任用に関する指針
六　職員の公募（官職の職務の具体的な内容並びに当該官職に求められる能力及び経験を公示して、当該官職の候補者を募集することをいう。次項において同じ。）に関する指針
七　官民の人材交流に関する指針
八　子の養育又は家族の介護を行う職員の状況を考慮した職員の配置その他の措置による仕事と生活の調和を図るための指針
九　前各号に掲げるもののほか、職員の採用、昇任、降任及び転任に関する制度の適切かつ効果的な運用を確保するために必要な事項
③　前項第六号の指針を定めるに当たつては、犯罪の捜査その他特殊性を有する職務の官職についての公募の制限に関する事項その他職員の公募の適正を確保するために必要な事項に配慮するものとする。
④　内閣総理大臣は、第一項の規定による閣議の決定があつたときは、遅滞なく、採用昇任等基本方針を公表しなければならない。
⑤　第一項及び前項の規定は、採用昇任等基本方針の変更について準用する。
⑥　任命権者は、採用昇任等基本方針に沿つて、職員の採用、昇任、降任及び転任を行わなければならない。

〔趣旨・解釈〕

採用昇任等基本方針

内閣として、複雑・高度化する行政課題に的確に対応するためには、有為な職員を採用し、育成するなど人材の有効活用を図り、行政組織全体の能力を最大限に発揮させることが必要となる。それを実現するためには、職員の人事権を各府省大臣等の任命権者が持つという枠組の下では、職員の採用、昇任、降任及び転任について、公務の能率的な運営を確保する観点から、内閣全体として、それらの制度の適切かつ効果的な運用を確保するための基本的な方針を定めることが重要となる。そこで、本条において、中央人事行政機関たる内閣総理大臣は、そのような基本的な方針（採用昇任等基本方針）の案を作成し、閣議の決定を求めなければならないとされている。

任命権者は、この採用昇任等基本方針に沿って、職員の採用、昇任、降任及び転任を行わなければならないとされている。本条による基本的な方針は、本法の他の条項及び人事院規則等が定めた任用の基準に基づき、各任命権者が具体的な任用を行う際の方針を示すものであり、その限りで任命権者の裁量を制約する効果があるといえよう。

本条は、平成一九年の本法の改正により設けられたものであるが、その後、平成二一年三月に、本条に基づき、「採用昇任等基本方針」が閣議決定された。

また、平成二六年の本法の改正により、本条第二項が改正され、採用昇任等基本方針に、本法第三三条の二に規定する事項（任用の根本基準の実施につき必要な事項であって、行政需要の変化に対応するために行う優れた人材の養成及び活用の確保に関するものとして、職員の採用、昇任、降任及び転任に関する制度の適切かつ効果的な運用の確保に資する基本的事項）のほか、本条第二項第四号から第八号までに掲げる事項が定められることとなり、同年六月に、採用昇任等基本方針を変更すると閣議決定された。あわせて、本改正により、本条第二項第六号の指針を定めるに当たって配慮すべき事項を定める規定（法五四③）が追加された。

なお、任命権者には、閣議の構成員ではなく、閣議決定に拘束されない任命権者（会計検査院長等）が含まれることから、採用昇任等基本方針の案を作成する際に、「あらかじめ、次条第一項に規定する任命権者及び法律で別に定められた任命権者と協議」することとするとともに、「任命権者は、採用昇任等基本方針に沿つて、職員の採用、昇任、降任及び転任を行わなければならない。」ことが法律上明記されている。

内閣総理大臣は、本条のほか、各行政機関がその職員について行う人事管理に関する方針、計画等に関し、その統一保持上必要な総合調整に関する事務をつかさどることとされている（法一八の二2）。

（任命権者）

第五十五条　任命権は、法律に別段の定めのある場合を除いては、内閣、各大臣（内閣総理大臣及び各省大臣をいう。以下同じ。）、会計検査院長及び人事院総裁並びに宮内庁長官及び各外局の長に属するものとする。これらの機関の長の有する任命権は、その部内の機関に属する官職に限られ、内閣の有する任命権は、その直属する機関（内閣府及びデジタル庁を除く。）に属する官職に限られる。ただし、外局の長（国家行政組織法第七条第五項に規定する実施庁以外の庁にあつては、外局の幹部職）に対する任命権は、各大臣に属する。

②　前項に規定する機関の長たる任命権者は、幹部職以外の官職（内閣が任命権を有する場合にあつては、幹部職を含む。）の任命権を、その部内の上級の国家公務員（内閣が任命権を有する幹部職にあつては、内閣総理大臣又は国務大臣）に限り委任することができる。この委任は、その効力が発生する日の前に、書面をもつて、これを人事院に提示しなければならない。

③　この法律、人事院規則及び人事院指令に規定する要件を備えない者は、これを任命し、雇用し、昇任させ若しくは転任させてはならず、又はいかなる官職にも配置してはならない。

〔趣　旨〕

任命権者の意義

現行制度においては、職階制を前提として、欠員補充方式により官職ごとに公務員を任用することを想定していたため、任用の権限は個別官職の管理権を有する者に属することが基本とされている。

本条は、〔解釈〕二で述べるように、任命権者を、法律に別段の定めがある場合を除き、①内閣、②各大臣（内閣総理大臣及び各省大臣）、③会計検査院長、④人事院総裁、⑤宮内庁長官、⑥各外局の長としている。②～⑥の機関の長の有する任命権は、その部内の機関に属する官職に限られ、内閣の有する任命権は、その直属する機関（内閣府及びデジタル庁を除く。）の官職に限られるとしている。なお、復興庁も内閣に直属する機関であるが、復興庁設置法（平二三法一二五）附則第三条の規定により、同庁が廃止されるまでの間、本条第一項の「内閣府及びデジタル庁」は「内閣府、デジタル庁及び復興庁」と読み替えられている。

これは、内閣制度における分担管理の原則の下、各行政機関ごとに当該機関に属する一切の官職の任命権を同一の任命権者に付与したものであり、戦前の官吏制度に比して分権的なものとなっている。他方において、能率的な人事管理の観点から、一部の官職に係る任命権について部内の上級の国家公務員に委任することが認められている（法五五２）。

ちなみに、戦前の旧憲法下における官吏の任免の権限は天皇に集中的に帰属していた（「天皇ハ行政各部ノ官制及文武官ノ俸給ヲ定メ及文武官ヲ任免ス」旧憲法一〇）。具体的な任免の手続は、公式令（明四〇勅令六）によって定められ、勅任官、奏任官、判任官で異なっていた。勅任官の場合は、①親任式をもって叙任する親任官については辞令（官記）に天皇が親署し、内閣総理大臣が副署することとされており、②親任官以外の勅任官については、閣議決定を経て上奏し、辞令に御璽を押し、内閣総理大臣が年月日を記入することとされていた。また、奏任官の場合は、任命に当たり内閣総理大臣又は各省大臣が天皇に奏請し、辞令には内閣の印を押し、内閣総理大臣が年月日を記入することとされていた。各省が形式面においても任命権を有していたのは、判任官、更には官吏以外の雇傭人であった。ただし、天皇が任用に関与した奏任官以上の高等官についても、親任官や一部の勅任官を除き、具体的な人事は各省の判断に委ねられていたといえよう。

これに対し、本法においては、各省庁の長等を任命権者として所定の行政機関ごとに任命権の所在と責任を明確にし、かつ、人事行政の能率的運営を確保するため、任命権の委任を行いうるものとしたことが戦前の制度と異なるといえよう。ただ、現在の制度においても、特命全権大使・公使（特別職）や検察官の任命権者は内閣とされている。また、主要な先進諸国においては、幹部国家公務員の任命権者は形式的に元首とされている場合が多いことから、我が国の一般職職員の任命権の在り方は分権的といえる。

〔解　釈〕

一　任命権の性質

「任命権」とは、その狭義の文理上の意味は職員を任命する権限、すなわち、官職に欠員を生じた場合に、採用、昇任、配置換等の方法により、これを補充する権限であるといってもよいであろうが、本法においては、職員の休職、復職、退職及び免職は任命権者がこれを行うこととなっており（法六一）、また、懲戒処分についても、任命権者がこれを行うことになっている（法八四1）。このほか、本法では、人事管理上の権限については、所轄庁の長（法七〇の四、一〇四等）が行為主体とされているほか、給与法では各庁の長（給与法七）、勤務時間法では各省各庁の長（勤務時間法三）が行為主体とされている。各外局の長を本来的行為主体とするかどうかについて若干の定義上の差異はあるものの、基本的に、人事は一体として行われるべきものであり、任命権とは、広義では人事管理上の包括的な権限を意味するものといえよう。

二　任命権者

「法律に別段の定めのある場合」としては、例えば、内閣法制局設置法（昭二七法二五二）第二条第二項（「長官は、……部内の職員の任免、進退を行い」）が挙げられる。

次に、「内閣総理大臣」は、各省大臣と並ぶ大臣の一人とされているが、この場合の内閣総理大臣は、内閣の首長たる内閣総理大臣（内閣法二1）を指すのではなく、内閣府、デジタル庁及び復興庁の長たる内閣総理大臣（内閣府設置法（平一一法八九）六1、デジタル庁設置法（令三法三六）六1、復興庁設置法（平二三法一二五）六1）を指すものと解される。

「外局」とは、行組法第三条第二項及び内閣府設置法第四九条第一項に定める委員会、庁で、行組法別表第一及び内閣府設置法第六四条に掲げられているものをいい、本条第一項本文の「外局の長」は全ての外局の長を指すが、本条第一項但書の「外局の長」とは、専ら一般職に属する外局の長をいうものである。各大臣が有する外局の官職の任命権は、従前は外局の長に限られていた（ただし、中央労働委員会事務局職員に対する任命権は、厚生労働大臣（労組法一九の一一1））。しかしながら、平成二六年の本法改正による幹部職員人事の一元管理の導入に伴い、内閣総理大臣、内閣官房長官、各大臣による任免協議（法六一の四）が実効性のあるものとなるよう、行組法の別表第二に掲げる実施庁（公安調査庁、国税庁等五庁）以外の庁の幹部職についても各大臣が有することに改められた。

三　任命権の委任

本条第二項により、幹部職以外の官職（内閣が任命権を有する場合にあっては、幹部職を含む。）については、任命権者はその有する任命権を部内の上級の国家公務員（内閣が任命権を有する幹部職にあっては、内閣総理大臣又は国務大臣）に限り委任することができる。この委任は、公法上の委任であり、法律による権限の分配の変更である。したがって、一旦任命権の委任が行われると、授権者には委任した権限は無くなり、受任者は自らの名義でその権限を行使することになる。受任者は、委任された任命権を行使する任命権者になるといってよいであろう。人事院規則八—一二第四条第一二号の任命権者とは「同条（法第五十五条）第二項の規定によりその任命権が委任されている場合は、その委任を受けた者をいう。」とする規定は、この旨を明記したものである。

したがって、任命権の委任は、その専決や代決又は代理とは異なるものである。すなわち、専決や代決は内部における補助執行であり、手続上、決定は部下の職員が行うが、対外的には任命権者の名で表示され、行政上の最終責任も任命権者が負うことになる。これに対し、委任の場合の行政上の責任は、受任者が負うことになるものである。また代理は、代理権を授与された者が代理者であることを表示して権限を行使するが、被代理者も必要に応じて当該権限を行使することができ、委任の場合のように被代理者の権限がなくなるものではない。

なお、委任の範囲について、明文の規定はないが、任命権者が、その所管に係る全ての官職についての任命権を委任するようなことは認められないと解すべきであろう。任命権の全部を委任することによって任命権者の権限を全く無にすることは、任命権を一定の行政機関に分配した法律の趣旨に沿わないと考えられるからである。

次に、任命権は、部内の上級の国家公務員に限り、これを委任することができるとされる。「上級の国家公務員」とそうでない職員との区別は相対的なものであって画一的に線を引くことはできないが、委任の目的、当該組織の規模、組織の立て方等を考慮して判断することになろう。なお、任命権の委任は、職員の採用、退職、分限処分、懲戒処分など重大な身分上の変更に関わるものであるから、委任すること自体慎重でなければならないとともに、委任する場合も、当該組織の高位の国家公務員に委任することが適当である。ところで、従前は、幹部職に対する任命権を委任することも制度的には可能であったが、平成二六年の本法改正により、委任することはできなくなった（ただし、内閣が任命権を有する幹部職については、内閣総理大臣又は国務大臣に委任する場合に限り可能である。）。

また、任命権の委任に際しては、一つの官職について二以上の任命権者が同時に存在しないようにしなければならないとされている（人規八—一二　五１）。これは、理論的には、例えば、一の欠員を昇任によって補充しようとする権限者と配置換によって補充しようとする権限者との衝突を回避しようとするものであり、また、任命権者は上述のように、任用のみならず、休職、免職、更には懲戒処分等も行うこととされているので、これらの権限行使に混乱が生ずるのを防止する趣旨であると解される。なお、任命権者の権限は、懲戒免職を行う権限を除いて他を委任するといったように、分割して委任することもできない。

次に、任命権の委任を受けた者が更に他の者にその権限を委任することはできないとされている（人規八―一二　五３）。法律に基づく権限の分配を変更するには法律の根拠が必要であり、再委任を認める規定はないからである。

任命権の委任の事務手続は、それは極めて重要な権限の委任であり、委任に係る任命権の行使の対象となった職員にとって重大な利害関係を発生する場合もあるので、疑義を生じることのないよう、委任を受ける職員の占める官職の組織上の名称、勤務場所及びその権限の及ぶ官職の範囲を記入した書面を、その委任の効力の発生する日の前に人事院に提示しなければならないとされている（法五五２、人規八―一二　五２）。ただし、任命権の委任の効力は委任された時に発生し、書面の提示はその効力に関係がない（昭二四・五・三〇法審回発四二〇）。

次に、「『機関の長たる任命権者』とは第一項に規定する内閣、各大臣、会計検査院長及び人事院総裁並びに各外局の長をいうものである。したがって、他の法律の別段の定によりこれら以外の機関の長が任命権者とされている場合には、当該任命権者はその任命権を本条の規定によって部内の上級の職員に委任することはできないものと解すべきであろう。」とする見解（佐藤功・鶴海良一郎著『公務員法』二五二頁）がある。しかし、任命権者の定めが本法にあるか他の法律にあるかによって取扱いに差を設けることは公務の能率的運営を図る上で妥当であるとは考えられない。法律により任命権者に別段の定めがあり、その権限の委任について特に規定がないときは、本条第二項により委任することができると解することが妥当であろう。

四　任命権行使の基準

既に述べたように、本法は任免の根本基準として成績主義を掲げ、更に採用試験、選考等について規定を設けているが、本条第三項は、任命権者に対し本法及び人事院規則等の定めるこれらの要件に適合しないものの任命が禁止されることを明らかにすることによって、成績主義に基づく適正な任用を確保しようとしているものである。

（採用候補者名簿による採用）

第五十六条　採用候補者名簿による職員の採用は、任命権者が、当該採用候補者名簿に記載された者の中から、面接を行い、その結果を考慮して行うものとする。

〔趣旨・解釈〕

面接による名簿からの採用

本条は、採用試験による能力実証の結果と任命権をどのように調整するかという重要な問題を規定している条項である。

制度論としては、採用試験の結果を決定的なものとして、任命権者に選択権を認めず、試験合格者のうち当該任用を志望するものを厳密に高点順に任用するものとすることも可能であろう。反対に、任命権者の裁量権を尊重し、試験実施機関は採用試験の受験者の合否のみを決定し、任命権者はその合格者全員の中から任意に任命するものとすることも可能である。

この点、平成一九年改正前においては、競争試験を行う以上、その結果に基づく採用はその成績順位に従ってなされることが原則であるとの考え方の下、採用すべき者一人につき高点順の志望者五人の中から任命権者が選択するものとされ（法旧五六）、任用候補者名簿の管理者である人事院は、任命権者に対し採用候補者として必要な員数の者を「提示」することとされていた（法旧五八）。ただし、民間企業や地方公務員の採用との競合が厳しい試験では、民間企業や地方公務員を志望する高順位者が多く、各府省で円滑な採用を行うことに支障が生ずるおそれが生じたため、旧規則八―一三（行政職俸給表㈠の一級の官職等への任用候補者名簿による職員の任用に関する特例等）の規定により、提示制度の対象となるのは旧国家公務員採用Ⅰ種試験による採用のみとされ、その他の競争試験による採用については、任命権者が名簿から任意に選択できることとされた。また、提示制度についても、任命権者からの提示請求が相当数に上る場合には、制度上は「提示者数＝任用予定者数＋４」と考えられるところ、選択されない者や辞退者等を考慮して、場合によれば採用予定数の数倍の員数の任用候補者を提示するなど、柔軟な運用がなされていた。

このような運用の状況を踏まえ、平成一九年改正においては、高点順の採用の原則及び提示制度を廃止することとし、任命権者が、採用後の人材育成の観点も踏まえつつ、採用候補者名簿に記載された者の中から面接を行い、その結果を考慮して採用を行うこととされた。

なお、面接の具体的手段等についての規定はないが、平等取扱いの原則や能力実証主義に則りつつ、男女共同参画の趣旨も踏まえながら、公正に行わなければならないことはいうまでもない（人規八―一二　八２）。

（選考による採用）

第五十七条　選考による職員の採用（職員の幹部職への任命に該当するものを除く。）は、任命権者が、任命しようとする官職の属する職制上の段階の標準的な官職に係る標準職務遂行能力及び当該任命しようとする官職についての適性を有すると認められる者の中から行うものとする。

〔趣　旨〕

選考による採用

職員の採用は競争試験により行うのが原則であるが、係員の官職以外の官職に採用しようとする場合又は人事院規則で定める場合には、競争試験以外の能力の実証に基づく試験（選考）によることを妨げないとされている（法三六）。本条は、任命権者が選考による採用を行う場合の方法について定めたものである（平成一九年の本法改正により新設）。

平成一九年の本法改正前においては、選考による採用は、人事院規則の定める官職について、人事院の承認があった場合に限り認められていた。また、その手続等については、人事院の定める基準により、人事院又はその定める選考機関が行うものとされていた（法旧三六２）が、別に指令で定める日（職階制の実施される日）までの間は、暫定的に任命権者が選考機関としてその定める基準により行っていた（人規八―一二　旧九〇）（なお、本省庁課長等への任用については、その職責の重要性に鑑み公正の確保の必要性から、人事院が選考を行うという位置付けは維持されてきたが、平成一〇年に、人事院の事前審査に係る規制緩和の観点から、旧人事院規則八―二〇（本省庁の課長等に任用する場合の選考の基準等）が制定され、選考機関が任命権者に変更されるとともに、任命権者が選考を行う場合に定めるべき選考の基準の要件等が定められた。）。

平成一九年の本法改正においては、任用に当たっての能力実証の基準を制度上明確にするため、新たに標準職務遂行能力が定められた（法三四１⑤、２）。選考による採用については、従前どおり、係員以外の官職への採用や係員の官職のうち人事院規則で定める場合に認められることを法律上も明記した上で（法三六）、併せて、本条において、選考による採用についても、任命しようとする官職の属する職制上の段階の標準的な官職に係る標準職務遂行能力及び当該任命しようとする官職についての適性（当該官職に個別に求められる標準職務遂行能力以外の職務遂行能力をいう。）を有すると認められる者の中から行うことを明確にしたものである。

また、平成二六年の本法改正で、幹部職員の任用等に係る特例（第六一条の二～第六一条の八）が設けられたことに伴い、幹部職への任命については、本条及び第五八条は適用除外とされた（なお、人事院、検察庁、会計検査院又は警察庁の幹部職のように特殊性を有するもの等については、本法第六一条の八の規定により、本条及び本法第五八条は必要な技術的読替えを行った上で適用することとされている。）。

なお、非常勤職員（定年前再任用短時間勤務職員等を除く。）の採用については、その勤務形態等も区々であり、必ずしも常勤職員の採用と同程度の厳格な能力実証を行う必要はないと考えられることから、人規八―一二第一八条から第二四条までに定める選考によるのではなく、面接、経歴評定その他の適宜の方法による能力の実証を経て行うことができることとされている（人規八―一二　四六１）。ただし、最長一会計年度の任期で任用される非常勤職員である期間業務職員については、一定の能力実証が必要であることから、面接を必ず行うこととされている（人規八―一二　四六１但書）。

〔解　釈〕

一　選考の方法

任命権者が選考を行う際には、選考される者が、補充しようとする官職の属する職制上の段階の標準的な官職に係る標準職務遂行能力及び当該補充しようとする官職についての適性を有するかどうかについて、任命権者が定める基準（経歴、知識又は資格を有すること等）に適合しているかどうかに基づいて判定するものとされており、任命権者は、次に掲げる方法のうち、二以上（①及び②からそれぞれ少なくとも一以上）を選択するものとされている（人規八―一二　二一）。

①　一般的な知識・知能や専門的な知識・技術等についての筆記試験、文章による表現力や課題に関する理解力等についての論文試験・作文試験又はこれらに代わる適当な方法
②　人柄・性向等についての人物試験、技能等の有無についての実地試験又は過去の経歴の有効性についての経歴評定
③　補充しようとする官職の特性に応じ、身体検査、身体測定・体力検査又はこれらに代わる適当な方法

なお、本府省の課長相当以上の官職への任命については、その職務・職責の重さに鑑み、特に公正な任命が確保される必要がある。このため、本府省の課長相当以上の官職等の公正な任命の確保が特に必要と認められる官職（特定官職）への任命に当たっては、性別等の属性や、情実人事を求める圧力等の影響を受けることなく、職務遂行に必要とされる知識、経験及び管理的・監督的能力等の有無を、経歴評定、人事評価の結果その他客観的な判定方法により公正に検証しなければならないものとされている（人規八—一二　七1）（第五八条〔解釈〕参照）。その実効性を担保するため、任命権者が選考により特定官職（幹部職員の任用等の特例の対象となる幹部職を除く。）への採用を行おうとする場合には、原則として人事院と協議しなければならないとされている（人規八—一二　一八3）。

二　選考の手続

人事行政における成績主義を貫徹するためには、特に採用における公正性を確保することが重要である。採用試験について公開平等の原則が定められていることを踏まえると（法四六）、例外的に行われる選考による採用についても、可能な限り国民に対し開かれた形で行われることが望ましいといえよう。

このため、選考に当たり、任命権者は、①官職に必要とされる知識、経験等の性質が特殊である等の事情から公募によりがたい場合、②特別職、地方公共団体、行政執行法人以外の独立行政法人等との人事交流を行う場合、③産前・産後休暇を取得する職員の代替の任期付職員を、任期満了後に引き続き育児休業を取得する職員の代替の任期付職員として採用する場合を除き、インターネットの利用、公共職業安定所への求人の申込み等による告知を行い、できる限り広く募集を行うものとされている（人規八—一二　二一二）。なお、①の場合に該当するか否かについて、任命権者が説明責任を負うことはいうまでもない。

（昇任、降任及び転任）

第五十八条　職員の昇任及び転任（職員の幹部職への任命に該当するものを除く。）は、任命権者が、職員の人事評価に基づき、任命しようとする官職の属する職制上の段階の標準的な官職に係る標準職務遂行能力及び当該任命しようとする官職についての適性を有すると認められる者の中から行うものとする。

② 任命権者は、職員を降任させる場合（職員の幹部職への任命に該当する場合を除く。）には、当該職員の人事評価に基づき、任命しようとする官職の属する職制上の段階の標準的な官職に係る標準職務遂行能力及び当該任命しようとする官職についての適性を有すると認められる官職に任命するものとする。

③ 国際機関又は民間企業に派遣されていたこと等の事情により、人事評価が行われていない職員の昇任、降任及び転任（職員の幹部職への任命に該当するものを除く。）については、前二項の規定にかかわらず、任命権者が、人事評価以外の能力の実証に基づき、任命しようとする官職の属する職制上の段階の標準的な官職に係る標準職務遂行能力及び当該任命しようとする官職についての適性を判断して行うことができる。

〔趣　旨〕

人事評価に基づく任用

本条は、任命権者が職員の昇任、転任又は降任を行う際の基準を定めたものである（平成一九年の本法改正により新設）。職員の採用後の任用については、それぞれの職員の能力や適性を的確に把握した上で行う必要があるが、その把握のための方法には、様々なものが考えられる。

この点、平成一九年の本法改正前においては、昇任は原則としてその官職よりも下位の官職の在職者間における競争試験により行うこととされており（法旧三七1）、例外的な取扱いとして、昇任すべき官職の職務及び責任に鑑み、人事院が試験によることを適当でないと認める場合には選考により行うことができるとされていた（法旧三七2）。しかし、昇任のための競争試験が実施されなかったため、実際には昇任候補者名簿がない場合として広く選考により行われていた（人規八―一二旧八三）。競争試験が実施されなかった理由としては、昇任させるそれぞれの官職に求められる能力・適性は多種多様であり、かつ、上位の官職になればなるほど複雑高度なものとなることから、ペーパーテストにより的確に検証することが困難であること、部内昇任が大半であることから、既に部内での勤務経験を通じて、昇任候補者の能力や適性が把握されていることなどが挙げられる。なお、一部の府省（警察庁など）においていわゆる「昇任試験」も行われていたが、これらも勤務実績等を含めた総合勘案で行われるものであり、選考の方法の一環と位置付けられる。また、平成一九年の本法改正前においては、転任、降任については、欠員補充の方法の一つとされていたものの、その具体的基準は法定されていなかった。

平成一九年の本法改正においては、従前の勤務評定に替えて新たに人事評価制度が導入され、採用試験や採用年次の別に基づく人事管理を排するように、職員の採用後の任用、給与その他の人事管理は、原則として人事評価に基づいて行うこととされた（法二七の二）。また、任用に当たっての能力の実証の基準を制度上明確にするため、それぞれの職制上の段階における標準的な官職（係員、係長、課長補佐、課長等）の職務を遂行する上で発揮することが求められる能力として、新たに標準職務遂行能力を定めることとされた（法三四１⑤、２）。このような改正に併せ、本条において、昇任、転任又は降任させる場合については、職員の人事評価に基づき、任命しようとする官職の属する職制上の段階の標準的な官職に係る標準職務遂行能力及び当該任命しようとする官職についての適性を判断して行うことを明確にしたものである。

これを受けて、人規八—一二において、人事評価結果の任用への活用についての基準が定められている（人規八—一二二五〜三二）。

〔解　釈〕

一　昇任

職員の昇任については、人規八—一二第二五条において、人事評価結果を活用した昇任者の決定方法が定められている。具体的には、任命権者は、①本府省室長級以下の官職、②本府省課長級の官職、③本府省部長級以上の官職（特定幹部職（人事院、検察庁、会計検査院又は警察庁の幹部職以外の幹部職をいう。以下同じ。）を除く。）の三つの区分ごとに定める昇任要件を満たす職員のうち、人事評価の結果に基づき、昇任させようとする官職に求められる標準職務遂行能力及び当該官職に係る適性を有すると認められる者の中から、人事の計画その他の事情を考慮した上で、最も適任と認められる者を昇任させることができることとされている。なお、特定幹部職については、平成二六年本法改正により、後述（「第六款　幹部職員の任用等に係る特例」中の第六一条の二、第六一条の三等参照）のとおり、任用等の特例が設けられている。

昇任は、現に任命されている官職より上位の職制上の段階に属する官職に職員を任命するもの（法三四1②）であり、当該上位の職制上の段階に属する官職に係る標準職務遂行能力の有無については、現に任命されている官職における人事評価を基にその蓋然性を判断する仕組みとされている。昇任要件については、昇任させようとする日以前における一定の期間に係る人事評価の結果が一定水準以上であることをもって、当該上位の職制上の段階に属する官職に係る標準職務遂行能力を有すると認めることとしている。一般的に、上位の職制上の段階になるに従い、その標準職務遂行能力として期待される水準も高くなることを踏まえ、前述の①から③の区分に応じ人事評価の回数やそれらの人事評価における上位の全体評語については、より厳格な基準が定められている。

また、昇任させようとする日以前における一定の期間に懲戒処分を受けた者については、公務に対する国民の信頼を確保する観点から、昇任させることは適当でない。このため、当該一定の期間において懲戒処分又はこれに相当する処分（例えば、特別職に出向中の懲戒処分）を受けていないことも要件とされている。

官職の区分ごとに定められている昇任要件については、令和四年一〇月から適用される人事評価制度の見直しにより、評語区分が五段階から六段階に細分化されたこと（詳細は法七〇の二を参照）に伴い、細分化された評語の内容・定義等を踏まえ人事評価の結果を適切に反映すべく見直しが行われた。内容として、能力評価においては、職責が重く、マネジメント能力が求められる本省課長級以上への昇任には「非常に優秀」の段階以上といった高位の標語を求めることとし、また、これまで本府省課長級以下については、中位評価でも足りるとされていた業績評価についても、職責に応じ、「優良」の段階以上の評価を求めるなど、能力・実績がより反映される基準となっている。具体的な要件は次のとおりである（人規八―一二二五①～③）。

①　本府省室長級以下の官職への昇任については、⑴直近の連続した二回の能力評価のうち、一回の全体評語が「優良」の段階以上であり、かつ、他の全体評語が「良好」の段階以上であること、⑵直近の連続した四回の業績評価のうち、一回の全体評語が「優良」の段階以上であり、かつ、他の全体評語が「良好」の段階以上であること、⑶前一年以内に懲戒処分等を受けていないことが要件とされている。

ただし、本府省の係長等の官職への昇任については、その職責がそれほど高くないこと、今後の能力の伸長が期待できる係員からの昇任であることを考慮し、能力評価及び業績評価の全体評語に「優良」の段階がない場合であっても人事院が定める要件を満たす場合には昇任させることができるとされている。具体的には、⑴直近の連続した二回の能力評価の全体評語がいずれも「良好」の段階であって、直近の能力評価の評価期間において職員が職務遂行の中でとった行動について、評価項目に照らして優れた行動がみられ、かつ、その他の行動は当該職員に求められる能力の発揮の程度に達していること、⑵直近の連続した四回の業績評価の全体評語がいずれも「良好」の段階であって、直近の業績評価の評価期間において職員が挙げた業績について果たすべき役割に照らして優れた業績がみられ、かつ、その他の業績は当該職員に求められる役割を果たした程度に達していること等、昇任要件を満たした場合に準ずると認められる場合を含むこととしている。

②　本府省課長級の官職への昇任については、⑴直近の連続した二回の能力評価のうち、一回の全体評語が「非常に優秀」の段階以上であり、かつ、他の全体評語が「良好」の段階以上であること、⑵直近の連続した四回の業績評価のうち、一回の全体評語が「優良」の段階以上であり、かつ、他の全体評語が「良好」の段階以上であること、⑶前二年以内に懲戒処分等を受けていないこと（懲戒処分の種類に応じ、停職又はこれに相当する処分は二年以内、減給又はこれに相当する処分は一年六月以内、戒告又はこれに相当する処分は一年以内）が要件とされている。

③　本府省部長級以上の官職（特定幹部職を除く。）への昇任については、⑴直近の連続した二回の能力評価のうち、一回の全体評語が「非常に優秀」の段階以上であり、かつ、他の全体評語が「優良」の段階以上であること、⑵直近の連続した四回の業績評価のうち、一回の全体評語が「非常に優秀」の段階以上であり、かつ、他の全体評語が「良好」の段階以上であること、⑶前二年以内に懲戒処分等を受けていないこと（懲戒処分等の種類に応じ、停職又はこれに相当する処分は二年以内、減給又はこれに相当する処分は一年六月以内、戒告又はこれに相当する処分は一年以内）が要件とされている。

なお、特定幹部職への昇任については、適格性審査において、昇任前三年間について、前述の基準と同等の基準が課されている（第六一条の二〔解釈〕一参照）。

二　本府省の課長相当以上の官職等への昇任等の場合の特例

本府省の課長相当以上の官職等への任命については、その職務・職責の重さに鑑み、特に公正な任命が確保される必要がある。このため、本府省の課長相当以上の官職等の公正な任命の確保が特に必要と認められる官職への任命に当たっては、性別等の属性や、情実人事を求める圧力等の影響を受けることなく、職務遂行に必要とされる知識、経験及び管理的・監督的能力等の有無を、経歴評定、人事評価の結果その他客観的な判定方法により公正に検証しなければならないものとされている（人規八―一二　七1）。この原則は、かつて旧人事院規則八―一〇（本省庁の課長等に任用する場合の選考の基準等）において定められていたものであり、同規則においては、これらの官職への昇任等に係る要件の特例（他府省での勤務経験等）が定められていた。平成一九年の本法改正により、昇任等は人事評価に基づき行うこととされたが、これらの官職については特に高い見識や能力が求められ、その任命について公正性を確保することが要請されることに鑑み、特例を存置することとしたものである。

この特例の対象となる官職（「特定官職」）については、本府省の課長相当以上の官職並びにこれらの官職と職務と責任が類似すると認められる地方支分部局、施設等機関等の官職及び行政執行法人の官職のうち、公正な任命の確保が特に必要と認められる官職を人事院が定めるものとされている。特定官職については、職務の複雑と責任の度に応じて、次の表のとおり四段階に区分されており、その区分及び代表的な官職については、平成二六年の本法改正前における整理を踏襲したものとなっている（人規八―一二　七2）。なお、特定幹部職への昇任等については、人規八―一二第七条第一項に定める原則の適用はあるが、具体的要件を定めた本特例は適用除外とされており、したがって、Ⅰ～Ⅲ段階は、本府省では人事院、会計検査院、警察庁の官職、地方機関では各府省の同等の官職が対象となる。

段　階	代表的な官職
Ⅰ段階	事務次官及び外局の長官
Ⅱ段階	本府省の局長
Ⅲ段階	本府省の部長、審議官及び局次長

Ⅳ段階　本府省の課長

特定官職（特定幹部職を除く。）への昇任、降任、転任又は配置換（以下「昇任等」という。）を行う場合は、昇任等に係るそれぞれの要件（前述〔解釈〕一、後述四、五及び六を参照）に加え、人規八―一二第三〇条第一項により、次の要件を満たさなければならないとされている。なお、特定幹部職以外の幹部職及び本府省の課長への昇任等については、本法第五四条の採用昇任等基本方針（閣議決定）において管理職への任用に関する基準その他の指針が定められることとされ、実際に①と同様の内容が定められたことを踏まえ、②及び③の要件に限るとされている（地方機関の同等の官職については、①から③まで全て満たす必要がある。）（人規八―一二　三〇１）。

①　特定官職に最初に昇任等させる場合にあっては、他府省等、地方公共団体、在外公館等での勤務の経験又は人事院が定める研修の受講経験を有しており、管理的又は監督的地位にある者にふさわしい幅広い能力及び柔軟な発想力を有していると認められること。

②　昇任等させようとする日以前二年以内に起訴休職（法第七九条第二号の規定に基づく休職）又はこれに相当する処分を受けていないこと。

③　昇任等させようとする日において、刑事事件に関して、起訴されていないこと及び職員から聴取した事項又は調査により判明した事実に基づき犯罪があると思料するに至った行為をしていないこと。

①の「勤務の経験」には、国会、裁判所、国際機関、民間企業等での勤務の経験を含むものとされている。また、「人事院が定める研修」は、複数の府省の職員を対象として、職務の遂行に必要とされる行政的視野の拡大、管理的能力、社会的識見等の向上に資するものとして実施される研修とされ、具体的には人事院事務総長が指定するものとされている。

なお、任命権者は、特定官職への昇任等を行った場合には、人事院に対し報告することとされている（幹部職員の任用等の特例の対象となる幹部職についても、報告対象とされている。）（人規八―一二　三〇２）。

三　昇任に関する別段の定め

任命権者は、特別の事情により、人規八―一二第二五条に定める昇任要件や第三〇条に定める特定官職への昇任等の場合の要件によることができない場合又は適当でない場合には、あらかじめ人事院と協議して、別段の定めをすることができる。ただし、当該別段の定めは、任免の公正の確保その他の任免の基本原則等に則したものである必要がある（人規八―一二　三二）。

四　転任

職員の転任（特定幹部職への転任を除く。）については、上位でも下位でもない職制上の段階に属する官職間の異動であることから、昇任の場合のように能力評価又は業績評価の全体評語は要件として課されず、人事評価の結果に基づき官職に係る標準職務遂行能力及び適性を有すると認められる者の中から、人事の計画その他の事情を考慮した上で、最も適任と認められる者について行うことができるとされている（人規八―一二　二六1）。

職制上の段階は、各府省単位に本府省、地方機関等の組織区分ごとに設定され、異なる組織区分間の官職の上下関係を明示していないため、例えば本省と地方機関等との間の転任の場合、異動前後の官職の上下がはっきりしない場合が生じてくる。このため、異なる組織間で転任を行う場合等においては昇任に類似した効果が生じることもあることから、管理監督的立場にある本府省室長級以上の官職に転任させる場合については、これらの官職に以前就いていたことがある場合等を除き、昇任要件を課すこととしている（人規八―一二　二六2）。また、異なる組織間で転任を繰り返すことによって、職員がかつて属していた部局又は機関等で占めていた官職より当該部局又は機関の下位の職制上の段階に属する官職に異動させることもあり得るが、これは実質的な降任処分となることから、任命権者はこのような転任を回避する義務があるとされている（人規八―一二　二六3）。

五　配置換

職員の配置換は転任の一類型であり、職員をその職員が現に任命されている官職と任命権者を同じくする他の官職（部局又は機関等及び職制上の段階を同じくするものに限る。）に任命することとされている（人規八―一二　四1⑤）。このように、配置換が同一任命権者内における同一の職制上の段階への転任であることを踏まえ、配置換に当たって標準職務遂行能力の確認は不要とされており、人事評価の結果に基づき配置換しようとする官職についての適性を有すると認められる者の中から、人事の計画その他の事情を考慮した上で、最も適任と認められる者について行うことができるとされている（人規八―

一二　二七)。ただし、直近の能力評価又は業績評価の全体評語が下位又は「不十分」の段階である職員を配置換しようとする場合については、直ちに標準職務遂行能力を有しているとは言えない状態であることから、人事評価の結果に基づき、官職に係る標準職務遂行能力及び適性を有するか否かを改めて確認するものとされている(人規八—一二　二七但書)。

六　降任

職員の意に反する降任については、分限処分としてその事由が法定されており(法七八)、ある職員について実際に降任を行うか否かの判断は同条に基づいて行われることとなるが、降任により当該職員をどの官職に就けるかの判断は、本法第五八条第二項の規定に基づき行うこととされている。具体的には、人事評価の結果又は勤務の状況に基づき官職に係る標準職務遂行能力及び適性を有すると認められる官職に、当該職員についての人事の計画への影響等を考慮して行うものとされている(人規八—一二　二九1)。

なお、降任について職員の意による場合は分限処分とされないが、任命権者は職員から書面による同意を得ることとされている(人規八—一二　二九2)。

七　能力評価又は業績評価の全体評語の全部又は一部がない場合の取扱い

例えば、昇任させようとする職員について、国際機関、民間企業等への派遣、育児休業、休職等の理由により人事評価が行われておらず、昇任要件として必要とされている能力評価又は業績評価の全体評語の全部又は一部がない場合が生じ得る。このような場合、例えば、派遣先の業務において十分な成果を挙げたと認められ、かつ上位の職制上の段階に属する官職に係る標準職務遂行能力を有すると認められる者であっても昇任させることができないこととすると、成績主義の観点からはかえって問題があると考えられ、また、人事の計画にも不都合が生じるおそれがある。

このため、昇任等の要件として必要とされている能力評価又は業績評価の全体評語の全部又は一部がない者については、人事評価の結果又は勤務の状況、派遣されていた国際機関又は民間企業の業務への取組状況等を総合的に勘案して官職に係る標準職務遂行能力及び適性の有無を判断した上で、人事の計画その他の事情を考慮して昇任等させることができることとしている(人規八—一二　二八)。ただし、職員の昇任について総合勘案を行うに当たって一部の評価結果がある場合は、少なくとも、当該職員が有している全体評語が昇任要件を満たしているかどうかを考慮すべきであろう。

（条件付任用）

第五十九条　職員の採用及び昇任は、職員であつた者又はこれに準ずる者のうち、人事院規則で定める者を採用する場合その他人事院規則で定める場合を除き、条件付のものとし、職員が、その官職において六月の期間（六月の期間とすることが適当でないと認められる職員として人事院規則で定める職員にあつては、人事院規則で定める期間）を勤務し、その間その職務を良好な成績で遂行したときに、正式のものとなるものとする。

② 前項に定めるもののほか、条件付任用に関し必要な事項は、人事院規則で定める。

〔趣　旨〕

一　条件付任用期間の意義

採用試験又は選考によって採用し、又は昇任させた職員は、これらの手続を経て、知識、技術、人物性行等について一応の能力の実証を得ているのであるが、職務遂行能力を真に有するかどうかは実務に携わって初めて明らかになる場合が少なくない。そこで、実地の勤務について能力の検証を行うために設けられたのが条件付任用期間の制度である。すなわち、条件付任用期間は、採用、昇任を正式に決定する前提として、実務を通しての職務遂行能力の判定を行い、不適格者を公務から排除し、又は昇任させないことにより、成績主義の完璧を期すことを目的とするものである。

特に、職員が一旦正式任用された後は、法律に定める事由による場合でなければ、その公務からの排除が許されないことに鑑みると、真に公務内に人材を確保する上で条件付任用期間制度の果たすべき意義は大きいものがあるといわなければならない。

二　条件付任用期間の適用除外

一のとおり、条件付任用期間は、実地の勤務を通して、公務員関係の設定・確定に必要な判定を行うためのものであり、成績主義の完璧を期す上で重要な仕組みとなっている。このため、仮にかつて職員であった者であっても、自己都合で離職した者の再採用の場合には、当然に条件付採用期間を適用する必要がある。その一方で、官の命令で人事交流として特別職職員、地方公共団体職員などに辞職出向していた者を職員として再採用する場合や従前の定年後の再任用職員にまで条件付採用制度を適用する必要はないといえよう。このため、このような場合には、従来より、本法第三三条などに基づく人事院規則の規定により、本条の適用除外を行ってきたが（〔解釈〕六参照）、令和三年の定年引上げに係る本法改正に際して、定年前再任用短時間勤務職員や人事交流等した者の再採用などの場合に本条を適用除外する根拠を本条に設けるよう規定の整備が行われ、本条中に人事院規則への委任根拠が設けられた。

以上のほか、非常勤職員については、その性格から条件付採用期間は適用除外されているが、平成二二年に従前の日々雇用職員制度を廃止して新たに設けられた期間業務職員制度においては、身分取扱いの整備の一環として、条件付採用期間（一月間）が適用されている（人規八―一二　四八２、第二条〔趣旨〕二３参照）。

〔解　釈〕

一　条件付任用期間の法的性格

条件付任用期間中の当該採用又は昇任は、解除条件付の任用である。すなわち、条件付任用期間中において職務遂行能力が十分でなく引き続き任用することが適当でないと判断されたときは、任命権者は、その職員に免職又は降任の措置をとることができるものである。

ここで、本条が定める「解除」条件付任用と分限との関係を整理しておく。条件付任用といえども、一度採用又は昇任された職員についてその地位を失わせたり、昇任前の低い官職に戻すということについては、分限規定との調整を必要とすることになるからである。条件付採用期間中の職員に対しては、本法第七五条等の分限規定は適用除外することとされ（法八一１②）、後述のとおり、人事院規則によって特別評価の全体評語が下位の段階である場合などその官職に引き続き任用しておくことが適当でないと認められるときは、一般の分限と異なって事前に指導その他の教育的措置をとるまでもなく降任又は免職できるとされている。また、条件付昇任職員の場合には、分限規定が適用されているため、本条が規定しているように条件付昇任期間の成績が悪ければ、直ちに降任となるのではなく、所要の分限手続きが求められることになる。

二　条件付任用の期間

条件付任用期間は原則として採用及び昇任の時から六月間である（法五九１）。期間計算等においては、採用及び昇任は、発令の日の午前零時から始まると解されるので、採用及び昇任の日はその期間に算入され（民法一四〇但書）、暦に従って計算された六月後の発令応当日の前日をもって満了する（民法一四三）。

また、本条第一項では、条件付任用期間について、六月の期間とすることが適当でないと認められる職員として人事院規則で定める職員にあっては、人事院規則で定める期間とされている。現在、人事院規則では、条件付採用期間開始後六月間において勤務した日数が九〇日に満たないときは、九〇日に達するまで条件付採用期間が引き続くものとしている。ただし、その最長期間は一年とされている（人規八―一二　三四）。この規定は、実務の能力の実証を得るためには、九〇日（六月の約半分）程度は必要であるとしながら、いたずらに条件付採用期間を延ばすことも身分保障上好ましくないとの判断に立ったものといえよう。

なお、人規八―一二第三四条の「実際に勤務した日数」の計算に当たっては、一日の一部分でも勤務すれば実際に勤務した日数に含まれる。

条件付任用期間中の職員を他の官職に任命した場合は、新たに条件付任用期間が開始する場合を除き、その任用期間が引き続くこととされている（人規八―一二　三三）。すなわち、条件付任用期間中の職員が昇任した場合は、前の条件付任用期間は消滅して、当該昇任の時点から、新たな条件付任用期間が始まるが、条件付任用期間中の職員を他の官職へ転任、配置換した場合には、当該異動前の条件付任用期間が引き続くことになる。

三　条件付任用期間の終了

条件付任用期間の終了前に任命権者が別段の措置をしない限り、その期間が終了した日の翌日において、職員の任用は、正式のものとなる（人規八―一二　三二の二）。

任命権者は、条件付任用期間中の職員に係る条件付採用又は条件付昇任を正式のものとするか否かについて判断するため、条件付任用の終了前に人事評価を行い、この結果に基づいて最終的な判定を行うこととされている。この人事評価は、特別評価として能力評価のみにより行うものとされている（人事評価の基準、方法等に関する政令（平二一政三一）四２、一五１・２）。

条件付任用期間中において職務遂行能力が十分でなく引き続き任用することが適当でないと判断されたときは、将来に向かって公務員としての身分を失うか、又は降任されることとなる。

条件付任用期間は、正式に採用し、又は昇任させるための前提として、実務を通して職務遂行能力を判定し、不適格者を免職又は降任して、成績主義の完璧を期すことを目的とするものであるから、条件付任用期間中の職員を正式任用するかどうかの判断をするための手段としての特別評価の意義は、重要である。

四　条件付採用期間中の職員の身分取扱い

１　分　限

条件付採用期間中の職員には、本法第八一条第一項の規定により、本法第七五条、第七八条、第七八条の二、第七九条、第八〇条の規定が適用除外されており、また、第八一条第二項の規定により、条件付採用期間中の職員の分限については、人事院規則で必要な事項を定めることができることとされている。現在、人事院規則一一—四（職員の身分保障）第一〇条で、条件付採用期間中の職員は、①法第七八条第四号に掲げる事由（官制若しくは定員の改廃又は予算の減少により廃職又は過員を生ずる場合）に該当する場合、②特別評価の全体評語が下位の段階である場合又は勤務の状況を示す事実に基づき勤務実績がよくないと認められる場合において、その官職に引き続き任用しておくことが適当でないと認められるとき、③心身に故障がある場合において、その官職に引き続き任用しておくことが適当でないと認められるとき、④前記②・③のほか、客観的事実に基づいてその官職に引き続き任用しておくことが適当でないと認められる場合には、いつでも降任させ、又は免職することができる旨規定されている。

条件付採用期間中の職員が前記①から④に該当し降任された場合には、職務給の原則により降格されることとなるが、職員が降任されない場合であっても、降格されることとなる場合がある。すなわち、人事院規則一一—一〇（職員の降給）第六条第一項においては、条件付採用期間中の職員について、①官制若しくは定員の改廃又は予算の減少により職員の属する職務の級の定数に不足が生じた場合、②特別評価の全体評語が下位の段階である場合その他勤務の状況を示す事実に基づき勤務実績がよくないと認められる場合であって、当該職員がその職務の級に分類されている職務を遂行することが困難であると認められるとき、③心身の故障のため、職務の遂行に支障があり、又はこれに堪えないことが明らかである場合、④上記②・③のほか、客観的事実に基づいてその職務の級に分類されている職務を遂行することが困難であると認められる場合、のいずれかに該当する場合において、必要があると認めるときは、いつでも当該職員を降格することができるとされている。

さらに、同条第二項において、定期評価の全体評語が下位又は「不十分」の段階である場合その他勤務の状況を示す事実に基づき勤務実績がよくないと認められる場合であり、かつ、その職務の級に分類されている職務を遂行することが可能であると認められる場合であって、必要があると認めるときは、いつでも当該職員を降号することができるとされている。

これ以外の分限の定めはないので、条件付採用期間中の職員については、休職にすることは認められない。

２　服務及び懲戒

条件付採用期間中の職員に対する服務規律に関する規定の適用は、正式採用の職員と原則として同じであり、服務義務違反については、懲戒処分の対象となり、懲戒に関する規定も全て適用される。

３　審査請求

条件付採用期間中の職員は、その分限について、行服法の規定が適用されない（法八一1②）ので、同法による審査請求に関する法第九〇条から第九二条の二の規定は適用されない。したがって、人事院に対し、不利益処分の審査請求をすることはできない。また、第八九条の規定による不利益処分に関する処分説明書の交付を要求することもできない。しかし、不利益処分を受けた条件付採用の職員が行政訴訟を提起することはできるものと解される。

なお、法第八一条第一項の適用除外は、「分限について」であるから、条件付採用期間中の職員が懲戒処分を受けた場合は、行服法の規定により人事院に対して不利益処分の審査請求をすることができる。

４　勤務条件に関する措置要求

条件付採用期間中の職員の勤務条件は、後述5のとおり正式採用された職員と同一であり、勤務条件の措置要求（法八六～八八）を人事院に対して行うこともできる。

５　給与等の勤務条件

条件付採用期間中の職員の給与等の勤務条件は、正式採用職員と同様に取り扱われる。

五　条件付昇任期間中の職員に係る分限の特例

条件付昇任期間中の職員については、人規一一―四第八条において、①能力評価又は業績評価の全体評語が下位又は「不十分」の段階である場合又は勤務の状況を示す事実に基づき勤務実績がよくないと認められる場合であって、指導等の措置を行ったにもかかわらず、勤務実績が不良であることが明らかなとき（人規一一―四　七）のほか、②特別評価の全体評語が下位の段階である場合であって、指導等の措置を行ったにもかかわらず、勤務実績が不良であることが明らかなときには、法第七八条第一号の規定により降任することができるとされている。これは、定期評価の結果を待たずとも、特別評価の結果に基づいて通常の分限手続を開始し、職員を降任させることを認める必要があるからである。

六　適用除外

人規八―一二第三二条及び人規八―一二運用通知第三二条関係により条件付任用としない者として、①かつて職員として正式に採用されていた者で引き続き特別職に属する職、地方公務員の職、行政執行法人以外の独立行政法人に属する職、沖縄振興開発金融公庫に属する職その他これらに準ずる職に就いたもののうち、引き続きこれらの職に現に正式に就いている者又は国派遣職員、②定年前再任用短時間勤務職員、③都道府県警察の職に現に正式に就いている地方警察職員（警察庁の職員又は警察法第五六条第一項に規定する地方警務官）を定めている（ただし、自衛隊法による定年退職者等を再任用する場合については、条件付のものとなる（人規八―一二運用通知第三二条関係２））。

（臨時的任用）

第六十条　任命権者は、人事院規則の定めるところにより、緊急の場合、臨時の官職に関する場合又は採用候補者名簿がない場合には、人事院の承認を得て、六月を超えない任期で、臨時的任用を行うことができる。この場合において、その任用は、人事院規則の定めるところにより人事院の承認を得て、六月の期間で、これを更新することができるが、再度更新することはできない。

②　人事院は、臨時的任用につき、その員数を制限し、又は、任用される者の資格要件を定めることができる。

③　人事院は、前二項の規定又は人事院規則に違反する臨時的任用を取り消すことができる。

④　臨時的任用は、任用に際して、いかなる優先権をも与えるものではない。

⑤　前各項に定めるもののほか、臨時的に任用された者に対しては、この法律及び人事院規則を適用する。

〔趣　旨〕

臨時的任用の意義

臨時的任用は、常勤官職に欠員を生じた場合において、緊急やむを得ない事情等により、正規の任用の手続を経るいとまがないときに、公務の円滑な運営に支障を来すことのないようなされる特例的な任用である。あくまでも、正規の任用手続の枠外で認められるものであり、正式任用に切り替えられるものではない。したがって、もし、これが濫用されるようなことがあれば、成績主義の原則を乱し、任用制度の適正な運用を阻害するおそれが大きいので、臨時的任用に関しては、これを行いうる場合、方法、期間等について本条で厳格な制限が設けられている。

ところで、臨時的任用と混同されやすいものに、任期付任用（人規八―一二　四二2）及び非常勤官職への任用がある。任期付任用は、任期が付されているという点が通常の任用と異なっているにすぎず、それはあくまでも正規の任用であって、臨時的任用とは異なるものである。また、非常勤職員は、臨時職員と呼ばれることもあるが、本条の臨時的任用職員ではない。すなわち、非常勤職員の場合は、その充てられる官職自体が短期、臨時的なものであって、定員上も定員外とされるものであるが、本条の臨時的任用職員は常勤の官職に定員内職員として任用されるものである。

〔解　釈〕

一　臨時的任用を行うことができる場合

臨時的任用は、正規の任用の特例であり、これを行うことができるのは、本条で定める場合、すなわち、①緊急の場合、②臨時の官職に関する場合及び③採用候補者名簿がない場合に限られている。

それぞれの場合については、人規八―一二第三九条第一項で次のとおり詳細に定められている。

(1)　緊急の場合　当該官職に採用、昇任、降任、転任又は配置換の方法により職員を任命するまでの間欠員にしておくことができない緊急の場合（人規八―一二　三九1①）。

本号については、具体的には様々な事例が想定されようが、例えば、災害が発生し、その復旧に緊急の人手を要する場合などが該当する。

(2)　臨時の官職に関する場合　当該官職が臨時的任用を行う日から一年に満たない期間内に廃止されることが予想される臨時のものである場合（人規八―一二　三九１②）。

この場合は、(1)ほど緊急性はないものの、人事管理の円滑な実施のため認められるものである。具体的には、介護休暇又は産前・産後休暇の承認を受けた職員の業務を処理することを職務とする官職で当該承認に係る期間を限度として置かれる臨時のものに任用する場合が該当する。また、官署の統廃合により、従来あった官職が廃止される場合なども考えられよう。

(3)　採用候補者名簿がない場合等　当該採用候補者名簿がない場合又は当該官職に係る名簿において、当該官職を志望すると認められる採用候補者が五人に満たない場合（人規八―一二　三九１③）。この場合も、人員の補充に緊急性があり、人事管理を円滑に運用するために行われるものである。

なお、育児休業法第七条第一項において、育児休業の請求に係る期間について職員の配置換その他の方法によって当該請求をした職員の業務を処理することが困難であると認めるときは、一年を限度として臨時的任用を行うことができるとされている。この場合には、法第六〇条第一項から第三項は適用除外とされている。配偶者同行休業法においても、同様の臨時的任用が認められている（同法七）。

二　臨時的任用の期間及びその更新

臨時的任用の期間は、その任用を行った日から六月を超えることができない（人規八―一二　四〇）。しかし、〔解釈〕一で述べた(2)臨時の官職に関する場合、又は(3)採用候補者名簿がない場合等においては、人事院の承認を経て、六月を限って更新することができる。この場合、前者については、人事院の承認があったものとみなされている。臨時的任用は、いかなる場合においても、再度更新することができない（人規八―一二　四〇３）。臨時的任用は本来、緊急の場合に特例的に認められるものであり、臨時的任用の期間が長期にわたるときは、成績主義に基づく任用制度を阻害するおそれがあり、また、任用される者の地位が不安定なまま継続することは本人にとっても好ましいこととはいえない。したがって、臨時的任用は六月を限度として認めることが原則であり、これを更新する場合も人事院の承認を得た上、一回に限って六月以内の期間内についてのみこれを認めることができることとされている。なお、一年未満で廃止されることが予想される臨時的官職への任用の場合には、その更新を認めても全体の任用期間が一年を超える可能性はないので、更新の際の人事院の承認はあったものとみなされる。

なお、育児休業法第七条第一項に基づく臨時的任用については、育児休業の請求に係る期間について一年を超えて行うことができない（育児休業法　七１）。（配偶者同行休業に伴う臨時的任用についても同様（配偶者同行休業法七１）。）

三　臨時的任用の手続

任命権者が臨時的任用を行おうとするときは、人事院の承認が必要であるが、緊急の場合又は臨時の官職に関する場合には、人事院の承認があったものとみなされる（人規八―一二　三九１）。ただし、任命権者は、これらの事由により臨時的任用を行った場合には、その旨を人事院に報告しなければならない。また、育児休業法第七条第一項に基づく臨時的任用については、同条第六項により法第六〇条第一項から第三項が適用除外とされていることから、臨時的任用に当たり人事院の承認は不要である。（配偶者同行休業に伴う臨時的任用についても同様（配偶者同行休業法七６）。）

なお、前述したとおり、臨時的任用は、正規の任用の例外として認められるものであるが、成績主義の原則を定めた法第三三条の規定の適用は除外されていないことから、任命権者は、臨時的任用を行うに当たっては、選考の方法に準じて能力実証を行うとともに、できるかぎり広く募集を行うよう努めるものとされている（人規八―一二　三九２）。

四　臨時的任用職員の身分取扱い

1　正式任用との関係

臨時的任用職員については、昇任、転任等をさせることができないなど、現に任用されていないものとして取り扱われており（人規八―一二運用通知第三九条関係１）、任用に際していかなる優先権をも与えるものではない。臨時的任用は、厳格な能力の実証を経たものではないから、正式任用されるためには改めて採用試験又は選考によって能力の実証を行わなければならない。

2　分限及び不利益処分に関する審査請求

臨時的任用職員については、本法の分限に関する規定及び分限処分に関する審査請求の規定は適用されない（法八一１①）。分限に関する規定が適用されないのは、そもそも成績主義の特例として臨時、緊急の必要性に基づいて認められる任用であり、任用期間が相対的に短期であるため、身分保障の対象とする実益がないとされたためであろう。しかし、その分限を人事院規則で定めることは可能であり、人規一一―四第九条は、臨時的任用職員の分限について「法第七十八条各号のいずれかに掲げる事由に該当する場合、規則八―一二第三十九条第一項各号に該当する事由がなくなつた場合、育児休業法第七条第一項に規定する臨時的任用の事由がなくなつた場合又は配偶者同行休業法第七条第一項に規定する臨時的任用の事由がなくなった場合には、いつでも免職することができる。」と定めている。

なお、本法第八一条第一項第一号の規定に基づく適用除外は、分限に限定されているところから、臨時的任用職員が懲戒処分を受けた場合においては、行服法及び本法第八九条から第九二条の二までの規定も当然に適用されると解され、当該懲戒処分について、審査請求を行うことができる。

臨時的任用職員には、服務、懲戒に関する規定が適用されることをはじめ、勤務条件の措置要求を行うことができ、職員団体を結成し、加入することもできる。

臨時的任用職員に関する取扱いの特例には次のようなものがある。

① 臨時的任用は本法にいう採用には該当しない（法三四　一①）ので、条件付採用期間の適用がない。

② 人事記録の記載事項及び様式並びにその附属書類の範囲並びに人事記録等の保管期間については、任命権者が自由に定めるものとされている（人事記録の記載事項等に関する内閣官房令（昭四一総理府令二）九）。

③ 人事評価は実施しないことができる（人事評価の基準、方法等に関する政令（平二一政令三一）三②）が、成績主義の観点からは実施することが望ましい。

④ 服務の宣誓の義務が免除される（職員の服務の宣誓に関する政令（昭四一政令一四）一1）。

⑤ 本法第一〇四条（他の事業又は事務の関与制限）の規定は、適用されない（職員の兼業の許可に関する政令（昭四一政令一五）三）。

⑥ 本法第一〇三条第一項の規定（私企業からの隔離）は適用されない（人規一四―八　6）。

⑦ 育児休業及び配偶者同行休業は適用除外とされる（育児休業法三1、配偶者同行休業法二4）。

⑧ 本法第一〇六条の二第一項等の離職後の就職に関する規制の規定は適用されない（退職管理政令四六、四七）。

（定年前再任用短時間勤務職員の任用）

第六十条の二　任命権者は、年齢六十年に達した日以後にこの法律の規定により退職（臨時的職員その他の法律により任期を定めて任用される職員及び常時勤務を要しない官職を占める職員が退職する場合を除く。）をした者（以下この条及び第八十二条第二項において「年齢六十年以上退職者」という。）又は年齢六十年に達した日以後に自衛隊法（昭和二十九年法律第百六十五号）の規定により退職（自衛官及び同法第四十四条の六第三項各号に掲げる隊員が退職する場合を除く。）をした者（以下この項及び第三項において「自衛隊法による年齢六十年以上退職者」という。）を、人事院規則で定めるところにより、従前の勤務実績その他の人事院規則で定める情報に基づく選考により、短時間勤務の官職（当該官職を占める職員の一週間当たりの通常の勤務時間が、常時勤務を要する官職でその職務が当該短時間勤務の官職と同種の官職を占める職員の一週間当たりの通常の勤務時間に比し短い時間である官職をいう。以下この項及び第三項において同じ。）（一般職の職員の給与に関する法律別表第十一に規定する指定職俸給表の適用を受ける職員が占める官職及びこれに準ずる行政執行法人の官職として人事院規則で定める官職（第四項及び第六節第一款第二目においてこれらの官職を「指定職」という。）を除く。以下この項及び第三項において同じ。）に採用することができる。ただし、年齢六十年以上退職者又は自衛隊法による年齢六十年以上退職者がこれらの者を採用しようとする短時間勤務の官職に係る定年退職日相当日（短時間勤務の官職を占める職員が、常時勤務を要する官職でその職務が当該短時間勤務の官職と同種の官職を占めているものとした場合における第八十一条の六第一項に規定する定年退職日をいう。次項及び第三項において同じ。）を経過した者であるときは、この限りでない。

② 前項の規定により採用された職員（以下この条及び第八十二条第二項において「定年前再任用短時間勤務職員」という。）の任期は、採用の日から定年退職日相当日までとする。

③ 任命権者は、年齢六十年以上退職者又は自衛隊法による年齢六十年以上退職者のうちこれらの者を採用しようとする短時間勤務の官職に係る定年退職日相当日を経過していない者以外の者を当該短時間勤務の官職に採用することができず、定年前再任用短時間勤務職員のうち当該定年前再任用短時間勤務職員を昇任し、降任し、又は転任し

ようとする短時間勤務の官職に係る定年退職日相当日を経過していない定年前再任用短時間勤務職員以外の職員を当該短時間勤務の官職に昇任し、降任し、又は転任することができない。

④　任命権者は、定年前再任用短時間勤務職員を、指定職又は指定職以外の常時勤務を要する官職に昇任し、降任し、又は転任することができない。

〔趣　旨〕

定年前再任用短時間勤務制の概要

本条に規定する定年前再任用短時間勤務制は、令和三年の本法改正による定年の六五歳への段階的な引上げに伴い新設されたものであり、六〇歳に達した日以後に退職した者を、従前の勤務実績等に基づく選考により、採用しようとする官職に定年制の適用があるものとした場合における定年退職日までの任期で、短時間勤務の官職に採用（定年前再任用）するものである。再任用短時間勤務制は、公的年金（基礎年金相当部分）の支給開始年齢の引上げに合わせて平成一三年四月から実施され定年の引上げに伴い廃止された再任用制度（平成一三年再任用制度）において初めて設けられ、現実に活用されていた。これまでの再任用制度の中で実際に短時間での勤務を望む職員がいたこと、六〇歳以降は高齢期における様々な事情により多様な働き方のニーズが高まることが見込まれたことを踏まえ、今回の定年延長においても、職員が希望する多様な働き方を可能とし、意欲と能力のある人材を引き続き公務内で活用できるようにすることを目的に本制度が導入された。このような制度は、高齢期の職員の活用という定年引上げの趣旨にも合致すると同時に、組織活力の維持（若手・中堅職員の昇任の遅延の緩和）にも資するものである。このことを踏まえれば、職員がその能力及び経験をいかすのにふさわしい職務の整備等を図っていくことが求められるといえよう。

定年前再任用短時間勤務制により採用された職員（定年前再任用短時間勤務職員）については、その制度の趣旨を踏まえた任用の制限が設けられている。具体的には、定年前再任用短時間勤務職員は、指定職（指定職俸給表適用官職及びこれに準ずる行政執行法人の官職として人事院規則で定める官職）に任用することはできず、また、定年前再任用短時間勤務職員は短時間勤務の官職のみに就くことが可能となっており、異動（昇任、降任又は転任）によって任期の定めのない常勤職員とすることはできない。このほか、定年前再任用短時間勤務職員を、異動によって定年前再任用短時間勤務職員以外の任期を定めて任用される職員とすることもできないものとされている。

なお、定年を段階的に六五歳に引き上げるための令和三年一部改正法附則第一六条第一項においては、定年前再任用短時間勤務制等の在り方についての検討規定が置かれている（詳細については、第八一条の六〔趣旨〕五３参照）。

〔解　釈〕

一　年齢六〇年以上退職者の短時間勤務の官職への再任用

本条第一項により定年前再任用短時間勤務制の対象となるのは、六〇歳に達した日以後に本法の規定により退職をした者（年齢六〇年以上退職者）であり、定年制が適用されない臨時的職員その他の法律により任期を定めて任用される職員及び常時勤務を要しない官職を占める職員（第八一条の六〔解釈〕三参照）の退職は、定年前再任用短時間勤務制の対象となる「退職」から除外されている。

また、防衛省の職員のうち自衛隊員は特別職とされているが（法二３⑯）、そのうち事務官、技官など自衛官以外の隊員（事務官等）については、一般職の職員と同様に定年が六五歳まで段階的に引き上げられることから、自衛隊法の規定により退職した事務官等のうち、六〇歳以降に定年前となる期間のある者についても、定年前再任用短時間勤務制の対象としている。なお、退職時に自衛官であった者は対象に含まれないほか、一般職の職員の場合と同様、自衛隊法の定年制が適用されない臨時的に任用された隊員、法律により任期を定めて任用された隊員及び非常勤の隊員の退職は、定年前再任用短時間勤務制の対象となる「退職」から除外されている。

なお、年齢六〇年以上退職者の中には、家族の介護の事情、人生設計上の理由等により、退職後一定期間を置いた後に短時間勤務の官職への再任用を希望するケースも考えられることから、定年前再任用は、退職日の翌日に限らず、退職日の翌々日以降に行うことも可能とされている。

「短時間勤務の官職」については、平成一三年再任用制度における短時間再任用（改正前の法八一の五）の場合と同様であり、当該官職を占める職員に割り振られた勤務時間が常勤官職を占める通常の職員に比べて短いとはいえ、常勤職員の行っている業務と同質の業務を担当するものである。勤務時間に着目すれば形式上は非常勤職員であるものの、給与は俸給の完全時間割であるなど、平成一三年再任用制度が設けられる前の非常勤職員にはない類型であるため、採用試験又は選考採用によらずに面接、経歴評定その他の適宜の方法による能力の実証を経て非常勤職員を採用することができるとした特例の規定（人規八―一二　四六1）は定年前再任用短時間勤務職員には適用されず、従前の勤務実績その他の人事院規則で定める情報に基づく選考により採用するものとされている。人事院規則で定める情報としては、能力評価及び業績評価の全体評語その他勤務の状況を示す事実に基づく従前の勤務実績、官職の職務遂行に必要とされる経験又は資格の有無などの職務遂行上必要な事項が定められている（人規八―一二　四）。

定年前再任用の任期は、年齢六〇年以上退職者を採用しようとする官職に定年制の適用があるものとした場合における定年退職日（定年退職日相当日）までとされている。これは、定年前再任用は、六〇歳以降常勤職員の定年退職日までの間に短時間勤務という選択肢を設けるための制度であること、仮に期間の定めなく任用することとすれば、定年退職日において定年退職することとなる常勤職員との権衡を失することによるものである。平成一三年再任用制度では、一年を超えない範囲内で任期を定めることとされていたが、定年前であることを踏まえた職員の身分の安定性の確保及び各府省等における運用の統一性の確保を図る必要があり、また、高齢期の職員の一層の活用という定年引上げの趣旨や、高齢によりフルタイムでの勤務が難しい職員であっても意欲と能力のある人材を引き続き公務内で活用できるようにするという定年前再任用短時間勤務制の趣旨を踏まえると、短い任期を定めてそれを更新するよりも、定年までの期間を見据えて適切な業務に従事させる可能性が広がり、定年前再任用短時間勤務職員のより積極的な活用に資すると考えられる。このため、任期は、一律に定年退職日相当日までとされている。

二　定年前再任用短時間勤務への手続

常勤職員が定年前再任用短時間勤務職員への移行を希望する場合、一旦退職した上で、短時間勤務の官職を占める職員として採用（再任用）されることになるが、定年前再任用を希望する者を実際に再任用するか否かは、任命権者の裁量に委ねられる。しかしながら、制度の趣旨に鑑みると、定年前再任用されることを前提に退職する者の期待を保護する必要もあるのは当然である。このため、定年前再任用を行う場合には、定年前再任用されることを希望する者に対し、定年前再任用を行う官職に係る職務内容や定年前再任用を行う日、定年前再任用に係る勤務地等をあらかじめ明示し、その同意を得ることとされている（人規八―一二　三）。なお、職務内容等の明示や職員の同意が必要となるのは、定年前再任用を行うに当たってのみであり、定年前再任用短時間勤務職員として再任用された後の異動は、一般の職員と同様に行うことができるものの、職務内容等を明示し職員の同意の上で定年前再任用短時間勤務職員として再任用された趣旨を踏まえれば、定年前再任用短時間勤務職員の異動は慎重な検討を行った上で行うことが必要である。

三　定年前再任用短時間勤務職員等の任用の制限

本条第一項及び第四項では、定年前再任用短時間勤務職員について、指定職への採用や異動はできないこととされている。指定職俸給表は、事務次官級、本府省局長級、本府省部長級の職員等に適用されるが、これらの職員は、各組織において上位にある特に重い職責を担う官職を占めるものであり、その数も限られている。このため、各府省において、指定職に就き得る特定の職員の六〇歳以降の多様な働き方のニーズに応えることを目的として指定職の職務の分割や組み換え等を行って短時間勤務の官職を設けることは想定し難いものと考えられる。なお、俸給の特別調整額が支給される管理監督職は、その職務の複雑・困難度には幅があるとともに、数も相当程度多く設けられており、官職の職務の分割や組み換え等を行って短時間勤務の官職を設け、適切に職務と責任を果たしていくような運用も想定されるため、定年前再任用短時間勤務職員の任用制限の対象とはなっていない。

また、本条第三項では、短時間勤務の官職に採用することができる者は、当該短時間勤務の官職に係る定年退職日相当日を経過していない年齢六〇年以上退職者及び自衛隊法による年齢六〇年以上退職者に限るとともに、短時間勤務の官職に異動させることができる者は、当該短時間勤務の官職に係る定年退職日相当日を経過していない定年前再任用短時間勤務職員に限定している。これは、定年前再任用短時間勤務制は、行政機関の業務の中核を常勤官職に就いている職員が担うという原則を維持しつつ、例外的に、短時間勤務の官職に再任用することを可能とするものであることを踏まえた措置である。

さらに、本条第四項では、定年前再任用短時間勤務職員を常勤官職へ異動させることができないこととされている。仮に、定年前再任用短時間勤務職員として勤務している者を常勤官職に就けようとする場合には、改めて採用手続を採る必要がある。行政運営上の必要性や職員の事情の変化等に対応できるよう、任期の途中であっても、他の職員と同様、定年前再任用短時間勤務職員を別のポストに異動させることは可能であるが、常勤官職から退職して定年前再任用短時間勤務職員となることは職員の希望が前提となっていること、定年前再任用短時間勤務職員となるための退職に伴い退職手当が支給されていることを踏まえ、このような異動制限が設けられているものである。

四　関連制度の取扱い

定年前再任用短時間勤務職員の勤務時間及び休暇に関しては、高齢期の職員の就業意識や健康・体力など個人の事情も勘案した柔軟な勤務形態を用意することが適切であること、平成一三年再任用制度において六〇歳超の短時間再任用の運用が定着していたことを踏まえ、基本的に平成一三年再任用制度における短時間勤務職員と同様の内容とされている。すなわち、各省各庁の長は、能率的な公務運営を確保するための必要性や職員の希望にも配慮し、一週間当たり、週二日勤務相当の一五時間三〇分から週四日勤務相当の三一時間までの範囲内で、勤務時間を決定することとなっており（勤務時間法五２）、例えば、隔日勤務や一週間を通じての半日勤務が可能となっている。また、週休日や勤務時間の割振りについては、最低限日曜日及び土曜日を週休日とし、一日の勤務時間が七時間四五分以内となるように割り振ることとなっているが（勤務時間法六1、２）、フレックスタイム制の適用も可能であり（勤務時間法六3、４）、公務運営上の事情により特別の形態によって勤務する必要がある交替制等勤務職員については、定年前の職員と同様、週休日や勤務時間の割振りを別に定めることが可能である（勤務時間法七）。休暇については、常勤職員と同様、年次休暇、病気休暇、特別休暇、介護休暇及び介護時間が付与されるが（勤務時間法一六）、年次休暇については、その者の勤務時間を考慮して二〇日を超えない範囲内で、その者の勤務形態に応じて比例付与した日数とされている（勤務時間法一七1①、人規一五―一四　一八）。

定年前再任用短時間勤務職員の給与についても、平成一三年再任用制度における短時間勤務職員と同様の俸給月額及び諸手当の制度が措置されている。俸給月額については、常勤職員と同じ俸給表及び職務の級の区分に従い、職務の級ごとに、平成一三年再任用制度におけるフルタイム勤務職員に適用されていた定額の俸給月額に相当する額が「基準俸給月額」として定められており、この基準俸給月額をその者の勤務時間数に応じて按分した額となる（給与法八12）。諸手当についても、平成一三年再任用制度と同様であり、長期継続雇用を前提としてライフステージに応じた生計費の増嵩等に対処する目的で支給される生活関連手当や主として人材確保を目的とした手当は支給しないこととされているほか、短時間勤務であることに伴い、通勤手当の支給や超過勤務手当の支給割合などについて、特例的な取扱いが定められている（給与法一六2等）。期末手当及び勤勉手当については、平成一三年再任用制度において俸給年額と合わせて妥当な年間の給与水準となるよう定年前の職員より年間支給月数が少なく設定されていた経緯があり、それと同様の取扱いとされている。

定年前再任用短時間勤務職員は、勤務時間の量的な側面を除けば、職責等の面で常勤職員と同等であることから、能率、分限、公平、災害補償等の人事管理諸制度における取扱いは常勤職員と基本的に同様である。また、服務関係の法令の規定の適用においては、非常勤職員を適用除外とする場合であっても、定年前再任用短時間勤務職員は常勤職員と同じ取扱いをするよう措置されている（人規一四―一七　一二、人規一四―一八　一二、職員の兼業の許可に関する政令（昭四一政令一五）三等）。一方、官民人事交流法、国際機関派遣法、法科大学院派遣法など各種派遣制度や、自己啓発等休業法、配偶者同行休業法は、非常勤職員や任期を限られた常勤職員と同様に適用されない。なお、定年前再任用は、常勤官職から退職する前の勤務を前提として行われるものであることから、後述する懲戒の特例（法八二2）として、退職する前の在職期間中の非違行為を事由に定年前再任用短時間勤務職員に対して懲戒処分を行うことができるとされている。

定員については、定年前再任用短時間勤務職員は、定員法上の定員には含まれないが、常勤職員及び短時間勤務職員（定年前再任用短時間勤務職員、育児休業法に基づく任期付短時間勤務職員）による恒常的な業務の遂行体制全体を総合的に勘案して、その定数を別途管理することとされている。また、社会保険については、定年前再任用短時間勤務職員は、常勤職員と同様の共済組合員になることができず、勤務時間等に応じて共済組合（短期給付のみ）、国民健康保険、厚生年金保険（第一号厚生年金被保険者）に加入することになる。定年前再任用後の退職については退職手当は支給されない。

第五款　休職、復職、退職及び免職

（休職、復職、退職及び免職）

第六十一条　職員の休職、復職、退職及び免職は任命権者が、この法律及び人事院規則に従い、これを行う。

〔趣　旨〕

一　任命権者の権限

本条は、国家公務員としての身分に変動が生ずる場合のうち、休職、復職、退職及び免職を行う権限が任命権者にあることを定めるとともに、これらの処分について本法及び人事院規則に従うべきことを定めている。

任命権者として定められた各大臣、各外局の長等（法五五１）は職員の任免をはじめとする身分取扱いに関する権限を包括的に有するものと解されるが、本法は第三五条で、欠員が生じた場合、これを補充するため採用、昇任、降任又は転任のいずれかの任命を行い得ること、第六〇条第一項で一定の場合に臨時的任用を行い得ることを定めているほか、本条で特に休職、復職、退職及び免職を行うことができることを明示している。これら四種が特記されているのは、それが職員の身分に重要な変動を与えるものであり、とりわけ職員の職の得喪に関するものであるからと考えられる。

二　身分保障と分限処分等

近代的公務員制度の下では、公務運営の公正性を担保するために、公務員の地位を政治の恣意的人事から守る仕組みが設けられている。本法においても、行政の公正性、安定性を確保するため、職員の身分には法律上の保障が与えられている。休職、復職、退職及び免職は職の得喪、すなわち、身分に関わる問題であるため、本法及び人事院規則に従わなければならないことを定めたものである。特に休職、免職等は職員に不利益を与える分限処分であり、第七五条以下で規定されているように本法中にその要件及び手続が詳細に定められている。

〔解　釈〕

一　休職等の意義

休職とは、官職を保有したまま職員を職務に従事させないことをいう。休職にすることができる場合は、第七九条及び同条に基づく人事院規則一一―四（職員の身分保障）第三条に規定されている。なお、登録された職員団体の役員として専ら従事するための許可を受けた職員はその許可の有効期間中は休職者とされるが（法一〇八の六５）、これは専従者について休職処分によるものと同様の効果を付与するものにすぎないものであって、休職そのものではない。このほか、国際機関等への派遣や育児休業など各種派遣や休業の場合も、職員としての身分を保有するが、職務に従事しないとされている（国際機関派遣法三、育児休業法五１等）。

復職とは、休職中の職員が職務に復帰することをいい、休職の期間が満了して当然に復職する場合と休職の事由が消滅して任命権者が復職させる場合がある（人規一一―四　六）。

退職とは、「失職の場合及び懲戒免職の場合を除いて、職員が離職すること」（人規八―一二　四⑨）をいい、免職とは、「職員をその意に反して退職させること」（人規八―一二　四⑩）をいう。職員の任免に係る用語を定義した人規八―一二では、職員が職員としての身分を失う場合を「離職」とし、更にこの離職の場合を欠格条項に該当して当然に離職する「失職」、懲戒処分としての免職処分に付される「懲戒免職」、失職及び懲戒免職の場合を除く「退職」に区分している。したがって、退職には、分限処分としての免職、定年による退職、任期満了による退職、辞職等が含まれることになり、結果として本条は退職と免職とを重複して規定していることになるが、本条の「退職」は免職以外の退職を意味するものと解すべきであろう。

なお、職員の休職、復職、退職及び免職に関しては、本法第七五条から第八一条の八まで、人規八―一二及び人規一一―四等で具体的に定められている。

二　権限者たる任命権者

任命権者は、第五五条に規定する各省大臣等及び法律で特に任命権が付与されている内閣法制局長官、警察庁長官、行政執行法人の長のほか、これらの任命権の委任を受けた者が含まれるが、本条にいう任命権者には、併任に係る官職の任命権者を含まないものとされている（人規八―一二　五〇）。したがって、併任に係る官職の任命権者は、職員を休職にし、復職させ、免職し、又は職員の辞職を承認することはできない（平二一・三・一八人企五三二）。これは、併任が、「採用、昇任、降任、転任又は配置換の方法により現に官職に任用されている職員を、その官職を占めさせたまま、他の官職に任命すること」（人規八―一二　四⑥）であり、公務員としての通常の勤務関係を前提としていわば従たる官職を兼ねるものであるので、休職等の公務員としての身分の基本に関わるような事項についてはいわゆる本務の任命権者が行うべきものとされ、併任に係る任命権者の権限が及ばないものとしたものである。

三　休職等の権限行使についての法令準拠

休職、復職、退職及び免職の権限行使については、処分の特質に応じて、本法及び人事院規則に定められており、職員の身分保障が図られている。その内容として処分事由の法定、事由に該当する事実の確認手続及び処分要式（人事異動通知書の交付）を挙げることができる。休職及び復職の事由及び手続、降任及び免職の事由及び手続並びに辞職の場合の手続にほぼ共通する要式について述べれば次のとおりである。なお、詳細については、第七七条から第七九条までにおいてそれぞれ解説する。

(1)　降任、休職及びその期間の更新、免職の各処分をする場合には、職員に人事異動通知書を交付して行わなければならない。ただし、これによることができない緊急の場合にはこれに代わる文書の交付その他適当な方法によることができる。具体的には、緊急の場合に応じて最も適当と認められる方法によれば足り、電話や電子メールによることも許容され得る。また、当該職員が所在不明の場合は処分の内容を官報に掲載することをもって、交付に代えることができる。処分の効力は、人事異動通知書を交付した時（緊急の場合にはこれに代わる方法による通知が到達した時、官報掲載によった場合には掲載された日から二週間を経過した時）に発生する（人規八―一二　五四、五五⑤、五六　平二一・三・一八人企五三二）。これらは、通常、職員にとって不利益に作用するものであるから、要式を定め、かつ、処分が被処分者に到達した時にその効力が発生することとしたものである。この場合の到達とは、被処分者が現実に了知することを必要とするものではなく、被処分者の了知し得べき状態におかれることをもって足りる（昭二五・一一・一八法務府法意一発八九法制意見長官）。

(2)　その他の場合（復職させた場合又は休職期間の満了によって復職した場合、辞職を承認した場合、免職及び辞職の場合を除き退職した場合）にも、人事異動通知書を交付しなければならない（人規八―一二　五三⑦⑧⑩⑪　人規一一―八　一二）。これらの異動のうち、休職期間の満了による復職のように自動的に効果の発生する異動ではなく、任命権者の意思に係る異動は、発令行為を必要とし、発令した時にその効力が発生する。ここに発令した時とは、任命権者がその意思を正式に外部に表示した時を意味し、本人に通知が到達する前に本人の所属部局の長など任命権者（人事課長のような任命権行使の補助的な業務を行う者を含む。）以外の者に正式に表示があったような時にはその時と解され、また、人事異動通知書その他の文書によると否とを問わないものとされている（昭三四・一二・一九任企九三九）。本人の了知前でも発令の効力が発生することとしたのは、基本的にその意に反する不利益な処分ではなく、一時に多数の異動を行わなければならない実務上の便宜を考慮したものである。しかしながら、到達主義の原則に照らし、当該職員が「その異動を了知するまでの間は、当該職員の不利益になるように取り扱うことは許されない。」（平二一・三・一八人企五三二）ものとされている。なお、免職及び辞職の場合を除き職員が退職した場合で人事異動通知書の交付によらないことを適当と認める場合には、人事異動通知書に代わる文書の交付その他適当な方法をもって人事異動通知書の交付に代えることができる（人規八―一二　五五）。

(3)　前述したように、任命権者の意思に係る異動の効力の発生時期については、「人事異動通知書を交付した時」（(1)の場合）、「発令した時」（(2)の場合）とされているが、いずれの「時」も時点を指すものである。ただし、日数計算等の場合には、その時点の属する日の午前零時からその効力が生じたものとして取り扱って差し支えない（昭三一・一一・一〇管法一〇一五）。将来の日付での発令については、採用、昇任、配置換等の場合は、合理的な理由があり、発令の日と将来の日付の間が必要最小限である場合に限って認められるが、降任、休職、免職等の場合は、身分保障の観点から、真にやむを得ない合理的な理由があり、発令の日と将来の日付の間が社会通念上相当と認められる必要最小限である場合に限って認められる（昭三八・九・三〇福島地裁）。当該発令の効力が発生するのは、効力発生の日とされた将来の日となる。

人事異動通知書の様式、記載事項及び記入要領については、人事院が定めることとされている（人規八―一二　五八　詳細は、昭二七・六・一　一二一―七九九）。

なお、分限処分の公正かつ慎重を期する観点から、処分に当たって事前審査制を採る方法も考えられるが、行政手続法は公務員に対してその職務又は身分に関してされる処分には適用されず（行政手続法三Ⅰ⑨）、本法は、迅速な対応ができるよう事前審査制は採らず、その代わりに第八九条以下で述べるように事後審査制を採用している。任命権者が処分に際し、その内部手続機関として任意に審査委員会を設置するようなことは可能と解されよう。ちなみに、旧官吏分限令（明三二勅令六二）においては、「不具、廃疾ニ因リ又ハ身体若ハ精神ノ衰弱ニ因リ職務ヲ執ルニ堪ヘサル」として免官する場合には、官の級別により官吏高等懲戒委員会又は官吏普通懲戒委員会の審査が前置されていた。

四　休職、退職及び免職手続等に関する特例

1　検察官の免官に関しては、検事総長、次長検事及び検事長については検察官適格審査会の議決及び法務大臣の勧告を経て内閣が行い、検事及び副検事については検察官適格審査会の議決を経て法務大臣が行うこととされている（検察庁法二三1)。

2　行政執行法人労働関係法の適用を受ける職員は、同法第一七条の禁止に反して争議行為を行った場合には、解雇されるものとされている（同法一八）。

第六款　幹部職員の任用等に係る特例

（適格性審査及び幹部候補者名簿）

第六十一条の二　内閣総理大臣は、次に掲げる者について、政令で定めるところにより、幹部職（自衛隊法第三十条の二第一項第六号に規定する幹部職を含む。第二号及び次項において同じ。）に属する官職（同条第一項第二号に規定する自衛官以外の隊員が占める職を含む。次項及び第六十一条の十一において同じ。）に係る標準職務遂行能力（同法第三十条の二第一項第五号に規定する標準職務遂行能力を含む。次項において同じ。）を有することを確認するための審査（以下「適格性審査」という。）を公正に行うものとする。

一　幹部職員（自衛隊法第三十条の二第一項第六号に規定する幹部隊員を含む。次号及び第六十一条の九第一項において同じ。）

二　幹部職員以外の者であつて、幹部職の職責を担うにふさわしい能力を有すると見込まれる者として任命権者（自衛隊法第三十一条第一項の規定により同法第二条第五項に規定する隊員（以下「自衛隊員」という。）の任免について権限を有する者を含む。第三項及び第四項、第六十一条の六並びに第六十一条の十一において同じ。）が内閣総理大臣に推薦した者

三　前二号に掲げる者に準ずる者として政令で定める者

②　内閣総理大臣は、適格性審査の結果、幹部職に属する官職に係る標準職務遂行能力を有することを確認した者について、政令で定めるところにより、氏名その他政令で定める事項を記載した名簿（以下この条及び次条において

「幹部候補者名簿」という。）を作成するものとする。
③　内閣総理大臣は、任命権者の求めがある場合には、政令で定めるところにより、当該任命権者に対し、幹部候補者名簿を提示するものとする。
④　内閣総理大臣は、政令で定めるところにより、定期的に、及び任命権者の求めがある場合その他必要があると認める場合には随時、適格性審査を行い、幹部候補者名簿を更新するものとする。
⑤　内閣総理大臣は、前各項の規定による権限を内閣官房長官に委任する。
⑥　第一項（第三号を除く。）及び第二項から第四項までの政令は、人事院の意見を聴いて定めるものとする。

〔趣　旨〕

第六一条の二から第六一条の八までの七条は、「第六款　幹部職員の任用等に係る特例」として、平成二六年の本法改正で設けられたものである。これらの規定は、国家公務員制度改革基本法において、「政府は、縦割り行政の弊害を排除するため、内閣の人事管理機能を強化し、並びに多様な人材の登用及び弾力的な人事管理を行えるよう」な措置を講ずるものとされ（同法五２）、その中の一つとして、幹部職員を対象とした新たな制度を設けるものとされていること（同法五２①）を踏まえ、幹部職員人事の一元管理の仕組みとして導入されたものである。具体的には、幹部職員への任用は、内閣官房長官（内閣総理大臣から権限委任）が適格性審査を行った上で作成する幹部候補者名簿に記載されている者の中から、任命権者が、内閣総理大臣及び内閣官房長官との協議に基づいて行うものである（国家公務員制度改革基本法五２③）。この款には、幹部職員の任用の特例のほかに、第六一条の五以下に管理職員に関する規定も含まれていることから、款名は、「幹部職員の任用等に係る特例」とされている。

このような幹部職員人事の内閣による一元管理が導入された背景には、次の二つの考え方があるといえよう。一つ目は、いわゆるセクショナリズムの弊害を是正するために、各府省の幹部人事を内閣で一元管理すべきとの考え方である。平成二〇年の国家公務員制度改革基本法の立案過程においては、総合職試験採用者の内閣（人事庁）による一括採用や幹部職員を内閣（人事庁）の所属とする案も検討されたが、最終的には各大臣の任命権を残しつつ、「各省に忠誠を尽くす」公務員から「政府全体の立場に立った」「日の丸官僚をつくる」（衆議院内閣委員会　平二〇・五・二二　堺屋太一参考人、同五・二三渡辺喜美国務大臣）ため、内閣官房による適格性審査や候補者名簿作成、任免協議を通じた関与を認めるような仕組みとされた。この点について、諸外国においては、幹部職員の任命は、「ポスト」ではなく、「人」に着目した人事管理となっていることもあって、形式的には、大臣ではなく、元首や首相から発令される例が多いようである（後述第六一条の四〔趣旨〕中（参考）参照）。二つ目は、幹部人事の主導権を政治家が持つようにすべきとの考え方である。これは行政を政治主導で行うためには人事を政治主導で行うことが肝要との議論である。政治の側からいえば応答性確保のための仕組みの議論となるが、公務員の側からは、人事の非党派性を確保するための人事の「自律性」の議論でもある。本法では従来から幹部職員の任命権は各府省の長である大臣にあったが、大臣の実際の在任期間が短く、実情を十分に把握しきれないことなどの理由から、多くの場合、事務次官など職業公務員の側によって各府省幹部職員の人選が主導されてきており、政治による行政の掌握を強めるため、幹部職員人事について、内閣総理大臣及び内閣官房長官が直接関与する仕組みを導入しようとしたものである。

いずれにせよ、本款の一元管理は、幹部職員の任用を政治任用とすることを意図するものではなく、あくまでメリット・システム（能力実証主義、成績主義の原則）の下、前述のとおり、縦割り行政の弊害を排除し、適材適所の人事が行われることを確保するため、内閣総理大臣ないし内閣官房長官が関与する仕組みを設けたものであり、恣意的な人事に陥ることなく、公正に人事が行われる必要がある。このため、本条においては、「適格性審査を「公正」に行うものとする」ことや適格性審査や幹部候補者名簿に関する「政令は、人事院の意見を聴いて定めるものとする。」ことが明記されている。

なお、平成二六年の本法改正前においても、本府省局長相当以上の幹部職員の任免については、中央省庁等改革基本法（平一〇法一〇三）第一三条に基づいて、あらかじめ内閣の承認を得た後に行うこととされていた（「事務次官、局長その他幹部職員の任免に際し内閣の承認を得ることについて」（平一二・一二・一九閣議決定））が、幹部職員人事の一元管理の導入により、内閣総理大臣ないし内閣官房長官の関与が本法で定められることとなり、更にその範囲が、本府省部長相当以上に拡大されることとなった。

〔解　釈〕

本条は、幹部職員人事の一元管理のうち、内閣総理大臣による適格性審査及びその対象（第一項）、内閣総理大臣による幹部候補者名簿の作成（第二項）、内閣総理大臣による任命権者に対する幹部候補者名簿の提示（第三項）、適格性審査の実施及び幹部候補者名簿の更新（第四項）などを定めている。

一　適格性審査

１　適格性審査の内容

適格性審査とは、幹部職に属する官職に係る標準職務遂行能力を有することを確認するための審査である。

幹部職とは、外局の長、事務次官、本府省の局長若しくは部長又はこれらに準ずる官職（法三四１⑥）のことをいい、加えて、防衛省の事務次官、局長、次長等の自衛官以外の特別職の職も含まれる。各府省の内部部局以外の地方支分部局等に属する官職又は職は、原則として含まれない。なお、外局である庁の幹部職に対する任命権は、従来は各外局の長（長官）に属していたが、平成二六年の本法改正に併せて、第六一条の四の任免協議が実効あるものとなるよう、各大臣に一元化された（ただし、外局の長（長官）に対する任命権は従来より各大臣である。また、行組法第七条第五項の実施庁（公安調査庁、国税庁、特許庁、気象庁、海上保安庁）の幹部職については、引き続き外局の長（長官）が任命権者とされた。）（法五五２）。

適格性審査の実施手続ないし実施方法等の技術的細目的事項は、政令に委ねられている（幹部職員の任用等に関する政令三）。部内職員の場合については人事評価の結果が、また、公務外の者については経歴や業績等に係る文書審査や必要に応じた面接等の結果が、それぞれ基本となるが、メリット・システムの下、公正な審査基準及び手続等に基づいて適格性審査が行われる必要があり、このため、政令の制定に当たっては、人事行政の公正の確保を担う人事院の意見を聴くものとされている。実際の審査に当たっても、特に、公務外の者については、当該者の能力・業績についての情報が限られているため、恣意的な運用に陥ることなく、公正な判断が確保されるよう、「人事行政に関し高度の知見又は豊富な経験を有し、客観的かつ中立公正な判断をすることができる者の意見を聴くものとする。」とされており（幹部職員の任用等に関する政令三３）、具体的には、人事院の人事官等が想定されており、実際にも人事官から意見を聴いて適格性審査の手続が進められている。

また、適格性審査の基準は、人事院の意見を聴いて内閣官房長官が定めることとされており（幹部職員の任用等に関する政令三２）、部内の職員については人事評価の総合評価の評語、懲戒処分等の有無などに着目した基準が定められている（具体的には、①幹部職員の留任等の場合、直近の能力評価の全体評語及び直近の連続した二回の業績評価の全体評語が上位若しくは中位の段階又は「良好」の段階以上であること、②幹部職への昇任の場合、直近の連続した三回の能力評価の全体評語がいずれも「優良」の段階以上であり、かつ直近の連続した二回の能力評価のうち一の能力評価の全体評語が「非常に優秀」の段階以上であること、直近の連続した六回の業績評価の全体評語が上位若しくは中位の段階又は「良好」の段階以上であり、かつ直近の連続した四回の業績評価のうち一の業績評価の全体評語が上位の段階又は「非常に優秀」の段階以上であること、一定期間内に懲戒処分等を受けていないことなどである。）。

○幹部職員の任用等に関する政令（平二六・五・二九政令一九一）

（適格性審査の実施）

第三条　適格性審査においては、人事評価……その他の任命権者……から提出された標準職務遂行能力……を有することの確認に資する情報又は必要に応じて行う調査その他の適当な方法により得られた標準職務遂行能力を有することの確認に資する情報に基づき、内閣官房長官が定めるところにより、幹部職……に属する官職……に係る標準職務遂行能力を有することを確認するものとする。

2　内閣官房長官は、前項の定めをするに当たっては、人事院の意見を聴くものとする。

3　内閣官房長官は、人事評価が行われていない者のうち内閣官房長官が定める者に対して適格性審査を行う場合において、国家公務員としての職務又はこれに類する職務以外の職務の経歴を参酌する場合その他国家公務員としての職務又はこれに類する職務を遂行するに当たり発揮した能力又は挙げた業績に関する情報以外の情報を参酌する場合であって、適格性審査の公正な実施を確保するために必要があると認めるときは、人事行政に関し高度の知見又は豊富な経験を有し、客観的かつ中立公正な判断をすることができる者の意見を聴くものとする。

4　（略）

2　適格性審査の対象

適格性審査の対象となる者は、本条第一項で、①現職の幹部職員（第一号）、②幹部職員以外の者であって幹部職の職責を担うにふさわしい能力を有すると見込まれる者として任命権者が内閣総理大臣（内閣官房長官に委任）に推薦した者（第二号）、③①及び②に準ずる者（第三号）とされている。

①の現職の幹部職員は、既に適格性審査を経て、現在就いている官職に係る職制上の段階の標準職務遂行能力を有するこ

とが確認されているが、他の幹部職への昇任などの異動の可能性、あるいは事後に当該能力が欠ける可能性を踏まえ、適格性審査の対象とされている。

②の任命権者が内閣総理大臣に推薦した者とは、通常、当該府省の管理職員など部内の幹部職員以外の職員が想定されるが、他府省の職員や公務外の者も含まれ得る。この推薦に当たっても、能力実証主義、成績主義の原則（法三三1）が適用となるものであり、公務部内の職員については、人事評価又はその他の能力の実証に基づいて行われる必要があることはいうまでもないほか、公務外の者についても、適切な能力実証に基づいて推薦がなされる必要がある。ちなみに、人事院、検察庁及び会計検査院並びに警察庁の官職に係る任用は、内閣からの独立性や政治的中立性が強く求められることなど、その特殊性により本条の適用が除外されているが（法六一の八1、2）、これら機関の任命権者も、本条の任命権者からは除外されておらず、これら機関に属する職員を他府省の幹部職員の候補者とするために本号に基づき推薦することは可能である（なお、これら機関の現に幹部職員である者については、③によることとなる。）。

③の①及び②に準ずる者については、具体的には、政令に委任されており、前記②で述べた人事院、検察庁、会計検査院、警察庁等の現に幹部職員である者に対して、これら機関以外の「機関の幹部職員の候補者として内閣総理大臣に推薦した場合」が定められている（幹部職員の任用等に関する政令三4）。なお、幹部職員の候補者の公募については、現在、定めはなく、「公募の実態に係る議論等にも留意の上、段階的な検証を経ながら取組を進めていく」（法五四2⑥、採用昇任等基本方針）とされている（ちなみに、幹部職員を任期付職員法に基づき公募等により採用する場合の適格性審査は、②の推薦によることとなる。）。

二　幹部候補者名簿の作成

適格性審査の結果、幹部職に属する官職に係る標準職務遂行能力を有することが確認された者については、幹部候補者名簿に掲載されることになる。幹部候補者名簿の作成方法等は、政令に委ねられているが、幹部職に属する官職の職制上の段階は、事務次官・外局の長官級、本府省の局長級、本府省の部長級に分けられることから、幹部候補者名簿も、これら各職制上の段階に応じて、府省横断的に作成される（幹部職員の任用等に関する政令四1）。

幹部候補者名簿への記載事項も、氏名以外は政令に委ねられている。政令（幹部職員の任用等に関する政令四2）においても、生年月日、現在の官職（公務部内の職員の場合）、保有が確認された職制上の段階のみを規定し、その他は内閣官房長官の定めに委ねており、性別、採用年次、採用試験に関する事項、幹部候補者の専門性などの情報等が定められている。

法律上は、幹部候補者名簿に掲載された者本人に対してその旨通知することは求められていないが、少なくとも公務外の者については、国家公務員への採用の可能性がある以上、現在の職業との関係もあり、なんらかの形で本人に掲載が認識できる仕組みとする必要があろう。

三　幹部候補者名簿の更新

適格性審査及びその結果による幹部候補者名簿の更新は、政令の定めるところにより、定期的に、及び任命権者の求めがある場合その他必要がある場合に随時に行うものとされている。現職の幹部職員などの公務部内の職員については、毎年の人事評価の結果を用いて定期的な適格性審査を行うことが想定されるが、定期的な適格性審査の時期以外の時期における昇任等の異動の場合や外部から幹部職に任期付採用を行うとする場合など、各任命権者から推薦が人事上の必要に応じて随時に行われることが想定されるため、これらの事情に弾力的に対応できるよう、適格性審査は随時に行うことができるとされ、その結果に基づき幹部候補者名簿も更新されることになる。

○幹部職員の任用等に関する政令

（幹部候補者名簿の更新）

第六条　法第六十一条の二第四項の規定による定期的な適格性審査の実施及びその結果に基づく幹部候補者名簿の更新は、毎年一回行うものとする。

2　内閣官房長官は、前項の規定によるほか、任命権者の求めがある場合その他必要があると認める場合には、随時、適格性審査を行い、その結果に基づき幹部候補者名簿を更新するものとする。

3　（略）

四　内閣官房長官への権限の委任

適格性審査及び幹部候補者名簿の作成に関する事務は、中央人事行政機関としての内閣総理大臣の事務（法一八の二1）であり、また、内閣法上、内閣官房の事務とされ、内閣総理大臣が主任の大臣とされているものであるが（同法一二2⑧、二五）、国家公務員制度改革基本法において当該事務を内閣官房長官が所掌するとされていたこと（同法一一①）などを踏まえ、本条第五項により、内閣官房長官に委任されている。法律上の委任であり、受任者である内閣官房長官は、自らの名前で権限行使することとなる。

五　人事院に対する意見の聴取

〔解釈〕一１で述べたとおり、適格性審査及び幹部候補者名簿の作成に当たっては、公正の確保が極めて重要であり、このような観点から、本条第六項で、内閣が政令を定める際には、人事院の意見を聴かなければならないとされている。

そもそも人事院は、人事行政の公正中立性の確保を担う、専門的な中央人事行政機関として、「この法律の目的達成上、法令の制定又は改廃に関し意見があるときには」、国会及び内閣に対する意見の申出を行うことができるものであり（法二三）、この権能は政令事項にも当然に及ぶものである。したがって、人事院は、適格性審査及び幹部候補者名簿の作成に関する政令についても、必要に応じて政令の制定・改廃に関して意見の申出を行うことができることとなっている。

これに対して、本項の人事院に対する意見の聴取は、本法第二三条の意見の申出とは関係なく、内閣が政令を制定するに当たっては、事前に、すなわち閣議決定が行われる前に、行われるべき手続である。なお、公正の確保というこの意見聴取の規定の趣旨に鑑みれば、内閣は、聴取された人事院の意見を最大限尊重する必要があるといえよう。

六　幹部職等に限った本法の特例（法制上の特色）

従前の本法においては、一般職職員全体に適用される共通制度を規定し、特定の職種等について、「その職務と責任の特殊性に基づいて、この法律の特例を要する場合においては」、一般職の中であっても、別に特別の法律等で規定することが通例であった（法附則四）。本条をはじめ本款は、本法の本則の中で、幹部職員の任用等に係る特例を規定しているが、法制的にみれば、このような例は、平成二六年改正前はほとんどなかったところである（なお、平成一九年改正で設けられた退職管理に関する一部規定（再就職者による依頼等の規制（法一〇六の四））は退職前の役職段階等に応じた規制等を設けている。）。

七　自衛官以外の防衛省の幹部職への適用

本条は、〔解釈〕一１で述べたとおり、防衛省の事務次官、局長、次長等の幹部職（特別職）や、これらの職を占める自衛官（制服組）以外の幹部隊員（防衛省職員）（自衛隊法三〇の二1⑥）にも適用となる。これは、内閣による幹部職員人事の一元管理の趣旨からすると、防衛省も他の行政機関と同じく内閣の統轄の下に置かれるものである以上（行組法一、二、三3）、特別職であっても、その内部部局等で勤務する制服組以外の幹部職員については、同様の取扱いを行うことが適当と考えられるためである。なお、〔趣旨〕のところで述べた平成二六年本法改正前の本府省局長相当以上の幹部職員の任免についての内閣承認制（平一二・一二・一九閣議決定）は、防衛省の相当職員についても適用されていた。

ただ、本法の規定が、直接、特別職たる防衛省の職員に適用となるのは、適格性審査及び幹部候補者名簿に関する本条のほかは、第六一条の六（任命権者を異にする管理職への任用に係る調整）に限られ（第七款（幹部候補育成課程）の規定中、第六一条の一一（任命権者を異にする任用に係る調整）も直接、適用になる。）、幹部職員人事の一元管理に関するその他の規定は、自衛隊法上に、別途、本法と同様の規定が設けられている（同法第三一条の三（幹部候補者名簿に記載されている者の中からの任用）、第三一条の四（内閣総理大臣及び内閣官房長官との協議に基づく任用等）、第三一条の五（管理職への任用に関する運用の管理）及び第三一条の六（人事に関する情報の管理））。これは、防衛省を含めた各府省横断的な仕組みについては、本法の規定によるとする一方で、防衛大臣が任命権者として単独で、あるいは内閣総理大臣及び内閣官房長官と協議等をして行う任用に関する行為については、自衛隊法に法的根拠を置くことにより、従前の一般職職員及び特別職職員の間の公務員制度に関する法体系の整理との整合性を図ったものといえよう。

いずれにせよ、「別段の定がなされない限り、特別職に属する職には、これを適用しない。」（法二5）という定めがあるとおり、本法第三章「職員に適用される基準」が一般職職員を適用対象とするものであることは、本法の大原則である。平成二六年改正前には、「別段の定」はなかったところ、同年改正で防衛省の幹部隊員や管理隊員（特別職）に本法の規定の一部を直接適用することとしたことは、過去に例をみない措置であったといえよう。

なお、防衛省の職員については、合議制機関の委員等一部の職員を除き、その服務や勤務態勢等に特殊性があるため、自衛官（制服組）以外も含めて自衛隊員とし、特別職として位置付けられているが（第二条〔趣旨〕三〔解釈〕二23参照）、自衛官以外の隊員についての任用、給与などの各種人事制度は、服務等を除いてほぼ一般職職員と同様の仕組みとなっており、立法論として、改めて特別職の範囲についても議論する余地はあろう。

（幹部候補者名簿に記載されている者の中からの任用）

第六十一条の三　選考による職員の採用であつて、幹部職への任命に該当するものは、任命権者が、幹部候補者名簿に記載されている者であつて、当該任命しようとする幹部職についての適性を有すると認められる者の中から行うものとする。

②　職員の昇任及び転任であつて、幹部職への任命に該当するものは、任命権者が、幹部候補者名簿に記載されている者であつて、職員の人事評価に基づき、当該任命しようとする幹部職についての適性を有すると認められる者の中から行うものとする。

③　任命権者は、幹部候補者名簿に記載されている職員の降任であつて、幹部職への任命に該当するものを行う場合には、当該職員の人事評価に基づき、当該任命しようとする幹部職についての適性を有すると認められる幹部職に任命するものとする。

④　国際機関又は民間企業に派遣されていたこと等の事情により人事評価が行われていない職員のうち、幹部候補者名簿に記載されている者の昇任、降任又は転任であつて、幹部職への任命に該当するものについては、任命権者が、前二項の規定にかかわらず、人事評価以外の能力の実証に基づき、当該任命しようとする幹部職についての適性を判断して行うことができる。

〔趣　旨〕

本条は、幹部職への任用に当たっては、前条で作成された幹部候補者名簿に記載されている者の中から行うことなどを定めている。幹部職員人事の一元管理の仕組みにおいても、幹部職の任命は、あくまで各府省大臣が、任命権者として行うものであるが、次条に定める内閣総理大臣及び内閣官房長官との協議に基づいて行うことが前提となるものである。

〔解　釈〕

本条は、幹部職への任用のうち、第一項は選考採用、第二項は昇任及び転任、第三項は降任について定めており、これらは幹部職以外の官職への任用に関する、それぞれ選考採用（法五七）、昇任及び転任（法五八１）、降任（法五八２）の規定に対する特例となるものである。幹部職以外の官職への任用に当たっては、①任命しようとする官職の属する職制上の段階の標準的な官職に係る標準職務遂行能力及び②当該任命しようとする官職についての適性を有すると認められる者の中から行うこととされているが、幹部職への任用については、幹部候補者名簿に記載されている者の中から行うため、既に適格性審査を通じて標準職務遂行能力を有していることは確認されていることから、任命権者は、候補者が任命しようとする幹部職に必要な適性、すなわち当該官職に必要とされる具体的な能力、経験等を持っているかについて、選考あるいは人事評価の結果などを通じて判断して、最もふさわしい者を選ぶものである。

また、本条の第四項は、国際機関への派遣等のため、人事評価の結果がない職員を幹部職に任用しようとする場合の規定であり、幹部職以外の官職への任用に関する本法第五八条第三項に相当するものである。幹部職以外の官職への任用に当たっては、標準職務遂行能力と適性の有無を人事評価以外の能力実証に基づき行うものであるが、幹部職への任用については、既に幹部候補者名簿に記載されていることから、任命権者は、適性の有無を適宜の方法で判断して行うこととなる。

（内閣総理大臣及び内閣官房長官との協議に基づく任用等）

第六十一条の四　任命権者は、職員の選考による採用、昇任、降任及び転任であつて幹部職への任命に該当するもの、幹部職員の幹部職以外の官職への昇任、降任及び転任（第八十一条の二第一項の規定による降任及び転任を除く。）並びに幹部職員の退職（政令で定めるものに限る。第四項において同じ。）及び免職（次項及び第三項において「採用等」という。）を行う場合には、政令で定めるところにより、あらかじめ内閣総理大臣及び内閣官房長官に協議した上で、当該協議に基づいて行うものとする。

②　前項の場合において、災害その他緊急やむを得ない理由により、あらかじめ内閣総理大臣及び内閣官房長官に協議する時間的余裕がないときは、任命権者は、同項の規定にかかわらず、当該協議を行うことなく、職員の採用等を行うことができる。

③　任命権者は、前項の規定により職員の採用等を行つた場合には、内閣総理大臣及び内閣官房長官に通知するとと

もに、遅滞なく、当該採用等について、政令で定めるところにより、内閣総理大臣及び内閣官房長官に協議し、当該協議に基づいて必要な措置を講じなければならない。

④　内閣総理大臣又は内閣官房長官は、幹部職員について適切な人事管理を確保するために必要があると認めるときは、任命権者に対し、幹部職員の昇任、降任、転任、退職及び免職（第八十一条の二第一項の規定による降任及び転任を除く。以下この項において「昇任等」という。）について協議を求めることができる。この場合において、協議が調ったときは、任命権者は、当該協議に基づいて昇任等を行うものとする。

〔趣　旨〕

一　本条の意義

幹部職員の任命権は、平成二六年の本法改正前と同様、各府省等の大臣等に属している。しかしながら、国家公務員制度改革基本法の規定（同法五２③）を踏まえ、幹部職員人事の一元管理の一環として、政府全体の一体性を確保し、適材適所の人事が行われることを確保するため、任命権者が幹部職員の任免を行うに当たっては、内閣総理大臣及び内閣官房長官に協議した上で行うこと、さらに、必要があると認めるときは、内閣総理大臣及び内閣官房長官の側から任命権者に対して協議を求めることができることなどを定めている。なお、これら任免協議等に関し、内閣として適切に対応するため、閣議了解（平二六・六・二四）に基づき、内閣官房において内閣官房長官、内閣官房副長官及び内閣人事局長からなる人事検討会議が開催されている。

ところで、立法論としては、内閣による幹部職員の任免の一元化を図るためには、幹部職員に係る任命権自体を内閣に移すことも選択肢としてあり得るところである。しかしながら、内閣が実質的に各府省幹部職員の人事権を持つこととなると、各府省大臣の業務執行権と人事権に齟齬をきたすこととなるほか、局長級以上でも二〇〇人といわれる対象職員の範囲の広さとの関係で、任命権行使の実効性や各府省における行政の専門性の確保との関係など問題が多い。もちろん、現行制度下においても、検事長以上の検察官（検察庁法一五）、裁判官（特別職）（憲法七九、八〇）、大使や公使（特別職）（外務公務員法八）など、任命権者が内閣とされている例はあるほか、主要な諸外国においても、官吏等の任命権が元首である大統領等とされている例も多いところであるが、実際には象徴的なものにとどまり、各行政組織の推薦や申出に基づくとするなどそれぞれの現場の実情等を踏まえた仕組みとされているのが一般的である。この点を踏まえると、我が国でも日本国公務員としての意識を明確に持たせるため、形式的な任命権者を内閣とすることは考えられよう。

二　平成二六年改正前の内閣の関与

本法第六一条の二の〔趣旨〕で述べたとおり、平成二六年の本法改正前においても、中央省庁等改革基本法第一三条及び平成一二年一二月の閣議決定に基づいて、本府省局長相当以上の幹部職員の任免については、あらかじめ閣議決定により内閣の承認を得た後に行うこととされていた（なお、平成一二年以前も、昭和二四年二月の「各省次官等重要人事の任命発令に際し閣議了解を求めるの件」（閣議決定）によっていた。）。このような内閣承認等の仕組みは、制度的には、本法に基づく任用制度ではなく、任命権者による任命権の行使について、内閣の一体性の確保等の観点からその裁量に一定の制約が設けられていたものと法的には理解することができよう。いずれにせよ、平成二六年の本法改正に伴い、内閣は本法に定める任用手続の一環として関与するものとされ、その関与の範囲は本府省部長相当以上に拡大されることとなり、対象官職数は約二百から約六百に増加することとなった（なお、同改正後も本府省局長相当以上の人事は前述の平成一二年の閣議決定により、閣議承認の対象になっている。）。

（参考）　諸外国の幹部公務員の人事の仕組み

諸外国においても、行政のトップレベルにおける「政」と「官」の連携の在り方は重要な問題と考えられており、幹部公務員の人事制度は、国家形態や公務員制度の歴史・伝統等の下で、それぞれ特色のある仕組みが設けられている。ここでは、参考までに、英国、ドイツ、フランス、米国の国あるいは連邦レベルにおける仕組みについて概観する。

まず、英国では、公務員人事管理における中立性確保が重要な価値とされており、これを担保するため、独立機関である人事委員会（Civil Service Commission）が設けられている。幹部公務員の任用に当たっても、人事委員会が直接関与し、成績主義に基づいた公正な任用を確保している。具体的には、事務次官、局長等の最上位の約二百ポスト（トップ２００）については、空席が発生すると、まず、内国公務の長（Head of the Home Civil Service）、人事委員会委員長、複数省の事務次官等からなる幹部リーダーシップ委員会が空席補充方法を決定する。公募によるとした場合には、人事委員会委員が議長を務める選考委員会がその定める審査基準により選考を行うこととなる。事務次官級の場合には、人事委員会委員長が主催する選考委員会が選出した複数候補者の中から首相が選択し、首相が任命することとされている。局長等の場合、その省の大臣が当該選考委員会が選考した候補者の任用に同意すれば、内国公務の長の承認を経て任用が行われる（憲法事項改革・統治法第三条により、公務員の任命権者は形式的には国家公務員担当大臣（首相が兼務）とされているが、実際には内国公務の長に委任されている（部長級以下は各省事務次官に委任）。）。大臣が選考委員会が選考した候補者の任命に同意しないケースは極めて希であるが、そのような場合には、大臣は理由を添えて選考委員会に差し戻すことができる。差し戻しを受けて選考委員会が候補者を変更する場合は、その理由を記録するとともに人事委員会の承認を得なければならない。なお、部長級のポストについても、外部公募で任用を行う場合には、原則として選考委員会を設けるとともに、人事委員会の承認が必要とされている。ちなみに、カナダ、オーストラリアなど英連邦諸国においては、幹部公務員の任用に当たり、英国に類似した政治的な中立性を確保した仕組みをとっている国は多い。

次に、ドイツでは、事務次官、局長等の連邦官吏法で定められた高位ポスト（約四百）は「政治的官吏（politische Beamte）」と称されるが、政治的官吏についても政治的中立性（unparteiisch）及び公正性（gerecht）は官吏の基本的義務として同法で明定されているほか、成績主義に基づき、専門教育等を基礎とした任用資格を有する者（「高級職ラウフバーン（Laufbahn）」に属する者）の中から、ほとんどの場合任用される。官吏の任命権は形式的には連邦大統領にあるが、実際には、事務次官は、任用資格を有する者から大臣が人選し、局長は、事務次官等が作成した候補者のリストから大臣が人選するのが通例であり、内閣の同意が必要とされている（なお、前述の任用資格を有しない者を外部等から任用する場合には、連邦人事委員会による資格審査が必要となる。）。政治的官吏といわれる所以は、大臣との信頼関係が重要であるため、身分保障の例外として、大臣が理由なくいつでも一時退職（Einstweiliger Ruhestand）に付すことができることにある（この場合、割増恩給の支給が必要である。）。なお、部課長級については、このような身分保障の例外はなく、一般の官吏同様、身分保障は徹底されている。成績主義に基づく任用制度の下、我が国のような定期異動の慣行がないため、部内公募等が行われており、省内の選考委員会等を通じて大臣が候補者を決定している。なお、重要課長以上の官吏（俸給表Ｂ適用者）の発令は連邦大統領名で行われるが、発令に際し、大統領府は過去の刑事罰等についてネガティブチェックを行っている。

また、フランスでは、局長、地方長官等の高級職（約六百ポスト。うち本省は約三百）は、身分保障のない大臣の政治任用とされ、大部分が職業公務員である官吏（fonctionnaire）である。任用に当たっては、各大臣が各省の官吏の中から能力実績等を考慮した上で候補者を選び、閣議での政令（decret）による任用手続を経て形式的には共和国大統領が任命する。民間からの登用も可能であるが、実際には旧国立行政学院（ＥＮＡ）（（注）国民からのエリート主義批判を受け、マクロン大統領により、二〇二二年一月に廃止され、後継機関として国立公務学院（ＩＮＳＰ）が新設された。）出身者を中心とした官吏が大多数を占めてきた。全て官吏は、府省横断的又は特定省ごとのコール（corps）と呼ばれる多数の職員群の一つに属し、その職員群ごとに採用試験や昇進をはじめとする人事管理が行われている。官吏が、局長等のポストに就くときは、その身分を保有したまま局長等のポストに「派遣（detachement）」されるため、辞任後も通常の官吏のポストへの復帰が可能である。「マクロン改革」においては、今後、前記ＥＮＡの廃止・ＩＮＳＰの新設に引き続き、ＩＮＳＰ卒業生が入る統一的なコール（国家行政官群）や幹部公務員人事管理を担う省横断幹部公務員委員会が設置されることとされているところ、従前の「エリート主義的」幹部人事がどのように変革されるのか注目したい。

最後に、米国では、各省長官、次官、次官補等の高級管理職（Executive Service）は、伝統的に政権と進退をともにする大統領任命の政治任用とされており、議会上院の同意が必要な場合が多く、大統領選挙における陣営担当者、政治献金者などから多くが任用されている。一方、課長・部長級の上級管理職（ＳＥＳ）については、約八千の官職中、政治任用者は一割を上限とすることが連邦法で規定されており、それら以外は、成績主義原則の下で、部内若しくは部外の公募等を通じて各省長官によって任用され、政権交代にかかわらず継続的に行政を支えている。選考は、各省で部内の選考委員会等を通じてなされ、人事管理庁に設けられた各省のＳＥＳ三名からなる資格審査委員会の審査を経て任用される。なお、政治任用者を除くＳＥＳの七割は、業務の公正性や継続性の確保等の観点から、制度的にも直前五年間の連邦政府勤務が必要とされており、実際にも長期勤続者が多い。

〔解　釈〕

一　任免協議の対象範囲

1　任命権者からの任免協議の場合（第一項）

任命権者が、幹部職に関して任免を行おうとする場合に、内閣総理大臣及び内閣官房長官との任免協議が必要となるのは、次の場合である。

(1)　幹部職への選考による採用、昇任、降任、転任

選考による採用には、任期付職員法に基づく任期付採用や官民交流法に基づく交流採用なども当然含まれる。昇任には、幹部職以外の官職から幹部職への昇任のほか、幹部職の中での上位の職制上の段階への昇任（例えば、本府省部長から本府省局長への昇任）も当たる。降任は、本人の同意を得て行われる場合、本人の意に反して行われる場合（分限降任であり、本法第七八条によるもののほか、第七八条の二によるものも含まれる。）を問わない。また、幹部職の中での下位の職制上の段階への降任（例えば、外局の長から本府省局長への降任）のほか、幹部職以外の官職から幹部職への降任（例えば、職制上の段階が本府省局長相当の施設等機関の長から本府省審議官への降任）も当たる。転任については、ある幹部職と同等の職制上の段階に属する幹部職以外の官職から当該幹部職への転任（例えば、管区機関の長から本府省審議官への転任）や同じ職制上の段階に属する幹部職間での転任がある。ちなみに、人事院規則で設けられている任用行為のうち、配置換は、ここでいう転任に含まれるため、任免協議の対象となる。また、併任については、政令で「転任であって幹部職への任命に

該当するものとみなす」旨の規定が設けられ、任命協議の対象となるよう措置がされている（幹部職員の任用等に関する政令一二1）。

なお、令和三年の定年延長に係る本法改正の際、本項及び第四項中、降任、転任等任用行為の規定順について、第三五条等他の規定における規定順にそろえるよう所要の改正が行われた。

(2)　幹部職員の幹部職以外の官職への昇任、降任、転任

幹部職員の幹部職以外の官職への昇任とは、例えば、本府省審議官から職制上の段階が本府省局長相当の大規模管区機関の長等への昇任をいい、幹部職以外の官職への降任とは、例えば、本府省審議官から本府省課長相当以下の官職への降任などをいう。また、幹部職以外の官職への転任とは、例えば、本府省審議官から管区機関の長等への転任をいう。

(3)　幹部職員の退職（政令で定めるものに限る。）、免職

退職とは、失職の場合及び懲戒免職の場合を除いて、職員が離職することをいい、免職とは、職員をその意に反して退職させること（分限免職）をいう（人規八―一二　四）。したがって、退職には、免職も含まれることになるが、本法第六一条と同様、免職については重複して規定している。

退職には、（分限）免職のほか、辞職、死亡、定年退職、任期満了又は期限到来による当然退職、立候補のための公務員の退職（公選法九〇）などが含まれる。しかしながら、本項では、客観的な事由による退職等については、任免協議の対象とする必要がないことから、協議の対象となる退職は、政令で定めるものに限ることとし、具体的には、職員からの申出による退職、すなわち辞職に限定されている（幹部職員の任用等に関する政令七）。

また、免職は、先に述べたとおり、分限免職のことをいい、懲戒免職は含まれない。これは、幹部職員の任免協議は縦割り行政の弊害排除等を目指して行うものであり、非違行為を理由とした懲戒免職の場合まで対象とする必要性が認められないからである。

2　内閣総理大臣又は内閣官房長官の側から任免協議を求める場合（第四項）

前述の**1**の場合とは逆に、内閣総理大臣及び内閣官房長官は、幹部職員について適切な人事管理を確保するために必要があると認めるときは、任命権者に対し、幹部職員の昇任、降任、転任、退職及び免職について協議を求めることができると

されている。協議の対象は、1とは異なり、あくまで現に幹部職を占めている職員に限られている。これは、本項が、任用後に不適格と認められたような場合に、内閣総理大臣及び内閣官房長官が当該幹部職員を官職から外すことを求めることができるようにすることを目的に設けられたことによるものである。したがって、例えば、本府省審議官を他の審議官級幹部職あるいは幹部職以外の管区機関の長などに転任させることを求めることはできるが、欠員となっている審議官ポストに本府省の課長の昇任を求めることは本項に基づく任免協議の求めの対象にはならないこととなる。

二　任免協議の内容・効果

内閣総理大臣及び内閣官房長官は、各任命権者が作成した人事案について、その考えを確認するとともに、政策推進上、最適なものとなっているのか、政府全体の人事方針との整合性等の観点から、協議に臨むこととなる。

一般に法令用語において、協議とは、対等の官庁の間で、合意を目指して意を尽くして相談することをいい、必ずしも協議先の同意を得ることが求められていない用例もあるところである。本条は、協議が調わない場合には、任免を行うことができないことを明らかにするため、第一項では「当該協議に基づいて行うものとする。」、第四項では「協議が調つたときは、任命権者は、当該協議に基づいて昇任等を行うものとする。」と規定している。

三　任免協議の特例

本条第二項では、災害その他緊急やむを得ない理由により、あらかじめ内閣総理大臣及び内閣官房長官に協議する時間的余裕がないときは、任命権者は、協議を行うことなく、幹部職員の採用等を行うことができることを規定している。この要件の該当性は、一義的には各任命権者において判断することになるが、幹部職員人事の一元管理の趣旨からすると、例えば、大災害等が発生し、至急幹部職員を補充する必要が生じたが、内閣総理大臣等との協議を行う時間的余裕がない場合など、真に必要な場合に限られる必要があろう。いずれにせよ、この特例により、採用等を行うことができる候補者は、あくまで幹部候補者名簿に登載された者である必要があるのはいうまでもない。なお、幹部候補者名簿への登載については本項のような特例は設けられていない。

本条第三項では、第二項により、協議を経ずに行った幹部職員の採用等について、事後に、遅滞なく、内閣総理大臣及び内閣官房長官と協議しなければならず、当該協議に基づいて、必要な措置を講じなければならないとされている。任免が適当とされた場合には、特段の措置は不要であるが、不適当とされた場合には、当該幹部職に就いた職員を他の官職に異動させるなどの措置が必要となる。ただ、当初の任免に直ちに瑕疵があるわけではなく、当該任免が取消し又は無効となるものではなく、当初の任免を基礎とした上で任命権者は新たな任用行為を行うこととなる。その場合、当該職員を他の幹部職に異動させることも、適材適所の人事配置である限りにおいては、可能であるといえよう。

（管理職への任用に関する運用の管理）

第六十一条の五　任命権者は、政令で定めるところにより、定期的に、及び内閣総理大臣の求めがある場合には随時、管理職への任用の状況を内閣総理大臣に報告するものとする。

② 内閣総理大臣は、第五十四条第二項第四号の基準に照らして必要があると認める場合には、任命権者に対し、管理職への任用に関する運用の改善その他の必要な措置をとることを求めることができる。

〔趣　旨〕

本条は、国家公務員制度改革基本法で、内閣官房において管理職員の任用に関する運用の管理等を行うことが規定されていることを踏まえ（同法五4⑤）、任命権者による管理職への任用について、その状況の内閣総理大臣に対する報告及び内閣総理大臣による任命権者に対する運用の改善等の措置を求めることができることを定めている。

なお、本条及び次条は、本款の他の規定と異なり、本府省の課長、室長等の管理職員に関する規定である。

〔解　釈〕

本条第一項で、任命権者は、定期的に、及び随時に内閣総理大臣に管理職への任用の状況を報告しなければならない旨定めているのは、内閣総理大臣が、各任命権者が行う管理職への任用に関して、「運用の改善その他の必要な措置」を的確に行うためには、各府省における任用状況を適切に把握しておく必要があるためである。具体的には、幹部職員の任用等に関する政令第九条第一項で、「定期的な報告は、内閣総理大臣が定める事項について、毎年一回行うものとする。」とされている。

本条第二項の「第五十四条第二項第四号の基準」とは、採用昇任等基本方針（閣議決定）において定められる管理職への任用に関する基準その他の指針をいう。

（任命権者を異にする管理職への任用に係る調整）

第六十一条の六　内閣総理大臣は、任命権者を異にする管理職（自衛隊法第三十条の二第一項第七号に規定する管理職を含む。）への任用の円滑な実施に資するよう、任命権者に対する情報提供、任命権者相互間の情報交換の促進その他の必要な調整を行うものとする。

〔趣　旨〕

本条は、国家公務員制度改革基本法で、内閣官房において府省横断的な配置換に係る調整を行うことが規定されていることを踏まえ（同法五4⑥）、任命権者を異にする管理職への任用の円滑な実施に資するよう、任命権者に対する情報提供や任命権者相互間の情報交換の促進等の必要な調整を行うことを定めている。

〔解　釈〕

中央人事行政機関たる内閣総理大臣は、各行政機関が行う人事管理についてその統一保持上必要な総合調整権限を有しており（法一八の二2）、従前より、情報提供や情報交換の促進等の調整を行うことは、可能であった。実際、「省庁間人事交流の推進について」（平六・一二・二二閣議決定）に基づき、将来の行政の中核的要員と見込まれる職員や幹部職員についての人事交流の推進がなされるとともに、実施状況のフォローアップ等は内閣官房及び総務省において行われてきていた。本条は、平成二六年の改正を契機として、前述の国家公務員制度改革基本法の趣旨を踏まえ、管理職員についても政府全体での適材適所の人事に資するよう、個別具体的に規定したものである。

なお、本条は、第六一条の二の場合と同様、特別職である防衛省の内部部局の課長等（管理職）にも適用となるものである。

（人事に関する情報の管理）

第六十一条の七　内閣総理大臣は、この款及び次款の規定の円滑な運用を図るため、内閣府、デジタル庁、各省その他の機関に対し、政令で定めるところにより、当該機関の幹部職員、管理職員、第六十一条の九第二項第二号に規定する課程対象者その他これらに準ずる職員として政令で定めるものの人事に関する情報の提供を求めることができる。

② 内閣総理大臣は、政令で定めるところにより、前項の規定により提出された情報を適正に管理するものとする。

〔趣　旨〕

本条は、国家公務員制度改革基本法で、内閣官房において幹部職員、管理職員及び幹部候補育成課程対象者等の人事に関する情報の管理を行うことが規定されていることを踏まえ（同法五4⑨）、内閣総理大臣は、各府省等、すなわち任命権者に対して幹部職員等の人事情報の提供を求めることができることなどを定めている。

〔解　釈〕

本条第一項に基づき人事情報の管理の対象となる職員は、幹部職員、管理職員のほか、「第六十一条の九第二項第二号に規定する課程対象者」すなわち幹部候補育成課程対象者に加えて、「これらに準ずる職員として政令で定めるもの」である。「これらに準ずる職員として政令で定めるもの」について、幹部職員の任用等に関する政令では、①本府省の事務次官級、局長級、部長級、課長級及び室長級の職制上の段階又はこれらと同等の職制上の段階に属する官職を占める職員、②幹部候補者名簿に記載されている職員、及び③幹部職又は管理職に任用されたことがある職員、幹部候補育成課程対象者として選定されたことがある職員等を規定している（幹部職員の任命等に関する政令一〇2）。

○幹部職員の任用等に関する政令（平二六・五・二九政令一九一）

（人事に関する情報の管理）

第十条　（略）

2　法第六十一条の七第一項の政令で定める職員は、幹部職員、管理職員及び課程対象者以外の職員であって、次に掲げるものとする。

一　標準的な官職を定める政令本則の表一の項第二欄第一号に掲げる部局若しくは機関等に存する同項第三欄第一号から第五号までに掲げる職制上の段階又はこれらと同等の職制上の段階に属する官職を占める職員
二　前号に掲げる職員のほか、幹部候補者名簿に記載されている職員
三　前二号に掲げる職員のほか、幹部職又は管理職に任用されたことがある職員、課程対象者として選定されたことがある職員その他幹部職員、管理職員又は課程対象者に準ずる職員として内閣総理大臣が定めるもの
３・４　（略）

このように、対象となる職員が相当数にのぼるため、本条においては、これら職員の全てについて人事記録等の情報を内閣総理大臣に提出することを義務付けるのではなく、内閣総理大臣は、あくまで、「この款及び次款」、すなわち幹部職員の任用等に係る特例及び幹部候補育成課程の規定の円滑な運用を図るために必要な範囲で、各府省等に対して、人事情報の提供を求めることができるとするものである。「人事に関する情報」とは、具体的には、例えば、人事記録（法一九）のほか、人事評価の記録（人事記録の記載事項等に関する内閣官房令四）などの情報が挙げられよう。なお、本項において、情報提供を求める対象が、各府省等（「内閣府、デジタル庁、各省その他の機関」）と規定されているのは、本法上の人事記録に関する規定振りにそろえたものであり（法一九2）、任命権者と同義である（人事記録の記載事項等に関する政令一、三）。

各府省等から提出された人事情報は、個人情報であり、内閣人事局において、行政機関の保有する個人情報の保護に関する法律等に則り適正に管理されるのは当然であり、本条第二項は、その旨確認的に規定している。

（特殊性を有する幹部職等の特例）

第六十一条の八　法律の規定に基づき内閣に置かれる機関（内閣法制局、内閣府及びデジタル庁を除く。以下この項において「内閣の直属機関」という。）、人事院、検察庁及び会計検査院の官職（当該官職が内閣の直属機関に属するものであつて、その任命権者が内閣の委任を受けて任命権を行う者であるものを除く。）については、第六十一条の二から第六十一条の五までの規定は適用せず、第五十七条、第五十八条及び前条第一項の規定の適用については、第五十七条中「採用（職員の幹部職への任命に該当するものを除く。）」とあるのは「採用」と、第五十八条第一項中「転任（職員の幹部職への任命に該当するものを除く。）」とあるのは「転任」と、同条第二項中「降任させ

る場合（職員の幹部職への任命に該当する場合を除く。）」とあるのは「降任させる場合」と、同条第三項中「転任（職員の幹部職への任命に該当するものを除く。）」とあるのは「転任」と、前条第一項中「、政令」とあるのは「、当該機関の職員が適格性審査を受ける場合その他の必要がある場合として政令で定める場合に限り、政令」とする。

② 警察庁の官職については、第六十一条の二、第六十一条の三、第六十一条の四第四項及び第六十一条の五の規定は適用せず、第五十七条、第五十八条、第六十一条の四第一項から第三項まで及び前条第一項の規定の適用については、第五十七条中「採用（職員の幹部職への任命に該当するものを除く。）」とあるのは「採用」と、第五十八条第一項中「転任（職員の幹部職への任命に該当するものを除く。）」とあるのは「転任」と、同条第二項中「降任させる場合（職員の幹部職への任命に該当する場合を除く。）」とあるのは「降任させる場合」と、同条第三項中「転任（職員の幹部職への任命に該当するものを除く。）」とあるのは「転任」と、第六十一条の四第一項中「に協議した上で、当該協議に基づいて行う」とあるのは「（任命権者が警察庁長官である場合にあつては、国家公安委員会を通じて内閣総理大臣及び内閣官房長官）に通知するものとする。この場合において、内閣総理大臣及び内閣官房長官は、任命権者（任命権者が警察庁長官である場合にあつては、国家公安委員会を通じて任命権者）に対し、当該幹部職に係る標準職務遂行能力を有しているか否かの観点から意見を述べることができる」と、同条第二項中「に協議する」とあるのは「（任命権者が警察庁長官である場合にあつては、国家公安委員会を通じて内閣総理大臣及び内閣官房長官）に通知する」と、「当該協議」とあるのは「当該通知」と、同条第三項中「内閣総理大臣及び内閣官房長官に通知するとともに、遅滞なく」とあるのは「遅滞なく」と、「に協議し、当該協議に基づいて必要な措置を講じなければならない」とあるのは「（任命権者が警察庁長官である場合にあつては、国家公安委員会を通じて内閣総理大臣及び内閣官房長官）に通知しなければならない。この場合において、内閣総理大臣及び内閣官房長官は、任命権者（任命権者が警察庁長官である場合にあつては、国家公安委員会を通じて任命権者）に対し、当該幹部職に係る標準職務遂行能力を有しているか否かの観点から意見を述べることができるものとする」と、前条第一項中「、政令」とあるのは「、当該機関の職員が適格性審査を受ける場合その他の必要がある場合として政

令で定める場合に限り、政令」とする。

③　内閣法制局、宮内庁、外局として置かれる委員会（政令で定めるものを除く。）及び国家行政組織法第七条第五項に規定する実施庁の幹部職（これらの機関の長を除く。）については、第六十一条の四第四項の規定は適用せず、同条第一項及び第三項の規定の適用については、同条第一項中「内閣総理大臣」とあるのは「任命権者の属する機関に係る事項についての内閣法（昭和二十二年法律第五号）にいう主任の大臣（第三項において単に「主任の大臣」という。）を通じて内閣総理大臣」と、同条第三項中「内閣総理大臣」とあるのは「主任の大臣を通じて内閣総理大臣」とする。

〔趣　旨〕

本条は、内閣からの独立性や政治的中立性が強く求められることなど、職務の特殊性により、本款が規定する幹部職員人事の一元管理をはじめとする幹部職員や管理職についての任用等に係る特例を一律的に適用することが適当でないと認められる行政機関の官職について、必要な適用除外等の特例を規定するものである。

〔解　釈〕

一　内閣の直属の機関、人事院、検察庁及び会計検査院の官職に関する特例（第一項）

1　特例の対象となる官職及び特例を設ける理由

(一)　内閣の直属の機関の官職

内閣の直属の機関（法律の規定に基づき内閣に置かれる機関（内閣法制局、内閣府及びデジタル庁を除く。復興庁が廃止されるまでの間は、復興庁も除かれる（復興庁設置法附則三）。））とは、内閣官房のほか、内閣の直属の各本部等がこれに当たる。これら機関の幹部職の任命権は、本法第五五条に基づき既に内閣にあるため、改めて一元的管理の仕組みの対象とする必要がないことから、本項により特例が設けられている。しかしながら、本来の任命権者が内閣であっても、「その任命権者が内閣の委任を受けて任命権を行う者」である場合、すなわち任命権が内閣から内閣総理大臣等に委任されているような場合（法五五２括弧書）には、内閣による一元的管理がなされているとはいえないことから、特例の対象から除外されており、令和五年四月現在において、内閣の直属の機関の官職で本項による特例の対象となっているものはない。

ちなみに、内閣法制局、内閣府及びデジタル庁の官職については、法律上、任命権者が、それぞれ内閣法制局長官及び内閣総理大臣と定められているため（内閣法制局設置法二、法五五１）、本項上も特例の対象外であることを明定している（復興庁の官職についても、任命権者は内閣総理大臣であり、特例の対象外となっている。）。

㈡　人事院の官職

人事院は、憲法第一五条ないし第二八条を淵源に、人事行政の公正確保及び労働基本権制約の代償を担う、中立第三者機関として内閣の所轄の下に置かれる機関であり、その業務遂行及び内部機構の管理等に当たって高い独立性が本法上保障されており、幹部職員人事の一元管理に関する規定を適用することは、その機能の発揮を阻害するおそれがあるため、本項により特例が設けられている。

㈢　検察庁の官職

検察庁は、公訴の提起をはじめとする公益の代表者として検察官が行う事務を統括するところであり（検察庁法一、四）、検察官が公正な職務を遂行できるよう、法務大臣の指揮監督は一般的なものにとどめられているほか（同法一四）、検察官には種々の身分保障の規定が設けられている（同法二三、二四、二五）。このような検察庁の官職について、幹部職員人事の一元管理に関する規定を適用することは、適当でないと考えられるため、本項により特例が設けられている。

ちなみに、検察庁は本府省内部部局以外の特別の機関であるが、最高検察庁の官職については本法第三四条の幹部職にあたるものとされている（幹部職員の任用等に関する政令二１⑮）。

㈣　会計検査院の官職

憲法上の機関である会計検査院は、内閣に対する独立性を有し、その業務遂行及び内部機構の管理等に当たって高い独立性が法律上認められている行政機関であるため、本項により幹部職員人事の一元管理に関する規定の特例が設けられている。

２　特例の内容

本項は、第二項及び第三項と比べて、官職の特殊性が最も大きいため、本款において適用除外する規定の範囲も最も多い。

特例の具体的内容は、次のとおりである。

① 第六一条の二から第六一条の五までの幹部職員人事の一元管理等に関する各規定（適格性審査及び幹部候補者名簿、幹部候補者名簿に記載されている者の中からの任用、内閣総理大臣及び内閣官房長官との協議に基づく任用等、管理職への任用に関する運用の管理）を適用しない（なお、本項の各機関の任命権者が、所属の職員を他府省の幹部職の候補者とするため、内閣総理大臣に推薦することは可能である（第六一条の二〔解釈〕一2参照。）。

② 幹部職への任用については、適格性審査等の規定の適用を受けるため、第四款（任用）の第五七条（選考による採用）及び第五八条（昇任、降任及び転任）の各規定は適用除外されるのが原則であるが、本項の各機関については、幹部職であっても、①のとおり、適格性審査等の規定の適用がないため、第五七条及び第五八条が適用されるよう、読替規定を設けている。

③ 第六一条の七（人事に関する情報の管理）については、本項の各機関の職員が他の行政機関の幹部職員となろうとする場合には、幹部職員人事の一元管理等に関する各規定が適用されるため、「当該機関の職員が適格性審査を受ける場合その他の必要がある場合として政令で定める場合に限り」適用となり、内閣総理大臣は、本項の各機関に対して人事情報の提供を求めることができる。

④ なお、第六一条の六（任命権者を異にする管理職への任用に係る調整）は、本項の各機関についても、特例はなく、そのまま適用となる。

二　警察庁の官職に関する特例（第二項）

1　特例の対象となる官職及び特例を設ける理由

本項の特例は、内閣府の外局である国家公安委員会の特別の機関である警察庁の官職が対象となり、国家公務員であるが都道府県警察に勤務する職員（警視総監、府県警察本部長等の地方警務官）の官職は、そもそも本法第三四条第一項の幹部職、管理職には当たらないため、対象とならない。

国家公安委員会は、内閣に対して業務遂行上の独立性を有するものであり、加えて、警察庁は、「国家公安委員会の管理の下に」事務をつかさどるとされ（警察法一七）、国家公安委員会からの個別の指揮監督も受けないなど政治的中立性の確保に配慮した組織構成となっており、幹部職員人事の一元管理に関する規定をそのまま適用することは、公正中立な警察行政の遂行に支障を生ぜしむるおそれがあるため、本項により特例が設けられている。

2　特例の内容

本項の警察庁の官職については、第一項に準じた特例が設けられており、具体的には次のとおりである。

① 第六一条の二（適格性審査及び幹部候補者名簿）、第六一条の三（幹部候補者名簿に記載されている者の中からの任用）及び第六一条の五（管理職への任用に関する運用の管理）の規定は適用しない（なお、第一項の各機関と同様、他府省の幹部職の候補者とするため、内閣総理大臣に推薦することは可能である。）。

② 第四款（任用）の第五七条（選考による採用）及び第五八条（昇任、降任及び転任）の各規定は、第一項の内閣の直属の機関、人事院等の場合と同様に、幹部職であっても、適格性審査等の規定に代わって第五七条及び第五八条が適用されるよう、読替規定を設けている。

③ 第六一条の四（内閣総理大臣及び内閣官房長官との協議に基づく任用等）の規定については、まず、内閣総理大臣及び内閣官房長官の側から任命権者に対して協議を求めることができる旨の第四項の規定は適用せず、また、任命権者からの内閣総理大臣及び内閣官房長官に対する協議に関する第一項から第三項までの規定は、協議に代えて、通知することとし、これに対して、内閣総理大臣及び内閣官房長官は、標準職務遂行能力を有しているか否かの観点から意見を述べることができるよう、読替規定を設けている。

（参考）読替後の第六一条の四

① 任命権者は、職員の選考による採用、昇任、降任及び転任であつて幹部職への任命に該当するもの、幹部職員の幹部職以外の官職への昇任、降任及び転任（第八十一条の二第一項の規定による降任及び転任を除く。）並びに幹部職員の退職（政令で定めるものに限る。第四項において同じ。）及び免職（次項及び第三項において「採用等」という。）を行う場合には、政令で定めるところにより、あらかじめ内閣総理大臣及び内閣官房長官（任命権者が警察庁長官である場合にあつては、国家公安委員会を通じて内閣総理大臣及び内閣官房長官）に通知するものとする。この場合において、内閣総理大臣及び内閣官房長官は、任命権者（任命権者が警察庁長官である場合にあつては、国家公安委員会を通じて任命権者）に対し、当該幹部職に係る標準職務遂行能力を有しているか否かの

観点から意見を述べることができるものとする。
②　前項の場合において、災害その他緊急やむを得ない理由により、あらかじめ内閣総理大臣及び内閣官房長官（任命権者が警察庁長官である場合にあつては、国家公安委員会を通じて内閣総理大臣及び内閣官房長官）に通知する時間的余裕がないときは、任命権者は、同項の規定にかかわらず、当該通知を行うことなく、職員の採用等を行うことができる。
③　任命権者は、前項の規定により職員の採用等を行つた場合には、遅滞なく、当該採用等について、政令で定めるところにより、内閣総理大臣及び内閣官房長官（任命権者が警察庁長官である場合にあつては、国家公安委員会を通じて内閣総理大臣及び内閣官房長官）に通知しなければならない。この場合において、内閣総理大臣及び内閣官房長官は、任命権者（任命権者が警察庁長官である場合にあつては、国家公安委員会を通じて任命権者）に対し、当該幹部職に係る標準職務遂行能力を有しているか否かの観点から意見を述べることができるものとする。

④　第六一条の七（人事に関する情報の管理）についても、第一項の内閣の直属の機関、人事院等の場合と同様に、他の行政機関の幹部職員となろうとする場合には、幹部職員人事の一元管理等に関する各規定が適用されるため、「当該機関の職員が適格性審査を受ける場合その他の必要がある場合として政令で定める場合に限り」適用となり、内閣総理大臣は、警察庁に対して人事情報の提供を求めることができる。
⑤　なお、第六一条の六（任命権者を異にする管理職への任用に係る調整）は、第一項の機関と同様、そのまま適用となる。

三　内閣法制局、宮内庁、独立行政委員会及び実施庁の幹部職に関する特例（第三項）

1　特例の対象となる官職及び特例を設ける理由

①内閣法制局、②宮内庁、③各府省の外局として置かれる行政委員会、公正取引委員会などいわゆる独立行政委員会、④各省の外局として置かれる庁であって主として政策の実施に係るもの、いわゆる実施庁（公安調査庁、国税庁、特許庁、気象庁、海上保安庁）については、一定の職務遂行上の独立性が認められているため、任命権が大臣に属するこれら機関の長以外について、幹部職員人事の一元管理について若干の特例が設けられている。

なお、③の独立行政委員会の幹部職であっても、任命権が大臣に属する場合には、特例を設ける必要性に乏しいため、政令で特例対象から除かれている（例、中央労働委員会の事務局長等（労組法一九の一一1））（幹部職員の任用等に関する政令一一）。

２　特例の内容

本項の各機関の官職については、第一項や第二項の機関と比べて、業務遂行上の独立性など特例を必要とする官職の特殊性が少ないため、適格性審査及び幹部候補者名簿、幹部候補者名簿に記載されている者の中からの任用などの規定や管理職に関する規定は、適用となり、特例は、次のような事項に限られる。

① 第六一条の四（内閣総理大臣及び内閣官房長官との協議に基づく任用等）のうち、内閣総理大臣及び内閣官房長官の側から任命権者に対して協議を求めることができる旨の第四項の規定は適用しない。

② 同条のうち、任命権者からの内閣総理大臣及び内閣官房長官に対する協議に関する第一項及び第三項の規定は、任命権者が、「任命権者の属する機関に係る事項についての内閣法にいう主任の大臣を通じて」行うという技術的な読替規定を設けている。

第七款　幹部候補育成課程

（運用の基準）

第六十一条の九　内閣総理大臣、各省大臣（自衛隊法第三十一条第一項の規定により自衛隊員の任免について権限を有する防衛大臣を含む。）、会計検査院長、人事院総裁その他機関の長であつて政令で定めるもの（以下この条及び次条において「各大臣等」という。）は、幹部職員の候補となり得る管理職員（同法第三十条の二第一項第七号に規定する管理隊員を含む。次項において同じ。）としてその職責を担うにふさわしい能力及び経験を有する職員（自衛隊員（自衛官を除く。）を含む。同項において同じ。）を育成するための課程（以下「幹部候補育成課程」という。）を設け、内閣総理大臣の定める基準に従い、運用するものとする。

② 前項の基準においては、次に掲げる事項を定めるものとする。

一　各大臣等が、その職員であつて、採用後、一定期間勤務した経験を有するものの中から、本人の希望及び人事評価（自衛隊法第三十一条第二項に規定する人事評価を含む。次号において同じ。）に基づいて、幹部候補育成課程における育成の対象となるべき者を随時選定すること。
二　各大臣等が、前号の規定により選定した者（以下「課程対象者」という。）について、人事評価に基づいて、引き続き課程対象者とするかどうかを定期的に判定すること。
三　各大臣等が、課程対象者に対し、管理職員に求められる政策の企画立案及び業務の管理に係る能力の育成を目的とした研修（政府全体を通ずるものを除く。）を実施すること。
四　各大臣等が、課程対象者に対し、管理職員に求められる政策の企画立案及び業務の管理に係る能力の育成を目的とした研修であつて、政府全体を通ずるものとして内閣総理大臣が企画立案し、実施するものを受講させること。
五　各大臣等が、課程対象者に対し、国の複数の行政機関又は国以外の法人において勤務させることにより、多様な勤務を経験する機会を付与すること。
六　第三号の研修の実施及び前号の機会の付与に当たつては、次に掲げる事項を行うよう努めること。
イ　民間企業その他の法人における勤務の機会を付与すること。
ロ　国際機関、在外公館その他の外国に所在する機関における勤務又は海外への留学の機会を付与すること。
ハ　所掌事務に係る専門性の向上を目的とした研修を実施し、又はその向上に資する勤務の機会を付与すること。
七　前各号に掲げるもののほか、幹部候補育成課程に関する政府全体としての統一性を確保するために必要な事項

〔趣　旨〕
本款は、幹部候補育成課程について定めている。幹部候補育成課程は、国家公務員制度改革基本法を踏まえ、将来において幹部職員の候補となり得る人材の育成に資するよう、管理職員としてその職責を担うにふさわしい能力及び経験を有する職員を、政府全体として、総合的かつ計画的に育成するために設けられるものとされている。

国家公務員制度改革基本法第六条第三項では、幹部候補育成課程について、次のように定めている。

○国家公務員制度改革基本法（平二〇・六・一三法六八）

（多様な人材の登用等）

第六条

3　政府は、次に定めるところにより、管理職員としてその職責を担うにふさわしい能力及び経験を有する職員を総合的かつ計画的に育成するための仕組み（以下「幹部候補育成課程」という。）を整備するものとする。この場合において、幹部候補育成課程における育成の対象となる者（以下「課程対象者」という。）であること又は課程対象者であったことによって、管理職員への任用が保証されるものとしてはならず、職員の採用後の任用は、人事評価に基づいて適切に行われなければならない。

一　課程対象者の選定については、採用後、一定期間の勤務経験を経た職員の中から、本人の希望及び人事評価に基づいて随時行うものとすること。

二　課程対象者については、人事評価に基づいて、引き続き課程対象者とするかどうかを定期的に判定するものとすること。

三　管理職員に求められる政策の企画立案及び業務の管理に係る能力の育成を目的とした研修を行うものとすること。

四　国の複数の行政機関又は国以外の法人において勤務させることにより、多様な勤務を経験する機会を付与するものとすること。

この規定は、平成一九年に採用から退職までの公務員の人事制度全般の課題について総合的・整合的な検討を行うため内閣総理大臣の下に開催された「公務員制度の総合的な改革に関する懇談会」（岡村正会長）の報告書（平成二〇年二月）において、幹部候補を総合的計画的に育成する人事・選抜制度（幹部候補育成課程（仮称））を導入する、とされたことを受けたものである。

平成一九年の本法改正により、本法第二七条の二（人事管理の原則）が定められたのは、従来の国家公務員の昇進管理が、採用試験の種類によって固定的に行われているという批判に応えるためのものであった。同条の定めにより、人事評価に基づいた昇進管理を行うことという方針は示されたが、管理職員・幹部職員の育成選抜を実際にどうすればよいかについては、具体的な制度は示されていなかった。平成二六年の本法改正の際に、本条が設けられたことによって、新しい幹部候補育成の仕組みが示されることとなった。幹部候補育成課程の対象となった者は、採用試験の種類に関係なく、皆同じスタートに立ち、育成課程の課程を終了することで幹部職員の候補となり得る管理職員として必要な能力を身に付けることになるとされている。従来は、管理職選抜の方法として、地方自治体の一部で行われている管理職昇任試験を行う方法と国家公務員で行われてきた採用試験別人事管理（いわゆるキャリア制度）が対立的にとらえられてきたが、本条の育成課程方式は、対象者をどのように定めるかによって、前者に近い運用も可能になるし、事実上後者と同様の運用となることもあり得ると考えられるところであり、実態をみていく必要がある。

〔解　釈〕

一　幹部候補育成課程の内容及び実施主体

幹部候補育成課程とは、将来において幹部職員の候補となり得る人材の養成に資するため、各府省が、本人の希望及び人事評価に基づき課長補佐級以下の職員を随時選定し、管理職員としての職責を担うにふさわしい能力及び経験を有する職員となるよう、総合的かつ計画的に育成するために設ける人材育成コースを指す。コースに含まれる内容は、府省ごとに定められるが、概ね、比較的若い段階から、他府省等国の複数の行政機関、民間企業を含めた国以外の法人における勤務、国際機関、在外公館その他の外国に所在する機関における勤務などの多様な職務経験、国内外への留学の機会を集中的に付与することなどにより、職務の遂行に必要な幅広い視野、高い専門性や、マネジメント能力等を身に付けさせることを内容とするものである。

このように、幹部候補育成課程は、課程対象者に対して重点的な育成を行おうとするものであるが、育成課程の対象者であること又はあったことそれ自体を以て昇進の対象としてはならず、あくまでも昇進は、その者の人事評価に基づいて行わなければならないこととされている（法二七の二）。

幹部候補育成課程の実施主体は、各大臣等である。実施主体を大臣等としているのは、各府省における採用及びその後の人材育成が府省単位で行われていることに着目したことによるもので、これには、会計検査院長、人事院総裁なども含まれる。幹部候補育成課程は、原則として各府省に置かれる外局の職員を含めたその府省の職員を対象に選定し実施される。ただし、外局であっても、内閣府の外局のように独立した人事計画、人材育成の方針に基づき、採用、育成等を行っているものについては、本府省とは別に幹部候補育成課程を設けることとされている。外局の長のうち独自の幹部候補育成課程を設けるものとして、幹部職員の任用等に関する政令では、宮内庁長官、公正取引委員会委員長、警察庁長官、カジノ管理委員会委員長、金融庁長官、消費者庁長官及びこども家庭庁長官を規定している。

○幹部職員の任用等に関する政令（平二六・五・二九政令一九一）
（政令で定める機関の長）
第十三条　法第六十一条の九第一項の政令で定める機関の長は、次のとおりとする。
一　宮内庁長官
二　公正取引委員会委員長
三　警察庁長官
四　カジノ管理委員会委員長
五　金融庁長官
六　消費者庁長官
七　こども家庭庁長官

また、内閣総理大臣が定める幹部候補育成課程に係る基準は、防衛省職員については、一般職職員、特別職職員双方に適用されることから、本条においては、特別職である防衛省職員のための幹部候補育成課程を含めて規定している。

各大臣等は、幹部候補育成課程の実施に関する規程（実施規程）を定め、各府省等における課程を運用するものとされている。

二　幹部候補育成課程の対象者

幹部候補育成課程における育成の対象者は、「採用後、一定期間勤務した経験を有するものの中から……選定する」（法六一の九2①）とされており、「幹部職員の候補となり得る管理職員……を育成するための課程」（法六一の九1）であることから、採用後一定の年数を勤務した後から管理職員に昇任する前までの期間にある職員である。後述三に述べる内閣総理大臣の定める基準においては、選定の基準として、①採用後、三年以上勤務しており、かつ、勤務している期間が一〇年を下回らない範囲で各大臣等が実施規程に定める年数を超えていないこと、②課程における育成の対象となることを希望していること、③人事評価の評語が一定以上であること、が定められている。また、課程の期間は、標準的には、選定から一五年程度とし、具体的には、各大臣等が各府省等における任用の実情等を踏まえ、実施規程において定めることとされている。

三　内閣総理大臣の定める基準

幹部候補育成課程においては、各大臣等の任命権者が、幹部職員の候補となり得る管理職員をそれぞれの方法で育成していくことが予定されているが、その目的に照らし、その運用に当たっては、幹部職員の適格性審査や、管理職員を任用する場合の選考に関する統一的な基準等との整合性がとられることが必要である。このため、これらに関して権限を有する内閣総理大臣が、幹部候補育成課程に関する統一的な基準を作成することとされている。

各大臣等は、この内閣総理大臣が定める基準に従い、自府省における、幹部候補育成課程を運用しなければならないとされている。

本条第二項においては、内閣総理大臣が定める基準の内容が列挙されている。

1　課程対象者の選定と定期的な見直し

課程対象者の選定は、各大臣等が、採用後一定期間勤務した経験を有する職員の中から、本人の希望及び人事評価に基づいて随時行うこととされている（法六一の九2①）。課程対象者の選定に当たっては、従来行われてきた人事慣行である、いわゆる「キャリアシステム」を打破するため、採用試験の種類にかかわらず、採用後の能力・実績に基づいて将来の幹部候補を選定することが重要視されている。また、一度幹部候補育成課程の対象者に選定された後、それが固定的になってはならないので、各大臣等は、幹部候補育成課程対象者に選定した者について、人事評価に基づき、引き続き育成対象者とするかどうかを定期的に判断することとされている（法六一の九2②）。

2　課程対象者に対する研修の実施

各大臣等は、課程対象者に対し、管理職員に求められる政策の企画立案及び業務の管理に係る能力の育成を目的とした研修を受講させることとされている。この研修は、各大臣等が、自府省の課程対象者に対して実施することになる（法六一の九2③）が、各大臣等が効率的な研修を行うため、人事院の行う行政研修によることも可能と考えられる。さらに、内閣総理大臣（内閣人事局）が、政府全体を通じるものとして、全府省の課程対象者に対して企画立案・実施するもの（法六一の九2④）もある。また、各大臣等は、課程対象者の研修の実施に当たって、所掌事務に係る専門性の向上を目的とした研修を実施するよう努めることとされている（法六一の九２⑥ハ）。

３　多様な勤務経験の機会の付与

各大臣等は、課程対象者に対し、国の複数の行政機関又は国以外の法人において勤務させることにより、多様な勤務を経験させる機会を付与することとされている（法六一の九２⑤）。また、民間企業や国際機関、在外公館等で勤務する機会を付与するとともに、留学の機会を付与するよう努めることとされている（法六一の九２⑥イ、ロ）。留学の機会には人事院が行っている海外派遣研修（長期在外研究員等）も含まれる。さらに、職員の専門性の向上に資する勤務の機会を付与するよう努めることとされている（法六一の九２⑥ハ）。

本条第一項に基づく幹部候補育成課程の運用の基準として、「幹部候補育成課程の運用の基準」（平二六内閣官房告示一）が定められた。この基準では、○運用全般に関する基準（本基準の趣旨、各大臣等の責務、実施規程の整備）、○課程対象者の選定の基準（選定の基準、希望表明の機会、課程対象者として選定した職員等への通知等、課程対象者の選定の規模）、○引き続き課程対象者とするかどうかの判定の基準（定期的な判定の基準、随時の判定に係る基準、引き続き課程対象者としないこととした職員等への通知等）、○課程の期間に関する基準（課程の期間に関する基準、課程を終了した職員等への通知）、○課程の内容に関する基準（課程対象者の配置に関する基本的な基準、多様な勤務を経験する機会等の付与に関する基準、地方での勤務を経験する機会等の付与、内閣総理大臣が実施する研修、各府省等が実施する研修、自己啓発機会の確保）、○基準の特例（経験者採用試験に合格し採用された職員等の選定の特例、中途採用職員及び相当の勤務経験を有する職員の育成の特例）、○その他（内閣総理大臣に対する報告等、課程の管理体制、育成記録、人事評価以外の能力の実証、経過措置等）の各項目が定められている。

（運用の管理）

第六十一条の十　各大臣等（会計検査院長及び人事院総裁を除く。次項において同じ。）は、政令で定めるところにより、定期的に、及び内閣総理大臣の求めがある場合には随時、幹部候補育成課程の運用の状況を内閣総理大臣に報告するものとする。

② 内閣総理大臣は、前条第一項の基準に照らして必要があると認める場合には、各大臣等に対し、幹部候補育成課程の運用の改善その他の必要な措置をとることを求めることができる。

〔趣　旨〕

幹部候補育成課程は、各大臣等が責任をもって運用するものであるが、その一方で、将来の幹部職員の候補となり得る人材の養成に資するものとして、政府全体で統一的に運用されなければならないことから、その状況を内閣総理大臣に報告させ、内閣総理大臣は必要に応じて改善その他の措置をとることを求めることができることとしている。

〔解　釈〕

各大臣等は、前条に定める内閣総理大臣が定める基準に従って幹部候補育成課程を運用しなければならない。そこで、適切な運用がなされているか否かを確認するため、各大臣等による同課程の運用状況を定期的に、及び内閣総理大臣の求めがある場合には随時、報告することを定めている。その報告内容等については、幹部職員の任用等に関する政令で、次のように規定されている。

○幹部職員の任用等に関する政令（平二六・五・二九政令一九一）

（運用の状況の報告）

第十四条　法第六十一条の十第一項の規定による定期的な報告は、毎年度、次に掲げる事項について行うものとする。

一　前年度における幹部候補育成課程における育成の対象となるべき者の選定の実施状況

二　前年度における課程対象者について引き続き課程対象者とするかどうかの判定の実施状況

三　前年度の末日において課程対象者としている者の状況

四　前年度における法第六十一条の九第二項第三号の研修の実施、同項第四号の研修の受講及び同項第五号の機会の付与の状況

五　前各号に掲げるもののほか、内閣総理大臣が必要と認める事項

2　各大臣等（会計検査院長及び人事院総裁を除く。）は、内閣総理大臣から幹部候補育成課程の運用の状況に関し法第六十一条の十第一項の規定により報告の求めがあったときは、内閣総理大臣が必要と認める事項を報告するものとする。

報告を聴取した結果、必要があると認められる場合には、内閣総理大臣は各大臣等に対して、運用の改善その他必要な措

置をとることを求めることができる。

なお、会計検査院長及び人事院総裁については、前条において幹部候補育成課程を設け、内閣総理大臣の定める基準に基づき運用することとされているが、その独立性に鑑み、本条に定める内閣総理大臣に対する報告及び内閣総理大臣による改善要求の対象からは除かれている。

（任命権者を異にする任用に係る調整）

第六十一条の十一　第六十一条の六の規定は、任命権者を異にする官職への課程対象者の任用について準用する。

〔趣　旨〕

課程対象者に対して多様な勤務経験を付与するため、府省横断的な異動を実施する必要があるが、その際、円滑な異動が可能となるよう、幹部候補育成課程に関して内閣総理大臣が、任命権者に対する情報提供、任命権者相互間の情報交換の促進等の必要な調整を行うこととしたものである。

〔解　釈〕

本法第六一条の六においては、内閣総理大臣は、任命権者を異にする管理職員への任命の円滑な実施に資するよう、任命権者に対する情報提供、任命権者相互間の情報交換の促進その他の必要な調整を行うものとされている。幹部候補育成課程の対象者に対しては、各大臣等が国の複数の行政機関等において勤務させることにより、多様な勤務を経験する機会を付与することとされているところ、当該規定を準用することで、各大臣等が府省横断的な異動を円滑に行えるよう、内閣総理大臣が任命権者に対する情報提供や、任命権者相互間の情報交換の促進等の必要な調整を行うことを明らかにしたものである。

第三節　給　与

（給与の根本基準）

第六十二条　職員の給与は、その官職の職務と責任に応じてこれをなす。

〔**趣　旨**〕

一　給与の意義

給与は、公務員にとってはもとより、使用者たる政府あるいは国民にとっても重要な意義を有するものである。

まず、給与の本質は、労基法における賃金が労働者の「労働の対償」であるのと同様、公務員の勤務に対する対価としての給付である。戦前の官吏は、天皇に対し忠実無定量の勤務を行う義務を負っており、俸給は、その勤務に対する対価というよりは、官吏の生活ないし体面維持を保障するための給付と観念されていた。戦後の公務員制度における給与は、戦前の官吏の俸給とは異なり、職員が提供した勤労の対価であることがその基本的な性格である。

また、給与は、勤務の対価であると同時に公務員がその生活を維持する原資でもある。第二次世界大戦後の生活難の時代には、職務の対価である俸給自体、生活給的な色彩が濃厚であったし、また、例えば扶養手当のように生活給的な給与が存在しているところである。

そこで職員の側から給与の意義をみれば、それは職員にとって最も重要な経済的な権利であるということができる。職員の経済的な権利としては、給与のほか、旅費、退職手当等があり、また、勤務時間や休日、休暇なども広義の経済的権利であるが、職員の経済生活を支える最大の要素が給与である以上、職員の給与に対する関心なり権利意識が最も高いことは当然であるといえよう。

　また、同じ意味で、給与は、職員の最も重要な勤務条件である。勤務条件とは、一般の労働関係法規における「労働条件」に相当するものであり、職員が国に対し勤務を提供するについて存する諸条件で、職員が自己の勤務を提供し、又はその提供を継続するかどうかの決心をするに当たり一般的に当然考慮の対象となるべき利害関係事項であるとされている（昭三三・七・三法制局一発一九）。勤務条件の決定の中で給与勧告に対して格別高い関心が示されるのは、勤務条件の中でも生活に直結している給与の重要性を示すものといえよう。

　次に、政府あるいは国民の側からみても、公務員の給与は大きな意義を持っている。

　第一に給与は、公務員を採用するための基本的な条件であり、それによって人材の確保に影響を及ぼし、ひいては行政サービスの質を左右することになるものである。

　第二に、公務員の給与は財政と重要な関わりを持っている。令和四年度の一般会計当初予算において、職員給与費の予算総額に占める割合は、三・五パーセント（約三兆八千億円）であり、また、職員の給与の内容は、義務教育職員、更には社会福祉関係の措置費（人件費）などにも実質的に影響するため、国家財政にとって給与費は重大な関心事項とならざるを得ない。また、国民としても、納税者あるいは行政サービスを受ける者として、公務員給与が適正かどうかが重大な関心事であることは当然である。

　第三に、国家公務員の給与は、地方公務員の給与や独立行政法人等の公的法人、病院、教育機関、更には民間中小企業等の賃金にも直接、間接に影響を与えるものであり、それぞれの関係者に強い関心を持たれるほか、一般の国民経済、労働情勢等の見地からも、影響力のある問題であるといわなければならない。

二　職員給与の基本原則

　本法は、第二八条で給与を含む勤務条件について「情勢適応の原則」を定めているほか、この第三節「給与」で、職員給与に関し、「職務給の原則」（法六二）、「給与法定主義」（法六三）及び俸給決定の要素（法六四）を定めている。これらのうち、情勢適応の原則と俸給決定の要素は、相互に密接な関係にあり、後者を踏まえた上で、前者の運用も民間賃金準拠方式がとられているといえよう。

　ところで、地公法においても本法と同様に情勢適応の原則、職務給の原則、給与決定の要素及び条例主義が定められているが、労基法においては、賃金決定について公務員に関するような諸原則は定められておらず、専ら労使間の交渉による自主的決定に委ねられている。すなわち、公務員の給与決定は法治主義に基づくのに対し、民間賃金は私的自治に基づいて決定されるものである。

さて、給与を決定するための根本基準とされているのが職務給の原則である。この職務給の原則に相対するものとして、年功給、生活給、職能給などの属人給的な考え方がある。年功給は年齢や経験の観点から、生活給は職員の生活を保障するという観点から、職能給は職員の職務遂行能力の観点から、それぞれ給与を決定しようとするものである。職務給と属人給の二つの考えは実務においては必ずしも矛盾するものではなく、職務給原則によるといわれる欧米の賃金体系の下でも、長期勤続を前提とする公務員給与についてみると、年齢や経験に着目した昇給制度や職能に応じた昇格制度が採られている。我が国の現行制度も、職務給を原則としながら経験年数や生計費なども踏まえた俸給カーブが採られている。また、歴史的にみても、敗戦直後の経済の混乱期においては、まず衣食住の基本的な条件を整えることに精一杯の時代であったから、公務員の給与も生活給の要素が極めて濃厚であったが、その後の経済の発展に伴う給与水準の上昇に伴い、職務給の要素が強化されてきたという経緯がある。すなわち、給与法が制定された昭和二五年の俸給は、職務の級の別はあったものの全体として経験年数を基本とする通し号俸となっていたのであるが、昭和三二年の改正で、職階制の実施が困難な状況の下で、職務の種類や役職段階に応じて俸給表の種類及び等級構成が合理化され、各給与等級の職務と責任の基準となる級別標準職務と級別定数及び昇格等の基準とが示されることによって、等級と職務・職能と各人の俸給月額との結びつきが明確にされた。さらに昭和六〇年の改正で、職務の複雑・専門化、職務階級の分化等に対応して等級構成の再編整備等が行われた。平成に入り、俸給カーブのフラット化が進められ、平成一八年からの給与構造改革で各級の高位号俸の給与水準の抑制や各級間の給与水準の重なりの是正などが行われ、職務給の原則が強化された。また、平成二七年からの給与制度の総合的見直しで、五〇歳台後半層の給与水準の引下げを行う一方で、初任給に係る号俸等については引下げを行わないこととすることにより、世代間の給与配分の見直しが更に強化されて今日に至っている。

〔解　釈〕

一　職務給の原則

本条は、給与の根本基準として、職員の給与は、その官職の職務と責任に応じてこれをなすと定めている。これは、給与決定の根本基準として、職務給の原則を採ることを明らかにしたものである。

廃止前の旧職階法第三条によれば、「職務」とは、「職員に遂行すべきものとして割り当てられる仕事」であり、また、「責任」とは、「職員が職務を遂行し、又は職務の遂行を監督する義務」であると定義されていたが、本条においてもこれと同旨と解してよい。「職務と責任に応じて」とは、給与法第四条で、「その職務の複雑、困難及び責任の度に基き」と規定されているのと同旨である。すなわち、給与は、職務内容の複雑さの程度、難易の程度、責任の軽重を基本として決定すべきことを意味している。

平成一九年改正前においては、本条第二項として、職務給の原則の趣旨ができるだけ速やかに達成されなければならない旨が規定されていた。この規定は、昭和二三年改正の際に改められた後の規定であり、それ以前は「前項の規定の趣旨は、できるだけ速かに、且つ、現行制度に適当な考慮を払いつつ、可能な範囲において、達成せられるべきものとする。」と規定されていた。このいずれの規定も、職階制の早期実施を前提として、昭和二二、二三年当時の世相を反映したものであり、職務給の原則を建前とし、かつ、目標としながら、当面は生活給的な給与体系をとることもやむを得ないとしたものである。その後、職階制の実施が困難な状況の下で、前述のように昭和三一年七月の人事院勧告に基づく昭和三二年の給与法改正により、従来の通し号俸（年功給）による一五級制は職務に対応した八等級制に改められ、給与上の職務給原則は一応確立されることになった。さらに、昭和六〇年の給与法改正や平成一八年からの給与構造改革は、職務給の原則を一層推し進めることを目的とするものであった。職階制を廃止し、標準職務遂行能力制度を導入することとなった平成一九年の本法改正の際に、従前の本条第二項の規定は職階制の廃止に合わせて、大きな議論もなく削除された（職階制廃止については、第一条**〔趣旨〕**五6を参照）。

現行給与制度において職務給の原則を具体化するための基本となっているのが俸給である。給与法においては、俸給表は、まず、職務の種類に応じて一一種類一七表が定められ、また、それぞれの俸給表ごとに職務の複雑、困難及び責任の度（行政職俸給表㈠でみると概ね役職段階）に応じて職務の級が定められている。また、本法は、給与に関する法律には、初任給、昇給その他の俸給の決定の基準に関する事項を定めることとしているが（法六五1①）、その基準は、勤続期間、勤務能率その他勤務に関する諸要件を考慮して定められるものとされ（法六五2）、能力や経験も基準の中に盛り込まれることが要請されている。すなわち、俸給表の構造の中で職務の級ごとに定められている号俸は、昇給制度と結びつくことによって、経験によってより困難な業務を担当しているというだけでなく、経験によって能力が伸びるという能力給的要素や勤続とともに生計費が増加するという勤続給的な要素（いわば生活給的要素）にも対応している。

次に、諸手当の中でも、俸給の調整額、俸給の特別調整額、特殊勤務手当等も職務給の原則に従った給与であるが、諸手当の中には扶養手当、住居手当等のような生活給や地域手当等のような地域給も存在する。

このように、現行給与制度の中には各種の性格の給与が混在しているが、全体としては職務給が基準となっているといってよい。

二　給与の範囲

本法においては、「俸給」、「手当」などの用語が用いられているが、「給与」はこれらを含む概念である。

また、給与は、勤務の対価であるので、退職後の生活保障である退職年金あるいは恩給、使用者としての無過失賠償責任に基づいて支給される公務災害補償、実費弁償である旅費などは、給与には含まれない。さらに、民間の退職（一時）金は、一般に賃金の後払い的性格を持つものとされており、労基法上、労働協約、就業規則等であらかじめ支給条件の明確なものは賃金とみなすとされている（昭二二・九・一三発労基一七労働省）が、国家公務員の退職手当については、勤続報償、生活保障、賃金後払いの要素がいずれも含まれているとされており、本条の「給与」とは別のものと整理されている（一〇七条の**〔趣旨〕**（参考）参照）。

なお、職員に対し宿舎、食事、制服その他これらに類する有価物が支給され、又は無料で貸与される場合には、給与の一部として、別に法律で定めるところにより、俸給を調整する旨規定されているところである（給与法五2）が、現在は、その調整は、別に法律により定められるまで従前どおり取り扱うこととされており、実際上調整は行われていない。職員に無償で貸与される制服、作業衣等を実質的に給与の一部として評価することが技術的に困難であるからであり、また、俸給の調整をすることは実際上必ずしも適当ではないと考えられるからである。この点について、宿舎法に定める公邸及び無料宿舎については、俸給の調整は行わない旨の明文の規定が置かれている（給与法五2但書）。無料宿舎の場合は、職員の職務に対する給与の一部として貸与される（宿舎法一二2）ものであるが、業務の必要上、宿舎居住を義務付ける場合等である無料宿舎の趣旨からして（宿舎法一二1）、俸給の調整を行うことは適当ではないと判断されているためであろう。

第一款　通　則

（法律による給与の支給）

第六十三条　職員の給与は、別に定める法律に基づいてなされ、これに基づかずには、いかなる金銭又は有価物も支給することはできない。

〔趣　旨〕

一　給与法定主義

職員の給与は、法律に基づき決定しなければならないとすることが給与法定主義であり、本法が給与決定につき定めている情勢適応の原則、職務給の原則、官民均衡の原則と並ぶ原則の一つである。

戦前の大日本帝国憲法では、文武官の俸給を定めることは天皇の大権に属するとされていたので、官吏の給与は官吏俸給令など勅令によって定められていた。当時の官吏は天皇に対して忠実無定量の勤務義務を負う「天皇の官吏」であり、その俸給は天皇から給付されるものと観念されていたので、立法府が関与する余地はなかったのである。

現行の日本国憲法においては、「公務員は、全体の奉仕者」と位置付けられ（憲法一五2）、官吏に関する事務は法律に定める基準により行われることとされており（憲法七三④）、公務員の最も重要な勤務条件である給与も、その基準を定める本法によるか別法によるかは別として、法律により定められることが憲法の要請といえよう。さらに憲法は、賃金、就業時間などの勤労条件に関する基準は法律で定めるとしている（憲法二七2）。このように国民主権の下で、公務員の給与は国民の代表である国会が法律によって決定することとされているのである。

この決定方式は、民間企業の労働者のそれと著しく異なるものである。すなわち、民間企業の労働者の場合は私的自治の原則に従い、その賃金は、各企業で、労使の交渉により自主的に決定することとされ、ただ、労働者の保護のために賃金の支払に関する最小限の基準を労基法等の法律で定めているにとどまっている。これに対し、公務員の場合は、国が事務・事業の実施主体ではない行政執行法人の職員を除き、俸給表、手当等の具体的事項についても、法律で規定されている（給与法定主義）。なお、地方公務員については、広義の給与法定主義である条例主義が採られている（地公法二四5）。

給与法定主義は、次の二つの要素から成り立っている。

まず、国民全体の奉仕者である公務員の給与は、国民の代表である国会が法律で定めることにより、国民がこれをコントロールするとともにその同意を得るということである。前条の趣旨でも説明したように、公務員の給与が財政上、一定の割合を占め、またそれは義務的経費としての性質を持っていること、民間と異なって労働基本権が制約されているため、労働協約によって給与を定めることができないこと、また、使用者が一方的に決めることも許されないことから、国民の代表たる国会において法律で決めるものとされている。公務員の給与は、このような議会制民主主義、あるいは財政民主主義の観点から国会の場において民主的な手続で決定する必要があるとされているのである。なお、この国会による給与管理をどこまで行うかについては、例えば、労働協約締結権が付与されている行政執行法人の職員については、法律上は給与決定の基準を定める（独立行政法人通則法五七）だけであるのに対し、労働協約締結権のない一般職の公務員については、給与法において俸給表以下が詳細に定められている。

特に労働協約締結権のない一般職の公務員の給与については、国民全体に奉仕するという公務の特殊性に基づき労働基本権が制約されていることに鑑み、憲法上認められている労働基本権を実質的に保障するため、勤労者に対して保障されている労働基本権制約の代償措置として、国会に対する人事院勧告制度が設けられており、国会もこれを尊重することが求められている。

二　給与に関する法律

本法第六三条は、職員の給与が別に定める法律に基づいてなされなければならないことを規定している。

この別に定める法律として、給与法があり、同法は、昭和二五年四月に制定されたが、その制定の当時は、昭和二六年三月末までの時限立法とされ、職階制を基礎とした給与準則が制定実施されたときにはその効力を失うものとされていた。しかし、その後も職階制を実現する見通しが立たなかったため、昭和二六年一月一日施行の改正によって、時限法ではなく給与準則が制定実施されるまでの暫定法とされ、その状態が継続していたが、平成一九年の本法改正による職階制の廃止に伴い、給与法が、本条の規定に基づき、一般職の職員の給与に関する事項を定めるものと位置付けられた（給与法一1）。

次に、本条は、別に定める法律に基づかずには、いかなる金銭又は有価物も支給することはできないとしているが、これは、別に定める給与に関する法律が職員の給与に関する統一法規であることをも意味している。

現行の給与法では、「別に法律で定めるものを除き」給与に関する事項を定める（給与法一1）とされ、同法以外の法律で給与について定めることを認めている。実際にも、例えば寒冷地手当法により、職員の給与の一部が定められ、また、任期付職員法において任期付職員の給与の特例が定められている。

平成一九年の本法改正前は、第一項において、「職員の給与は、法律により定められる給与準則に基いてなされ」と規定され、職員の給与は職階制による給与準則に基づいて行われるものとされ、第二項において「人事院は、必要な調査研究を行い、職階制に適合した給与準則を立案し、これを国会及び内閣に提出しなければならない」義務が課されていた。職階制は、職員の給与の基礎となるものであり、「同一の内容の雇用条件においては同一の俸給表をひとしく適用」するものとされていた（旧職階法三④）。平成一九年の本法改正に伴って職階制が廃止されると同時に、本条も現在の形に改められた。

〔解　釈〕

一　給与法定主義

職員の給与は、別に定める法律に基づいてなされなければならず、またこれに基づかない限りいかなる金銭又は有価物も支給することができない。このように、給与は全て法律の根拠に基づいて決定され、支給されなければならないのである。

この給与法定主義を実施する法律として、給与法があるが、同法は他の法律による給与の支給を認めており（給与法一1）、現在、同法のほかに職員の給与支給の根拠となっている法律には次のようなものがある。

①　検察官の俸給等に関する法律（昭二三法七六）

②　在外公館の名称及び位置並びに在外公館に勤務する外務公務員の給与に関する法律（昭二七法九三）

③ 国家公務員の寒冷地手当に関する法律（昭二四法二〇〇）
④ 国家公務員宿舎法（昭二四法一一七）
⑤ 国際機関等に派遣される一般職の国家公務員の処遇等に関する法律（昭四五法一一七）
⑥ 国際連合平和維持活動等に対する協力に関する法律（平四法七九）
⑦ 一般職の任期付研究員の採用、給与及び勤務時間の特例に関する法律（平九法六五）
⑧ 一般職の任期付職員の採用及び給与の特例に関する法律（平一二法一二五）
⑨ 独立行政法人通則法（平一一法一〇三）
⑩ 法科大学院への裁判官及び検察官その他の一般職の国家公務員の派遣に関する法律（平一五法四〇）
⑪ 福島復興再生特別措置法（平二四法二五）
⑫ 令和七年に開催される国際博覧会の準備及び運営のために必要な特別措置に関する法律（平三一法一八）
⑬ 令和九年に開催される国際園芸博覧会の準備及び運営のために必要な特別措置に関する法律（令四法一五）

次に、本条は、法律に基づかない限りいかなる金銭又は有価物も給与として支給することができないとしているが、ここで「金銭」とは通貨（外国通貨も含む。）を、「有価物」とは金銭以外の経済的な利益を有する物、例えば有価証券、物品等をいうものである。

また、ここで「給与」とは、前条の解釈で説明したとおり、職員の勤労の対価として支給されるものであり、旅費、共済組合の給付、公務災害補償等は、給与には含まれない。なお、宿舎法の無料宿舎は、給与であり（宿舎法一二②）、職務外の講演の謝金は謝礼であり給与ではないとされている（昭二七・一〇・二給実甲五七）。

次に、後述するように、職員の給与は、現金で支払うことが原則であるが、その例外として、宿舎、食事、制服その他これらに類する有価物が支給され、又は無料で貸与される場合が想定されている（給与法五②）。このような場合には、職員の俸給額を調整することが建前であるが、他方においてその居住は公務上の必要に基づくものであることから、公邸及び無料宿舎についてはこの調整は行わないこととされている。また、制服の貸与についても、それが業務上の必要に基づくものであり、一般的には、給与の一部と評価することは困難であることから、現実に調整が行われている例はない。

また、給与法第三条第二項は、「いかなる給与も、法律又は人事院規則に基かずに職員に対して支払い、又は支給してはならない。」と、本条と同趣旨の内容を規定している。

なお、本条に違反して法律に基づくことなく給与を支給した者は、三年以下の懲役（新刑法の施行日以降は、拘禁刑）又は一〇〇万円以下の罰金に処せられ（法一一〇1⑪）、その行為を企て、命じ、故意にこれを容認し、そそのかし又はそのほう助をした者も同様とされている（法一一一）。なお、これとは別に、給与法においては、法律の規定に違反して給与を支払い、若しくはその支払を拒み、又はこれらの行為を故意に容認した者に対しては、一年以下の懲役（新刑法の施行日以降は、拘禁刑）又は三万円以下の罰金に処するものと規定されている（給与法二五）。

二　給与の支給

職員の給与は、その勤務に対する報酬であるとともに職員の生活の糧となっていることから、その支払いを公正かつ確実に行う必要がある。これを実現するため、給与法及び同法に基づく人事院規則においては給与支給の四原則や給与の支給方法等が定められているところである。

1　給与支給の四原則

給与の支給については、給与法及び同法に基づく人規九―七が、①現金払いの原則、②全額払いの原則、③直接払いの原則及び④毎月定日払いの原則の四つの原則を定めている。なお、給与法以外の法律を根拠として支給される給与についても、それらの法律で特別の定めをしている場合を除き、その支給については、国家公務員の給与の基本法である給与法及び同法に基づく人事院規則で示された給与支給の四原則が妥当するものと解される。

これらの給与支給の原則は歴史的には次のような事情から制度化されてきたものである。すなわち、初期の工場制度の下では、使用者が一方的に賃金の一部又は全部を現物で支給したり、賃金の一部を労働者に支給した物資の代金と相殺したり、また、私設の仲介業者が賃金の中間搾取を行うなど、しばしば支払われるべき賃金が労働者に対して支払われないという事態が生じたため、一九世紀後半以降、このような賃金の支払いを契機として行われる不正を防止するため各国で賃金支払の原則について立法措置がとられるようになったところである。我が国の労基法においても、かつてこのような賃金支給の実態があったことに鑑み、通貨払い、直接払い、全額払い及び一定期日払いの四原則が定められている（労基法二四）。

以下、それぞれの原則について述べれば次のとおりである。

㈠　現金払いの原則

職員の給与は、現金で支払わなければならないことが原則である（給与法三1）。すなわち、給与は強制通用力を持つ貨幣及び日本銀行券で支払うべきものである（通貨の単位及び貨幣の発行等に関する法律二　日本銀行法四六1）。現金払いの原則の例外である現物給与は、宿舎、食事、制服等の支給又は無料貸与以外は禁止することとされている（給与法五2）。また、現物給与といえども給与である以上、「いかなる給与も、法律又は人事院規則に基かずに職員に対して支払い、又は支給してはならない。」（給与法二2）という給与法定主義の原則の適用を受けており、現在明確に給与たる性格を持つものとされているのは「職員の職務に対する給与の一部として貸与されるものとする。」（宿舎法一二2）と定められている無料宿舎の貸与だけである。なお、職員に対する有価物の支給又は無料貸与であっても、勤務の対価とは認められないものや職員に対する価値の給付として現実の意味を持たないものは「給与」ということはできない。

給与とは勤務の対価として支払われるものをいうので、そうした性格を持たない旅費、共済組合の短期給付や年金給付は給与に含まれない。また、小切手、為替及び手形はここでいう現金には含まれない。

㈡　全額払いの原則

職員の給与はその全額を支払わなければならない、すなわち、その一部を控除して支払うことはできないとする原則である。俸給については、給与法が俸給は一定期日にその月の月額の全額を支給する（給与法九）と定めており、給与全体についても「何人も、法律又は規則によつて特に認められた場合を除き、職員の給与からその職員が支払うべき金額を差し引き又は差し引かせてはならない。」（人規九―七　一の二1）と規定されている。例えば、職員の同意を得て、互助会費や積立金等の入金のために控除することも認められないほか、職員に対する国の債権との相殺も法律又は規則で認められた場合以外は許されない。他方、既に支給された給与から、所属部課等において会費等を集金することはここでいう一部控除には当たらない。

現在、法律又は規則により認められている差引きの特例は次のとおりである。

① 所得税の源泉徴収（所得税法一八三1）並びに都道府県民税の賦課徴収及び市町村税の特別徴収（地方税法四一1、三二一

一の五1、2）
② 共済組合の掛金及び共済組合の貸付金の返還金等の職員が共済組合に対して支払うべき金額（共済法一〇一1、2　地方公務員等共済組合法一一五1、2）
③ 有料宿舎の使用料（宿舎法一五3）
④ 勤労者財産形成貯蓄契約等に基づく預入等に係る金額（勤労者財産形成促進法一五1）
⑤ 個人型年金加入者掛金の額（確定拠出年金法七一1）
⑥ 所定期間内に旅費の精算を行わなかった場合の概算払いに係る旅費額等（旅費法一三4）
⑦ 給与の差押えを受けた場合（民事執行法一四五1、一四六1、一五二1　国税徴収法四七1、2、七六）
⑧ 懲戒処分としての減給の減給額（人規一二―〇　三）
⑨ 通勤手当の返納額（人規九―二四　一九の二5）

なお、職員団体のいわゆる組合費については天引き（チェック・オフ）を行う法令上の根拠はないので、職員に給与が全額支払われた後に、職員団体の役員等が勤務時間外に、個々の職員から徴収すべきものである。

次に欠勤等により給与が減額される（給与法一五）場合に全額払いの原則との関係が問題となる。給与を減額すべき事由の発生が、給与の支払期日前であり、かつ、その支払われる給与の計算の基礎に含まれている場合には、給与法第一五条に基づいて、支給されることとなっていた給与の額から、俸給の月額及びこれに対する地域手当、広域異動手当、研究員調整手当の月額を基礎として算出した勤務一時間当たりの給与額に勤務を欠いた時間数を乗じて得た額を減額することとされており、その減額後の給与の額が、支払期日において支払うべき給与の全額となるので、その支払うべき給与を支給することにより全額払いの原則は満たされたことになる。この場合の減額は、ノーワーク・ノーペイの原則により通常の給与債権が減じられたものと解することができ、全額払いの原則とは関係がない。

これに関連して、ある給与支払期日に、給与を減額すべき事由があるにもかかわらず、その減額を行わなかった場合に、次回以降の給与支払期日において支払うべき給与を減額し得るかという問題がある。例えば、毎月一六日が俸給の支給日とされている場合に、一七日以降月末までに減額事由が発生したとしても、もはや当月分の俸給を減ずることは不可能であり、また、仮に、一五日とか一六日に減額事由が生じた場合にも、給与計算事務が電算化し、支払期日の前に計算が完了していることなどからすると、当月分の俸給を減額後の額により支給することは難しい場合が多い。さらに、給与の減額を怠り、次回以降の給与支払期日に減額せざるを得ない場合もあろう。このような場合に過払いとなった既支給額に係る不当利得返還請求権を自働債権とし、次期支払期日以降の職員の給与支払請求権を受働債権として相殺することができるかということが問題となる。これについて判例は、賃金支払事務において賃金の過払いが生ずることは避けがたく、これを清算・調整するために、後に支払われるべき賃金から控除できるとすることは賃金支払事務の実情に徴し合理的理由があるだけでなく、労働者にとっても、このような控除は賃金と関係のない他の債権を自働債権とする相殺の場合とは趣を異にするとして、結局、適正な賃金の額を支払うための手段たる相殺は、労基法第二四条第一項但書によって除外される場合に当たらなくとも、「その行使の時期、方法、金額等からみて労働者の経済生活の安定との関係上不当と認められないものであれば、同項の禁止するところではないと解するのが相当」とし、許される相殺の判断基準として、①過払いのあった時期と賃金の清算調整の実を失わない程度に合理的に接着した時期に行われること、②あらかじめ労働者に予告されるとか、その額が多額でないなど労働者の経済生活の安定をおびやかすおそれのないことを示している（昭四四・一二・一八最高裁）。この判決以降、判例ではこの判断基準に従って判決が出されているが、三ケ月も経過した後に給与額の最高二七・三パーセントの控除を行った事例について全額払いの原則に反し違法であるとし（昭四五・一〇・三〇最高裁）、さらに、五月の過払分を同年の八月に控除した事例について、使用者は、「五月末頃には既に欠勤の実態を把握していたのであって、減額すべき金額の点からみてもこれを翌六月分の給与から控除することが可能であった」ことなどを挙げて、八月に行われた相殺は例外的に許容される場合に該当しないとしており（昭五〇・三・六最高裁）、この基準の適用に当たっては相殺が慎重に行われるべきことを判示しているといえる。人事院規則にも過払いについての特段の定めは設けられていないが、このような判例の考え方を踏まえ、給与の過払いについての清算・調整は、その相殺額が職員の生活に影響を及ぼさない範囲内において行うことができるとされている。

(三)　直接払いの原則

職員の給与は、法律又は人事院規則によって特に認められた場合を除き、直接その職員に支払わなければならない（人規九―七　一の二2)。なお、職員に直接給与を支払うのは会計部局の役割である。給与は現実に職員に対して直接支払われる必要があるので、支払われるべき給与が現金化された後であっても、職員に支給される前に、忘失等の事故にあった場合には、引き続き給与支払義務が残ることは当然である。これまでの慣行では、給与は勤務場所で支給する持参債務と解されているが、口座振込が一般化された現在では、職員の支配下にある口座への振込をもって支払義務の履行と解される。

職員の委任を受けた者、代理人、親権者などの法定代理人に給与を支給できるかという問題があるが、歴史的にも親権者や後見人、その他仲介者による中間搾取の弊害がみられたことから、これらの者に対する支払いは認められない。直接払いの原則は、給与が確実に職員の支配に引き渡され、自由に処分し得るよう保障することをねらいとするものであるので、使者に対する支払いは一定条件の下で、認めることができる。すなわち、①職員が公務遂行その他自ら給与を受領できないことについてやむを得ない事情がある場合に、他の職員を使者として差しむけること、②職員が長期にわたって出張中であるとか、病気のため長期療養中である場合等直接職員に支払うことが不可能又は困難な場合には、職員の収入により生計を維持する親族等で職員の指定する者を使者として差しむけることが認められている（昭三二・一〇・二一　給二―三二五）。確かに使者に対する支払いは、直ちに直接払いの原則に違反するものではないとしても、本人に対する支払いの確実性という点からみるとこれを一般的に認めるのは問題であり、やむを得ない場合に限って認めることが適当と考えられる。もっとも、近時においては、給与の口座振込制度（人規九―七　一の三）が普及しており、使者を必要とするような事例は生じることがないものと考えられる。

法律又は規則によって、直接払いの原則の例外が認められるのは次の場合である。

① 在外公館に勤務する職員の俸給、扶養手当、期末手当及び勤勉手当の支払いは、当該在外職員が指定する者に対してすることができる（在外公館名称位置給与法三）。

② 船員から請求があったときには、船員に対して支払われるべき給料その他の報酬を、その同居の親族又は船員の収入によって生計を維持する者に渡さなければならない（本法第一次改正法附則第三条に基づく船員法五六の準用）。

③ 国際機関等に派遣される職員に対し支給される給与は、あらかじめ当該職員の指定する者に対して支払うことができる（人規一八―〇（職員の国際機関等への派遣）　七3）。

ところで、近年の金融機関の支払事務の電算化・省力化とキャッシュカードの普及によって、賃金支払いの基本は現金支払いから銀行口座等の口座振込に変わってきている。職員の給与を職員の指定する銀行等の口座に振り込むいわゆる給与口座振込制は、民間企業での普及に合わせて、公務部門でも昭和四九年一一月以降実施されてきているが、これによる場合は実際に職員に対して直接現金による支払いがなされるわけではないことから、現金払いの原則や直接払いの原則に抵触しないかという議論があった。クレジットカードの普及などの経済生活の変化、金融機関における口座振込制度の普及といった一般的な社会情勢の進展の下で、職員の経済生活の利便性の向上と給与支給事務の合理化を図るための措置としての給与口座振込制度が広がっていった。職員が振込みによる給与の受領を申請し、その申出に基づいて職員名義の口座に給与を振り込み、給与支払期日以降いつでもそれを引き出せる状態にするという給与振込制度は、給与の完全、確実な支払いを保障するための現金払いの原則に反するものではなく、また、職員の支配下にある口座に直接振り込まれることからすれば、直接払いの原則にも反しないものと解されるところとなった。

このような状況の下で、平成二二年以降に整備された給与口座振込制は、職員の申出があった場合において、次のような人事院の定める基準に該当するときに、その給与の全部を振込みの方法によって支払うことができる（人規九—七　一の二）とするものであり、金融機関に口座を持つ職員には給与の受領を振込みにするよう要請しているため、原則として全てが振込みにより支払われている。

① 振込元金融機関は、日本銀行の本店、支店、代理店であること
② 振込先金融機関は、国家公務員給与の振込可能金融機関として日本銀行が指定した金融機関であること
③ 振込口座は職員名義の普通預金、当座預金等の口座であること
④ 振込口座の数は、一の給与の支給日において一であること（一部例外的に複数口座が認められる場合もある）

㈣　毎月定日払いの原則

職員の給与は毎月一回以上一定期日を定めて支払わなければならない。給与は職員の生活の糧となっているのでその支払期の間隔があまり開くことは適当でなく、かつ、計画的に生活できるように支払期日も一定させておく必要がある。給与法は俸給の支払いについて「毎月一回、その月の十五日以後の日のうち人事院規則で定める日に、その月の月額の全額を支給

する。」（給与法九）と、月一回払いの原則を定め、特に必要と認められる場合には、「月の一日から十五日まで及び月の十六日から末日までの各期間内の日に、その月の月額の半額ずつを支給することができる。」（給与法九但書）として例外的に月二回払いもできることとしている。これまでの経緯をみると、官吏俸給令による俸給の支払いは月一回払いが原則とされていたが、戦後の激動する経済情勢の中で、特例的に月二回払いが認められると大部分の省庁は月二回払いとなったため、給与法において昭和二六年一月一日からは全て月二回払いとすることが定められた。その後、経済情勢の好転とともに月一回払いを望む声が出はじめたために、昭和二七年一一月以降は特例的に月一回払いが認められることとなり、更に昭和三五年には大半の職員が月一回払いの適用を受けることとなったので、再度の法改正により、昭和三六年四月以降は月一回払いが原則とされることとなった。現在月二回払いが認められるのは、①官署が所在し、又は職員が居住する地域が震災、風水害、火災その他これに類する災害を受けた場合（例えば東日本大震災や阪神淡路大震災のような場合）又は②所掌事務の遂行上特に必要がある場合であって、人事院の承認を得たときに限られ、昭和四一年以降常態的に月二回払いの行われる官署は存在しなくなっている（ただし、震度六強以上の地震による災害に際し、災害救助法が適用された市町村の区域内に官署が所在し、又は職員が居住する場合には、その適用の日の属する月からその翌々月までの間、当該区域内に所在する官署に勤務し、又は居住する職員への月二回払いが人事院の承認を経ずにできるよう措置されている。）（人規九―七　一の六1）。

なお、平成二年三月には、与野党対立のため、平成元年度の補正予算の成立が遅れて給与費の不足が生じ、三月の支給定日に俸給等及び期末手当の全額を支給することが困難となったことから、これらの給与を半額ずつ二回払いとする特別の人事院規則（人規九―九〇）を制定する事態が生じたこともある。

俸給請求権はいつ具体化するのかという問題があるが、法律が支払期日においてその月額の全額を支給すると定めていることからすると、職員は支払期日において具体的な俸給請求権を取得するものと解される。したがって国は支払期日には、職員に対して現実に俸給を支給する義務を負うことになる。なお、法律が予定している一定期日払いというのは通常の場合の俸給の支払日のことであり、職員が月の途中で退職したり、支払期日以降に採用となった場合などについては、その際、俸給を支給することとする支払期日の特例が人事院規則九―七第二条に定められており、これらの場合にはそれぞれその定められた日に俸給請求権が具体化するものと解される。

俸給以外の給与のうち、臨時に支払われる給与である期末手当及び勤勉手当は、毎月支払われるものではないので、毎月払いの原則の適用はない（支払期日は人事院規則九―四〇（期末手当及び勤勉手当）により定日が定まっている。）。また、通勤手当については、支給単位期間に係る最初の月の人事院規則で定める日に支給することとされており、人事院規則において俸給の支給定日に支給することとされている（給与法一二6、人規九―二四　一八の二1）。その他の手当については、俸給の支給定日に支払うものと定められている（人規九―七　六、七の二、八、一一）。

2　給与の支給方法

(一)　俸給の支給方法

旧官吏俸給令の下では、俸給は勤務の対価というよりも官吏の生活及び体面を保障するための給付と考えられたこともあって、採用された場合又は俸給月額に異動があった場合には発令の翌日から支給することとする一方、官吏が死亡又は離職した場合はその事由が生じた日の属する月の月分が全額支給されていた。このような支給方法は、昭和二三年一月一日以降も引き続いて官吏俸給令の例により行われていたが、昭和二五年九月、俸給は勤務に対する報酬であるとの考え方に立って、勤務実績に応じて俸給の支給を行うとする人事院の意見の申出が行われ、昭和二六年一月一日から次のような新しい制度が実施されることとなった。

① 新たに給与法の適用を受けることとなった職員及び昇給、降号、昇格、降格、休職等により俸給額に異動の生じた職員に対しては、それぞれその日から新たに定められた俸給を支給する（給与法九の二1）。なお、離職した国家公務員が即日職員となった場合には、重複支給を避けるための特例として、翌日から支給することとされている（給与法九の二1但書）。

② 職員が離職した場合、すなわち辞職、退職、免職、懲戒免職又は失職した場合には、その日まで俸給を支給する（給与法九の二2）。

③ 職員が死亡したときは、その月まで俸給を支給する（給与法九の二3）。昭和二六年以来、死亡の場合は②の離職の場合と同様死亡の日まで支給するとされていたが、職員が月の途中で死亡したときに、過払分を遺族等から返納させることは酷であることに配慮し、民間における取扱い等も勘案して、昭和四九年四月から、死亡の場合に限り終期の特例を

設けることとされた。
なお、①及び②の場合において月の途中に俸給の支給の始期又は終期が到来したため、俸給の支給が一つの給与期間の初日から末日までの一部において欠けるときには、俸給の日割計算を行い実績に応じた額を支給することとされている（給与法九の二４）。

㈡　諸手当の支給方法

諸手当のうち支給額が月額で定められているもの（俸給の特別調整額、本府省業務調整手当、初任給調整手当、専門スタッフ職調整手当、扶養手当、地域手当、広域異動手当、研究員調整手当、住居手当、単身赴任手当及び特地勤務手当等）は、俸給の支給方法に準じて支給するものとされている（給与法一九の九、人規九―七　六、七の二、八）。ただし、扶養手当、住居手当及び単身赴任手当は、原則として完全な月額制となっており、月の中途の事由発生や採用・離職等に伴う日割計算の適用はない。すなわち、これらの手当については、給与法で定める手当の支給要件を具備した場合、又は手当額を改定すべき事由が生じた場合には、その事実の生じた日の属する月の翌月（その日が月の初日であるときには、その日の属する月）から支給を開始し、又は支給額を改定することとなる。職員が離職し、若しくは死亡した場合又は支給要件を欠くに至った場合には、それらの事実が生じた日の属する月（その日が月の初日であるときは、その日の属する月の前月）をもって支給は終了するものとされている（給与法一一の二2、3、人規九―五四　八、人規九―八九　九）。なお、これらの手当については、支給要件を具備した場合又は増額改定すべき事由が生じた場合において、その届出が事実の生じた日から一五日を経過した後になされたときには、支給要件を具備した日又は増額改定すべき事由が生じた日ではなく、その届出を受理した日の属する月の翌月（その日が月の初日であるときは、その日の属する月）から支給を開始し、又は増額改定するとされている（給与法一一の二2、人規九―五四　八1、人規九―八九　九1）。なお、休職処分や停職処分を受けた場合等には、俸給の取扱いに準じて日割計算を行うこととされている（人規九―七　八、給実甲二八号第一一条及び第一一条の二関係等、給与法二三）。

通勤手当については、交通機関等利用者に係る手当を六か月定期券等の割安な定期券の価格を基礎として一括支給する趣旨から、定期券の通用期間等に応じて、六か月を超えない範囲内で一か月を単位として人事院規則で支給単位期間を定め、支給単位期間に係る最初の月の人事院規則で定める日に支給するものとされており、具体的には俸給の支給定日が支給日となっている（給与法一二６８、人規九―一二四　一八の二１）。もっとも、通勤手当の支給の始期及び終期については、扶養手当、住居手当及び単身赴任手当の場合と同じく月単位とされており、手当の支給要件を具備した場合、又は手当額を改定すべき事由が生じた場合には、その日の属する月の翌月（その日が月の初日であるときには、その日の属する月）から支給を開始し、又は支給額を改定することとなり、職員が離職し、若しくは死亡した場合又は支給要件を欠くに至った場合には、それらの事実が生じた日の属する月（その日が月の初日であるときは、その日の属する月の前月）をもって支給は終了するものとされている（人規九―一二四　一九）。なお、支給単位期間のうちに通勤手当の支給の終期がきた場合には、残りの期間を考慮して人事院規則で定める額を返納させると定められている（給与法一二７）。

次に、支給額が勤務実績に応じて変動する手当（特殊勤務手当、超過勤務手当、休日給、夜勤手当、宿日直手当及び管理職員特別勤務手当）については、一の給与期間の分を次の給与期間における俸給の支給定日に支給するものとされている（人規九―七　一二）。

また、民間のボーナスに相当する期末手当及び勤勉手当は定日に支給するものとされている（人規九―四〇　一四）。

3　ノーワーク・ノーペイの原則

公務員給与の建前が身分的な給与から勤務の対価へと変わったことにより、勤務の裏付けのない給与は支払われるべきでないとするノーワーク・ノーペイの原則が、現行給与制度の基本的な原則の一つとなっている。次にノーワーク・ノーペイの原則が具体的にどのように適用されているかみることとする。

(一)　まず、職員としての身分は有するが、勤務に従事しないものとされる者に対する給与の支給は次のとおりである。

(1)　本法第七九条に基づく休職者　休職者は休職の期間中、給与に関する法律で別段の定めをしない限り、何らの給与を受けてはならないものとされており（法八〇４）、給与法は休職者の給与についての規定を定めている（給与法二三）。休職者は職務に従事しないのであるから、ノーワーク・ノーペイの原則からいえば、給与を支給する理はないが、我が国の雇用慣行の下では、休職者に対する生活上の配慮を行う必要があり、以下のように休職の事由に応じてそれぞれ休職給を支給することとされている。

①　公務上の傷病により休職させられた場合　給与の全額を支給する。

②　職員が結核性疾患にかかり休職させられた場合　休職期間が満二年に達するまでは、俸給、扶養手当、地域手当、広域異動手当、研究員調整手当、住居手当、期末手当及び寒冷地手当の一〇〇分の八〇を支給することができる。

③　①・②以外の心身の故障により休職させられた場合　休職期間が満一年に達するまでは、俸給、扶養手当、地域手当、広域異動手当、研究員調整手当、住居手当、期末手当及び寒冷地手当の一〇〇分の八〇を支給することができる。

④　刑事事件に関し起訴されたことにより休職させられた場合　休職期間中、俸給、扶養手当、地域手当、広域異動手当、研究員調整手当及び住居手当の一〇〇分の六〇以内を支給することができるとされており、その趣旨については、休職者の生活を保障する意味において予算の許す限り各庁の長が所定の割合以内で、その裁量により支給額を定めるものと理解されている。

⑤　前記各事由以外の事由により休職させられた場合　人事院規則の定めるところに従い、俸給、扶養手当、地域手当、広域異動手当、研究員調整手当、住居手当、期末手当及び寒冷地手当の一〇〇分の一〇〇以内を支給することができる。

②及び③に該当した者がその期間を経過した後も休職中である場合には無給とされる。

なお、前記②又は③に掲げた休職給の支給期間が経過した後においても、公務外の傷病により引き続き勤務できない職員に対しては、休職給の支給期間に引き続き、原則として一年六月間（結核性疾病にあっては三年間）、共済組合から傷病手当金が支給されることとされている。傷病手当金の支給額は、勤務できない期間一日につき標準報酬の日額（標準報酬の月額の二二分の一）の三分の二に相当する額とされている（共済法六六1、2、六九、同法施行令一一の四）。

(2)　停職処分を受けている者　懲戒停職処分を受けている者は、職員としての身分を保有するが、その職務に従事しないものとされ、停職期間中給与を受けることができない（法八三2）。

なお、懲戒減給処分は、職務に従事させた上で制裁として俸給の一部に相当する額を減ずるものであるので、ノーワーク・ノーペイ原則とは関係がない。

(3)　在籍専従職員　職員団体の業務に専ら従事することについて所轄庁の長の許可を受けた職員は、その許可の効力が存する間、休職者とされるが（法一〇八の六5）、休職者の給与として別段の定めはなされていないので、無給となる。

(4)　休業中の職員　職員の請求が承認された場合に、身分を保有するが職務に従事しないことが認められているものとして、育児休業、自己啓発休業及び配偶者同行休業がある。

育児休業の承認を受けた職員は、育児休業の期間中は身分を保有するが、職務に従事せず、育児休業をしている期間については給与を支給しないと定められている（育児休業法五）。ただし、期末手当及び勤勉手当については、基準日（六月一日及び一二月一日）に育児休業中の場合であっても、直前の基準日の翌日から基準日までの間に勤務した期間があるときには、支給される（育児休業法八）。なお、育児休業をした職員には、共済組合から育児休業手当金の支給がある（共済法六八の二）。

自己啓発等休業や配偶者同行休業をしている職員も、職員としての身分を保有するが、職務に従事せず、給与を支給しないこととされている（自己啓発休業法五、配偶者同行休業法五）。

(5)　派遣職員　国際機関等への派遣職員は、その派遣期間中は、職員としての身分を保有するが職務には従事しないものとされている（国際機関派遣法三）ので、ノーワーク・ノーペイ原則からみれば、給与を支給する必要はない。しかしながら、そもそも国際機関等への派遣は、国際協力という国家的使命を果たすものであり、派遣先の給与が十分でない場合や扶養家族を国内に残す場合など様々のケースが考えられ、優秀な人材を安んじて派遣させるためには、一定の生活保障を考慮する必要があると考えられた。そこで、派遣先の勤務に対して報酬が支給されないとき又は当該勤務に対して支給される報酬の額が低いと認められるときには、当該報酬と派遣職員の給与との合計額が派遣職員が在外公館に勤務する外務公務員であるとした場合に支給されることとなる給与と均衡するよう、俸給、扶養手当、地域手当、広域異動手当、研究員調整手当、住居手当及び期末手当の一〇〇分の一〇〇以内を派遣職員の給与として支給することができるとされている（国際機関派遣法五　人規一八―〇　七）。

また、専ら教授等の業務を行うものとして法科大学院に派遣された職員は、その派遣の期間中、職員としての身分を保有するが職務に従事せず、原則として給与の支給を受けないが、派遣先の法科大学院で支給される報酬等の年額が派遣前給与の年額に満たない場合で、法科大学院における特定の分野の教授等の確保が困難なとき等において、安定的・継続的な派遣及び実効的な教育の実施の確保のために特に必要があると認められるときは、その派遣の期間中、差額補塡の趣旨から、俸給、扶養手当、地域手当、広域異動手当、研究員調整手当、住居手当及び期末手当の一〇〇分の五〇以内を派遣職員の給与として支給することができるとされている（法科大学院派遣法一一、一三、人規二四—〇　一三）。

このほか、福島復興再生特別措置法のように国の重要な施策の実現を図るため、特別な法律により職員が派遣される場合がある。この場合においても、その派遣の期間中、職員としての身分を保有するが職務に従事せず、原則として給与の支給を受けないが、派遣先である機構等から支給される報酬等の年額が派遣前給与の年額に満たない場合で、職員が国の事務又は事業との密接な連携の下で実施する必要があるものに従事する場合において、当該業務が円滑かつ効率的に行われることを確保するため特に必要があると認められるときは、その派遣の期間中、差額補塡の趣旨から、俸給、扶養手当、地域手当、広域異動手当、研究員調整手当、住居手当及び期末手当の一〇〇分の一〇〇以内を派遣職員の給与として支給することができるとされている（福島復興再生特別措置法四八の五、人規一—六九　一〇　等）（第七九条関係〔趣旨〕三参照）。

一方、官民人事交流のため派遣先企業に派遣される交流派遣職員は、その交流派遣の期間中、職務に従事することができず、給与の支給も受けないこととされている（官民人事交流法一〇1、一一）。

(二)　次に、職員があらかじめ勤務すべきものと定められていた勤務時間についてその勤務を欠いた場合については、「祝日法による休日……又は……年末年始の休日……である場合、休暇による場合その他その勤務しないことにつき特に承認のあつた場合を除き、その勤務しない一時間につき、第十九条に規定する勤務一時間当たりの給与額を減額して給与を支給する。」（給与法一五）と定められている。「その他その勤務しないことにつき特に承認のあつた場合」とは、法令の規定により勤務しないことが認められている場合をいい、特に給与を減額する旨の規定がない限り給与は減額されない（給与法運用方針第一五条関係第一項）。法令の規定により勤務しないことが認められている場合とは、人規一〇—四の規定に基づく健康診査を受けるための時間、人規一〇—七の規定に基づく妊娠中の女子職員の通勤緩和のための時間などがある。なお、職員が介護休暇又は介護時間を取得する場合（勤務時間法二〇1、二〇の二1）、職員が育児時間の承認を受けて勤務しない場合（育児休業法二六1）、職員が職務とともに教授等の業務を行うものとして法科大学院に派遣される場合（法科大学院派遣法四3）、職員が兼業の承認又は許可を得て勤務時間をさく場合（法一〇三、一〇四）、職員が職員団体の業務に一時的に従事する「短期従事」の場合（法一〇八の六6）には、勤務しないことについての承認はあるが、それぞれ法律又は人事院規則によってその間の給与を減額するものとされている（勤務時間法二〇3、二〇の二3、育児休業法二六2、法科大学院派遣法七2（ただし、教授等の業務に係る報酬等の額に照らして必要と認められる範囲内で、給与の減額分の一〇〇分の五〇以内を支給することとされている。）、人規一四―八5、人規一七―二　六7）。

なお、職員が承認を受けて常時勤務を要する官職を占めたまま短時間勤務をする場合（育児休業法一二）や、六〇歳に達した職員が短時間勤務の官職に再任用される場合（法六〇の二1）等については、その者の俸給月額自体を勤務時間数に応じて定めることとされている（育児休業法一六、給与法八12）。

4　給与請求権の譲渡、放棄及び時効

㈠　給与請求権の譲渡及び放棄

従来、公務員の俸給請求権は公共的見地から認められる公権であるので、みだりに放棄することはできないものであると同時に一身専属的な権利として与えられているものであるから、譲渡することも認めないと解されてきた。戦前の判例には、官吏の俸給請求権は公法上の債権であり、官吏が任意にこれを処分することを許せば、その地位を保持するための生活の資を失い、結果として公益を害するおそれがあるので、その譲渡を認めないとしたものがある（昭九・六・三〇大審院）。また、戦後の判例にも、公務員はいわゆる特別権力関係にあり、公僕として職務に精勤すべき義務を有するものであって、その俸給はそのような地位に基づく職務に対する反対給付であると同時に、その地位相当の生活を保障する資金として支給されるものなので、もしその放棄を許せば公務員と国との特別な関係を破壊し公益を害するおそれがあることを理由として、「公務員の俸給を受ける権利は公法上の権利であって、之を放棄することは一般に許されない。」とするものがある（昭三二・七・一五仙台高裁）。しかしながら、この判決は前述の一般論に続けて、公益を害するおそれが全くない場合、例えば公務員が退職した後に、その退職前に生じた個々の俸給の請求権を放棄する場合には、有効に放棄することができるとしている。その上で、懲戒免職処分の取消し及び依願免職処分のなされることを条件として懲戒免職処分の取消しによって回復される俸給の請求権を放棄することは有効であると認めている。

給与請求権は公権であるから譲渡・放棄を行えないとするのが伝統的な見解であるが、公務員の給与請求権を譲渡、放棄できるかという問題は、公務員給与も勤労の対価となった現行法制の下では、給与請求権をいかに保護する必要があるのか

という面からの検討を中心に行い、判断することが適当であると考える。公務員は、労働基本権の制約を受け、職務専念義務や守秘義務等を負った上に、兼業も制限されるなどきびしい勤務条件の下におかれており、職員に対する給与は職務の適正な執行を確保するために重要な役割を果たしている。したがって、その譲渡や放棄を自由に認めると、職員の生活が脅かされ、ひいては公務遂行にも影響を及ぼしかねないので、原則として、譲渡・放棄は認められないと考えることが適当であろう。また、給与請求権が譲渡された場合には、譲受人が給与の支給を受けることになって、直接払いの原則との関係でも問題が残る。

職員が給与の受領を拒否した場合には、給与の支払日において、支払準備を完了して給与受領の催告を行えば、弁済の提供を行ったものとして支給義務不履行の責めは免れることになる。なおこの場合、供託（民法四九四）も可能である。

㈡　時　効

職員の給与請求権は、権利を行使し得べきときから五年間を経過したときに時効により消滅する（会計法三〇）。会計法第三〇条の時効は公法上の債権の時効であり、行政関係を安定させるため時効の援用を必要としないとされているので、裁判上の請求等時効の中断、停止がなされない限り、五年を経過したときに絶対的に消滅する（会計法三一）。給与請求権は法令の定める支給要件を具備したところで抽象的に発生し、法令の定める支払期日又は非常の場合として職員が請求した日（人規九―七　四、一二）において具体的に確定するものである。給与請求権は具体的に確定しなければ行使し得ないので、通常の場合、権利を行使し得べき日は給与の支払期日となる。

なお、地方公務員の給与に係る時効については、労基法が適用されるが、当分の間、時効期間は三年（原則は五年）とされている（地公法五八3　労基法一一五、附則一四三3）。

（俸給表）

第六十四条　前条に規定する法律（以下「給与に関する法律」という。）には、俸給表が規定されなければならない。

②　俸給表は、生計費、民間における賃金その他人事院の決定する適当な事情を考慮して定められ、かつ、等級ごとに明確な俸給額の幅を定めていなければならない。

〔趣　旨〕

一　俸給表

本条及び次条は、給与に関する法律に規定しなければならない事項を定めている。もっとも、これらの事項以外の事項について給与に関する法律に併せて規定することを妨げるものではない。

本条は、そのうち最も重要、かつ、基本的な事項である俸給表について規定している。

俸給表は、具体的な俸給額を定める一覧表である。

俸給は、勤労の対価としての給与の基本部分をなすものであり、第六二条の給与の根本基準で規定されているように「官職の職務と責任に応じて」定められるべきものである。そのためには、俸給表作成の前提として、理念的には、国家公務員の各官職を、一度、その職務と責任に基づいて分類整理する必要がある。俸給表の種類及び等級は、その分類整理された結果として理解されるべきものである。

この点について、給与法第四条でも、各職員の受ける俸給は、その職務の複雑、困難及び責任の度に基づき、かつ、勤労の強度、勤務時間、勤労環境その他の勤務条件を考慮したものでなければならないとされている。このように、俸給表は、職務の種類と責任に応じて組み立てられており、職務の種類、態様等が共通する職員には同一の俸給表が適用され、また、各俸給表の中で職務の複雑、困難及び責任の度に応じた級が定められている。

二　俸給決定の要素

本条第二項の前半は、俸給表決定の要素について規定している。すなわち、俸給表は、①生計費、②民間における賃金及び③その他人事院の決定する適当な事情の三つの要素を考慮して定められなければならないこととされている。

この三つの要素のうち、現在最も重視されているのは、民間における賃金であり、情勢適応の原則（法二八）を適用するに当たり最も有力な基準となっているのが、民間賃金との比較に基づいて公務員給与の水準や体系を決めていくといういわゆる民間準拠の原則である。民間の企業における賃金は、基本的には、企業の得た利益の分配という観点から決定されるのに対し、公務の場合には、そのような具体的な利益で表示できないことが普通であり、行政目的の実現に従事することに対する報酬というような抽象的な形でしか表し得ない。そこで、公務員の給与水準を決定する方式として、民間準拠の原則を採ることによって、一つの具体的な基準を設けているわけである。このような決定方式が採られている理由の第一は、公務員給与について国民及び職員の納得を得るためには、民間における水準を基本とすることが最も適当と考えられるからである。第二の理由は、公務において優秀な人材を確保するためには、競争関係にある民間企業の賃金に匹敵するものにする必要があるからである。

次に、生計費を給与決定の要素の一つとしているのは、給与が職員の生活の糧である以上、職員の生計の実情を考慮した給与にする必要があるからである。終戦後の混乱期であった昭和二〇年代には生計費が俸給決定に大きな影響を与えたが、勤労者の賃金水準の上昇に伴って、生活の豊かさを実現する賃金水準や賃金体系が関心を集めることとなり、生計費に代わって民間賃金が決定要素の中心になっている。

また、その他人事院の決定する適当な事情を考慮の対象に加えている趣旨は、俸給表決定に当たっては、所要原資を本俸と手当や本俸の中でも役職や経験年数に応じた俸給月額に配分する必要があり、そのためには、人事行政の専門機関であると同時に労働基本権制約の代償機関である人事院が、職員の在職状況等公務側の処遇状況と民間における賃金水準や配分の動向等を考慮する必要があるためである。具体的には、民間における役職別・世代別賃金の状況や公務における本俸と手当との配分、各俸給表間の水準の差、俸給表内での級別あるいは各級内での号俸別の配分等の考慮がこれに該当することになろう。

〔解　釈〕

一　俸給表

給与に関する法律に規定されなければならない俸給表について、本条第二項は、等級ごとに明確な俸給額の幅を定めなければならないとしている。本条でいう「俸給額の幅」とは、一つの等級の中における最低の額の号俸から最高の額の号俸までの各号俸をいうものと解される。職務給を原則としつつ、同じ等級の中でも、経験や年齢、勤務実績等を考慮した給与差を設けることが予定されている。そこで、給与に関する法律における俸給表は、等級と号俸によって定められた俸給額の一覧表という構造になるわけである。職務給としては、各号俸の俸給月額はその号俸に該当する職員の勤労の対価を示しており、例えばその額がある号俸の額より千円高いということはその勤務をそれだけ高く評価していることとなる。

次に、給与に関する法律である給与法における俸給の定義、俸給表の種類と適用及び俸給の決定方法等について述べることとする。

１　俸給の定義

まず、各職員の受ける俸給は、その職務の複雑、困難及び責任の度に基づき、かつ、勤労の強度、勤務時間、勤労環境その他の勤務条件を考慮したものでなければならないとされている（給与法四）。また、俸給の定義については、俸給は、正規の勤務時間（勤務時間法一三1）による勤務に対する報酬であって、俸給の特別調整額、本府省業務調整手当、初任給調整手当、専門スタッフ職調整手当、扶養手当、地域手当、広域異動手当、研究員調整手当、住居手当、通勤手当、単身赴任手当、特殊勤務手当、特地勤務手当（準ずる手当を含む。）、超過勤務手当、休日給、夜勤手当、宿日直手当、管理職員特別勤務手当、期末手当及び勤勉手当を除いた全額とするとされている（給与法五1）。

ここでは、俸給は、各種手当を除いた全額と定義されているが、俸給が基本的な給与であり、また明確で積極的な定義付けが困難であるため、このような規定の仕方になっていると考えられる。この定義では俸給の調整額が俸給に含まれており、俸給表に定められている金額は「俸給月額」と呼ばれ、俸給の調整額を含む場合は「俸給の月額」と呼ばれている。なお、職員が六〇歳に達したことにより給与法附則第八項の規定の適用を受けることとなる場合にあっては「俸給月額」は同項の規定により算定した額（俸給月額の七割措置）となり、給与法附則第一〇項、第一二項又は第一三項の規定に基づき、俸給月額の七割措置と役職定年制（管理監督職勤務上限年齢による降任等）に伴う俸給月額の二重の引下げがあった職員に対し、これを緩和するため、役職定年後の職務の級の最高号俸の俸給月額の範囲内で、俸給月額に加えて従前の俸給月額の七割の額となるよう別途の俸給（管理監督職勤務上限年齢調整額）が支給される場合にあっては、「俸給の月額」にはこれらの規定による俸給の額を含むとされている。

２　俸給表の種類

現在給与法によって設けられている俸給表の種類は、次の一一種類一七表である（給与法六1）。

①　行政職俸給表

ア　行政職俸給表㈠

イ　行政職俸給表㈡
② 専門行政職俸給表
③ 税務職俸給表
④ 公安職俸給表
ア　公安職俸給表㈠
イ　公安職俸給表㈡
⑤ 海事職俸給表
ア　海事職俸給表㈠
イ　海事職俸給表㈡
⑥ 教育職俸給表
ア　教育職俸給表㈠
イ　教育職俸給表㈡
⑦ 研究職俸給表
⑧ 医療職俸給表
ア　医療職俸給表㈠
イ　医療職俸給表㈡
ウ　医療職俸給表㈢
⑨ 福祉職俸給表
⑩ 専門スタッフ職俸給表
⑪ 指定職俸給表

これらの俸給表は、職員の俸給額の決定に当たって、職務の種類、態様等が共通かどうか、級の区分あるいは俸給の幅を共通とすることが可能かどうか、適用される職員数が相当数あって独立の俸給表とする必要性があるかどうかなどについて検討した結果設けられたものである。この俸給表に定められた俸給だけでは職務の特殊性を十分に評価できない場合には、別途俸給の調整額や特殊勤務手当等の支給を通じて、給与がそれぞれの職員の職務と責任に一層よく適応するよう措置されている。

なお、任期付職員法及び任期付研究員法においては、任期付職員及び任期付研究員に適用される特別の俸給表が定められている。

３　俸給表の適用

これらの俸給表は、非常勤職員（定年前再任用短時間勤務職員及び暫定再任用短時間勤務職員（本法改正経過（国家公務員法等の一部を改正する法律（令三・六・一一　法律第六一号）一参照）を除く。）及び未帰還職員以外の全ての職員に適用されるが（給与法六2）、具体的にどの俸給表がどのような職種に適用されるかは、各俸給表の備考及び人規九―二によって定められる。行政職俸給表㈠は、「他の俸給表の適用を受けないすべての職員に適用する」こととされており、適用職員数も約一四万人（令和四年国家公務員給与等実態調査）と全体の半数強を占めている。この適用職員の職務は一般的であり、また広範囲にわたっているので、「他の俸給表の適用を受けない……」と消極的な規定方法が採られている。また、他の俸給表の等級数や各等級の水準は、行政職俸給表㈠を基本として組み立てられているので、行政職俸給表㈠は一般に基本俸給表と呼ばれている。なお、各俸給表の適用範囲は各俸給表の備考で次のとおり定められている。

俸給表の種類	適用範囲
行政職俸給表㈠	この表は、他の俸給表の適用を受けない全ての職員に適用する。ただし、第二二条及び附則第三項に規定する職員を除く。
行政職俸給表㈡	この表は、機器の運転操作、庁舎の監視その他の庁務及びこれらに準ずる業務に従事する職員で人事院規則で定めるものに適用する。
専門行政職俸給表	この表は、植物防疫官、家畜防疫官、特許庁の審査官及び審判官、船舶検査官並びに航空交通管制の業務その他の専門的な知識、技術等を必要とする業務に従事する職員で人事院規則で定めるものに適用する。
税務職俸給表	この表は、国税庁に勤務し、租税の賦課及び徴収に関する事務等に従事する職員で人事院規則で定めるものに

	適用する。
公安職俸給表㈠	この表は、警察官、皇宮護衛官、入国警備官及び刑務所等に勤務する職員で人事院規則で定めるものに適用する。
公安職俸給表㈡	この表は、検察庁、公安調査庁、少年院、海上保安庁等に勤務する職員で人事院規則で定めるものに適用する。
海事職俸給表㈠	この表は、遠洋区域又は近海区域を航行区域とする船舶その他人事院の指定する船舶に乗り組む船長、航海士、機関長、機関士等で人事院規則で定めるものに適用する。
海事職俸給表㈡	この表は、船舶に乗り組む職員（海事職俸給表㈠の適用を受ける者を除く。）で人事院規則で定めるものに適用する。
教育職俸給表㈠	この表は、大学に準ずる教育施設で人事院の指定するものに勤務し、学生の教育、学生の研究の指導及び研究に係る業務に従事する職員その他の職員で人事院規則で定めるものに適用する。
教育職俸給表㈡	この表は、高等専門学校に準ずる教育施設で人事院の指定するものに勤務し、職業に必要な技術の教授を行う職員その他の職員で人事院規則で定めるものに適用する。
研究職俸給表	この表は、試験所、研究所等で人事院の指定するものに勤務し、試験研究又は調査研究業務に従事する職員で人事院規則で定めるものに適用する。
医療職俸給表㈠	この表は、病院、療養所、診療所等に勤務する医師及び歯科医師で人事院規則で定めるものに適用する。
医療職俸給表㈡	この表は、病院、療養所、診療所等に勤務する薬剤師、栄養士その他の職員で人事院規則で定めるものに適用する。
医療職俸給表㈢	この表は、病院、療養所、診療所等に勤務する保健師、助産師、看護師、准看護師その他の職員で人事院規則で定めるものに適用する。
福祉職俸給表	この表は、障害者支援施設、児童福祉施設等で人事院の指定するものに勤務し、入所者の指導、保育、介護等の業務に従事する職員で人事院規則で定めるものに適用する。
専門スタッフ職俸給表	この表は、行政の特定の分野における高度の専門的な知識経験に基づく調査、研究、情報の分析等を行うことにより、政策の企画及び立案等を支援する業務に従事する職員で人事院規則で定めるものに適用する。
指定職俸給表	この表は、事務次官、外局の長、試験所又は研究所の長、病院又は療養所の長その他の官職を占める職員で人事院規則で定めるものに適用する。

４　俸給表の構造

各俸給表には、職務の級（指定職俸給表においては、号俸）が設けられている。職務の級は、本条第二項の「等級」と異なる用語であるが、職務の複雑、困難及び責任の度合に応じて分類された段階区分（給与法六３）という意味において「等級」と同じである。この点については、昭和六〇年の俸給表構造の見直しにより昭和三二年以来の八等級制を一一級制に改めたときに、両者を区別しやすくするため「等級」を「級」に改めた経緯がある。職務の級は、基本俸給表である行政職俸給表(一)の場合、現在、一〇の級が設けられている。

なお、指定職俸給表には、職務の級を設けず号俸制が採られているが、これは、この俸給表の適用対象である指定職の場合は、特に本府省局長以上の上位官職では個々の職ごとに一の号俸を適用すること、すなわち一官一給与を原則としているからである。

次に、各俸給表の各職務の級ごとに、一定の幅の複数の号俸（俸給月額）が設けられている。号俸の数は、各職務の級ごとに異なっており、行政職俸給表(一)の場合、令和四年四月時点で、一級が九三、二級が一二五、三級が一一三、四級が九三、五級が九三、六級が八五、七級が六一、八級が四五、九級が四一、一〇級が二一となっている。これらの号俸の数は、理論的にはそれぞれの職務の級に対応する職務における在職年数と熟練度を考慮して、必要な号俸数を決定し、どのように昇給曲線を構成するかという観点から各号俸の金額を決定されるべきものであるが、実際上は、当該級における職員の在職実態や昇給制度との関係をも踏まえて決定されている。

平成一八年四月前には、一二月を下らない期間を良好な成績で勤務した者は一号俸昇給するものとして昇給額が設定され、次期昇給期を調整することによって昇給効果を増減させていた。勤務実績をより的確に反映しやすくするため新たな査定昇給制度を導入することとされた平成一八年四月以降は、従前の一号俸相当の号俸間差額を四分割する形で号俸が細分化され、一年間の勤務成績が良好な者の昇給は基本的に四号俸（成績が優秀な者は六号俸又は八号俸）となっている。

各職員の俸給は、このような俸給表の構造を前提として、まずその職員に適用される俸給表の種類が特定され、次にその職員の職務の級及び号俸の決定によって、具体的に確定されることになるわけである。

行政職俸給表（一）

職員の区分	職務の級／号俸	1級	2級	3級	4級	5級	6級	7級	8級	9級	10級
		俸給月額	俸給月額	俸給月額	俸給月額	俸給月額	俸給月額	俸給月額	俸給月額	俸給月額	俸給月額
定年前再任用短時間勤務職員以外の職員		円	円	円	円	円	円	円	円	円	円
	1	150,100	198,500	234,400	266,000	290,700	319,200	362,900	408,100	458,400	521,700
	2	151,200	200,300	236,000	267,700	292,900	321,400	365,500	410,500	461,500	524,600
	3	152,400	202,100	237,500	269,200	295,000	323,700	367,900	413,000	464,500	527,700
	4	153,500	203,900	239,000	271,000	297,000	325,900	370,500	415,400	467,500	530,800
	5	154,600	205,400	240,300	272,700	298,800	328,100	372,400	417,300	470,500	533,900
	6	155,700	207,200	241,900	274,500	300,800	330,100	374,900	419,600	473,500	536,200
	7	156,800	209,000	243,400	276,300	302,600	332,300	377,200	421,700	476,500	538,700
	8	157,900	210,800	244,900	278,300	304,200	334,500	379,700	423,900	479,600	541,100
	⋮	⋮	⋮	⋮	⋮	⋮	⋮	⋮	⋮	⋮	⋮
	21	175,300	232,200	262,700	302,400	331,000	359,900	408,800	448,700	508,700	559,500
	22	177,800	233,800	264,400	304,500	333,100	361,800	410,600	450,200	510,100	
	23	180,300	235,400	266,000	306,500	335,100	363,800	412,400	451,600	511,600	
	24	182,800	236,900	267,600	308,600	337,200	365,700	414,300	453,100	513,100	
	25	185,200	237,900	269,400	310,300	338,600	367,700	416,100	454,500	514,200	
	26	186,900	239,400	271,200	312,400	340,500	369,600	417,600	455,800	515,300	
	27	188,500	240,700	272,900	314,400	342,400	371,600	419,100	457,100	516,500	
	28	190,200	241,900	274,600	316,400	344,300	373,600	420,700	458,300	517,700	
	⋮	⋮	⋮	⋮	⋮	⋮	⋮	⋮	⋮	⋮	
	41	209,300	256,000	295,800	341,100	365,500	392,600	435,300	467,100	527,500	
	42	210,600	257,400	297,500	343,000	366,400	393,800	436,000	467,600		
	43	211,900	258,600	299,000	344,800	367,500	395,000	436,700	468,000		
	44	213,200	259,800	300,600	346,700	368,600	396,100	437,400	468,300		
	45	214,300	260,900	302,200	348,200	369,400	396,800	438,200	468,600		
	46	215,600	262,100	303,900	349,600	370,300	397,500	439,000			
	47	216,900	263,400	305,500	351,100	371,200	398,200	439,400			
	48	218,200	264,500	307,200	352,600	372,100	398,900	440,100			
	⋮	⋮	⋮	⋮	⋮	⋮	⋮	⋮			
	61	229,200	278,100	324,800	364,600	381,000	403,800	444,900			
	62	230,000	279,100	325,700	365,200	381,700	404,100				
	63	230,700	280,000	326,500	365,900	382,300	404,400				
	64	231,300	281,000	327,300	366,600	382,900	404,700				
	⋮	⋮	⋮	⋮	⋮	⋮	⋮				
	85	243,900	292,100	339,100	377,700	391,000	410,200				
	86	244,500	292,400	339,500	378,200	391,300					
	87	245,100	292,700	340,000	378,600	391,600					
	88	245,600	293,100	340,400	379,000	391,800					
	⋮	⋮	⋮	⋮	⋮	⋮					
	93	247,600	294,700	342,200	381,000	393,000					
	94		294,900	342,600							
	95		295,200	343,100							
	96		295,600	343,500							
	⋮		⋮	⋮							
	113		300,800	350,000							
	114		301,000								
	115		301,300								
	116		301,700								
	⋮		⋮								
	125		304,200								
定年前再任用短時間勤務職員		基準俸給月額	基準俸給月額	基準俸給月額	基準俸給月額	基準俸給月額	基準俸給月額	基準俸給月額	基準俸給月額	基準俸給月額	基準俸給月額
		円	円	円	円	円	円	円	円	円	円
		187,700	215,200	255,200	274,600	289,700	315,100	356,800	389,900	441,000	521,400

（令和5年4月1日現在）

二　職務の級

俸給を職務・職責に応じた給与とするためには、まず、職務・職責に対応する給与等級を設定し、職員の職務がどの等級に属するものかを決定する必要がある。給与法では、職員の職務は、概ね役職段階に応じて、その複雑、困難及び責任の度に基づき俸給表に定める職務の級（指定職俸給表の適用を受ける職員にあっては、同表に定める号俸）に分類することとされ、その分類の基準となるべき標準的な職務の内容は、人事院が定めることとされている（給与法六3）。その標準的な職務を定めたものが標準職務表である。また、内閣総理大臣は、国家行政組織に関する法令の趣旨に従い、及び給与法第六条第三項の規定に基づく分類の基準に適合するように、かつ、予算の範囲内で、及び人事院の意見を聴いて、職員の職務の級の定数を設定し、改定することとされており（給与法八1）、これが級別定数である。個々の職員の職務の級は、級別定数の範囲内で、かつ、人事院規則で定める基準に従って決定することとされている（給与法八2）。

この級別定数は、職員の職務の級決定の土台となる給与上の仕組みであることから、これまでその設定・改定は、労働基本権制約の代償機能を担う人事院が所掌してきたところ、級別定数の設定・改定が組織管理の側面を持つということから、平成二六年の本法改正に伴う給与法の改正により、内閣総理大臣の所掌に属するものとされた。しかしながら、同時に、級別定数は勤務条件の側面を持つものであり、その設定・改定に当たって、代償機能が十分に確保される必要があることから、人事院の意見を聴取し、これを十分尊重することが定められた（給与法八1）。この人事院の意見は、憲法上保障された労働基本権の制約の代償機能として、職員の適正な勤務条件を確保する観点から内閣総理大臣に提出されるものであり、国会及び内閣に対し、その完全実施を要請している人事院勧告と同様の性格のものである。

指定職俸給表の適用を受ける職員の号俸についても、これまでは官職を占める職員の給与を決定するものとして人事院規則で定めることとされてきたところ、組織管理の側面を持つという観点から、平成二六年の改正により、内閣総理大臣がその決定方法を定めることになった。これについても、勤務条件の側面を持つものであることから、人事院が標準職務を定め、これに適合するように、かつ、人事院の意見を聴取し、これを十分に尊重して号俸の決定の方法を定めることとされた（給与法六3、六の二1）。

以下、標準職務表、級別定数、人事院規則で定める基準のそれぞれについて説明する。

1　標準職務表

職員の職務を、その複雑、困難及び責任の度に基づいて職務の級又は指定職俸給表に定める号俸に分類するため、その分類の基準となる標準的な職務内容を定めたものが、標準職務であり、それを一覧表にしたものが標準職務表である（給与法六3、人規九―八　三、別表第一）。

この標準職務表は、一七種類の各俸給表ごとに、指定職俸給表以外については級別標準職務表として、指定職俸給表については号俸別標準職務表として、定められている。標準職務表は、職務の標準的で代表的なもの、及び概括的な職務を掲げているので、この表に明示されていない職務については、表の標準職務と比較して同程度の職務の級又は（指定職俸給表の場合）号俸に分類される（人規九―八　三）。

なお、行政職俸給表(一)の級別標準職務表は次のとおりであり、係員、係長、課長補佐、室長、課長というラインの役職段階を基本として一〇の段階に分けられている。

職務の級	標準的な職務
一級	定型的な業務を行う職務
二級	一　主任の職務 二　特に高度の知識又は経験を必要とする業務を行う職務
三級	一　本省、管区機関又は府県単位機関の係長又は困難な業務を処理する主任の職務 二　地方出先機関の相当困難な業務を分掌する係の長又は困難な業務を処理する主任の職務 三　特定の分野についての特に高度の専門的な知識又は経験を必要とする業務を独立して行う専門官の職務
四級	一　本省の困難な業務を分掌する係の長の職務 二　管区機関の課長補佐又は困難な業務を分掌する係の長の職務 三　府県単位機関の特に困難な業務を分掌する係の長の職務 四　地方出先機関の課長の職務

級	職務
五級	一 本省の課長補佐の職務 二 管区機関の困難な業務を処理する課長補佐の職務 三 府県単位機関の課長の職務 四 地方出先機関の長又は地方出先機関の困難な業務を所掌する課の長の職務
六級	一 本省の困難な業務を処理する課長補佐の職務 二 管区機関の課長の職務 三 府県単位機関の困難な業務を所掌する課の長の職務 四 困難な業務を所掌する地方出先機関の長の職務
七級	一 本省の室長の職務 二 管区機関の特に困難な業務を所掌する課の長の職務 三 府県単位機関の長の職務
八級	一 本省の困難な業務を所掌する室の長の職務 二 管区機関の重要な業務を所掌する部の長の職務 三 困難な業務を所掌する府県単位機関の長の職務
九級	一 本省の重要な業務を所掌する課の長の職務 二 管区機関の長又は管区機関の特に重要な業務を所掌する部の長の職務
一〇級	一 本省の特に重要な業務を所掌する課の長の職務 二 重要な業務を所掌する管区機関の長の職務

備考
一 この表において「本省」とは、府、省又は外局として置かれる庁の内部部局をいう。
二 この表において「管区機関」とは、数府県の地域を管轄区域とする相当の規模を有する地方支分部局をいう。
三 この表において「府県単位機関」とは、一府県の地域を管轄区域とする相当の規模を有する機関をいう。
四 この表において「地方出先機関」とは、一府県の一部の地域を管轄区域とする相当の規模を有する機関をいう。
五 この表において「室」とは、課に置かれる相当の規模を有する室をいう。

2　級別定数

内閣総理大臣は、国家行政組織に関する法令の趣旨に従い、及び給与法第六条第三項の規定に基づく分類の基準に適合するように、かつ、予算の範囲内で、及び人事院の意見を聴いて、級別定数を設定し、又は改定することができることとされている。この場合において、内閣総理大臣は、職員の適正な勤務条件の確保の観点からする人事院の意見を十分尊重するものとされている。なお、会計検査院及び人事院の職員に係る級別定数については、これらの機関の位置付けの特殊性に鑑み、人事院がその設定・改定を行うこととされている。各庁の長は、それぞれその所属する職員の職務の級を、このようにして定められた級別定数の範囲内で、かつ、人事院規則で定める基準に従い決定することとされている（給与法七、八1、2、3）。

公務組織では、予算及び組織・定員法令によって、局、課等の組織とその人員数が決められている。級別定数は、このようにして定められた官職の職務内容や役職・定員を所与のものとして、給与法において、予算の範囲内で、府省・会計ごとに、各俸給表の職務の級ごとに職名別の適用職員数（枠）を定めたものである。具体的にみると、級別定数は、人事院が定める標準職務を基準として、職員の担当する職務をその困難度や責任の程度等を踏まえ、当該職務の遂行に必要な資格、能力、経験等の属人的要素や毎年の昇格状況等の人事管理上の事情も考慮して分類し、職務の級別に設定されている。

各府省において各職員の俸給月額を決定するに当たってはまずその者の職務の級を決定する必要があり、その決定は、級別定数の枠内で行われることとされている。このことから級別定数は、職員の昇格枠として、標準職務表などと並んで重要な給与決定基準の一つとなっている。また、級別定数は、各府省において適正・妥当な職務の級の決定が行われるよう、給与格付けの統一性・公正性を確保する役割を担うとともに、給与勧告の前提となる民間給与との比較において、公務と民間との対応する役職段階の職責の同等性を担保しており、官民給与比較を行う上で不可欠な機能を果たしている。こうしたことから、従前は、労働基本権制約の代償機関である人事院が、予算当局と調整の上、労使交渉に代わるものとしてその設定・改定を行ってきた。

平成二六年の本法及び給与法改正に際し、級別定数は、特に上位官職の職務評価などの点で組織管理の側面を持つことから、その設定・改定は内閣総理大臣が行うとされたが、前述のとおり、級別定数は給与決定基準の一つであり、労働基本権制約の代償機能を確保する必要があることから、その設定・改定については、各府省要求に始まる予算編成過程において、従前と同様に、人事院が、職員構成の変化による世代間の大きな不公平や府省間の著しい不均衡が生じないこと等に配慮しつつ、職務・職責の内容・程度や人事管理・処遇の実情等を踏まえ、労使双方の意見を聴取した上で、予算当局とも調整して作成した設定・改定案を意見として内閣総理大臣に提出し、内閣総理大臣はそれに基づいて級別定数の設定・改定を行うこととされている。

なお、予算においては、人件費の算定上必要なことから、府省別・会計別に俸給表、職務の級、職名ごとの定員が掲げられており、これらの数は級別定数と一致することとなっている。このような形で、人事行政と予算統制の整合性が図られている。

級別定数は、一般会計又は各特別会計ごとに、財政法（昭二二法三四）第二三条の規定により定められた組織及び項の別に区分し、更に俸給表別、職名別に、定めることとされている（平二六・五・三〇内閣総理大臣決定第一２）。その例を示せば次頁の表のとおりである。

前述のように職員の職務の級の決定は、級別定数の範囲内で行わなければならない。もっとも、一の職務の級の定数に欠員がある場合は、同一の職名の下位の職務の級の定数又は他の職名の同一若しくは下位の職務の級の定数等に流用することも認められている（同決定第二）ので、この流用後の定数も、「級別定数の範囲内」とみてよいであろう。

３　人事院規則で定める基準

職員の職務の級は、級別定数の範囲内で、かつ、人事院規則で定める基準に従い決定することとされている（給与法八２）。

職務の級は、新たに職員となった場合をはじめ、昇格又は降格をした場合、初任給基準又は俸給表の適用を異にする異動をした場合などに新たに決定する必要があるが、いずれにせよ、職員の職務の級の決定は、その職務に応じ、かつ、勤務成績等に基づいて行われるべきものであり、人事院規則においては、こうした趣旨から具体的な基準が定められている。

このうち、新たに職員となった場合については、その者の能力等を考慮し、その職務に応じて職務の級を決定するものとされており、具体的には、例えば、採用試験の結果に基づいて新たに職員となった者の職務の級は、その者に適用される初任給基準表の試験欄の区分に対応する初任給欄の職務の級に決定するものとされている（人規九―八　一一１、２、別表第二）。

部局	地方○○○局		会計	一般会計							
俸給表	職名	職務の級／総数	10級	9級	8級	7級	6級	5級	4級	3級	2級	1級
行政職俸給表㈠	次長	○	○	○								
	部長	○		○	○	○						
	課長	○				○	○					
	課長補佐	○						○	○			
	係長	○							○	○		
	専門職	○					○	○	○	○		
	一般職員	○									○	○
	計	○	○	○	○	○	○	○	○	○	○	○
行政職俸給表㈡	技能労務職員	○						○	○	○	○	

また、昇格の場合については、その者の勤務成績に従い、昇格後の職務に応じ、職務の級を決定するものとされており、その際、職員は、原則として次のいずれかに掲げる要件を満たさなければならないとされている（人規九―八　二〇1、2）。

① 昇格させようとする日又はその日前一年以内に昇任したこと。

② 昇格させようとする日以前二年間において昇格前の職務の級に分類されている職務に従事していた職員が次に掲げる要件を満たし、かつ、当該二年間における人事評価の結果等に基づき、昇格後の職務の級に分類されている職務を遂行することが可能であると認められること。

ア　原則、直近の連続した二回の能力評価及び四回の業績評価の全体評語のうち、二回は「優良」以上、残り四回は「良好」以上であること（令六・九・三〇までを評価期間とする能力評価及び業績評価の全体評語が付された以降の昇格に適用）。

イ　一年以内に懲戒処分等を受けていないこと。

さらに、昇格に当たり、一級上位の職務に必要な能力を涵養する期間として、職員を昇格させる場合に必要な一級下位の職務の級に在級した年数を定める在級期間表が設けられており、在級期間表に定める在級期間及び人事院が別に定めることとされている要件に従い、職員の職務の級が決定されることとなっている（人規九―八　二〇4、別表第六）。在級期間表の具体的な適用方法の詳細は、人事院規則九―八に定められているが、勤務成績の特に良好な職員の昇格については、在級期間を五割まで短縮することができ、また、例えば本府省の課長に就任した場合には在級期間にかかわらず本省の課長の職務が分類される職務の級に決定できるなど、勤務成績や職務に応じて柔軟な決定が可能となるよう措置されている。

行政職俸給表(一)の在級期間表は次のとおりである。

職務の級	2級	3級	4級	5級	6級	7級	8級	9級	10級
	3	4	4	2	2	4	3	3	3

三　俸給決定の要素

公務員給与は、民間賃金を参考として決められてきたが、特に昭和三五年以降ラスパイレス比較方式の確立によって、月例給総額の官民比較を行った上で、官民給与が均衡するように月例給与の改定を行うこととされてきた。その際に、改定原資のうち俸給表に配分すべき原資を決め、更に俸給表の中でどのように配分するかを決めることになる。なお、昭和二〇年代の混乱期には賃金水準決定に当たり生計費が一定の意味を持っていたが、経済成長を遂げた昭和四〇年代以降は、民間賃金水準が生計費を大きく上回るようになり、生計費要素は賃金で代替されると考えられている。現在、俸給月額を決定する際には、官民の給与カーブや職員の在職状況等が考慮されている。

職責に応じた給与である俸給は何を基準として定めるべきかについて、本条第二項は、生計費、民間の賃金、その他人事院の決定する適当な事情の三つを俸給表を定めるときに考慮すべき要素として規定している。現代の資本主義社会では、給与や賃金は理論的にあるべき水準に決定されるものではなく、社会的に形成される労働市場等によりその水準の大枠が定まってくる。こうした事情を踏まえて、本条が労働者が生活していくために必要な生計費と労働市場を反映する民間賃金を俸給表作成の考慮要素としているものである。

なお、地公法においては、職員の給与は、生計費、国の職員の給与、他の地方公共団体の職員の給与、民間事業の従事者の給与及びその他の事情の五つを考慮して定められなければならない旨規定されている（地公法二四２）。

1　生計費

生計費が俸給決定要素の最初に掲げられているのは、給与は職員の生活の糧である以上、その経済生活を維持するに足るものでなければならないことを明らかにしたものである。

生計費には、大別して実在する世帯が現実に支出した費用に基づいて算出する実態生計費と、一定の標準世帯が支出することを想定した費用から算出する理論生計費の二種類がある。なお、人事院が毎年の給与に関する報告の中で公表しているのは、標準生計費と呼ばれているものであり、これは、国民一般の標準的な生活水準を求めるため、家計調査等のデータを利用して、食料費、住居関係費、被服・履物費、雑費（保健医療、交通通信、教育、教養娯楽等）の費目について換算乗数方式を基本に費目別、一人から五人の世帯人員別に生計費を算定したものである。昭和二〇年代以来、食料費については栄養の必要量を確保するためにかかる費用をマーケット・バスケット方式により算出していたが、外食機会の増加、国民の食生活の嗜好の多様化等を考慮して、平成三年以降、この方式は採られていない。

生計費の要素は、民間の賃金水準設定の際に既に考慮されていると考えられるので、現在、人事院が給与勧告を行う際の俸給表作成に当たっては、主に世代間の配分が適切かどうかについての参考とされている。

2　民間の賃金

民間賃金の状況は、月例給与の官民比較による給与水準の決定だけでなく、給与の配分である俸給表の作成に当たっても、重要な参考資料とされる。

すなわち、本俸と手当との配分、上下の格差、職種別の給与水準等を考慮する場合の参考となるものである。参考とされるのは、水準比較に関しては人事院の行う職種別民間給与実態調査（公務の役職に対応した職種別賃金データが含まれている。）であり、賃金カーブや地域別賃金に関しては厚生労働省の賃金構造基本統計調査（全国規模の年齢別賃金データが含まれている。）がある。もっとも、民間の配分状況を在職状況、職種等の異なる公務にそのまま反映させることは不可能であり、実際の配分は、民間の給与カーブの大きな傾向を見ながら、公務部内の均衡、職員の在職状況等、公務における人事管理上の事情を踏まえて行われているところである。

3　その他の適当な事情

第三の要素として取り上げられている「その他人事院の決定する適当な事情」の内容は、必ずしも特定しているわけではない。毎年の給与に関する報告では消費者物価が取り上げられているので、これも一つの事情と考えて差し支えないであろう。社会経済の一般的な状況や労働事情、更には〔趣旨〕二で述べた公務における職員の在職状況等の処遇の状況や民間賃金における配分等の動向など各種給与配分上の考慮など人事行政上の要請なども十分念頭に置くべき要素であると考えられる。

この場合、国の財政事情を考慮すべきか否かが問題となる。このことは、第二八条の給与勧告の場合も同様であるが、統治者としての政府の問題である財政事情を人事院が考慮することは、その権能を超えるものであり、俸給表の決定要素の範囲外の問題であるといってよいであろう（第二八条関係〔解釈〕二参照）。

（給与に関する法律に定めるべき事項）

第六十五条　給与に関する法律には、前条の俸給表のほか、次に掲げる事項が規定されなければならない。

一　初任給、昇給その他の俸給の決定の基準に関する事項
二　官職又は勤務の特殊性を考慮して支給する給与に関する事項
三　親族の扶養その他職員の生計の事情を考慮して支給する給与に関する事項
四　地域の事情を考慮して支給する給与に関する事項
五　時間外勤務、夜間勤務及び休日勤務に対する給与に関する事項
六　一定の期間における勤務の状況を考慮して年末等に特別に支給する給与に関する事項
七　常時勤務を要しない官職を占める職員の給与に関する事項

②　前項第一号の基準は、勤続期間、勤務能率その他勤務に関する諸要件を考慮して定められるものとする。

第六十六条　削除

〔趣　旨〕

給与に関する法律で定める事項

本条第一項は、前条の俸給表以外に、給与に関する法律に規定しなければならない事項を七項目列挙している。まず、第一号は初任給や昇給等俸給の決定に関する基準であり、その基準は本条第二項によって、勤続期間、勤務能率等を考慮して定めなければならないものとされている。

第二号から第七号までは、給与に関する法律には俸給制度を補完する諸手当等も規定されるべきことを明らかにした規定である。

なお、本条は、平成一九年の本法改正前においては、職階制を前提として法律により定められることが予定されていた給与準則における規定事項を列挙していたが、職階制及びそれに基づく給与準則を実施する目途がつかない状況下において、給与準則に代わって給与制度を定めてきた給与法では、改正前の本条の規定事項を踏まえて制度の整備がなされていた。平成一九年の本法改正により、職階制の廃止と併せて給与準則の概念も廃止され、本条は給与法をはじめとする「給与に関する法律」の基本となるプログラム規定と改めて位置付けられるとともに、むしろ本条の規定内容は給与法の実際の規定を踏まえて整備された。

〔解　釈〕

一　給与に関する法律で定める事項

まず、本条第一項の「給与に関する法律」とは、第六三条に規定する「別に定める法律」のことであり（法六四1）、具体的には給与法（給与法一1）のことであるが、給与法の特別法として個別事項を定めた任期付職員法、国際機関派遣法等の給与に係る部分や寒冷地手当法なども含まれる。

次に、同項は、「給与に関する法律」で定める事項として、第六四条の俸給表のほかに、第一号は、初任給、昇給その他の俸給の決定基準（昇格、降格、初任給基準又は俸給表の適用を異にする異動、級別定数の設定など）、第二号は、官職又は勤務の特殊性を考慮して支給する給与（いわゆる職務関連手当）、第三号は、職員の生計の事情を考慮して支給する給与（いわゆる生活関連手当）、第四号は、地域の事情を考慮して支給する給与（いわゆる地域関連手当）、第五号は、時間外勤務等に対する給与、第六号は、年末等に特別に支給する給与（いわゆるボーナス）、そして第七号は、非常勤職員の給与を掲げている。

これらは、平成一九年の本法改正の際、給与法に現に規定されている主な事項を踏まえて整備されたものであるが、給与法の規定事項は、もとよりこれらに限定されるものではなく、俸給の支給、俸給の更正決定及び給与決定に関する審査の申立て等が規定されている。

なお、職員の給与は職務給を原則としつつ（法六二）も、諸手当を設けているのは、①約三〇万人の一般職国家公務員の職務は多様であり、それぞれの職務内容や役職等に応じた給与とする必要があること、②ライフステージに応じた給与等の観点から、民間でも一般的な家族の扶養や住居等に対する生活関連手当が支給されており、公務においても支給することが適当であること、③国家公務員は、全国各地で勤務し、かつ転勤も多いことから、円滑な人事異動に資するため、全国一律の基本給（俸給）を維持しつつ、できるだけ各地域の民間賃金を反映させるよう、民間賃金の高い地域等に一定の地域関連手当を支給していく必要があることなどによるものである。

さらに、本条第二項は、「前項第一号（俸給の決定の基準）は、勤続期間、勤務能率その他勤務に関する諸要件を考慮して定められるもの」としており、職務給の原則の下でも、長期勤続を前提とする人事管理を行うため、職員の俸給決定に当たっては、職員の経験や能力などの属人的要素も考慮するものであることを明らかにしている。

いずれにせよ、このような給与制度は、職員が高い士気をもって公務に専念する上で基本になるものであるほか、有為な人材の確保や労使関係の安定に資するものであり、人事院は、労働基本権制約の代償機関として、常に公務員給与の在り方について調査・研究を行いながら、本法が定める情勢適応の原則（法二八）等に基づき、国会及び内閣に対する勧告や人事院規則等の制定等を通じて、職員に対し適正な給与を確保するよう努めていかなければならないことはいうまでもない。

以下、現行給与制度について、俸給制度、手当制度に大別し、概説しておく。

二　俸給制度

１　初任給の決定

初任給とは、学校を卒業後、直接職員として採用された者をはじめ、民間企業等における職歴を有する中途採用職員、人事交流により特別職国家公務員、地方公務員等から異動してきた者など、新たに俸給表の適用を受ける職員となった者について決定される俸給である。

まず、新たに職員となった者の職務の級の決定については、職務給の原則（法六二）に則り、その職員の能力等を考慮し、その職員が就く職務の複雑、困難及び責任の度に応じ、級別定数の範囲内で該当する職務の級を決定することとなる（人規九―八　一一1）。採用試験の結果に基づいて新たに職員となった者の職務の級は、その者に適用される初任給基準表（人規九―八　別表第二）の試験欄の区分に対応する初任給欄の職務の級となる（人規九―八　一一2）。

次に、号俸の決定について、採用試験の結果に基づいて新たに職員となった者の号俸は、その者に適用される初任給基準表の試験欄の区分に対応する初任給欄に定める号俸を基準として定めることとなる（人規九―八　一二1①）。

行政職俸給表(一)　初任給基準表（抄）

職種	試験		学歴免許等	初任給
一般	採用試験	総合職（院卒）		2級11号俸
		総合職（大卒）		2級1号俸
		一般職（大卒）		1級25号俸
		一般職（高卒）		1級5号俸
		専門職（大卒一群）		1級26号俸
		専門職（大卒二群）		1級25号俸
		専門職（高卒）		1級5号俸
	その他		高校卒	1級1号俸

例えば、新規大学院修士課程修了で国家公務員採用総合職試験（院卒者試験）に合格して採用されれば二級一一号俸、新規大卒で国家公務員採用総合職試験（大卒程度試験）に合格して採用されれば二級一号俸、新規大卒で国家公務員採用一般職試験（大卒程度試験）に合格して採用されれば一級二五号俸、新規高卒で国家公務員採用一般職試験（高卒程度試験）に合格して採用されれば一級五号俸に決定される。なお、試験欄の「総合職（院卒）」又は「総合職（大卒）」の区分の適用を受ける者で、博士課程修了の学歴免許等の資格を有し、その専門的な知識、技術又は経験を必要とする官職に採用された者

には、より高い号俸の決定が可能とされている。

以上は、採用試験に合格し、学卒後直ちに職員となった最も典型的な場合の初任給の決定方法であるが、初任給基準表の学歴免許等の区分より上位の学歴免許等の資格を有する職員については、修学年数一年につき四号俸を上積みし、職務の級の最低限度の資格を超える経験年数を有する職員については、当該経験年数の月数を一二月又は一八月で除した数に四を乗じて得た数の号俸を上積みすることができることとされている。この学歴又は経験年数による号俸の調整は、いずれも学歴又は経験年数の職務への有用性に加えて同じ学歴や経験年数を持つ部内の他の職員との均衡等を考慮して任意に行われるものである（人規九―八　一四～一五の二）。このほか、経験者採用試験の結果に基づいて新たに職員となった場合の初任給決定方法について規定している（人規九―八　一一３、一二１②）。

また、選考採用により新たな職員となった者の職務の級は、その者に適用される初任給基準表の職種欄、試験欄、学歴免許等欄の区分に対応する初任給欄の職務の級を基礎として、その者の経験年数に相当する期間同種の職務に引き続き在職したものとみなして在級期間表（人規九―八　別表第六）に定める在級期間に従い昇格させるものとした場合に就けようとする官職に対応して決定することができる職務の級の範囲内で決定することを原則とし（人規九―八　一一４）、その者の号俸は、上記により決定された職務の級の号俸が初任給基準表に定められている場合は、その号俸とし、前記により決定された職務の級の号俸が初任給基準表に定められていない場合は、同表に定める号俸を基礎としてその者の属する職務の級に昇格又は降格したものとした場合に得られる号俸となる（人規九―八　一二１③）。さらに、人事交流等により異動した場合、特殊の官職に採用する場合等における初任給決定に関する特例がある（人規九―八　一七～一九）。

２　昇格及び降格

㈠　昇　格

昇格は、職員の職務の級を同一の俸給表の上位の職務の級に変更することであり（人規九―八　二〇②）、例えば、一般の係員から係長に昇任して、行政職俸給表㈠の二級から三級に決定する場合のように、昇任に伴う場合と、一般の係員について一級から二級に決定する場合のように、同一の職制上の段階の中でその職務に応じて職務の級を上位の職務の級に決定する場合とがある。昇格させる場合には、①級別定数の範囲内であること、②その職員の職務が昇格させようとする職務の級に応じたものであること、③在級期間表に定める在級期間及び別に定める要件を満たしていること、④昇格させようとする日若しくはその日前一年以内に昇任等したこと、又は、前二年の能力評価及び業績評価の全体評語のうち、原則二回は「優良」以上、残り四回は「良好」以上（令六・九・三〇までを評価期間とする能力評価及び業績評価の全体評語が付された以降の昇格に適用）であって、一年以内に懲戒処分等を受けていない場合で、昇格させようとする職務の級の職務を遂行することが可能と認められること、を満たすことが必要である（人規九―八　二〇1、2、4前段）。この際、勤務成績が特に良好である場合には、在級期間表に定める在級期間を最短で五割まで短縮することができるほか、人事院が別に定める要件を満たす場合には、その者の属する職務の級を二級以上上位の職務の級に決定することができる（人規九―八　二〇4後段、5）。

また、昇格は、原則として昇格前の職務の級に一年以上在級していなければ行うことができない（人規九―八　二〇7）。

以上が一般の昇格の場合であり、上位資格の取得等による昇格、殉職等特別の場合の昇格については特例が定められている（人規九―八　二一、二二）。

次に、昇格した場合の号俸は、原則として昇格した日の前日に受けていた号俸に対応する昇格時号俸対応表（人規九―八別表第七）の昇格後の号俸欄に定める号俸とされる（人規九―八　二三）。同表における昇格時の号俸決定に関する基本的な考え方としては、直近上位の金額に対応する号俸への昇格となるが、昇格は昇格時の職務及び職責の高まりを給与上評価するものであることから、係長級以上（行政職俸給表㈠三級以上）の昇格では、どの号俸からでも一定の昇格メリットを享受できるよう、昇格前の俸給月額に一定額を加算した額の直近上位の号俸とすることを基本としている。なお、その場合においても、高位号俸からの昇格については給与カーブの是正の観点から昇格メリットを縮小して対応号俸を設定している。

㈡　降　格（本法第七五条第二項を併せて参照）

降格は、職員の職務の級を同一の俸給表の下位の職務の級に変更することをいい（人規九―八　二③）、降任に伴う場合と、同一の職制上の段階の中でその職務に応じて職務の級を下位の職務の級に決定する場合とがある。また、降格は、降格させようとする職務の級の職務を遂行することが、職員の人事評価の結果等に基づき可能と認められることが必要である。

降格した場合の号俸は、原則として降格した日の前日に受けていた号俸に対応する降格時号俸対応表（人規九―八　別表第七の二）の降格後の号俸欄に定める号俸とされる（人規九―八　二四の二）。

なお、職員の意に反する降格は、法第七五条第二項に規定されている分限としての降給の一種であり、その事由は、役職定年（管理監督職勤務上限年齢）による転任に伴うものは法第八一条の二第一項に、それ以外のものは人規一一―一〇に定められている（人規一一―一〇　四、六）（そのほか、降格の手続については、人規一一―一〇に定められている。）。

３　初任給基準又は俸給表の適用を異にする異動

初任給基準を異にする異動とは、職員を同一の俸給表において初任給基準表に異なる初任給の定めがある他の職種の職務に異動させること（例えば、大卒の看護師が保健師となった場合など）をいう。また、俸給表の適用を異にする異動とは、例えば、職員を行政職俸給表㈠から税務職俸給表の適用がなされる他の職務に異動させることをいう。

初任給基準又は俸給表の適用を異にして異動した場合の職務の級は、異動後の職務に応じて、級別定数の範囲内で、異動の日に新たに職員となったものとしてその者に適用される初任給基準表に定める職務の級を基礎として、その者の経験年数に相当する期間その者の職務と同種の職務に引き続き在職したものとみなして在級期間表に定める在級期間に従い昇格させるものとした場合に決定できる職務の級の範囲内で原則として決定する。また、その場合の号俸は、原則として新たに職員となったときから異動後の職務と同種の職務に引き続き在職したものとみなして、部内の他の職員との均衡及びその者の従前の勤務成績を考慮して再計算を行って決定することとされている（人規九―八　二五～二八）。

４　昇　給

昇給とは、職員の号俸を同一の職務の級の上位の号俸に変更することであり、人事院規則で定める日（昇給日）に、昇給日前において人事院規則で定める日（評価終了日）以前の一年間における勤務成績に応じて行うものとされている。この昇給日は、〔解釈〕４㈡の研修、表彰、殉職等による昇給を除き、毎年一月一日とされ、評価終了日は、昇給日の前年の九月三〇日とされている（人規九―八　三四）。また、評価終了日の翌日から昇給を行う日の前日までの間にその職員が懲戒処分を受けたことその他これに準ずる事由に該当したときは、これらの事由を併せて考慮するものとされている（給与法八６）。

なお、法律の規定により、指定職俸給表の適用を受ける職員（給与法八６）、定年前再任用短時間勤務職員（給与法一九の八３）及び暫定再任用職員（令和三年一部改正法附則七５）（本法改正経過（国家公務員法等の一部を改正する法律（令三・六・一一法律第六一号））参照）には昇給の制度は適用されないこととされている。また、職員の昇給は、その属する職務の級における最高の号俸を超えて行うことはできない（給与法八9、人規九―八　四一）。

㈠　査定昇給

平成一八年度に、勤務実績をより適切に反映し得る給与制度の整備の一環として、勤務成績に応じて昇給額を決定する査定昇給制度が導入された。これを実施するため、従前の俸給表の号俸を四分割し、これを新たに一号俸とした。それ以前は、一年間を良好な成績で勤務したときは一号俸昇給する（普通昇給）ことを基本とし、勤務成績が特に良好である場合においては特別昇給（一般的に普通昇給とは別に一号俸上位の号俸に決定）を行い、勤務成績が良好であることの証明が得られない場合においては昇給延伸（普通昇給における一年サイクルの昇給時期を三月単位で延期）を行っていた。新たな仕組みでは、昇給日を一月一日に固定した上で、勤務成績に応じて昇給号俸数を決定することとした。すなわち、従前の普通昇給と特別昇給を一本化し、昇給号俸数について五段階の昇給区分を設け、勤務成績に応じた昇給号俸数をきめ細かく設定した。また、平成二一年度には、新たな人事評価制度の導入に伴い、直近一年間の人事評価の結果を昇給に反映させるための制度改正が行われた。現行の昇給区分及び昇給の号俸数に関する具体的な内容は、以下のとおりである。

職員の昇給の号俸数は、その者の人事評価結果等に基づき決定されるA～Eの昇給区分に応じ、昇給号俸数表（人規九―八　別表第七の四）に定める号俸数とする（人規九―八　三七7）。

上位の昇給区分（昇給区分A又はB）への決定については、人事評価における一の調整者の単位ごとに、評価終了日以前における直近の能力評価及び直近の連続した二回の業績評価の組合せから、二つの順位グループに分類し、当該グループの順序に従い、決定することとなる（人規九―八　三七1①、給実甲三二六　三七関係1）。また、上位の昇給区分に決定する職員の割合は、各府省において、次頁の表のとおり職員層に応じて人事院の定める割合に概ね合致させなければならない（人規九―八　三七6、給実甲三二六　三七関係15）。

下位の昇給区分（昇給区分D又はE）への決定については、評価終了日以前における直近の能力評価及び直近の連続した二回の業績評価のうち、原則として、いずれかの評価が「やや不十分」の場合（「不十分」がある場合を除く。）には、昇給区分Dに決定され、全ての評価が「やや不十分」である場合又はいずれかの評価が「不十分」である場合には、昇給区分Eに決定される（人規九―八　三七1③、給実甲三二六　三七関係4①、5①）（第七〇条の四〔解釈〕二2㈡参照）。

【行政職俸給表㈠等職員昇給号俸数表】

昇給区分	A 勤務成績が 極めて良好	B 勤務成績が 特に良好	C 勤務成績が 良好	D 勤務成績が やや良好でない	E 勤務成績が 良好でない
昇給の 号俸数	8号俸以上	6号俸	4号俸 (管理職員にあっては、3号俸)	2号俸	0号俸 (昇給しない)
	2号俸以上	1号俸	0号俸 (昇給しない)	0号俸 (昇給しない)	0号俸 (昇給しない)

備考1　専門スタッフ職俸給表2級以上の職員以外の職員に適用。
　2　上段の号俸数は昇給抑制年齢職員（原則55歳を超える職員）以外の職員に、下段の号俸数は昇給抑制年齢職員に適用。
　3　「管理職員」とは、行政職俸給表㈠7級以上及びこれに相当する職員をいう。

【専門スタッフ職俸給表2級以上職員昇給号俸数表】

	A 勤務成績が 極めて良好	B 勤務成績が 特に良好	C 勤務成績が 良好	D 勤務成績が やや良好でない	E 勤務成績が 良好でない
2級	5号俸以上	3号俸	1号俸	0号俸 (昇給しない)	0号俸 (昇給しない)
3級	5号俸以上	3号俸	0号俸 (昇給しない)	0号俸 (昇給しない)	0号俸 (昇給しない)
4級	1号俸	0号俸 (昇給しない)	0号俸 (昇給しない)	0号俸 (昇給しない)	0号俸 (昇給しない)

【上位の昇給区分に決定する職員の割合】

昇給区分	A	B
管理職層	100分の10	100分の30
中 間 層	100分の5	100分の20
初 任 層	100分の20（「A」は100分の5以内）	

注　管理職層とは行政職俸給表㈠7級以上相当の職員及び専門スタッフ職俸給表2級以上の職員を、初任層とは初任給基準表に初任給が設定されている職務の級に属する職員（期末・勤勉手当の役職段階別加算措置の対象となる職員を除く。）を、中間層とは管理職層及び初任層に分類される職員以外の職員をいう。

また、評価終了日以前一年間の六分の一以上の日数を勤務しなかった職員は昇給区分Dに、二分の一以上の日数を勤務しなかった職員は昇給区分Eに決定されるほか、昇給日の前日までの間において懲戒処分等を受けた職員は、昇給区分D又はEに決定される（人規九―八　三七1③、4、給実甲三二六　二七関係4、5）。

㈡　研修、表彰、殉職等による昇給

勤務成績が良好である職員が、研修成績が特に良好な場合、特別の功績等により表彰を受けた場合、いわゆる殉職した場合等において、これらの事由等に該当した時期等に昇給を行うことができる（人規九―八　三九、四〇）。

5　降号（本法第七五条第二項を併せて参照）

降号とは、職員の号俸を同一の職務の級の下位の号俸に変更することをいう（人規九―八　二④）。降号させた場合の号俸は、降号した日の前日に受けていた号俸より二号俸下位の号俸となる（人規九―八　四二）。

なお、職員の意に反する降号は、法第七五条第二項に規定されている分限としての降給の一種であり、その事由及び手続については、人規一一―一〇に定められている。

6　特別の場合の俸給月額の決定

在職中の職員が、現に受けている号俸よりも上位の号俸を初任給として受けるべき資格を取得した場合（例えば、一般職試験（高卒程度試験）に合格し、採用された者が、一般職試験（大卒程度試験）に合格し、当該試験の結果に基づき任用された場合）など一定の場合においては、所定の上位の号俸に決定することができる（人規九―八　四三）。また、休職、専従許可等を受けた職員が復職し、あるいは派遣職員が職務に復帰し、又は休暇のため引き続き勤務しなかった職員が再び勤務することになった場合等で、部内の他の職員との均衡上必要なときは、その休職等の期間を事由ごとに定められた率により換算して得た期間を引き続き勤務したものとみなして、号俸の調整を行うことができるものとされている（人規九―八　四四等）。なお、換算率を定めた換算表は次のとおりである（人規九―八　別表第八等）。

休職等の期間	換算率
公務又は通勤による傷病に係る休職（休暇）、公務上の災害又は通勤による災害を原因とする行方不明休職、研究休職、共同研究休職、役員兼業休職及び機関設立援助休職の期間	三分の三以下
派遣職員の派遣の期間	
介護休暇の期間	
過員休職の期間	三分の二以下（先行する休職が公務に基づくもの又は通勤による災害に係るものである場合は、三分の三以下）
専従許可の有効期間	三分の二以下
結核性疾患による休職（休暇）の期間	二分の一以下
非結核性疾患による休職（休暇）及び災害による行方不明休職（公務上の災害又は通勤による災害を原因とするものを除く。）の期間	三分の一以下
刑事事件による休職の期間（無罪判決を受けた場合の期間に限る。）	三分の三以下

以上のほか、育児休業法に基づく育児休業の期間、官民人事交流法に基づく交流派遣の期間、法科大学院派遣法第一一条に基づく派遣の期間及び自己啓発等休業法に基づく自己啓発等休業の期間については、一〇〇分の一〇〇以下（ただし、自己啓発等休業の期間について、職員の職務に特に有用と認められる修学又は国際貢献活動のためのもの以外のものは一〇〇分の五〇以下）、配偶者同行休業法に基づく配偶者同行休業の期間については、一〇〇分の五〇以下の換算率とされている（人規一九―〇第一六条、人規二一―〇第四一条、人規二四―〇第一五条、人規二五―〇第一三条、人規二六―〇第一五条）。

なお、派遣職員が派遣期間中に退職した場合も、部内均衡を考慮して号俸を調整することができることとされている（人規九―八　四四の二）。

以上のほか、俸給月額が変更される場合として俸給の訂正がある。俸給の決定に誤りがある場合には、過去に遡って訂正することが原則であり、人事院は俸給表の決定と職務の級への分類に関する決定に誤りがあったときは、その更正を命じることもできるとされているのであるが（給与法二〇）、遡及することが事実上不可能な場合あるいは遡及することによりかえって混乱を生じる場合は、調整措置として人事院の承認を得て将来に向かって訂正することも認められている（人規九―八　四五）。

三　手当制度

職員の給与はその職務と責任に応じて支給されるべきものであり（法六二）、その基本となるのは職務と責任に応じて決定される俸給である。しかしながら、俸給は職務の級及び号俸が同一であれば同額が支給されることになって、俸給だけでは、個々の官職の特殊性、個々の職員の生活条件や勤務地域の差異等は十分に職員の給与に反映されないので、円滑かつ適切な人事管理を行い、職員のライフステージに応じた生活事情に応えるために、俸給を補完するものとして各種の手当制度が設けられている。

俸給と諸手当の構成比はどの程度が妥当かということについて明確な基準は存在しない。民間企業における基本給と手当の比率は、近年は概ね八五対一五程度（厚生労働省就労条件総合調査）で推移してきており、民間の傾向を参考としつつ配分を行っている公務においては〔解釈〕一で述べたとおり、全国一律の基本給を維持しつつ、各地域の民間賃金をできるだけ反映させられるように地域手当への配分割合を高くしていることもあって、概ね八対二程度と手当の占める割合が若干高くなっている。

本条第一項第二号から第七号までにおいては、給与に定める法律において定めるべき事項としていわゆる手当に関する事項が掲げられているが、これらの規定と給与法による手当との関係を示せば、次のようになる。

①　官職又は勤務の特殊性を考慮して支給する給与に関する事項（第二号）
俸給の調整額、俸給の特別調整額、本府省業務調整手当、初任給調整手当、専門スタッフ職調整手当、特殊勤務手当

②　親族の扶養その他職員の生計の事情を考慮して支給する給与に関する事項（第三号）
扶養手当、住居手当、通勤手当、単身赴任手当

③　地域の事情を考慮して支給する給与に関する事項（第四号）
地域手当、広域異動手当、研究員調整手当、特地勤務手当、特地勤務手当に準ずる手当

④　時間外勤務、夜間勤務及び休日勤務に対する給与に関する事項（第五号）

超過勤務手当、休日給、夜勤手当、宿日直手当、管理職員特別勤務手当

⑤　一定の期間における勤務の状況を考慮して年末等に特別に支給する給与に関する事項（第六号）

期末手当、勤勉手当

⑥　常時勤務を要しない官職を占める職員の給与に関する事項（第七号）

非常勤職員の給与

以下、本条第一項各号に定める事項ごとに、その具体的内容である各手当について概観する。なお、給与法第一条第一項は他の法律により給与に関する事項を定めることを認めており、他の法律による手当として、例えば、寒冷地手当（寒冷地手当法）がある。以下に掲げる手当の支給額は人事院勧告により改定されるものであり、原則として令和五年四月現在のものである。

１　官職又は勤務の特殊性を考慮して支給する給与（職務の特殊性に着目した手当）

(一)　俸給の調整額

(1)　趣旨・性格　俸給の調整額は、同じ職務の級に属する他の官職に比べて、職務の複雑、困難若しくは責任の度又は勤労の強度、勤務時間、勤労環境その他の勤務条件が著しく特殊な官職にある職員に対し、その職務の特殊性に基づき、俸給月額に調整を加えるために設けられた手当である（給与法一〇）。

職員の俸給は、その職務の複雑、困難及び責任の度に基づき、かつ、勤労の強度、勤務時間、勤労環境その他の勤務条件を考慮して、定められるべきであるとされており（給与法四）、給与法ではこれらの要素に基づいて行政職俸給表のほか、税務職俸給表、公安職俸給表など一一種一七表の俸給表が定められている。

職務内容等が他の官職に比べて著しく特殊な官職については、本来ならば独自の俸給表を設定してその俸給月額を決定することが適当と考えられるが、それに該当する職員数が俸給表を独立させるに適するほど多数でない場合などには、新たな俸給表を設けることはかえって繁雑であるため、既存の俸給表を調整して適用できるよう俸給の調整額が設けられているのである。

給与法では、「俸給」は俸給の調整額を含むものと解されており（一般職の職員の給与に関する法律の運用方針（給実甲二八）

第五条関係）、俸給表上の月額である俸給月額と俸給の調整額を合わせたものを俸給の月額という概念で整理している。また、俸給の月額は、諸手当、退職手当・年金等の算出の基礎とされているので、このことからも、俸給の調整額は実質的には手当というよりも俸給の一部といえよう。

(2)　対象となる官職　俸給の調整を行う官職は人事院規則九―六（俸給の調整額）で定められており、病院又は研究所で放射線、細菌等を取り扱う職員、矯正施設等に勤務する医師又は看護師、麻薬取締官、海上保安庁の巡視船乗組員、ＩＴ・サイバーセキュリティに関する専門的知識・経験と所掌事務に関する十分な知識・経験等を併せ持ち、ＩＴに関する高度専門人材と一般行政部門の職員との橋渡しを行う職員等の占める官職が対象とされている。

(3)　支給月額　俸給の調整額は、俸給月額に一〇〇分の四を乗じて得た額に調整数を乗じて得た額を基本として支給することが長らく行われていたが、俸給カーブのフラット化が進み定率制は適当でなくなったことなどから職務の級別に定額化した額を基本にすることとされ、現在では、当該職員に適用される俸給表及び職務の級に応じて人事院規則で定められている額（調整基本額）に、官職ごとに人事院規則で定められている調整数（一から五まで）を乗じて得た額とされている。ただし、その額が俸給月額の一〇〇分の二五を超えるときは、俸給月額の一〇〇分の二五に相当する額が上限とされる。

支給額に上限を設けている理由は、官職の特殊性に基づくものといえども俸給月額の二五パーセントを超えるような調整を行うことは、調整の趣旨を逸脱するものであり、仮に二五パーセントを超える調整が必要と認められる場合には、俸給月額そのものを引き上げるなどの措置を採るべきであると考えられるからである。なお、一般論としても、ある一つの手当の額が、俸給の三割、四割を超えることになることは、俸給表を中心とする職務給の原則から見て適当ではないと考えられる。現行手当制度において、俸給の調整額のほか、俸給の特別調整額及び特地勤務手当についても二五パーセントが上限となっている。

㈡　俸給の特別調整額

(1)　趣旨・性格　俸給の特別調整額は、管理又は監督の地位にある職員の職務の特殊性に基づいて、支給される手当であり（給与法一〇の二）、民間企業において管理職手当、役付手当などと呼ばれるものに相当する。この手当の支給対象となる官職を占める職員にも勤務時間の設定はあるものの、その勤務は、時間を限定して管理することが難しく、又は適当でな

俸給の特別調整額の代表的な官職（例）

組　織	官職	俸給表・職務の級	区分	手当額（俸給月額に対する割合）
本　府　省	課長	行政職（一）9級	一種	130,300円（25　%相当）
本　府　省	室長	〃　8級	二種	94,000円（20　%相当）
府県単位機関	部長	〃　6級	三種	72,700円（17.5%相当）
管区機関	課長	〃　5級	四種	59,500円（15　%相当）
地方出先機関	課長	〃　4級	五種	46,300円（12.5%相当）

（令和5年4月現在）

いという特殊性があるため、俸給の特別調整額という措置が採られるものである。したがって、これらの職員に対しては勤務実績に応じて支給される超過勤務手当、夜勤手当及び休日給は支給されない。

(2)　支給要件　俸給の特別調整額の支給対象となる官職は、管理又は監督の地位にある職員の官職のうち、人事院規則九―一七（俸給の特別調整額）で定められているもの及び人事院がこれに相当すると認める官職とされており、その官職の管理又は監督の特殊性の程度に応じて、一種から五種までに区分されている。

「管理又は監督の地位にある職員」の具体的な基準については、労基法第四一条第二号の、「監督若しくは管理の地位にある者」の範囲の基準が一つのよりどころになる。労基法上の取扱いでは、「一般的には局長、部長、工場長等労働条件の決定その他労務管理について経営者と一体的な立場に在る者の意であるが、名称にとらはれず出社退社等について厳格な制限を受けない者について実体的に判別すべきものである」（昭二二・九・一三発基一七）とされている。この通達では監督や管理について具体的定義はなされていないが、出社、退社について厳格な制限を受けないなどの勤務態様にある者で、かつ業務執行に当たって相当の権限を有し処理する立場にある者、又は他の職員に対し業務上の指示、命令を行い得る立場にある者がこれに該当するものと解されている。

この手当の対象となる管理又は監督の地位にある職員と類似するものに、本法第一〇八条の二第三項により一般の職員団体の構成員となり得ない職員の範囲を指す「管理職員等」という概念がある。この手当の対象となる職員は、もともと勤務態様から見て勤務時間による管理が難しいなどの特殊性のある職員であるのに対し、職員団体制度の方は専ら、労使関係から見て一般職員とは異なる立場にある職員を指しているものであり、両者は異なった原理によっているため、その範囲は必ずしも一致するものではない。

(3)　支給月額　支給額は、官職に応じて、適用される俸給表ごと、職務の級ごと、区分ごとの定額で定められており（平成一八年度以前は定率制の手当であったが、同じ管理・監督業務を行っているのに俸給月額の差によって手当額が異なるのは適当でないこと、民間でも定額制が多いことから現行の方式に改められた。）、代表的な官職でその例を示せば前頁の上記の表のとおりである。

㈢　本府省業務調整手当

(1)　趣旨・性格　本府省業務調整手当は、本府省の業務に従事する課長補佐、係長及び係員を対象として支給するものである（給与法一〇の三）。

この手当は、平成一八年から行われた給与構造改革の際に、国家行政施策の企画・立案、諸外国との折衝、関係府省との調整、国会対応等の本府省の業務に従事する職員の業務の特殊性・困難性に配慮するとともに、各府省において本府省に必要な人材を確保することが困難になっている事情を併せ考慮し、それまでそうした趣旨で設けられていた本府省課長補佐の俸給の特別調整額（八パーセント）を廃止してこの手当を新設し、新たに係長及び係員も対象としたものである（平成二一年四月施行）。

(2)　支給要件　行政職俸給表㈠、専門行政職俸給表、税務職俸給表、公安職俸給表㈠、公安職俸給表㈡又は研究職俸給表の適用職員（管理監督職員を除く。）が、次に掲げる業務に従事した場合に支給する。

①　本府省の内部部局の業務

②　形式的には内部部局以外の組織における業務であるが、実質的には①の業務と同様な業務の特殊性及び困難性並びに職員の確保の困難性があるもの

(3)　支給月額　適用される俸給表及び職務の級ごとに、定額（課長補佐級、係長級、係員級で、それぞれ基準となる俸給月額の九・四四パーセント相当額、六パーセント相当額、四パーセント相当額）で定められている。

㈣　初任給調整手当

(1)　趣旨・性格　初任給調整手当は、もともと民間企業等における初任給と公務のそれとの差に起因する採用困難等の状況に対処し、公務に優秀な人材を誘致し、定着させることを目的として設けられたものである（給与法一〇の四）。現在は、

初任給の官民の差が小さい一般の行政事務職員については支給されておらず、専ら医師等の専門知識を必要とするものについて、その給与格差是正を図るため、必要な期間、必要な額を上積みし調整するための手当として活用され、事実上医師等の第二基本給となっている。

(2)　支給要件

次に該当する官職等に新たに採用された職員であること等が要件となっている。

①　医療職俸給表(一)の適用を受ける職員（医師又は歯科医師）の官職のうち採用による欠員の補充が困難な官職で人事院規則で定めるもの

②　医学又は歯学に関する専門的知識を必要とし、かつ、採用による欠員の補充が困難な官職で人事院規則で定めるもの（医療行為を行わないいわゆる医系技官など）

(3)　支給月額及び支給期間

支給額については、前記(2)支給要件①に該当する場合には採用困難の程度及び在職期間（一年未満から三五年未満まで）に応じ、前記(2)支給要件②に該当する場合には在職期間（一年未満から十年未満まで）に応じ、それぞれ定められている。例えば、採用による欠員の補充が著しく困難な離島、へき地等で勤務する医師又は歯科医師の一年目の支給月額は四一四、八〇〇円であり、一定年数経過後は、在職期間の経過に伴い逓減していくこととされている。

(五)　専門スタッフ職調整手当

(1)　趣旨・性格　専門スタッフ職調整手当は、専門スタッフ職俸給表三級の適用職員が、極めて高度の専門的な知識経験・識見を活用して遂行することが必要とされる業務で、重要度・困難度が特に高いものに従事した場合、恒常的な職務の複雑、困難、責任の度等を考慮している俸給だけでは必ずしも十分に評価しきれないことから、適切な処遇及び人材確保を図るために支給するものである（給与法一〇の五）。

(2)　支給要件　専門スタッフ職俸給表三級の適用職員が極めて高度の専門的な知識経験・識見を活用して遂行することが必要とされる業務で重要度・困難度が特に高いものに従事することを命ぜられた場合に、その業務に従事する間、支給される。

特殊勤務手当の種類（例）

手　　当	対象業務等	支給額（基本的なもの）
高所作業手当	足場の不安定な高所で行う作業等	1日　200円～　520円
坑内作業手当	トンネル、鉱山等の坑内で行う作業等	1日　450円～2,600円
爆発物取扱等作業手当	爆発物の処理作業等	1日　250円～2,600円
災害応急作業等手当	災害発生時に河川の堤防等で行う応急作業等	1日　710円～1,080円
犯則取締等手当	不審船に対する強制的な検査等	1日　550円～7,700円

（令和5年4月現在）

(3)　支給月額　俸給月額に一〇〇分の一〇を乗じて得た額

㈥　特殊勤務手当

(1)　趣旨・性格　特殊勤務手当は、著しく危険、不快、不健康又は困難な勤務その他著しく特殊な勤務で給与上特別の考慮を必要とし、かつ、その特殊性を俸給で考慮することが適当でないものに従事する職員に対し支給される手当である（給与法一三）。

特殊勤務手当は、その勤務の特殊性を俸給で考慮することが適当でないと認められる場合、すなわち、その特殊性が臨時的、一時的、偶発的又は不規則的に発生する場合、その特殊性を恒常的若しくは常態的に捉えることが困難な場合などについて、原則として個々の勤務の実績に基づいて支給されるものであり、この点で、勤務の特殊性が恒常的、安定的であることから毎月定額を支給し、俸給月額の実質的調整を図る俸給の調整額と性格を異にしている。

(2)　特殊勤務手当の種類　特殊勤務手当の種類は、その勤務の特殊性に応じ、二七種類が設けられており、その種類及び対象となる主な勤務内容は、上記の表のとおりである。

なお、俸給の調整額受給者が特殊勤務手当の支給対象となる業務を行った場合において、その業務の特殊性が俸給の調整額の支給によって評価済みであると認められるときには、特殊勤務手当は支給されないこととされている（人規九―三〇　三二1）。

(3)　支給額　各手当の支給額は、手当の種類により、一回、一日若しくは一時間又は一か月を単位として定額で定められている。

2　親族の扶養その他職員の生計の事情を考慮して支給する給与（生活関連手当）

㈠　扶養手当

(1)　趣旨・性格　扶養手当は、扶養親族を有することによる生計費の増嵩を補塡する趣旨で扶養親族を有する職員に支給される手当である（給与法一一）。

扶養手当は第二次世界大戦中、戦時下のインフレに対処するための措置として設けられたものであるが、職務給の原則を掲げる本法においても扶養手当の必要は認められており（法六五１③、昭四〇改正前の法六五１⑤）、昭和二三年一二月の第一回の人事院勧告によって民間との均衡にも考慮した額への引上げが行われたが、職務給原則の下、俸給を重視した給与改定を行うという考え方によって、その額は昭和四一年の勧告で配偶者に対する手当額が引き上げられるまで据え置かれた。昭和四〇年代の経済成長期に入って、民間では、初任給を中心とする若年層の給与が大幅に上昇したのに対し、中堅層の給与の引上げは相対的に少なく、これらの世帯形成層の給与を改善するための手段としてこの手当が活用されることとなり、公務でも昭和四一年勧告以降、ほぼ毎年のようにその額が引き上げられてきた。

その後、賃金デフレの始まった平成一四年頃を境に、民間企業では仕事や実績に関係しない手当を減額・廃止する例が増える傾向を示し、民間企業における家族手当は、共働き世帯の増加もあって支給状況は頭打ちとなり、支給対象も子育て支援にシフトする傾向が見えた。公務においても、平成一四年には初めての官民逆較差の解消のため、俸給表だけでなく配偶者に係る手当額の引下げが行われた。これ以降も平成一五年、一七年と逆較差を解消するための方策として、民間との均衡を理由に、配偶者に係る手当額の引下げが行われた。一方で、平成一四年、一八年、一九年と子等に対する手当額の引上げが行われている。平成二六年以降、女性の活躍を推進する観点から、税制及び社会保障制度と併せて配偶者に係る扶養手当についても、女性が働きやすい制度となるよう見直すべきとの議論がおこり、同年一〇月、内閣総理大臣から人事院に対して配偶者手当見直しの検討要請が行われた。人事院では学識経験者による「扶養手当の在り方に関する勉強会」を行うなどして検討を進め、平成二八年の人事院勧告において、同年の人事院調査によると七六・八％の民間事業所が家族手当制度を有し、そのうち八七・〇％が配偶者に家族手当を支給していることを指摘する一方、社会全体として共働き世帯が片働き世帯よりも多くなるなど女性の就労状況に大きな変化が生ずる中、民間企業では配偶者に手当を支給する事業者の割合が減少傾向にあり、公務でも配偶者を扶養親族とする職員の割合が減少傾向にあること、民間企業では同手当について今後見直し予定がある等の事業所も一定数あること等を踏まえて、配偶者に係る手当額を次のように見直すこととした。具体的には、配偶者に係る手当額を他の扶養親族と同額まで段階的に引き下げるとともに、これにより生ずる原資を用いて、子に係る手当額を引き上げる等の見直しが行われた。なお、その後も、女性活躍の観点等から、諸制度に関する議論が行われており、その進展により、手当の内容が変化していくことも考えられる。

⑵　支給要件　次に掲げる扶養親族のいずれかに該当する者で他に生計の途がなく、主としてその職員の扶養を受けているものを有すること。

①　配偶者（届出をしないが事実上婚姻関係と同様の事情にある者を含む。）

②　満二二歳に達する日以後の最初の三月三一日までの間にある子

③　満二二歳に達する日以後の最初の三月三一日までの間にある孫

④　満六〇歳以上の父母及び祖父母

⑤　満二二歳に達する日以後の最初の三月三一日までの間にある弟妹

⑥　重度心身障害者

扶養親族に認められるかどうかのメルクマールは、「他に生計の途」がないことにあるが、制度の統一的運用を図るために、次の者は扶養親族には含まれないものとされている（人規九―八〇　二）。

①　職員の配偶者、兄弟姉妹等が受ける扶養手当又は民間事業所その他のこれに相当する手当の支給の基礎となっている者

②　年額一三〇万円以上の恒常的な所得があると見込まれる者

⑶　支給月額　配偶者及び父母等（前記⑵の③～⑥）については月額六、五〇〇円（行政職俸給表㈠八級の適用職員及びこれに相当する職員は三、五〇〇円、行政職俸給表㈠九級以上の適用職員及びこれに相当する職員には支給しない。）、子については月額一〇、〇〇〇円（満一六歳の年度の初めから満二二歳の年度末までの間は、一人につき五、〇〇〇円を加算）である。

㈡　住居手当

⑴　趣旨・性格　住居手当は、借家・借間に居住し、一定額を超える家賃を支払っている職員又は配偶者等が借家・借間に居住する単身赴任手当を受給する職員に支給される手当である（給与法一一の一〇）。

もともと国家公務員については宿舎制度があったこともあり、当初は措置されていなかったが、昭和四五年、大都市を中

心とした住宅事情の悪化、家賃の上昇等を踏まえ、かつ、民間企業における同種手当の普及状況等を考慮してこの手当が設けられた。昭和四九年からは、自宅の維持管理の費用を補塡する趣旨で自宅居住者に対しても手当が支給されたが、制定以来支給額の改定が行われておらず、公務部内でその趣旨が必ずしも定着してこなかったこと、公務と同様の趣旨で住宅手当を支給する民間事業所は少数であったことを踏まえ、新築・購入から五年間支給されるものを除き平成一五年に廃止され、新築・購入に係るものについても平成二一年に廃止され、自宅居住者には住居手当が支給されないこととなった。

(2)　支給要件

①　職員の居住する借家・借間　自ら居住するための住宅（貸間を含む。）を借り受け、月額一六、〇〇〇円を超える家賃を支払っている職員に支給される。一定額を超える家賃の支払を要件としているのは、宿舎費を払って宿舎に入居している職員との均衡を考慮したものである。

ただし、有料宿舎を貸与され、使用料を支払っている職員、地方公共団体等から貸与された職員宿舎に居住している職員、職員の扶養親族の住宅又は扶養親族以外の父母あるいは配偶者の父母が居住している住宅の全部又は一部を借り受けて、これに居住している職員等は除かれる。（給与法一一の一〇1、人規九―五四　二）

②　配偶者等の居住する借家・借間　単身赴任手当を支給される職員で配偶者等が居住するための住宅を借り受け、月額一六、〇〇〇円を超える家賃を支払っている職員に支給される。

(3)　支給月額

①　前記(2)支給要件①に該当する者である場合、家賃の額によって、それぞれ次のとおり定められている。

ア　月額二七、〇〇〇円以下の家賃を支払っている場合　家賃の月額から一六、〇〇〇円を控除した額

イ　月額二七、〇〇〇円を超える家賃を支払っている場合　家賃の月額から二七、〇〇〇円を控除した額の二分の一（その控除した額の二分の一が一七、〇〇〇円を超えるときは一七、〇〇〇円）を一一、〇〇〇円に加算した額

②　前記(2)支給要件②に該当する者である場合、前記(2)①により算出される額の二分の一。

(三)　通勤手当

(1)　趣旨・性格　通勤手当は、通勤のため、交通機関等を利用してその運賃若しくは料金を負担している職員又は自動

車等の交通用具を使用している職員に支給される手当であり、職員の通勤に要する経費を補塡することを目的とした実費弁償的性格を持つ手当であり（給与法一二）、所得税法上も一定の額（現在一五万円）を限度として非課税所得として取り扱われる。通勤そのものは職務と直接関係がないにもかかわらず、給与制度の中に通勤手当が取り入れられ、維持されている背景には、第二次世界大戦後、特に都市部において住宅事情が悪化したため、職員の意思とは関係なく遠距離通勤せざるを得ない事情が生じてきた上に、高度成長期には職員の誘致、確保のためにもこの手当が必要であると考えられたことなどの事情がある。ちなみに、この手当は昭和三〇年代に民間で急速に普及し、これと軌を一にして公務でも昭和三三年四月から実施されている。

公務は民間企業に例がないほど官署が全国に散在しており、通勤の態様も種々あることから支給額には一定の限度を設ける必要がある。現在は月額五五、〇〇〇円が最高支給限度額とされ、交通機関利用者の場合、ほぼ全額がカバーされている。このように通勤実費がほぼ全額カバーされることとなったことから、平成一七年以降、通勤手当は実費弁償的手当として官民比較給与の外に置かれている。

⑵　支給要件　次のいずれかに該当することを要する。

①　通勤のため、交通機関又は有料の道路を利用してその運賃又は料金を負担することを常例とし、通勤距離が片道二キロメートル以上であること

②　通勤のため自動車等の交通用具を使用することを常例とし、通勤距離が片道二キロメートル以上であること

③　通勤のため交通機関又は有料の道路を利用してその運賃等を負担し、かつ、自動車等の交通用具を使用することを常例とし、通勤距離が片道二キロメートル以上であること

⑶　支給額

①　前記⑵支給要件①に該当する場合　支給単位期間（各交通機関等ごとに定められた通勤手当の支給の単位となる期間。六月を超えない範囲内で一か月単位で定められる。）の通勤に要する運賃等の額に相当する額（運賃等相当額）。ただし、一月当たりの運賃等相当額が五五、〇〇〇円を超えるときは、五五、〇〇〇円に支給単位期間の月数を乗じて得た額。

②　前記⑵支給要件②に該当する場合　自動車等の使用距離（片道）に応じて定められた額（五キロメートル未満の場合における二、〇〇〇円から六〇キロ以上の場合における三一、六〇〇円までの一三区分）

③　前記⑵支給要件③に該当する場合

ア　交通機関等の利用区間について、通常徒歩によることを例とする距離を超えて利用し、自動車等の使用距離が原則として二キロメートル以上ある場合には、運賃等相当額と自動車等に係る手当額の合計額（支給限度額は五五、〇〇〇円）。ただし、その額が支給限度額を超えるときは、五五、〇〇〇円にその者の支給単位期間のうち最も長い期間の月数を乗じて得た額

イ　前記ア以外の場合については、運賃等相当額と自動車等に係る手当額を比較して、そのどちらか高い方の額

④　支給額の特例

ア　新幹線鉄道等に係る特例　異動又は官署の移転等に伴い所在する地域を異にする官署に在勤することになったこと等により新幹線鉄道等を利用し、その利用が通勤事情の改善に相当程度資するものであると認められる場合であって、特別料金等を負担することを常例とする職員に対し、特別料金等を負担しないものとした場合の通勤手当額に加えて、特別料金等の二分の一（一か月当たり二〇、〇〇〇円限度）が支給される。

イ　島等に係る特例　住居を得ることが著しく困難である島等に所在する官署で人事院規則で定める官署への通勤のために、有料の橋等を利用し、その利用に係る特別運賃等を負担することを常例とする職員で、運賃等の負担額が支給限度額を超える者に対し、特別運賃等を負担しないものとした場合の通勤手当額に加えて、特別運賃等相当額が支給される。

㈣　単身赴任手当

⑴　趣旨・性格　単身赴任手当は、官署を異にする異動等に伴い転居し、やむを得ない事情により配偶者と別居し、単身で生活することを常況とする職員等に対して支給される手当である（給与法一二の二）。この手当は、女性の社会進出による配偶者の就業、高齢化社会の到来による老親の世話、子どもの教育問題など帯同を困難にする要因が拡大するとともに、交通・通信手段が発達する等の社会状況の変化を背景として、やむを得ず単身赴任をしている職員が相当数存在し、かなり

の経済的負担を負っている実態があったことを考慮し、民間における単身赴任者に対する措置の状況等も踏まえ、平成二年四月に設けられた。

(2)　支給要件　官署を異にする異動又は在勤する官署の移転に伴い、住居を移転し、やむを得ない事情により同居していた配偶者と別居し、異動等の直前の住居からの通勤が困難であると認められる職員のうち、単身で生活することを常況とする職員に支給されるほか、人事交流により行政執行法人職員等から引き続き俸給表適用職員として採用されたことに伴い転居した職員等にも、一定の要件の下、支給される。ただし、配偶者の住居からの通勤が困難であると認められない場合には支給されない。

(3)　支給月額　三〇、〇〇〇円（職員の住居と配偶者の住居との間の交通距離が一〇〇キロメートル以上である職員については、交通距離に応じて定められた額（八、〇〇〇円から七〇、〇〇〇円までの一〇区分）を加算した額）

3　地域の事情を考慮して支給する給与（地域関連手当）

(一)　地域手当

(1)　趣旨・性格　地域手当は、俸給水準が全国一律とされる中で、民間賃金の高い地域に勤務する職員に対し、民間賃金水準を反映した給与を支給するため、民間の賃金水準を基礎とし、物価等を考慮して地域区分を行い、その地域に在勤する職員に対して支給される手当である（給与法一一の三）。

国家公務員の地域手当の沿革を見てみると、第二次大戦直後の都市部を中心とした激しいインフレに対処するために、地域間の物価、生計費差に着目して市町村単位に設けられた臨時手当が始まりであり、勤務地手当時代（昭二三・一〜三二・三）には、最高で俸給と扶養手当の合計額の三〇パーセントが支給されていた。その後、経済の安定に伴って、物価の地域差も次第に小さくなり、昭和三二年には、勤務地手当は定額化されて暫定手当に改められ、長期的には、本俸に繰り入れられ廃止される方向がとられた。しかしながら、高度経済成長とともに都市部と地方の民間賃金の格差は拡大し、都市部においては給与改定によっても埋められない給与格差が大きくなるなどして、公務への人材確保にも影響が出るようになった。そこで、昭和四二年に主として都市における官民の給与格差の拡大に対処するために新たに調整手当制度（市町村ごとの地域区分は暫定手当制度の区分を維持）を設けることとされた。その後、平成に入り、社会経済状況等の変化を踏まえた支給地域や支給割合の見直しも行われたが、平成一〇年代に入ると、民間賃金の厳しい状況を反映して、地域に勤務する公務員の給与が、その地域の民間給与に比べて高いのではないかとの批判がなされるようになった。そこで、平成一八年、地域における公務員給与の見直し、年功的給与カーブの是正などを目指す給与構造改革の一環として、民間賃金の地域差をより公務員給与に反映させるため、俸給水準は民間賃金水準が低い地域を考慮して定めることとし、地域ブロック別の官民較差で公務員給与水準が最も高くなった北海道・東北における四・八パーセントの逆較差を踏まえて、俸給表の水準を平均四・八パーセント引き下げた上で、調整手当を廃止し、賃金構造基本統計調査（厚生労働省）で見て民間賃金水準が高い地域には新たに地域手当（東京都特別区の一八パーセントが最高）を支給することとした。さらに、平成二七年、給与制度の総合的見直しの一環として、民間賃金水準の低い一二県を一つのグループとした場合の官民較差と全国の較差との率の差（二・一八ポイント）を踏まえ、俸給表の水準を平均二パーセント引き下げた上で、地域手当についても改正を行った。

(2)　支給月額　地域手当の月額は、俸給、俸給の特別調整額、専門スタッフ職調整手当及び扶養手当の月額の合計額に、官署の所在する地域等の級地の区分に応じて定められた支給割合を乗じて得た額である（東京都特別区は一級地）。

支給地域区分の基準については、この手当の趣旨が、民間賃金準拠により定められる公務員給与の地域的な適正配分にあることから、賃金構造基本統計調査（厚生労働省）を基に人事院が作成した地域（人口五万人以上の市を対象）ごとの賃金指数が用いられている。ただし、地域手当は、市町村単位の指定のため、大都市圏を中心として、行政区域を超えた生活圏、雇用圏の広がりを考慮すると、近接する市町村間で均衡を失する場合も認められることから、いわゆるパーソントリップ補正を設け、指定地域である中心的な都市と地域の一体性が認められる市町村も指定を行うこととしている（具体的には、地域の中心的な市（県庁所在市又は人口三〇万人以上の市）に対する周辺市町村からの通勤状況を国勢調査の結果から集計し、当該市町村の就業者人口における中心市での従業者の比率（パーソントリップの数値）が一定割合以上の地域について指定）。

令和五年四月現在の支給地区分は上の表（人規九―四九　別表第一）のとおりであり、また、この支給地区分に基づく支給割合は次のとおりとなっている。なお、支給地域及び級地については、一〇年ごとに見直すのを例とすることとしている（人規九―四九　一六）。

地域手当の代表的支給地域

1級地	20%	特別区
2級地	16%	町田市、横浜市、川崎市、豊田市、大阪市
3級地	15%	さいたま市、千葉市、八王子市、名古屋市、高槻市、西宮市
4級地	12%	船橋市、相模原市、藤沢市、豊中市、吹田市、神戸市
5級地	10%	水戸市、市川市、松戸市、横須賀市、四日市市、大津市、京都市、堺市、枚方市、東大阪市、尼崎市、奈良市、広島市、福岡市
6級地	6%	仙台市、宇都宮市、高崎市、川越市、川口市、所沢市、越谷市、柏市、甲府市、岐阜市、静岡市、岡崎市、春日井市、津市、和歌山市、高松市
7級地	3%	札幌市、前橋市、新潟市、富山市、金沢市、福井市、長野市、浜松市、豊橋市、一宮市、姫路市、岡山市、徳島市、北九州市、長崎市

（都道府県庁所在地又は人口30万人以上の市）（令和５年４月現在）

一級地　一〇〇分の二〇
二級地　一〇〇分の一六
三級地　一〇〇分の一五
四級地　一〇〇分の一二
五級地　一〇〇分の一〇
六級地　一〇〇分の六
七級地　一〇〇分の三

なお、市町村の区域を単位とした地域手当の支給地域の特例として官署指定の制度があり、具体的には、支給地域に近接し、民間賃金水準及び物価等に関する事情がその支給地域に準ずる地域に所在する官署で人事院規則で定めるものに在職する職員に対しても同様の地域手当が支給される。

(3)　地域手当の特例

①　大規模空港区域についての特例　成田国際空港、関西国際空港など大規模な国際空港が新設される際には、東京や大阪から新組織の基幹となる官署（職員）が移転することとなったが、その立地が東京や大阪の都市部の外となり、官署所在市町村の民間賃金を基にすると地域関連手当の対象とならず、同手当の支給が職員移転の条件のようになったため、当初は新空港への移転手当として措置された。移転後、時間も経過し、いつまでも「移転手当」としては措置できない状況の下、平成一八年、給与構造改革における地域手当の見直しの中で、大規模空港区域における地域手当の特例が措置された。

この特例は、その設置に特別の事情がある大規模空港の区域であって、当該区域内における民間の事業所の設置状況、当該民間の事業所の従業員の賃金等に特別の事情があると認められる特定の区域に在勤する職員に対して、俸給、俸給の特別調整額、専門スタッフ職調整手当及び扶養手当の月額の合計額に一〇〇分の一六を超えない割合を乗じて得た額の地域手当を支給するものである（給与法一一の四）。

②　医師についての特例　医療職俸給表㈠の適用を受ける職員及び指定職俸給表の適用を受ける職員のうち医療事務に従事して国立ハンセン病療養所に勤務する職員等には、当分の間、勤務地域にかかわりなく、俸給、俸給の特別調整額及び扶養手当の月額の合計額に一〇〇分の一六を乗じて得た額の地域手当が支給される（給与法一一の五）。これは民間の医師の給与を見ると、その需給関係もあって大都市に比べて地方が著しく高くなっており、これに対処するため、公務においては地方在勤の医師に対して都市部在勤の医師よりも高額の初任給調整手当が支給されていることを考慮し、地方在勤の医師を確保するという観点から、医師については特例的に一律に地域手当を支給することとされているものである。

③　特別移転官署等についての特例　地域手当の支給地域に所在する官署等が特別の法律に基づく官署の移転に関する計画等により、支給割合が低い地域又は非支給地域に移転した場合等には、一定の期間、俸給、俸給の特別調整額、専門スタッフ職調整手当及び扶養手当の月額の合計額に、移転前の官署の所在していた地域に係る支給割合を段階的に引き下げた割合を乗じて得た額の地域手当が支給される（給与法一一の六）。特別の法律に基づく官署の移転に関する計画等による移転としては、まち・ひと・しごと創生法（平二六法一三六）第八条に規定するまち・ひと・しごと創生総合戦略に基づく官署の移転等があり（人規九―四九　五）、令和五年四月時点において、この規定に基づき地域手当が支給されている官署としては、消費者庁新未来創造戦略本部、総務省統計局統計データ利活用センターなどがある（人規九―四九　六、別表第三）。

④　異動保障　地域手当の支給対象である地域若しくは官署に在勤する職員が異動した場合又は職員の在勤する官署が移転した場合に、その異動等の直後に在勤する地域等に係る支給割合が従前の地域等の支給割合に達しないとき又はその地域等が非支給地域となるときは、その異動等の日から二年を経過するまでの間、異動保障による地域手当が支給される（給与法一一の七）。その支給割合は、一年目は従前の支給割合、二年目は一年目の支給割合に一〇〇分の八〇を乗

じて得た割合である。異動保障を導入している背景には、東京などの大都市に本店を置く民間企業ではどこに勤務しても一部の手当等を除き基本的には同一の賃金水準が保障されているところ、公務においては民間賃金の地域差を反映させるため都市部と地方とでは最大約二割の給与水準差があることから、本省（東京）から地方機関への異動や地域手当の支給される都市にある地方機関の本局からこの手当の支給されない出先機関への異動などが相当数行われる公務員の人事においては、地域手当の激変を避けることにより、職員の生活の安定を図ることが、安んじて転勤を行うために必要とされるという事情がある。なお、昭和四五年から平成一五年の見直し前までは異動保障期間は三年間とされていたが、異動者も速やかに地域の勤務条件になじむべき等との議論を踏まえて、現行制度への見直しが行われた。

㈡　広域異動手当

(1)　趣旨・性格　広域的に転勤のある民間企業は一定規模以上のものが多く、その従業員の賃金水準は、地域手当が支給されない地域の民間企業の従業員の賃金水準に比べて高くなっている。公務においては、平成一八年から実施された給与構造改革の中で、俸給水準を引き下げて民間賃金の低い地域をベースとして給与水準を設定することとなったが、広域に転勤を行っている民間企業の賃金水準を考慮して、広域異動を行う職員の給与水準を調整するため、異動等前後の官署間の距離及び異動等の直前の住居と異動等の直後の官署との間の距離が六〇キロメートル以上である場合等に当該異動の日から三年間支給する手当として、平成一九年、新たに広域異動手当を設けた（給与法一一の八）。また、平成二七年、給与制度の総合的見直しの一環として、支給割合の改定が行われた。

(2)　支給月額　広域異動手当の月額は、俸給、俸給の特別調整額、専門スタッフ職調整手当及び扶養手当の合計額に、異動等に係る官署間の距離の区分に応じて定められた次の支給割合を乗じて得た額である。なお、広域異動手当を支給されることとなる職員が地域手当を受けている場合には、広域異動手当は、地域手当の支給割合の限度で支給されなくなる（給与法一一の八4）。

三〇〇キロメートル以上　一〇〇分の一〇

六〇キロメートル以上三〇〇キロメートル未満　一〇〇分の五

㈢　研究員調整手当

(1)　趣旨・性格　昭和四〇年代半ばから東京都内等に所在していた試験研究機関等を移転させ筑波研究学園都市を建設した際に、職員の円滑な異動と定着を図るため、旧調整手当支給額に代替するものとして、筑波研究学園都市移転手当が設けられた。しかしながら、時が経過し、移転促進のための手当という役割を事実上終えていたこと等を踏まえ、平成九年四月に筑波研究学園都市移転手当が廃止され、併せて、都市部以外に立地する科学技術に関する試験研究機関における研究員の人材確保等を目的として研究員調整手当が設けられた（給与法一一の九）。

(2)　支給要件　科学技術に関する試験研究を行う機関のうち、研究活動の状況、研究員の採用の状況等から見て人材確保等を図る特別の事情があると認められる機関で人事院規則で定めるものに勤務する研究員に対して支給する。

(3)　支給月額　俸給、俸給の特別調整額及び扶養手当の月額の合計額に一〇〇分の一〇を乗じて得た額

㈣　特地勤務手当

(1)　趣旨・性格　特地勤務手当は、離島その他の生活の著しく不便な地に所在する官署（特地官署）に勤務する職員に支給される手当で（給与法一三の二）、それら職員の勤務に伴う生活上の不便や精神的苦痛等に対処し、もって人材確保や人事異動の円滑化に資することを目的とするものである。

この種の手当は、明治三〇年勅令第二四六号により北海道に勤務する巡査及び看守に土地の状況に応じて三円以内の手当を支給することとされたのが始まりとされ、戦後においてもへき地所在官署に在勤する職員に対する特殊勤務手当として措置された。その後、昭和三五年に特殊勤務手当が整備された際に、同手当から分化して「交通の著しく不便な地に所在する官署」に対する隔遠地手当として給与法上制度化され、さらに、昭和四五年の給与法の改正により「生活の著しく不便な地に所在する官署」に対する特地勤務手当とされたものである。このように交通不便地に係る手当から生活不便地に係る手当へと手当の主旨が変えられた背景には、高度成長期に、離島・へき地の交通事情が逐次改善されてきたが、これらの地域と都市部との生活面における差は、質・量ともに必ずしも縮小してきたということはできず、離島・へき地にある官署への人材確保は引き続き困難な事情があったためといえよう。

特地官署は、人事院規則九―五五（特地勤務手当等）等で定められており、その所在する地の生活不便の程度に応じて六級地から一級地までに区分されている。

(2)　支給額　異動又は官署の移転等の日における俸給及び扶養手当の月額の合計額の二分の一並びに現に受ける俸給及び扶養手当の月額の合計額の二分の一を合算した額に、特地官署の級別区分に応じて定められた次の支給割合を乗じて得た額である。

六級地　一〇〇分の二五
五級地　一〇〇分の二〇
四級地　一〇〇分の一六
三級地　一〇〇分の一二
二級地　一〇〇分の八
一級地　一〇〇分の四

なお、近年の市町村合併等により、特地官署が地域手当の支給地域に所在することも生じているが、その場合には、地域手当の額の限度において特地勤務手当は支給されない（人規九―五五　三）。

(3)　特地官署等の見直し　特地官署及び準特地官署並びに級別区分については、五年ごとに見直すのを例とすることとしている（人規九―五五　八の二）。

㈤　特地勤務手当に準ずる手当

(1)　趣旨・性格　特地勤務手当に準ずる手当は、職員が官署を異にして異動し、又は職員の在勤する官署が移転し、その異動先の官署又は移転した官署が特地官署又は人事院が指定するこれに準ずる官署（準特地官署）に該当する場合に、これらの異動や移転に伴って住居を移転した職員及びこれらの職員との権衡上必要があると認められる職員に支給される手当である（給与法一四）。

特地官署又は準特地官署の要員は主として都市部の官署から、異動によって確保することになるが、その人事管理を円滑にするために、住居を移転して勤務することとなる職員に対して給与上の特別な配慮を行うこととしたものである。

(2)　支給要件　次のいずれかに該当することを要する。

①　官署を異にして異動し、又は在勤する官署が移転し、その異動の直後に在勤する官署又は移転した官署が特地官署又

は準特地官署に該当する場合に、これらの異動や移転に伴って住居を移転した職員であること。

②　官署が特地官署又は準特地官署に該当することとなった日前三年以内にその官署に異動し、異動に伴って住居を移転した職員であること。

(3)　支給期間　手当の支給は、異動等に伴って住居を移転した日から始まり、異動等の日から起算して三年に達する日まで支給される。特例として、三年を経過する際、各庁の長が更に引き続き当該官署に勤務させることが必要であると認めた職員又はこれに準ずる職員に対しては、異動等の日から起算して六年に達する日まで支給する。

なお、職員が特地官署又は準特地官署以外の官署に異動した場合、在勤官署が移転等のため特地官署又は準特地官署に該当しないこととなった場合には、その支給は打ち切られる。

(4)　支給月額　特地勤務手当に準ずる手当の月額は、異動等の日における俸給及び扶養手当の月額の合計額に、異動等の日から起算して四年に達するまでの間は、三級地から六級地までの特地官署にあっては一〇〇分の六、二級地及び一級地の特地官署にあっては一〇〇分の五、準特地官署にあっては一〇〇分の四、同日から起算して四年に達する までの間は一〇〇分の四、同日から起算して五年に達した後は一〇〇分の二を乗じて得た額である。なお、特地勤務手当に準ずる手当を支給される職員が広域異動手当を支給される場合には、特地勤務手当に準ずる手当は、広域異動手当の支給割合に応じ、一定の割合を減じた額が支給されることとなる（人規九―五五　六）。

4　時間外勤務、夜間勤務及び休日勤務に対する給与

(一)　超過勤務手当

(1)　趣旨・性格　超過勤務手当は、職員が正規の勤務時間を超えて勤務することを命ぜられた場合に、正規の勤務時間を超えて勤務した全時間に対して支給される手当であり（給与法一六）、民間労働者の場合、時間外勤務に対して割増賃金の支給が義務付けられていること（労基法三七）に対応するものである。

ところで、この手当の制度化までの経緯は次のようになっている。まず、戦前の官吏は無定量の勤務に服すべきものとされていたので、そもそも官吏の体面維持のために支給される俸給は勤務の対価と解されておらず、超過勤務手当という概念自体も存在しなかった。しかし、昭和二二年九月、労基法が施行され、国家公務員にも同法が適用されたことにより、国家

公務員にも勤務時間の概念が導入されることとなった。これに伴って「労働基準法等の施行に伴う政府職員に係る給与の応急措置に関する法律（昭二三法一六七）」が制定され、これに基づいて初めて超過勤務及び深夜勤務に対する割増給与が支給されることとなった。当初は時間外手当及び深夜手当として制度化されていたが、昭和二三年一二月の新給与実施法の一部改正の際、割増給与制度の整備が行われ、現行の超過勤務手当、休日給及び夜勤手当という名称の下にそれぞれが制度化された。

(2)　支給要件

正規の勤務時間を超えて勤務することを命ぜられ、実際に勤務した場合にその実働時間に対して支給される。正規の勤務時間を超える勤務には、その日の勤務時間の終了後に行ういわゆる残業のほか、週休日や休憩時間などにおける勤務がある。休日（国民の祝日等）には、正規の勤務時間が割り振られているので、その時間内の勤務に対しては超過勤務手当は支給されず、後述する休日給が支給される。ただし、休日が週休日と重なった場合には、休日給は支給されず、超過勤務手当が支給される。

超過勤務命令は職務上の命令の一つであるが、その直接の根拠としては、「各省各庁の長は、公務のため臨時又は緊急の必要がある場合には、正規の勤務時間以外の時間において職員に前項に掲げる勤務以外の勤務をすることを命ずることができる」（勤務時間法一三②）とする定めがある。

指定職俸給表の適用を受ける職員又は管理監督等職員（俸給の特別調整額を支給される職員又は専門スタッフ職俸給表二級以上の適用職員）にも正規の勤務時間はあるが、それぞれの職務の性格、及びそれに対する給与上の措置が行われていることに鑑み、正規の勤務時間外の勤務に対して超過勤務手当は支給されない。

(3)　支給額　支給額は超過勤務一時間につき、いわゆる通常の勤務日であれば勤務一時間当たりの給与額の一〇〇分の一二五（超過勤務が午後一〇時から翌朝五時までの間である場合は一〇〇分の一五〇）の額となり、週休日・休日等であれば勤務一時間当たりの給与額の一〇〇分の一三五（同一〇〇分の一六〇）の額となる。なお、超過勤務が月六〇時間を超えた場合には、その六〇時間を超えた全時間について勤務一時間当たりの給与額の一〇〇分の一五〇（同一〇〇分の一七五）の額となる（ただし、勤務時間法第一三条の二の規定に基づき超勤代休時間が指定され、実際に代休を取得した場合には、割増分の手当の支給は不要となる（第一〇六条〔解釈〕三6参照）。）。

なお、勤務一時間当たりの給与額は、俸給の月額並びにこれに対する地域手当、広域異動手当及び研究員調整手当の月額の合計額に一二を乗じ、その額を一週間の勤務時間に五二を乗じたもので除して得た額とされている（給与法一九）。

㈡　休日給

(1)　趣旨・性格　休日給は、祝日法による休日及び年末年始の休日等において正規の勤務時間中に勤務することを命ぜられた場合に、正規の勤務時間中に勤務した全時間に対して支給される手当である（給与法一七）。

昭和二三年一二月の新給与実施法の一部改正により「勤務を要する日」と「勤務を要しない日」の区別が確立されたことに伴い、国民の祝日（休日）は勤務を要する日ではあるが、特に命ぜられた職員以外は勤務を要しない日として取り扱われる（すなわち給与は減額されない。）こととなり、さらに、昭和六一年の休暇制度の整備に伴い、年末年始の休日も特に命ぜられた職員以外は勤務を要しないことが明確にされた。この結果、休日には一般の職員は勤務を行わないが、正規の時間に勤務した場合と同様の給与が支給されることとなっている。このように原則的には他の職員が現実の勤務を要しないこととの均衡上、休日に命ぜられて正規の勤務時間について特別に勤務した職員に対しては、割増給与を休日給として支給することとしているものである。

(2)　支給要件

休日において正規の勤務時間に勤務することを命ぜられ、実際に勤務した場合に正規の勤務時間中における実働時間に対して支給される。なお、休日において正規の勤務時間を超えて勤務した部分については、超過勤務手当が支給される。

(3)　支給額　休日給の額は、勤務一時間につき、通常の勤務一時間当たりの給与額の一〇〇分の一三五である（勤務一時間当たりの給与額については、超過勤務手当の記述を参照）。

㈢　夜勤手当

(1)　趣旨・性格　夜勤手当は、正規の勤務時間として午後一〇時から翌日の午前五時までの間に勤務することを命ぜられた職員に対して支給される手当である（給与法一八）。

夜勤手当は、いわゆる深夜勤務に従事した職員に対して割増給与を支給しようとするものであり、労基法においても同様の制度が設けられている。

(2)　支給要件等

①　夜勤手当の支給対象となる勤務は、深夜勤務（午後一〇時から午前五時まで）であり、かつそれが、正規の勤務時間内における勤務である場合に限られる。

②　支給額は勤務一時間につき勤務一時間当たりの給与額の一〇〇分の二五である（勤務一時間当たりの給与額については、超過勤務手当の記述を参照）。ちなみに、正規の勤務時間以外の勤務（超過勤務）が深夜に及ぶ場合の超過勤務手当の支給割合は、一〇〇分の一二五ないし一〇〇分の一三五に夜勤手当相当分の一〇〇分の二五が加算されている（前述(一)(3)参照）。

(四)　宿日直手当

(1)　趣旨・性格　宿日直手当とは、宿日直勤務を行った場合に支給される手当である（給与法一九の二）。宿日直勤務は、正規の勤務時間以外の時間、国民の祝日、年末年始等に、本来の勤務ではなく、庁舎等の保全、外部との連絡、文書の収受、庁内の監視を目的として行う勤務等をいい、その勤務内容及び勤務形態等に応じ、普通宿日直勤務、特別な宿日直勤務及び常直勤務の三つに大別され、人規一五—一四に具体的に定められている。

なお、宿日直勤務は原則として正規の勤務時間を超えて行われる勤務である点においては超過勤務と同様であるが、宿日直勤務は本来の勤務に従事しないで行う庁舎等の保全や外部との連絡、文書の収受及び庁内の監視などの定形的、断続的な内容の勤務であるのに対して、超過勤務は本来の勤務について臨時又は緊急の必要がある場合に行うものである。このような事情から業務の性格・態様を通常の勤務としての超過勤務と区別し、給与上、定額の宿日直手当の対象として措置されている。

(2)　支給要件　この手当の支給対象職員は次のとおりである。

①　正規の勤務時間以外の時間において、本来の勤務に従事しないで行う庁舎、設備、備品、書類等の保全、外部との連絡、文書の収受及び庁内の監視を目的とする勤務（普通宿日直勤務）を命ぜられた職員

②　正規の勤務時間以外の時間において、動植物の管理、研修機関における学生の生活指導、矯正施設における業務管理

等の勤務（業務当直勤務）を命ぜられた職員

③　入院患者の病状の急変等に対処するため当直勤務（医師当直勤務）を命ぜられた医師又は歯科医師

④　①の業務を目的として、正規の勤務時間以外の時間、休日又は年末年始等に、本来の勤務に従事しないで、庁舎に附属する居住室において私生活を営みつつ常時行う勤務（常直勤務）を命ぜられた職員

(3)　支給額　宿日直勤務の態様に応じ、その勤務一回（常直勤務については一月）につき、次のとおりの額となっている。

①　普通宿日直勤務　四、四〇〇円

②　業務当直勤務　動植物の管理等は五、三〇〇円、研修機関における学生の生活指導等は六、一〇〇円、矯正施設における業務管理等は七、四〇〇円

③　医師当直勤務　二一、〇〇〇円

④　常直勤務　二二、〇〇〇円（月額）

㈤　管理職員特別勤務手当

(1)　趣旨・性格　管理又は監督の地位にある職員（俸給の特別調整額の支給対象となる職員）若しくは専門スタッフ職俸給表二級以上の適用職員（管理監督職員等）又は指定職俸給表の適用職員に対しては、超過勤務手当、休日給等は支給されない。しかしながら、これらの職員が週休日又は休日等において勤務した場合、その勤務には、俸給及び俸給の特別調整額（いわゆる管理職手当）では必ずしも十分に評価されているとは言えないものがあり、これに対して支給される給与が管理職員特別勤務手当である（給与法一九の三）。この手当は、それらの職員が複雑化・高度化した行政上の問題・案件の処理のために週休日・休日等にやむを得ず勤務を行わざるを得ない実情に対応する必要があることに鑑み、平成四年一月に設けられた。また、平成二七年、給与制度の総合的見直しの一環として、災害への対応等やむを得ず平日深夜に勤務した場合にも支給されることとなった。

(2)　支給要件

週休日等において、週休日等に処理することが必要な臨時の又は緊急性を有する業務のための勤務等に従事した場合に支

給される。また、俸給の特別調整額の支給対象となる職員が、災害への対処その他の臨時又は緊急の必要により週休日等以外の日の午前〇時から午前五時までの間に勤務した場合にも支給される。

(3)　支給額

適用される俸給の特別調整額の区分等に応じ、勤務一回について、管理監督職員等については俸給の特別調整額の区分等に応じ、一二、〇〇〇円を超えない額が定められており、指定職俸給表の適用職員については一八、〇〇〇円とされている（ただし、一回の勤務が六時間を超える場合は、それぞれの額に一〇〇分の一五〇を乗じて得た額）。また、災害への対処等のための週休日等以外の日の勤務については、勤務一回につき六、〇〇〇円を超えない額が定められている。

5　一定の期間における勤務の状況を考慮して年末等に特別に支給する給与（期末手当・勤勉手当）

(1)　趣旨・性格　今日、賞与（ボーナス）は広く民間企業で支給されているが、もともとの由来は年末等の一時的な生活費増嵩に対処するための生活補給一時金であった。その後、企業業績の向上に伴って、業績報償や利益配分という性格が意識されるようになり、今日では、賞与は企業にとって業績を反映した義務的給与として定着し、平成一〇年代以降においては、年々の利益分配の方法として基本給の引上げに代わり賃金改定の有力な手段となってきている。公務員の特別給については、毎年人事院が民間給与実態調査の結果に基づいて、民間企業における賞与の年間平均支給月数を算出し、官民の支給月数が均衡するよう適宜勧告を行ってきている。ちなみに、公務の支給月数は、民間の景気の状況により若干の上下はあるものの昭和五三年以来概ね四・九月で推移していたが、平成の一桁台には、一旦、五月を超えた後、平成一〇年以降、民間給与のデフレ傾向を反映して、マイナス傾向となり、平成二二年には四月を下回り三・九五月となった。平成二六年から再びプラス傾向となり令和元年には四・五月となったが、その後の民間給与の動向により増減があって、令和四年には四・四月となった。

公務の特別給には期末手当と勤勉手当の二種があり、いずれも基準日（六月一日、一二月一日）に在職する職員に対して支給されるものであり（給与法一九の四、一九の七）、民間における賞与等に相当する手当である。このうち、期末手当は一定率（額）分に相当し、勤勉手当は考課査定分に相当するものである。

(2)　支給対象　原則として、基準日（六月一日、一二月一日）に在職する職員及び基準日前一月以内に退職し、又は死亡した職員を支給対象とする。

(3)　支給額　　期末手当の額は、基準日（退職者、死亡者については退職し、又は死亡した日）に受けるべき俸給、専門スタッフ職調整手当及び扶養手当の月額並びにこれらに対する地域手当・広域異動手当等の月額の合計額（基礎給与）に一定の支給割合を乗じて得た額に、更に在職期間別の一定割合を乗じて得た額とされている。次に、勤勉手当の額は、基準日（退職者、死亡者については退職し、又は死亡した日）に受けるべき俸給及び専門スタッフ職調整手当の月額並びにこれらに対する地域手当・広域異動手当等の月額（基礎給与）に、勤務期間に応じて定められた期間率と勤務成績に応じた割合（成績率）を乗じて得た額とされている。なお、勤勉手当については基礎給与に扶養手当の月額を加算した額を基本として指定職俸給表適用職員以外の職員に対する平均支給月数分の支給総額が決められ、その総額の範囲で成績率の反映が行われることになる。支給日は、六月三〇日及び一二月一〇日とされている。成績率は、直近の業績評価の結果（「卓越して優秀」・「非常に優秀」・「優良」・「良好」・「やや不十分」・「不十分」の六段階）等による職員の区分に応じて、一般の職員の場合、令和五年六月期においては、「良好」の段階である職員を一〇〇分の九六とし、「非常に優秀」の段階以上である職員のうち勤務成績が特に優秀な職員が一〇〇分の一一九以上一〇〇分の二〇〇以下に、「優良」の段階以上である職員のうち勤務成績が優秀な職員が一〇〇分の一〇七・五以上一〇〇分の一一九未満に、「やや不十分」の段階以下である職員が一〇〇分の八七・五以下になるよう各庁の長が定めることとされている。

また、係長級以上の者等については俸給及び専門スタッフ職調整手当とこれらに対する地域手当、広域異動手当等に役職段階に応じた加算割合（一〇〇分の五～一〇〇分の二〇）を乗じて得た額を、特定の管理・監督の地位にある職員には前述の加算額に加えて、俸給月額に加算割合（一〇〇分の一〇～一〇〇分の二五）を乗じて得た額を、それぞれ基礎給与の額に加えることとされている。

(4)　不支給及び支給の一時差止　　基準日から支給日の前日までの間に懲戒免職又は失職となった場合等には、期末手当及び勤勉手当は支給されない。

また、離職した日から支給日の前日までの間に、在職期間中の行為に係る刑事事件に関して起訴され、その判決が確定していない場合等には、期末手当及び勤勉手当の支給が一時差し止められ、最終的に禁錮（新刑法の施行日以降は、拘禁刑）

以上の刑に処せられた場合には支給されない。

6　常時勤務を要しない官職を占める職員の給与（非常勤職員の給与）

給与法に定められている俸給表を中心とする給与制度は、もともと常勤職員を対象に定められているものであり、非常勤職員に対してこれをそのまま適用することはなじまないので、給与法は非常勤職員の給与について別途規定を設けている（給与法二二）。さらに、給与法では、非常勤職員については、他の法律に別段の定めがない限り、非常勤職員の給与として同法が定めるもの以外は、他のいかなる給与も支給しないと定めている（給与法二二3）。なお、定年前再任用短時間勤務職員及び暫定再任用短時間勤務職員については、常勤職員と全く同じ職務を担い、週所定の勤務時間が短いだけであることから、俸給表が適用され、フルタイム勤務職員の俸給月額を基礎に勤務時間数に応じて比例計算した額が俸給月額となる。

(1)　委員、顧問、参与等の給与　「委員、顧問若しくは参与の職にある者又は人事院が指定するこれらに準ずる職にある者で、常勤を要しない職員……については、勤務一日につき、三万四千二百円（その額により難い特別の事情があるものとして人事院規則で定める場合には、十万円）を超えない範囲内において、各庁の長が人事院の承認を得て手当を支給することができる。」（給与法二二1）とされている。これらの職員に対する給与を手当とし、また勤務一日を単位として支給することとされているのは、これら職員の職務の特殊性によるものである。すなわち、もともと非常勤委員等の勤務は、その経験や学識を公務のために供するという性格のものであるため、その給与は勤務に対する報酬というよりも謝礼的な性格を持つものと考えられており、給与法が「支給することができる」（給与法二二1）と定めているのもこのような性格から来るものである。また、このように手当日額の最高限度額のみが法定され、具体的な手当額は各庁の長の決定に委ねられているのは、委員、顧問、参与等の職には種々のものがあり、その職務内容や勤務の実態に応じて手当を支給することが適当であると考えられたためである。なお、こうした手当の性格から見て、この手当額は勤務時間の多少に応じ変動させるべきものではないと考えられており、超過勤務に相当する勤務を行ったような場合であっても、給与額が調整されることはない。

(2)　その他の非常勤職員の給与　給与法は、委員、顧問、参与等の職にある者以外の常勤を要しない職員（以下「その他の非常勤職員」という。）の給与について、「各庁の長は、常勤の職員の給与との権衡を考慮し、予算の範囲内で、給与を支給する。」（給与法二二2）と定めている。ここでいうその他の非常勤職員の多くは、会計年度内の期間、臨時的に置かれる官職に就けるために任用される期間業務職員（人規八—一二　四⑬）であり、国と実質的な雇用関係に立つ者であるので、その処遇については常勤職員との権衡を考慮し、その勤務の対価としてふさわしい給付を行う必要があると考えられている。人事院は、給与決定方式や給与水準について府省や官署による不均衡を改善するため、各庁の長が非常勤職員の給与を決定する際に考慮すべき事項を示す指針（平二〇・八・二六給実甲一〇六四）を発出し、平成二九年及び令和三年には指針の一部改正が行われている。令和三年改正後の指針においては、①基本となる給与について、当該非常勤職員の職務と類似する職務に従事する常勤職員の属する職務の級の初号俸の俸給月額を基礎として、職務内容及び職務経験等並びに在勤する地域の要素を考慮して決定すること、②通勤手当に相当する給与を支給すること、③任期が相当長期にわたる非常勤職員に対しては、期末手当及び勤勉手当に相当する給与を、勤務期間、勤務実績等を考慮の上支給するよう努め、職務、勤務形態等が常勤職員と類似する非常勤職員に対する当該給与については、常勤職員に支給する期末手当及び勤勉手当に係る支給月数を基礎として、勤務期間、勤務実績等を考慮の上支給すること等が求められている。各府省においては、この指針に基づき、非常勤職員の処遇改善に向けた取組が進められている。

⑶　支給方法　非常勤職員の給与の支給方法について特に具体的な定めはないので、支給日その他について原則として常勤職員の場合に準じて取り扱っていくのが最も適切である。また、⑵の「その他の非常勤職員」が超過勤務に相当する勤務を行ったときは、当該時間分に相当する給与を割増しして支給するほか、いわゆる欠勤に相当する時間分はその分を減額して支給するなどの配慮も必要である。

７　その他の給与

給与法第一条第一項は、給与法以外の他の法律により給与に関する事項を定めることを認めており、その例として、寒冷地手当を概観する。

北海道では、燃料費等の負担が多く、多くの民間事業所で燃料費相当分や冬期間の生活費の増嵩分を補填するため、寒冷地手当が支給されており、これを踏まえて、公務においても同様の趣旨で寒冷地手当が支給されている（寒冷地手当法）。公務においては、北海道との均衡を考慮して、本州において北海道と同程度の寒冷積雪度を有する地域においてもこの手当を支給している。

基準日（一二月から翌年三月までの各月の初日）に寒冷地において常時勤務に服する職員に対して支給される（ただし、無給休職職員、刑事休職職員、停職者、専従休職者、育児休業職員、国際機関等への派遣職員等には支給されない。）。支給額は、地域の区分及び世帯等の区分に応じた月額である。

なお、このほかに、諸経費に充当するためのものという意味において、これまで述べてきた手当とは性格を異にするが、在外公館に勤務する外務公務員がその体面を維持し、かつ、その職務と責任に応じて能率を充分発揮することができるように、その勤務に必要な衣食住等の経費に充当するために、在外公館名称位置給与法に基づいて支給される在勤手当がある。在勤手当の種類は、在勤基本手当、住居手当、配偶者手当、子女教育手当、館長代理手当、特殊語学手当及び研修員手当であり、その額は、在外公館の所在地における物価、為替相場及び生活水準を勘案して定めなければならないこととされている。

（給与に関する法律に定める事項の改定）

第六十七条　人事院は、第二十八条第二項の規定によるもののほか、給与に関する法律に定める事項に関し、常時、必要な調査研究を行い、これを改定する必要を認めたときは、遅滞なく改定案を作成して、国会及び内閣に勧告をしなければならない。

〔趣　旨〕

給与に関する法律に定める事項の改定

本条は、第六三条に規定する給与に関する法律の改定について定めている。

〔解　釈〕

一　昭和二三年の給与改訂案

本条が実質的な意味を持ち得たのは、昭和二三年一一月九日に当時の臨時人事委員会がいわゆる給与水準改訂の勧告を行ったときである。昭和二三年一二月の改正前の本法には給与の勧告という概念がなく、したがって、当時の本条に「……

給与準則に関し、〔中略〕給与額を引き上げ、又は引き下げる必要を認めたときは、遅滞なく改訂案を作成して、これを内閣総理大臣に提出しなければならない。」と規定されていた趣旨に基づき、内閣総理大臣に対し、「国家公務員法第六七条の規定の趣旨に基づき、政府職員の給与改訂案を別紙のとおり提出」した。これがいわゆる第一回の給与勧告であるが、ここで第六七条の趣旨に基づきとされたのは、当時、附則第一条第三項により、人事委員会（附則第二条第三項により臨時人事委員会と読み替えられていた。）及び服務に関する規定を除いてはいまだ適用されておらず、したがって、本条は未実施であったため、直接的に本条をよりどころとすることができず、援用せざるを得なかったためである。もっとも、この段階で、人事委員会に関する規定として第三条から第二四条までは既に適用されていたのであるから、第二三条の内閣総理大臣への法令の改定についての意見の申出という形で給与改訂案を提出することも考える余地があったと思われる。

ところで、この給与改訂案の取扱いについては、その決着がつかない間に、本法の改正が行われ、昭和二三年一二月三日に施行された。この改正法では第二八条に勧告の規定が置かれたが、同条も新附則第一条第二項の規定によりただちに適用されなかったため、人事院は昭和二三年一二月一〇日、第二三条の規定に基づいて「さきに本院において内閣に提出した給与改定の勧告は、既に国会の関係委員にも資料として提出されている。然るにこの勧告を内閣に提出した後において、国家公務員法の一部を改正する法律が施行され、人事院は、公式に国会及び内閣に対して同時にこれを提出する責任をもつこととなった。故に本院は、この規定に基づきここに重ねて政府職員の給与改訂に関する本院の勧告を正式に提出する。」として、「政府職員の新給与実施に関する法律」の改正案を添付してあらためて国会及び内閣に先に提出した給与改訂案を再提出したのである。

二　給与の改定

給与に関する法律については、第六三条で詳述されているが、平成一九年の本法改正前の第六七条は、職階制に適合して立案することとされていた給与準則の制定を前提に、その「改訂」について定めていた。職階制が実施されず、したがって、給与準則も制定されていない状況においては、その改定について定める本条も実際上の効力はなかったところである。しかし、平成一九年の本法改正において、職階制を廃止するとともに、給与準則を「給与に関する法律」に改めることとされたことに伴い、本条についても、俸給表を五パーセント以上増減する必要が認められる場合の勧告義務について定めた第二八条第二項を補完する形で、給与に関する法律の定める各事項について勧告すべきことを定め、給与改定に関する規定の整理が図られたものである。

　本条にも、本法第二八条第一項の情勢適応の原則が及んでおり、人事院は、同原則の下で、本条に基づき、給与法第二条第三号と同様、必要な調査・研究を行った上で、広く給与改定に関し国会及び内閣に対する勧告を行うことができるものである。なお、本条には、本法第二八条第二項や給与法第二条第三号と異なり、国会及び内閣に対する報告の規定は設けられていない。

第二款　給与の支払

（給与簿）
第六十八条　職員に対して給与の支払をなす者は、先づ受給者につき給与簿を作成しなければならない。
② 給与簿は、何時でも人事院の職員が検査し得るようにしておかなければならない。
③ 前二項に定めるものを除いては、給与簿に関し必要な事項は、人事院規則でこれを定める。

〔趣　旨〕
給与簿制度の意義
　人事院は、職員に対する給与の支払を監理する（法一八1）と定められているが、本条は、給与の支払手続の中心をなす給与簿の作成について規定するとともに、給与簿の作成について必要な事項は人事院が定めることを明らかにしている。
　給与簿は、給与支払のための台帳であり、民間企業でいえば、労基法上の賃金台帳制度（労基法一〇八）に相当するものである。給与簿の具体的内容については、本条第三項を根拠として定められた人事院規則九―五（給与簿）にその詳細が定められている。

給与簿制度の趣旨は、給与支払事務の過程を個々具体的に記録することにより、その事実関係を明確にし、併せて法令に基づいた適法かつ正確な給与の支給を確保することにある。また、給与の支払は、各府省ごとに行われているが、全府省を通じる統一的な制度を定めることにより、職員に対する給与支払手続の統一性が確保されることになるものである。この制度が現実の給与制度の中で果たしている役割は次のとおりである。

(1)　給与の公正な支払のためには、職員の勤務実績と、支給すべき給与との関係を正確に記録しておく必要がある。これを目的として作成される給与簿は、給与の公正な支払を確保するための具体的な証拠としての役割を果たすとともに、各職員にとっては自らの給与の支給について検証を行うことを可能とするものであり、職員の権利又は利益の保護に寄与するものである。

(2)　給与簿制度においては、給与支払事務手続の各段階ごとに支払事務の分担及び取扱いが明確になるので、支払事務手続における責任の所在が明確となる。

(3)　現実の各府省の給与支払事務では各種の帳票類が必要となるが、給与簿制度の下ではそれらの帳票類の種類、様式、規格等が標準化されており、給与支払事務の効率化に寄与している。さらに、給与簿は給与支払のための計算書類としての役割も担っており、会計制度上も支払の証拠書類としての重要な意味を持っている。

〔解　釈〕

一　**給与簿の作成**

給与簿の種類、内容等の具体的な事項については、本条第三項に基づく人規九―五によって規定されている。

1　給与簿作成義務者

本条第一項は、「職員に対して給与の支払をなす者」は給与簿を作成しなければならないと定めている。

ところで、一般に「給与の支払」とは、現実に給与の交付を行うことを指し、給与を受ける権利を具体的に個別確定するという意味で使われる「給与の支給」と区別されている。例えば扶養手当の要件を充足することが認定されれば扶養手当が支給されることになるが、それを実際にいつ、どのように支払うかが支払の問題となるのである。このように通常は給与の支給と支払は区別されているのであるが、給与の支払の監理という次元で考える場合、給与の支払は給与の支給義務を当然の前提とするものであることから、本条の「給与の支払をなす者」を職員に給与を交付する立場に立つ者と狭く解することは適当ではなく、給与の支給義務を負う者と理解することが相当である。

職員に対して給与の支給義務を負う主体は、最終的には国そのものであるが、職員は具体的に任命権者（内閣、内閣総理大臣、各省大臣、会計検査院長、人事院総裁及び外局の長等）により任用され（法五五1）、その勤務について管理されていることから、給与法は「内閣総理大臣、各省大臣、会計検査院長若しくは人事院総裁（以下各庁の長という。）又は各庁の長の委任を受けた者は、人事院の定めるところに従い、それぞれその所属の職員が、その毎月の俸給の支給を受けるよう、この法律を適用しなければならない。」（給与法七）と定め、「各庁の長」に俸給の支給について責めを負わせている。給与簿は給与制度の一環として職員に対する給与の適正な支払を確保するために設けられるものであるから、給与法第七条により俸給の支給について責めを負う各庁の長が「給与の支払をなす者」に当たり、給与簿の作成義務者になると解するのが相当である。ところで、現在の給与実務の上で「俸給の支給義務者」という用語は、「俸給の支給義務者を異にして移動した場合」（人規九―七　三）として用いられているが、「俸給の支給義務者を異にして移動した場合」とは、その職員の給与の支出について定められた予算上の部局（特別会計にあっては、これに相当する予算上の区分）を異にして移動した場合を指すものとされている（昭二八・一二・一三給実甲六五第三条関係）。給与の支払は、職員の属する組織について定められた予算の項又は一般会計若しくは特別会計の別ごとに行われることになっているので、いわば予算上の組織区分ごとにそれぞれ給与支給義務者が存在するという考え方をとったものである。現実に予算から給与費を支出する場合には、予算上の組織区分ごとに異なる支給義務者が生ずることとなるが、これはあくまで予算制度上の結果にすぎず、給与簿の作成という問題については、予算上の組織区分にこだわることなく、実際に一体として給与監理を行っている組織体ごとに取扱いを考えていくことが適当と考えられる。このような意味からも、給与法第七条の各庁の長を給与簿作成義務者とすることが適当と考えられる。なお、給与簿は会計上の支払証拠書類として重要な役割を果たしているが、給与制度という観点からみた支給義務者ごとに給与簿が作成されていれば、会計制度上の役割も十分に果たすことができるといえよう。

2　給与簿の体系

給与簿は、勤務時間報告書、職員別給与簿及び基準給与簿によって構成されている（人規九―五　一）。なお、これらの給与簿作成の基礎として作成される出勤簿、超過勤務命令簿、特殊勤務実績簿、特殊勤務手当整理簿などの帳簿や給与支給の際に作成が義務付けられている給与支給明細書（人規九―五　一三）等は、広義においては給与簿の一環と解してよいが、形式的意味での給与簿には該当せず、いわばその補助簿にとどまる。

㈠　勤務時間報告書

給与は勤務実績に対する対価であるので、給与支払の前提として職員の勤務実績を的確に把握する必要がある。そのために、本省の課又はこれに準ずる組織の単位ごとに、勤務時間管理員が出勤簿等に基づき超過勤務時間数、宿日直勤務の日数、欠勤等給与の減額される時間数等を記録するものが勤務時間報告書である（人規九―五　二～四）。

㈡　職員別給与簿

職員別給与簿は、給与事務担当者が、各給与期間について、各職員ごとに俸給、諸手当等の支給額、所得税、共済掛金等の各種控除額及び現金支給額を記録するものである（人規九―五　五～七）。職員ごとの適正な給与支払を確保するという給与簿の役割を考えると最も中心となる記録ということができる。職員別給与簿に記録されるべき給与の範囲は、職員に対して勤務の対価として支給される全ての給与である。したがって、記録されるべき給与は、給与法に基づく給与に限定されず、検察官の給与（検察官俸給法）、寒冷地手当（寒冷地手当法）、派遣職員の給与（国際機関派遣法）、国際平和協力手当（国際連合平和維持活動等に対する協力に関する法律（平四法七九）一六）などの給与もこれに含まれることになる。

㈢　基準給与簿

基準給与簿は、職員別給与簿に記録された事項を、各庁の長又はその委任を受けた者の指定する部局等の組織別に各給与期間ごとに集録するものである（人規九―五　八～一〇）。基準給与簿は、会計処理上のいわゆる証票書としての役割も有しており、会計法に基づく支出計算書を作成する上での証拠書類となっている。

３　人事・給与関係業務情報システムを使用する場合などの特例

かつては給与簿を紙媒体で作成することが一般的であったが、現在では給与簿に記載すべき情報は、人事・給与関係業務情報システム（国家公務員の人事・給与等の管理、職員からの届出などの機能を一体化したシステム）の活用などによりコンピュータに記録され、必要の都度直ちに所要のデータを取り出すことができるようになっている。このため、形式的に既定様式による給与簿の作成を義務付けることは事務処理の効率化、合理化の観点からみて適当でない。そこで、いくつかの特例的な取扱いが認められている。

まず、人事・給与関係業務情報システムを使用する場合については、給与簿の作成に必要な情報について同システムで処理を行えば、人規九—五の規定にかかわらず、同規則の規定に基づいて給与簿を作成したものとみなされる（人規一—四五二）。また、同システムの導入が完了していない府省がコンピュータで給与簿の作成に必要な情報を管理する場合についても、給与簿制度の趣旨を逸脱しない範囲内において、一定の条件の下で既定の給与簿の特例を設けることも認められている（人規九—五　一七）。

4　罰　則

本条の規定に違反して給与の支払をした者及びその支払を企て、命じ、故意にこれを容認し、そそのかし、又はそのほう助をした者は、三年以下の懲役（新刑法の施行日以降は、拘禁刑）又は一〇〇万円以下の罰金に処せられる（法一一〇1⑫、一一二）。

二　給与簿の保存

人事院の職員は本法第六九条に基づき、給与簿の検査をすることができるが、本条第二項は給与簿は何時でも人事院の職員が検査し得るようにしておかなければならないと定め、給与簿検査に応ずる態勢を整えておくことを規定している。

また、給与簿の保存期間については、人規一—三四により五年間と定められている。これは、給与簿が会計処理上の証拠書類となっていることから、会計法第三〇条に定める時効期間の五年間は給与簿を保存する必要があることを踏まえて定められたものである。

（給与簿の検査）

第六十九条　職員の給与が法令、人事院規則又は人事院指令に適合して行われることを確保するため必要があるときは、人事院は給与簿を検査し、必要があると認めるときは、その是正を命ずることができる。

〔趣　旨〕

給与簿の検査

本法第一八条は、「人事院は、職員に対する給与の支払を監理する。」（第一項）とし、更に「職員に対する給与の支払は、人事院規則又は人事院指令に反してこれを行ってはならない。」（第二項）として、給与の支払に関する人事院の権限及び責務を明らかにしているが、本条は給与の支払を監理するための一つの具体的な方法として、人事院は給与支払の記録である給与簿を検査し、必要があると認めるときはその是正を命ずることができることを定めたものである。

給与簿の検査は、現在、人事院による給与簿監査として実施されている。給与簿監査では、給与簿に記載されている給与の支給・支払関係はもちろん、支給の基礎となっている俸給の決定、諸手当の支給要件の認定などもその対象としている。

給与簿監査の主な目的は、給与の支給について責任を負う各府省（給与法七）に対して給与の支給・支払が適正に行われるよう必要な指導を行うことにあり、専ら不適法な取扱いの探知をするためのものではないとの考え方に立って運用が行われている。したがって監査の結果、誤りが発見された場合にもその是正は原則として各府省の自主的な是正措置に任せ、そのうちの重要事項については文書で是正内容の報告を求めるなどして実質的な是正の確保を図ることとしている。給与簿監査の実施状況をみると、大規模な官署についてはほぼ毎年行われているが、小規模な官署については対象官署の多さゆえに何年かに一回程度の割合で行っている。監査の機能としては、現実の監査の際に行われる指導の役割もさることながら、一定期間ごとに人事院によって給与簿監査が行われるという制度の存在そのものが給与実務の適正化の確保の上で大きな役割を果たしているということもできよう。

〔解　釈〕

一　給与簿の検査

本条による給与簿の検査は、人事院が行うことになるが、必ずしも合議体としての人事院が自ら検査をしなければならないというものではなく、人事院事務総局の職員に権限委任をして行わせることができるものである。実際の給与簿監査では、人事院事務総局の職員を指名して行わせることが常例である。

二　是正命令

給与簿の検査は、適法に給与を支給し又は支払うことを確保するために行われるものである。給与簿の検査の結果、誤りが発見された場合には、各府省が自主的に必要な是正措置を講ずることが常であるが、仮に各府省により必要な対応が講ぜられないと認められる場合には、人事院は本条に基づき、誤りの是正を命ずることができることとされている。この人事院の是正命令については、単に給与簿の記載内容を修正するだけではなく、給与の支給及び支払手続等に関して実体的な是正を命ずることもできることを示すものである。すなわち、例えば行政職俸給表㈠五級七〇号俸と決定された職員について、給与簿上は行政職俸給表㈠五級六九号俸と記載されている場合には、給与簿を五級七〇号俸と是正すれば足りるが、仮にその決定自体が誤りで本来は行政職俸給表㈠五級七一号俸とすべき場合には、給与簿の記載を是正しただけでは実質的な違法状態は解消したことにはならず、級号俸の決定そのものを是正しなければ適法な給与の支給は確保されないこととなる。

是正命令は人事院が行い、給与の支給義務を負っている各庁の長に対して、給与の支給又は支払の是正を命ずることを内容として発出される。是正命令によって当然に給与支給の決定が失効し又は給与簿の記載が修正されることにはならないので、是正命令を踏まえ、各府省で給与決定等のやり直し又は給与簿への記載の修正を行う必要がある。

給与の支給決定に関し過誤がある場合には、原則として、遡及して是正を図ることとなるが、職員本人に責があるか否かをはじめ、事案の内容を総合的に勘案し、特に必要があると認めるときは、人事院の承認を得て、将来に向かって是正することができるとされている（人規九―八　四五）。過払いの返納を求める場合に決定誤り発生時点まで遡らないという取扱いも可能と考えられる。また、給与簿が通常は五年間しか保管されていないので、それ以上遡及することは実際問題として困難な場合もあるであろう。なお、給与に係る金銭債権は、給与の支払期日において行使し得る具体的な請求権となり、その日から五年間の時効期間（会計法三〇）の進行が開始されると解されている。ところで、給与の支給決定は、給与法上、要件充足により当然に確定している債権について、各庁の長がいわば確認のため決定という形式をとって債権を明示したにすぎないと解されるので、その決定が給与法上の実体的真実と異なっている場合にはいつでもこれを訂正することができると考えられている。仮に、支給決定がやり直された場合には、新たな債権の時効期間は、再度の支給決定の時から進行することになるので、例えば一〇年前の俸給決定について現時点で決定をやり直した場合には、一〇年分の給与の支払の過不足について、その額を確定できる限り、追給又は返納させることとなる。支給決定は適法であったが、給与の支払に誤りがある場合については、会計法の時効期間があるので、五年以内のものに限って是正が行われることになる。

ところで人事院の行う給与の是正に関しては、給与法では「人事院は、各庁の長又はその委任を受けた者が決定した職員の俸給が第六条の規定に合致しないと認めたときは、その俸給を更正し又はその俸給の更正を命ずることができる。」（給与法二〇）と定めている。人事院が更正決定できる場合は、給与法第六条に関連する事項、すなわち俸給表の適用及び職務の級への分類に関する事項に限られている。例えば昇給額の決定などの、俸給決定の基準自体はこの対象とされておらず、職務の級への分類等が俸給月額の決定に影響を及ぼす限度においてのみ更正決定の対象となるにとどまる。なお、更正決定は、これにより俸給の決定を更正させることとなり、いわゆる形成的効力を有するものであるのに対し、更正命令は、各庁の長等に更正を命ずるものであり、いわゆる形成的効力を持たない。本条の是正命令と給与法第二〇条の更正決定を比べてみると、本条は人事院の権限として俸給に限らず広く給与の支給及び支払を対象としつつ、強制力の点では是正を命ずるにとどまるのに対し、給与法第二〇条は対象が俸給関係のうちの一部領域に限定されているが、強制力という点では自ら更正を行うこともできるとされているところに特色がある。これまでの給与実務においては、人事院は本条の是正命令及び給与法第二〇条の更正決定・更正命令という強制的な措置を発動することなく、各府省に対し指導や調整等を通じて必要な是正を行わせてきた。この背景には、①人事院は給与法で「この法律の完全な実施を確保し、その責めに任ずること。」（二⑦）とされるなど、給与法の実施に関しては制度官庁として各般の権限を有し、またその実施事務も所掌しているので、強制力を行使するまでもなく、各府省に対して必要な指導・調整を行うことにより給与の支給の適正化を図ることができること、②給与の支給等を具体的に決定する際には、職務内容等を考慮する必要があるが、それらの事項は人事院が一方的に決定するよりも、各府省をして実情を踏まえて決定させる方が適当な場合が多いこと、③本条及び給与法第二〇条に定める強制的な手段は、制度上それが存在すること自体に大きな意義があると認められることなどの諸事情があるといえよう。

（違法の支払に対する措置）

第七十条　人事院は、給与の支払が、法令、人事院規則又は人事院指令に違反してなされたことを発見した場合には、自己の権限に属する事項については自ら適当な措置をなす外、必要があると認めるときは、事の性質に応じて、これを会計検査院に報告し、又は検察官に通報しなければならない。

〔趣　旨〕

違法な給与の支払に対する措置

本条は、人事院が給与支払に違法があることを発見した場合において、人事院としてとるべき措置について規定したものである。

人事院は本法第六九条に基づいて必要があるときには給与簿の検査を行う権限を有するが、同条は給与の支払に違法があることを確認するための有力な手段となっている。支払の違法が明らかになる契機としては、人事院の行う定期的な給与簿監査のほか、職員等からの申出により給与の支払を確認するために行う給与簿の検査等もあり得る。

本条の対象となるのは違法な「給与の支払」であるが、給与の支払の基礎となる給与支給決定（具体的な権利の確定）に違法がある場合には、仮に支給決定どおりの支払が行われたとしても違法な支払とされる。また、給与の支払には現に支払われた場合だけでなく、支払われるべき給与が違法に支払われないという不作為の場合も含まれる。

違法な給与の支払とは、本法、給与法、任期付研究員法、任期付職員法、寒冷地手当法及び国際機関派遣法等並びに給与の支給及び支払に関係する人事院規則その他の法令及び人事院指令に違反して行われた給与の決定又は給与の支払を指す。

人事院が違法な給与の支払があったことを認識した場合には、次の二つの措置をとることが求められる。

(1)　自らの権限に属する事項については自ら適当な措置を行う。具体的な権限としては、①本法第六九条に基づく是正命令、②給与法第二〇条に基づく更正決定等、③給与法第二条第一号に基づく人事院指令の発出が考えられるが、実際には前条で述べたとおり各府省に対して指導等を行うことで必要な是正は行われることから、このような強制的な措置により是正を図らなければならなくなることは考えにくいところである。

(2)　違法な支払の内容、程度等に応じ、必要があると認めるときには会計経理を監督する立場にある会計検査院にその旨を報告し、また、犯罪事実があると思料する場合には検察官に通報（告発）しなければならない。なお、規定ぶりからも明らかであるが、人事院は、給与の支払に違法があるという判断を行った場合に必ず会計検査院への報告又は検察官への通報を行わなければならないというものではなく、これらの措置は人事院が必要と認めた場合に行われるものである。

なお、本条の規定に違反して給与の支払について故意に適当な措置をとらなかった人事官及びこれを企て、命じ、故意にこれを容認し、そそのかし、又はそのほう助をした者は、三年以下の懲役（新刑法の施行日以降は、拘禁刑）又は一〇〇万円以下の罰金に処せられる（法一一〇1⑬、一一一）。

〔解　釈〕

会計検査院への報告又は検察官への通報

人事院は、給与の支払に違法があることを発見した場合で、必要があると認めるときは、会計検査院に報告し又は検察官に通報する義務を負っている。

「発見したとき」とは、人事院が、法令、人事院規則等に照らして違法な給与の支払が行われたと認識したときをいう。

人事院が、会計検査院に報告し又は検察官に通報する義務を負うのは、人事院が「必要があると認めるとき」に限られており、その解釈が問題となる。

1　会計検査院への報告

まず、会計検査院への報告については、例えば、給与の支払の違法が結果として国の会計事務上、看過できない違法を生じていると人事院が判断した場合に、報告する必要が生ずるものと解される。

ところで、会計検査院は、国の収入支出の決算の検査等を行うために設置された憲法上の機関（憲法九〇）であり、常時会計検査を行い、会計経理を監督し、その適正を期し、かつ、是正を図る権限を持っている（検査院法二〇2）。さらに、検査院法は、会計検査院の検査を受ける会計経理に関して次の事実があるときは本属長官又は監督官庁その他これに準ずる責任のある者は、直ちにその旨を、会計検査院に報告しなければならないと定めている（検査院法二七）。

①　会計に関係のある犯罪が発覚したとき

②　現金、有価証券その他の財産の亡失を発見したとき

また、会計検査院は検査の結果、国の会計事務を処理する職員が故意又は重大な過失により著しく国に損害を与えたと認めるときは、本属長官その他監督の責任に当たる者に対して懲戒の処分を要求することができるとされている（検査院法三

一１）。

人事院は、給与の支払についてこれを監理する立場にある（法一八１）のであるから、給与の支払に関して検査院法第二七条の監督官庁その他これに準ずる責任のある者に該当するものと解され、同条の規定に基づく報告義務を負うことになると解される。ところで、検査院法第二七条と本条の関係をみると、検査院法第二七条は会計検査院に対する一般的な報告義務を規定しているのに対し、本条は、給与支払に関する監督官庁である人事院が会計検査院に報告義務を負う場合を特に定めたものと解することができるが、両規定は相互に抵触するものではないので、整合的に運用することが求められる。このため、本条の適用に当たって、人事院は少なくとも検査院法第二七条に定める事実を認めた場合には、会計検査院に対して本条に基づく報告を義務付けられると解する。さらに、会計検査院は、職員が故意又は重大な過失により著しく国に損害を与えたと認めるときはその者の懲戒を求める権限を有している（検査院法三一など）ことからすれば、人事院は、給与の支払を担当する会計事務職員の行為がこれに該当すると思料するときにはその旨の報告を行うべきものと解される。

なお、予算執行職員等の責任に関する法律（昭二五法一七二）第六条においても懲戒処分を求める権限が会計検査院に付与されているが、同条において会計検査院は、懲戒処分の要求をしたときは、その旨を人事院に通知しなければならないものとされている。また、会計検査院はその懲戒処分を求める権限の運用においても人事院と連携を行うこととしている。具体的には、決算検査報告に記載された違法・不当な会計経理に関与した職員などに対する懲戒処分の要否の検討が必要となる事項について、会計検査院が所属府省等の見解を出させる際、各府省等において人事院に相談した上で回答するよう求めることとしている。

２　検察官への通報

人事院は、給与の支払に違法があることを発見した場合で、その内容、違法の程度等からみて、刑事罰が科されるべきと思料し、又は検察官において刑事罰の必要性の判断がなされるべきと認めるときには、本条に基づき検察官に通報しなければならないと解される。

なお、刑訴法第二三九条第二項は、官吏又は公吏はその職務を行うことにより犯罪があると思料するときは、告発をしなければならない旨、公務員の告発義務を定めている。

本条の検察官への通報義務は、その主旨としては刑訴法第二三九条第二項の公務員の告発義務と異なるものではないと解されるが、両規定の内容には次のような違いがある。第一に、告発義務を負う主体が、本条では人事院であるのに対し、刑訴法では官吏とされているので、人事院の委任を受けて給与簿検査等を行い、違法を知った職員も告発義務を負うことになること、第二に、本条に関しては故意に適当な措置をとらなかった人事官に対しては、刑事罰を科することとされている（法一一〇１⑬）のに対して、刑訴法にはかかる罰則は存しないことが挙げられる。

第四節　人事評価

（人事評価の根本基準）

第七十条の二　職員の人事評価は、公正に行われなければならない。

〔**趣　旨**〕

一　人事評価の意義

人事評価とは、「任用、給与、分限その他の人事管理の基礎とするために、職員がその職務を遂行するに当たり発揮した能力及び挙げた業績を把握した上で行われる勤務成績の評価をいう。」（法一八の二1）ものとされている。

人事評価導入前の本法では、勤務成績の評定（勤務評定）を行うこととされていた（平一九年改正前の法七二）。勤務評定は、職員の勤務における実績を正しく評価し、その結果を人事上の諸措置に的確に反映することにより、公務能率の増進を図ることを目的としていた。しかしながら、昭和三〇年、四〇年代は労使対立が激しく、職員団体などから評定の基準が不明確であるなどを理由として勤務評定実施反対の運動（いわゆる勤評反対闘争）が広く行われたこともあり、多くの職場において評価結果に差がつくことを避けるなど勤務評定の実施が形骸化し、勤務評定は人事管理に十分に活用されていない、評価者と被評価者のコミュニケーションがない等の指摘がなされていた。

平成に入り、バブル経済崩壊の後、民間企業で目標管理や成果主義人事管理が広く行われるようになっていく中で、公務においても、職員のモラールを高め、公務運営の効率化を図っていくためには、能力・実績に基づく人事管理を徹底する必要があり、そのためには、職員の職務遂行能力や勤務実績を的確に把握し、評価して、任用や給与、人材育成等に活用していくための基盤となる、客観的で公正性・透明性が高く、実効性のある人事評価制度を構築することが重要であると考えられるようになった。

平成一一年三月、公務員制度調査会（内閣総理大臣の諮問機関。総務庁に設置）が取りまとめた「公務員制度改革の基本方向に関する答申」では、人事評価について「能力・実績主義を徹底した人事を支えるため、各職員の能力・実績を的確に把握しうる客観性・公正性の高い人事評価システムを整備することが必要である。」との基本的考え方が示され、「具体的な改革方策を検討していくに当たっては、専門的な検討の場を設けることが必要である。」とされた。

人事院は、労働基本権制約の代償機関、人事行政の専門機関としての立場からこの問題を検討するため、平成一一年九月に「能力、実績等の評価・活用に関する研究会」（座長：笹島芳雄明治学院大学教授）を設置した。同研究会は、平成一二年六月の中間報告を経て、平成一三年三月、新たな評価システムは、実績評価、能力評価を二本柱として構築される必要があること、さらに、総合評価、評価システム研修、苦情相談を組み込み、これら五つを要素としてシステム全体を構成することが適当であることなどを内容とする最終報告書を取りまとめた。また、人事院は、後述の人事評価の試行に向けて、平成一七年の給与勧告時の報告において、人事評価制度の整備に関し、「能力」は具体的な職務行動を通じて顕れたものとして捉え、「実績」は結果を生み出す過程における職務上の行動を含めて捉えることが適切であるとする基本的考え方や、役職段階に応じて着眼点や具体的な行動類型による基準により職務行動を判定することなどの留意点等を表明した。さらに、平成一九年の給与勧告時の報告において、評価結果の活用に関し、適材適所の任用のためには人事評価に基づいて各人の個別の官職に対する適性等を踏まえて昇任や転任、配置換を行うこと、昇給については原則として過去一年間の評価結果を活用して勤務成績の判断を行い、昇給区分を決定することなどの考え方を、翌二〇年の給与勧告時の報告においては、人事評価制度及び評価結果の活用に関し、評価期間、期首・期末における面談の実施と期末面談における評価結果の開示、人事評価に関する苦情への対応、評価結果の昇任、昇格・昇給等への活用の仕組みとその実施時期などを盛り込んだ基本的枠組みを提示した。

一方、政府では、前述の公務員制度調査会の答申を受け、総務庁において人事評価研究会が開催され、平成一二年五月、人事評価システムの見直しの基本的視点や、能力・職責、業務等に応じた評価対象者区分の設定、外部専門家のアセスメントや多面評価の活用などの人事評価システムの設計、実施状況や定着度等を踏まえた段階的な人事評価システムの導入等からなる新たな人事評価システムの基本的指針についての報告が取りまとめられた。同年一二月の「行政改革大綱」（閣議決定）において、人事評価システムの整備を進めるとされ、さらに、平成一三年一二月の「公務員制度改革大綱」（閣議決定）においては、現行の勤務評定制度に替え、能力評価と業績評価からなる新たな評価制度を導入することとされた。

平成一六年一二月の「今後の行政改革の方針」（閣議決定）において、評価手法を改善し、より実効ある評価を通じた公務能率の一層の推進を図るため、公務部門の多様な職場、職種に対応した評価手法を開発し、定着させていく観点から、評価の試行に着手することとされた。翌一七年一二月の「行政改革の重要方針」（閣議決定）においても、新たな人事評価システムの構築に向け、順次試行を行うなど段階的な取組を進めることとされた。また、職員団体も、民間において能力・実績主義による人事が定着してきたことを踏まえ、労働基本権付与が議論となる中で、責任をもった主体としての対応をとるというスタンスが次第に明らかとなった。これにより、かつてのような反対闘争ではなく、職員団体として基準策定や運用の策定に関与を求めることとなった。このような諸情勢も踏まえながら法案化の検討が進められ、平成一九年六月の能力・実績主義人事管理の推進等を目的とする本法改正により職員の人事管理は人事評価に基づいて適切に行われなければならないとする人事管理の原則（法二七の二）が定められ、これを実施するため、同改正で勤務評定に替わる新たな人事評価制度が導入されることとなり、更に試行を経て、平成二一年四月に施行された。

新たに導入された人事評価は、任用、給与、分限その他の人事管理の基礎となるものと位置付けられ、職員の採用後の人事管理は、人事評価に基づいて適切に行わなければならないこととされている。また、標準職務遂行能力に照らして能力を評価するとともに、評価者と被評価者の面談により設定した目標の達成度により業績を評価し、原則として評価結果を開示し、評価結果に基づいて指導・助言を行うものとされている。

なお、人事評価の導入前は、勤務成績の評定について、本法において次のとおり規定されていた。

○平成一九年改正前の国家公務員法

（勤務成績の評定）

第七十二条　職員の執務については、その所轄庁の長は、定期的に勤務成績の評定を行い、その評定の結果に応じた措置を講じなければばならない。
② 前項の勤務成績の評定の手続及び記録に関し必要な事項は、政令で定める。
③ 内閣総理大臣は、勤務成績の優秀な者に対する表彰に関する事項及び成績のいちじるしく不良な者に対する矯正方法に関する事項を立案し、これについて、適当な措置を講じなければならない。

このうち第二項及び第三項は、昭和四〇年のＩＬＯ第八七号条約の批准に伴う本法の改正によって右のように改められたものである。昭和四〇年改正の前は、人事院が、勤務成績の評定及びその記録に関し必要な事項を定める等の権限を有すること、勤務成績の優秀な者に対する表彰に関する事項及び成績の著しく不良な者に対する矯正方法に関する事項を立案し、適当な措置を講じることとされていた。

二　人事評価の根本基準

従前の勤務評定は能率の節に規定されていたが、人事評価については、人事管理の基礎となるツールであることを明確に位置付けるため、新たに人事評価の節を設けて規定することとし、同節の冒頭に人事評価の根本基準に関する本条を置いた。

人事評価は、職員の執務の状況を把握、記録するものであり、任用、給与、人材育成、分限その他の人事管理の基礎となるツールとして機能するためには、公正に行われることが基本である。このため、本条は、職員の人事評価は公正に行われなければならない旨を定めている。

三　人事評価の試行と導入

人事評価制度を円滑に導入するためには、一定の試行を行い、基準の妥当性や手続の実効性等を検証し、制度設計に反映させることが必要である。人事評価制度の導入に当たっては、人事評価に係る検討課題を実証的に確認し、制度設計に関する参考資料を得るとともに、各府省職員の新たな人事評価に対する認識を高めること等を目的として、人事院及び総務省（人事恩給局）が中心となって、各府省や職員団体等と意見交換を行いながら検討を進め、累次にわたる試行が実施された。試行では、順次、対象となる職位、職種等を拡大しつつ、施行の前年には原則全ての一般職国家公務員を対象とするリハーサル試行を経て、平成二一年四月一日から新たな人事評価制度が施行された。なお、後述のとおり能力評価の評価期間の開始が一〇月一日であるため、業績評価を含め、多くの府省での所要の準備を経て、同年一〇月から実施された。

〈本格実施までの経緯〉

平成一八年一月～同年六月

本府省の課長級及び課長補佐級の職員を被評価者とする第一次試行を実施

平成一九年一月～同年六月

本府省の課長級以下の職員を被評価者とする第二次試行を実施

平成一九年六月三〇日

国家公務員法等の一部を改正する法律が成立（同年七月六日公布）

平成一九年一〇月～平成二〇年三月

地方支分部局等の一般行政職員、本府省及び地方支分部局等の専門職種の職員を被評価者とする第三次試行を実施

平成二〇年九月～同年一二月

原則として事務次官以下全ての常勤職員等を被評価者とするリハーサル試行を実施

平成二一年三月六日

人事評価の基準、方法等に関する政令、人事評価の基準、方法等に関する内閣府令を公布

平成二一年三月一八日

人事評価の結果の任免、給与等への活用に関する制度の整備を図るための改正人事院規則を公布

平成二一年四月一日

新たな人事評価制度が施行

四　人事評価制度の改善

平成二一年一〇月以降、全府省で実施された人事評価制度について、上位評価が多く、下位評価が少ないのではないかとの批判等があったことから、その運用状況を検証した上で、多くの民間企業において人事評価の試行錯誤が重ねられていることも踏まえ、制度・運用の改善のための方策等を幅広く検討するため、平成二五年七月、総務省（人事・恩給局）に「人

事評価に関する検討会」（座長：守島基博一橋大学大学院商学研究科教授）が設置された。同検討会は、平成二六年二月、いわゆる評価結果の上振れに対し、評価者に評語区分の趣旨を徹底すること等を主な内容とする報告書を取りまとめた。同検討会の報告書を受けて、総務省において、評語のレベル感の明確化や評価者訓練の実施など主に運用面での改善が図られた。

六五歳定年延長を行う前に、在職者に対する能力・実績主義の人事管理を徹底するべきとの与党からの声を受けて、内閣として、令和二年七月、「経済財政運営と改革の基本方針二〇二〇」（閣議決定）において、国家公務員制度改革基本法にのっとり、能力・実績主義の人事管理を徹底する観点から、人事評価の結果を表示する評語の段階その他の人事評価に関し必要な事項について、令和三年夏までを目途に必要な措置を順次実施することとした。同閣議決定を受けて、令和二年九月、内閣人事局に「人事評価の改善に向けた有識者検討会」（座長：守島基博学習院大学経済学部経営学科教授）が設置された。同検討会は、令和三年三月、評語区分を刷新し、幹部職員以外の職員の評語区分を現行の五段階から六段階に細分化すること、職員の強み・弱みの把握等を通じた人材育成機能を強化すること、管理職のマネジメント評価の充実を行うこと等を内容とする報告書を取りまとめた。同報告書の内容に沿って、関連政令等が改正されるとともに、人事院においても細分化後の評語区分の内容を踏まえて人事評価結果の任用、給与等への活用に関する制度について見直しが行われた。これらの制度改正は、令和四年一〇月一日から施行された。

〔解　釈〕

一　人事評価の意義

人事評価は、任用、給与、分限等の各分野において、能力・実績に基づく人事管理の基礎となるものと位置付けられている。公務員の人事管理においては、多くの民間企業と同様、新規学卒者等を中心に採用し、長期間にわたって職務や研修を通じて育成し、かつ、選抜しながら、一定の分野の専門家や管理職員として勤務させていくことが基本とされている。このような人事管理の基礎となる人事評価においては、育成や配置に資するよう、職員の能力や実績を評価し、その結果を職員にフィードバックしていくことが求められる。そのような要請に応えるため、人事評価制度は、他の職員との比較による相対評価ではなく、職員一人一人の職務遂行能力や勤務実績を客観的な基準に照らして把握し評価する絶対評価によるものとされている。

人事評価において把握するのは、客観性に欠ける潜在的な能力ではなく、職務上の行動等を通じて顕在化した能力（能力評価）であり、また、職員の所属する組織において職員が果たすべき職務をどの程度達成したか（達成度）（業績評価）である。

二　人事評価の信頼性の確保

人事評価が人事管理の基礎となるツールとして機能するためには、公正に行われなければならない。人事評価を公正で透明性の高いものとし、人事管理の基礎となるツールとしての信頼性を確保するため、人事評価では手続きとして次のような仕組みを取り入れるなどの対応がなされている（「人事評価の基準、方法等に関する政令」（平二一政令三一）四、八、一〇、一一、一二、二〇、人事評価ガイド（令四・六　内閣人事局・人事院））。

1　評価項目等の明示

能力評価における評価項目及び各評価項目に係る能力が具現されるべき行動、業績評価において被評価者が果たすべき役割をあらかじめ明示する。

2　現実の行動等による評価

評価者は、評価期間における現実に職員が職務遂行の中でとった行動、業務に関する目標等の達成状況により評価する。

3　自己申告の実施

評価に際し、被評価者は、あらかじめ自己の発揮した能力及び挙げた業績について振り返り、評価者に申告を行う。

4　評価結果の開示

人事評価の実施権者は、調整者による評価の調整、実施権者による評価の確認を経て、人事評価の結果を被評価者に開示する。

5　面談の実施

評価者は、業績評価の評価期間の開始に際し、被評価者と面談を行う。また、人事評価の結果の開示後、被評価者と面談を行い、評価結果等に基づいて指導・助言を行う。

6　苦情への対応
実施権者は、人事評価に関する職員の苦情について、実施規程に定める苦情相談及び苦情処理により適切に対応する。

7　評価者に求められること
期首目標以外の評価事実も積極的に収集し、被評価者と認識を共有するためにコミュニケーションの質を向上させる。

（人事評価の実施）
第七十条の三　職員の執務については、その所轄庁の長は、定期的に人事評価を行わなければならない。
②　人事評価の基準及び方法に関する事項その他人事評価に関し必要な事項は、人事院の意見を聴いて、政令で定める。

〔趣　旨〕
一　人事評価の実施
本条は、人事評価の実施に関して定めている。すなわち、職員の所轄庁の長は定期的に人事評価を行わなければならないこと、人事評価に関し必要な事項は、人事院の意見を聴いて、政令で定めることとされている。本条第二項に基づいて「人事評価の基準、方法等に関する政令」が制定されている。

二　人事院の意見聴取
人事評価は、任用、給与、人材育成、分限その他の人事管理の基礎とするために行われるものであるが、それ自体はあくまでも職員の執務の状況を的確に把握、記録するものであって、人事評価の結果を具体的にどのように人事管理の基礎として活用するかということについては、人事評価制度自体ではなく、任用、給与、人材育成、分限等のそれぞれの制度において定められることとなる。このため、人事評価自体は、勤務条件には該当しないとの見方がある。しかしながら、民間企業でも、人事考課・人事評価の基準、手続等は労働条件と解されている（大阪地労委命令・平一六・一二・二四（不）第一三号・ワールド事件等）。公務においても、人事評価制度は、任用、給与、人材育成、分限その他の人事管理の基礎となるものとして構築されるものであり、実際、昇任や分限、昇格・昇給や勤勉手当の決定には人事評価の結果を活用することとされており、そのこととは別に人事評価自体が勤務条件か否かを論じてみても意味がない。本法においても、平成一九年の本法改正前には勤務評定は「能率」の一部と理解され、成績優秀者に対する表彰と成績不良者に対する矯正が論ぜられるものの、任用や給与、分限の手段とは規定されておらず、いわゆる都教組事件の東京高裁判決では次のとおり勤務条件ではないとされていた。

○昭和五一年七月三日東京高裁判決（都教組事件）

「…勤務評定は人事管理の基礎となるべき資料であって、これに基いて勤務条件が定められることがあっても、それ自体としては地公法四六条、五五条にいう勤務条件ではないから、行政措置要求の対象とならず、また団体交渉の目的となるものでもない。…」

このような経緯も背景として、現行法も人事評価そのものは政令で定めることとしているが、人事評価は実質的に任用や給与、分限に直接影響を与えており、それぞれの制度の一部ということもできることから、人事評価の基準及び方法に関する事項その他人事評価に関し必要な事項は、人事行政の公正の確保、職員の利益保護等をつかさどる人事院の意見を聴いて政令で定めることとされている。

平成一九年の本法改正法により人事評価が人事管理の基礎となることが明記され、実際に昇給や勤勉手当については給与決定に直接関わるものとなっていること、民間法制においても人事評価は勤務条件とされていることを踏まえれば、人事評価は勤務条件と評価すべきものと思われる。なお、人事院は人事評価制度及びその任用や分限、給与への活用方法について職員団体等からの意見聴取を行った上で、政府への意見の提出又は活用方法の見直しを行っている。また、評価結果を任用、給与等に反映させる基準はもちろんのこと、人事評価の実施に関する事項についても勤務条件に影響を及ぼすものについては、勤務条件に関する事項として行政措置要求の対象となる（第八六条〔解釈〕二1参照）。

〔解　釈〕

一　人事評価の実施

１　人事評価の実施権者及び実施規程

人事評価を実施する責務を課されているのは、所轄庁の長である。ただし、実際上、所轄庁の長が常にその権限を自ら行使することを期待することは困難であるため、制度の合理的、効果的運営の観点から、その指定した部内の上級の職員が実施することが認められている（人事評価の基準、方法等に関する政令二）。

実施権者は、所轄庁の長があらかじめ内閣総理大臣と協議して定めた人事評価の実施規程（訓令等）に基づいて人事評価を実施するものとされている。各府省の業務実態等に適合するよう人事評価の具体的方法は各府省の実施規程に委ねつつ、内閣総理大臣との協議を義務付けることでその適正な実施を担保しようとするものである。実施規程を変更しようとするときも、あらかじめ内閣総理大臣と協議しなければならないが、軽微な変更については内閣総理大臣に報告することをもって足りる（同政令二）。

２　人事評価の方法

人事評価は、能力評価及び業績評価によるものとし、一〇月一日から翌年九月三〇日までの期間を単位として毎年実施する（定期評価）（同政令四、五）。ただし、条件付採用又は条件付昇任を正式のものとするか否かについての判断のために行う人事評価は、能力評価のみにより、条件付任用期間を評価期間として行われる（特別評価）（同政令四、一五）。

能力評価は、職員がその職務を遂行するに当たり発揮した能力を把握した上で行われる勤務成績の評価である。定期評価における能力評価は、一〇月一日から翌年九月三〇日までの期間を評価期間とし、評価期間において現実に職員が職務遂行の中でとった行動を、標準職務遂行能力の類型を示す項目として実施規程に定める項目ごとに、各評価項目に係る能力が具現されるべき行動として実施規程に定める行動に照らして、当該職員が発揮した能力の程度を評価することにより行われる。民間企業で一般的ないわゆるコンピテンシー評価の手法（職務遂行に必要な具体的行動の有無・程度を評価することにより職務遂行能力を判断する手法）を参考に、人事院と総務省において検討し、策定した評価手法である。また、業績評価は、職員がその職務を遂行するに当たり挙げた業績を把握した上で行われる勤務成績の評価である。一〇月一日から翌年三月三一日までの期間及び四月一日から九月三〇日までの期間をそれぞれ評価期間とし、評価期間において職員が果たすべき役割について、業務に係る目標を定めることその他の方法により当該職員に対してあらかじめ示した上で、当該役割を果たした程度を評価することにより行われる（同政令四、五）。これも、民間企業で一般的ないわゆる目標管理方式（ＭＢＯ（Management by objective））を参考に、必ずしも数値目標による業務遂行になじまない公務の特性等を踏まえながら、策定した評価手法である。

評価に当たっては、定期評価における能力評価は評価項目ごとに、業績評価は果たすべき役割（目標を定めることにより示されたものに限る。）ごとに、それぞれ評価結果を表示する個別評語を付すほか、評価結果をそれぞれ総括的に表示する全体評語を付すものとされている。定期評価における個別評語及び全体評語の段階は、事務次官級の職員の評価では二段階、局長級・部長級の職員の評価では三段階、これらの職員以外の職員の評価では六段階（内閣総理大臣が、能力評価の評価項目のうち個別評語を六段階とする必要がないと認めるものについては、六段階を下回る段階を別に定めることができることとされている。これを受けて、発揮された能力を細かく把握する意義が乏しいと考えられる「倫理」に係る評価項目は三段階）とされている（同政令六2、定期評価における評語の付与等の特例について）。また、条件付任用期間における評価である特別評価においては能力評価の結果を総括的に評価する全体評語を付すものとされ、その段階は二段階とされている（同政令一六）。

3　人事評価の手続

人事評価の実施権者は、被評価者の監督者の中から評価者を、評価者の監督者の中から調整者を指定する。また、評価者又は調整者を補助する者を指定することができる（同政令七）。

評価者は、業績評価の評価期間の開始に際し、被評価者と面談を行い、目標を定める等により被評価者が果たすべき役割を確定する（同政令一二）。定期評価における能力評価及び業績評価を行うに際しては、その参考とするため、被評価者に対し、あらかじめ、評価期間において被評価者が発揮した能力及び挙げた業績に関する被評価者自らの認識等について申告を行わせる（同政令八、一三）。自己申告は、評価者が評価に必要な情報を得るだけではなく、被評価者が業務遂行を振り返り、自らの強み・弱みへの気付きを得ることも目的としている。

調整者は、評価者による評価について不均衡があるかどうか、例えば特定の被評価者に対する評価結果や特定の評価者による評価結果に甘辛がないかといった観点から審査を行い、全体評語を付すことにより調整を行う。また、必要に応じ、全体評語を付す前に評価者に再評価を行わせることができる（同政令九、一四）。

実施権者は、調整者による調整について審査を行い、適当でないと認める場合には調整者に再調整を行わせた上で評価が適当である旨の確認を行う（同政令九、一四）。定期評価及び条件付昇任職員の特別評価においては、確認を行った後、評価結果を被評価者に開示する（同政令一〇、一四、一八）。開示される評価結果は全体評語を含むものでなければならないが、全体評語の開示を希望しない職員等についてはこの限りでない。ただし、全体評語が事務次官級の職員では下位、局長級・部長級職員では中位より下、これらの職員以外の職員では最下位又は最下位より一段階上位の段階である場合には全体評語を開示しなければならない（人事評価の基準、方法等に関する内閣官房令四）。これは、評価結果に不満のある職員が苦情の申出をできるようにするとともに、公務能率が低下している職員に自覚を促し、公務能率の回復を図るためである。

評価者は、定期評価における評価結果の開示後、被評価者と面談（オンラインによるものを含む。）を行い、評価結果及びその根拠となる事実に基づき、被評価者の一層の向上が期待される優れた点や改善を図るべき点について必要な指導及び助言を行うこととされている（同政令一一、一四、同内閣官房令五）。

なお、幹部職員等についての定期評価の実施に際しては、職務と責任の特殊性に照らし、被評価者による自己申告、期首・期末における面談等の手続について、実施規程に特例を規定することができる（同政令一九）。

実施権者は、人事評価に関する職員の苦情について、実施規程に定める苦情相談及び苦情処理により適切に対応する。職員は、苦情の申出をしたことを理由として不利益な取扱いを受けないこととされている（同政令二〇、同内閣官房令六）。職員は、評価結果を活用した昇給区分の決定、勤勉手当の成績率の決定等に係る苦情について、人事院に対し給与の決定に関する審査の申立て（給与法二一）をすることができるほか、評価結果の任免・給与等への活用に関する苦情その他の人事評価に関する苦情について、人事院に対し苦情の申出をすることもできる。なお、評価結果そのものは処分に当たらないため、行服法による審査請求をすることはできない。

人事評価の記録は、人事評価記録書として作成しなければならない（同政令二一）。人事評価記録書については、所轄庁の

【能力評価】（課長級）

人事評価記録書様式（管理職相当職）

評価期間	令和　年　月　日 ～ 令　和　年　月　日

被評価者	所属：	職名：	
	氏名：	職員番号：	評価結果不開示希望

評価者	所属・職名：	氏名：	評価記入日：　令和　年　月　日
調整者	所属・職名：	氏名：	調整記入日：　令和　年　月　日
実施権者	所属・職名：	氏名：	確　認　日：　令和　年　月　日

期末面談	令和　年　月　日

（Ⅰ　能力評価：一般行政・本省内部部局・課長）

評価項目及び行動／着眼点		自己申告（評語）	自己申告（コメント：必要に応じ）	評価者（評語）	調整者（評語・任意）
<倫理> 1　国民全体の奉仕者として、高い倫理感を有し、課の課題に責任を持って取り組むとともに、服務規律を遵守し、公正に職務を遂行する。					
①　責任感	国民全体の奉仕者として、高い倫理感を有し、課の課題に責任を持って取り組む。				
②　公正性	服務規律を遵守し、公正に職務を遂行する。				
<構想> 2　所管行政を取り巻く状況を的確に把握し、国民の視点に立って、行政課題に対応するための方針を示す。					
①　状況の構造的把握	課内の情報の中枢として複雑な因果関係、錯綜した利害関係など業務とそれを取り巻く状況の全体像を的確に把握する。				
②　基本方針・成果の明示	国家や国民の利益を第一に、国内外の変化を読み取り、新たな取組への挑戦も含め、課としての基本的な方針や達成すべき成果を具体的に示し、部下に理解させる。				
<判断> 3　課の責任者として、適切な判断を行う。					
①　最適な選択	採り得る戦略・選択肢の中から、進むべき方向性や現在の状況を踏まえ最適な選択を行う。				
②　適時の判断	事案の優先順位や全体に与える影響を考慮し、適切なタイミングで判断を行う。				
③　リスク対応	状況の変化や問題が生じた場合の早期対応を適切に行う。				
<説明・調整> 4　所管行政について適切な説明を行うとともに、組織方針の実現に向け、関係者と調整を行い、合意を形成する。					
①　信頼関係の構築	円滑な合意形成に資するよう、日頃から対外的な信頼関係を構築する。				
②　折衝・調整	組織方針を実現できるよう関係者と折衝・調整を行う。				
③　適切な説明	所管行政について適切な説明を行う。				

重要マネジメント項目

評価項目及び行動／着眼点		自己申告（評語）	自己申告（コメント：必要に応じ）	評価者（所見）	評価者（評語）	調整者（評語・任意）
<業務運営> 5　コスト意識を持って効率的に業務を進める。						
①　先見性	先々で起こり得る事態や自分が打つ手の及ぼす影響を予測して対策を想定するなど、先を読みながらものごとを進める。					
②　効率的な業務運営	限られた業務時間と人員を前提に、業務の目的と求められる成果水準を部下と共有しつつ、効率的に業務を進める。					
③　業務の見直し	業務の優先順位を意識し、廃止も含めた業務の見直しや、業務の改善を進める。					
<組織統率・人材育成> 6　適切に業務を配分した上、進捗管理及び的確な指示を行い、成果を挙げるとともに、部下の指導・育成を行う。						
①　業務の割当て	課題の重要性や部下の役割・能力・状況を踏まえて、柔軟な働き方を推奨しながら、組織の中で適切に業務を割り当てる。					
②　意思疎通と進捗管理	部下との双方向の適切なコミュニケーションにより情報の共有や部下の仕事の進捗状況の把握を行い、的確な指示を行うことにより業務を完遂に導き、成果を挙げる。					
③　部下の成長支援	適切な指導を行い、多様な経験の機会を提供して能力開発を促すなど、部下の成長を支援し、その力を引き出す。					

【所見等及び全体評語】

評価者（所見）	評価者（全体評語）	調整者（所見）	調整者（全体評語）

【秀でている点・改善点等】

評価者
（秀でている点（強み）、改善点（弱み）、育成に関する意見等）

【能力評価】（係員級）

人事評価記録書様式（一般職員）

評価期間	令和　年　月　日 ～ 令　和　年　月　日

被評価者	所属：	職名：	
	氏名：	職員番号：	評価結果不開示希望

評価者	所属･職名：	氏名：	評価記入日：	令和　年　月　日
調整者	所属･職名：	氏名：	調整記入日：	令和　年　月　日
実施権者	所属･職名：	氏名：	確　認　日：	令和　年　月　日

期末面談	令和　年　月　日

（Ⅰ　能力評価：一般行政・本省内部部局・係員）

評価項目及び行動／着眼点		自己申告（評語）	自己申告（コメント：必要に応じ）	評価者（評語）	調整者（評語:任意）
<倫理> 1　国民全体の奉仕者として、責任を持って業務に取り組むとともに、服務規律を遵守し、公正に職務を遂行する。					
①　責任感	国民全体の奉仕者として、責任を持って業務に取り組む。				
②　公正性	服務規律を遵守し、公正に職務を遂行する。				
<知識・技術> 2　業務に必要な知識・技術を習得する。					
①　情報の整理	情報や資料を分かりやすく分類・整理する。				
②　知識習得	業務に必要な知識を身に付ける。				
<コミュニケーション> 3　上司・同僚等と円滑かつ適切なコミュニケーションをとる。					
①　指示・指導の理解	上司や周囲の指示・指導を正しく理解する。				
②　情報の伝達	情報を正確に伝達する。				
③　誠実な対応	相手に対し誠実な対応をする。				
④　上司への報告	問題が生じたときには速やかに上司に報告をする。				
<業務遂行> 4　意欲的に業務に取り組む。					
①　積極性	自分の仕事の範囲を限定することなく、未経験の業務に積極的に取り組む。				
②　正確性	ミスや抜け落ちが生じないよう作業のチェックを行う。				
③　迅速な作業	迅速な作業を行う。				
④　粘り強さ	失敗や困難にめげずに仕事を進める。				

【所見等及び全体評語】

評価者		調整者	
（所見）	（全体評語）	（所見）	（全体評語）

【秀でている点・改善点等】

評価者
（秀でている点（強み）、改善点（弱み）、育成に関する意見等）

【業績評価】（共通）

評価期間	令和　年　月　日 ～ 令和　年　月　日

被評価者	所属：	職名：	
	氏名：	職員番号：	評価結果不開示希望

評価者	所属・職名：	氏名：	評価記入日： 令和　年　月　日
調整者	所属・職名：	氏名：	調整記入日： 令和　年　月　日
実施権者	所属・職名：	氏名：	確　認　日： 令和　年　月　日

期首面談	令和　年　月　日
期末面談	令和　年　月　日

（Ⅱ　業績評価：共通）

【1　目標】

番号	業務内容	目標（いつまでに、何を、どの水準まで、どのような役割や貢献）	困難度	重要度	自己申告（達成状況、状況変化その他の特筆すべき事情）	評価者（所見）	評価者（評語）	調整者（評語：任意）
1			–	–				
2			–	–				
3			–	–				
4			–	–				
5			–	–				

被評価者	所属：	職名：	氏名：

【2　目標以外の業務への取組状況等】

番号	業務内容	自己申告（目標以外の取組事項、突発事態への対応等）	評価者（所見）

【3　全体評語等】

評価者		調整者	
（所見）	（全体評語）	（所見）	（全体評語）

長が実施規程において様式を定め、職員ごとに作成する。また、実施権者による確認後は原則として修正を行うことができず、確認の翌日から五年間保管し、非公開とする（同内閣官房令七～九）。

二　人事評価の実施除外職員及び特例職員

1　実施除外職員

非常勤職員（短時間勤務の官職を占める職員を除く。）、臨時的任用職員であって人事評価の結果を給与等へ反映する余地がないもの並びに検事総長、次長検事及び各検事長については、それぞれ人事評価を実施しないことができることとされている（同政令二）。

定年前再任用短時間勤務職員、暫定再任用短時間勤務職員（令和一三年度までの定年の段階的な引上げ期間中、経過措置として、定年後六五歳まで一年を超えない範囲内の任期を定めて、従前の再任用制度と同様の仕組みで再任用される短時間勤務型の職員（令和三年一部改正法附則四～七））、育児短時間勤務に伴う任期付短時間勤務職員を除く非常勤職員については、職務の実態や在任期間・勤務形態等からみて、人事評価の結果を任用、給与等において活用する必要性が乏しい場合があるためである。しかし、任期の更新が行われるような非常勤職員の場合、公正な更新手続を確保するためには積極的に人事評価を実施する必要があると考えられる。

臨時的任用職員については、原則として人事評価の対象であるが、任期が短く、制度上、昇給や勤勉手当の支給の対象とならない者は、そもそも目標設定、業務遂行、役割達成度の評価という人事評価の手法に馴染まないためである。

検事総長、次長検事及び各検事長については、職務と責任の特殊性から任用、給与等について他の一般職国家公務員とは異なる取扱いがなされている検察官の中でも、内閣により任免がなされ、天皇による認証が必要とされているなど特別な官職と位置付けられていることを踏まえてのことである。

2　特例職員

外務職員については、職務と責任の特殊性に基づき（法附則四）、本条第二項の特例が、外務公務員法（昭二七法四一）に規定されている。すなわち同法第一四条は「外務職員の人事評価の基準及び方法に関する事項その他人事評価に関し必要な事項は、外務省令で定める。」と規定し、同条の規定に基づく「外務職員の人事評価の基準、方法等に関する省令」（平二一外務省令六）により、外務職員の人事評価の実施権者、能力評価及び業績評価の方法、評価期間、評語の付与、被評価者による自己申告、評価の調整及び確認、評価結果の開示、評価者による指導及び助言、苦情への対応、人事評価の記録等が定められている。

三　人事院の意見聴取

人事評価に関し必要な事項を政令で定めるプロセスにおいては、必ず人事院の意見を聴くこととされている。本法の定める人事評価については、専ら使用者側の行う管理運営事項であるとする考え方も存するが、前述のように人事評価に基づいて任用、給与その他の人事管理を行うことが法定されている下では、人事評価そのものの性質論を論ずることをもってその勤務条件性を否定することはできないと考える。その意味で、人事評価制度の制定・改廃に当たっては人事院の意見を聴くことを義務付け、その勤務条件性に配慮するとともに、使用者側の一方的手続によることなく公正な人事管理を実現するという観点からも、人事院が関与することが定められているといえよう。本条第二項は「人事院の意見を聴いて、政令で定める。」と定めているため、人事院の意見聴取は、政令を制定又は改廃する前の段階において行う必要がある。

人事管理の基礎となる人事評価の基準、方法等について、人事行政の公正の確保、職員の利益保護等をつかさどる人事院の意見を聴いて政令で定めることとしている本条の趣旨を踏まえれば、人事院の意見を聴きさえすればよいということではなく、特に労働基本権制約の代償性の確保の観点からは人事院の意見は最大限に尊重される必要がある。人事院としても、人事評価制度について常に研究を怠らず、また、各府省及び職員団体からの意見聴取等を通じてその実施状況について適切な把握に努めながら、人事評価制度の改善について本条及び本法第二三条に基づいて意見の表明や申出を行うことが求められているといえよう。

これまで、平成二九年の専門スタッフ職四級の新設に伴う人事評価政令の一部改正、令和三年の評語の段階の見直しに伴う人事評価令政令の一部改正に当たり、政令案に対して人事院の意見を求められ、いずれも適当である旨回答を行っている。

（人事評価に基づく措置）

第七十条の四　所轄庁の長は、前条第一項の人事評価の結果に応じた措置を講じなければならない。

②　内閣総理大臣は、勤務成績の優秀な者に対する表彰に関する事項及び成績の著しく不良な者に対する矯正方法に関する事項を立案し、これについて、適当な措置を講じなければならない。

〔趣　旨〕

人事評価に基づく措置

人事評価は、人事管理の基礎となるものと位置付けられており、職員の採用後の任用、給与その他の人事管理は人事評価に基づいて適切に行われなければならない（法二七の二）とされている。本条は、それとは別に所轄庁の長に対して人事評価の結果に応じた措置を講じることを求めている。

「勤務評定」を定めた平成一九年の改正前の本法と同様の規定が改正後の本法に定められた趣旨は、任用や給与だけでなく、表彰や矯正などへも人事評価を活用することを確認的に規定することにあると考えられる。その結果、文言自体は平成一九年の本法改正前の勤務評定の結果の活用と同様のものとなっている。「人事評価の結果に応じた措置」（本条第一項）に任用や給与についての措置が含まれているのか不明確であるが、第二項と併せ読むと成績優秀者に対する表彰と成績不良者に対する矯正など任用や給与以外で当局が人事権者として行う措置が考慮されている。

他方、能力・実績主義の人事管理を実施するため、本法第二七条の二で定められているように任用や給与等勤務条件について人事評価の結果に応じた措置を採ることが求められており、人事評価の活用は単に前述のような表彰や矯正に限られるものではないことは言うまでもない。任用、給与、分限の各措置を行う場合に、評価結果を具体的にどのように人事管理の基礎として活用するかは、本条第一項に基づいて所轄庁の長の自由裁量により行える性格のものではなく、次に述べるようにそれぞれの制度において人事管理の公正確保や勤務条件の観点を踏まえて人事院で定めた（幹部職にあっては人事院の意見を聴いて定められた）基準に従って行うこととなる。なお、令和四年一〇月以降、本省課長級以下については人事評価の評語の段階が六段階（卓越して優秀／非常に優秀／優良／良好／やや不十分／不十分）に細分化されたことから、これに合わせて、人事院において、より一層能力・実績が反映されるよう任用、給与に関する基準の見直しが行われた。

1　任用

職員の任用は、その者の受験成績、人事評価又はその他の能力の実証に基づいて行わなければならないこととされている（法三三1）。具体的には、昇任及び転任は、人事評価に基づき、能力及び適性を有すると認められる者の中から行うこと、降任は、人事評価に基づき、能力及び適性を有すると認められる官職に任命することとされている（法五八1、2）。

2　給与

俸給の決定に関する基準は、勤務期間、勤務能率その他勤務に関する諸要件を考慮して定めるものとされており（法六五2）、昇格、昇給について人事評価の結果を活用することが想定されている。また、勤勉手当について、人事評価の結果及び勤務の状況に応じて支給することとされている（給与法一九の七1）。

3　分限

人事評価又は勤務の状況を示す事実に照らして、勤務実績がよくない場合は、職員の意に反してこれを降任し、又は免職することができることとされている（法七八①）。降給（降格及び降号）においても同様である（法七五2）。

〔解　釈〕

一　所轄庁の長の講ずる措置

任命権者は、人事評価について、任用、給与等への活用のほか、日常の人事管理の中で、評価結果を踏まえて、優秀者に対する表彰や成績不良者に対する教育指導を行っていくことが求められている。それらは所轄庁の長としての責任で行うこととなるが、公正な基準の下で公平に実施される必要がある。

二　任用、給与等への活用

1　任用

昇任に当たっての人事評価の活用については、特定幹部職（本省事務次官、局長、部長等の官職で、会計検査院、人事院等に属するもの以外のもの）にあっては適格性審査基準（幹部職員の任用等に関する政令三1）で、それ以外の職員にあっては人事院規則八―一二で定められている。特定幹部職以外に昇任させる場合には、昇任日以前二年の能力評価及び業績評価の結果を活用し、昇任後の官職に係る標準職務遂行能力及び適性を有すると認められる者の中から、人事の計画等を考慮した上で、最も適任と認められる者を決定することとなる。

まず、本省課長級未満の官職への昇任の場合には、直近二回の能力評価の全体評語のうち一回は「優良」の段階以上であり、かつ、直近四回の業績評価のうち一回は「優良」の段階以上でなくてはならず、また、能力評価、業績評価ともに他は「やや不十分」及び「不十分」の段階があってはならない。

次に、本省課長級の官職への昇任の場合には、直近二回の能力評価の全体評語のうち一回は「非常に優秀」以上の段階であり、かつ、他は「やや不十分」及び「不十分」の段階があってはならない（直近の業績評価に関しては本省課長級未満官職への昇任と同じ。）。

さらに、特定幹部職以外の幹部職（会計検査院、人事院等に属するもの）への昇任の場合には、更に厳しく、直近二回の能力評価の全体評語のうち一回は「非常に優秀」の段階以上であり、かつ、他は「優良」の段階以上でなければならない。また、直近四回の業績評価の全体評語のうち一回は「非常に優秀」の段階以上でなければならず、かつ、他は「やや不十分」及び「不十分」の段階があってはならない（人規八―一二　二五）。

なお、令和四年一〇月の改正により、本省課長級及び特定幹部職以外の幹部職への昇任のための人事評価対象期間が三年から二年に短縮された。これは、それまでも能力評価の結果が上位であることを求めているのは直近二年であったことを踏まえたものであり、従前から人事評価対象期間を二年としている本省課長級未満官職に合わせたものとなっている。一方、特定幹部職の適格性審査基準においては、従前より直近三回の能力評価が全て上位であることを求めていたことから、引き続き、三年の人事評価対象期間が維持された。

また、転任や配置換（特定幹部職への転任・配置換を除く。）についても、人事評価の結果を活用し、任命後の官職に係る標準職務遂行能力及び適性（配置換の場合は適性）を有すると認められる者の中から、人事の計画等を考慮した上で、最も適任と認められる者を決定する。ただし、本省室長級以上の官職への転任の場合には、一定の場合を除き、昇任に関する右要件を準用する（人規八―一二　二六1 2、二七）。

他方、特定幹部職を占める職員については、適格性審査を行い、人事評価その他の任命権者から提出された情報等に基づいて、幹部職に属する官職に係る標準職務遂行能力を有することを確認する。適格性審査の結果、幹部職に属する官職に係る標準職務遂行能力を有することを確認した者については、幹部候補者名簿を作成する。昇任及び転任であって幹部職への任命に該当するものについては、幹部候補者名簿に記載されている者であって、人事評価に基づき、当該任命しようとする幹部職についての適性を有すると認められる者の中から行うこととされている。適格性審査の基準は、人事院の意見を聴いて内閣官房長官が定めることとされており（幹部職員の任用等に関する政令三2）、部内の職員については人事評価の総合評価の評語、懲戒処分等の有無などに着目した基準が定められている。具体的には、幹部職への昇任の場合、直近の連続した三回の能力評価の全体評語がいずれも「優良」の段階以上であり、かつ、直近の連続した二回の能力評価のうち一の能力評価の全体評語が「非常に優秀」の段階以上であること、直近の連続した六回の業績評価の全体評語が上位若しくは中位の段階又は「良好」の段階以上であり、かつ、直近の連続した四回の業績評価のうち一の業績評価の全体評語が上位の段階又は「非常に優秀」の段階以上であることなどである（法六一の二1、2、六一の三2　幹部職員の任用等に関する政令三1）（適格性審査の基準は、第六一条の二〔解釈〕一1参照）。

2　給与

(一)　昇格（第六五条〔解釈〕二2(一)参照）

昇任を伴わない昇格については、昇格日以前二年の能力評価及び業績評価の結果を活用し、昇格日までの勤務実績等も考慮し、総合的に判断して決定する。直近二回の能力評価及び直近四回の業績評価の全体評語のうち、二回は「優良」の段階以上であり、かつ、他は「良好」の段階以上（行政職俸給表(一)の三級に昇格させる場合には、全体評語の全てが「良好」の段階以上であり、かつ、直近の個別評語に「優良」の段階以上があること、また、二級に昇格させる場合には、全体評語の全てが「良好」の段階以上）でなければならない（人規九―八　二〇2③）。

昇任に伴って昇格する場合には、昇任要件として同様の人事評価結果による検証を経ることとなるため、昇格要件として重ねて人事評価に関する要件は設けられていない（人規九―八　二〇2①）。

(二)　昇給（第六五条〔解釈〕二4参照）

昇給区分（Ａ～Ｅ）の決定について、昇給日前一年の能力評価及び業績評価の結果を活用する。上位の昇給区分（Ａ（極めて良好）、Ｂ（特に良好のうちＡ以外））は、直近の能力評価及び直近二回の業績評価の全体評語がいずれも「良好」の段階以上である職員のうち、勤務成績が特に良好である職員について、評価結果の組合せから二つの順位グループに分類し、当該グループの順位に従い決定する。この場合に、①同一の順位グループ内では、各評価項目の個別評語や全体評語を付した理由その他参考となる事項を考慮するとともに、②第一順位のグループの職員に付与される上位の昇給区分は第二順位のグループの職員に付与される上位の昇給区分を下回らないよう、決定されることとなる。他方、当該全体評語のいずれかが「やや不十分」の段階以下である職員等については、原則として下位の昇給区分（Ｄ（やや良好でない）、Ｅ（良好でない））に決定する。これら以外の職員については、Ｃ（標準）の昇給区分に決定する（人規九―八　三七１、２）。

なお、上位の昇給区分に決定する職員の数の割合は、人事院の定める割合に概ね合致していなければならないこととされている（人規九―八　三七６）。

これは、人事評価で上位の評語を受けた者が多い場合には、昇給原資との関係で昇給できる者の数には限りがあることから、上位の昇給区分の者が増加することがないよう、上限枠として設けられているものである。一方、下位の昇給区分については、一定の枠を当てはめることとした場合、絶対評価により行う人事評価で「標準」の評語を受けたグループの中から必ず一定の割合で下位の昇給区分の該当者を出すこととなり、人事評価制度への信頼や職員の士気の面などからみて適切とは言い難いことから、枠は設けられていない。

㈢　勤勉手当

勤勉手当の成績区分の決定について、直近の業績評価の結果を活用する。直近の業績評価の全体評語が「優良」の段階以上である職員について、評価結果が上位の者から順に「特に優秀」、「優秀」、「良好（標準）」のいずれかの区分（再任用職員等の場合は「優秀」、「良好」のいずれかの区分）に、当該全体評語が「良好」の段階以上である職員は「良好」の区分に、当該全体評語が「やや不十分」の段階以下である職員等は「良好でない」の区分に決定する（人規九―四〇　一三１①）。

なお、「特に優秀」又は「優秀」の区分に該当する職員の数については勤勉手当原資上の制約の中で定める必要があり、その基準となる割合は、勤務条件の統一性確保のため給与制度を所掌する人事院が定めることとされている（人規九―四〇一三4）。

3　分限

㈠　降任・免職

能力評価又は業績評価の結果を降任処分・免職処分の契機として活用する。すなわち、能力評価又は業績評価の全体評語が下位（評語の段階が二段階又は三段階の場合の最下位の評語）又は「不十分」（評語の段階が六段階の場合の最下位の評語）の段階である場合等であって上司による指導等の措置を行ったにもかかわらず勤務実績が不良なことが明らかなとき、幹部職員については適格性審査において現官職に係る標準職務遂行能力を有することが確認されなかったときは、職員をその意に反して降任させ、又は免職することができる（人規一一―四　七1、2）。降任は現に任命されている官職より下位の職制上の段階に属する官職の職務を遂行することが期待できると認められる場合に、免職は当該職務を遂行することが期待できず、かつ、転任や降任できないと認められる場合に行う。

㈡　降給（降任された場合を除く。）

能力評価又は業績評価の結果を降給処分の契機として活用する。すなわち、能力評価又は業績評価の全体評語が下位又は「不十分」の段階である場合等において、上司による指導等の措置を行ったにもかかわらず、なお勤務実績がよくない状態が改善されない場合において、必要があると認めるときは、職員をその意に反して降格（職務の級を同一の俸給表の下位の職務の級に変更すること）させ、又は降号（号俸を同一の職務の級の下位の号俸に変更すること）する。降格はその職務の級に分類されている職務を遂行することが困難であると認められる場合に、降号はその職務の級に分類されている職務を遂行することが可能であると認められる場合に行う（人規一一―一〇　四①、五）。

4　人材育成

部内育成型の組織における人事評価の最も重要な役割は、人材育成や職員の人事配置に当たり、職員の現在の能力や適性を当局と職員本人との間で共有するところにある。部下の人数が多くなく、顔の見える範囲で人事管理が行われる場合、日々の上司と部下のコミュニケーションの中で、職員の能力や適性は自ずから明らかになってくることが自然といえよう。毎年の能力評価、業績評価はそうした日常の評価を様式化し、上司が部下に対して定期的に職員の能力、適性を評価し、育成の方向を伝え、また、職員から業務や育成についての意見を述べる場として活用されるべきものである。

能力評価の評価結果は、研修の実施及び職員に対する研修機会の付与、職員の自発的な能力開発等に活用される。すなわち、全体評語のほか、評価項目・着眼点ごとの評語やコメント等を通じ、各府省において職員に対する研修の必要性を把握し、研修の計画及び実施に努めるとともに、職員自身にとっても評価の結果は自らの強み弱みを把握し、自発的な能力開発につなげるためのツールとなる。この点、前述（第七十条の二〔趣旨〕四参照）の令和二年に行われた見直しでは、評語の細分化に合わせて、人事評価を人材育成・マネジメントを強化するための組織改革・育成ツールとして活用するための見直しも行われている。人事評価の面談に当たって、職員の強み・弱み（秀でている点・改善点）の指導・助言を行うとともに、職員の果たすべき役割の認識を共有するよう努めること、また、管理又は監督の地位にある職員を評価するに当たっては、効率的な業務遂行、適切な業務管理、部下の指導育成に特に留意して、求められる能力や果たすべき役割に応じて、適切に評価を行う旨の理念を示す規定が設けられた（人事評価の基準、方法等に関する内閣官房令二、五）。

なお、幹部候補育成課程における育成の対象となるべき者については、採用後、一定期間勤務した経験を有する者の中から本人の希望及び人事評価に基づいて選定し、選定後も、人事評価に基づいて引き続き課程対象者とするかどうかを定期的に判定する（法六一の九２）。

三　内閣総理大臣による措置

人事評価の結果の活用には、本条が定めている表彰、指導など人事権者が自らの責任で企画し、実施できる事項と人事管理の基本となる任用や給与、分限等のようにそれぞれの制度の中で任命権者としてその結果の反映を求められる事項があるが、いずれにせよ、それらは一義的には所轄庁の長が講ずるものである。これに加えて、内閣総理大臣も、人事管理に関する方針等の統一性確保の観点から、本条第二項により、勤務成績の優秀な者に対する表彰や成績の著しく不良な者に対する矯正方法に関し、自ら適当な措置を講ずるか、又は所轄庁の長が適切に措置を講ずるよう適当な調整等を行うこととされている。

内閣総理大臣が講じなければならない適当な措置については、例えば、勤務成績の良好な職員に対する表彰の仕組みを整えること、勤務成績が著しく不良な者に対する矯正のための指導方法等を所轄庁の長に周知、徹底することが考えられる。

第四節の二　研修

（研修の根本基準）

第七十条の五　研修は、職員に現在就いている官職又は将来就くことが見込まれる官職の職務の遂行に必要な知識及び技能を習得させ、並びに職員の能力及び資質を向上させることを目的とするものでなければならない。

② 前項の根本基準の実施につき必要な事項は、この法律に定めのあるものを除いては、人事院の意見を聴いて政令で定める。

③ 人事院及び内閣総理大臣は、それぞれの所掌事務に係る研修による職員の育成について調査研究を行い、その結果に基づいて、それぞれの所掌事務に係る研修について適切な方策を講じなければならない。

〔趣　旨〕

一　研修の根本基準の意義

国家公務員がその職責を適切に果たすためには、現在就いている官職あるいは将来就くことが見込まれる官職において求められる職務遂行能力を身に付けるように、日頃から業務内外を通じて、必要な知識、経験、技能等を習得させ、その能力、資質の向上を図っていくことが必要となる。我が国の公務においても、民間企業の人事管理と同様、ポテンシャルの高い者を採用して、業務を行わせながら育成する方式が一般的である。このための人材の育成には、職務を通じての研修（職場研修、又はＯＪＴ（On the Job Training））、職務を離れての研修（職場外研修又はＯｆｆ－ＪＴ（Off the Job Training））のいずれもが非常に重要な役割を果たしている。

本条は、法律において研修の根本基準を定める（法七〇の五1）とともに、その実施に必要な事項は人事院の意見を聴いて政令で定めること（法七〇の五２）、さらに、中央人事行政機関たる人事院及び内閣総理大臣が、それぞれの所掌事務に係る研修について適切な方策を講じなければならないこと（法七〇の五３）を定めている。

二　研修に関する規定の経緯

本法制定当初、研修（昭和四〇年の本法改正前は、教育訓練）は「能率」の一環とされ、根本基準も「能率」の根本基準のうちに含まれると解されており、その実施につき必要な事項は人事院規則で定めるとされていた。これを受け、人事院規則一〇―三（職員の研修）において、研修の目的等が定められていた。その後、平成二六年の本法改正により、研修に係る規定が全面的に改正され、研修に関する条文が独立した節とされたことに伴い、研修の根本基準についても、独立して法律で明記されることとなった。当該法改正により研修に関する下位法令が政令と改められたことに伴い、人事院規則一〇―三は、一部改正されるとともに二年間の移行期間（平成二六年本法改正法附則第一一条第二項の規定に基づき同改正法の施行日（平成二六年五月三〇日）から起算して二年を経過する日までの間は、政令としての効力を有するものとされた。）を経て廃止された。また、同改正法の施行とともに、次条（法七〇の六１①）に基づき人事院が行う研修、各府省における研修の実施状況に関する報告要求等について定める人事院規則一〇―一四（人事院が行う研修等）が制定された（ちなみに、人事院規則一〇の系列は、同法改正に併せて、「能率」から「研修及び能率」に事項の名称が改められた。）。なお、本条第二項に基づく政令は、令和五年四月時点で定められていない。

平成二六年の本法改正以前においては、研修は「第五節　能率」で取り扱われており、その条文は次のとおりであった。

（能率の根本基準）

第七十一条　職員の能率は、充分に発揮され、且つ、その増進がはかられなければならない。

②　前項の根本基準の実施につき、必要な事項は、この法律に定めるものを除いては、人事院規則でこれを定める。

③　内閣総理大臣（第七十三条第一項第一号の事項については、人事院）は、職員の能率の発揮及び増進について、調査研究を行い、これが確保のため適切な方策を講じなければならない。

（能率増進計画）

第七十三条　内閣総理大臣（第一号の事項については、人事院）及び関係庁の長は、職員の勤務能率の発揮及び増進のために、左の事項について計画を樹立し、これが実施に努めなければならない。
一　職員の研修に関する事項
二～五　（略）
②　前項の計画の樹立及び実施に関し、内閣総理大臣（同項第一号の事項については、人事院）は、その総合的企画並びに関係各庁に対する調整及び監視に当る。

このように、研修については、人事行政の公正性確保の観点が重要であることから、人事院がその根本基準の実施について必要な事項を規則で定めること、職員の能率の発揮及び増進について調査研究を行い、その確保のために適切な方策を講じること、計画を樹立して実施に努めること、更には、その総合的企画並びに関係各庁に対する調整・監視に当たることとされていた。昭和四〇年の本法改正によって内閣総理大臣が新たに中央人事行政機関として位置付けられ、能率に係る所掌事務の一部が人事院から内閣総理大臣に移管されたが、この改正後も、研修については、引き続き人事院が中央人事行政機関としての全ての任務を負うこととされた。

内閣の人事管理機能の強化等を目指した平成二六年の本法改正では、国家戦略の実現のために必要な研修に係る機能を内閣総理大臣に担わせることとするとともに、内閣総理大臣及び各府省の行う研修は、内閣総理大臣の総合的企画・調整の下で行うこととされた（法七〇の六3）。一方で、職員の一般的な養成を図る研修は、その教育的、専門的な実務能力と研修の中立性確保の観点から引き続き人事院が担当することとされた。このほか、人事行政の公正性確保の観点から、①研修の根本基準を法律で定めるとともに、その実施に必要な事項は、人事院の意見を聴いて政令で定める（法七〇の五1、2）、②人事院、内閣総理大臣及び関係庁の長が計画・実施する研修に係る「観点」を法律で明記する（法七〇の六1）、③人事院は、内閣総理大臣及び関係庁の長の行う研修についての計画の樹立及び実施に関し、監視、報告聴取、是正指示を行う（法七〇の六5、七〇の七）とされた。これに伴い、研修に係る規定を「能率」の節から独立させ、新たな節が設けられた。

三　行政執行法人職員、外務公務員及び研究公務員の特例

1　行政執行法人職員の適用除外

本条から第七〇条の七までは、行政執行法人労働関係法第三七条第一項第一号の規定によって、行政執行法人職員には適用されない。これは、平成二六年の本法改正前から、能率に関する本法第七一条及び第七三条は適用除外にしており、新たに研修について本条から第七〇条の七までの規定が置かれたことから、これらの規定も適用除外にしたものである。行政執行法人職員等について第七一条及び第七三条を適用除外にしていたのは、「労働に関する安全、衛生及び災害補償に関する事項」が労働条件として団体交渉の対象事項となっている（行政執行法人労働関係法八③）ため、「能率」全体を適用除外としたことによると考えられる。いずれにせよ、民間の労働法制においては、研修に相当する教育訓練は労働条件として「義務的団交事項」とされていること（荒木尚志著『労働法』第五版、四六五・六八九頁）に即したものといえよう。

２　外務公務員の研修

外務公務員については、外務職員（外務本省の外交領事事務従事職員及び在外公館勤務職員（外務公務員法二5））の職務と責任の特殊性に着目して、外務公務員法第一五条により、本法附則第四条の規定に基づき特例が設けられている。すなわち、外務公務員法第一五条は、「外務大臣は、外務省令で定めるところにより、外務職員に、政令で定める文教研修施設又は外国を含むその他の場所で研修を受ける機会を与えなければならない。」と規定している。この規定は、外務職員の研修について本法の研修に係る規定を排除するような特例規定ではなく、本法の研修の理念及び本法が予定する研修体系をそのまま適用した上で、これに加えて特に必要な研修を外務職員に対して実施する権限を外務大臣に与えたものと解される。各府省の長は本来、所属職員に必要な業務研修を実施できることからすれば、この規定は、確認的な意味合いを持つにとどまる。むしろ、外務大臣に対して、外務職員に「外国を含むその他の場所で研修を受ける機会」の付与を義務付けた点に、同条の法律的な意味があるものといえよう。

３　研究公務員の研究集会への参加

研究公務員の能率向上のためには、その業務の性格からみて、国以外の研究者との間の交流も重要であり、特に、学会などへの参加についてはこれを積極的に推進する必要性が認められたことから、昭和六一年に、「科学技術（人文科学のみに係るものを除く。……）に関する国の試験研究に関し、国と国以外の者との間の交流を促進するために必要な措置を講じ、もつて科学技術に関する試験研究の効率的推進を図ることを目的とする。」旧研究交流促進法が制定された（昭六一法五七）。

同法第五条（研究集会への参加）は、「研究公務員が、科学技術に関する研究集会への参加を申し出たときは、任命権者は、その参加が、研究に関する国と国以外の者との間の交流……の促進に特に資するものであり、かつ、当該研究公務員の職務に密接な関連があると認められる場合には、当該研究公務員の所属する試験研究機関等の研究業務の運営に支障がない限り、その参加を承認することができる。」と規定していた。これは、研究公務員の学会などへの参加を一定の条件の下に保障するものであり、広い意味での研修の機会を与えるものということができよう。旧研究交流促進法は、平成二〇年一〇月、「研究開発システムの改革の推進等による研究開発能力の強化及び研究開発等の効率的推進等に関する法律」（平二〇法六三）（同法の一部改正法（平三〇法九四）により「科学技術・イノベーション創出の活性化に関する法律」に題名変更。なお、旧研究交流促進法の制定時は、科学技術のうち人文科学のみに係るものは対象から除外されていたが、科学技術基本法等の一部改正法（令二法六三）により、人文科学のみに係るものも対象に含められた。）の施行により廃止されたが、研究集会への参加に関する規定の内容は、同法第一八条に受け継がれた。この規定による研究集会への参加については、本法第一〇一条の「法律の定める場合」として職務専念義務が免除されるため、職務外の自己啓発ないし自主的な研修であるといえよう。したがって、学会出席のための旅費等は支給されないが、給与法第一五条の「その勤務しないことにつき特に承認のあつた場合」として給与の減額は行われず、昇給や勤勉手当の取扱い上も不利益な影響を受けない。さらに、職務関連性が認められることから、研究集会参加中に事故があった場合には補償法の適用があるものとして取り扱われる（平二〇・一〇・二二職補四三六）。

〔解　釈〕

一　研修の根本基準

前述のように、平成二六年改正前の本法第七一条においては、「能率の根本基準」について定め、その実施につき必要な事項は人事院規則で定めることとされていた。これを受けて、人規一〇―三が制定され、その第二条において、「研修は、職員に現在就いている官職又は将来就くことが予想される官職の職務と責任の遂行に必要な知識、技能等を修得させ、その他その遂行に必要な職員の能力、資質等を向上させることを目的とする。」と規定されていた。

本条第一項で定められている研修の根本基準の内容は、研修の目的として、第一に「現在就いている官職又は将来就くことが見込まれる官職の職務の遂行に必要な知識及び技能を習得させ」ること、第二に「職員の能力及び資質を向上させる」ことを挙げている。これは、前述の本法改正前の人規一〇—三第二条で掲げていた研修の目的と基本的な趣旨において同様のものとなっている（なお、このほか、研修の根本基準の実施に必要な事項は、本条第二項に基づいて人事院の意見を聴いて政令で定められる。）。

人規一〇—三に規定されていた「能力・資質の向上」は、昭和五六年の人規一〇—三の全部改正時に追加されたものである。この改正は、研修は、現に就任している官職の職務と責任の遂行に直接役立つものを職員に修得させることが第一義的な目的であるが、長期雇用を前提として人材の育成を考えた場合、行政を取り巻く社会経済環境の変化に対応して、職員の専門能力や管理能力を開発し、人材の育成を図るという意味での人材育成研修の役割が大きいと考えられたため、研修の目的として「能力及び資質の向上」が加えられた。現在、各府省や人事院で行われている研修においても、職務の遂行に必要な知識、技能等の習得はもとより、より幅広い見識や教養を付与するための人材育成的な内容の研修が広く実施されている。ちなみに、既に述べたとおり、本法は時々の適任者による欠員補充を任用の基礎とする一方、部内育成・登用を運用上の基本としているが、従前は条文上、そのことを明示するものはなかった。平成二六年の本法改正で本条が追加され、「将来就くことが見込まれる官職」に係る研修（本条一項）だけではなく、「職員の育成」（法七〇の六1①、③）、「課程対象者の政府全体を通じた育成」（同項②）など、部内育成の考え方が明らかにされたと評価することができよう。

次に、ここでいう「研修」とは、日常の執務を通じて行われるもの（いわゆるＯＪＴ（On the Job Training））と、執務を離れて行われるもの（いわゆるＯｆｆ－ＪＴ（Off the Job Training））の双方を含むものとされる。旧人規一〇—三第五条第一項には、「各省各庁の長は、職員の監督者をして、職員に対し、日常の執務を通じて必要な研修を行わせるものとする。」と、また、第六条第一項には、「各省各庁の長は、必要と認めるときは、職員に日常の執務を離れて専ら研修を受けることを命ずることができる。」と規定されており、改正後の研修に係る規定にも、当然この両者が含まれているものと考えられる。なお、各省各庁の長は、この両者を行うことができるが、中央人事行政機関としての人事院及び内閣総理大臣が行うことができるものは、その性質上、「執務を離れた研修」、すなわち、いわゆる集合研修や派遣研修などとなろう。ただ、近時の情報通信技術（ＩＣＴ）を利用したｅ—ラーニングなどの研修の開発・普及により、ＯＪＴとＯｆｆ－ＪＴの区別は相対化してきているともいえよう。

二　政令の定め

本条第二項においては、第一項の根本基準の実施につき必要な事項は、本法に定めのあるものを除き、人事院の意見を聴いて政令で定めることとされている。これは、国家公務員の研修の根本基準の実施に当たっては、公正性の観点が不可欠であることから、人事行政の公正の確保の機能を担う独立機関である人事院の意見を聴くことが必要とされたことによる。なお、本条第二項に基づく政令は人規一〇―一三の廃止（平成二八年五月三〇日）後も制定されていないが、次条第三項に基づき、内閣総理大臣及び関係庁の長が行う研修についての計画の樹立及び実施に関し、内閣総理大臣がその総合的企画及び関係各庁に対する調整を行うに当たっての基本的な方針を定めた「国家公務員の研修に関する基本方針」（平二六・六・二四内閣総理大臣決定）及び当該基本方針の運用に関し必要な事項を定めた「国家公務員の研修に関する基本方針の運用について」（平二八・一・二六内閣人事局長決定）が定められている。

三　人事院及び内閣総理大臣の責務

本条第三項においては、人事院及び内閣総理大臣は、それぞれの所掌事務に係る研修による職員の育成について調査研究を行い、その結果に基づいて、それぞれの所掌事務に係る研修について適切な方策を講じなければならないとされている。平成二六年の本法改正前の本法第七一条第三項では、研修に関し、人事院は職員の能率の発揮及び増進について、調査研究を行い、その確保のため適切な方策を講じなければならないとされており、平成二六年の本法改正に際して条文の整備を行った際に、同様の規定を置くこととしたものである。人事院と内閣総理大臣それぞれが役割に応じて事務を所掌するものであり、調査研究等の対象も所掌事務の範囲で行われることになる。

なお、ここでいう「それぞれの所掌事務」は、本法第三条及び第一八条の二で規定する人事院及び内閣総理大臣の研修に係る所掌事務を指している。

（研修計画）

第七十条の六　人事院、内閣総理大臣及び関係庁の長は、前条第一項に規定する根本基準を達成するため、職員の研修（人事院にあつては第一号に掲げる観点から行う研修とし、内閣総理大臣にあつては第二号に掲げる観点から行う研修とし、関係庁の長にあつては第三号に掲げる観点から行う研修とする。）について計画を樹立し、その実施に努めなければならない。

一　国民全体の奉仕者としての使命の自覚及び多角的な視点等を有する職員の育成並びに研修の方法に関する専門的知見を活用して行う職員の効果的な育成

二　各行政機関の課程対象者の政府全体を通じた育成又は内閣の重要政策に関する理解を深めることを通じた行政各部の施策の統一性の確保

三　行政機関が行うその職員の育成又は行政機関がその所掌事務について行うその職員及び他の行政機関の職員に対する知識及び技能の付与

② 前項の計画は、同項の目的を達成するために必要かつ適切な職員の研修の機会が確保されるものでなければならない。

③ 内閣総理大臣は、第一項の規定により内閣総理大臣及び関係庁の長が行う研修についての計画の樹立及び実施に関し、その総合的企画及び関係各庁に対する調整を行う。

④ 内閣総理大臣は、前項の総合的企画に関連して、人事院に対し、必要な協力を要請することができる。

⑤ 人事院は、第一項の計画の樹立及び実施に関し、その監視を行う。

〔趣　旨〕

本条では、前条の研修の根本基準を受けて、各主体が研修の計画を樹立し実施すべきことを定めている。「研修計画」は、研修の基本的方針の確立から個別具体的な実施計画までを含むものである。各府省は、その府省の研修体系の目的を策定し、これに従って研修実施体系を構想し、さらに、個別具体的な研修コースの内容、対象者、方法、時期などを定めることが求められる。平成二六年の本法改正により、人事院だけでなく内閣総理大臣も、中央人事行政機関として職員の研修を計画・実施することとされたが、その際、本条第一項において、人事院は同条第一項第一号の観点から、内閣総理大臣は同項第二号の観点からそれぞれが研修を計画・実施することとされた。

研修計画の樹立及び実施に関して、人事院及び内閣総理大臣がそれぞれどのような役割を果たすかについては、内閣総理大臣は「内閣総理大臣及び関係庁の長が行う研修についての計画の樹立及び実施に関し、その総合的企画及び関係各庁に対する調整を行う」（法七〇の六3）ものとされ、一方、人事院は、自ら第一項第一号に基づいて研修を実施するほか、「第一項の計画の樹立及び実施に関し、その監視を行う」（法七〇の六5）ものとされている。なお、人事院の行う研修の独立性確保の観点から、人事院が行う研修は、内閣総理大臣の「総合的企画」及び「調整」の対象に含まれないこととされている。ただし、研修を計画する上で、内閣総理大臣と人事院が連携を図る必要性が生じる場合も想定されることから、内閣総理大臣は人事院の独立性を前提としつつ、研修について専門性を有する人事院に対し必要な協力を要請することとされている（法七〇の六4）。

〔解　釈〕

一　人事院、内閣総理大臣及び各省各庁の長の行う研修

平成二六年の本法改正において、内閣総理大臣も、人事院と並んで中央人事行政機関として全府省職員を対象とする研修を行うこととされたことから、本条第一項に人事院と内閣総理大臣の計画・実施する研修の観点についての規定が新設された。人事院は「国民全体の奉仕者としての使命の自覚及び多角的な視点等を有する職員の育成並びに研修の方法に関する専門的知見を活用して行う職員の効果的な育成」の観点からの研修を、内閣総理大臣は「各行政機関の幹部候補育成課程対象者の政府全体を通じた育成又は内閣の重要政策に関する理解を深めることを通じた行政各部の施策の統一性の確保」の観点から研修を行うことが明らかにされている。人事院は、人事行政の中立・公正を確保する立場から、国民全体の奉仕者としての使命の自覚及び多角的な視点等を有する職員を育成する研修を行うとともに、人事行政の専門機関として、研修の企画及び実施についてこれまで蓄積してきたノウハウや研究の成果を活用して研修を行い、一方、内閣総理大臣は、幹部候補育成課程対象者を政府として育成すること及び政府全体を通じて施策の統一性を確保する立場から研修を行うことになる。

また、各府省は、「その職員の育成又は行政機関がその所掌事務について行うその職員及び他の行政機関の職員に対する知識及び技能の付与」の観点から研修を行うことが規定されている。

㈠　人事院が行う研修

平成二六年の本法改正前においては、人事院が自ら行う研修について、人規一〇—三第三条第二項において、「人事院は、各省各庁の職員に共通して実施する必要のある研修で自ら実施することが適当と認められるものについて、その計画を立て、実施に努めるものとする。この場合において、人事評価を活用することが適当と認められるときは、これを活用した研修の開発を行い、その実施に努めるものとする。」と規定されていた。

平成二六年の本法改正後においても、人事院は第七〇条の六第一項第一号の観点から、全府省の職員を対象として研修を計画・実施することとされており、人規一〇—一四において、人事院が自ら行う研修について、次のように規定されている。

○人事院規則一〇—一四（人事院が行う研修等）（平成二六・五・二九）

第二条　人事院は、国民全体の奉仕者としての使命の自覚及び多角的な視点等を有する職員の育成並びに研修の方法に関する専門的知見を活用して行う職員の効果的な育成の観点から、次に掲げる研修についての計画を樹立し、これを実施するものとする。

一　行政研修（行政運営における中核的な役割を担うことが期待される職員等が、国民全体の奉仕者としての高い職業倫理を保持しつつ、その使命を自覚して施策を行うための当該職員等の資質及び能力の向上等を図る研修をいう。）、指導者養成研修（職員の能力の向上をより効果的に図るための技法を修得させる等により、関係庁の長が行う研修の指導者の養成を図る研修をいう。）、テーマ別研修（公務における人材育成のため必要な専門的な知識及び能力の向上等を図る研修をいう。）その他人事院が定める合同研修

二　行政官在外研究員制度及び行政官国内研究員制度による研修

三　前二号に掲げるもののほか、人事院が必要と認める研修

②　人事院は、前項各号に掲げる研修について計画を樹立し、これを実施するに当たっては、当該研修を通じて、国民全体の奉仕者としての使命と職責に関する職員の自覚が高められるよう留意するものとする。

人事院が全府省の職員を対象として行う研修には次のようなものがある。これらはいずれも、平成二六年の本法改正前か

ら人事院が実施していたものである。

①　役職段階別研修

人事院は、中央人事行政機関として、各府省の行政運営の中核となることが期待される職員等を対象に、国民全体の奉仕者としての使命感の向上、国民全体の視野に立って施策を行うための資質・能力の向上、研修員間の相互理解・信頼関係の醸成を基本的な目的として、役職段階（係員級～指定職級）別の府省合同研修（行政研修）を実施している。この研修は、合宿研修を基本とし、研修員相互のグループ討議や意見交換などを重視した「参加型プログラム」であることや、様々な分野の者との交流を通じ幅広い視野を身に付ける観点から、民間企業や外国政府職員等一般職国家公務員以外の参加者も得ていることなどを特色としている。

育成研修の例をみると、将来、主に政策の企画立案等の業務に従事することが想定される新規採用職員を対象に実施される「初任行政研修」は、各省意識が芽生える前の段階で所属府省を越えて交流するようなグループ編成により実施しており、講義やグループ討議のほか、政策課題への取組が行われる全国各地の現場等での実地体験を通じて、公務員としての使命や職責を考えさせるカリキュラムとなっている。これに引き続き、採用三年目や課長補佐就任時を契機として全府省の参加を見込んだ研修を実施している。また、課長補佐級のリーダーシップ研修は、将来、本府省の幹部職員として行政運営の中核を担うことが期待される課長補佐級の職員を対象に、のべ一五日間程度の日程で行われ、先輩公務員が「チューター」として参加するほか、現場の視察も取り入れるなど、各方面との対話を重視したカリキュラムとなっている。

これらの研修においては、国民全体の奉仕者としての使命と職責について考えるための「公務員の在り方を考える」「古典に学ぶ」などの科目や、公共政策の在り方を多角的に検証し考えるための「行政政策事例研究」などの科目も実施されている。

このほか、役職段階別研修として、本府省審議官級に新たに昇任した者を対象として窓口業務を体験させる昇任時相談窓口等研修、各府省の地方機関に勤務する職員を対象とした地方機関職員研修を実施している。

②　派遣研修

行政の国際化の進展や、複雑・高度化に対応し得る人材を育成するために、各府省の職員を外国の大学院に留学させる

「行政官長期在外研究員制度」、外国の政府機関・国際機関で研究を行わせる「行政官短期在外研究員制度」、国内の大学院等に派遣する「行政官国内研究員制度」を実施している。このうち、長期在外研究員制度（派遣期間二年で修士を取得するコースが中心。このほか、博士を取得するためのコースや派遣期間一年で修士を取得するコースも設けられている。）による新規の派遣者は、制度創設当初の昭和四〇年代は毎年二〇〜三〇人程度であったが、公務における国際的な人材へのニーズの増大を反映して、近年では毎年一四〇〜一六〇人程度が派遣されている。

なお、平成の時代に入り、職員が長期在外研究員制度で留学中ないし留学直後に辞職し、他に転身する者が目立つようになり、これに対して留学費用の自主返納を求めるなどの措置も講じたが、国費留学しながら成果を公務に還元せずに退職する者にはその費用の返還を義務付けるべきとの声が強まった。留学は、行政運営の国際化に的確に対応し得る人材を育成する上で極めて重要であるところ、留学派遣者には、復帰後、公務において活躍することが期待されているにもかかわらず、早い時期に退職する者があることは問題であることから、人事院は所要の検討を行い、留学の実効性を確保するとともに、留学に対する国民の信頼を確保し、もって公務の能率的な運営に資するため、平成一七年一〇月、国会及び内閣に対して「一般職の職員の留学費用の償還に関する法律の制定についての意見の申出」を行い、翌一八年六月、留学費用償還法が公布・施行された。同法は、一般職職員の留学（外務省など各府省独自の留学を含む。）のほか、特別職職員の留学も対象としており、国の機関の職員が留学中又はその終了後原則として五年以内に離職した場合、その職員は、留学費用相当額の全部又は一部を償還することとされている。

③　テーマ別・対象者別研修、指導者養成研修

公務における人材育成や勤務環境についての重要テーマに関する研修として、令和四年度においては、各府省において人事評価の評価者となる管理者を対象とした研修、キャリア形成を支援する研修等を実施している。また、各府省の特定の職員層を対象とした研修として、女性職員を対象とする研修、実務経験採用者等を対象とする研修等を、各府省において研修の指導者を養成する「指導者養成研修」として、新任研修担当官を対象にその職務遂行に必要な能力向上等を図る研修等を実施している。このほか、研修の専門機関として、研修技法等の研究を行い、各府省の行う研修への教材や技法の提供なども行っている。

㈡　内閣総理大臣が行う研修

内閣総理大臣は、平成二六年の本法改正前においては、行政各部を指揮監督する（憲法七二）立場から必要な研修を行うことができるとされ、新任管理者セミナーや内閣の重要政策の徹底を図るための研修・啓発事業を実施していた。同年の本法改正により、内閣総理大臣の計画・実施する研修が法律上明記されることとなり、その具体的な内容として、「幹部候補育成課程」の新設に伴い、内閣総理大臣が同課程の対象者に対する政府全体を通ずるものとして管理職員に求められる政策の企画立案及び管理に係る能力向上等を目的として実施する研修（平二六内閣官房告示一　第五４）を行うとともに、内閣の重点政策に関する理解を深めることを通じた行政各部の施策の統一性の確保を目的とした研修を実施することとされており、令和四年度においては、幹部候補育成課程研修（係長級・課長補佐級）、本府省等の新任管理者（室長級）を対象とする研修等の階層別研修、人事評価に関する研修等のテーマ別研修が行われている。

㈢　各府省が行う研修

各府省は、他府省職員も対象としたそれぞれの所掌業務に係る研修のほか、職員の職務遂行能力の向上を図る研修など自府省の職員を対象とする研修について、一義的な責任を負うものである。平成二六年の本法改正前の本法第七三条においては、人事院と並び、関係庁の長は、職員の研修に関する計画を樹立し、実施に努めなければならないとされており、これを受けて、人規一〇―三第四条第一項は、「各省各庁の長は、人事評価を活用すること等により、職員に対する研修の必要性を把握し、その結果に基づいて研修の計画を立て、実施に努めなければならない。」と定めていた。

この点に関し、平成二六年の本法改正により、関係庁の長は、自府省の職員に対する研修のみでなく、他の行政機関の職員を対象とする知識及び技能の付与の観点からも研修を行うことが法律上明記された。従来から、前述のとおり、各府省においては、その府省の職員に対する研修はもとより、自府省以外の職員も対象とする研修（総務省の統計研修、財務省の会計事務職員研修等）を計画・実施していたものであり、これらについて、法律上明示的に位置付けられたものである。

二　研修機会の確保

本条第二項においては、第一項の計画は、その目的を達成するために必要かつ適切な職員の研修の機会が確保されるものでなければならないと規定されている。職員が必要な研修を受講できるよう努めることは当然であり、このような規定が置かれていなかった平成二六年の本法改正前においても、研修を計画・実施するそれぞれの主体は受講機会の確保に努めていたが、国家公務員制度改革基本法において人材育成が重要視されている（同法二②④等）ことから、法律で明示的に規定されたものである。

三　内閣総理大臣の行う総合的企画及び調整

本条第三項においては、内閣総理大臣は、第一項の規定により内閣総理大臣及び関係庁の長が行う研修についての計画の樹立及び実施に関し、その総合的企画及び関係各庁に対する調整を行うことが規定されている。

平成二六年改正前の第七三条第二項においては、能率増進計画の一つとして研修が掲げられ、その計画の樹立及び実施に関して、人事院はその総合的企画並びに関係各庁に対する調整及び監視に当たることとされていた。内閣総理大臣や各府省が行うことが適切な研修については、内閣総理大臣の指導力を強める観点から、内閣総理大臣が所要の調整を行うことができるようにするべきとの考え方に立って、平成二六年の本法改正では、「総合的企画」及び「関係各庁に対する調整」については、人事院から内閣総理大臣に移管された。総合的企画とは、内閣総理大臣及び各府省が行う研修について政府全体の立場から企画を行うことをいう。また、各府省間の研修内容が重複したりしないよう調整を行うことも内閣総理大臣の任務となる。これらの任務を行うに当たっての基本的な方針を示すものとして、研修についての基本的考え方、内閣人事局及び関係各庁が実施する研修、研修実施状況の把握等を内容とする前記「国家公務員の研修に関する基本方針」が定められている。なお、中央人事行政機関たる人事院の計画・実施する研修については、公正性の確保の観点から、内閣総理大臣の「総合的企画」の対象とはされず、また、内閣総理大臣が研修について行う「調整」も、中央人事行政機関たる人事院には及ばないこととされている。

なお、「監視」については、本条第五項に定めるとおり、人事院が行うこととされているほか、職員の職務に係る倫理の保持のための研修に関する総合的企画及び調整は、人事院に置かれる国家公務員倫理審査会が担っている（倫理法一一④）。

四　人事院に対する「協力要請」

内閣総理大臣が幹部候補育成課程対象者の政府全体を通じた育成や内閣の重要施策に関する統一性確保のための研修を行っていく上で、研修について高い専門性を有する人事院との協力が必要な場合があることから、本条第四項において、

「内閣総理大臣は、前項の総合的企画に関連して、人事院に対し、必要な協力を要請することができる。」旨を規定したものである。

五　人事院の行う監視

本条第五項においては、第一項の計画の樹立及び実施に関し、監視を行うことが規定されている。国民全体の奉仕者として勤務する職員を育成するためには、人事院が自ら行う以外の研修、すなわち内閣総理大臣や関係庁の長が行う研修においても、その公正な実施が不可欠であり、そのため、研修における人事行政の公正確保の観点からの、「監視」については引き続き人事院の任務とされている。

（研修に関する報告要求等）

第七十条の七　人事院は、内閣総理大臣又は関係庁の長に対し、人事院規則の定めるところにより、前条第一項の計画に基づく研修の実施状況について報告を求めることができる。

②　人事院は、内閣総理大臣又は関係庁の長が法令に違反して前条第一項の計画に基づく研修を行つた場合には、その是正のため必要な指示を行うことができる。

〔**趣　旨**〕

前述のとおり、平成二六年の本法改正では、研修の根本基準の実施につき必要な事項は人事院の意見を聴いて政令で定めること、各府省が実施する研修の総合的企画や調整を内閣総理大臣が行う一方、人事行政の公正確保の観点から必要な機能は人事院が担うこととされた。そのうちの一つが、前条第五項で規定された「監視」であるが、さらに、研修における公正性確保を実効あらしめるために、本条では、「報告要求」及び「是正指示」が規定されている。

〔**解　釈**〕

一　各府省等に対する報告要求

本条第一項においては、人事院は、内閣総理大臣又は関係庁の長に対し、前条第一項の計画に基づく研修の実施状況について、報告を求めることができることとされており、その具体的な内容は人事院規則で定めることとしている。

人規一〇—一四第五条では、「内閣総理大臣及び関係庁の長は、人事院が、法第七十条の七第一項の規定に基づき、法第七十条の六第一項の研修（人事院の定めるものに限る。）の実施状況について報告を求めたときは、人事院の定めるところにより、当該研修の内容その他の事項を報告するものとする。」と定められている。

報告の具体的な事項については、人規一〇—一四運用通知第五条関係で、「人事院の定めるもの」とは二〇時間以上行われた研修とされ、内閣総理大臣及び関係庁の長は、前年度中に行った研修の実施状況について、①研修の名称及び研修の実施に当たった機関の名称、②研修の目的、③研修の時間数、④研修の実施方法、⑤研修を受けた職員の選択の範囲及び数、⑥研修効果の把握の方法、⑦当該年度に実施した研修において特に配慮した事項を、毎年一回、人事院に報告することとされている。

二　是正指示

本条第二項においては、人事院は、内閣総理大臣又は関係庁の長が法令に違反して第七〇条の六第一項の計画に基づく研修を行った場合には、その是正のために必要な指示を行うことができることとされている。

ここでいう「法令に違反して」の「法令」とは、憲法、法律、人事院規則、政令等をいう。したがって、本項に基づく「是正指示」を行うに当たっては、これらに違反していることが要件である。

なお、人事院は、人事行政の公正性確保の観点から不適切な研修が行われていることが明らかとなった場合には、是正指示に至らないときであっても、本法第七〇条の六第五項に定める「監視」業務の一環として、助言や指導を行うこととしている。

研修の監視及び是正指示については、人規一〇—一四第六条において、「人事院は、法第七十条の七第二項の規定に基づき是正のため必要な指示を行うほか、第四条の調査又は前条の報告の結果、法令に照らして必要と認めるときは、内閣総理大臣又は関係庁の長に対し、必要な指導又は助言を行うものとする。」と規定されている。

第五節　能　率

（能率の根本基準）

第七十一条　職員の能率は、充分に発揮され、且つ、その増進がはかられなければならない。

②　前項の根本基準の実施につき、必要な事項は、この法律に定めるものを除いては、人事院規則でこれを定める。

③　内閣総理大臣は、職員の能率の発揮及び増進について、調査研究を行い、その確保のため適切な方策を講じなければならない。

第七十二条　削除

〔趣　旨〕

一　能率の意義

本法は第一条（この法律の目的及び効力）第一項において、「この法律は、国家公務員たる職員について適用すべき各般の根本基準（職員の福祉及び利益を保護するための適切な措置を含む。）を確立し、職員がその職務の遂行に当り、最大の能率を発揮し得るように、民主的な方法で、選択され、且つ、指導さるべきことを定め、以て国民に対し、公務の民主的且つ能率的な運営を保障することを目的とする。」と規定している。ここにいう「公務」の能率的運営とは「国の行政」の能率的運営と同義であると解される。ちなみに、地公法第一条（この法律の目的）では「地方公共団体の行政の民主的かつ能率的な運営」という語を用いている。

行政の能率的な運営の確保のためには、個々の職員の職務遂行における能率の発揮、増進をはじめとして、業務遂行の方法、定員配置、組織の形態や予算編成の面において能率向上を追求するなど、行政の基本となる各分野における様々な措置が考えられるが、本法は職員に関する法律であるから、行政を実際に動かす「人」の面からの能率すなわち「職員の能率」又は「職員の勤務能率」の「発揮及び増進」（法七一1、七三1）を追求することとしている。行政を実際に運営するのは職員であり、行政の能率的運営の人的な基礎として職員の能率があるということができる。

次に、「能率」とはいかなるものであろうか。能率は様々に定義されているが、一般論で言えば、投入された資源（人、物、金）に対する一定時間内に達成された成果（物）の割合のことであるということができよう。ただ、行政運営においては、民間企業の営利追求活動の場合と異なり、投下資本に対する獲得利潤といった端的な尺度を基礎として能率を測定し、追求することができないという制約がある。すなわち、

① 行政が利潤目的で行われるものではないために、行政活動の成果を市場価値で表示、測定することができない場合が多い。例えば、警察活動の成果である良好な治安の維持についてみれば、甲地区と乙地区の治安を比較して大まかに甲地区の方が良好であるとは言えても、配置された警察官一人一人が達成した治安改善状態を市場価値として表示し比較することは困難である。

② 「能率」の原理はより高次の「民主的」の原理に優先することができない。能率的であっても民主的でない行政運営は排除される。民主主義は時間がかかるといわれるように、民主的であることは時間経済などの面からみると必ずしも能率的であるとは限らない。このことは、統治組織における三権分立下の行政部に対して立法部と司法部のチェック機能が行使される場合や、より端的な一例を挙げると土地収用法に定める公益事業のための土地収用の詳細な手続が進められる場合を考えれば、容易に推測することができよう。

本法にいう「職員の能率」「職員の勤務能率」とは、このような行政に内在する制約を前提としながら、各行政組織の中で官職という形で行政運営の職責を分担する職員が、各自の職務遂行の基準（これは官職の職務内容と責任の程度を定める組織法令で概ね明らかにされている。）に照らして、その職責遂行に努力し、達成した結果の質、量の程度をいうものと考えればよいであろう。

二　能率増進の方策

職員の能率の維持、向上の責任は、一義的には勤務を提供する職員の側にあるが、一方、それが行政の運営に有用である

とともに、能率の発揮は勤務環境等とも関連があることから、職員を使用する行政組織の側においてもそのための環境整備、条件整備その他の施策を講ずる責任が認められる。この観点から、本法は「能率」の節を設け、主に健康、安全、福祉等の面から、能率増進の具体的な方策として保健、レクリエーション、安全保持、厚生の四つを掲げ、中央人事行政機関と関係庁の長にそのための計画の樹立と実施の責務を課している。

しかし、職員の能率増進の方策はこれらに限られるものではない。例えば、本法には明文の規定が存しないが、業務改善のための小集団活動や職場環境改善などの能率増進方策を実施することも可能であり、これらは本法の基本的理念に沿うものである限りむしろ推奨されていると考えるべきであろう。さらに、より基本的には、本法第一条の規定にも明らかなように、本法全体が公務の能率的運営を究極の目的の一つとしており、人事行政制度の全体がこの究極目的に合致するように組み立てられ運営されなければならないのである。このため、例えば、勤務条件に関する行政措置の要求の事案の審査及び判定を規定する本法第八七条は、人事院が行政措置の要求の事案を判定するときには「職員の能率を発揮し、及び増進する見地において」これを行うべきことを明文をもって定めている。また、このほかにも、任免の根本基準を定める本法第三三条は「職員の任用は、……その者の受験成績、人事評価又はその他の能力の実証に基づいて行わなければならない。」こととし、昇任等の方法を定める本法第五八条は、職員の昇任、転任及び降任は、「職員の人事評価に基づき」行うこととし、給与に関する法律に定めるべき事項を規定する本法第六五条は、俸給の昇給の基準の考慮要件として「勤務能率」を掲げ、本人の意に反する降任及び免職の場合を定める本法第七八条は「勤務実績がよくない場合」を降任又は免職の事由に掲げている。このように、採用試験や昇任などの任用制度、給与、勤務時間、休暇といった勤務条件の分野、あるいは分限制度においては、成績主義に基づく人事や勤務実績に基づく人事が定められており、個々の条文に必ずしも逐一直接的に能率の観点が明示されているとは限らないが、成果（結果）の側からそれに至る職員の行動や態度を計ってみると、職員の能率、ひいては公務の能率を発揮、増進させるかという観点が人事管理の重要な基本となっていると言うことができよう。

なお、平成一九年の改正前は、能率の一施策として勤務評定の制度が定められていたが（旧七二条）、同年の改正によって新しく人事評価の制度が設けられた（第七〇条の二から第七〇条の四まで）。さらに、平成二六年の改正により、それまで能率の一施策として位置付けられていた研修についても、能率とは独立した節を設けて詳細な規定が置かれることとなった（第七〇条の五から第七〇条の七まで）。本法の編成上、人事評価及び研修は、独立した概念に整理されることとなったが、ともに能率の発揮、増進に直接的な関連を持つものであることに変わりはない。

三　中央人事行政機関の役割

職員の能率増進は職員の職務遂行の上で発揮されるものであるから、能率の具体的施策を実際に実施するのは、それぞれの職員の職務遂行を管理し監督する関係庁の長の責務である。一方、本法は、能率増進施策を統一的に推進するために、中央人事行政機関に根本基準の設定、総合的な企画などの責務を課している。

ところで、昭和四〇年の本法の改正によって、中央人事行政機関が人事院と内閣総理大臣の二本立てとなったことは、概説及び第三条以下で述べたとおりであるが、能率に関する両者の所掌事務がその改正で規定し直されている。さらに、平成二六年の改正において、中央人事行政機関の役割が見直され研修に関する規定が独立した節に置かれたことにより、所要の改正が加えられた（概説三９(五)参照）。

まず、能率に関する総則規定である本条は、「職員の能率は、充分に発揮され、且つ、その増進がはかられなければならない。」という能率の大原則を掲げ（第一項）、次いで「前項の根本基準の実施につき、必要な事項は、この法律に定めるものを除いては、人事院規則でこれを定める。」とし（第二項）、さらに「内閣総理大臣は、職員の能率の発揮及び増進について、調査研究を行い、その確保のため適切な方策を講じなければならない。」として（第三項）、中央人事行政機関である人事院と内閣総理大臣の責務をそれぞれ規定している。

次に、個別の能率増進施策の規定をみると、本法第七三条（能率増進計画）は、「内閣総理大臣及び関係庁の長は、職員の勤務能率の発揮及び増進のために、次に掲げる事項（注　各号列挙の保健、レクリエーション、安全保持、厚生の四項目）について計画を樹立し、その実施に努めなければならない。」とし（第一項）、「前項の計画の樹立及び実施に関し、内閣総理大臣は、その総合的企画並びに関係各庁に対する調整及び監視を行う。」としている（第二項）。

以上を要約すると、本法が明記している能率に関する施策である保健、レクリエーション、安全保持、厚生の四つの分野について、中央人事行政機関としての人事院と内閣総理大臣はそれぞれ次のような責務を与えられている。

① 人事院は、能率に関する根本基準の実施基準を定める。

② 内閣総理大臣は、能率に関する施策全般の計画の樹立と実施、総合的企画、関係各庁の調整と監視を行う。

すなわち、人事院は根本基準を実施するための基準を定め、内閣総理大臣はそれに基づいて具体的施策を実施するという役割分担になっている。

〔解　釈〕

一　能率の根本基準の実施

能率の総則規定である本条は、能率の「根本基準の実施につき、必要な事項は、この法律に定めるものを除いては、人事院規則でこれを定める」こととしている。この規定に基づき、能率の具体的分野ごとにその実施基準としての人事院規則とその運用方針が定められている。

一方、能率の個別施策を規定する条文をみると、本法第七三条は、保健、レクリエーション、安全保持及び厚生に関しては内閣総理大臣及び関係庁の長が、それぞれ計画を樹立し、その実施に努めなければならないとするとともに、その総合的企画並びに関係各庁に対する調整及び監視を内閣総理大臣が行うこととされている。

この結果、能率に関する人事院規則と政令等の体系において、労働基準的な規範、勤務条件に関する事項は、労働基本権制約の代償性確保という面はもとより、公正性確保という面からも根本基準の実施基準として人事院規則で定められ、各任命権者に対する共通的な指示は、内閣総理大臣が定めるという分担になっている。具体的にみれば、次のようになっている。

① 保健、安全保持関係　人事院規則一〇―四（職員の保健及び安全保持）（昭四八・三・一）、人事院規則一〇―四（職員の保健及び安全保持）の運用について（昭六二・一二・二五職福六九一）、人事院規則一〇―五（職員の放射線障害の防止）（昭三八・九・二五）、人事院規則一〇―五（職員の放射線障害の防止）の運用について（昭三八・一二・三職厚二三一七）、人事院規則一〇―七（女子職員及び年少職員の健康、安全及び福祉）（昭四八・三・一）、人事院規則一〇―七（女子職員及び年少職員の健康、安全及び福祉）の運用について（昭六一・三・一五職福一二一）、人事院規則一〇―八（船員である職員に係る保健及び安全保持の特例）（昭五五・一・一〇）、人事院規則一〇―八（船員である職員に係る保健及び安全保持の特例）の運用について（昭五五・一・一〇職福三）、人事院規則一〇―一〇（セクシュアル・ハラスメントの防止等）（平一〇・一一・一

三）、人事院規則一〇—一〇（セクシュアル・ハラスメントの防止等）の運用について（平一〇・一一・一三職福四四二）、人事院規則一〇—一一（育児又は介護を行う職員の早出遅出勤務並びに深夜勤務及び超過勤務の制限）（平一〇・一一・一三）、人事院規則一〇—一一（育児又は介護を行う職員の早出遅出勤務並びに深夜勤務及び超過勤務の制限）の運用について（平一〇・一一・一三職福四四三）、人事院規則一〇—一三（東日本大震災により生じた放射性物質により汚染された土壌等の除染等のための業務等に係る職員の放射線障害の防止）（平二三・一二・二八）、人事院規則一〇—一三（東日本大震災により生じた放射性物質により汚染された土壌等の除染等のための業務等に係る職員の放射線障害の防止）の運用について（平二三・一二・二八職職四一四）、人事院規則一〇—一五（妊娠、出産、育児又は介護に関するハラスメントの防止等）（平二八・一二・一）、人事院規則一〇—一五（妊娠、出産、育児又は介護に関するハラスメントの防止等）の運用について（平二八・一二・一職職二七三）、人事院規則一〇—一六（パワー・ハラスメントの防止等）（令二・四・一）、人事院規則一〇—一六（パワー・ハラスメントの防止等）の運用について（令二・四・一職職一四一）

②　レクリエーション関係　人事院規則一〇—六（職員のレクリエーションの根本基準）（昭三九・四・一）、人事院規則一〇—六（職員のレクリエーションの根本基準）の運用について（昭四一・二・一九職能一〇七）、職員のレクリエーション行事の実施について（昭四一・二・一九総人局九三総理府総務副長官）

③　厚生関係　厚生関係の人事院規則と政令は特段定められていないが、職員の厚生としての側面を持つ公務員宿舎に関する法令として、宿舎法、国家公務員宿舎法施行令（昭三三政令三四一）、国家公務員宿舎法施行規則（昭三四大蔵省令一〇）なお、宿舎法第二一条は、同法に規定する宿舎の設置計画、貸与基準、宿舎料に関する事項を「国家公務員法第二十二条［人事行政改善の勧告］及び第二十八条第一項［情勢適応の原則］の規定による人事院の勧告に係る事項に含まれるものとする。」と規定している。

以上の制度の概要については、第七三条で述べることとする。

二　行政執行法人の職員の適用除外

本条及び第七三条は、行政執行法人労働関係法第三七条第一項第一号の規定によって、行政執行法人職員には適用されない。このような適用除外が行われているのは、「労働に関する安全、衛生……に関する事項」が労働条件として団体交渉の対象事項となっている（行政執行法人労働関係法八③）ためであると考えられる。この適用除外は、従前はいわゆる現業職員を対象としていたものである。しかし、立法論としては以下に述べるような問題がある。
すなわち、能率の大原則を宣言する本条第一項「職員の能率は、充分に発揮され、且つ、その増進がはかられなければならない。」が適用除外とされた結果、旧四現業職員には能率の基本理念を規定する法律上の条文が存在せず、それが行政執行法人職員に引き継がれている。団体交渉の対象事項との関係を整理するということであれば、本条第二項「前項の根本基準の実施につき、必要な事項は、この法律に定めるものを除いては、人事院規則でこれを定める。」だけを適用除外とすれば足りるところであり、本法の能率関係の規定を行政執行法人職員に対し適用除外することについては、立法論からみて疑問がある。

（能率増進計画）

第七十三条　内閣総理大臣及び関係庁の長は、職員の勤務能率の発揮及び増進のために、次に掲げる事項について計画を樹立し、その実施に努めなければならない。
一　職員の保健に関する事項
二　職員のレクリエーションに関する事項
三　職員の安全保持に関する事項
四　職員の厚生に関する事項
②　前項の計画の樹立及び実施に関し、内閣総理大臣は、その総合的企画並びに関係各庁に対する調整及び監視を行う。

〔趣　旨〕

一　能率増進計画の意義

本条は、第一項で、能率増進計画の対象として保健、レクリエーション、安全保持、厚生の四つの分野を掲げ、それぞれの分野における計画の樹立、実施の責務を内閣総理大臣及び関係庁の長に課し、さらに、第二項で、内閣総理大臣に能率増進計画の樹立、実施に関する総合的企画、関係各庁に対する調整、監視の責務を課している。一方、第七一条第三項も、「職員の能率の発揮及び増進について、調査研究を行い、その確保のため適切な方策を講じなければならない。」とする責務を内閣総理大臣に課しているので、本条第二項と重複的な形となっており、両条文の関係をどのように解するかがまず問題となる。

能率の総則規定である第七一条は、人事院が能率の根本基準の実施に必要な基準を定め（第二項）、内閣総理大臣が能率の発揮、増進のために調査研究を行い、適切な方策を講ずるよう求めている（第三項）が、この規定は、能率に関する基本的かつ全般的な基準の設定、調査研究、方策の策定などをいわば概括的に求めているものである。これに対して本条は、職員の勤務能率の発揮及び増進のための具体的な施策を意味する「能率増進計画」の樹立及び実施を中心として規定している。すなわち、本条第一項は、内閣総理大臣及び関係庁の長が、能率に係る前述の四つの分野で具体的な計画を樹立し、実施することを定めている。また、本条第二項は、内閣総理大臣が、能率増進計画の樹立、実施に関する総合的企画を行い、関係各庁の行う能率増進計画の樹立、実施の調整と監視の任に当たることを定めているが、これも第一項による具体的な能率増進計画に即した総合的企画、調整、監視ということを予定しているものである。なお、条文の関係からは以上のように解されるが、実際問題としては、各府省の能率増進計画に中央人事行政機関として内閣総理大臣が関与する場合の根拠をあえて第七一条第三項と第七三条第二項とに区別して考える実益はないように思われる。

次に、能率増進計画を樹立することを求められているのは、前述のとおり、保健、レクリエーション、安全保持、厚生に関する事項である。第七一条でも述べたように、能率の大きな柱は「職員の能率」であり、より具体的には「職員の勤務能率」である。職員の勤務能率を発揮、増進するためには、適材適所の人事配置により個々の職員が十分な職務遂行能力と意欲的に職務を遂行する志気を備えていることが基本となるが、さらに、職員の精神的、肉体的状態、勤労環境、生活環境などの諸条件を能率の観点から整備する必要がある。そこで、本条は、職員の勤務能率へ向けての施策分野として保健以下の四つの事項を掲げている。

保健は、職員の心身の健康を維持、増進し、もって職員の勤務能率の発揮、増進を図るものであり、レクリエーションは、「職員の健全な文化、教養、体育等の活動を通じて、その元気を回復し、及び相互の緊密度を高め、並びに勤務能率の発揮及び増進に資するもの」であり（人規一〇—六　二）、安全保持は、職場環境の安全を確保することによって、厚生は、職員の福利厚生面の施策によって、それぞれ職員の勤務能率の発揮、増進を図るものである。このような各分野の施策を通じて能率増進の環境整備が行われ、もって職員の勤務能率の発揮、増進が図られることが期待されているのである。なお、職員の勤務能率の発揮、増進のための施策はこの能率の節に定めるものだけに限られるものではなく、さらに、任用、給与などの人事行政制度全体が能率増進の観点から企画立案され、実施されなければならないことは、第七一条でも述べたとおりである。

二　計画、総合的企画、調整、監視

本条にいう「計画」とは、第一項に掲げられている能率増進のための四つの分野に関する基本的方針の確立から個別具体的な実施計画までを含むものである。

次に、内閣総理大臣の責務とされている能率増進計画の樹立、実施に関する「総合的企画」「調整」「監視」とは、中央人事行政機関としての総合調整機能を能率に関して発揮する行為である。その具体例としては、法令の上でみれば、勤務時間内にレクリエーション行事を実施する場合の内閣総理大臣の承認（昭四一総人局九三　3）などが挙げられ、具体的な行為の面では、能率制度の運営に関する方針の策定、能率制度担当者の連絡会議の開催などが挙げられよう。さらに、能率制度の運営方針に関し、内閣総理大臣は、本条第一項に基づく能率増進計画として、職員の健康増進、安全管理、レクリエーション等に関して国家公務員健康増進等基本計画（平三・三・二〇内閣総理大臣決定）を策定し、五年ごとを目途に必要な見直しを行っている。本計画は、各府省が福利厚生施策を推進するに当たっての基本的方針を示すものとされており、その細目を運用指針（平三・三・二〇総人一一二）で定め、毎年各府省の実施状況のフォローアップを行うこととしている。なお、本条第一項に基づいて内閣総理大臣が行う能率増進計画の樹立などは、本条第二項に基づく総合的企画、調整などの行為と重複する面があるが、その根拠を第一項と第二項のいずれかに強いて区別して考える実益はないように思われる。

〔解　釈〕

一　保健及び安全保持

１　能率増進計画としての保健及び安全保持

職員の勤務能率の発揮、増進のためには、職員が健康な状態で職務に従事し得るように、職員個々人の心身の健康状態を良好に保つとともに快適で安全な職場環境を確保する必要がある。このための施策として、本条第一項は第一号に保健、第三号に安全保持を掲げている。その具体的施策の内容は、人事院規則一〇―四（職員の保健及び安全保持）、人事院規則一〇―五（職員の放射線障害の防止）、人事院規則一〇―七（女子職員及び年少職員の健康、安全及び福祉）、人事院規則一〇―八（船員である職員に係る保健及び安全保持の特例）、人事院規則一〇―一〇（セクシュアル・ハラスメントの防止等）、人事院規則一〇―一一（育児又は介護を行う職員の早出遅出勤務並びに深夜勤務及び超過勤務の制限）、人事院規則一〇―一三（東日本大震災により生じた放射性物質により汚染された土壌等の除染等のための業務等に係る職員の放射線障害の防止）、人事院規則一〇―一五（妊娠、出産、育児又は介護に関するハラスメントの防止等）及び人事院規則一〇―一六（パワー・ハラスメントの防止等）によって定められている。

これらの規則の適用を受けるのは一般職国家公務員約二九万人である。これらの職員は本府省だけではなく全国各地の地方支分部局等において、一般的な行政事務だけではなく、税務、入国管理、矯正施設、船舶、研究、医療、航空管制、海上保安、災害復旧などの様々な分野の業務に従事しており、民間企業にはみられない特殊な業務に従事している職員も多い。その一人一人について健康を保持し安全を確保するためには、各府省の実態に応じたきめ細かい措置、対応が必要である。なお、行政執行法人職員については前述のとおり本法第七三条の適用がなく、民間企業の従業員と同じく労安法等が適用されている。

本法第七一条第二項に基づいて定められている人事院規則一〇―四（職員の保健及び安全保持）は、人事院規則一〇―五（職員の放射線障害の防止）、人事院規則一〇―七（女子職員及び年少職員の健康、安全及び福祉）、人事院規則一〇―八（船員である職員に係る保健及び安全保持の特例）及び人事院規則一〇―一三（東日本大震災により生じた放射性物質により汚染された土壌等の除染等のための業務等に係る職員の放射線障害の防止）の一般規定としての位置付けを有しており、その第一章総則の規定と本法第七三条第二項の規定により、職員の保健及び安全保持に関する人事院、内閣総理大臣及び各省各庁の長の責務等が次のように定められている。

中央人事行政機関としての人事院は、職員の保健及び安全保持についての基準を設定し、その基準についての指導調整に当たるほか、各省庁の保健、安全保持施策の実施状況について随時調査、監査を行い、本法又は人事院規則に違反していると認められる場合には、その是正を指示することとされている（人規一〇―四　二）。

中央人事行政機関としての内閣総理大臣は、職員の保健及び安全保持に関する計画の樹立及び実施について、総合的企画と関係各庁の調整、監視に当たることとされている（法七三2）。

各省各庁の長（内閣、内閣総理大臣、各省大臣、会計検査院長、人事院総裁並びに宮内庁長官及び各外局の長）は、その所属職員の健康の保持増進及び安全の確保に必要な措置を講ずることとされている（人規一〇―四　三）。

職員の健康安全は、こうした行政機関の側が行う措置によってのみ確保されるものではなく、職員の側でも応分の責任を負わなければ成果があがらないものであるので、職員はその所属の各省各庁の長その他の関係者が本法及び人事院規則に基づいて講ずる健康の保持増進、安全確保のための措置に従わなければならないものとされている（人規一〇―四　四）。

なお、人規一〇―四をはじめとする前述の人事院規則体系で定められる健康・安全管理に関する基準等は、労安法及びその下位法令とほぼ均衡する内容となっている。

2　他の法令との関係

民間企業の従業員の労働安全衛生関係については、労基法（同法第四二条により具体的には労安法）及び船員法が基本的な法律であるが、一般職の国家公務員にはこれらの法律の直接的な適用はない（法附則六）。しかし、本法第一次改正法（昭二三法二二二）附則第三条第一項は、「一般職に属する職員に関しては、別に法律が制定実施されるまでの間、国家公務員法の精神にてい触せず、且つ、同法に基く法律又は人事院規則で定められた事項に矛盾しない範囲内において、労働基準法及び船員法並びにこれらに基く命令の規定を準用する。……」と定めている。すなわち、昭和二三年の本法第一次改正当時は、一般職の国家公務員の勤務条件に関しては本法とは別に法律をもって定める構想があり、労働安全衛生に関してもその法律によって規定することとし、それまでの間は労基法などの準用を行うこととしていたと考えられる。そこで、労基法などの準用関係について考察すると、一般職の国家公務員を対象とする労働安全衛生に関する法律は現在まで定められていないが、その関係については本法第七一条を根拠として人事院規則で一括して定められているので、第一次改正法附則第三条第一項によって労基法などが準用される余地はないと解される。

なお、労基法などの労働安全衛生に関する法律とは別に、国民の健康増進、職場環境の安全確保などを一般的に規定する法律は、一般職の国家公務員にも当然に適用される。その主なものを挙げれば、感染症の予防及び感染症の患者に対する医療に関する法律（平一〇法一一四）、予防接種法（昭二三法六八）、医療法（昭二三法二〇五）、建築物における衛生的環境の確保に関する法律（昭四五法二〇）、高圧ガス保安法（昭二六法二〇四）、ガス事業法（昭二九法五一）、電気事業法（昭三九法一七〇）、建築基準法（昭二五法二〇一）、消防法（昭二三法一八六）などがある。

３　健康安全管理の体制及び基準

(一)　健康安全管理体制

各省各庁の長が、職員の健康の保持増進と安全の確保についての責任を果たすためには、それぞれの省庁の実情に応じた管理体制が整備されていなければならない。このため、人規一〇―四は、次のとおり健康管理者、安全管理者及び健康管理医等からなる健康安全管理体制を整備するよう定めている。

各省各庁の長は、一定の組織区分を単位として、職員の健康安全管理の責任者として、健康管理者と安全管理者をその組織区分の職員の中から指名することとされている。指名される職員は、それぞれの組織区分の職員の健康と安全に関する事務を所掌する課長又はこれと同等の官職にある職員である。さらに、その事務補助者として健康管理担当者と安全管理担当者が置かれる。

健康管理者は、職員の健康障害の防止措置、健康の保持増進の指導・教育、健康診断の実施、健康管理の記録・統計の作成などの業務を行い、安全管理者は、職員の危険の防止措置、安全の指導・教育、施設などの検査・整備、安全管理の記録・統計の作成などの業務を行う。

また、各省各庁の長は、健康管理者を置く組織区分ごとに、医師である職員を指名し又は外部の医師に委嘱して、健康管理医を置くこととされている。

健康管理医は、それぞれの組織の健康管理計画への参画、健康診断の実施の指導、指導区分の決定などの医学的専門知識を必要とする業務を行う。

この他、危害防止主任者、火元責任者に関する規定等を置くほか、健康安全管理の一環として健康安全教育を行うべきことや、健康安全管理規程を整備すべきことが定められている。

㈡　健康管理基準

職員の健康管理は、個々の職員の健康状態を把握し、疾病の早期発見と早期治療を目的とする健康診断が重要な柱であるが、これと並んで、良好な勤務環境、作業条件などを確保するための施策も不可欠のものである。このため、人規一〇―四は、採用時等の健康診断、一般定期健康診断、健康障害を生ずるおそれのある業務に従事する職員に実施される特別定期健康診断及びそれらの結果に基づき必要とされる措置のほか、勤務環境（換気、照明、室温等）に関する措置、有害業務、有害物質に関する措置（無害化、定期的な勤務環境検査、保護具の着用、有害業務を離れた後の健康管理を行うための健康管理手帳・特別健康管理手帳の交付等）や継続作業（潜水作業、高圧室内作業、チェンソー使用作業等）の制限等について定めている。

人規一〇―四第四条は、「職員は、その所属の各省各庁の長その他の関係者が［国家公務員］法及び［人事院］規則の規定に基づいて講ずる健康の保持増進及び安全の確保のための措置に従わなければならない。」と定めているが、この「措置」の一つである健康診断に関連して、健康診断の法的性格が職務であるかどうかが問題となる。現在は、これを職務としてとらえ、健康診断の受診命令は職務命令であると解されている。一方、健康診断とは別に同規則第二一条の二に規定される総合的な健康診査（いわゆる人間ドックであり、一般の健康診断の検査項目を概ね含むものであって、各省各庁又は国家公務員共済組合が計画・実施するもの）は、各省各庁の長の義務として規定されている健康診断とは異なり、その受診は職員の意思に委ねられるものであることから、それに要する時間については、職員の請求に基づき各省各庁の長が勤務しないことを承認することができるものとされている。

なお、健康診断の結果に基づき実施されるものとして、以下のような措置が規定されている。

⑴　指導区分及び事後措置

健康診断の結果、健康に異常があり又は異常を生ずるおそれがあると判明した職員については、診断に当たった医師の意見書などに基づいて、健康管理医が生活規制の面及び医療面の区分からなる指導区分の決定を行い、各省各庁の長は、この指導区分に応じた事後措置（生活規制の面では、休暇・休職、職務変更等、医療面では治療、検査、指導等）を採ることとされている。

(2)　就業禁止

各省各庁の長は、伝染性疾患の患者又は伝染性疾患の病原体の保有者で他の職員に感染のおそれが高いと認められる職員についてやむを得ないと認める場合には、業務に就くことを禁止することができる。

(3)　面接指導・保健指導

各省各庁の長は、脳血管疾患及び心臓疾患に係る検査項目に異常の所見があると診断された職員に対する保健指導や、長時間の超過勤務を行った職員に対する面接指導を行うものとされている。

(4)　健康管理の記録

各省各庁の長は、健康診断の結果、指導区分、事後措置などについて職員ごとの記録を作成し、職員の健康管理の指導のために活用することとされている。この記録は、原則として、職員の離職後五年間保存される。

(5)　健康診断の実施結果などの報告

各省各庁の長は、毎年定期的に健康診断の実施結果、職員に対する健康管理上の指導事項などの概要を人事院に報告することとされている。

また、健康診断とは別に、各省各庁の長は、職員に対し、医師等による心理的な負担の程度を把握するための検査（いわゆるストレスチェック）を受ける機会を与え、受検した職員への結果の通知や希望する職員に対する面接指導を行うものとされている。この制度は、平成二六年六月の労安法等の改正を踏まえ、一般職国家公務員についても、心の健康の問題による長期病休者が長期病休者全体の六割を超えており、心の健康づくり対策が重要な課題となっていたことから、心の健康づくり対策を総合的に進めるとともに、未然防止の段階である一次予防を強化するため、平成二七年一二月に人規一〇―四を改正し、導入された。

(三)　安全管理基準

職場における災害防止のためには人と物の両面から安全保持の施策を講ずる必要がある。このため、人規一〇―四は、設備、機械、作業管理、安全教育などに関する安全管理基準を規定している。具体的には、各省各庁の長に対して機械等の設備や爆発性・引火性の物、エネルギー等に関する危険防止措置を講ずる義務やボイラー、クレーン等一定の設備に関して設置の届出や定期検査等を行う義務を課すとともに、大型建設機械の操作などの危害のおそれの多い業務に従事する場合に必要な免許・資格や特別な教育、危険な設備・機械（ボイラー、圧力容器、クレーンなど）に関する設置の制限（製造許可を受けることや構造検査に合格していること等を求めること）などについて規定している。この他、各省各庁の長は、重大な災害（死亡災害又は同一原因で三人以上の職員が負傷等した災害など）についてその都度人事院に報告するほか、毎年度の職員の災害状況も報告することとされている。

4　放射線障害の防止

(一)　関係法令

医療機関及び試験研究機関においては、放射線を取り扱う業務が多いが、放射線は身体へ直接に障害を与える危険性があり、また、遺伝への影響もあるため、その障害防止についてはＩＣＲＰ（国際放射線防護委員会）により国際的な基準が設けられ、国内的にも放射線障害防止のための法律が制定されている。これらの法律のうち職員に適用される主なものは、放射性同位元素等の規制に関する法律、核原料物質、核燃料物質及び原子炉の規制に関する法律（以下「原子炉規制法」という。）及び医療法である。放射性同位元素等の規制に関する法律は放射性物質、放射線発生装置などの使用、管理基準を、原子炉規制法はウラン二三五、プルトニウム、トリウムなどを使用する原子炉の使用、管理基準を、医療法は診療放射線の防護基準を定めているが、このような一般的な法律の規定を補完し、職員の放射線障害を防止するために、人規一〇―五が定められている。この規則は、前述の一般的な法律の規定を補完するとともに、職員の健康安全関係を一般的に規定する人規一〇―四の特例を定めるという性格のものである。さらに、東京電力福島第一原子力発電所の事故に際して制定された人規一〇―一三も同様に、人規一〇―四の特例と位置付けられるものである。

(二)　放射線障害の防止措置

放射線関係の業務に従事する職員については特別の健康安全管理が必要である。このため、特に人規一〇―五が定められ、放射線業務（放射線発生装置の取扱い、放射性物質の取扱い、原子炉の運転などの特定の業務）に従事し、又は管理区域（外部放射線量が一定量を超えるおそれのある区域など）に業務上立ち入る職員は、被ばく線量の限度、被ばく線量の測定、安全教育、健康診断について、他の職員と区別して健康安全管理を行わなければならないこととされている。さらに、後発的な障害発生のおそれがある放射線業務に係る健康管理上の必要性から、職員の被ばく線量の測定結果や従事した放射線業務の作業内容等に関する記録の作成・保存について詳細な規定が置かれている。この他、設備、機器等の面から安全を図るための施設関係の障害防止措置（防護措置の設置、必要な標識の掲示、警報装置や専用室の設置、エックス線装置の定期検査等）や放射線施設の破損等の緊急事態への対応、放射線障害防止管理規程の作成と職員への周知などについても規定されている。

㈢　東日本大震災に伴う東京電力福島第一原子力発電所の事故に際して放出された放射性物質による放射線障害の防止措置

平成二三年三月一一日に発生した東日本大震災に伴う東京電力福島第一原子力発電所の事故に際して放出された放射性物質により、福島県内をはじめとして広範囲の地域が汚染され、その地域において土壌等の除染や廃棄物処理を行う必要が生じた。一般職非現業の国家公務員は、直接除染作業や廃棄物処理そのものを行うことは想定されなかったものの、除染等作業の現場における立会いや立入り検査、除染作業に係る調査測定等の業務を行うことが見込まれた。一方、民間法制及び公務員法制において、放射線障害防止に関して既に施行されていた電離放射線障害防止規則（昭四七労働省令四一）及び人規一〇―五は、放射線が管理されている区域内（建物等）における放射線業務等をその規制対象とするものであり、放射性物質に汚染されている土壌等の除染などの業務にそのまま適用することは困難であったため、新たな規制を創設することが必要となった。

そこで、平成二四年一月一日、労安法に基づく省令として「東日本大震災により生じた放射性物質により汚染された土壌等を除染するための業務等に係る電離放射線障害防止規則」（平二三厚生労働省令一五二）（以下「除染則」という。）が施行されたことにあわせ、職員が行う除染等関連業務を対象とする人事院規則一〇―一三（東日本大震災により生じた放射性物質により汚染された土壌等の除染等のための業務等に係る職員の放射線障害の防止）が同日施行された。

この人規一〇―一三においては、職員の被ばく限度及び線量の測定とその記録の作成・保存、保護具の着用や汚染検査などの放射線障害を防止するための措置、放射線障害防止のための教育及び健康診断の実施等が規定されている。これらの規定は、放射性物質（汚染土壌等）が管理されていない区域における業務を対象としていることから、人規一〇—五の規定を踏まえつつも、除染則の規定の例による特例を定めている。

その後、公的インフラの復旧、病院・福祉施設の運営、営農・営林等が、汚染の程度が軽度な地域から順次再開される見込みとなり、平成二四年七月一日、これら業務に従事する民間労働者の放射線障害を防止するための措置を講じるため、除染則が改正されたことから、それに併せ、人規一〇—一三においても対象業務の追加等、所要の改正が行われた。

5　女子職員、年少職員の健康安全管理

女子は男子と、特に、母性としての保護を必要とするなどの身体的機能が異なる面があり、また、年少者（一八歳に満たない者　労基法五七）は心身の発育過程にあるので、いずれも健康安全管理上それぞれの特質に応じた配慮が必要とされる。このため、人規一〇—四及び人規一〇—八に定める原則の特例として、人規一〇—七によって、女子職員及び年少職員の深夜勤務及び時間外勤務の制限、危険有害業務の就業制限、母性保護などについて必要な措置が定められている。なお、ここにいう女子職員とは一八歳以上の女子職員であり、年少職員とは一八歳未満の職員である。

㈠　勤務時間に関する女子保護規定の変遷

これらの人事院規則のうち、人規一〇—七は、「女子に対するあらゆる形態の差別の撤廃に関する条約」（女子差別撤廃条約）を昭和六〇年に我が国が批准したことに伴い、昭和六一年四月、男女雇用機会均等法の制定を柱とする国内法制整備の一環として、母性保護の措置については充実させ、それ以外の差別については解消を図るという基本的考え方に基づき、労基法などの改正と連動して改正が加えられた。

この改正前は、女子職員の深夜勤務（午後一〇時から翌日午前五時までの勤務）は、原則として禁止されるなかで、動植物の管理業務、治療・看護業務、電話交換業務、航空管制業務、海上保安業務、気象観測業務、刑務官などの業務、出入国管理業務、災害時の臨時緊急の勤務などの一定の勤務については、この制限が解除されていた。この改正により、これらの業務に加え、係長相当職以上の業務、局部長以上の者の秘書的業務その他一部の勤務についても、昭和六一年四月一日から深夜勤務の制限が解除されることとなった。

また、昭和六一年改正前は、女子職員については、宿日直の場合を除き、四週四〇時間（業務によっては週一〇時間等）を超える時間外勤務は、原則として禁止されていたが、航空管制業務、海上保安業務、気象観測業務、刑務官などの業務、出入国管理業務、災害時の臨時緊急の勤務などの一定の勤務については、この制限が解除されていた。この改正では、これらに加え、係長相当職以上の業務、局部長以上の者の秘書的業務その他一部の勤務について、時間外勤務の制限が解除されることとなった。また、年間の時間外勤務については、三五〇時間を超えないように努めることとされた。

平成九年六月、男女雇用機会均等法における募集・採用、配置・昇進に関する女性の均等取扱いについての努力義務規定が、差別を禁止する規定に改正されることとなり、それに伴い、雇用の分野における男女の均等取扱いをより実効あるものとするとともに、女性労働者の職業選択や能力発揮の場の拡大を図るため、労基法に残されていた女性労働者に対する時間外・休日労働及び深夜労働の規制の解消が図られた。一方、このように女性の深夜業制限の措置が廃止されたことで、子供や要介護者を有する場合に深夜にその世話をする者がいなくなるケースが生じることが懸念されることから、育児・介護休業法の改正により育児・介護を行う女性労働者についての深夜労働の制限が同時に措置されたところである。また、時間外勤務の制限の撤廃については、激変緩和措置として、育児・介護を行う女性労働者について従前と同様の制限（年間一五〇時間上限）が置かれることとなった。

このような民間法制の動きも考慮し、平成一一年四月、人規一〇―七で定められていた女性職員の深夜勤務や時間外勤務の制限に関する規定を削除する改正が施行されるとともに、新たに人事院規則一〇―一一（育児又は介護を行う職員の深夜勤務及び超過勤務の制限）が施行され、男女を問わず、育児・介護を行う職員について、その福祉を増進し、能率を発揮させるため、午後一〇時から翌日の午前五時までの深夜勤務の制限及び超過勤務の上限時間（年三六〇時間）が定められた。

以上のような変遷を経て、人規一〇―七における女子職員の勤務時間に関する規定は、妊産婦である女子職員の午後一〇時から翌日午前五時までの深夜勤務及び時間外勤務の制限のみとなっている。

㈡　年少職員の勤務時間及び危険有害業務に関する措置

年少職員については、午後一〇時から翌日午前五時までの深夜勤務（動植物の管理業務や災害時等の臨時の業務等における勤務又は一六歳以上の男子職員の交替制勤務を除く。）と時間外勤務（宿日直勤務や災害時等の臨時の業務等を除く。）が原則として禁止されるとともに、建設機械の運転や高所作業等の危険な業務、有害物が発散するような危険有害な環境での勤務などが禁止されている。

なお、従前は危険有害業務に関して、年少職員と同様の制限が女子職員についても一律的に定められていたが、女子差別撤廃条約の批准に伴う国内法制整備の一環として、昭和六一年四月、その制限を母性保護の観点から有害であるものに限ることとし、後述の女性の特質に関する措置の部分で述べるように、妊産婦である女子職員と分けて所要の規定が改正されている。

㈢　女性の特質に関する措置

⑴　妊産婦以外の女子職員に関する措置　妊産婦以外の女子職員に関しては、生理日の就業が著しく困難な場合の病気休暇が認められるとともに、妊娠・出産機能に有害である一定以上の重量物取扱い業務と有毒ガス発散場所等の有害な環境での業務の就業制限が定められている。このうち、生理に係る休暇については、生理日の就業が著しく困難な女子職員が休暇を請求したときは、人規一〇―七第二条により、その者を生理日に勤務させてはならないこととされている。この休暇は、生理により就業が著しく困難な場合（月経困難症という疾病）について認められるもので、病気休暇として取り扱われる（人規一〇―七運用通知第二条関係）が、その期間のうち連続する最初の二暦日については、給与制度上、昇給と勤勉手当に影響しない期間として取り扱われる。

なお、従前は生理日の就業が著しく困難な女子職員が請求した期間については、基本的には病気休暇とされたが、そのうち二日以内の期間は特別休暇として取り扱われてきた。しかし、前述の女子差別撤廃条約の批准との関連で、昭和六一年四月一日から、その全期間を病気休暇として取り扱うこととされた際に、従前は二日以内の特別休暇の期間が昇給と勤勉手当に影響しない取扱いとされていたことを踏まえて、全期間が病気休暇とされた現行制度の下でも同様の取扱いをすることとしたものである。

⑵　妊産婦に関する措置　妊産婦である女子職員（妊娠中又は産後一年を経過しない女子職員）については、前述の勤務時間に関する措置のほか、一定以上の重量物の取扱い業務、ボイラーの取扱い、原動機の保守、建設機械の運転、高所作業、有毒ガス発散場所での業務など、妊娠、出産、育児などに有害な作業を行う業務又は有害な環境での業務の就業が禁止

されており、その規制は前述の女子職員に対する就業制限よりも広範囲にわたっている。また、妊産婦については、産前・産後の就業制限をはじめとして、健康審査及び保健指導に要する時間並びに通勤緩和に要する時間（勤務時間の始め又は終わりにつき一日を通じて一時間を超えない範囲内）について職務専念義務を免除する措置、業務軽減等（出張等の制限、他の軽易な業務への割振り変更、休息の付与等）、保育時間（授乳等のために一日二回それぞれ三〇分以内）など、妊娠・出産、育児に伴って必要とされる様々な措置が規定されている。これらの措置のうち、健康審査及び保健指導、通勤緩和に必要とされる時間については、休暇ではなく、それぞれの条項に基づき職務専念義務が免除されるものであり、この時間は、昇給、勤勉手当に影響しない取扱いがなされている。一方、産前・産後の就業制限の期間及び保育時間は、いずれも特別休暇が与えられるので、これらも昇給、勤勉手当に影響しない取扱いがなされている。

㈣　船員である女子、年少職員に関する措置

⑴　女子船員の特例　　女子船員（予備船員以外の船員である女子職員）については、妊娠中における船内作業の禁止、妊娠中又は産後一年未満における妊娠、出産、育児などに危険有害な業務の禁止、妊産婦以外の女子船員についての妊娠、出産機能に危険有害な業務の禁止、妊娠中又は産後一年未満における深夜勤務（午後八時から翌日午前五時までの間の勤務）の禁止が定められている。なお、これとの関係上、前述の女子職員一般に関する深夜勤務及び危険有害業務の制限の規定は適用されない。

⑵　年少船員の特例　　船員である年少職員については、危険有害業務の禁止、深夜勤務（午後八時から翌日午前五時までの勤務）の禁止が定められている。なお、前述の年少職員一般に関する深夜勤務、危険有害業務及び時間外勤務の制限の規定は適用されない。

６　育児・介護を行う職員の勤務時間の特例

職業生活と家庭生活を両立していく上で、長時間の勤務や深夜の時間帯における勤務は大きな負担であり、とりわけ育児・介護を行う職員については、その心身の健康を維持し、能率を発揮するためにも勤務時間の長さやその割振りに関し特段の配慮が必要である。このため、人事院規則一〇―一一（育児又は介護を行う職員の早出遅出勤務並びに深夜勤務及び超過勤務の制限）では深夜勤務及び超過勤務の制限並びに勤務時間の割振りを弾力化するための措置を定めている。

㈠　深夜勤務及び超過勤務の制限

前述したように、平成一一年四月、女子保護規定の削除等を内容とする人事院規則一〇―七（女子職員及び年少職員の健康、安全及び福祉）の改正・施行に伴い、新たに育児・介護を行う職員についての勤務時間の特例措置を定めた人規一〇―一一が施行された。制定時は、午後一〇時から翌日午前五時までの深夜勤務の制限及び超過勤務の上限（年三六〇時間）のみが定められていたが、制定以降、少子化対策が社会的に重要視されるなかで、民間の動向も踏まえつつ、本規則に定める特例的措置を拡大する方向での改正が随時行われた。

平成一一年の本規則制定時に超過勤務の上限時間数を定めるに当たっては、従前、女子職員については、人規一〇―七において年間三五〇時間を超えないよう努めることとされていたこと、民間法制においては時間外労働に関して、協定で定める労働時間の延長の限度等について労働大臣が基準を定めることができる根拠等を労基法に置き、それに基づき一年三六〇時間という限度時間を新たに定めたこと（平一〇労働省告示一五四）も考慮し、一般の職員について、人事院事務総局職員局長通知（平一一・一・二〇職職―一五）において一年三六〇時間を超過勤務の上限時間の目安として設定するとともに、育児・介護を行う職員については、三六〇時間を超過勤務の上限時間として規定した。平成一四年四月、民間法制において、育児・介護を行う女性労働者について、労基法上三年間（平成一一年四月から同一四年三月三一日まで）の激変緩和措置として存置されていた時間外労働時間の制限（年一五〇時間）の規定が、育児・介護休業法上で男女ともに適用されるものとして改めて規定されたことを踏まえ、人規一〇―一一における超過勤務の上限時間もそれにあわせ一月二四時間、一年一五〇時間に改められた。さらに、平成二二年六月には育児・介護休業法の改正に併せ、三歳未満の子を養育する職員についてその請求に基づき超過勤務をさせないこととする超過勤務制限を導入するなどの措置がとられている。なお、深夜勤務の制限及び超過勤務の上限規制は、小学校就学の始期に達するまでの子がある職員及び勤務時間法第二〇条第一項に規定する要介護者を介護する職員が請求した場合に適用される。

㈡　早出遅出勤務の創設

早出遅出勤務とは、育児又は介護を行う職員の請求に基づき、始業及び終業の時刻を職員が育児又は介護を行うためのものとしてあらかじめ定められた特定の時刻とする勤務時間の割振りによる勤務を言うものであり、一日に割り振られた勤務時間数は変えることなく、育児・介護のニーズに合わせて始業・終業の時刻の設定を弾力化しようとするものである。平成一七年四月に、小学校就学の始期に達するまでの子を養育する職員及び介護を行う職員を対象として創設され、その後の改正によりその対象範囲は、小学校に就学している子を放課後児童クラブ等へ出迎え又は見送る職員に拡大している。

7　船員の健康安全管理

(一)　船員法との関係

船員である職員については、船員法の直接の適用がなく（法附則六）、本法に基づいて定められる法律（この法律は制定されていない。）又は人事院規則の定めに矛盾しない範囲内で準用されることとされている（本法第一次改正法附則三）。ところで、船員法は、船員（船長、海員、予備船員）について、船長の職務と権限、船内紀律、雇入れ契約、給料、労働時間、休暇、食料、安全衛生、年少船員、女子船員、災害補償、就業規則、監督官庁、罰則などについて労基法の特例を定めている。

そこで、職員の健康安全管理に関する船員法の準用関係をみてみると、まず、船員である職員一般の健康安全管理については、前述の人規一〇―四に定めるもののほかは以下に述べる人規一〇―八で規定されており、また、船員である女子職員と年少職員に関する健康安全管理として特に規定を必要とする部分は、前述のとおり、人規一〇―七で規定されている。したがって、その限りで船員法を準用する余地はない。

(二)　船員の健康安全管理

人規一〇―八は、船員である職員の健康安全管理を定めるものであるから、職員全体の健康安全管理に関する一般規定である人規一〇―四の特例規定である。また、人規一〇―七の規定のうち船員である女子職員と年少職員の健康安全管理を定めている規定は、人規一〇―八の特例規定としての性格を有する。

この規則の適用を受けるのは、予備船員以外の船員である一般職の国家公務員である。具体的には、行政執行法人職員以外の国土交通省、海上保安庁、財務省などが管理、運航する船に乗り組む職員が対象となる。これらの職員の健康と安全を確保するため、船舶の大きさや航行区域に応じて船医を乗り組ませる義務や医薬品等を備え付ける義務を定めるとともに、船舶特有の危険有害業務（潜水業務、溶接業務等）に必要な健康障害防止措置、特別の免許・資格などを必要とする業務

（潜水業務、酸素欠乏のおそれのある場所での業務等）に関する就業制限などが定められている。また、船舶という職場環境は、閉鎖された特殊な空間であることから、伝染病予防措置や発生時の対処及び実験、調査、観測等を行う場合の措置などが、人規一〇―一四の特例として定められている。さらに、職員の災害防止の観点から特別の管理を必要とする業務（ボイラーの取扱い、金属溶接業務、高圧電気の取扱い業務等）が行われる作業場には、人規一〇―一四に規定する危害防止主任者ではなく、船員危害防止主任者を指名し事務を行わせることとしている。

8　ハラスメントの防止

(一)　ハラスメントの防止の意義及び法制面での対応

ハラスメントは、被害者の人権に関わる問題であるだけでなく、一旦職場でハラスメントが発生した場合には、その被害者の勤務環境が害され、職務の能率が低下することになる。また、職場の人間関係が壊れ、周囲の者や組織全体の士気が低下することにより、業務の効率的な運営を阻害することにもつながるおそれのあるものである。

昭和六一年に男女雇用機会均等法が施行されて以降、民間事業所において、女性労働者数が大幅に増加するとともに、勤続年数の伸長や職域の拡大が見られ、女性が働くということについての意識や企業の取組みも大きく変化していく中で、都道府県女性少年室に対するセクシュアル・ハラスメントに関する相談件数が急速に増加し、内容的にも深刻なものが見られるようになった。このような状況を踏まえて法制面での対応が検討され、平成九年六月、男女雇用機会均等法にセクシュアル・ハラスメント防止に関する規定が盛り込まれ、事業主は、平成一一年四月から雇用管理上必要な配慮をしなければならないこととされた。人事院は、このような民間法制における動きを視野に入れつつ、外部有識者からなる「公務職場におけるセクシュアル・ハラスメント防止対策検討会」を設置し検討を開始した。この検討会がとりまとめた提言を基に、関係各方面の意見も踏まえ、平成一〇年一一月、人事院規則一〇―一〇（セクシュアル・ハラスメントの防止等）が制定され、翌一一年四月一日に施行された。この制度では、①セクシュアル・ハラスメントを他の者を不快にさせる職場での性的な言動（主体は職員に限らず、例えば窓口でセクシュアル・ハラスメントを行う民間人も対象に含まれる。）及び職員が他の職員を不快にさせる職場外における性的な言動と定義し、②セクシュアル・ハラスメントに起因する問題として、セクシュアル・ハラスメントのため職員の勤務環境が害されること及びそれへの対応に起因して職員が勤務条件について不利益を受けるこ否かによって判断されるものであることを明示し、セクシュアル・ハラスメント成立について明快な基準を示した。

　その後、平成二八年三月に男女雇用機会均等法、育児・介護休業法等が改正され、平成二九年一月から新たに、妊娠、出産、育児休業、介護休業等に関する職場での言動に起因する問題を防止するために必要な措置を講ずることが事業主に義務付けられた。これを踏まえ、一般職国家公務員について、各省各庁の長に同様の防止措置を義務付けるため、平成二八年一二月に人事院規則一〇―一五（妊娠、出産、育児又は介護に関するハラスメントの防止等）が制定され、翌二九年一月一日に施行された。併せて、性的指向や性自認をからかいの対象とする言動等もセクシュアル・ハラスメントに該当することを明確にするため、規則一〇―一〇運用通知が改正された。

　職場におけるパワー・ハラスメントは上司の教育・指導との境界が曖昧という理由などから長年にわたって手がつかなかったが、都道府県労働局における職場の「いじめ・嫌がらせ」の相談件数が年々増加していることなどを踏まえ、厚生労働省において「職場のパワーハラスメント防止対策についての検討会」が開催され、報告書が取りまとめられたのを契機に、令和元年五月、パワー・ハラスメントの防止対策が盛り込まれた労働施策の総合的な推進並びに労働者の雇用の安定及び職業生活の充実等に関する法律（昭四一法一三二）が改正された。人事院は、公務においてもパワー・ハラスメントに関する様々な問題が生じている状況を踏まえ、「公務職場におけるパワー・ハラスメント防止対策検討会」を開催し検討を進めた。検討会の報告書も踏まえて、パワー・ハラスメントの防止等のための各省各庁の長の責務、職員によるパワー・ハラスメントの禁止などの措置を講じるため、人事院規則一〇―一六（パワー・ハラスメントの防止等）等が令和二年四月に制定され、同年六月一日に施行された。併せて、規則一〇―一〇及び規則一〇―一五についても、これまでの職員に対する注意義務規定が禁止規定に改められた。

　これらの規則は、ハラスメントが職員の能率の発揮を阻害するおそれがあるものであることから、本法第七一条第二項に基づいて、人事院及び各省各庁の長の責務として、職員の能率の発揮及び増進の観点からハラスメントの防止を義務付けるとともに、本法第九六条第二項に基づいて、職員に対しても服務上の義務としてハラスメントの禁止を課すものとなっている。

㈡　ハラスメントの定義

人事院規則一〇―一〇において「セクシュアル・ハラスメント」は、「他の者を不快にさせる職場における性的な言動及び職員が他の職員を不快にさせる職場外における性的な言動」と定義されている。

人事院規則一〇―一五において、「妊娠、出産、育児又は介護に関するハラスメント」は、職員に対する言動により当該職員の勤務環境が害されることと定義されており、言動として次の四類型が示されている。

①職員に対する、妊娠したこと、出産したこと、妊娠又は出産に起因する症状により勤務することができないこと若しくはできなかったこと又は能率が低下したこと、不妊治療を受けること、に関する言動

②職員に対する妊娠又は出産に関する制度又は措置の利用に関する言動

③職員に対する育児に関する制度又は措置の利用に関する言動

④職員に対する介護に関する制度又は措置の利用に関する言動

人事院規則一〇―一六において、「パワー・ハラスメント」は、「職務に関する優越的な関係を背景として行われる、業務上必要かつ相当な範囲を超える言動であって、職員に精神的若しくは身体的な苦痛を与え、職員の人格若しくは尊厳を害し、又は職員の勤務環境を害することとなるようなもの」と定義されている。

㈢　ハラスメント防止の内容

ハラスメントの防止等を定める各規則の構成は共通している。定義規定に続いて、人事院、各省各庁の長及び職員の責務、防止等を図るための研修の実施、ハラスメントに係る苦情相談への対応等が規定されている。各省各庁の長及び職員の責務について、民間法制においては、事業主に雇用管理上必要な措置を講じることを義務付けているのに対し、公務員法制においては、各省各庁の長にハラスメントの防止及び排除に関し必要な措置を講ずること等を義務付けるだけでなく、人事院にハラスメント防止等に関する企画立案、調整、指導及び助言並びに研修及び苦情相談を義務付けるとともに、職員の責務としてハラスメントをしてはならないことを直接義務付けているという違いがある。

さらに、ハラスメントの防止等に関しては、ハラスメントについての具体的な理解とそれが生じた場合への実践的な対応の周知が重要であることから、各規則において職員に対する指針や苦情相談に関する指針を定めることとされている。これ

に基づき、各規則の運用通知において、ハラスメントをなくすために職員が認識すべき事項についての指針及びハラスメントに関する苦情相談に対応するに当たり、留意すべき事項についての指針が策定されている。

また、「懲戒処分の指針について」（平一二・三・三一 職職六八）においては、セクシュアル・ハラスメントやパワー・ハラスメントを行った場合の処分量定が標準例として掲げられている。

二　レクリエーション

1　レクリエーションの意義

一般にレクリエーションとは、心身ともに健康な状態で生活するために役立つ休養、娯楽などの活動を指すが、本法でいうレクリエーション（昭和四〇年改正前の本法では「元気回復」という語を用いていた。）は、公務員としての職業生活を心身ともに健康な状態で送るための措置、活動を指している。また、本法のレクリエーションの目的とするところは、単に心身の疲労回復と健康増進という直接的な効果にとどまらず、災害防止、職場の人間関係の改善といった間接的な効果をも含んでおり、職員の勤務能率の発揮、増進をねらいとする能率増進計画の一つとして積極的な意味を有している（人規一〇―六 一二）。

2　基準の確立と中央人事行政機関

レクリエーションは、昭和二二年の本法制定当初から、能率の節の第七三条第一項第三号（平成二六年改正後は第二号）に能率増進施策の一つとして「職員の元気回復に関する事項」という表現で掲げられていたが、当時その基準や方針に関する人事院規則などは定められていなかった。

そこで、人事院は各省庁との協議を行い、昭和二五年三月、レクリエーションに関する基本方針を決定した。その要点は、レクリエーション計画の目的（職員の士気の高揚、能率の向上等）、レクリエーション計画の樹立、実施の主体（人事院、関係省庁の長）、レクリエーション計画の基礎（職員の実際の必要）等であった。また、この基本方針に基づき、レクリエーション活動の状況などの実態調査、レクリエーション指導者の養成、必要な施設の整備などを内容とする実施計画が同年以後毎年立てられ、レクリエーションに関する施策が進められた。

その後、昭和三九年四月一日に人事院規則一〇―六（職員の元気回復）が制定されたが、この規則は、昭和四〇年の本法の改正によって、第七三条第一項第三号（平成二六年改正後は第二号）の「元気回復」が「レクリエーション」と改められ、また、レクリエーション計画の樹立、実施、総合的企画、調整、監視の責任が新たに中央人事行政機関とされた内閣総理大臣に移されたことに伴い、レクリエーション計画の樹立や実施に関する部分を除いた形に改正され、名称も人事院規則一〇―六（職員のレクリエーションの根本基準）と改められて今日に至っている。なお、この規則から除かれた計画や実施に関する規定は、総理府総務副長官依命通知である職員のレクリエーション行事の実施について（昭四一・二・一九総人局九三）によって規定されている。

3　レクリエーションの実施

各省各庁では、その所属職員のレクリエーションについて、その趣旨の徹底や広報、行事の計画・実施、必要な用具・施設等の整備等を行うこととされている（前記総人局九三　1）。

また、レクリエーションの実施に当たっては、職員の自発性に基づいて行うことが重要であること、一般職員が参加可能なレベルのものにすべきこと、職員がなんらかの行事に参加できるよう平等性に配慮しての計画・実施が求められること等が根本基準として定められている（人規一〇―六　三、四）。

なお、レクリエーションは、公務員としての職業生活を心身ともに健やかな状態で送るためのものであり、いわば職務遂行を側面から援助するものであって職務そのものではないので、勤務時間外に行うことが原則である。しかし、職員の勤務の特殊性、実施場所の確保、気象条件などの理由で勤務時間外に行うことが困難なときには、内閣総理大臣などの承認を得て勤務時間内に行うことができる（前記総人局九三　3）。勤務時間内のレクリエーションに参加する職員には年間一六時間以内の職務専念義務の免除（昭和六一年一月一日前は特別休暇とされていたが、同日以後は休暇ではない職務専念義務の免除とされた。）が認められている（人規一〇―六　五）。

三　福利厚生

1　福利厚生の意義

本法第七三条第一項第四号は、能率増進施策の一つとして「職員の厚生に関する事項」を掲げている。ここにいう「厚生」とは一般に福利厚生といわれるものと同義であり、給与、勤務時間などの基本的な勤務条件以外の事項で、職員の経済的、文化的、精神的生活の向上に役立つ施策、活動などを指すと解されている。

ところで、労働者の経済的、文化的、精神的生活の向上は、社会保険や公的年金制度、保育所、介護などの社会保障・福祉制度や国の住宅政策などと関連するが、従来から民間ではその不十分さを補い、従業員の士気の確保と能率増進のため、各企業が独自に給付や措置を行ってきている。公務においても、使用者たる国が、長期間にわたる人材養成とその活用を前提とした人事システムの下では、職員が心身ともに健全な状態で職務に精励する結果として公務への効果（能率の維持、向上）が期待できるよう、使用者として応分の措置をする必要性と理由がある。福利厚生が能率増進施策の一つとして位置付けられているのはこのような意味であるが、また、その措置には一定の限界があるということになろう。現に、官民ともに近年、人件費削減を進めるに当たり、保有宿舎を売却するなど、法定外福利厚生費の漸減傾向が生じている。

2　福利厚生の範囲と機能

ところで、福利厚生の具体的な範囲（施策の内容）については、理論上も、実務上も、必ずしも一致した概念がない。そもそも福利厚生すなわち「福祉」の概念と内容は時代や社会によって異なり、それぞれの社会の実態に応じて適切な措置が選択されることになるものである。また、かつては労働者の福祉と観念されていた事柄が、広く国民全体に対する社会福祉施策や労働条件の中に取り込まれてきたという歴史的経緯もある。

我が国の場合、民間企業の福利厚生施策が意識的に行われ始めたのは明治中期以後であり、特に鉱山と繊維産業では早くから各種の施策が実施された。すなわち、鉱山においては、江戸時代以来の友子同盟の相互扶助を発展させた救済制度や共済制度により死傷病に対する葬祭料、療養費、生活扶助料の給付が行われ、また、繊維産業においては、共済制度による傷病扶助、葬祭扶助、年金給付が行われたほか、寄宿舎、給食、購買、慰安・娯楽、教養、貯金、医療など各種の福利厚生施策が実施された。これらの例にもうかがえるように福利厚生施策は当初は不十分な社会保障施策と労働条件（特に賃金）を代替する形で実施されたという特徴がある。その後の社会保障の充実と労働条件の向上に伴いその面での福利厚生の役割は縮小し、次第に企業内の労務管理手段としての性格を明確にするようになってきたのであるが、このような沿革を有するために、今日においても福利厚生は、施策の分野、内容によっては、社会保障や労働条件に関する施策と類似する面があり、それらの分野の施策の補完的役割を果たしている。現在民間企業で行われている福利厚生施策は法定福利費によるものと法定外福利費によるものとに大別されるが、法定福利費による施策の内容は療養費、厚生年金、労災給付、失業給付などであり、これらは社会保障施策そのものであるので、項目的には企業による差がない。一方、法定外福利費による施策の内容は住居、医療、食事、文化・体育・娯楽、私的保険、労災付加給付、慶弔災害見舞などとなっているが、各企業が必要に応じて実施するために施策の内容や程度は一様ではない。このように多種多様である福利厚生施策の果たしている機能については、大別すると能率の増進、労働力の定着、労使関係の緩和の三つである（時代の要請により強弱の差がある）とされている。

これを国家公務員についてみると、専ら社会保障施策を中心として福利厚生施策が開始されている。まず実施されたのは業務災害補償であり、明治八年から官役人夫を対象とする給付が行われ、明治四〇年以降、国鉄などの現業雇傭人を対象とする各共済組合による給付が始められた。年金については、明治八年から一七年にかけて軍人、警察官、刑務官、官吏の順で恩給制度が制定され、現業雇傭人についても大正九年までには各共済組合の活動の一部として確立されている。医療保険は、大正九年から昭和一六年にかけて非現業雇傭人を対象として各共済組合による給付が始められ、同じ頃から現業雇傭人についても各共済組合の活動の一部として実施された。なお、現業雇傭人の各共済組合はその後、購買、給食、貯金、貸付などの分野に活動を拡大している。現在、国家公務員に対する福利厚生施策としては、使用者たる国が福利厚生経費によって行うもの（医療、保健、食事、文化、体育、レクリエーションなど）、共済組合が行うもの（年金、保健、医療、宿泊、住宅、金融、購買など）、その他（公務員宿舎、互助会による各種の施策）が挙げられる。

以上述べたように、福利厚生として行われている施策の範囲は必ずしも明確ではなく、関連分野との境界線がはっきりしないが、これを本法第七三条に掲げられている他の能率増進施策（保健、レクリエーション、安全保持）との関係でみても相互の境界線が明確ではない。なお、地公法では、「保健、元気回復」が「厚生制度」の例示として掲げられ（地公法四二）、「共済制度」が「厚生制度」と並んで「厚生福利制度」の款に規定されている（地公法四三）。

3　福利厚生施策の実施主体

(一)　福利厚生施策の実施主体

前述のように福利厚生施策は社会保障制度あるいは勤務条件（労働条件）と密接に関連しながら実施されているので、福利厚生の概念を広くとらえて国家公務員の福利厚生施策の実施主体がどうなっているかをみると、使用者としての国、行政主体としての国、職員の相互救済組織としての共済組合及び互助会、職員の勤務条件の維持改善を図る組織である職員団体などが、それぞれの立場から各種の施策を実施している。

福利厚生施策がこのように様々な実施主体によって実施されている主な理由は二つあると考えられる。一つは、福利厚生施策の内容が直接的には職員又はその家族の経済的、精神的生活を向上させるものであるために、その全てを無条件に国が実施することは適当ではなく、施策の内容に応じて、職員が主として責任を負担すべきもの、使用者たる国又は行政主体たる国が主として責任を負担すべきもの、その中間のものというように、実施主体の責任の負担（具体的には費用の負担）の度合いに濃淡が付けられているということである。すなわち、使用者としての国についてみれば、職員に対する福利厚生施策を実施することが行政組織の運営に有意義であるかによってその分担の割合が変化し、また、行政主体としての国の立場からみれば、職員のみならず国民全般を対象として福祉の確保、向上を図ることが必要である場合には所要の措置を講じることもあり得る。さらに、職員についてみれば、自己の生活を維持し向上させるためには自助努力が本来的に要請されるのであるが、その自助努力の限界を共済組合、互助会、職員団体という職員の集合体の力で補うという方法が採られる場合もあり得るということである。いま一つの理由は沿革的なものである。すなわち、明治初期から始められた軍人、官吏などの恩給制度と、明治後期から始められた雇傭人についての共済組合による各種の福利厚生施策が、戦後の曲折を経て全府省の全職員を対象とする共済制度として統合されたために、現在の国家公務員の福利厚生施策は共済組合を中心として実施されている（その中には社会保障施策そのものが含まれていることは前述のとおりである。）。これに加えて、民間企業の法定外福利費による施策と類似する施策が使用者としての国によって実施され、また職員の互助会組織が古くから発達していた府省もあり、更に職員団体も給与、勤務時間、休暇などの中心的な勤務条件以外の分野だけではなく福利厚生面の施策にも力を入れてきており、これらの事情が福利厚生の実施主体とその内容を入り組んだものとしたことも否定できない。

㈡　共済組合の行う福利厚生施策

共済組合は国家公務員の福利厚生施策を実施する中心的存在であり、その詳細は第一〇七条で述べるが、その概要は以下のとおりである。

(1)　共済組合の目的など　共済法第一条第一項は、「この法律は、国家公務員の病気、負傷、出産、休業、災害、退職、障害若しくは死亡又はその被扶養者の病気、負傷、出産、死亡若しくは災害に関して適切な給付を行うため、相互救済を目的とする共済組合の制度を設け、その行うこれらの給付及び福祉事業に関して必要な事項を定め、もつて国家公務員及びその遺族の生活の安定と福祉の向上に寄与するとともに、公務の能率的運営に資することを目的とする。」と規定しているが、共済組合制度の目的、仕組みなどの基本は、①共済組合は相互救済組織として設けられる職域的な社会保険制度であり、組合員の相互出捐を基本とし、国は使用者及び行政主体として費用を負担すること、②共済組合が実施する施策の内容は職員と家族の病気、退職、死亡などに対する給付であること、及び③これらの施策によって、直接的には職員と家族の生活の安定、福祉の向上を図り、究極的には公務の能率的運営を図ること、である。

(2)　施策の内容　共済組合の実施する施策としては、一年ごとの保険経理を基礎とする短期給付（療養費、出産費、埋葬料、傷病手当金、出産手当金、休業手当金、育児休業手当金及び介護休業手当金、弔慰金、災害見舞金など）及び主に短期給付に併せて行われる附加給付（例えば、家族療養費附加金、出産費附加金などがあり、具体的には各組合の定款で定められる。）、長期的保険経理を基礎とする長期給付（厚生年金保険給付と退職等年金給付からなり、前者には老齢厚生年金、障害厚生年金、障害手当金、遺族厚生年金が、後者には退職年金、公務障害年金、公務遺族年金がある）、並びに福祉事業（病院、健康管理、保養宿泊施設、貸付などの事業）の三つがある（共済法五〇、五一、七二〜七四、九八）。

なお、被用者年金制度の一元化等を図るための厚生年金保険法等の一部を改正する法律（平二四法六三）により、従来の退職共済年金等の長期給付は、厚生年金に一元化された（平成二七年一〇月一日施行）。具体的には、国家公務員が厚生年金に加入することとされ、職域加算が廃止されて新たに退職等年金給付が創設された（共済法上の受給資格等は厚生年金保険法に引き継がれた。）。なお、職域加算の廃止に伴う経過措置として、施行日以後、改正前の共済法による職域加算額がその加入期間に応じて支給されることとされた（経過的職域加算額）。よって、平成二七年一〇月を跨って在職する者については、施行日前までの加入期間に応じた経過的職域加算額と施行日以後の加入期間に応じた退職等年金給付が併給されることとなる。

(3)　費用の負担　これらの給付と福祉事業に要する費用は、保険料である組合員の掛金と国の負担金で折半することが原則であるが、共済組合の事務費は、国が毎年度の予算で定める金額を負担することとされている（共済法九九）。なお、共済法第一条第二項は、「国及び行政執行法人（略）は、前項の共済組合の健全な運営と発達が図られるように、必要な配慮を加えるものとする。」と規定し、これを受けて、国は共済組合の運営に必要な範囲内で職員を共済組合業務に従事させ、施設を提供することができるものとされている（共済法一二）。

（能率の増進に関する要請）

第七十三条の二　内閣総理大臣は、職員の能率の増進を図るため必要があると認めるときは、関係庁の長に対し、国家公務員宿舎法（昭和二十四年法律第百十七号）又は国家公務員等の旅費に関する法律（昭和二十五年法律第百十四号）の執行に関し必要な要請をすることができる。

〔趣　旨〕

本条は、中央人事行政機関である内閣総理大臣が、職員の使用者としての立場から、職員の能率の増進を図るため必要があると認めるときには、その能率発揮に影響を与えるものとしての宿舎及び旅費に関する法律の執行に当たり、関係庁の長に対し、必要な要請をすることができることを定めるものである。

本条の規定は、平成二六年の本法の改正の際に新たに設けられたものである。

この規定は、国家公務員制度改革基本法第一一条で内閣官房に内閣人事局を置き、他の行政機関からの機能移管等を行いつつ政府全体を通ずる国家公務員の人事管理について必要な役割を担うこととされたことを踏まえてのものと考えられる。同基本法の具体化のために設置された国家公務員制度改革推進本部顧問会議の平成二〇年一一月の報告において、「旅費に関する機能のうち、総人件費枠の中での各府省への具体的な配分・調整機能は、内閣人事局が担うこととする。（中略）宿舎に関する機能は、国有財産管理の性格が強いことから、内閣人事局には移管しないが、国家公務員の福利厚生の観点から、内閣人事局が宿舎に関する企画立案に一定の関与をすることができるようにする。」とされたことなども踏まえて、制度的な事項の所管は変更しないものの、必要な要請ができる仕組みとして設けられたものであろう（概説三9参照）。

〔解　釈〕

一　旅費及び宿舎

旅費法による旅費は、国家公務員等が公務のため旅行した場合にその費用を弁償するものであり、実費弁償という基本的性格を有しているが、職員が安んじて出張や転勤（引っ越し）等を行うことのできる旅費制度やその運用を確保することは、職員の能率発揮に必要である。

宿舎についても、転勤の多い国家公務員が、安んじて職務に精励するためにも、赴任先における転勤者の円滑な住居の確保は必要であり、また、緊急時参集要員についても勤務先に近接した場所での住居の確保は不可欠であり、職員の能率に密接に関連しているものである。

このため中央人事行政機関である内閣総理大臣が、使用者としての立場から、旅費や宿舎について各府省やそれぞれの制度の所管庁に必要な要請ができることとしたものである。能率を担当する中央人事行政機関である内閣総理大臣は、宿舎や旅費の制度の所管庁に対して、従前より、少なくとも政府部内における事実行為として必要な要請等を行うことは可能であったと考えられるが、本条が新たに設けられたことにより、宿舎や旅費に関して使用者の観点からの責務を負うことが明示されたといえよう。また、実際の事務を行う各府省に対しては、内閣総理大臣は、各行政機関が行う人事管理についてその統一保持上必要な総合調整権限を有しており（法一八の二2）、旅費や宿舎に関する事務についても、その一環として、必要な調整等を行うことは可能であったことから、本条による要請は確認的なものと解されよう。

なお、宿舎の設置や使用料等は、職員の勤務条件に大きな影響を及ぼすものであることから、これらの事項は宿舎法第二一条に基づき、明文上も本法第二二条及び第二八条第一項の規定による人事院の勧告の対象とされている（第二八条の〔解釈〕一参照）。また、旅費についても、前述のとおり、実費弁償という基本的性格を踏まえ、例えば転勤等に伴う個々の職員の負担をどこまで補うかという勤務条件の面があることから、人事院は、従来より制度の所管庁に対して必要な意見等を述べるなどの関与を行っている。

二　関係庁の長に対する必要な要請

「関係庁」には、旅費法及び宿舎法に基づき、実際に旅費及び宿舎に関する事務を行う各府省のほか、それぞれの法律を所管する制度官庁（財務省）も含まれる。

要請に関しては、第二三条の二の要請と同様、それ自体は法的拘束力は有しないが、法律の規定に基づく要請であることから、要請を受けた関係庁においては、要請を踏まえて適切な対応をとることが求められる。第二三条の二の要請と異なり、要請の相手が制度の所管府省から実施府省にわたっており、その要請の対象となりうる事項も「執行に関し」とされ、制度所管府省による命令（基準）等の制定・改廃や事務を実施する各府省の予算の確保等に関する事項など幅広く想定されるため、「必要な」要請とされている。例えば、制度の所管府省に対しては、公務能率の増進の観点からの制度改正の要請、必要な予算の措置の要請、転勤等の人事管理の実情に応じた宿舎の増改築の要請などを行うことが考えられるほか、それらの事務を実施する府省に対しては、職員の能率発揮の観点から制度の統一的な運用の確保の要請や必要な予算要求を統一的に行うことの要請なども考えられる。

第六節　分限、懲戒及び保障

（分限、懲戒及び保障の根本基準）

第七十四条　すべて職員の分限、懲戒及び保障については、公正でなければならない。

② 前項に規定する根本基準の実施につき必要な事項は、この法律に定めるものを除いては、人事院規則でこれを定める。

〔趣　旨〕

分限及び懲戒と保障

本条は、職員の分限、懲戒及び保障の根本基準としてそれが公正に行われなければならないこと及びその根本基準の実施に関し必要な事項については本法又は人事院規則で定めることを規定している。

職員の身分は第七五条によって強く保障されているが、公務能率を維持するため、あるいは職員の非行の責任を明らかにし、公務の規律と秩序を確保するために職員に対し、その意に反して不利益な処分ないしは取扱いを行わなければならない場合がある。これが分限及び懲戒であり、職員にとって著しい不利益を課するものである以上、それが恣意的に行われるようなことは厳に避けなければならない。本条は、職員に対する分限及び懲戒並びにこれらに対する保障及び職員の一般的な利益の保障、すなわち、勤務条件及び公務災害に関する補償が公正に行われなければならないことを求めるとともに、その公正を期するため、その実施については本法及び人事院規則で定めることを明らかにしている。

〔解　釈〕

一　分限及び懲戒の意義

１　分限の意義

分限とは、本法に明文の定義は設けられていないが、第七五条に定める身分保障を前提とした上で、公務能率を維持するための官職との関係において生ずる公務員の身分上の変動で職員に不利益を及ぼすものをいう。具体的には、職員の意に反する降任、休職、免職、降給、失職、離職、定年を総称するものである。なお、降給は職員の給与処遇の不利益な変動に関するものであるが、分限の範ちゅうに含めることが適切である。これらは、一定の事実の発生又は期日（期限）の到来をもって自動的に効果が発生するもの（処分性のないもの）と権限ある者の特別の行為を要するもの（処分性のあるもの）とに分かれる。前者には、欠格条項に該当することによる当然失職、死亡による離職、任期満了による退職、定年退職等があり、後者には休職、降任、分限免職及び降給のいわゆる分限処分がある。これらは、いずれも公務能率の維持又は公務の適正な執行の観点から認められているものであって、後述の懲戒とは異なり、本人の責めに帰すべき事由の有無を問わない。

２　懲戒の意義

懲戒とは、職員の義務違反に対し、公務の規律及び秩序維持の観点から科される制裁である。前述の分限処分とは異なり、職員の責めに帰すべき義務違反、具体的には公務組織の規律や秩序を乱す非違行為あるいは不作為の存在を前提にしている。また、懲戒は、使用者としての国によって科されるものである点において、国家社会の秩序を維持するために国家権力によって科される制裁である刑罰と区別される。なお、日常の職員管理の一環として行われる厳重注意や訓告等の部内矯正措置とも区別される。

懲戒の事由は、法令違反、職務上の義務違反、職務懈怠及び全体の奉仕者たるにふさわしくない非行であり、懲戒の種類は、免職、停職、減給及び戒告である。処分の対象となる義務違反は、懲戒が組織の規律ないし秩序の維持を目的とするものであるから、原則として、一般職の国家公務員としての身分を取得した後当該身分を喪失するまでの間のものに限られる。したがって、公務員の身分取得前の非行や、一旦離職して再び採用された職員の離職前の非行について懲戒処分を行うことはできない。ただし、人事交流のため一旦辞職して地方公共団体等に出向する場合や、定年退職日後に再任用される場合は、実質的に継続して公務に従事していると見ることができることから、それぞれ辞職又は定年退職前の非違行為についても懲戒処分を行うことを可能とする法律上の手当てがなされている（法八二２）。なお、任命権者を異にして異動した場合でも、使用者としての国は同一であり、かつ、任用が引き続いている以上、前の任命権者の下での義務違反について、後の任命権者が懲戒処分を行うことは可能である。詳しくは、第八二条を参照されたい。

二　保障の意義

本条の保障とは、第六節第三款の保障を指し、職員の経済的利益の保護のための勤務条件に関する行政措置の要求（法八六）、職員の意に反する身分上の不利益な処分に関する審査（法九〇）及び公務傷病に対する補償（法九三）の三制度による職員の利益の保障を意味している。これらは、いずれも職員の不利益な状態からの回復又は不利益な状態の改善あるいは公務によって生じた経済的不利益の補塡を図り、公務員が安んじて公務に専念できることを担保するための制度である。

勤務条件に関する行政措置の要求は、公務員の労働基本権が制約されていることに対応する代償措置の一つであって、職員の勤務条件の適正を確保するために、人事院の判定を要求できることを公務員の権利ないし法的利益として保障したものである。人事院の判定は、多くの場合、勧告的意見の表明であって、それ自体で直ちに公務員の勤務条件を変更する効力を持つものではないが、人事行政の専門機関が法律の規定に基づき正規の手続で意見を表明したものである以上、実質的に強い影響力を及ぼすことになり、その結果、公務員が法的にも一層有利な地位に置かれることになるという効果があるものである。

職員の意に反する不利益な処分に関する審査は、職員個人にとっては、行服法の体系下の行政処分に対する救済制度であるが、それは同時に、不当な不利益処分からの職員の保護を通じて職員が安んじて職務の執行に当たる環境を整備し、公務能率の向上を期待するという人事管理上の積極面を有するものである。

公務傷病に対する補償は、公務員が公務に基づく災害（負傷、疾病、障害及び死亡）を受けた場合における本人及びその扶養する者の受ける損害を使用者たる国がその過失の有無にかかわらず補償するものである。これは、国が公務員に対して負っている安全配慮義務（公務遂行のための物件、施設、器具等の設置管理又は公務遂行の管理に当たって公務員の生命及び健康等を危険から保護するよう配慮する義務）が尽くされたとしてもなお発生する公務災害に対処するために設けられたものであり（昭五一・一一・一二最高裁）、同時に職員が後顧の憂いなく職務に精励するための支えともなるものである。

補償制度の具体的内容は、補償法に定められている。そのうち、公務に基づく災害とは、これが使用者に対する支配従属関係下で発生したこと（公務遂行性）及び公務に起因し、かつ、公務と相当因果関係をもって発生したこと（公務起因性）の二要件を満たす必要があるとされてきている。

以上の三制度については、それぞれ第八六条、第九〇条、第九三条を参照されたい。

三　分限処分と懲戒処分との関係

分限処分と懲戒処分とは、その趣旨、目的を異にしているものであるから、両処分を併せ行うことは原則として可能である。しかしながら、一方の処分が分限免職あるいは懲戒免職である場合には、当該処分によって職員としての身分を失うものであるから、その後においては他の処分を行う余地はなくなる。懲戒免職の場合は、分限免職の場合と異なり、職員の非違行為に対する責任を問うという趣旨に加えて、退職手当が支給されないことを踏まえれば、懲戒免職にすべき場合にこれに代えて分限免職にすることは適当でないと解される。また、両処分の直接の効果が重なることとなる場合、例えば、身分を保有するが職務に従事しない点で共通している休職中の職員に対し停職の処分を科する場合や、無給休職中の職員に対し減給の処分を科するような場合は、議論の分かれるところである。実務の上では、かつては、実益がないとして、いずれの場合も消極に解していたが（昭三三・一二・五内閣法制局決裁）、無給休暇（専従休暇）中の職員に対する減給処分を承認した（昭四二人指一三—二二）事例もある。すなわち、懲戒の原因が複数の職員の共同行為である場合に、たまたま休職中の者について特定の懲戒処分ができないとすれば、処分の公平を欠くという事情を考慮して、懲戒処分は先行する休職処分と期間が重複する場合においても可能としたものであり、重複する期間は処分の効果が顕在化しないにすぎないと解することができるであろう。なお、処分の直接の効果が重なる場合であっても懲戒停職中の職員に対する休職処分は、休職が非難・制裁の趣旨を含むものではなく、単純に公務から一時的に排除するものであるから、停職中の職員をあえて休職にする特段の必要性は認められないと解される。

このほか、同一の事実に基づいて、分限処分と懲戒処分を併せ行うことも可能である（昭四二人指一三—二二）。組織の秩序を乱す行為として懲戒処分を行うと同時に、当該行為が当該職員の不適格性の徴表であるとして降任するような場合である。

分限処分と懲戒処分とを併せ行い得る場合に、両処分を行うか、一方の処分のみにとどめるかは、事案の性質、軽重、処分の及ぼす影響等を総合的に判断して慎重に決定すべきものであるが、組織の秩序維持の観点からすると懲戒事由がある場合には、懲戒処分は行うべきものといえよう。

四　公正の確保

人事管理は常に公正に行われなければならない。職員に不利益となる処分を行う場合や不利益状態からの救済を目的とする場合にはなおさらである。分限又は懲戒の処分が公正に行われたか否かは、個々の事案ごとに判断するほかはないが、その基本は、処分が苛酷であるか否か、他の処分と均衡がとれているかなどによって判断されることになろう。例えば、軽微な義務違反に対し不釣り合いなほど重い懲戒処分を行うがごとき場合のように、不利益な処分の原因となる事実と不利益な処分との間に均衡がとれていない場合（原因と処分とが比例していない場合）及び情状、過去の処分歴その他を総合しても他の類似の事案との間に均衡がとれていない場合（他の事例の取扱いと平等でない場合）には公正を欠くというべきであろう。一般に処分の軽重は処分権者の裁量に属するが、処分の効果は当該職員の勤務条件とも密接に関係し、量定の著しい不均衡は、裁量権の範囲を超え、本条に違反する場合もあり、また、事由によっては、平等取扱いの原則（法二七）違反に該当する場合もあり得ると考えられる。このため、分限処分について必要な手続等が通達で示されているほか（昭五四・一二・二八任企五四八）、懲戒処分の量定についても人事院から指針が示されている（平一二・三・三一職職六八）。

第一款　分　限

第一目　降任、休職、免職等

（身分保障）

第七十五条　職員は、法律又は人事院規則で定める事由による場合でなければ、その意に反して、降任され、休職され、又は免職されることはない。

②　職員は、この法律又は人事院規則で定める事由に該当するときは、降給されるものとする。

〔趣　旨〕

一　分　限

本法第六節第一款は、職員の分限に関する具体的な規定を定めている。本条においては、職員は法定事由によらない限り、その意に反して降任、休職、免職あるいは降給の処分を受けることがないとし、身分保障を定めている。

分限とは、前条で解説したとおり、身分保障を前提とした上での公務員の身分上の変動をいい、降任、休職、免職等の処分のほか、定年も含んでいる。

近代の公務員制度は、情実あるいは猟官による任用を排して成績本位による任用を行うことにその特質がある。公務への入口である採用の場合に、公開平等の競争試験を実施して情実の介入を排除する一方、採用された者が恣意的、かつ、不利益にその職を奪われることのないよう制限することも成績主義の任用及び公務の公正性、安定性の確保のために極めて重要である。本法が第三三条において、任免の根本基準として成績主義の任用と法定事由に限る免職を一体的に規定しているのもそのような理念の表明にほかならないといえよう。

この身分保障は、具体的には、職員の公正な職務遂行を保護し、職員が恣意的に職務系列から排除されることのないようにするため、公務の能率的運営の必要上その職務から排除せざるを得ない場合を法律で限定的に規定することによって、実現することとされている。これを民間の労働者と比べると、民間の労働者の場合には、従前は、労基法において業務災害により又は出産のため休業する期間中の解雇制限（同法一九）及び解雇予告（同法二〇）の規定のほか、判例上、解雇権の濫用に対する救済が広く認められてきた（解雇権濫用の法理）。この判例法理は、平成一五年改正で労基法に明記され、平成一九年に公布された労契法第一六条に移行した。同条においては、「解雇は、客観的に合理的な理由を欠き、社会通念上相当であると認められない場合は、その権利を濫用したものとして、無効とする。」と規定されていることから、公務員の場合と同じく、雇用関係に法律による保護が及んでいる。もっとも、公務にあっては、その適正かつ能率的運営を図るため、公務遂行の公正性と安定性を確保することが必要であり、そのために恣意的な人事や情実人事の排除がより強く求められていることから分限事由を法律で限定しており、民間の仕組みとは異なっている。なお、旧官吏分限令の下においても、身分保障がなされてはいたが、「官庁事務ノ都合ニ依リ必要ナルトキ」は休職にすることができ、その休職の期間が満了したときは当然退官者とされ、しかも行政裁判所への出訴の途も閉ざされていたため、政権政党が交代する場合などには、この休職制度を使って実際上の免職が行われ、情実人事の手段となっていた。現行法では、このような恣意的運用の温床となるような休職事由は存せず、また、休職期間の満了時に当然退職することもない。

二　職員の意思と分限処分

分限処分は本質的に職員の意思に反する処分として行われるものであるから、職員の意思に反しない処分は、分限処分としての性質を有しない。したがって、第三五条に規定する欠員補充の方法として、第七八条に規定する要件にかかわらず、任命権者は職員から書面による同意を得て降任させることができる（人規八―一二　二九2）。また、職員をその意に反しない形で公務部内から排除する方法としては、職員に書面をもって辞職の申出をさせ、これを承認する方法がある（人規八―一二　五二）。勧奨による退職の場合を含め、職員の自発的な意思に基づく退職は分限処分ではない。ただ、職員の休職の場合には、現行の公務員法体系上、意による休職を認めず、分限条項を職員の「意に反してでも」処分できるものと解して処理している。詳しくは第七九条を参照されたい。

〔解　釈〕

一　降任、休職、免職等

降任とは、「職員をその職員が現に任命されている官職より下位の職制上の段階に属する官職に任命すること」（法三四1③、人規八―一二　四③）とされている。なお、平成一九年の本法改正により、任用に用いる分類が、従前の公の名称や給与法上の職務の級の格付から標準職務能力の区分としての職制上の段階に改められたため、異なる部局間等の異動の中には、従前降任とされていたものが、転任ないし配置換となる場合も生じることとなり、立法論としては身分保障等の観点からの議論はあり得よう（具体的には、第三四条〔解釈〕特に**四**（今後の課題）を参照）。

休職とは、官職（身分）を保有したまま職員を職務に従事させないことをいう（法八〇4）。このような勤務上の関係は、停職の場合、派遣の場合及び育児休業等の場合も同様である。

免職とは、「職員をその意に反して退職させること」（人規八―一二　四⑩）をいう。

降給については、長らく関連する人事院規則が制定されていなかったが、新たな人事評価制度が導入されたことに伴い、平成二一年四月一日から、本条第二項に基づき、降格と降号の仕組みが整備された。降格とは「職員の意に反して、当該職員の職務の級を同一の俸給表の下位の職務の級に変更すること」をいい、降号とは「職員の意に反して、当該職員の号俸を同一の職務の級の下位の号俸に変更すること」（人規一一—一〇　三）をいう。ちなみに、平成二一年三月三一日までの制度においては、降格は降任と位置付けられていた。さらに、役職定年制導入に伴って、本法八一条の二第一項に規定される降給も降格に当たることが示されている（人規一一—一〇　三（令和五・四施行））。

二　処分事由の法定

任命権者が職員を意に反して降任し、休職にし、又は免職にすることができる事由は身分保障との関係から法律及びこれに基づく人事院規則により限定的に定められている。具体的には、本法第七八条（降任及び免職）、第七九条（休職）、人規一一—四第三条（休職）に定める場合のほか、行政執行法人労働関係法第一七条に定める争議行為を行った職員を解雇する場合がある。

なお、本条の文言上は、免職事由を人事院規則で定める余地があるように規定されているが、第三三条第三項において免職事由は法定することとされており、第七八条において事由が制限列挙されているので、人事院規則で免職事由を定める余地はないと解される。

降給の事由については、本法に具体的に列挙されておらず、本条第二項に基づく人事院規則により限定的に定められている。降給には、前述のように降格と降号の二種類が用意されている。このうち降格は、職員の職務を職責の低い職務に変更する場合に行うものであり、職員が降任されることに伴って降格が必要となる場合が典型である。しかし、職制上の段階が同一の官職であっても、個々の職務の職責には一定の幅があることから、例えば、課の総括業務を担当する職責の重い課長補佐から一般の課長補佐に異動させるなど、降任には該当しないが、担当する職務の級は一級下位の級に格付けとなる場合には降格が必要になることも想定される。このような場合の降格については、勤務成績不良や心身の故障等、意に反する降任ができる場合と概ね共通する観点から、職員がその職務の級に分類されている職務を遂行することが困難であると認められる場合の具体的な事由が定められている（人規一一—一〇　四）。他方、降号は、人事評価等により勤務実績がよくないと認められる場合で、指導等によってもなお改善されない場合において、各庁の長が必要と認めるときに行う処分である点では勤務成績不良の場合の降格と同様であるが、職員がその職務の級に分類されている職務を遂行することが可能であると認められる場合に行うものである点において大きく異なる（人規一一―一〇　五）。

なお、令和三年の定年引上げに係る本法の一部改正に伴い、管理監督職勤務上限年齢による降任等の仕組みが導入され、転任等により降給する場合が生じることとなったことに伴い、本条第二項に「この法律又は」が追加された。

三　身分保障の特例

職員の身分保障については、官職の特殊性に基づき種々の特例が設けられている。その概要は次のとおりである。

1　臨時的職員及び条件付採用期間中の職員については、本条の規定が適用除外されている（法八一1）。

2　本条第二項は、行政執行法人の職員には、適用されない（独立行政法人通則法五九1②）。

3　検察官については、検察庁法で次に掲げる場合及び懲戒処分による場合を除いては、「その意思に反して、その官を失い、職務を停止され、又は俸給を減額されることはない。」（検察庁法二五）とされている。

①　定年に達したとき。

②　心身の故障、職務上の非能率その他の事由によりその職務を執るに適しないときであって、検事総長、次長検事及び検事長については、検察官適格審査会の議決及び法務大臣の勧告を、検事及び副検事については検察官適格審査会の議決を経たとき。

③　検事長、検事又は副検事が検察庁の廃止その他の事由により剰員となり、欠位を待つ期間、俸給を半減されるとき。

したがって、検察官には、本法の分限に関する規定の適用はないものと解される。

（欠格による失職）

第七十六条　職員が第三十八条各号（第二号を除く。）のいずれかに該当するに至つたときは、人事院規則で定める場合を除くほか、当然失職する。

〔趣　旨〕

失職の意義

失職とは、職員が欠格条項に該当することによって当然離職することをいい（人規八―一二　4⑧）、本条は、職員が在職中に欠格条項に該当するに至った場合には、公務員としての身分維持の要件を欠くものとして当然にその身分を失う旨を規定している。

ところで、欠格条項である第三八条は、同条所定の事由に該当する者は就官能力を有しないものとしているが、これらの事由はその内容からみて、就官のみならず在任についても消極的資格要件とすべきものであるので、本条で在任中に同条に規定する公務員となることができない事由（欠格事由）に該当するに至った者は、特段の行為を要せず公務員の身分を当然に喪失する。

職員が特段の行為を要することなく当然にその職を失う場合としては、失職のほか、死亡、定年退職日の到来、法定の任期の満了、任用の期限の到来、公選による公職への立候補（公選法九〇）、一部職種における日本国籍の喪失の場合があるが、これらの場合には、失職ではなく当然退職とされている。

本条において、第三八条に定める事由に該当する場合であっても、「人事院規則に定める場合」には、失職しないことが予定されているが、この人事院規則は制定されていないので、失職の例外はない。第三八条においても人事院規則に定める場合には欠格事由に該当しないとしており、本条にいう人事院規則は第三八条の人事院規則と同趣旨のものと考えられる。

〔解　釈〕

一　失職の事由

失職の事由は、第三八条各号のうち、既にその身分を失っている「懲戒免職の処分を受け、当該処分の日から二年を経過しない者」（同条②）を除く、いずれかに該当する場合とされており、それらは次のとおりである。

①　禁錮（新刑法の施行日以降は、拘禁刑）以上の刑に処せられ、その執行を終わるまで又は執行を受けることがなくなるまでの者（第一号）

②　人事院の人事官又は事務総長の職にあって、第一〇九条から第一一二条までに規定する罪を犯し刑に処せられた者

（第三号）

③　日本国憲法施行の日以後において、日本国憲法又はその下に成立した政府を暴力で破壊することを主張する政党その他の団体を結成し、又はこれに加入した者（第四号）

第一号には執行猶予となった者も当然含まれ、失職することとなるので注意を要する。なお、欠格条項に該当していた者を誤って採用し、後日その事実が判明した場合には、その採用自体が無効であり、失職ではない。失職したことが後日判明した場合の給与等の取扱いについては、当初から欠格条項に該当していた者を誤って採用した場合の取扱いと同様に解すべきである。くわしくは、第三八条を参照されたい。

なお、就業の条件として免許の保持を義務付けられている職について、当該免許を有しないこととなった場合に当然失職するか議論の分かれるところである。判例では、教育職員免許法の適用を受ける国立学校の教育職員は、同法により授与される各相当の免許状を有する者でなければならない（同法三1）から、免許状を有することは教育職員の資格要件であり、この要件を欠くに至った場合には、教育職員を当然に失職する（昭三九・三・三最高裁）としているが、この趣旨を免許職一般に及ぼすことは疑問である。免許職にも専門性の極めて高いものからそうでないものまで多岐にわたる一方、公務員の身分を法律上の明確な根拠なくして喪失させることは適当でないからである。そのため、当該免許を有しなくなったときは、まず他の職種への配置換等を考慮し、それが不可能の場合に初めて第七八条第三号を適用して分限免職すべきものと解する。

公務員が在職中に日本国籍を喪失した場合には、外務公務員は後述するとおり失職するが、その他の公務員については明文の規定がなく、第三八条で解説した公務員に関する「当然の法理」との関係で、公権力の行使又は国家意思の形成への参画に携わる官職にある者は国籍の喪失によって公務員たる地位を失うが、それ以外の官職にある者は国籍の喪失によって直ちに公務員たる地位を失うことはない（昭二八・三・二五法制局一発二九内閣法制局第一部長）とされている。

二　外務公務員の特例

外務公務員は、一の場合のほか、①日本の国籍を有しなくなったとき、②外国の国籍を有することとなったときは当然失職する（外務公務員法七）。これは、外務公務員の職責に照らし、日本国への忠誠心を確保する観点から、日本国籍の保持と外国籍の不保持を義務付けているものである。なお、かつては外務公務員の配偶者についても国籍による制限があったが、現在は廃止されている。

三　失職の時期と効果

欠格条項に該当して職員が失職するのは、それぞれの事実が確定した時点である。例えば、禁錮（新刑法の施行日以降は、拘禁刑）以上の刑の言渡しがあり、上訴提起期間を経過した場合には、言渡しのあった日の翌日から起算して一四日目の午後一二時の経過とともに刑が確定し、同時に失職する（昭三四・一二・一九任企―九三九）。

失職は処分ではないため、不利益処分の説明書の交付（法八九）は必要ないが、事実の確認及び通知の観点から、人事異動通知書を交付しなければならないと定められている（人規八―一二　五三⑨）。

失職者が占めていた職の職務及び責任、失職者が行った非違の内容及び程度、当該非違が公務に対する国民の信頼に及ぼす影響その他の政令で定める事情を勘案して、失職者に対し退職手当の全部又は一部を支給しないこととする処分がなされる場合がある（退手法一二1②）。

禁錮（新刑法の施行日以降は、拘禁刑）以上の刑に処せられて失職した場合には、従前の公務員年金の三階部分である職域加算額は刑の執行中は全額支給停止となっていたところ、平成二七年の年金一元化により、職域加算額は廃止になったが、職員の服務規律維持の観点から、経過的職域加算額及び新たな退職年金又は公務障害年金も一定期間、支給停止となる（共済法九七　同施行令二一の二）。

（離職）

第七十七条　職員の離職に関する規定は、この法律及び人事院規則でこれを定める。

〔趣　旨〕

本条は、離職については、それが公務員関係の消滅をもたらすものであって職員の身分保障上極めて重要な意味を持つものであるため、この法律及び人事院規則で定めることを明らかにしている。

なお、制定当初の第七七条は、「職員の弾劾に関する規程は、別に法律でこれを定める。」と規定していたが、同規程は制定されず、昭和二三年の第一次改正によって現在のように改正された経緯がある。「公務員を選定し、及びこれを罷免することは、国民固有の権利である。」（憲法一五1）が、この条文は、国民主権主義の原則の公務員制度における一つの表現にほかならず、直接国民に各公務員を罷免する権利を設定したものではない（昭二六・一〇・三〇広島地裁）。さらに、弾劾は、歴史的には裁判官など手厚い身分保障がなされている者の非行を訴追するために行われてきた制度であって、むしろ一般職の公務員に対しては懲戒その他の服務規律で厳重に監督すべきであるとして、本法から弾劾の規定は削られ、代わって職員の離職について規定されたものである。なお、人事官については、その地位に鑑み、弾劾が行われることも適当であるとされて弾劾の制度が設けられている（法九）。

〔解　釈〕

一　離職の事由

離職に関する事項を定めるものとしては、本法第三三条第三項、第七五条第一項、第七六条、第七八条、第八一条の六、第八二条、人事院規則八―一二第五一条、第五二条、人事院規則一一―四第七条、第九条、第一〇条がある。

「離職」とは、「職員が職員としての身分を失うこと」（人規八―一二　四⑦）であり、その類型は次のとおりである。なお、死亡は、間接的に身分に影響があるものの身分自体の変動ではないことから、離職には含まれない。

- 失職
  - 離職
    - 懲戒免職
    - 退職
      - 免職
      - 辞職
      - 定年退職
      - 任期満了又は期限の到来による当然退職
      - その他の退職
  - 死亡

ここに「失職」とは、「職員が欠格条項に該当することによって当然離職すること」（人規八―一二　四⑧）を、「懲戒免職」とは、本法第八二条に基づく懲戒処分としての免職を、「退職」とは「失職の場合及び懲戒免職の場合を除いて、職員が離職すること」（人規八―一二　四⑨）を、「免職」とは、「職員をその意に反して退職させること」（人規八―一二　四⑩）を、「辞職」とは、「職員がその意により退職すること」（人規八―一二　四⑪）をそれぞれいう。「定年退職」とは、本法第八一条の六に基づく当然退職のことであり、「任期満了又は期限の到来による当然退職」とは、臨時的任用（法六〇、人規八―一二　三九）、任期付任用（人規八―一二　四二、任期付職員法）等の任期を付して任用された職員の任期が満了しての当然退職及び本法第八一条の七による勤務延長の期限の到来による当然退職をいう。その他の退職には、本法第六〇条第三項の規定によって臨時的任用が取り消され当然退職する場合及び公選による公職への立候補に伴い公務員たることを辞したとみなされる場合（公選法九〇）が含まれる。

このほか、公務員に関する「当然の法理」により、日本国籍の喪失に伴い公務員たる地位を喪失する場合がある。任期を定めて任用された職員の任期が満了した場合には、当然退職することとなるが、期間業務職員などの非常勤職員についても、任期を定めて任用された場合には同様である（人規八―一二　四六の二）。

なお、離職のうち、免職に関しては第三三条第三項の規定により、法律に定める事由に基づかなければならないこととされているので、今後とも法律に特別の委任がない限り、人事院規則でその事由を定めることはできないものである。

二　辞　職

公務員の退職意思の表示に基づく退職である辞職に関しては、本法に特別の定めはなく、人規八―一二において定められている。同規則では、辞職の申出は書面をもってすることを建前とし、任命権者は職員から書面による辞職の申出があったときは、特に支障のない限りこの申出を承認するものとされている（人規八―一二　五一）。公務員としての身分の得喪については、明確な手続をもってする必要があり、口頭による辞意の表明は任命権者を拘束するものではない。また、辞職の実現には任命権者の行政行為（辞職承認処分）を待たなければならない。辞職願を提出しただけでは当然に辞職の効果が生ずるものではなく、任命権者の承認処分を得て初めて辞職の効果が生ずるからである。特に支障がある場合とは、直ちに後任者を補充することが困難で、離職により公務の運営に重大な支障をきたすおそれがある場合等極めて限定された場合であって、たとえそのために辞職承認の時期を引き伸ばすときでも、その期間は必要最小限の期間に限られるものである。

なお、辞職を申し出た職員について非違行為が明らかになり、公務の秩序維持上懲戒処分に付す必要がある場合には、任命権者は辞職を承認することなく懲戒手続に付することができる。倫理法等に違反する疑いがあり国家公務員倫理審査会の調査が開始されている場合には、任命権者はその対象職員に対し退職に係る処分を行おうとするときは、同審査会に協議しなければならない（倫理法二八４）。また、分限免職事由に該当する場合には、職員が自発的に辞職願を提出しても、分限免職するかあるいは辞職承認するかは任命権者の裁量に属するとの判定（昭三二人指一三―一）がある。辞職承認処分と分限免職処分との間には、身分を失う直接の効果においても、また制裁的意図の有無においても基本的差異は認められないが、いずれの離職が適切であるか事案に即して判断すべきであろう。

辞職の申出を書面によることに限定したのは、本人の離職する意思を明確にし、手続の慎重を期す趣旨である。一旦辞職願を提出した後にその申出を撤回することは、なんらの規定がないため、原則として自由であるが、信義に反するような特段の事情がある場合には撤回は認められない。辞職願の提出を前提として進められた爾後の手続が全て徒労に帰し、個人の恣意により行政秩序が犠牲に供される結果となるからである（昭三四・六・二六最高裁）。信義に反するか否かは、判例では「撤回者自身の行為について勘案すべき」（昭三七・七・一三最高裁）としているが、撤回の動機、撤回の時期、任命権者における退職手続の進捗状況、撤回を認めた場合の善後策の可能性等を総合的に判断しなければならないであろう。信義に反する特段の事情があるとされた事例には、辞職承認と一体となっている軽減された懲戒処分が発令された後において辞職願を撤回した場合（昭五六・四・一六東京地裁）があり、信義に反しないとされた事例には「退職願提出の当日撤回を決意し、その翌日直ちに撤回に着手したような場合」（昭三七・七・一三最高裁）がある。辞職願の撤回の様式については、明文の規定がないため、口頭でも差し支えない（昭三四・六・二六最高裁）。辞職願及びその撤回は、身分の得喪に関わる公法上の意思表示であるため、自ら直接行うことを要し、使者を介することは許されるが、代理人による意思表示は許されない（昭三九・六・一二奈良地裁）。

辞職の承認は任命権者の行為が外部に表示されたとき（発令があったとき）に効力が発生する。辞職承認の効果に関しては、その辞職の申出が地方公共団体への転出を予定してなされたにもかかわらず当該転出が実現しなかった等の事由によっては当然には当該辞職の承認が無効とされるものではない（昭二九・八・一〇　二一―二三〇人事院事務総長）。しかしながら、辞職願の意思表示に年金受給資格の有無についての動機の錯誤があり、しかもそれが相手方に表示されていたという事情があれば、その意思表示には要素の錯誤があって無効である（昭四四・四・二四東京地裁）、強迫によりなされた退職の意思表示は、その承認がされた後でも、公共の利益に重大な影響を及ぼす特段の事情のない限り取り消すことができる（昭五七・一二・二二東京地裁）などの裁判例がある。

また、辞職願が、形式上、任命権者でない者を対象としてなされたもののように表示されていても、実質的には任命権者に宛ててなされ、かつ、任命権者においてもこのことを知り、又は知りうべき場合であるならば、同辞職願による辞職の申出は無効ではなく、任命権者に対する意思表示として効力を有する（昭三一人指一三―一九）。辞職願について、様式は定められておらず、日付の記載がない場合においても職員の意思が明確に表示されている限り辞職願として有効と解すべきである（昭三八人指一三―三五）とする判定もある。

なお、人事管理の運用において、特別職、地方公務員等との計画的人事交流を行うため、任命権者の要請を契機とした退職が行われることが多い。形式的には、本人の意思に基づいて離職するものであるので、これも辞職であるが、実質的には人事交流であり、交流先に在職した後、交流先を辞職して再度採用されることが予定されていることから、この場合の辞職においては、退職手当は支払われず（退手法七の二1）、再度の採用の際にも選考によることができるとされ（人規八―一二一八1⑦）、また、その採用は条件付のものとはならないとされている（人規八―一二　三二①）。立法論的には、離職、再採用等の身分変動に関して法的整備を行うことも検討課題といえよう。

三　離職の特例等

職員の離職に関しては次のような特例が定められている。

1　行政執行法人労働関係法の適用を受ける職員には、本条は適用されない（同法三七1①）。離職の基準に関する事項は、団体交渉の対象とすることが適当だからである。ただし、離職のうち、失職、分限免職及び懲戒免職については、公務員制度として法律において規定されるべき事項であり、団体交渉にはなじまないことから本法が適用される（同法三七1）。また、同法第一七条の禁止に反して争議行為を行った場合には、解雇されるものとされている（同法一八）。

2　検察官については、検察庁法に特例があり、検察官は特定の場合を除き、その意思に反して官を失うことはないとされている（検察庁法二五）。詳しくは、第七五条を参照されたい。

（本人の意に反する降任及び免職の場合）

第七十八条　職員が、次の各号に掲げる場合のいずれかに該当するときは、人事院規則の定めるところにより、その意に反して、これを降任し、又は免職することができる。

一　人事評価又は勤務の状況を示す事実に照らして、勤務実績がよくない場合
二　心身の故障のため、職務の遂行に支障があり、又はこれに堪えない場合
三　その他その官職に必要な適格性を欠く場合
四　官制若しくは定員の改廃又は予算の減少により廃職又は過員を生じた場合

〔趣　旨〕

一　分限処分としての降任及び免職

本条は、分限処分のうち降任及び免職の事由を規定している。

職員には、身分保障が認められているが、特定の場合には、この身分の保障が公務能率を阻害することがある。分限処分とはこのような場合に職員の意に反して身分を変動し、喪失させる処分をいう。ここで降任処分とは現に任命されている官職より下位の職制上の段階に属する官職に任命すること（法三四１③）、免職処分とは職員をその意に反して退職させることをいう（人規八―一二　四⑩）。

降任又は免職ができる場合としては、まず第一に、公務員の側に職責を全うするに必要な要件である当該官職への適格性が認められない場合がある。具体的には、本条第一号に規定する勤務実績がよくなく職責を全うしていない場合、本条第二号に規定する心身の故障のため職責を全うできない場合及び本条第三号に規定するその他適格性を欠く場合である。第二には、国の側に公務員の任用を維持できないやむを得ない事由が生じた場合である。具体的には、官制の改廃によって官職が

消滅した場合及び定員の改廃又は予算の減少によって過員を生じた場合である。

本条は、職員の「意に反する」降任及び免職の場合を規定しているものであり、その意に反しない降任又は辞職は、本条の埒外にある。降任は、欠員補充の一方法（法三五）として任命権者の裁量に委ねられているものであるが、その性質上職員に不利益なものであるから、身分保障の観点から本条によって「意に反して」行う場合が制約されているのであり、意に反しない場合には、本条の制約なしに任命権者は職員からの書面による同意を得て、降任させることができる（人規八—一二　二九２）。

なお、「諭旨免職」という用語が用いられることがあるが、これは、職員に極めて重大な非違行為が認められる場合に情状等を酌量し、本人に辞職願を提出させ、これを承認するものであるから、分限免職でも懲戒免職でもなく、辞職の一態様と観念される。ただ、非違行為に関しては、適切に懲戒処分を行う必要がある。

二　処分の裁量性

職員に不適格性の徴表が認められる場合に、降任及び免職のいずれの処分に付するかの判断は、任命権者の裁量による。この場合の裁量は、任命権者の純然たる自由裁量ではなく、分限制度の目的と関連のない目的や動機に基づいて分限処分をした場合、考慮すべき事項を考慮せず、考慮すべきでない事項を考慮して判断した場合、その判断が合理性を持つものとして許容される限度を超えた場合には違法なものとなる。また、降任とするか免職とするかの裁量の範囲には広狭がある。現に就いている官職を中心に見れば、いずれの場合でもその官職を離れることに変わりはないが、降任の場合にはいまだ公務にとどまれるのに対し、免職の場合には公務員の地位を失う点に相違があるから、降任の場合は免職の場合に比し裁量の範囲が広く認められる（昭四八・九・一四最高裁）。職員に不適格性の徴表が認められるときは、運用上は、まず、当該職員の能力、適性を活かしうる官職への転任、配置換を考慮し、それが不可能な場合に降任、更に免職を考慮することになろう。

〔解　釈〕

一　降任又は免職の事由

第一号の「人事評価又は勤務の状況を示す事実に照らして、勤務実績がよくない場合」については、人事評価制度の導入に伴い、人事評価等との関係が明確にされた。すなわち、次に掲げる場合であって、指導その他の人事院が定める措置を行ったにもかかわらず、勤務実績が不良なことが明らかなときにはその職員を降任させ、又は免職することができる（人規一一―四　七１）。

①　当該職員の能力評価又は業績評価の確認が行われた全体評語が下位（評語の段階が二段階又は三段階の場合の最下位の評語）又は「不十分」（評語の段階が六段階の場合の最下位の評語）の段階である場合

②　①に掲げる場合のほか、当該職員の勤務の状況を示す事実に基づき、勤務実績がよくないと認められる場合

勤務実績の判断は客観的事実に基づいて行われなければならない。この点、客観的な基準に基づき、所定の手続を経て行われた人事評価の全体評語は分限処分の契機とするのに足りる客観性を備えているといえよう。また、人事評価に限らず、文書や記録のような客観的な資料に基づいて判断することも許される。

本号にいう勤務実績は、一般職の職務についての勤務実績をいうものであるが、災害対策基本法（昭三六法二二三）により派遣された職員については、派遣された地方公共団体の職員としての職務が一般職の国家公務員としての職務とみなされている（災害対策基本法施行令一七６）。

第二号の「心身の故障のため、職務の遂行に支障があり、又はこれに堪えない場合」とは、身体的故障又は精神的故障により職員が現に就いている官職の職務遂行に支障があり、又はこれに堪えない場合をいう。職員が本号に該当する場合には、心身の故障の状況、官職の職務遂行へ及ぼす影響等を総合的に判断し、降任するか免職するかを判断することになる。一般に職員が心身の故障の状態に陥った場合には、病気休暇が認められており、また、第七九条第一号の病気休職の措置もある。通常はこれらの措置が逐次行われた後に本号の判断がなされることになろうが、法律上は、本号による免職に先立って必ず第七九条第一号の病気休職を認め、その満了を待ってこれを行わなければならないものではない。心身の故障の状況いかんによって直ちに本号によって措置することも可能である。第七九条第一号により休職にされた職員が三年の休職期間満了の際もなおその休職の原因である心身の故障が回復せず、長期にわたり勤務することができないことが明らかなときは、原則として本号により免職すべきであるとされている（昭二九・一・一四　一二―三二人事院事務総長）。なお、心身の故障は公務災害に起因するものであると否とを問わないが、公務に起因する場合においては、いかなる措置が適切であるかをより一層慎重に判断することが求められる。

第三号の「その他その官職に必要な適格性を欠く場合」とは、当該職員の簡単に矯正することのできない持続性を有する素質、能力、性格等に起因してその職務の円滑な遂行に支障があり、又は支障を生ずる高度の蓋然性が認められる場合をいう（平一六・三・二五最高裁）。なお、第一号又は第二号に該当しつつ、同時に適格性を欠く場合（第三号）とされることもあり得る。勤務実績不良及び適格性欠如と評価できる事実の例として、勤務を欠くことにより職務を遂行しなかった、割り当てられた特定の業務を行わなかった、不完全な業務処理により職務遂行の実績が上がらなかった、業務上の重大な失策を犯した、職務命令の違反や拒否をした、上司等に対する暴力・暴言・誹謗中傷を繰り返した、協調性に欠け他の職員と度々トラブルを起こした、といったものが挙げられている（平二一・三・一八人企五三六）。

適格性の有無は、当該職員の外部にあらわれた行動、態度に徴して判断するほかはない。この場合、個々の行為、態度につき、その性質、態様、背景、状況等の諸般の事情に照らして評価すべきことはもちろん、それら一連の行動、態度については相互に有機的に関連付けてこれを評価すべく、更に当該職員の経歴や性格、社会環境等の一般的要素をも考慮する必要があり、これら諸般の要素を総合的に検討した上、当該職に要求される一般的な適格性の要件との関連においてこれを判断しなければならないとされている（昭四八・九・一四最高裁）。この判断に当たっては、ただ一つの行為を捉えてそれを不適格性の徴表とみることができる場合もあるし、また、一定の行為が多少時間的に反復継続していてもいまだ不適格性の徴表とみられない場合もある（昭二七・五・六大阪高裁）。職員がその職責につき法令に従わずあるいは上司の職務上の命令に従わないことがあったとしても、それが懲戒事由に該当することは別として、直ちに適格性を欠く場合には当たらない（昭四一・七・一二広島地裁）こともあり得る。

適格性を欠くと認められた具体例のうち、勤務実績の不良や心身の故障との関連がないものとしては、私用旅行に出たまま、災害にあったとも考えられないのに、相当期間行方不明となった場合（昭三四・九・三〇任企六九四）がある。

第四号の「官制若しくは定員の改廃又は予算の減少により廃職又は過員を生じた場合」の「官制」とは、行政組織のことであり、通常、内閣法、内閣府設置法、行組法及び各行政機関の設置を定める法律の体系によって形成される組織をいい、政省令で定められた組織も含まれる。「定員」とは、行政機関の職員の定員に関する法律（定員法）その他職員の定員に関する法令により定められた定員をいう。定員法による場合は、同法に基づく政令（行政機関職員定員令）により、内閣の機関、内閣府、復興庁、各省別の定員のほか、省令、訓令等で定められる定員を含むものであるが、末端の法令まで含めると全体では定員に余裕があるにもかかわらず、過員が生じる場合があるなど職員の身分保障の観点からは問題がある。「予算の減少」とは、必ずしも予算の絶対額の積極的減少のみを指すものではなく、予算の絶対額の減少はなくとも当該予算額算定の基礎が変更され、そのため当初予算額によって支弁されるべき職員数又は事業量若しくは事務量の減少を余儀なくされ、過員を生ずるに至ったような場合も含まれる（昭四二・一・一九奈良地裁）。「廃職」とは、行政機構の改正等の場合、行政機関の組織を定めた法令の改廃によってその機関に置かれていた官職が廃止されることをいう。

なお、かつて人員整理の手段として、旧人事院規則一五―七（特別待命）や行政機関職員定員法の一部を改正する法律（昭二九法一八六）附則第一〇項以下の規定に基づき、待命制度が実施されたことがある。これらの待命制度においては、将来的に離職することを前提に、一定期間給与を受けながら職務に従事しないことが認められていた。

二　労働基準法との関係

一般職の国家公務員には労基法は適用されないが（法附則六）、本法第一次改正法律附則第三条において労基法の規定が「別に法律が制定実施されるまでの間、国家公務員法の精神にてい触せず、且つ、同法に基く法律又は人事院規則で定められた事項に矛盾しない範囲内において」準用されるとされているため、その第一九条（解雇制限）及び第二〇条（解雇の予告）の規定が準用されるか否か議論のあるところである。前者につき積極に解された事例（昭二四・一〇・二〇法制一人事院法制局長）もあるが、公務の能率的な運営の確保の観点から特に本条が設けられている趣旨に照らせば、両者とも消極に解すべきであろう。

また、行政執行法人労働関係法の適用を受ける職員については、本条は適用除外されていないが、一方その職務と責任の特殊性に基づき、本法附則第六条及び同法第一次改正法律附則第三条の規定は適用されないこととされ（行政執行法人労働関係法三七1）、労基法が全面適用されることになっているが、右に述べた趣旨から、労基法第一九条及び第二〇条は行政執行法人の職員には適用されないものと解する。

三　降任及び免職の手続

降任及び免職の処分手続については、職員の権利、利益を保護する観点から、人規一一―四で次のように規定されている。

第一号による場合とは、勤務実績がよくない場合であって、指導その他の人事院が定める措置を行ったにもかかわらず、勤務実績が不良なことが明らかなときとされている（人規一一―四　七１）。勤務実績がよくないことの原因としては、本人の能力・適性と当該官職の職務遂行に必要な能力・適性とが適合していないこと、仮に適合していてもその他の要因によって本人の勤務意欲が欠如ないしは希薄になっていること等が考えられる。したがって、勤務実績がよくないからといって直ちに降任や免職とすることは適当ではなく、職員に対する指導、転任その他の職務の見直し、研修の受講などの措置を講ずることが必要とされている。

また、不利益処分である分限処分については、行政手続法の定める事前手続は適用されないが（同法三１⑨）、運用上、任命権者は警告書を交付した後、弁明の機会を与えなければならないとされている。警告には、勤務実績の不良と評価することができる事実が認められるので、その改善を求めるとともに、改善がされない場合は分限処分が行われる可能性がある旨を記載することとされている。ただし、職員の勤務実績不良の程度、業務への影響等を考慮して、速やかに処分を行う必要があると認められる場合には、この限りではないとされている。

第二号による場合には、「任命権者が指定する医師二名によって、長期の療養若しくは休養を要する疾患又は療養若しくは休養によっても治癒し難い心身の故障があると診断され、その疾患若しくは故障のため職務の遂行に支障があり、又はこれに堪えないことが明らかな場合」（人規一一―四　七３）とされており、医師二名の診断書を取る手順を経なければならない。この場合、右の診断のための命令は、国家公務員法第九八条に規定する職務上の命令であって（人規一一―四　一四）、拒否できないと解されている（昭二四・五・二八法審回発三七九二）。したがって、正当な理由なく受診命令に従わない場合には、第三号の規定による免職が行われる可能性がある。

第三号による場合は、「職員の適格性を判断するに足ると認められる事実に基づき、その官職に必要な適格性を欠くと認められる場合であって、指導その他の人事院が定める措置を行ったにもかかわらず、適格性を欠くことが明らかなとき」（人規一一―四　七４）とされており、客観的な資料により事実の確認を慎重に行わなければならない。また、処分に当たっての警告書の交付や弁明の機会の付与については、第一号と同様である。

なお、第一号から第三号に掲げる事由に該当する場合において、どのような処分を行うかについて任命権者に裁量があることは前述のとおりである。

第四号により降任又は免職すべき職員の選択は、「任命権者が、勤務成績、勤務年数その他の事実に基づき、公正に判断して定める」（人規一一―四　七5）ものとされている。廃職又は過員を生じた場合の分限免職の手続として法令上定められているのはこれに限られるが、本法第七五条が定める身分保障の趣旨を踏まえ、通常、このような場合にも直ちに分限免職が行われないよう措置が講じられる。ある組織が形式的に廃止される場合において、実質的な後継組織が新設されるときは、廃止組織の職員を後継組織の相当の職員となるものとする旨の規定が設けられるのが一般的である。

また、民間労働法制においては、「解雇は、客観的に合理的な理由を欠き、社会通念上相当であると認められない場合は、その権利を濫用したものとして、無効とする。」（労契法一六）とされ、整理解雇の際には、判例法理により、①人員削減の必要性、②人員削減の手段として整理解雇を選択することの必要性（解雇回避努力義務）、③解雇対象の選定の妥当性、④解雇手続の妥当性が求められている。これが、いわゆる整理解雇の四要素であり、地方公務員に関する事例であるが、任免権者において被処分者の配置転換が比較的容易であるにもかかわらず、配置転換の努力を尽くさずに分限免職処分をした場合に、権利の濫用となるとされており（昭六二・一・二九福岡高裁）、整理解雇の四要素は、公務において直接適用されるものではないが、その趣旨は当てはまるものと解される。

この点、平成二一年に社会保険庁が廃止され、法人として日本年金機構が設置された際には、身分承継規定が整備されない中で、五二五名の職員が分限免職処分とされた。そのうち一部の者より、これを不服として処分取消しを求めて人事院に審査請求が申し立てられたが、人事院は「法第七十八条第四号の処分は、専ら官側の都合により免職という重大な不利益を職員に対して課す処分であることから処分を行う前提として分限免職回避に向けてできる限りの努力を行うことが求められるものと考えられる。そして、分限免職回避に向けた努力が不十分なまま処分が行われた場合には、当該処分は裁量権を濫用したものとなると解される。また、分限免職回避に向けて努力を行う主体は、一義的には処分権者たる社会保険庁長官であることはいうまでもないが、分限免職回避に向けてできる限りの努力を行うことを基本計画において定め、基本計画において厚生労働省への配置転換に係る取組が明記されたこと及び厚生労働大臣は公的年金事業の主任の大臣であり、また、同庁を外局に持っていたことからすれば、同大臣も分限免職回避に向けての努力を行うことが求められる立場にあったものと認められる」（平二五・三・二九指令一三―七等）と主任の大臣の分限免職回避努力義務があったとし、審査請求を行った七一名のうち二五名については、それが尽くされていないとして、分限免職処分が取り消されている。

なお、第四号による処分の発令日付は、同号の事実の発生した日であって、その前日とすべきではないが（昭三九・三・二四任企一四五）、特別の事情がある場合には、前日限りとすることも許容される（昭五七・一・二七福岡地裁　昭六二・一・二九福岡高裁）。

当然のことながら、先日付の免職処分も許される（昭四〇・四・五鹿児島地裁）。

本条によって降任又は免職する場合には、人事異動通知書を交付して行わなければならず（人規八―一二　五四）、この通知書が被処分者に到達したときにその効力が発生する。

四　職員の免職に関する特例

1　臨時的職員及び条件付採用期間中の職員の免職については、本条は適用されず、より弾力的に取り扱うことができる（法八一、人規一一―四　九、一〇）。

2　検察官の免官に関しては、検事総長、次長検事及び検事長については検察官適格審査会の議決及び法務大臣の勧告を経て、検事及び副検事については検察官適格審査会の議決を経て行わなければならない（検察庁法二三1）。

（幹部職員の降任に関する特例）

第七十八条の二　任命権者は、幹部職員（幹部職のうち職制上の段階が最下位の段階のものを占める幹部職員を除く。以下この条において同じ。）について、次の各号に掲げる場合のいずれにも該当するときは、人事院規則の定めるところにより、当該幹部職員が前条各号に掲げる場合のいずれにも該当しない場合においても、その意に反して降任（直近下位の職制上の段階に属する幹部職への降任に限る。）を行うことができる。

一　当該幹部職員が、人事評価又は勤務の状況を示す事実に照らして、他の官職（同じ職制上の段階に属する他の官職であつて、当該官職に対する任命権が当該幹部職員の任命権者に属するものをいう。第三号において「他の

官職」という。）を占める他の幹部職員に比して勤務実績が劣っているものとして人事院規則で定める要件に該当する場合

二　当該幹部職員が現に任命されている官職に幹部職員となり得る他の特定の者を任命すると仮定した場合において、当該他の特定の者が、人事評価又は勤務の状況を示す事実その他の客観的な事実及び当該官職についての適性に照らして、当該幹部職員より優れた業績を挙げることが十分見込まれる場合として人事院規則で定める要件に該当する場合

三　当該幹部職員について、欠員を生じ、若しくは生ずると見込まれる他の官職についての適性が他の候補者と比較して十分でない場合として人事院規則で定める要件に該当すること若しくは他の官職の職務を行うと仮定した場合において当該幹部職員が当該他の官職に現に就いている他の職員より優れた業績を挙げることが十分見込まれる場合として人事院規則で定める要件に該当しないことにより、転任させるべき適当な官職がないと認められる場合又は幹部職員の任用を適切に行うため当該幹部職員を降任させる必要がある場合として人事院規則で定めるその他の場合

〔趣　旨〕

幹部職員の降任に関する特例

平成二六年本法改正においては、幹部職員人事の一元管理が導入されるなど、内閣による戦略的かつ機動的な人事の実施を推進するための措置が設けられた。その中の一つが本条の政策課題の実施のための幹部職員の特例降任である。仮に、現下の政策課題の実施に関し、現在の担当局長と比べてより適任の者がいて局長を交替させようとすると、現任者については、転任、昇任又は退職によりポストを空けさせる必要が生じることとなる。その際に適切な異動先がなく、本人が退職しない場合には、最適任者の登用もできない。従前より、毎年の定期異動において、事務次官や局長が退職して後任に途を譲る人事が行われてきたが、公務員は幹部職員も含めて定年まで勤務することを基本とすべきとの考え方に沿って、退職によることなく、上述のような最適任者の登用ができない場合に対処できるよう、一定の要件の下で幹部職員の範囲内で降任を

可能とする仕組みが導入されたものである。なお、本条は、国家公務員制度改革基本法第五条第二項第五号において、「幹部職員等の任用、給与その他の処遇については、任命権者が、それぞれ幹部職員又は管理職員の範囲内において、その昇任、降任、昇給、降給等を適切に行うことができるようにする等その職務の特性並びに能力及び実績に応じた弾力的なものとするための措置を講ずるものとすること。」と規定されたこととも整合するものとなっている。

すなわち、本条に定める三つの要件のいずれにも該当するときは、前条各号に掲げる分限処分の事由に該当しない場合であっても、その意に反して幹部職員の範囲内において直近下位の職制上の段階に属する幹部職への降任を行うことができることとしたものである。

本条で規定する三つの要件とは、

① 同一の任命権者の下で同じ職制上の段階に属する他の幹部職員と比べて勤務実績が劣っていること。

② 当該幹部職員が現に任命されている官職に幹部職員となり得る他の特定の者を任命すると仮定した場合に、その者が、当該幹部職員より優れた業績を挙げることが十分見込まれること。

③ 転任させるべき適当な官職がないと認められること又は幹部職員の任用を適切に行うため当該幹部職員を降任させる必要があること。

とされており、それぞれの細目については人事院規則に委任されている。

本条は、人事評価の結果等に照らして勤務実績がよくない場合に該当しない場合であるにもかかわらず、一定の要件を満たした場合には降任の対象となり得るという制度であり、第三三条の任免の根本基準に定める成績主義の原則との関係について、どのように考えるかが問題となる。

この点に関しては、本条に基づく降任は、人事評価その他の客観的な事実に基づき、現任者よりも別の者の方が優れた業績を挙げると十分見込まれる場合に限定されることに加え、降任先の官職も幹部職であって、現任官職の直近下位の職制上の段階に属するものに限られることになることから、幹部職員についてより弾力的な任用を行うという目的に照らして成績主義の原則との関係でも許容されるものと整理されている。ただし、特例降任は、勤務成績は劣っていないにもかかわらず、「本人の意に反する降任」を行うものであるので、任命権者は、当該降任の対象となる職員と十分に意思疎通を図り、理解と納得を得る努力を行うことが当然求められよう。

なお、上述のとおり、本条の規定では幹部職員の範囲内において降任を行うことができるとされていることから、幹部職のうち職制上の段階が最下位の段階のものを占める部長級の職員を管理職員となる課長級に降任することは、本条の規定によってはできないこととなる。

また、本条は、前条と同様に職員の「意に反する」降任について規定しているものであり、その意に反しない場合には、本条の対象とならないところである。

ところで、幹部職員の任用の弾力化については、本条に規定する内容のほか、立法論としては、①幹部職員の職制上の段階の大括り化、②待命休職制度の導入、③幹部職の特別職化などが考えられ、これらの選択肢に関する議論もなされているところである。しかしながら、①は職制上の段階は業務上の指示権と密接に関連して設けられているので、大括り化は役職の持つ責任の内容にも影響を与えることが考えられるほか、②は職員の新陳代謝の促進という面はあるものの、戦前の官吏制度において類似の制度が政権交代の際に濫用され、身分保障上、大きな弊害が生じていた経験を踏まえる必要があろう。さらに、③はいわば、政治任用化であり、成績主義の原則とは別次元の問題となる。このように、これらの選択肢はいずれも問題を有しており、その中で本条の方策が導入されたわけであるが、本条についても厳正な運用が求められる。

〔解　釈〕

一　特例の要件

本条は、法律上、三つの要件を明確に規定した上で、そのいずれにも該当する場合に限って幹部職員の範囲内において降任を可能とすることを認めている。降任を行う必要がある場合としては、例えば、以下のように、重要課題に対処するため、当該課題に精通した他の職員を登用（抜擢）することとなった結果、現に官職を占める職員を降任させることが必要となった場合などが考えられる。逆にいうと、他の職員の登用（抜擢）を行う必要がないにもかかわらず、標準的な勤務実績を挙げている職員を降任させることは、本条の趣旨に沿わないものであり、また、恣意的な降任が行われるおそれも生じることから適当ではない。

○　情勢の変化によって、α局の施策を抜本的に見直す必要が生じたため、α局長として標準的な勤務実績を挙げていた

A局長に替えて、α局の業務に精通したX審議官を昇任させる（又は公務外のV氏を採用する）ため、現職のA氏を他の局長級ポストに異動させる必要が生じたが、適任と認められるポストがない場合

○　国際情勢の変化によって、β局が担当する国際交渉が重要課題となったため、これまで国内関係機関との調整に関し実績を挙げてきたB局長に替えて、国際交渉に長けたY審議官を昇任させる（又は公務外のW氏を採用する）ため、現職のB氏を、国内関係機関との調整業務を多く抱えるγ局長に転任させた。このため、γ局長として標準的な成績を挙げていたC氏を他の局長級ポストに異動させる必要性が生じたが、適任と認められるポストがない場合

こうした具体的ケースも念頭に置いて、三つの要件の具体的内容を示すと以下のとおりである。なお、条件付採用期間中又は条件付昇任期間中の幹部職員については、人事院規則において本条の規定は適用しないこととしている（人規一一―四　七の二6）。

1　同一の任命権者の下で、同じ職制上の段階に属する他の幹部職員と比べて勤務実績が劣っていること

第一号では、「当該幹部職員が、人事評価又は勤務の状況を示す事実に照らして、他の官職（同じ職制上の段階に属する他の官職であつて、当該官職に対する任命権が当該幹部職員の任命権者に属するものをいう。第三号において「他の官職」という。）を占める他の幹部職員に比して勤務実績が劣つているものとして人事院規則で定める要件に該当する場合」としている。対象となる幹部職員の勤務実績について、同一の任命権者の下にある同じ職制上の段階に属する他の官職を占める幹部職員と比較して判断することとしており、人事評価の結果を含む客観的な事実に照らして当該幹部職員の勤務実績が相対的に劣っている場合がこれに該当することとなる。

この要件について、人事院規則では、直近一年間の人事評価（現官職又は現官職と同じ職制上の段階に属する官職に就いていた期間に係るものに限る。）又は評価期間終了後に明らかとなった客観的事実に照らして、職員の勤務実績が相対的に劣っているか否かを判断することとしている。したがって、当該職制上の段階における評価期間が一年に満たない者は、勤務成績が劣っているか否かの判断の対象から外れることとなる。直近一年間の人事評価については、能力評価及び業績評価の結果が次のいずれかに該当する場合には、職員の属する職制上の段階において優れた能力又は実績を発揮していると考えられるため、本号の要件に該当しないこととしている（人規一一―四　七の二1）。

○　直近の能力評価の全体評語が上位の段階であって、直近の連続した二回の業績評価の全体評語のうち、一つが上位の段階であり、他方が上位又は中位の段階であるとき
○　直近の能力評価の全体評語が中位の段階であって、直近の連続した二回の業績評価の全体評語がいずれも上位の段階であるとき

2　当該幹部職員が現に任命されている官職に幹部職員となり得る他の特定の者を任命すると仮定した場合に、その者が、当該幹部職員より優れた業績を挙げることが十分見込まれること

第二号では、「当該幹部職員が現に任命されている官職に幹部職員となり得る他の特定の者を任命すると仮定した場合において、当該他の特定の者が、人事評価又は勤務の状況を示す事実その他の客観的な事実及び当該官職についての適性に照らして、当該幹部職員より優れた業績を挙げることが十分見込まれる場合として人事院規則で定める要件に該当する場合」を規定している。幹部職員が現に占めている官職に当該幹部職員に替えて任命すべきより適任の者がおり、人事評価の結果を含む客観的な事実から判断される能力及び適性に照らして、現に当該官職を占めている幹部職員よりも優れた業績を挙げることが見込まれる場合が、これに該当することとなる。こうした人事運用を行うことが必要な場合があるということが本制度の導入の契機になっていることは先に述べたとおりである。

この具体的な内容は、人事院規則で規定されており、本項の冒頭で記載したケースを踏まえ、「他の特定の者」を次に掲げる者とした上で、現官職の職務の特性並びに当面の業務の重要度及び困難度を考慮して、人事評価等の客観的事実から、「他の特定の者」が当該幹部職員より優れた業績を挙げることが十分見込まれ、当該他の特定の者を現官職に任命する必要がある場合と定めている（人規一一―四　七の二②）。

○　下位の職制上の段階の者（抜擢による場合（他の府省の職員の場合を含む。））
○　同一の職制上の段階の者のうち、
①　現官職と任命権者を異にする官職に就いている者（他の府省の幹部職員を任用する場合）
②　他の官職を占める他の幹部職員より優れた業績を挙げることが十分見込まれる他の者を当該他の官職に採用・昇任・転任させるため、配置換により現官職に就くこととなる者（他の幹部職に抜擢等を行うため、その官職に就いて

いた幹部職員を「玉突き」により異動させる場合）

○　現官職の置かれる部局又は機関等とは異なる部局又は機関等に置かれる官職に就いている者（地方機関等の職員を任用する場合）

○　現に職員でない者

3　転任させるべき適当な官職がないと認められること又は幹部職員の任用を適切に行うため当該幹部職員を降任させる必要があること

第三号では、「当該幹部職員について、欠員を生じ、若しくは生ずると見込まれる他の官職についての適性が他の候補者と比較して十分でない場合として人事院規則で定める要件に該当すること若しくは他の官職の職務を行うと仮定した場合において当該幹部職員が当該他の官職に現に就いている他の職員より優れた業績を挙げることが十分見込まれる場合として人事院規則で定める要件に該当しないことにより、転任させるべき適当な官職がないと認められる場合又は幹部職員の任用を適切に行うため当該幹部職員を降任させる必要がある場合として人事院規則で定めるその他の場合」を規定している。本条は、能力及び実績に応じた弾力的な任用を行うために、幹部職員を特別に降任させることを可能とする規定であるが、本条の規定を適用しなくても、その趣旨が実現できる場合には、降任を行うまでもないことから、本号では、以下の①又は②のいずれによっても転任させるべき適当な官職がないと認められる場合を要件の一つとして規定したものである。

①　同じ任命権者の下にある同じ職制上の段階に属する他の幹部職に転任させるべき適当な官職がないと認められる場合

転任させようとする幹部職員の転任先について、まず、ア、欠員を生じ、又は生ずると見込まれる官職への配置換を考慮し、次に、イ、欠員状態にはない官職への配置換を考慮することとなる。転任させるべき適当な官職がないと判断するためには、以下の要件を満たす必要がある。アの欠員を生じ、又は生ずると見込まれる他の官職との関係においては、それらの官職についての適性が他の候補者と比較して十分ではない場合として人事院規則で定める要件に該当することが求められている。人事院規則においては、当該他の官職の職務の特性並びに当面の業務の重要度及び困難度を考慮して、人事評価等の客観的事実から、当該幹部職員の当該他の官職についての適性が他の候補者と比較して十分でないと認められることと規定している（人規一一―四　七の二3）。次に、イの欠員状態にはない官職との関係においては、それらの官職に現に就いている職員より優れた業績を挙げることが十分見込まれる場合として人事院規則で定める要件に該当しないことが求められている。この要件については、人事院規則において、当該他の官職の職務の特性並びに当面の業務の重要度及び困難度を考慮して、当該他の官職に現に就いている職員との比較において、人事評価の結果を含む客観的な事実に照らして当該幹部職員が当該他の職員より優れた業績を挙げることが十分見込まれることと規定し（この場合は転任が可能となる）、これに該当しない場合に特例降任の対象となる（人規一一—四　七の二4）。アの欠員である官職に転任させることができない場合は、特例降任の対象となる者が他の候補者よりも転任先官職の適性が劣ることを要件としているのに対し、イの場合は、当該官職に現に就いている者より優位に立つことが求められ、その者より優れた業績を挙げることが十分見込まれることが要件とされており、アより厳しい転任の要件が定められている。

②　幹部職員の任用を適切に行うため当該幹部職員を降任させる必要があるその他の場合

二点目は、「幹部職員の任用を適切に行うため当該幹部職員を降任させる必要がある場合として人事院規則で定めるその他の場合」とされており、人事院規則においては、当該幹部職員が在職する府省等又は常勤の職員として在職していた府省等における同じ職制上の段階に属する官職、すなわち、任命権者は異なるが府省単位では同一の府省等、更には、過去に出向経験のある府省等における現官職と同じ職制上の段階に属する官職に転任させるべき適当な官職がないと認められる場合としている（人規一一—四　七の二5）。

二　降任の手続等

本条による降任の処分を行う際の手続については、分限処分の一環としての不利益処分として位置付けられる以上、職員の権利、利益を保護する観点から、人事異動通知書（人規八—一二　五四①）及び処分説明書（法八九1）を交付して行わなければならず、この人事異動通知書が被処分者に到達したときに処分の効力が発生することとなることは、前条の分限処分の手続と変わるところはない。また、本条に基づき、降任処分を受けた職員は、法第九〇条の規定に基づく人事院に対する審査請求を行うことができる。なお、本条は、前条と同様に職員の「意に反する」降任について規定しているものであり、その意に反しない場合、すなわち、職員の同意を得て降任を行う場合は、本条の対象とはならない。

一方、前条第一号から第三号までに該当する場合の処分手続については、人規一一—四第七条等において、指導等の措置を講ずることや、警告書を交付の上、弁明の機会を付与することなどについて詳細に定められているが、本条の規定は、幹部職員の任用の弾力化の必要性の観点から規定されていることも踏まえ、前条の処分のために要する手続は不要としている。ただし、〔趣旨〕にも記載したとおり、任命権者には、当該降任の対象となる職員と十分な意思疎通を図り、理解と納得を得る努力を行う必要がある。

（本人の意に反する休職の場合）

第七十九条　職員が、左の各号の一に該当する場合又は人事院規則で定めるその他の場合においては、その意に反して、これを休職することができる。

一　心身の故障のため、長期の休養を要する場合

二　刑事事件に関し起訴された場合

〔趣　旨〕

一　休職の事由

本条は、身分保障の観点から、本人の意に反して行う休職の事由を本条に定める場合又は人事院規則で定める場合に限定している。すなわち、公務能率の維持又は公務の適正な運営の観点から、職員に長期にわたって職務に従事し得ない事情又は引き続き職務に従事させることが適当ではない事情が発生した場合に、その事情を勘案して一時的に職務系列から排除し、後任者を補充してその職務を行わせることができるようにするため、職員を休職にすることができることとし、その事由を規定している。

本条で定める休職事由のうち、心身の故障のため長期の休養を要する場合とは、職員が長期にわたって全く勤務できない場合に限らず、著しく不完全な勤務しか提供できない場合をも含んでいる。一般に心身の故障が生じた場合には、職員は療養のため病気休暇（「負傷又は疾病のため療養する必要があり、その勤務しないことがやむを得ないと認められる場合における休暇」（勤務時間法一八））を取得することになる。病気休暇は、本人の申出に基づき各庁の長又はその委任を受けた者

がこれを承認し、勤務義務を免除することによって成立する。その期間は療養のため勤務しないことがやむを得ないと認められる必要最小限度の期間（人規一五―一四　二一1柱書）とされるとともに、病気休暇が引き続き九〇日（結核性疾患の場合は一年）を経過した後は、俸給を半減されることになっている（給与法附則6）。なお、従前は病気休暇の期間は連続して九〇日を超えることはできないとされている（人規一五―一四　二一1ただし書）。また、病気休暇の期間中は当該官職に後任者を重複補充することもできない。これらのことから、病気休暇の期間がその上限に至り、引き続き療養のため勤務できない場合には、任命権者は職員を病気休職とすることとなる。

次に、刑事事件に関し起訴された場合には、判決の確定まで無罪の推定を受けるとはいえ、起訴されることにより、勾留され、あるいは、公判に出廷するため職務に専念できなくなるおそれがあり、また、職務に引き続き従事させると行政運営に対する国民の信頼を損ねる場合もあるので、公務能率維持及び公務の信用の維持の観点から、休職にすることができることとされたものである。もとより職員が刑事事件に関して起訴されるといっても、職務との関連、罪名・罰条、勾留の有無等その態様は様々であり、その職場に及ぼす影響も様々であるので、休職にするか否かは、事案ごとにこれらの事情を参酌して判断すべきであって、一律無条件に休職にすべきものではない（同旨　昭四五・四・二七東京高裁）。また、公務員にのみ起訴休職制度を設けることについては、その地位の特殊性や職務の公共性に加え、我が国における刑事訴追制度や刑事裁判制度の実情の下における禁錮（新刑法の施行日以降は、拘禁刑）以上の刑に処せられたことに対する社会的感覚などに照らせば、同制度の目的に合理性があり、法律上このような制度が設けられていない私企業労働者に比べて公務員を不当に差別したものとはいえず、憲法第一四条第一項、第一三条に違反するものではない（平元・一・一七最高裁）。刑事休職は、公の嫌疑を受けている期間中、公務から排除する趣旨のものであって、後述する懲戒と異なり、非難あるいは制裁の趣旨を含むものではない。

休職事由については、本条で定める二事由のほか、本条の委任を受けた人事院規則で次の場合が定められている。

①　「学校、研究所、病院その他人事院の指定する公共的施設において、その職員の職務に関連があると認められる学術に関する事項の調査、研究若しくは指導に従事し、又は人事院の定める国際事情の調査等の業務若しくは国際約束等に

基づく国際的な貢献に資する業務に従事する場合」（人規一一―四　三1①）

② 「国及び行政執行法人以外の者がこれらと共同して、又はこれらの委託を受けて行う科学技術に関する研究に係る業務であつて、その職員の職務に関連があると認められるものに、前号に掲げる施設又は人事院が当該研究に関し指定する施設において従事する場合」（人規一一―四　三1②）

③ 試験研究機関等の研究職員の官職と研究成果活用企業の役員等の職とを兼ねる場合において、その承認基準のいずれにも該当するときで、かつ、主として当該役員等の職務に従事する必要があり、当該研究職員としての職務に従事することができないと認められるとき（人規一一―四　三1③）

④ 「法令の規定により国が必要な援助又は配慮をすることとされている公共的機関の設立に伴う臨時的必要に基づき、これらの機関のうち、人事院が指定する機関において、その職員の職務と関連があると認められる業務に従事する場合」（人規一一―四　三1④）

⑤ 「水難、火災その他の災害により、生死不明又は所在不明となつた場合」（人規一一―四　三1⑤）

⑥ 病気休職、刑事休職又は①から⑤までの休職処分を受けた職員が休職事由の消滅又は休職期間の満了により復職したときにおいて定員に欠員がない場合、又は専従許可を受けた職員が復職したとき、派遣職員が職務に復帰したとき若しくは育児休業等をした職員が職務に復帰したときにおいて定員に欠員がない場合（人規一一―四　三2）

二　本人の意に反しない休職

現行の休職制度は、職員は特定事由に該当しない限り職務系列から排除されないことを保障することとし、特定事由に該当する場合に本人の意に反して任命権者の一方的な処分により勤務に就く権利を制限できることとしている。したがって、本条は職員の「意に反して」休職にする場合を規定しているのであるが、職員の意に反しない場合でも法律又は人事院規則の定めるところによらない限り休職にすることはできないので（法六一）、結局、職員の意に反しない休職も、「休職」させるためには他に法律の根拠がない以上、本条によらざるを得ない。そのため、本条は「本人の意思に拘らず」あるいは「意に反してでも」休職にできることを定めたものと解されている。なお、行政実例（昭二六・一・一二　七一―五人事院法制局長）では、休職処分は公法上の単独行為であるから職員の意思の有無は休職発令に影響しないとしている。

しかしながら、身分保障の観点から制限的に定めなければならないのは、本人の意に反して処分を行う場合であって、本人の意に反しない場合は、本来、身分保障に関わりないものであるとも考えられよう。現に、人事院規則で認められている休職事由の全てについて不利益処分の範疇に分類することが適当か否か疑問なしとしない。特に、前述一の①～③の場合は、本人について生じた公務からの排斥事由というよりも、本人の同意を前提とした官の要請あるいは本人の意向による例が少なくない。このような場合をも、不利益処分としての休職の範疇で処理することは制度本来の趣旨に必ずしも沿わないきらいがあるといえよう。なお、本人の同意がある場合には、処分説明書の交付は不要である。

判例では、依願休職について当該公務員が休職を希望し任命権者が休職の必要を認めて依願休職処分をした場合にあえてこれを無効としなければならないものではない（昭三五・七・二六最高裁）としているが、具体的事案の処理の面はともかく、任命権者が一方的な処分として行う休職に制度として職員の同意を介在させることは問題である。職員の希望による職務系列からの合理的離脱は、法律上の根拠が必要であることを踏まえ、分限処分としての休職制度ではなく休業制度として整備されてきているところであり、育児休業、自己啓発等休業及び配偶者同行休業が個別の法律により認められている。

三　派　遣

本法に基づく休職制度のほか、専ら公務上の要請により、職員としての身分を保有したまま職務に従事しない制度として様々な派遣の制度がある。派遣制度は、昭和四五年の人事院の意見の申出により同年制定された国際機関派遣法に基づく国際機関等への派遣制度にはじまり、その後、平成九年の人事院の意見の申出により平成一一年に制定された官民交流法に基づく交流派遣制度、そして司法制度改革の一環として平成一五年に制定された法科大学院派遣法に基づく法科大学院派遣制度が設けられた。さらに、平成二〇年代の半ば以降、国の重要な施策に関する個別法の中に設けられた職員派遣の規定を根拠に、東京オリンピック・パラリンピック競技大会組織委員会への派遣、ラグビーワールドカップ二千十九組織委員会への派遣、福島相双復興推進機構への派遣、二千二十五年日本国際博覧会協会への派遣、福島イノベーション・コースト構想推進機構への派遣、国際園芸博覧会協会への派遣などが設けられている。いずれも法律上の根拠に基づき、職員としての身分が保障され、処遇面での配慮がなされるとともに、国家公務員としての一定の服務義務を引き続き負うことになる。具体的には、各制度ごとに人事院規則で詳細な取扱いが定められているが、ここでは代表的な最初の三制度について、その概要を説明する。なお、従前は、国の業務に密接に関連する団体等への出向は、いわゆる辞職・再採用方式で行われることが多かったが、退職手当の通算は考慮されるものの、身分取扱いが必ずしも明確ではなく、処遇面で一定の不利益を受ける場合も有り得たことから、最近では、このような派遣制度を設ける例が増えてきているといえよう。

1　国際機関等への派遣

この制度は、国際機関派遣法に基づき昭和四六年一月一六日から実施されたものである。この制度の実施前は、公務によらず、国際機関、外国政府等の業務に従事する場合について、休職事由が設けられており、また、国の公務の延長と認められる場合には公務出張により当該業務に従事していたのであるが、休職中は職務遂行性が認められないことから災害補償その他の処遇面でも問題であったし、公務出張ではカバーしきれないもの、すなわち、必ずしも日本政府の業務とはいい難いものが多いという難点があった。このような背景の中で、この法律は、日本が国際協力を積極的に推進するにはその身分取扱いに関する条件整備が不可欠との認識の下に立法されたものである。

派遣は、国際機関、外国政府の機関等の業務に従事させるために、条約その他の国際的な約束若しくはこれに準ずるものに基づき又はこれらの機関の要請に応じて行われる。この場合には、派遣される者の同意が必要であり、その意に反する派遣はできない（国際機関派遣法二）。一般職の国家公務員は、国の業務に従事することを前提として採用されたものであるから、公務以外の業務に従事させる場合には本人の同意が必要であるとして、このことが明らかにされたものである。

派遣職員は職員としての身分は保有するが職務には従事しない（国際機関派遣法三）。派遣職員は派遣された時占めていた官職又は派遣の期間中異動した官職（併任に係る官職を除く。）を保有する（人規一八—〇　五）。

派遣の必要がなくなったときは職務に復帰させなければならず、また、派遣の期間が満了したときは、当然職務に復帰する（国際機関派遣法四）。

派遣職員には、派遣の期間中、給与（俸給、扶養手当、地域手当、広域異動手当、研究員調整手当、住居手当及び期末手当に限る。）の百分の百以内を支給することができる。派遣先の勤務に対して報酬が支給されないとき、又は当該勤務に対して支給される報酬の額が低いと認められるときは派遣先からの報酬との合計額が派遣先地域の在外公館に勤務する外務公務員の給与と均衡するよう百分の百以内が派遣職員の給与として支給される一方、派遣先の特殊事情により派遣職員に対して給与を支給することが著しく不適当であると人事院が認めるときは、給与は支給されない（国際機関派遣法五　人規一八―〇　七）。派遣職員が検察官俸給法の適用を受ける職員である場合には、同法に基づく給与準則の定めるところにより支給される（国際機関派遣法五２）。

派遣職員の従事する業務は、補償法、共済法、退手法の適用上、公務とみなされ、それぞれの給付の対象となる。具体的には、派遣職員が業務災害又は通勤災害を被った場合には派遣先機関からの補償が行われない範囲で補償法による補償が行われる（国際機関派遣法六、七）。退職手当の算定に当たっても、派遣先の業務上の傷病又は死亡により退職した場合には、公務傷病又は死亡により退職した場合と同様に取り扱われる。在職期間の算定に当たっても、派遣期間は在職期間から除算されず、公務に従事した期間と同様に取扱われる（国際機関派遣法九）。

派遣職員には、必要に応じ、赴任の例に準じて旅費が支給される（国際機関派遣法一〇）。

派遣職員が職務に復帰した場合には、任用、給与等の処遇の面で不利益を被ることのないよう適切な配慮が加えられなければならない（国際機関派遣法一一）こととされており、復職時の昇格、俸給月額の調整等が行われるようになっている（人規九―八　二二、四四、四四の二等）。

２　法科大学院派遣

この制度は、国家公務員を法科大学院の実務家教員として派遣するため、法科大学院派遣法に基づき、平成一六年四月一日から実施されたものである。

任命権者は、法科大学院設置者から、法科大学院における教授等として検察官その他の一般職の国家公務員を必要とする旨の要請があった場合に、当該要請に係る派遣の必要性、派遣に伴う事務の支障その他の事情を勘案して、相当と認めるときは、これに応じ、職員の同意を得て、当該設置者との間の取決めに基づき、期間を定めて、教授等の業務に従事させるため、職員を派遣することができる。派遣の形態は、職務とともに法科大学院における教授等の業務を行う形態（パートタイム型派遣）と専ら法科大学院における教授等の業務を行う形態（フルタイム型派遣）とがあり、前者にあっては正規の勤務時間のうち教授等の業務を行うために必要であると任命権者が認める時間は勤務をせず、後者にあっては、職員としての身分は保有するが職務には従事しない。取決めにおいては、法科大学院における勤務条件、教授等の業務内容などについて定めることとされている。なお、派遣期間は原則として三年を超えることができない（法科大学院派遣法四、一一）。

派遣期間が満了したときは、パートタイム型派遣にあっては教授等の業務は終了し、フルタイム型派遣にあっては職員は職務に復帰する（法科大学院派遣法五、一二）。

派遣職員は、教授等の業務については任命権者の指揮監督を受けないが、職員としての身分を保有することに伴い、国家公務員としての服務規律にも服する。なお、パートタイム型派遣においては、本法第一〇四条に定める他の事業又は事務の関与制限に係る許可の手続は要しない。

派遣期間中の給与については、パートタイム型派遣にあっては教授等の業務を行うため勤務しない場合には、その勤務しない時間の給与額を減額して支給し、フルタイム型派遣にあっては給与を支給しない。ただし、いずれの場合にも法科大学院から受ける報酬等の年額が少ない場合には、派遣前の給与との差額を限度として、給与を支給することができる。

3　官民人事交流

官民人事交流制度は、官民人事交流法によって設けられた制度であり、交流派遣と交流採用からなる仕組みである。

民間企業とは、その事業のために必要な経費の主たる財源をその事業の収益によって得ている法人をいう。ここでいう収益には、国等からの委託を受けた事務・事業の実施による収益や補助金等は含まれない。また、独立行政法人等は民間企業には含まれない（官民交流法二２）。具体的には、法制定時から対象であった営利法人である株式会社、合名会社、合資会社、合同会社、信用金庫、相互会社のほか、平成二六年の法改正を受けて人事院が認めた法人として、監査法人、弁護士法人、医療法人、学校法人、社会福祉法人、日本赤十字社、消費生活協同組合、特定非営利活動法人、一般社団法人、一般財団法人などがある（人規二一―〇　四）。

交流派遣は、行政運営において重要な役割を担うことが期待される職員を民間企業に派遣し、民間企業の実務を経験させることを通じて、効率的かつ機動的な業務遂行の手法を体得させ、かつ、民間企業の実情に関する理解を深めさせることにより、行政の課題に柔軟かつ的確に対応できる人材の育成を図ること等を目的とするものである（官民交流法一）。交流派遣される職員は、期間を定めて、国家公務員の身分を保有したまま、当該職員と民間企業との間で締結した労働契約に基づく業務に従事する（官民交流法二３）。

交流派遣の期間は原則として三年以内であるが、民間企業から延長の希望があり、それに理由があると人事院が認めた場合には、職員と派遣元機関の長の同意を得て、五年を超えない範囲内で延長することができる（官民交流法八）。

交流派遣職員は派遣期間中は職務に従事することはできない（官民交流法一〇1）。また、本法上の服務規定及び倫理法の規定が適用されるほか、公務の公正を確保する観点から、派遣先企業において、交流派遣前に在職していた国の機関に対する許認可等の申請に関する業務やその機関との契約の締結・履行に関する業務等に従事してはならず、また、派遣先企業の業務を行うに当たって職員としての地位や交流派遣職員が交流派遣前に官職を占めていたことによる影響力を利用してはならない（官民交流法一二、人規二一―〇　三六）。さらに、職務復帰後二年間は、その派遣先企業に対する処分等に関する事務又はその企業との間の契約の締結・履行に関する事務を行う官職に就くことができない（官民交流法一三3、人規二一―〇　三八）。交流派遣中は、派遣先企業から賃金を支給され、国からの給与は支給されない（官民交流法一一）。

なお、本制度が人材育成にあることを踏まえれば、交流派遣職員に直接的な年齢制限はないが、民間企業に派遣された後に職務に復帰し、公務に派遣の成果を還元できるように運用することが求められる。

他方、交流採用は、民間企業の実務経験を通じて、効率的かつ機動的な業務遂行の手法を体得している者を採用して、職務に従事させることにより、行政運営の活性化を図ることを目的とするものである。交流採用は、民間企業の従業員を任期を定めて国家公務員として採用することをいい、一旦その企業を退職した上で採用される「退職型」と、雇用を継続したまま採用される「雇用継続型」とがある。任期は原則として三年以内で任命権者が定めるが、人事院の承認を得て、五年を超えない範囲内において更新することができる。交流採用職員にも本法上の服務規定及び倫理法の規定が適用されるほか、交流元企業の業務には一切携わってはならないという義務も課されている。交流採用職員は国から給与が支給される。

公務の公正を確保するため、官民人事交流を行うに当たっては、①人事院による民間企業の公募、②人事院による応募企業の名簿の任命権者への提示、③任命権者による民間企業の選択、④任命権者による交流計画の作成と人事院の認定、⑤国と民間企業との間での労働条件等の取決めの締結といった手続を要する。また、その際の基準（交流基準）は、人事院に置かれる交流審査会の意見を聴いて、人事院が策定している。また、任命権者は、毎年、人事院に対し、人事交流の制度の運用状況を報告しなければならず、人事院も毎年、国会及び内閣に対し、所要の事項を報告しなければならないとされている。

なお、右に述べた派遣のほか、災害対策基本法に基づく災害応急対策又は災害復旧のための派遣があるが、これは国家公務員としての身分取扱いに変化はないまま派遣を受けた都道府県又は市町村の職員としての身分を併せ有することとなるにすぎず（災害対策基本法施行令一七Ｉ）、「官職を保有させたまま職員を職務に従事させない」という性質のものではない。

〔解　釈〕

一　休職の事由

1　病気休職（法七九①）

病気休職は、その原因たる心身の故障が私傷病によると公務災害に起因するとを問わない。したがって、私傷病による休職発令後に公務傷病と認定されても、休職給の取扱いを除いて当該発令を変更する必要はない。

病気休職の始期については、特段の規定はなく、長期の休養を要すると判断された場合には、直ちに行い得るものであるが、前述のように、病気休暇の期間は原則として連続して九〇日を超えることはできないと規定されていることから、この時期までに休職とすることとなろう。休職にするか否かはあくまでも公務能率の維持の観点から判断されるものであり、心身の故障の状態をみながら個別の事案ごとに適切に判断すべきものである。公務傷病の場合、在職中は俸給は半減されないことから長期にわたって療養を要する場合においても休職処分に付さない例も見受けられるが、休職制度は本人の利益の観点からではなく、公務能率の維持の観点から別途判断しなければならないことに留意する必要がある。

2　刑事休職（法七九②）

刑事事件の範囲として、外国の法令に基づく刑事事件が含まれるか否かについては、刑事休職制度が我が国の刑事訴追制度や刑事裁判制度の実情に基づく社会的感覚などを踏まえて設けられていること、当該条項が身分保障の例外を定めるものであり限定的に解釈されるべきものであることからすると、消極に解される。ただ、職員が外国の裁判所に起訴され、かつ、身体を拘束された場合には、年次休暇等で対応できない限り欠勤となり、職務専念義務との関係で問題が生じることとなる。このような事例はあまり想定されないが、職員保護の面から休職の対象とすることも制度論としては考えられよう。

犯罪の嫌疑により起訴されるおそれがあるだけでは、いまだ刑事休職にすることはできない（昭二四・二・九法審回発五五六）。本号には略式命令の請求があった場合も含まれ、また、準起訴手続による付審判の決定があった場合も含まれる。刑事休職は、起訴という事実及びその事案の及ぼす影響の判断をもって休職の要件を満たすものであり、任命権者には、罪となるべき事実の有無あるいは起訴の当否を判断する義務はない（昭三一・一〇・四東京地裁）。また、仮に当該事案につき無罪の判決があったとしても、当該休職処分が無効となったり、取り消すべきものとなるわけではなく、任命権者は休職を継続する必要性が消滅したか否かを判断し、休職処分を撤回すべきか否かを決定できる裁量を有する（昭六三・六・一六最高裁）。なお、刑事休職の原因となる事実が明らかである場合には、刑事休職に付すことなく懲戒処分を行うことも可能である（法八五参照）。

3　研究休職（人規一一—四　三1①）

研究休職が認められる事由に該当する場合であっても、単なる知識の習得又は資格の取得を目的とする場合にはこれに該当しないとされている（昭五四・一二・二八任企五四八）。これは、公共的施設における調査等の経験が復職後の職務遂行に資する点に着目して休職事由とされたことの現れである。したがって、研究休職からの復職後直ちに定年退職となるような場合には、職務遂行に資するところがなく、休職の取扱いはできないものと解する。公務上の必要に基づき職員に大学院等で専門的知識の習得を命じる場合には、当該知識の習得自体が職員の職務となるため、休職事由には該当せず（昭三一・六・七任企二九九）、研修制度を活用すべきである。

4　共同研究休職（人規一一—四　三1②）

共同研究休職は、旧研究交流促進法（昭六一法五七）及びこれを承継した科学技術・イノベーション創出の活性化に関する法律（平二〇・六・一一法六三）の趣旨を踏まえて、公共的性格を有しない施設であっても、国及び行政執行法人との共同研究団体あるいはこれらの委託研究を行う団体で当該業務に従事することが国及び行政執行法人の研究に資することに着目して休職事由とされたものである。したがって、人事院が指定する施設には、民間企業の施設も含まれるものであるが、ここにいう共同研究及び委託研究は、国の研究の効率的推進に資するものである必要があり、一般的な検査、試験、測定、分析、調査又は観測等を行うことは含まれない（昭六一・一一・一九任企四五二）。

5　役員兼業休職（人規一一—四　三1③）

試験研究機関等の職員のうち研究をその職務の全部又は一部とする者（研究職員）が、営利企業を営むことを目的とする会社その他の団体であって、研究職員の研究成果を活用する事業を実施するもの（研究成果活用企業）の役員、顧問、又は評議員の職を兼ねる場合において、これらを兼ねることがその承認基準のいずれにも該当するときで、かつ、主として当該役員等の職務に従事する必要があり、当該研究職員としての職務に従事することができないと認められる場合には職員を休職させることができる。

６　設立援助休職（人規一一―四　三１④）

設立援助休職は、法令の規定により国が必要な援助又は配慮をすることとされている公共的機関の設立に伴う国からの技術移転あるいは人材援助を円滑に行うために設けられたものである。昭和四〇年に設けられて以来、一三機関が指定されていたが、その後その役割を果たして逐次指定を解かれ、現在指定されている機関はない。

７　行方不明休職（人規一一―四　三１⑤）

行方不明休職は、職員が水難、火災その他の災害により生死不明又は所在不明となった場合に、公務能率を維持するため、速やかに後任者を補充することができるように設けられたものである。この休職による場合には、後に生存が確認されれば問題ないが、死体が確認され、災害時死亡と推定された場合、特別失踪の宣告があった場合（民法三〇２）、認定死亡の取扱いを受けた場合（戸籍法八九）には、死亡と取り扱われるので、休職処分は無効となり、支払われた休職給は返納することになる。

「その他の災害」とは、暴風、豪雪、地震その他の異常な自然現象及び航空機の墜落、船舶の沈没等多数の遭難を伴う大規模な事故を指すものと解されており、災害に起因しない行方不明者を休職とすることはできない。

８　過員休職（人規一一―四　三２）

過員休職は、復職時に過員免職される事態を回避する趣旨で設けられたものである。過員休職に該当するには、職員が復職した際に欠員がないことをもって足り、勤務可能な健康状態であることは必ずしも必要でない（昭二八・五・二一　一一―二〇八人事院事務総長）。

休職事由がある場合に休職にするか否か及び二以上の休職事由がある場合にいずれの事由により休職にするかは任命権者

の裁量に委ねられているが、休職中に根拠条項が異なる休職事由により休職発令する場合には、一度復職させてから行う必要がある（昭三三・三・二四任企一七四）。

勤務延長中の職員が休職事由に該当するに至った場合には、勤務延長が、定年退職日に退職すべき職員を公務の運営上特に必要であるとして引き続き勤務させるものであるから、休職とは本来相容れないものであり、また、現に休職中の職員については勤務延長を行うことができない（令四・二・一八給生一五）ものとされている趣旨に鑑み、本人の同意を得て勤務延長の期限を繰り上げる（人規一一―八　六）ことが考えられる。他方、勤務延長は本人の同意を得て、かつ、期限を定めてなされるものであるから、期限の到来までは本人に在職の権利を与えたものとも考えられるので、同意が得られない限り、勤務延長中の休職も許容されざるを得ないものと考える。

二　休職の手続

病気休職及びその更新の発令に際しては、心身の故障に起因するという点において降任又は免職する場合と異ならないところ、任命権者が判断するに当たっては、勤務に堪えないかどうかが客観的かつ合理的な根拠に基づいて慎重に検討されなければならないことから（昭五一人指一三―二二）、そのための判断資料として医師の診断書を取り寄せることが適当である。運用に当たっても「原則として医師の診断の結果に基づいて行うこと」とされている（昭五四・一二・二八任企五四八）。

復職等する休職者の数より欠員の数が少ないときは、いずれの者について欠員が生じたものとして過員休職にするかは、任命権者が定めるものとされている（人規一一―四　五５）。

職員を休職にし、又はその期間を更新する場合には、人事異動通知書を交付して行わなければならない（人規八―一二　五四②）。処分の効力は、通知書が被処分者に到達したときに発生する。行方不明休職の場合は、本人が所在不明であるため、休職の通知は官報掲載の方法（人規八―一二　五六）によらざるを得ない（法六一参照）。

三　本条の特例

１　本条は、臨時的職員及び条件付採用期間中の職員には適用されない（法八一１）。

２　検事長、検事又は副検事が検察庁の廃止その他の事由により剰員となったときは、法務大臣はその検事長、検事又は副検事に俸給の半額を給して欠位を待たせることができる（検察庁法二四）。検察官に対する休職相当の制度については、上記の剰員の場合を除き、その意思に反して職務を停止され、又は俸給を減額されることはない（検察庁法二五）と、本法附則第四条の規定により検察官の職務と特殊性に基づいた本法の特例が定められているので、検察官に対して本条の適用はない。

（休職の効果）

第八十条　前条第一号の規定による休職の期間は、人事院規則でこれを定める。休職期間中その事故の消滅したときは、休職は当然終了したものとし、すみやかに復職を命じなければならない。

② 前条第二号の規定による休職の期間は、その事件が裁判所に係属する間とする。

③ いかなる休職も、その事由が消滅したときは、当然に終了したものとみなされる。

④ 休職者は、職員としての身分を保有するが、職務に従事しない。休職者は、その休職の期間中、給与に関する法律で別段の定めをしない限り、何らの給与を受けてはならない。

〔趣　旨〕

休職の効果

本条は、休職の効果として、休職の期間、休職期間満了時又は休職事由消滅時の身分取扱い（復職）、休職中の官職保有とその間の給与について規定している。

休職は、既に述べたように、公務能率の維持又は公務の適正な執行の観点から、公務員としての身分を保有させたまま職務に従事させない制度であるから、休職の直接の効果は、「職務に従事させない」ことである。ここから種々の派生的な効果が生ずるが、身分保障の観点からは休職の期間とその期間満了時の身分取扱いが重要である。

まず、休職の期間は、休職の事由、職員の身分の安定、公務全体の均衡のとれた人事計画への影響その他の事情を考慮して休職事由ごとにその期間が定められている。具体的には、病気休職の場合には、制定当初の本法においては一年となっていたが、第一次本法改正の際、人事院規則で定めることとされた。人事院規則一一―四では、休養を要する程度に応じ、三年を超えない範囲内で任命権者が定めることとし、個々の場合の休職期間は任命権者の裁量に委ねている。刑事休職については、当該事件が裁判所に係属する間である。また、人事院規則で定められる休職事由に係る休職の期間は同規則で具体的に定められている。当然のことながら、休職の事由が消滅したときは、たとえ当初発令の休職の期間内であっても当該休職は当然に終了したものとみなされ、その職員が離職し、又は他の事由により休職にされない限り、任命権者は速やかに復職させなければならない。

次に、休職期間が満了した際の取扱いについて、旧官吏分限令においては、「官制又ハ定員ノ改正ニ因リ過員ヲ生シタルトキ」又は「官庁事務ノ都合ニ依リ必要ナルトキ」は、「一級及二級ノ官吏ニ付テハ満二年、三級官吏ニ付テハ満一年」（同令一二）の休職期間が満了したとき、「当然退官者」（同令五）とされ、制定当初の本法においても病気休職の期間は一年で休職のまま満期に至ったときは、当然退職者とされたが、第一次本法改正において現在のように改められ、休職期間の満了によって当然離職することはなくなった。休職の事由が消滅した場合には、任命権者は当該職員を復職させなければならず、休職の期間が満了した場合には、当該職員は当然に復職する。なお、第七八条で述べたとおり、病気休職期間満了の際なお長期にわたり勤務できないと認められるときは、公務能率の観点から同条により免職すべきものであろう。

このほか、休職者の官職保有については、休職者は職務に従事しないものであるから、職責を表す官職を保有する必要がないものとも考えられるが、前述したように現行の公務員制度では官職と身分とは一体のものとされているので、休職者も官職を保有する。ただ、この場合、当該官職は、空席となっているに等しいので、他の職員をもって補充することは可能であり、その結果、同一官職を休職者とそれ以外の者とが占めることとなる。

さらに、休職者の給与については、休職給支給の具体的定めを給与に関する法律に委ねている。これはノーワーク・ノーペイの原則に従い、休職の期間中は原則として給与を受けてはならないものとされている一方、休職者の生活保障を考える必要もあり、その兼ね合いを給与に関する法律に委ねたものであり、給与法において休職給を具体的に定めている。

〔解　釈〕

一　休職者の身分取扱い

休職者は職員としての身分を保有するが、職務に従事しない（法八〇4前段）。休職中の職員は、休職にされたとき占めていた官職又は休職中に異動した官職を保有する。ただし、休職に伴って併任は当然に終了するので（人規八—一二　三七3④）、本務官職だけを保有することになる（人規一一—四　四1）。休職者の官職には、重ねて他の職員を補充することができる（人規一一—四　四2）。

休職にされた職員は、常時勤務していないので、行政機関の職員の定員に関する法律にいう「常勤の職員」に該当せず、所属省庁の定員外となる。

休職者は、職務従事を前提とする服務規制（職務に専念する義務等）は受けないが、それ以外の公務員としての地位を前提とする服務規制（信用失墜行為の禁止、政治的行為の制限等並びに倫理法及び倫理規程）は適用される。

二　休職の期間

病気休職の期間は、休養を要する程度に応じ、三年を超えない範囲内において個々の事例ごとに任命権者が定め、休職の効力発生日から三年を限度として更新することもできる（法八〇1、人規一一—四　五1）。病気休職に該当する状態が存続する限り、その原因である疾病の種類が異なる場合であっても引き続き三年を超えることができない（昭五四・一二・一八任企五四八）。

刑事休職の期間は、当該事件が裁判所に係属する間である（法八〇2）。「裁判所に係属する間」とは、当該事件が刑事裁判所に受理されてから刑事裁判所を離脱するまで、通常の場合は当該事件について有罪又は無罪の判決が確定するまでの間である。刑事休職の処分は、この間であればいつ行ってもよく、必ずしも起訴の日に合わせる必要はないが、起訴前は行えない。この結果、具体的な処分に当たり、刑事休職の始期をいつとするかにより、休職の期間と事件が裁判所に係属する期間とは必ずしも一致しないこととなる。また、その終期についても、公務上の必要があれば判決確定前に復職させ、あるいは免職にすることもできる。したがって、第一審で無罪の判決がなされても、検察側の控訴により判決が確定しない場合、任命権者は当該職員を復職させる義務を負うものではない。

研究休職及び役員兼業休職の期間は、個々の事案ごとに必要な期間を任命権者が定めることとされているが、公務遂行の任務を負っている職員の基本的地位と職員が長年にわたって公務を離れることとの兼ね合いや職務復帰後の影響等を考慮して上限が定められている。この上限は通常の場合は更新期間を含めて三年であるが、三年に達する際特に必要がある場合には、更に二年を超えない範囲内においてその期間を更新することができる（人規一一―四　五1、3）。ただし、共同研究休職の場合には、この事由による休職の特殊性に鑑み、特に必要がある場合にはあらかじめ五年の範囲内で定めることができる。（人規一一―四　五2）、更にその期間が五年に達する際やむを得ない事情があるときは、五年を超える期間とすることができる。役員兼業休職の期間が五年に達する際も同様である（人規一一―四　五4）。いずれの場合にも、慎重を期する趣旨から三年を超えることとなる部分の第一回目の発令の際には人事院の承認を得て行わなければならないこととされている。特に、後者の五年を超えることとなる場合には、歯止めがなくなるおそれがあるため、更新期間は、ごく短期に限られることとなろう。

設立援助休職及び行方不明休職の期間は、病気休職の場合と同様、必要に応じて個々の事例ごとに任命権者が定めるが、更新後の期間を含めて三年を超えない期間とされている（人規一一―四　五1）。

過員休職の期間は、定員に欠員が生ずるまでの間である（人規一一―四　五5）。

なお、任期を限って任用されている職員の休職は、当該任期満了までの間においてなされなければならない。

三　復　職

休職処分に付された職員の休職期間が満了したときは、職員はなんらの行為を要せず当然復職する（人規一一―四　六2）。休職期間内であっても、休職の事由が消滅したときは、休職は当然に終了したものとみなされるので、他の身分変動がない限り、任命権者は速やかに復職させなければならない（人規一一―四　六1）。

病気休職にされている職員を休職期間満了前に復職させる場合には、休職又は更新する場合と同様、原則として医師の診断の結果に基づいて行うこととされている（昭五四・一二・二八任企五四八）。

なお、職員を復職させた場合及び職員が復職した場合には、人事異動通知書を交付しなければならないが（人規八―一二　五三⑦⑧）、復職した場合における交付の効果は確認的なものにとどまる。

四　休職者の給与等

㈠　給　与

休職者の給与は、給与法及び寒冷地手当法で休職事由ごとに次のように定められている（給与法二三、附則6　人規九―一

三　寒冷地手当法二）。

公務災害による病気休職	全期間	給与及び寒冷地手当の全額を支給する
結核性疾患による病気休職	当初の二年	俸給、扶養手当、地域手当、広域異動手当、研究員調整手当、住居手当、期末手当、寒冷地手当のそれぞれ八割を支給できる
その他の病気休職	当初の一年	俸給、扶養手当、地域手当、広域異動手当、研究員調整手当、住居手当、期末手当、寒冷地手当のそれぞれ八割を支給できる
刑事休職	全期間	俸給、扶養手当、地域手当、広域異動手当、研究員調整手当、住居手当のそれぞれ六割以内を支給できる（なお、この場合の支給額は各庁の長の裁量によるものの、休職者の生活保障の観点から、公租公課の額、生活保護の基準及び給与以外の所得を考慮して定めるものとされており（人事院事務総長通知（給実甲二八号））、六割支給が大多数である。）
公務災害に起因する行方不明休職	全期間	俸給、扶養手当、地域手当、広域異動手当、研究員調整手当、住居手当、期末手当、寒冷地手当のそれぞれ一〇割以内を支給できる
その他の休職	全期間	俸給、扶養手当、地域手当、広域異動手当、研究員調整手当、住居手当、期末手当、寒冷地手当のそれぞれ七割以内を支給できる

なお、船員たる職員が公務災害により行方不明となり、行方不明休職に付されている場合には、行方不明補償が行われるが（人規一六―二　八）、その補償が行われている期間は、期末手当だけが支給される。

休職中の職員は、職務に従事しないことから、級別定数の外とされ、昇格はできない。また、復職した場合の号俸については、休職期間について一定の換算率で、部内均衡等を考慮して、調整等を行うことができる。

(二)　退職手当

退職手当の算定の基礎となる勤続期間の計算に当たっては、休職期間のある月の合計月数の二分の一の月数が勤続期間から除算される（退手法七4）。ただし、公務災害に基づく休職の場合、特定の法人の業務に従事するための休職の場合等は除算の対象とはならない。特定の法人については、退職手当法施行令第六条に列記されている。他方、いわゆる専従休職の場合には、その全期間が除算される（退手法七4）。

このほか、研究公務員が共同研究休職にされた場合で、かつ、次の三要件の全てに該当するときは、国以外の者から退職手当に相当する給付を受けた場合を除き、除算されない（科学技術・イノベーション創出の活性化に関する法律一七　同法施行令四1）。

① 研究公務員の共同研究等への従事が、当該共同研究等の規模、内容その他の状況に照らして、当該共同研究等の効率的実施に特に資するものであること。

② 研究公務員が共同研究等において従事する業務が、当該研究公務員の職務に密接な関連があり、かつ、当該共同研究等において重要なものであること。

③ 研究公務員を共同研究等に従事させることについて当該共同研究等を行う国及び行政執行法人以外の者からの要請があること。

右の退職手当の優遇措置は、共同研究休職になった者の全てが受けるわけではない。これを受けるには、同法にいう研究公務員であることのほか、休職発令前に任命権者等により内閣総理大臣の承認を受ける必要がある（同法施行令四2）。

㈢　共済給付

休職者も組合員資格を有し（共済法二1①）、所定の給付を受け、掛金を徴収される。

五　専従休職者

専従許可を受けた職員は休職者とされる（法一〇八の六5）。休職処分を受けたわけではないが、当該許可の有効期間中は休職者と同様に取り扱おうとするものである。ただし、専従許可を受けた職員は、次の点は専従の性質上、通常の休職者と異なる取扱いがなされる。

① 専従許可によって併任は当然には終了しないので、専従休職者は、併任官職を保有する（人規一一―四　四3）。

② 専従休職者で審議会等の諮問的な非常勤官職又はこれらに準ずる非常勤官職を占めるものは、本法第八〇条第四項の

規定にかかわらず、当該非常勤官職の職務に従事することができる（人規一一―四　一一）。職員団体における地位に着目して審議会等の委員を委嘱することを可能にする趣旨で認められたものである。

③　専従許可の有効期間が満了したとき又は専従許可が取り消されたときは当然に復職する（人規一一―四　六２）。

④　休職給は支給されない。

⑤　退職手当の算定に当たっては、専従休職の期間は在職期間から除算される（退手法七４）。

（適用除外）

第八十一条　次に掲げる職員の分限（定年に係るものを除く。次項において同じ。）については、第七十五条、第七十八条から前条まで及び第八十九条並びに行政不服審査法（平成二十六年法律第六十八号）の規定は、適用しない。

一　臨時的職員

二　条件付採用期間中の職員

②　前項各号に掲げる職員の分限については、人事院規則で必要な事項を定めることができる。

〔趣　旨〕

一　分限規定の適用除外

本条は、分限処分について、正規職員と同等の身分保障を行うことが適当でない職員について分限及びこれに関する審査請求の規定の適用を除外するとともに、それらの職員の分限については必要な事項を人事院規則で別に定めることを認めている。

特別な任用の状態にあり、本法の分限規定を適用することが適当でない職員としては、臨時的職員、条件付採用期間中の職員がある。

臨時的職員（本法第六〇条の規定により臨時的任用された職員）は、緊急の場合、臨時の官職に関する場合又は採用候補者名簿がない場合に厳正な能力の実証を伴わずして任用され、その任期も最長一二月を超えない「臨時的」な職員であるから、恒久的に任用された職員と同様にその身分保障を行う必要はないとされているものである。

また、条件付採用期間中の職員は、採用試験では完全に検証できない標準職務遂行能力や官職への適性の有無を現実の執務を通じて確認するための試用期間中の者であるので、正式に任用された職員と同等の身分保障を行うことは、条件付採用期間制度の趣旨と相容れないとされているものである。

これらの職員も、それぞれ臨時的任用の期間の満了までの任用や正式任用への期待を有するものであるから、これらの職員の分限を任命権者の全くの裁量に委ねることは、必ずしも適当でない。そこで、本条第二項ではこれらの適用除外とされた職員の分限について必要な事項は人事院規則で定めることができることとし、これらの職員にも相応の身分保障をすることができるものとしている（臨時的職員の分限については人規一一―四　九、条件付採用期間中の職員の分限については同規則一〇）。

ところで、条件付昇任期間中の職員については、その官職において六月の期間を勤務し、その間その職務を良好な成績で遂行したときに、正式のものとなる（法五九1）とあるが、これまでの解釈においては、昇任はその時点で有効に成立しており、これを昇任前の官職に戻すには分限処分以外にはないものとされている。このため、条件付昇任者を降任させる場合には、降任処分によることとなるが、同制度及び人事評価制度の趣旨を踏まえ、通常の降任事由に加えて、特別評価の全体評語が下位の段階である場合も降任事由とされている（人規一一―四　八）。また、法律上の特例が定められている条件付採用職員と異なり、一般の分限手続の一環として行うこととなるので、降任に当たっては指導等の手続を経ることが必要とされている。

なお、条件付昇任制度を設けていることからすれば、人事評価制度の適切な運用の確立を前提として、分限手続を改めて当該期間の特別評価の結果のみにより、昇任がなかったものとすることが考えられよう。この場合には、直近の二年間の人事評価の結果や中長期的な人材育成・人事計画などを踏まえて行われた昇任について、半年間の特別評価で取消し（撤回）することとする場合の評価の信頼性が問題になるほか、係長への昇任から幹部職員への昇任に至るまで一律的な取扱いとすることが妥当なのかなどについて精査していく必要があろう（地方公務員法では、条件付昇任期間の制度が設けられていない（地公法二二1）。）。

二　審査請求の適用除外

本条により定年を除く分限規定の適用を除外された職員は、分限規定の適用除外と同じ趣旨に基づき、審査請求を認める必要がないとされ、審査請求のための処分説明書の交付（法八九）及び行服法（その体系下にある本法第九〇条から第九二条の二までの審査請求に関する規定を含む。）の適用が除外されている。

なお、本条によって分限処分についての審査請求を認められない職員であっても、懲戒処分についての審査請求及び勤務条件についての行政措置要求を行う権利は保障されている。

〔解　釈〕

一　分限規定の適用除外

臨時的職員とは、本法第六〇条及び人事院規則八―一二等により臨時的に任用された職員のほか、育児休業法第七条第一項第二号に基づいて任用された職員のことであり、非常勤職員は含まれない（昭二八・八・三一　一二―五〇二）。したがって、非常勤職員についても、本法の分限に関する規定が適用される。

本条第一項に定める職員には、第七五条及び第七八条から第八〇条までの規定が適用されない。本条第二項に基づく人事院規則一一―四はこれらの職員の分限について処分事由を新たに規定したもの（同旨　昭四九・一二・一七最高裁）であるので、同規則に定めのある臨時的職員及び条件付採用期間中の職員の免職については同規則の定めるところにより行うことができるが、臨時的職員の降任又は休職、条件付採用期間中の職員の休職等同規則になんらの定めのない処分は行うことができないものと解される。これは特定の事由のある場合に限って臨時的任用を認めた趣旨及び条件付採用期間の制度の趣旨からみて、このような処分を考慮するような事態が生じたときは、分限免職等の措置を採ることを期待しているからといえよう。

二　適用除外職員の分限についての特例

本条によって分限規定の適用を除外された職員については、人事院規則で必要な事項を定めることができることとされ、人事院規則においては次の事項を定めている。

①　臨時的職員は、国家公務員法第七八条各号のいずれかに掲げる事由に該当する場合、人事院規則八―一二第三九条第一項各号に該当する事由がなくなった場合、育児休業法第七条第一項に規定する臨時的任用の事由がなくなった場合又

は配偶者同行休業法第七条第一項に規定する臨時的任用の事由がなくなった場合は、いつでも免職することができる（人規一一―四　九）。

②　条件付採用期間中の職員は、

ア　国家公務員法第七八条第四号に掲げる事由に該当する場合、

イ　特別評価の全体評語が下位の段階である場合又は勤務の状況を示す事実に基づき勤務実績がよくないと認められる場合において、その官職に引き続き任用しておくことが適当でないと認められるとき、

ウ　心身に故障がある場合においてその官職に引き続き任用しておくことが適当でないと認められるとき、

エ　イ、ウのほか、客観的事実に基づいてその官職に引き続き任用しておくことが適当でないと認められる場合、

にはいつでも降任させ、又は免職することができる（人規一一―四　一〇）。

臨時的職員あるいは条件付採用期間中の職員で右の人事院規則に基づく処分を受けた者については、第八九条及び行政不服審査法の規定の適用はない。したがって、処分説明書も交付されず、行政部内の救済制度は適用されないが、司法救済の途はある。

右の①又は②により免職する場合には、たとえその事由が同時に第七八条の各号に該当するものであったとしても、人事院規則一一―四第七条は適用されず（昭五四・一二・二八任企五四八）、その結果、正規の職員と同様の厳格な手続は要求されていない。ただし、右の①又は②に基づき免職又は降任する場合においても人事異動通知書を交付して行わなければならない（人規八―一二　五四）。

第二目　管理監督職勤務上限年齢による降任等

（管理監督職勤務上限年齢による降任等）

第八十一条の二　任命権者は、管理監督職（一般職の職員の給与に関する法律第十条の二第一項に規定する官職及びこれに準ずる官職として人事院規則で定める官職並びに指定職（これらの官職のうち、病院、療養所、診療所その

他の国の部局又は機関に勤務する医師及び歯科医師が占める官職その他のその職務と責任に特殊性があること又は欠員の補充が困難であることによりこの条の規定を適用することが著しく不適当と認められる官職として人事院規則で定める官職を除く。）をいう。以下この目及び第八十一条の七において同じ。）を占める職員でその占める管理監督職に係る管理監督職勤務上限年齢に達している職員について、異動期間（当該管理監督職勤務上限年齢に達した日の翌日から同日以後における最初の四月一日までの間をいう。以下この目及び同条において同じ。）（第八十一条の五第一項から第四項までの規定により延長された期間を含む。以下この項において同じ。）に、管理監督職以外の官職又は管理監督職勤務上限年齢が当該職員の年齢を超える管理監督職（以下この項及び第三項においてこれらの官職を「他の官職」という。）への降任又は転任（降給を伴う転任に限る。）をするものとする。ただし、異動期間に、この法律の他の規定により当該職員について他の官職への昇任、降任若しくは転任をした場合又は第八十一条の七第一項の規定により当該職員を管理監督職を占めたまま引き続き勤務させることとした場合は、この限りでない。

②　前項の管理監督職勤務上限年齢は、年齢六十年とする。ただし、次の各号に掲げる管理監督職を占める職員の管理監督職勤務上限年齢は、当該各号に定める年齢とする。

一　国家行政組織法第十八条第一項に規定する事務次官及びこれに準ずる管理監督職のうち人事院規則で定める管理監督職　年齢六十二年

二　前号に掲げる管理監督職のほか、その職務と責任に特殊性があること又は欠員の補充が困難であることにより管理監督職勤務上限年齢を年齢六十年とすることが著しく不適当と認められる管理監督職として人事院規則で定める管理監督職　六十年を超え六十四年を超えない範囲内で人事院規則で定める年齢

③　第一項本文の規定による他の官職への降任又は転任（以下この目及び第八十九条第一項において「他の官職への降任等」という。）を行うに当たつて任命権者が遵守すべき基準に関する事項その他の他の官職への降任等に関し必要な事項は、人事院規則で定める。

〔趣　旨〕

一　役職定年制（管理監督職勤務上限年齢による降任等）の概要

本条から第八一条の五までに規定する役職定年制（管理監督職勤務上限年齢による降任等）は、令和三年の本法改正による定年の六五歳への段階的な引上げに伴い新設されたものであり、定年制度と同様に、役職者の新陳代謝を計画的に行うことにより組織の活力を維持し、もって公務能率の維持増進を図ることを目的としている。定年が原則六〇歳から六五歳に引き上げられ、公務に従事する期間が一般の職員であれば五年間延びる中で、指定職俸給表や俸給の特別調整額が適用される官職を占める職員が、六五歳まで当該官職に在職し続ける場合には、役職者の高年齢化を招き、次の世代の昇進機会が遅れることで、若年・中堅層職員の士気に影響を与えるばかりでなく、若年・中堅層職員に対して能力の伸長に適した時期に適切な管理・監督業務の経験を積ませることができなくなることにより将来の幹部育成に支障が生じて、公務能率の維持・向上を阻害し、公務の能率的な運営に支障を生ずるおそれがあると考えられた。このような理由から、役職定年制の導入により、任命権者に対し、一定の場合を除き、役職定年（管理監督職勤務上限年齢）に達した職員の他の官職への降任等を義務付けることとされた。平成二三年の人事院の意見の申出においては、本府省の局長、部長、課長等を対象に役職定年制を導入することとしていた。他方、政府の検討会が平成三〇年にとりまとめた「これまでの検討を踏まえた論点の整理」においては、役職定年制は基本的には本府省・地方支分部局等の管理又は監督の地位にある職員の官職を対象とする必要性を打ち出していたことも踏まえ、同年の人事院の意見の申出においては、地方支分部局等も対象範囲に含めることとしたものである（〔解釈〕一1参照）。

定年制度は、一定年齢でもって職員としての身分を失わせるものであるのに対し、役職定年制においては、①管理監督職を占める職員を役職定年に到達後に管理監督職以外の官職（非管理監督職）等へ異動させる措置、②役職定年に達している職員を異動期間の末日の翌日以後は管理監督職に任用できない措置を講ずるものである。

このような役職定年制は、年齢を理由とした任用の制限であるといえる。しかしながら、以上述べたとおり、公務能率の維持・向上のため必要であること、我が国の民間企業において類似の役職定年制が導入されている（平成二九年民間企業の勤務条件制度等調査（人事院）によれば、役職定年制のある企業は企業規模計（五〇人以上）で一六・四％、企業規模五〇〇人以上で三〇・七％）こと、そもそも年齢による公務員身分の喪失というより重大な効果をもたらす定年制度が従前より認められていること、対象や要件が法律及び人事院規則により厳格に規定されていること、更には、後述（第八一条の六の〔趣旨〕五参照）のとおり、今後の実施状況等を踏まえて、本制度の在り方についての検討が予定されていることを踏まえれば、いわゆる合理的な差別として、本法第二七条に反するものではない。いずれにせよ、任命権者においては、その遵守すべき基準（〔解釈〕六）に即し、適切な運用を行う必要がある。

二　役職定年制の性格

役職定年制は、職員の意に反しても降任等をするものとする仕組みである。これは、身分保障を前提にして職員の身分の変動に関する事項を定める本法においては、定年制度と同様、分限に属する事項として位置付けられるものである（定年制度の性格は、第八一条の六〔趣旨〕三参照）。なお、役職定年制は、定年に達する前の高齢期の職員に適用されるものであることを踏まえ、条文の規定位置としては、定年の前に置かれている。

〔解　釈〕

一　管理監督職

1　役職定年制の対象官職

役職定年制の対象官職は、その目的に鑑み、定年の引上げを行う中でも組織の新陳代謝を確保し、その活力を維持するための要請が強い官職とする必要があり、①定年の引上げは、本府省だけでなく、地方支分部局その他の機関等にも及ぶため、地方機関等を含めて組織の新陳代謝を図る必要性があること、②組織の新陳代謝を図る必要性が高い官職は、各組織において大きな責任を担う上位の官職であることを踏まえ、本条第一項は、俸給の特別調整額支給官職（給与法第一〇条の二第一項に規定する官職）、俸給の特別調整額支給官職に準ずる官職のうち規則で定める官職及び指定職（給与法別表第一一に規定する指定職俸給表の適用を受ける職員が占める官職及びこれに準ずる行政執行法人の官職として規則で定める官職）を「管理監督職」として規定している。なお、給与法上の「指定職」は官職を指す概念ではないが、本法の「指定職」は本法第六〇条の二第一項において定義されているとおり、①給与法の指定職俸給表の適用を受ける職員が占める官職、②行政執行法人において①に相当する官職を合わせたものを指しており、給与法とは用語法が異なる。

このうち、俸給の特別調整額支給官職に準ずる官職については、俸給の特別調整額支給官職ではないものの、俸給の特別調整額支給官職と同一の職制上の段階に属する官職で俸給の特別調整額支給官職と同様の職名となっている官職（例えば、本省の調査官、地方支分部局の課長級専門職）や行政執行法人の官職のうち俸給の特別調整額支給官職に相当する官職（職責手当等のいわゆる管理職手当が支給される官職）等であって、組織の新陳代謝の確保を図るために役職定年制を適用する必要がある官職が該当する（人規一一―一一　二）。

また、行政職俸給表㈠七級相当以上の職員が占める大臣官房付等の臨時的に置かれる官職については、俸給の特別調整額が支給されないため、本来は役職定年制の対象外となって、当該職員は降任等の必要はないが、他方において管理監督職を占める行政職俸給表㈠七級相当以上の職員は降任等することとなるのと比べると、このままでは職員間の公平性が確保できないことになるほか、役職定年による降任等を避けるために大臣官房付等の官職に就かせるといった人事運用も可能となってしまう。このため、他府省で勤務延長されていた職員（後述二の異動期間は既に終了）を出向元の府省の大臣官房付等に異動させて退職させる場合など退職の日に限った大臣官房付等の人事管理上の必要性が認められる場合を除き、行政職俸給表㈠七級相当以上の職員が占める臨時的に置かれる官職も俸給の特別調整額支給官職に準ずる官職として指定されている（人規一一―一一　二⑭）。なお、指定職俸給表が適用される職員が占める大臣官房付等の臨時的官職は、本法の「指定職」の定義に該当するため、次の2で述べる例外を除いて管理監督職に含まれ、役職定年制の対象となる。

2　管理監督職から除かれる官職

一方で、役職定年制を適用することが著しく不適当な場合も考えられ、例えば、本法第八一条の六第二項ただし書の規定の適用を受ける医師及び歯科医師などの官職は、その職務と責任に特殊性があること又は欠員の補充が困難であることにより定年を六五歳とすることが著しく不適当と認められる官職であり、組織の上位の官職を占める職員として役職定年制の対象とすることにより、かえって人事運用に支障が生ずるおそれがある。定年の引上げ前から六五歳の特例定年が適用されていた官職に相当する官職についても、同様である。このため、その職務と責任に特殊性があること又は欠員の補充が困難であることにより本条の規定を適用することが著しく不適当と認められる官職を管理監督職から除かれる官職として人事院規則で定め、役職定年制の対象外としている（人規一一―一一　三）。

また、休職・休業・派遣等により職務を離れている職員が占める指定職、俸給の特別調整額支給官職及び俸給の特別調整額支給官職に準ずる官職は、復職・復帰等する日までの間、管理監督職から除かれる官職としている（人規一一―一一　三⑫）。このような措置を講じているのは、これらの職員は、官職は保有するが職務に従事せず、いわゆる定員外に位置付けられるため、降任等を論ずる実益がないことによるものである。なお、後述三3のとおり、これらの職員は復職・復帰等の日の翌日以後、管理監督職を占めることはできず、復職・復帰等の日において降任等を行う必要がある。さらに、指定職俸給表が適用される職員が占める大臣官房付等の官職のうち、短期間の異動待機を前提とするものなど人事管理上の必要性が認められるものについては、管理監督職から除かれる官職として規定し、役職定年制は適用されない（人規一一―一一　三⑬）。

二　異動期間

役職定年による非管理監督職等への降任等を各職員の役職定年到達日に行うとすると後述のような不都合があるため、一定の期間内にそれを行うこととし、その期間を「異動期間」とした。異動期間は、役職定年に達した日の翌日から同日以後における最初の四月一日までの間としている（本条1）。すなわち、各府省における具体的な異動時期は、業務運営上の事情に応じて一様ではなく、また、各年における事情によっても異なっている中で、役職定年による降任等の時期を特定の日に限定した場合、異動させた職員の後任者を速やかに得られないことなどにより公務の運営に重大な支障を来すおそれがあることによるものである。異動期間の末尾を四月一日としているのは、定年制度では原則として年度の末日である三月三一日に一斉に退職する仕組みとしており、年度の初日である四月一日に新規採用等を含め大規模な人事異動が行われることが一般的であることなどを踏まえ、降任先のポストの確保や後任の補充等の観点から、役職定年による降任等についても、四月一日の人事異動と併せて実施できるようにするとの必要性を踏まえたものである。いずれにせよ、任命権者は、異動期間内の適切な時期に降任等を行うこととなる。

三　役職定年による降任等

1　異動先

役職定年による降任等を行う場合の異動先は、非管理監督職又は役職定年が当該職員の年齢を超える管理監督職である者の裁量の余地のない客観的な要件に基づく分限処分であるので、処分説明書の交付の対象とはされていない（本法八九1）。任命権者は、非管理監督職等への降任等をする場合には、職員に人事異動通知書を交付して行わなければならない（人規一一―一一　二〇1）。なお、役職定年による降任等は、年齢という任命権定年に達した場合には、再び降任等の対象となる。（本条1本文）。後者の場合は、職員は異動先の官職の役職定年に達していない職員となるが、その官職に在職し続けて役職

2　降給を伴う転任

本条第一項は、職制上、下位の段階の官職への降任（俸給制度上は降格）か同一職制上の段階にある官職への降給を伴う転任を定めている。このうち、降給を伴う転任における降給は、役職定年に達していることが分限事由となり、本法第七五条第二項の規定に基づき降給されることを意味している。この降給は、役職定年制実施に伴い改正された人事院規則において、本法第八一条の二第一項本文の規定による他の官職への転任により現に属する職務の級を同一の俸給表の下位の職務の級に変更するもので降格に当たるものと定義されている（人規一一―一〇　三二）。なお、異なる職種の非管理監督職の官職に転任して俸給表の適用変更が行われる場合には、降給は要件とされず、この法律の他の規定に基づく転任として、本条第一項本文は適用除外される（同項ただし書）。

3　異動期間の末日以降に復職・復帰等する場合の降任

前述〔解釈〕一で解説したとおり、休職・休業・派遣等により職務を離れている職員が占める指定職、俸給の特別調整額支給官職及び俸給の特別調整額支給官職に準ずる官職は、復職・復帰等する日までの間、管理監督職から除かれており、それらの職員は引き続き当該官職を占めることとなる。これらの職員が、異動期間の末日以降に復職・復帰等する場合には、従前から占めていた官職に復職・復帰等することとなるが、それらの官職に役職定年を超えた職員を就けることができない（本法八一の三）こととなっている。実際に、復職・復帰等する日以降は、異動期間が経過しているため本条第一項の規定による降任等を行うことができず、復職・復帰等する日に退職しない限り、職員の同意を得て管理監督職以外の官職に降任等を行うことが必要になる。また、人事管理上の必要性に鑑み、指定職や行政職俸給表㈠七級相当以上の職員が異動待機のために臨時的に置かれる大臣官房付等の官職（非管理監督職）を占める場合にも、当該官職の設置事由がなくなったときは職員の同意を得て非管理監督職等への降任等を行うことが必要となる。そこで、職員がこうした降任等に応じない場合に、任

命権者は、復職・復帰等の日又は当該臨時的に置かれる大臣官房付等の官職に就いている間に、職員の意に反して降任を行うことができることとしている（人規一一―一一　五）。この降任は役職定年による非管理監督職等への降任ではないが、役職定年による降任類型として生じるものなので、このような場合に役職定年を実施することと同様の範囲で職員本人の意に反して降格を伴う転任をさせることができるよう、人事院規則一一―一〇第四条において降格の事由として規定している。この場合には処分説明書の交付が必要となる。

四　役職定年による降任等を行う必要のない異動等

役職定年に達した職員は、異動期間中であっても、通常の異動として、役職定年制の対象ではない非管理監督職や役職定年が当該職員の年齢を超える管理監督職への昇任又は転任（降給を伴うものを除く。）を行うことができる。また、管理監督職から非管理監督職等への降任については、それにより管理監督職から異動することになるため、重複して降任又は転任を行う必要性がない。さらに、本法第八一条の七の規定により管理監督職を占めたまま勤務延長をしようとする場合も、役職定年による降任等を行う必要性はない。このため、本条第一項ただし書では、これらの異動等を行った場合は、任命権者は役職定年による降任等を義務付けられないことを確認的に規定している。

五　役職定年の年齢

役職定年は、原則として六〇歳としている。

このような役職定年の年齢が設定された背景としては、①定年引上げ前は六〇歳まで各役職で勤務することができることとされており、職員の就業条件を定年引上げ前より不利に取り扱うことのないようにする必要性があること、②管理監督職から降任又は転任された後、異動先で活躍できる期間を一定程度設ける必要があること、③民間労働法制においては定年は六〇歳を下回ることができないとされているなど六〇歳を区切りとして雇用の在り方に差をつけることが予定されており、また、民間において定年を五五歳から六〇歳に引き上げた際にも五五歳（定年の五年前）で役職定年を設けている例が多いことなどの事情がある。

さらに、職務と責任の特殊性や欠員補充の困難性がある官職については、役職定年を一律に六〇歳とした場合、人材の確保が困難となり、業務の遂行に支障が生じるおそれが強いことから、六〇歳を超え六四歳を超えない範囲内で役職定年を設定することとしている。具体的には、定年の六五歳への引上げ前において、六〇歳を超える特例定年が職務と責任の特殊性や欠員補充の困難性を踏まえて設定されていた官職については、当該特例定年の年齢と同様の年齢を役職定年として定めている。

このうち事務次官級の官職については、一般職の職員として組織の最上位に位置しており、人事管理上も当該官職を起点として人員の配置の検討が行われることを踏まえると、事務次官級の官職の役職定年を基準として示すことが適当であることから、本法自ら本条第二項第一号において六二歳と規定している（人規一一―一一　四1）。

このほかの官職については、人事院規則において具体的な官職と役職定年を定めており、具体的には、定年の六五歳への引上げ前において六三歳の特例定年が定められていた職員の占める官職（研究所の副所長、人事院が定める外交領事事務従事職員等）の役職定年を六三歳と定めている（人規一一―一一　四2）。

六　役職定年による降任等を行うに当たって任命権者が遵守すべき基準に関する事項

本条第三項では、役職定年による降任等を行うに当たって任命権者が遵守すべき基準を人事院規則で定めることとしている。役職定年制が公務能率を損なうことなく実施されるためには、役職定年に達して降任等をした職員が新しい職務で意欲を持って、それまで培ってきた能力及び経験を発揮していくことを可能とするような仕組みを用意することが求められる。このため、任命権者が役職定年による降任等を行うに当たっては、本法第二七条に定める平等取扱いの原則、第二七条の二に定める人事管理の原則、第三三条に定める任免の根本基準及び第七四条に定める分限の根本基準並びに第五五条第三項及び第一〇八条の七の規定に違反してはならないほか、人事院規則において定める基準を遵守しなければならないこととしている（人規一一―一一　六1）。

人事院規則では、第一に、人事評価の結果又は勤務の状況及び職務経験等に基づき、標準職務遂行能力や降任等先の官職の適性を有すると認められる官職に降任等をすることとされている。第二に、人事の計画その他の事情を考慮した上で、管理監督職以外の官職のうち、できる限り上位の職制上の段階に属する官職に降任等をすることとされている。第三に、より上位の管理監督職を占める職員も同時期に降任等をする場合には、原則として、当該上位の職員の降任等をした官職が属する職制上の段階と同じか下位の職制上の段階に属する官職に降任等をすることとされている。この第三の基準は、降任等の際に職制上の段階の逆転を禁ずるというものであるが、管理監督職に係る役職定年に達した職員は、非管理監督職の在職時に通常を超える勤務成績であった者であったことにより現に管理監督職に就いており、役職定年による降任等をする際には、業務上の必要等において特別の事情がない限り、管理監督職としての職制上の序列の逆転が生じないように新しいポストに就けることが人事管理上は妥当との考え方によっている。このため、例えば、下位の管理監督職を占める職員（例えば、室長級職員）を最上位の非管理監督職（課長補佐）に降任させ、上位の管理監督職を占める職員（課長級職員）をより下位の非管理監督職（係長）に降任させることは原則として基準違反となる。

なお、前述〔解釈〕三で解説したとおり、役職定年による降任等は、処分説明書の交付の対象とはされていないが、職員が不利益と思料する降任がなされた場合は、本法第九〇条第一項の規定により審査請求の申立てが可能であり、職員にはその利益の回復を図る機会が確保されている（第八九条〔趣旨〕四参照）。

七　行政執行法人の取扱い

行政執行法人については、行政執行法人の職員の職務と責任の特殊性を踏まえ、法人の自主性を尊重し、法人ごとに独自に管理監督職から除かれる官職を定めることが適当であることから、管理監督職のうち俸給の特別調整額支給官職に相当する官職は人事院が定めるものの（前述一１参照）、管理監督職から除かれる官職は、法人の長が定めることとしている。また、同様の理由により、法人ごとに役職定年を定めることが適当であることから、法人の長が定める官職について、六〇歳以外の役職定年を定めることとしている（独立行政法人通則法五九２）。そのほか、後述する役職定年制の特例（本法八一の五）についても、異動期間の延長の事由、特定管理監督職群は法人の長が定めることとされており、また、異動期間の再延長には人事院の承認を不要としている。

（管理監督職への任用の制限）

第八十一条の三　任命権者は、採用し、昇任し、降任し、又は転任しようとする管理監督職に係る管理監督職勤務上限年齢に達している者を、その者が当該管理監督職を占めているものとした場合における異動期間の末日の翌日（他の官職への降任等をされた職員にあつては、当該他の官職への降任等をされた日）以後、当該管理監督職に採用し、昇任し、降任し、又は転任することができない。

〔趣　旨〕

管理監督職への任用の制限

管理監督職に、当該官職の役職定年に達している者を任用することを認めた場合、一度、役職定年による降任等をすればその後は管理監督職に自由に任用することができるようになり、管理監督職を占める職員の新陳代謝を計画的に行うという役職定年制の趣旨が没却されてしまう。このため、本条においては、役職定年に達している者は、異動期間の末日の翌日（非管理監督職等への降任等をされた職員にあっては、当該非管理監督等への降任等をされた日）以後、管理監督職に新たに任用できないこととする措置（任用制限）が定められている。

〔解　釈〕

一　任用制限を設ける期間

役職定年に達した日の翌日以後における最初の四月一日（異動期間の末日）より前（例えば「役職定年に達した日以降」など）に任用制限した場合、管理監督職を占めている職員について、その時点で占めている管理監督職に留任させるか、役職定年による降任等をするかの選択肢しかなくなってしまい、本法第八一条の五に規定する役職定年制の特例の適用を見越して他の管理監督職に昇任や転任（又は同意降任）をさせる人事運用を行うことができなくなり、また、その時点で管理監督職を占めていない職員について、役職定年制の特例の適用を見越して管理監督職に昇任や転任をさせることもできなくなる。そのため、任用制限の期間は、「異動期間の末日の翌日（他の官職への降任等をされた職員にあつては、当該他の官職への降任等をされた日）以後」としている。

なお、管理監督職への採用（地方自治体及び独立行政法人への出向者が戻ってくる場合等）については、異動期間の末日までは制限されていないが、異動期間中に採用された場合にも、異動期間の末日までに役職定年による降任等を行う必要がある。

二　管理監督職への併任の制限及び解除

人事院規則において、本条の規定は、併任について準用するとされている（人規一一―一一　七）。また、職員が他の管理監督職に併任されている場合は、当該職員が役職定年による降任等をされたとき又は併任されている他の管理監督職の異動期間の末日が到来したときは、任命権者は、当該併任を解除しなければならないこととされている（人規一一―一一　八）。

（適用除外）

第八十一条の四　前二条の規定は、臨時的職員その他の法律により任期を定めて任用される職員には適用しない。

〔趣旨・解釈〕

役職定年制の適用除外

臨時的職員などの法律により任期を定めて任用される職員については、あらかじめ任期が定められており、組織の活力を維持するために職員の新陳代謝を計画的に行う必要性がないことから、役職定年制を適用しないこととされている。「臨時的職員その他の法律により任期を定めて任用される職員」のうちの「臨時的職員」としては、本法第六〇条の規定による臨時的任用職員のほか、育児休業法第七条第一項第二号及び配偶者同行休業法第七条第一項第二号の規定による休業に伴う臨時的任用職員がある。また、臨時的職員以外の「法律により任期を定めて任用される職員」としては、任期付職員法及び任期付研究員法に基づく任期付職員のほか、育児休業法及び配偶者同行休業法に基づく任期付職員、地方更生保護委員会の委員（更生保護法一八）等がある。なお、人規八―一二第四二条第二項の規定による任期付任用職員については、任期を定めて任用されるものであっても、法律によるものではないので、役職定年制は適用されることになる。

なお、本条においては、本法第八一条の六第三項とは異なり、常時勤務を要しない官職を占める職員は規定されていないが、そのうち、定年前再任用短時間勤務職員（本法六〇の二）、育児短時間勤務に伴う任期付短時間勤務職員（育児休業法二三１）等は、法律により任期を定めて任用される職員に該当することから、役職定年制は適用されない。また、期間業務職員、委員、顧問、参与等の非常勤の職員については、給与法第二二条第三項の規定により、俸給の特別調整額の支給対象となることはなく、指定職俸給表も適用されない。したがって、常時勤務を要しない官職を占める職員に役職定年制が適用されることはない。

（管理監督職勤務上限年齢による降任等及び管理監督職への任用の制限の特例）

第八十一条の五　任命権者は、他の官職への降任等をすべき管理監督職を占める職員について、次に掲げる事由があると認めるときは、当該職員が占める管理監督職に係る異動期間の末日の翌日から起算して一年を超えない期間内（当該期間内に次条第一項に規定する定年退職日（以下この項及び次項において「定年退職日」という。）がある職員にあつては、当該異動期間の末日の翌日から定年退職日までの期間内。第三項において同じ。）で当該異動期間を延長し、引き続き当該管理監督職を占める職員に、当該管理監督職を占めたまま勤務をさせることができる。

一　当該職員の職務の遂行上の特別の事情を勘案して、当該職員の他の官職への降任等により公務の運営に著しい支障が生ずると認められる事由として人事院規則で定める事由

二　当該職員の職務の特殊性を勘案して、当該職員の他の官職への降任等により、当該管理監督職の欠員の補充が困難となることにより公務の運営に著しい支障が生ずると認められる事由として人事院規則で定める事由

②　任命権者は、前項又はこの項の規定により異動期間（これらの規定により延長された期間を含む。）が延長された管理監督職を占める職員について、前項各号に掲げる事由が引き続きあると認めるときは、人事院の承認を得て、延長された当該異動期間の末日の翌日から起算して一年を超えない期間内（当該期間内に定年退職日がある職員にあつては、延長された当該異動期間の末日の翌日から定年退職日までの期間内。第四項において同じ。）で延長された当該異動期間を更に延長することができる。ただし、更に延長される当該異動期間の末日は、当該職員が占める管理監督職に係る異動期間の末日の翌日から起算して三年を超えることができない。

③　任命権者は、第一項の規定により異動期間を延長することができる場合を除き、他の官職への降任等をすべき特定管理監督職群（職務の内容が相互に類似する複数の管理監督職（指定職を除く。以下この項及び次項において同じ。）であつて、これらの欠員を容易に補充することができない年齢別構成その他の特別の事情がある管理監督職

として人事院規則で定める管理監督職をいう。以下この項において同じ。）に属する管理監督職を占める職員について、当該職員の他の官職への降任等により、当該特定管理監督職群に属する管理監督職の欠員の補充が困難となることにより公務の運営に著しい支障が生ずると認められる事由として人事院規則で定める事由があると認めるときは、当該職員が占める管理監督職に係る異動期間の末日の翌日から起算して一年を超えない期間内で当該異動期間を延長し、引き続き当該管理監督職を占めている職員に当該管理監督職を占めたまま勤務をさせ、又は当該職員を当該管理監督職が属する特定管理監督職群の他の管理監督職に降任し、若しくは転任することができる。

④　任命権者は、第一項若しくは第二項の規定により異動期間（これらの規定により延長された期間を含む。）が延長された管理監督職を占める職員について前項に規定する事由があると認めるとき（第二項の規定により延長された当該異動期間を更に延長することができるときを除く。）、又は前項若しくはこの項の規定により異動期間（前三項又はこの項の規定により延長された期間を含む。）が延長された管理監督職を占める職員について前項に規定する事由が引き続きあると認めるときは、人事院の承認を得て、延長された当該異動期間の末日の翌日から起算して一年を超えない期間内で延長された当該異動期間を更に延長することができる。

⑤　前各項に定めるもののほか、これらの規定による異動期間（これらの規定により延長された期間を含む。）の延長及び当該延長に係る職員の降任又は転任に関し必要な事項は、人事院規則で定める。

〔趣　旨〕

役職定年制の特例

役職定年制においては、役職定年に達した職員を一律に降任等させることになるため、職員の職務の遂行上の特別の事情や当該職員の職務の特殊性を勘案すると、当該職員を異動させることにより公務の運営に著しい支障が生ずる場合や、年齢別人員構成等の事情により管理監督職にふさわしい職員が不足し、管理監督職の欠員を補充できないことにより、当該職員を異動させると公務の運営に著しい支障が生ずる場合があり得る。そのため、一定の要件に該当する場合は、管理監督職に就いている役職定年に達した職員の異動期間を延長し、延長された期間が終了するまでは管理監督職に就くことを認め、公務の運営に著しい支障を生じさせないようにしようとするのが本条の趣旨である。

本条に規定する特例は、専ら公務上の必要性に基づいて行われるものであり、個々の職員の具体的あるいは私的な事情はこれを判断する場合の要素とはならないことは、本法第八一条の七に規定する勤務延長の場合と同様である。また、本法第八一条の二第二項ただし書に規定する六〇歳を超える役職定年は、その職種や官職を取り巻く全体状況を見たときに、職務と責任の特殊性や欠員補充の困難性により、六〇歳の原則的な役職定年では人事管理上支障のある一定の官職について別の年齢を定めるものであるのに対し、本条はその時々の個別の公務上の必要性に基づき、該当する個々の職員について、役職定年に達した後に異動期間を延長することによって、役職定年による降任等の特例を認めるものである。この点も、特例定年と勤務延長との関係と同様であるといえよう。

なお、役職定年制の特例は異動期間を延長するものであって、任用行為の類型そのものではなく（法三四1を参照）、また、必ずしも任用行為を伴うものでもないが、平成三〇年の人事院の意見の申出においては「特例任用」という名称が使用されていた経緯もあり、実務上は「特例任用」と呼ばれることがある。

本条の異動期間の延長の期間は、公務上の必要に基づくものではあるが、無制限に認められるものではない。役職定年制が個々の職員の事情いかんにかかわらず画一的に役職定年を定め、それによって計画的な人事管理を行おうとするものであることに鑑み、異動期間の延長は一年を超えない範囲で期限を定めて行われ、その期間は、当該異動期間を延長する事由に応じた必要最小限のものでなければならないとされる（人規一一―一一運用通知第二2）とともに、期限の延長に当たっては人事院の承認を得ることとされている。

〔解　釈〕

一　役職定年制の特例（特例任用）が認められる場合

本条の規定により役職定年制に係る異動期間の特例（特例任用）が認められる者は、本法第八一条の二第一項の規定により役職定年に達して異動期間内に役職定年による降任等をされることとなる職員である。この特例の適用に係る判断を行う任命権者には、併任に係る官職の任命権者は含まれず、本務に係る官職の任命権者に限られている（人規一一―一一　九）。

役職定年制の特例として異動期間の延長が認められる場合としては、次に述べるとおり三つの事由が規定されている。第一と第二の事由は管理監督職の勤務延長というべきもので定年本体の勤務延長と同様の事由であり、現に従事している職務の遂行上の特別の事情や現に従事している職務の特殊性によるものであることから、現に占めている管理監督職を異動期間の末日後も引き続き占めさせることのみが認められている。これに対し、第三の事由は、職務内容が類似する特定管理監督職群の欠員補充の困難性によるものであることから、現に占めている管理監督職を異動期間の末日後も引き続き占めさせる必要がある職員に加え、現に占めている管理監督職が属する特定管理監督職群の他の管理監督職への降任又は転任をさせることにより、引き続き当該特定管理監督職群の管理監督職を占めさせる必要がある職員も対象となる。

二　勤務延長型特例任用（本条第一項及び第二項）

役職定年制の特例が認められる事由の第一は、「職員の職務の遂行上の特別の事情を勘案して、当該職員の他の官職への降任等により公務の運営に著しい支障が生ずると認められる事由として人事院規則で定める事由」であり、人事院規則では「業務の性質上、当該職員の他の官職への降任等による担当者の交替により当該業務の継続的遂行に重大な障害が生ずること」と規定している（人規一一―一一　一〇１）。これは業務の継続的遂行の必要性に基づくものであり、例えば、役職定年に達した管理監督職を占める職員が重要な案件を担当しており、その業務の継続性を確保するため、その職員を引き続き任用する特別の必要性が認められる場合や、役職定年に達した管理監督職を占める職員が大規模な研究プロジェクトにおいて重要な役割を果たしているため、その職員がポストを外れることにより当該研究の完成を著しく遅延させるなどの重大な障害が生ずる場合が該当する。第二は、「職員の職務の特殊性を勘案して、当該職員の他の官職への降任等により、当該管理監督職の欠員の補充が困難となることにより公務の運営に著しい支障が生ずると認められる事由として人事院規則で定める事由」であり、人事院規則では「職務が高度の専門的な知識、熟達した技能若しくは豊富な経験を必要とするものであるため、又は勤務環境その他の勤務条件に特殊性があるため、当該職員の他の官職への降任等により生ずる欠員を容易に補充することができず業務の遂行に重大な障害が生ずること」と規定している（人規一一―一一　一〇２）。これは職務自体の特殊性による事由又は職員の勤務環境の特殊性に由来する事由であり、前者には、例えば、役職定年に達した管理監督職を占める職員が従事している職務には、習得に相当の期間を要する熟練した技能等が必要であるため、その職員の後任を容易に得ることができず、当該職員がポストを外れると業務の遂行に重大な支障が生ずる場合が該当し、後者には、例えば、非管理監督職等への降任等をすべき管理監督職を占める職員が離島その他のへき地にある官署等に勤務しているため、その職員の役職定年による降任等による欠員を容易に補充することができず、業務の遂行に重大な支障が生ずる場合が該当する。

三　異動可能型特例任用（本条第三項及び第四項）

第三の事由は、「他の官職への降任等をすべき特定管理監督職群…に属する管理監督職を占める職員について、当該職員の他の官職への降任等により、当該特定管理監督職群に属する管理監督職の欠員の補充が困難となることにより公務の運営に著しい支障が生ずると認められる事由として人事院規則で定める事由」であり、人事院規則では、「特定管理監督職群…に属する管理監督職の属する職制上の段階の標準的な官職に係る標準職務遂行能力及び当該管理監督職についての適性を有すると認められる職員（当該管理監督職に係る管理監督職勤務上限年齢に達した職員を除く。）の数が当該管理監督職の数に満たない等の事情があるため、管理監督職を現に占める職員の他の官職への降任等により当該管理監督職に生ずる欠員を容易に補充することができず業務の遂行に重大な障害が生ずること」と規定している（人規一一―一一　一三）。

ここで、「特定管理監督職群」とは、職務の内容が相互に類似する複数の管理監督職（指定職を除く。）であって、これらの欠員を容易に補充することができない年齢別構成その他の特別の事情がある管理監督職として人事院規則で定める管理監督職である。特別の事情としては、例えば、職員の年齢別構成に偏りがあるため、管理監督職に就けるにふさわしい六〇歳未満の職員が十分に育成できておらず、また、当該官職への適性を持つ他府省等からの人材の供給も望めない場合などが考えられる。具体的な特定管理監督職群は、人事院規則において、例えば、「管区○○局等の特定管理監督職群　管区○○局の部長及び○○官並びに○○事務所の所長並びに○○支局の部長及び○○官」などと規定している（人規一一―一一　一二）。

本条第三項の異動期間の延長は、「第一項の規定により異動期間を延長することができる場合を除き」できることとされている。個別のケースによっては、役職定年による降任等をすべき管理監督職を占める職員について、本条第一項各号に定める余人をもって代え難い事情があると同時に、当該管理監督職が特定管理監督職群に属する官職であり、本条第三項の要件も満たす場合も考えられるところである。このように本条第一項各号及び第三項の要件を同時に満たす場合は第一項が優先して適用され、第一項各号の要件を満たさない場合にのみ、第三項が適用されることとなる。ただし、第一項の事由による異動期間の延長は、最長三年までとされているため、四年目以降において第一項の要件と第三項の要件を両方とも満たしている場合は、第三項の事由による異動期間の延長のみ行い得ることとなる。

四　特例任用における異動期間の延長及び俸給月額

(1)　それぞれの職員について異動期間の延長を決定するのは任命権者である。任命権者は〔解釈二及び三〕で述べた異動期間の延長の事由のいずれかに該当することを客観的に判断して決定しなければならない。ただし、任命権者が異動期間の延長を決定するに当たっては、それに先立って本人の同意が必要である（人規一一―一一　一五）。管理監督職を占める職員は、本来であれば役職定年に達したことによって当然に降任等をされるものであり、異動期間を延長されることは職員にとって新たな決意を要すること及びそれが公務の側の必要によって行われるものではあるが、一方的に行うべきではないことを考慮すれば本人の同意を必要とすることが妥当である点は、勤務延長の場合と同様である（第八一条の七〔解釈〕二参照）。なお、異動期間を延長する場合には、当該職員に人事異動通知書を交付しなければならないこととされている（人規一一―一一　二〇2①）。

異動期間の延長は、当該職員が占める管理監督職に係る異動期間の末日の翌日から起算して一年を超えない期間内（当該期間内に本法第八一条の六第一項に規定する定年退職日がある職員にあっては、当該異動期間の末日の翌日から定年退職日までの期間内）で行うことができる。すなわち、最大限、異動期間の末日が属する年の翌年の四月一日までである（期間の計算について民法一四三）。任命権者は、人事異動通知書において、延長した異動期間の期限を明示することとされている（人規一一―一一運用通知第三2⑤）。

本条第一項の規定により異動期間を延長された職員は、延長の際に占めていた管理監督職を占めたまま勤務することとなるが、法令の改廃による組織の変更等により当該管理監督職が廃止され又はその業務内容が変更される場合において、当該職員が従前の管理監督職の業務と同一の業務を行うことをその職務の主たる内容とする他の管理監督職を占める職員となる場合は、当該職員は、異動期間が延長された管理監督職を引き続き占めているものとみなされる（人規一一―一一　一一）。組織変更等の前後で官職の主たる職務内容が実質的に同じ場合にまで、当初の異動期間を経過していることをもって本法第八一条の三の規定により転任を認めないこととすると、異動期間の延長を行った趣旨や公務能率を損なうものと考えられることから、実質的に同一の管理監督職への転任を可能としているものである。

(2)　定年の六五歳への段階的な引上げに伴い当分の間の措置として導入された六〇歳を超える職員に対する俸給月額の七割措置については、次に述べる再延長の場合も含め、本条第一項の事由により異動期間を延長する場合は、六〇歳を超える職員ではあるものの当該措置の対象とはならないが（給与法附則9③）、第三項の事由により異動期間を延長する場合は当該措置が適用され、俸給月額は七割水準となる（俸給月額の七割措置は、第八一条の六〔趣旨〕五2参照）。

五　延長された異動期間の期限が到来した際の再延長

〔解釈〕四で述べたように、異動期間の延長は、原則として一年以内の範囲で認められるものであるが、延長された異動期間の期限が到来する際、前述の事由が引き続きあると認めるときは、人事院の承認を得て一年を超えない範囲内で再度延長することができる（法八一条の五2、4）。ただし、本条第一項各号の事由は、当初の異動期間の末日において職員が占めている管理監督職において、その職員を当該管理監督職にとどめておくべき高い必要性がある場合の特例であることから、同項各号の事由による再延長については、第二項により当初の異動期間の末日から第一項各号の事由により引き続き延長されている場合のみ認めることとし、一度でも第三項の事由により異動期間が延長された場合は、第一項の事由による異動期間の延長は認めないこととされている。第三項の事由による再延長については、同項の事由が引き続きあると認める場合のみ認められることとなる。

異動期間の再延長については、その回数に制限はない。しかしながら、本条第一項各号の事由により延長された異動期間の末日は、当初の異動期間の末日の翌日から起算して三年を超えることはできない（法八一の五2）。一方、第三項の事由による異動期間の再延長については、特定管理監督職群の欠員補充の困難性は、人材育成に一定の期間が必要となることを踏まえると、短期間で解消することが困難であることから、期限は規定されておらず、最長で定年退職日まで（五年間）行うことが可能とされている。

異動期間の再延長を任命権者が行うに当たっては、人事院の承認が必要とされている。初めの異動期間の延長は、職員の職務遂行上の特別の事情等に関しては第一義的には任命権者が一番良く把握していると考えられることから、任命権者の判断に委ねているが、その後更に異動期間の再延長を行う場合には、役職定年制の趣旨に即した運用が行われているかについて、再延長を必要とする事情の継続性、任命権者の判断の適否、異動期間の延長の事由の解消への任命権者の努力等を人事行政の公正確保の観点から人事院が審査することとしている。

六　延長した異動期間の期限の繰上げ等

異動期間を延長又は再延長した場合において、異動期間の末日の到来前に当該異動期間の延長の事由が消滅したときは、非管理監督職等への降任等を行うこととなる（人規一一―一一　一七）。しかしながら、本条第一項又は第二項の規定により異動期間を延長した事由が異動期間の末日の到来前に消滅するものの、引き続き第三項の事由があり、第四項の規定により異動期間を延長しようとする場合は、任命権者は第一項又は第二項の規定により延長した異動期間を繰り上げることができる（人規一一―一一　一六）。なお、第八一条の七〔解釈〕四で後述するとおり、勤務延長の事由の消滅による勤務延長の期限の繰上げの場合は職員の同意が必要とされているが、異動期間の延長の事由の消滅により他の官職への降任等を行う場合は、職員の同意は要しない。そもそも、異動期間内においてはその末日の到来を待たずにいつでも、任命権者は管理監督職を占める職員について、その同意なくして他の官職への降任等をすることができることからすれば、当然のことといえよう。

第三目　定年による退職等

（定年による退職）

第八十一条の六　職員は、法律に別段の定めのある場合を除き、定年に達したときは、定年に達した日以後における最初の三月三十一日又は第五十五条第一項に規定する任命権者若しくは法律で別に定められた任命権者があらかじめ指定する日のいずれか早い日（次条第一項及び第二項ただし書において「定年退職日」という。）に退職する。

②　前項の定年は、年齢六十五年とする。ただし、その職務と責任に特殊性があること又は欠員の補充が困難であることにより定年を年齢六十五年とすることが著しく不適当と認められる官職を占める医師及び歯科医師その他の職員として人事院規則で定める職員の定年は、六十五年を超え七十年を超えない範囲内で人事院規則で定める年齢とする。

③　前二項の規定は、臨時的職員その他の法律により任期を定めて任用される職員及び常時勤務を要しない官職を占める職員には適用しない。

〔趣　旨〕

一　定年制度導入の経緯

国家公務員に関する一般的な定年制度は、昭和六〇年三月三一日以降、新たに導入されたものである。それまでは定年制度は一部の公務員について実施されていたに過ぎず、例えば、特別職では、裁判官（最高裁七〇歳、高裁、地裁及び家裁六五歳、簡裁七〇歳）、自衛官（当時は陸・海・空将五八歳から三等陸・海・空曹四三歳まで）等、一般職では検察官（検事総長六五歳、一般の検察官六三歳）、また当時国家公務員であった国立大学の教員（大学管理機関が定めるが、概ね六〇歳から六七歳まで）等に定（停）年が定められていた。

国家公務員に対する一般的な定年制度導入の動きは、昭和三〇年一一月の公務員制度調査会の答申において「職群及び特定の官職別に、適切な定年制の導入を考慮すること」とされたのをはじめとして、昭和三九年九月の臨時行政調査会の答申では「定年制は、公務員の地位の安定、定員、昇進等の計画的運用、公務員の中立性の確保等を目的として実施すべきである。」とされたが、その後、昭和四〇年代後半までは、職員の年齢構成が比較的若く、勧奨による退職が比較的円滑に行われていたこともあり、国家公務員の一般的な定年制度については具体的な検討の俎上に上ることはなかった。昭和五〇年代に入ると、民間企業では、定年制導入企業数は増加し、五五歳以上の定年制のある事業所が大半となった。公務でも、管理職員については勧奨退職が一般化する一方で、多くを占める非管理職の職員の高齢化が進展し、従前のような勧奨による退職のみでは適正な新陳代謝を維持することが難しくなり、公務の能率的運営に支障を及ぼすおそれがあったことに加え、当時の国の財政事情から、公務員人件費の増大を抑制するなどの行政コストの節減合理化の要請を満たす上で、給与の高い高齢層公務員の増加を抑える必要があるとの政・財界の声が強まり、内閣として高齢層職員への対応が求められるところとなった。

昭和五二年には、当初公務内では定年制に対する消極的意見が多かったため、政府としては高齢職員の離職促進等については段階的に進めるべく「現行制度の見直しや新しい諸施策の導入について準備を行う」（同年九月二日　閣議了解）にとどまっていたが、同年一二月一四日の自民党行財政調査会の六〇歳定年制導入の決定を受けて、同月二三日に、行政改革の一環として、定年制度導入の閣議決定を行い、総理府総務長官から人事院総裁宛ての書簡によりそのための検討を依頼した。これを受けた人事院では検討を進め、昭和五四年八月、人事院総裁は総理府総務長官宛てに「国家公務員の定年制度について」と題する書簡を送り、適正な新陳代謝の促進と長期的展望に立った計画的な人事管理の展開を通じて、より能率的な公務の運営を期待し得るよう、退職管理制度を整備する手段の一つとして定年制度が導入されることは意義がある旨の見解を明らかにするとともに、実施のための具体的な内容を示した。政府はこの回答に基づき、昭和五五年、第九一回国会に定年制度を実施するための本法改正法案を提出した。同法案は審議未了になり、更に同年一〇月、国会に同じ法案が提出され、継続審査となったが、昭和五六年六月には成立をみた。そして所要の準備期間を経た後、昭和六〇年三月三一日から施行された。

一方、地方公務員については、教特法第八条第一項に定めのある公立大学の教員を除き、定年制度がなく、これを設けることが以前から大きな課題とされてきた。昭和三一年以来、定年制を定めるための地公法改正法案が再三国会に提出されたが、いずれも審議未了となった。しかし、国家公務員の定年制度導入に歩調を合わせて定年制度を導入する地公法改正法案が昭和五五年に国会に提出され、これは審議未了となったが、再度提出された改正案は昭和五六年一一月に成立し、国家公務員と同じく昭和六〇年三月三一日から施行された。

二　定年制度の目的

公務員に定年制度を定める目的は大きく分けて二つあると考えられる。

第一は、職員の新陳代謝を計画的に行うことにより組織の活力を維持し、もって公務能率の維持増進を図ることである。すなわち、定年制度によって退職管理制度を整備し、これを前提として昇任、採用等を計画的に行い、年齢構成の老齢化を防ぐとともに、志気の沈滞を防止しようとするものである。昭和五四年八月の人事院総裁の書簡においても「適正な新陳代謝の促進と長期的展望に立った計画的な人事管理の展開」を図ることが、その必要性の一つに挙げられているところである。

ところで、当時は職員の新陳代謝を図るための方法として、府省ごとに職員の在職状況等その実情に応じて職種、役職段階ごとに一定の基準年齢を設け、個々の職員に対し退職を勧奨することが広く行われていた。しかし、その法律的性質は、本人の意思に基づく辞職であり、法律上の強制力がないため、必ずしも所期の目的の達成が十分でなかったり、各府省の取扱いにも不均衡がある等の問題があり、また、当時の見通しとしても、先の人事院総裁の書簡で、「近年、我が国の人口構造の急激な高齢化の影響もあって勤労者の間に高年齢まで就業したいという意識が高まってきている。このことは公務部内においても例外ではなく、高齢者の労働市場が狭いことなどと相まって、近い将来、勧奨は十分に機能しにくくなり、公務部内における職員の高齢化の傾向が次第に強まるものと考えられる。」と指摘されるような状況にあり、定年制度の導入によって退職管理制度を整備する必要性が高まっていたのである。

定年制度を定める第二の目的は、所定の年齢まで職員の勤務の継続を保障して、安んじて職員を公務に専念させ「職員の志気の高揚を図り、組織の活力を維持する」（前記人事院総裁書簡）ことである。従来の定年制度の定めがない状態の下においては、職員の退職は勧奨退職、本人の任意による自発的な辞職等様々な事情の下に行われ、一貫性と安定性の面で問題がないわけではなかった。定年制度の実施によって職員は原則として定年までの在職が保障され、生活設計をより明確にすることが可能となり、将来にはっきりした見通しをもって職務に専念することができるようになったのである。また、我が国の人口高齢化に伴い、高齢者の雇用問題が大きな社会的課題となり、民間企業においても当時六〇歳への定年年齢の引上げが行われていたが、公務員の場合も従来の一般的な退職年齢を上回る年齢を定年とすることにより、こうした社会的課題に応え、職員の就業意欲を満足させて、その志気を一層高揚することができるようにしたものといえよう。

三　定年制度の性格

本法において、定年制度は分限に属する事項として規定されている。これは公務員の任用については、中立公正な行政を確保するため、職員の意に反する任用を制約するために本法において身分保障の措置が設けられているところ、定年制度は本人の意思によらない離職であって、その導入は法律で定められている従来の身分保障の一部に変更を加えるものであることから、この定年制度は法律により定められているのである。この身分保障という考えを前提にした上での公務員の身分の変動に関する事項が分限であり、定年制度もこうしたことから分限に属する事項として規定されているのである。

定年制度導入により、従来の退職管理の方式は制度的には一変したわけであるが、定年制度が実施されたことで勧奨による退職管理制度が無くなるということではなかった。特に、管理職級以上の職員について組織管理上新陳代謝が必要であることから、定年制導入後においても、四〇歳代後半から五〇歳代前半にかけて勧奨退職させ、特殊法人等や民間企業に再就職をあっせんすることが一般的に行われていた。このほか、いわゆる廃官廃庁が予定され、該当職員の配置転換が困難である場合等においては、個別に退職の勧奨が行われることが想定されたところである。そのような想定の下、昭和六一年に改正された国家公務員等退職手当法は、定年前の勧奨退職者について、その退職手当に一定の割増しをする制度を設けていた。

四　国家公務員の退職管理の在り方の見直しと雇用と年金の接続

１　平成二一年の幹部職員等の退職管理の見直しまでの動き

ところで、我が国の少子高齢社会の進展は、将来にわたっての安定した年金財政を確保できるのかという問題を惹起し、厚生年金、共済年金等の公的年金の支給開始年齢について、平成六年の法改正により、老齢年金の定額部分の支給開始年齢が平成一三年度から二五年度にかけて段階的に六〇歳から六五歳まで引き上げられることとなった。このため、六〇歳定年を前提に六五歳の年金支給開始までの雇用と年金の連携を図る仕組みとして、後述するとおり、平成一一年に本法改正法が成立し、従前の限定的な再任用制度に代えて、平成一三年四月から定年退職者等に係る新たな再任用制度（平成一三年再任用制度）が導入された。

また、各府省における幹部職員等の退職管理は、前述のとおり、組織の新陳代謝を図る観点から、幹部職員等に対する早期退職慣行が昭和六〇年の定年制度の導入後も広く行われていた。こうした慣行については、公務員に対するいわゆる「天下り」批判と関連して見直しが強く求められ、平成一四年には政府全体として幹部職員の平均勧奨退職年齢を平成一五年度から一九年度の五年間かけて段階的に三歳引き上げることを目標として定め、併せて、能力主義を徹底して年次主義やピラミッド型人事構成の見直しを図り、能力と適性に応じた複線型人事管理を推進することとされた。さらに、平成一九年には本法の一部改正が行われ、職員の任用・給与等の人事管理について新たな人事評価制度を導入し、これに基づいて能力・実績主義を徹底することとし、併せて、再就職規制をあっせん等禁止及び再就職後の働きかけ規制などの仕組みに改め、各府省における職員又は職員であったものに対する再就職あっせん等は平成二一年一二月三一日以降禁止することとされた。この再就職あっせん等の禁止は、平成二一年八月の総選挙による政権交代により、同年九月から前倒しで実施に移された。再就職あっせん等が禁止されたことにより、国家公務員の勧奨退職者数は大きく減少することとなり、幹部職員を含めて定年まで勤務できる環境の整備が課題となるとともに、組織活力の維持の観点から職員が自発的に応募した場合に退職手当が優遇される希望退職制度を導入するとの方針が本法第一〇六条の二六第一項に基づく「退職管理基本方針」として平成二二年六月二二日に閣議決定され、平成二四年の退手法の改正により早期退職募集制度が導入されることとなった。

2　年金支給開始年齢の引上げと平成二三年の人事院の意見の申出

こうした幹部職員等の退職管理の見直しと平行して、年金制度においては、平成一二年の共済法改正により、老齢年金の報酬比例部分の支給開始年齢を平成二五年度から三七年度にかけて段階的に六〇歳から六五歳まで引き上げることとなった。これにより、六〇歳定年後は六五歳まで公的年金が支給されないこととなり、無収入期間の発生に対応して雇用と年金の接続を図ることが官民共通の課題となるに至った。民間法制においては、高年齢者等の雇用の安定等に関する法律（昭四六法六八）において、定年を定める場合には六〇歳を下回ることができない旨が平成六年に定められていたが、こうした厚生年金の支給開始年齢の引上げに対応して、六五歳未満の定年を定めている事業主に対し、六五歳までの雇用を確保するため、平成一八年度以降は、定年の引上げ、再雇用等の継続雇用制度の導入、定年の定めの廃止のいずれかの措置を導入する義務が課されることとなった。

公務においても、当初の再任用制度に代えて平成一三年再任用制度が導入された後、国家公務員制度改革基本法（平二〇法六八）においては、雇用と年金の接続の重要性に留意して、定年まで勤務できる環境を整備するとともに、再任用制度の活用の拡大を図ること、定年を段階的に六五歳に引き上げることについて検討する旨が定められた。人事院は、平成一九年八月の給与勧告時の報告で、平成二五年度から段階的に始まる年金支給開始年齢引上げに対応するため高齢期雇用確保策について総合的な検討を行うことに言及し、同年秋から「公務員の高齢期の雇用問題に関する研究会」（座長：清家篤慶應義塾長）を設置した。同研究会は、平成二一年七月、雇用と年金の連携を図り、職員が高齢期の生活に不安を覚えることなく職務に専念できるようにするため、組織活力を維持し、総給与費の増加の抑制を行いながら、定年年齢を段階的に六五歳に引き上げる必要がある旨を報告した。こうした状況を踏まえて人事院でも具体的な検討を進めた結果、来るべき本格的な高齢社会において公務能率を確保しながら職員の能力を十分活用していくためには、公的年金の支給開始年齢の引上げに合わせて、平成二五年度から平成三七年度に向けて、六〇歳を超える職員の給与の抑制や多様な働き方を可能とする措置等を講じながら、国家公務員の定年を段階的に六五歳に引き上げることが適当であるとして、本法第二三条に基づき、平成二三年九月三〇日、定年を段階的に六五歳に引き上げるための本法等の改正についての意見の申出を国会及び内閣に対して行った。その後、政府として雇用と年金の接続に関する検討が進められたが、当時の民主党連立政権においても、公務員の六五歳定年延長は時期尚早との声が強く、定年延長の実施は見送られ、結局、年金支給開始年齢の引上げを前にした平成二五年三月二六日、新たな自公連立政権の下で、前述の民間法制での対応等を踏まえ、当面、定年退職する職員が公的年金の支給開始年齢に達するまでの間、希望する職員については再任用するものとすることで、国家公務員の雇用と年金を確実に接続する旨の閣議決定が行われた。この閣議決定では、定年退職後に無年金となる期間に係る再任用制度の活用状況を検証し、年金支給開始年齢の段階的な引上げの時期ごとに、公務の運営状況や民間企業における高年齢者雇用確保措置の実施状況を勘案し、人事院の意見の申出を踏まえつつ、段階的な定年の引上げも含め雇用と年金の接続の在り方について改めて検討を行うこととした。

五　定年の六五歳への引上げ

1　平成三〇年の人事院の意見の申出と本法等改正

人事院は、平成二四年以降、毎年夏の給与勧告時の報告において定年の引上げの必要性について言及するとともに、フルタイム中心の再任用勤務の実現に向けた取組を進めてきた。一方、平成二九年一月に文部科学省における組織的な再就職あっせんが明らかになったことを契機として、政府内では定年延長の必要性が課題として強く認識され、与党内においても一億総活躍社会実現の中で公務員の定年延長が必要との議論が高まった。これを受けて、政府は、「経済財政運営と改革の基本方針二〇一七」（平成二九年六月九日閣議決定）において、「公務員の定年の引上げについて、具体的な検討を進める」とし、これを受けて関係行政機関による「公務員の定年の引上げに関する検討会」が設けられ、人事院の平成二三年の意見の申出も踏まえつつ検討が行われた結果、「これまでの検討を踏まえた論点の整理」が取りまとめられた。この論点整理では、定年を段階的に六五歳に引き上げる方向で検討することが適当であるとされた。論点整理の内容は、平成三〇年二月一六日、「公務員の定年の引上げに関する関係閣僚会議」で了承の上、閣僚懇談会に報告され、同日、内閣総理大臣から人事院総裁に対し、政府の論点整理を踏まえて国家公務員の定年の引上げについて検討要請が行われた。

前述のとおり、人事院はフルタイム中心の再任用勤務の実現に向けた取組を進めてきたが、当時の再任用制度の運用を見ると、高齢層職員から若年・中堅層職員への技能・ノウハウの継承が課題となる中で下位の官職に短時間勤務で再任用される職員が多く、その能力及び経験を十分にいかしきれていないため、このまま再任用職員の占める割合が高まると、職員の士気の低下等により、公務能率の低下が懸念される状況にあった。職員側においても、年金支給開始年齢の引上げが進み、無年金期間が拡大する中で、退職後十分な所得が得られず、生活への不安が高まるおそれがあった。

人事院は、既に平成二三年に六五歳への定年引上げの意見の申出を行っていたが、政府において再任用義務化後の情勢を踏まえて各府省の人事管理について検討が行われ、これを基礎として検討要請が行われたことから、人事院としてもこれに対する検討を行った。特に、平成二六年以降の義務化された再任用では行政職俸給表㈠適用者の七〇％が係長・主任級の官職で、かつ八〇％の者が短時間勤務となっている状況等を踏まえ検討を行った結果、複雑高度化する行政課題に的確に対応し、質の高い行政サービスを維持していくためには、六〇歳を超える職員の能力及び経験を六〇歳前と同様に本格的に活用することが不可欠となっており、定年を段階的に六五歳に引き上げることが必要であることを確認し、本法第二三条に基づき、平成三〇年八月一〇日、定年を段階的に六五歳に引き上げるための本法等の改正についての意見の申出を国会及び内閣に対して行った。これを踏まえ、政府において検討が行われた結果、令和二年三月、本法等改正法案が国会に提出されたが、同法案は、検察官の定年制が議論となり審議未了で廃案となった。その後、令和三年四月、国会に新たな法案が提出され、同年六月に成立して公布され（令和三年一部改正法）、令和五年四月一日から（実施のための準備等の一部の規定は公布日から）施行されることとなった。

2　定年引上げに伴う措置

定年の六五歳への段階的な引上げに伴い、前述のとおり、定年前再任用短時間勤務制（本法第六〇条の二）及び役職定年制（管理監督職勤務上限年齢制）（本法第八一条の二～第八一条の五）が新設された。

また、給与については、平成三〇年の意見の申出に際し、人事院において六〇歳を超える職員の給与水準について検討が行われた。国家公務員の給与は社会一般の情勢に適応するように変更することとされているが（本法第二八条）、民間企業の六〇歳を超える従業員の給与の状況を「賃金構造基本統計調査」（厚生労働省）でみると、行政職俸給表㈠の適用を受ける常勤職員と類似する「管理・事務・技術労働者」（フルタイム・正社員）の六〇歳台前半層の年間給与水準は五〇歳台後半層の約七〇％となっていた（平成二七年、平成二八年及び平成二九年の平均値）。人事院が平成三〇年に実施した「職種別民間給与実態調査」においても、定年延長企業（定年制を廃止した事業所を含む。）のうち六〇歳時点で給与減額を行っている事業所の六〇歳を超える従業員の年間給与水準は六〇歳前の七割台となっていた。これらの状況を踏まえ、当分の間、六〇歳を超える職員の年間給与を、原則として六〇歳前の七割の水準に設定することとされた。具体的には、定年の引上げに伴い、六〇歳を超える職員の俸給月額の水準を設定するため、当分の間、職員の俸給月額は、特定日（職員が六〇歳（改正前の本法において特例定年が適用されていた職員に相当する職員は当該特例定年の年齢）に達した日後の最初の四月一日）以後、当該職員に適用される俸給表の俸給月額のうち、当該職員の属する職務の級及び当該職員の受ける号俸に応じた額に一〇〇分の七〇を乗じて得た額とする俸給月額の七割措置が講じられた（給与法附則8・9）。

これらのほか、退手法において、六〇歳（改正前の本法において特例定年が適用されていた職員に相当する職員は当該特例定年の年齢）に達した職員の退職手当について、①六〇歳に達した日以後、その者の非違によることなく退職した者の退職手当の基本額の支給率について、当分の間、勤続期間を同じくする定年退職の場合と同率とする措置、②定年引上げに伴い六〇歳超の期間の給与が減額される職員に対し退職手当の基本額の計算方法の特例（いわゆる「ピーク時特例」）を適用する措置などが講じられた。

このように定年の段階的引上げに伴って六〇歳を境に人事管理に関する制度が大きく変わるため、当分の間の措置として、任命権者が六〇歳（改正前の本法において特例定年が適用されていた職員に相当する職員は当該特例定年の年齢）に達する職員に対し、あらかじめ、六〇歳以降に適用される任用、給与、退職手当の制度に係る情報を提供するとともに、六〇歳以後の勤務の意思を確認するよう努める情報提供・意思確認制度が新設された（詳細は附則第九条の解説参照）。

3　検討規定

(1)　役職定年制の導入後は、定年引上げが完成するまでの段階的な引上げ期間中も含め、職員の年齢別在職状況の変化（高齢層職員の割合が低下し、役職者の年齢による新陳代謝の促進の必要性が低下する場合など）や民間における高年齢者の雇用の状況の変化などから、役職定年制の対象や役職定年の年齢の見直しが必要となることも考えられることから、令和三年一部改正法附則第一六条第一項においては、役職定年制の在り方についての検討規定が置かれている。また、定年前再任用短時間勤務制についても、国家公務員の年齢別構成や人事管理の状況、民間における高年齢者の雇用の状況、退職手当制度や関連する税制上の取扱い等も踏まえつつ、高齢期における様々な事情により多様な働き方のニーズが高まることが見込まれることを踏まえて導入されたため、これらの状況に変更が生じた場合には、定年前再任用を可能とする年齢など制度の枠組みについて見直す必要性が生じ得ることから、定年の段階的な引上げ期間中も含め、同項において、同様に必要な検討を行うものとしている。

一方で、役職定年制は分限に、定年前再任用短時間勤務制は採用にそれぞれ関わるものであるので、人事行政の中立性・公正性や労働基本権制約の代償機能の観点から、人事院が検討し、意見を述べる必要がある。さらに、人事院では、役職定年制や定年前再任用短時間勤務制の見直しを行う際には、直接・間接にこれらの制度の適用のある職員に関する給与など他の制度の見直しの検討も併せて行う必要がある。

以上のことから、同項においては、政府において、役職定年制又は定年前再任用短時間勤務職員制の見直しの必要性を判断する際には、「国家公務員の年齢別構成及び人事管理の状況、民間における高年齢者の雇用の状況その他の事情」に加え、これらの制度の見直しに関する「人事院における検討の状況」を踏まえて、政府において見直しの必要性を判断し、見直しの必要があると認められるときは、制度の見直しについて検討を行い、所要の措置を講ずることとしている（令和三年一部改正法附則一六1）。

(2)　給与について、俸給月額の七割措置は、前述のとおり、現在の民間における状況を踏まえ、当分の間の措置として講じられたものであるが、これに関しては、人事院も意見の申出の中で「六〇歳を超えても引き続き同一の職務を担うのであれば、本来は、六〇歳前後で給与水準が維持されることが望ましい」、「民間給与の動向等も踏まえ、六〇歳前の給与カーブも含めてその在り方を引き続き検討していくこととしたい」としていた。

そこで、令和三年一部改正法附則第一六条第二項は、こうした今後の給与制度の見直しについて規定し、旧定年年齢前後での給与水準が連続的なものとなるよう、所要の措置を順次講ずることを求めている。具体的には、人事院において令和三年一部改正法の公布後速やかに行われる「昇任及び昇格の基準」、「昇給の基準」、「俸給表に定める俸給月額」等に関する検討を踏まえ、政府において必要な法制上の措置等を定年の引上げが完成する令和一三年三月三一日までの間に順次講ずることとされている。

(3)　また、令和三年一部改正法附則第一六条第三項は、同条第二項の人事院における検討のためには能力・実績を処遇に的確に反映するための人事評価の改善が重要であるとし、政府に対して同法の施行日までに所要の措置を講ずることを求めていた。これを踏まえて、政府は令和三年一部改正法の公布後速やかに検討を進め、幹部職員以外の職員の評語区分の細分化等の見直しを行うこととして、令和四年一〇月一日からこの改正を実施した（第七〇条の二〔趣旨〕四参照）。令和三年一部改正法の公布後、人事院は、令和三年八月の給与勧告時の報告において、同項を受け、能力・実績を的確に反映させつつ、六〇歳前後の給与水準が連続的なものとなるよう、官民の状況を踏まえつつ順次取組を進める方針を表明し、その上で、取組の一環として、前述の人事評価の改善に伴う昇任・昇格、昇給等の基準の改正を行った（令和四年一〇月一日施行）。

〔解　釈〕

一　定年の意義及び定年による退職

本条第一項は、職員が定年に達したときは法律に別段の定めのある場合を除き、定年に達した日以後における最初の三月三一日又は任命権者があらかじめ指定する日のいずれか早い日に退職することを規定している。まず、ここで「定年」とは、職員が一定の年齢に達したことを理由として自動的に退職する制度（定年制度）における当該一定の年齢（満年齢）をいうものである。また、「定年に達したとき」とはそれぞれの職員が定年の満年齢に達する誕生日の前日の午後一二時を指し（年齢計算ニ関スル法律2、民法一四三2、昭五四・四・一九最高裁）、「定年に達した日」とは当該前日をいうものである。

また、一般職の国家公務員については、原則的には本法に定める定年制度が適用されるが、本法の定年制度の導入前から他の法律により定年制度が定められていたものについては、その経緯等に鑑み、特例として、それぞれの法律による定年制度を適用しようとするものである。このようなものとしては、検察官（検察庁法第二二条、第二三条）、文部科学省国立教育政策研究所の研究施設研究教育職員（教特法第三一条）の定年制度がある。なお、本法がもともと適用されない特別職の国家公務員についても、例えば、裁判官や自衛官のように個別の法律により定年制度が定められているものがある。

定年に達した職員が実際に退職するのは、定年に達した日以後における最初の三月三一日又は原任命権者があらかじめ指定する日のいずれか早い日（定年退職日）である。このように任命権者が三月三一日以外の定年退職日を決めることができるようにしたのは、各府省における人事異動の時期が必ずしも同一ではないことから、全体の人事異動に連動する定年退職の時期を各府省一律とすると、実際の人事管理に支障を生ずる場合があり得るからである。任命権者が定年退職日を指定するに当たっては、定年に達した日とすること、その日の属する月末とすること、年度の前半と後半に分けてそれぞれの末日とすること、あるいは指定を行わず全て当該年度の末日とすること等のいずれによることも可能であるが、現在、実際にこの定年退職日の指定を行っている府省はない（なお、かつて外務省において指定した例はある。）。また、職種によって異なる定年退職日を指定することも人事管理上の合理的な理由がある場合には可能であると考えるが、個々の職員ごとに定年退職日の定めが異なる方法を採ることは、定年制度が計画的、かつ少なくとも同一の職種については平等で画一的な退職の制度とすべきものであることに鑑み、また、分限に関する公正取扱いの原則（法七四1）に照らして、できないものと解される。なお、定年に達した職員が定年退職日前に自発的に退職を選択することも考えられるが、この場合、退手法第五条第二項により、「定年に達した日以後その者の非違によることなく退職した者」は、定年退職の場合と同様に退職手当額の算定を行うこととされている。

次に、定年による退職の法律的性質であるが、これは定年に達し、かつ定年退職日が到来したという事実のみに基づいて当然かつ自動的に離職するものである。すなわち、職員としての身分に関しては、欠格条項該当による失職（法三八、七六）と同じ法律効果が生じるものである。したがって、定年による退職の効果については人事異動通知書の交付を法律上の要件とするものではない。しかしながら、定年退職はそれ自体職員にとって重要な身分の変更であるので、事実を確認する意味で人事異動通知書を交付することとされている（人規一一―八　一〇①）。

定年により退職した者を、同一の定年年齢が定められている官職に再び任用することはできない。さらに、人事院規則では採用しようとする官職の定年に達している者についても、特別職等に辞職出向していた者を定年退職日以前に採用する場合を除き、採用できないこととしている（人規一一—八　九１）。定年により退職した者をより高い定年年齢が定められている官職に任用することは可能である。また、併任されている職員については、本務の官職に係る定年により退職することとされている（人規一一—八運用通知第一５）。これによれば、本務の官職に係る定年に達していない者は、併任先の官職に係る定年を超えていても併任先の官職に就き得ることとなる。併任が暫定的な任用の形態であることと定年が身分の喪失に係るものであることから、本務の官職を基準に整理したものであろう。

二　定年の決定

本条第二項は、職員の定年を原則として六五歳としている。これは、年金（報酬比例部分）の支給開始年齢が六五歳に向けて段階的に引き上げられていることを踏まえて、雇用と年金の接続を確実に図ろうとするものである。原則定年（本条第二項において原則とされる定年）は、本法附則第八条において、令和五年四月一日から二年に一歳ずつ段階的に引き上げることとされており、六五歳となるのは令和一三年度である。

本法は、六五歳を定年年齢の原則としつつ、特別な職種については、六五歳以外の年齢を定めている。公務部内には、様々な職種があることから、原則定年では欠員補充が困難なもの、公務部内におけるその活用期間が六五歳では短いと考えられるものがあること等に対応したものである。具体的な職種としては、本条第二項でまず職務と責任の特殊性や欠員補充の困難性が認められる医師及び歯科医師を例示している。この六五歳以外の定年（特例定年）の上限は本条第二項において七〇歳とされている。すなわち、原則定年が六〇歳とされていた際に、主に欠員補充の困難性に着目して六五歳の特例定年が適用されていた医師及び歯科医師のうち、法務省の矯正施設（刑務所、少年刑務所、拘置所、少年院、少年鑑別所及び婦人補導院）、厚生労働省の国立ハンセン病療養所及び地方厚生局等に勤務する医師及び歯科医師については、職務と責任の特殊性等に起因した恒常的な人員不足を背景として、本来は定年退職の特例である勤務延長制度を活用して最長六八歳まで職員を勤務させる人事が常態化していた。特例定年の上限七〇歳は、このような勤務の実態を踏まえるとともに、公務部内の職種間のバランスを勘案し、原則定年の六五歳から著しく乖離した年齢とならないようにすることも考慮したものである。人事院規則においては、矯正施設、入国者収容所等又は国立ハンセン病療養所に勤務する医師及び歯科医師、地方厚生局等又は国の行政機関の内部部局に置かれた医療業務を担当する部署に勤務する一部の医師及び歯科医師について、七〇歳の特例定年が定められているが（人規一一―八　二）、対象は医療業務に従事する医師及び歯科医師に限定されており、いわゆる医系技官、医系研究員等、医師免許を有しているが、実際に医療に従事しない者については、他の一般の職員との均衡を考慮して原則定年が適用されている。特例定年の上限七〇歳は本法附則第八条において、令和五年四月一日に六六歳とされた後、二年に一歳ずつ段階的に引き上げられることとされており、七〇歳となるのは、令和一三年度である。これまで六〇歳を超え六五歳を超えない範囲で特例定年が定められていた職員については、七〇歳の特例定年が適用される者（上記の一部の医師及び歯科医師）を除き、六五歳の原則定年が適用されることとなる。なお、原則定年が段階的に引き上げられる期間におけるこれらの職員の定年についても、同条において定められている。

（参考）令和三年一部改正法による改正前の特例定年の概要

①　旧八一条の二第二項第一号
　病院、療養所及び診療所、刑務所等で勤務する医師及び歯科医師　六五歳

②　旧八一条の二第二項第二号
　守衛、用務員等の庁務等に従事する職員　六三歳

③　旧八一条の二第二項第三号
　職務と責任に特殊性があること又は欠員の補充が困難であることにより、定年を六〇歳にすることが著しく不適当と認められる官職の職員で人事院規則で定めるもの
○　事務次官、外局の長等　六二歳
○　研究所、試験所等の副所長（人事院が定めるもの）、在外公館職員等、上席原子力防災専門官等　六三歳
○　宮内庁の職員のうち内舎人、式部副長及び式部官等　六三歳（人事院が定める職員は六五歳）
○　研究所、試験所等の長（人事院が定めるもの）、迎賓館長、金融庁長官、国税不服審判所長、海難審判所審判官等、地域原子力規制総括調整官等　六五歳

三　**定年制度の適用除外**

臨時的職員などの法律により任期を定めて任用される職員及び常時勤務を要しない官職を占める職員には本条に定める定

年制度は適用されない（法八一の六３）。これらの職員は、任期を定めることにより、その退職管理が事実上コントロールできるとともに、定年制度が目的とする計画的人事配置や新陳代謝の促進とは直接関係がないからである。

「臨時的職員その他の法律により任期を定めて任用される職員」のうちの「臨時的職員」としては、本法第六〇条の規定による臨時的任用職員のほか、育児休業法第七条第一項第二号及び配偶者同行休業法第七条第一項第二号の規定による休業に伴う臨時的任用職員がある。また、臨時的職員以外の「法律により任期を定めて任用される職員」としては、定年前再任用短時間勤務職員、任期付職員法及び任期付研究員法に基づく任期付職員のほか、育児休業法及び配偶者同行休業法に基づく任期付職員、地方更生保護委員会の委員（更生保護法一八）、試験研究機関等の外国人研究公務員（科学技術・イノベーション創出の活性化に関する法律一四２）等がある。また、定年の六五歳への段階的な引上げに伴い経過的な措置として導入された暫定再任用制度による暫定再任用職員もこれに該当する。なお、いわゆる常勤労務者及び人規八―一二第四二条第二項の規定による任期付任用職員については、任期を定めて任用されるものであっても、法律によるものではないので、定年制度は適用されることになる。

次に、「常時勤務を要しない官職を占める職員」とは、非常勤職員をいい、定年前再任用短時間勤務職員、暫定再任用職員（短時間勤務）、育児短時間勤務に伴う任期付短時間勤務職員（育児休業法二三）、一会計年度内に限って臨時的に置かれる非常勤官職に任用される期間業務職員及び委員、顧問、参与等で常勤職員の一週間の勤務時間の四分の三を超えない範囲の勤務時間をもって任用される職員等がこれに該当する。

四　定年制度の実施

定年制度を導入するための本法改正法は、昭和五六年六月一一日に公布されたが、その施行は、定年制度実施のための準備期間を考慮して、昭和六〇年三月三一日とされた。昭和五四年八月の人事院総裁の書簡では、「定年制度は、各省庁における現行の退職管理の実態と定年制度との調整、人事計画の見直しに要する期間等に配慮し、五年程度の準備期間を置いて実施するものとする。」とされていた。実際には、改正法案が国会で継続審査になったことなどにより、改正法の公布から施行までの間は三年九月となった。また、令和三年一部改正法については、令和三年六月一一日に公布されたが、定年引上げに伴う人事ローテーションの見直しや役職定年制の実施に向けた準備などのための準備期間が設けられ、一年九月後の令和五年四月一日から施行された。

五　行政執行法人職員の定年制度

定年制度は、職員の分限に関する基本的事項であるので、他の分限関係の事項と同様に、行政執行法人の職員についても本法の規定が当然に適用されるものである。しかしながら、これら職員については、独立行政法人としての自主性を考慮する必要があるとともに団体協約締結権が認められていることに配慮し、本法の定年制度とは一部異なった取扱いが独立行政法人通則法で定められている。同法では、行政執行法人の職員について、その職務と責任の特殊性に基づいて給与等の取扱いにつき他の国家公務員とは別段の規定が設けられており、また、定年制度は分限事項ではあるものの職員にとってみれば勤務条件としての面も有するものであることから、定年制度に関する規定も同法に特例が定められている。

行政執行法人の職員に係る定年制度は、以下の諸点が他の国家公務員のそれと異なるものである。まず、独立行政法人の職員は法人の長が任命する（独立行政法人通則法二六）とされ、これは任命権者についての別段の定めに該当することから（本法五五1）、これにより法人の長は定年退職日を指定する権限を有する。また、特例定年に関して、他の国家公務員について本条第二項の規定により人事院規則で定めることとされている事項は、各法人の長が定めることとされている。後述の勤務延長の期限の延長についても他の国家公務員の場合は本法第八一条の七第二項により人事院の承認を得て行うこととされているのに対し、行政執行法人の職員については各法人の長が自ら行い、人事院の承認は不要とされている。これらの事項は、いずれも行政執行法人労働関係法第八条第四号に規定する「前三号に掲げるもののほか、労働条件に関する事項」に該当し、団体交渉の対象となり、労働協約締結の対象となり得るものである。

（定年による退職の特例）

第八十一条の七　任命権者は、定年に達した職員が前条第一項の規定により退職すべきこととなる場合において、次に掲げる事由があると認めるときは、同項の規定にかかわらず、当該職員に係る定年退職日の翌日から起算して一年を超えない範囲内で期限を定め、当該職員を当該定年退職日において従事している職務に従事させるため、引き続き勤務させることができる。ただし、第八十一条の五第一項から第四項までの規定により異動期間（これらの規定により延長された期間を含む。）を延長した職員であつて、定年退職日において管理監督職を占めている職員については、同条第一項又は第二項の規定により当該定年退職日まで当該異動期間を延長した場合であつて、引き続き勤務させることについて人事院の承認を得たときに限るものとし、当該期限は、当該職員が占めている管理監督職に係る異動期間の末日の翌日から起算して三年を超えることができない。

一　前条第一項の規定により退職すべきこととなる職員の職務の遂行上の特別の事情を勘案して、当該職員の退職により公務の運営に著しい支障が生ずると認められる事由として人事院規則で定める事由

二　前条第一項の規定により退職すべきこととなる職員の職務の特殊性を勘案して、当該職員の退職により、当該職員が占める官職の欠員の補充が困難となることにより公務の運営に著しい支障が生ずると認められる事由として人事院規則で定める事由

②　任命権者は、前項の期限又はこの項の規定により延長された期限が到来する場合において、前項各号に掲げる事由が引き続きあると認めるときは、人事院の承認を得て、これらの期限の翌日から起算して一年を超えない範囲内で期限を延長することができる。ただし、当該期限は、当該職員に係る定年退職日（同項ただし書に規定する職員にあつては、当該職員が占めている管理監督職に係る異動期間の末日）の翌日から起算して三年を超えることができない。

③　前二項に定めるもののほか、これらの規定による勤務に関し必要な事項は、人事院規則で定める。

〔趣　旨〕

公務上の必要に基づく勤務延長

定年制度は、組織の新陳代謝を図り、あわせて職員の雇用の安定を図る見地から、原則として画一的な定年年齢を定めるものである。しかしながら、国の業務は、多種多様な職務と多数の職員との組合せによって遂行されているものであり、個々の業務についてみた場合、特定の職員に定年後も引き続きその職務を担当させることが公務遂行上どうしても必要なことがあり得る。このような場合には、定年制度の趣旨を損なわない範囲で定年を超えて勤務延長を認め、公務遂行に支障を

生じさせないようにしようとするのが定年退職の特例を定める本条の趣旨である。

まず、本条の勤務延長は、専ら公務上の必要性に基づいて行われるものであり、個々の職員の具体的あるいは私的な事情はこれを判断する場合の要素とはならない。すなわち、任命権者は、公務上の見地のみに基づいて当該職員の勤務を延長すべきか否かを判断し、これが積極的に肯定される場合において、当該職員は自らの事情によってこれを受けるかどうか（同意するかどうか）を決定することになるものである。また、前条第二項ただし書の特例定年は、六五歳の原則定年では実情に即さない官職を占める職員について別の定年を定めるものであり、本条のように定年に達した者の特例を定めるものではない。換言すれば前条第二項ただし書は、職務と責任の特殊性又は欠員補充の困難性に基づき一定の「官職」について原則定年年齢自体の特例を定めるものであるが、本条はその時々の公務上の必要性に基づいて個々の「職員」について定年年齢到達後も引き続き勤務するという、定年退職の特例を認めるものである。

本条の勤務延長は、公務上の必要に基づくものではあるが、無制限に認められるものではない。定年制度が個々の職員の事情いかんにかかわらず画一的に退職年齢を定め、それによって計画的な人事管理を行おうとするものであることに鑑み、勤務の延長は一年を超えない範囲で期限を定めて行われ、また勤務延長の期限の延長は最大限三年までしか認められず、期限の延長に当たっては人事院の承認を得ることとされている等、厳格に運用すべきものとなっている。

〔解　釈〕

一　勤務延長が認められる場合

1　対象職員

本条の規定により勤務延長が認められる者は、前条第一項の規定により定年で退職することとなる職員である。ここで「定年」とは同条第二項本文の原則定年はもとより、同項ただし書の特例定年もこれに該当する。すなわち、特例定年で退職することとなる者を本条の規定によって勤務延長することも差し支えないものである。ただし、役職定年制において異動期間が延長された職員であって、定年退職日において管理監督職を占めている職員については、本法第八一条の五第一項又は第二項の規定により定年退職日まで異動期間が延長され、役職定年到達による降任等をされることなく定年退職日に至った職員（勤務延長型定年時管理監督職員）であって、定年年齢を超えて引き続き勤務させることについて人事院の承認を得たときに限るとしている。このような勤務延長型定年時管理監督職員は、勤務延長を行う時点で少なくとも一度は勤務延長と同様の事由で異動期間が延長されている職員であり、異動期間の延長の際に人事院の承認が必要とされていること（本法八一の五2）を踏まえ、勤務延長型定年時管理監督職員を勤務延長しようとする場合についても、人事院の承認を要することとしているものである。一方、同条第三項又は第四項の規定により定年退職日まで異動期間が延長された職員は、勤務延長の対象とはならない。

なお、検察官については、検察庁法で検察官の身分保障について、懲戒処分や定年に達した場合、心身の故障によりその職務を執るに適さないときであって所定の手続を経た場合などを除いては、その意思に反してその官を失い、職務を停止され、又は俸給を減額されることはない（検察庁法二五）との規定があることから、本法の分限に関する規定の適用はなく、本法の定年制度全体が、適用除外されていると解釈・運用されてきたが、令和二年に検察庁法を所管する法務省において解釈変更が行われ、検察官にも本法の勤務延長の規定を適用することとされた。その後、定年を段階的に六五歳に引き上げるための本法等の改正の際、検察庁法の改正により、本法の勤務延長の規定は適用しない旨の明文の規定が置かれた（検察庁法二二2）。

2　勤務延長が認められる場合

勤務延長が認められる場合としては、二つの事由が規定されている。

第一は、「職員の職務の遂行上の特別の事情を勘案して、当該職員の退職により公務の運営に著しい支障が生ずると認められる事由として人事院規則で定める事由」であり、人事院規則では「業務の性質上、当該職員の退職による担当者の交替により当該業務の継続的遂行に重大な障害が生ずること」と規定している（人規一一―八　四1）。これは業務の継続的遂行の必要性に基づくものであり、例えば、定年退職することとなる職員が担当している重要な案件に係る業務の継続性を確保するため、その職員を引き続き任用する特別の必要性が認められる場合や、定年退職することとなる職員が大規模な研究プロジェクトにおいて重要な役割を果たしているため、その職員の退職により当該研究の完成が著しく遅延するなどの重大な障害が生ずる場合が該当する。

第二は、「職員の職務の特殊性を勘案して、当該職員の退職により、当該職員が占める官職の欠員の補充が困難となることにより公務の運営に著しい支障が生ずると認められる事由として人事院規則で定める事由」であり、人事院規則では「職務が高度の専門的な知識、熟達した技能若しくは豊富な経験を必要とするものであるため、又は勤務環境その他の勤務条件に特殊性があるため、当該職員の退職により生ずる欠員を容易に補充することができず業務の遂行に重大な障害が生ずること」と規定している（人規一一―八　四2）。これは職務自体の特殊性による事由又は職員の勤務環境の特殊性に由来する事由であり、前者には、例えば、定年退職することとなる職員が習得に相当の期間を要する熟練した技能等を要する職務に従事しているため、その職員の後任を容易に得ることができず、業務の遂行に重大な支障が生ずる場合が該当し、後者には、例えば、定年退職することとなる職員が離島その他のへき地にある官署等に勤務しているため、その職員の退職による欠員を容易に補充することができず、業務の遂行に重大な支障が生ずる場合が該当する。

勤務延長は以上の事由のいずれかに該当すれば行い得るものであるが、いずれにしても特殊な場合についてのみ認められる定年制度上の特例的措置であることから、定年制度の趣旨を損なうことがないよう慎重かつ厳格に運用されなければならないものである。

3　併任の場合の取扱い

本条に規定する任命権者には、併任に係る官職の任命権者は含まれないものとされており（人規一一―八　三）、併任されている職員の場合には、その者の本務によって勤務延長の事由に該当するか否かを判断する。勤務延長が定年の特例措置であることから、暫定的な任用であると考えられる併任先の官職に係る事情により勤務延長を行うことは適当でないからである。また、休職、派遣等により職員としての身分を保有するが職務に従事しないこととされている職員については、勤務延長を行うことができない（人規一一―八運用通知第一二5）。

二　勤務延長の手続及び当該職員の身分取扱い

それぞれの職員について勤務延長を決定するのは任命権者である。任命権者は〔解釈〕一で述べた勤務延長の事由のいずれかに該当することを客観的に判断して決定しなければならない。ただし、任命権者が勤務延長を決定するに当たっては、それに先立って本人の同意が必要である（人規一一―八　五）。勤務延長により職員は引き続き勤務するものであるから、採用の場合と法律的な性格は異にするが、本来であれば定年によって当然に退職するものであり、勤務延長になることは職員にとって新たな決意を要すること及びそれが公務の側の必要によって行われるものであるが、一方的に行うべきではないことを考慮すれば採用の場合と同様に本人の同意を必要とすることが妥当だからである。なお、勤務延長を行う場合には、当該職員に人事異動通知書を交付しなければならないこととされている（人規一一—八　一〇②）。

次に勤務延長は、前条第一項の規定に基づく定年退職日の翌日から起算して一年を超えない範囲内を期限とする。すなわち、最大限、退職するものとされた日に対応する翌年のその日までである（民法一四三）。ただし、前述の勤務延長型定年時管理監督職員（本法八一条の五第一項及び第二項の規定により、定年退職日で延長された異動期間は終了）については、定年退職日に退職するか管理監督職員として勤務延長されるかのどちらかとなるが、管理監督職員として勤務延長される場合には、異動期間が延長される場合の事由と勤務延長の事由が同様のものとなっていること、本法第八一条の五第一項第一号又は第二号の事由による異動期間の延長が三年を超えることができないことを踏まえ、延長された異動期間の長さと勤務延長の期間の合計が三年を超えることとならないよう、勤務延長の期限は、当初の異動期間の末日の翌日から起算して三年を超えることができないこととしている。任命権者は、人事異動通知書において、この期限を「〇年〇月〇日まで勤務延長する。」と明示することとされている（人規一一—八運用通知第四1）。

勤務延長された職員の身分取扱いは、原則として一般の職員のそれと同じである。本法その他の身分取扱いに関する規定は全面的に適用される。給与についても給与法あるいは関連の人事院規則等の適用に関し、勤務延長前となんら変わることはないものである。なお、定年の六五歳への段階的な引上げに伴い導入された六〇歳を超える職員に対する俸給月額の七割措置については、勤務延長前に当該措置を適用されていた職員は引き続き俸給月額を七割とする一方で、勤務延長前に当該措置の適用が除外されていた職員については、引き続き当該措置の適用を除外することとしている（給与法附則9⑤）（俸給月額の七割措置は、第八一条の六〔趣旨〕五2参照）。また、勤務延長された期間が退職手当の算定の基礎となる勤続期間に通算されることはもちろんである。年金制度（厚生年金保険給付及び共済法上の退職等年金給付）についても同様である。さらに、勤務延長職員が、延長された期限内に一身上の都合により退職すること、あるいは分限処分又は懲戒処分によって免職されることも当然あり得る。勤務延長職員を異動させることは、勤務延長の性格からいって原則としてできない。しかしながら、法令の改廃による組織の変更等により、勤務延長職員に係る官職の業務が廃止又は変更され、従前の業務と同一の業務を行うことを主たる内容とする他の官職に当該職員を充てる必要がある場合には転任等をさせることができる。また、退職をする勤務延長職員を、人事管理上の必要性に鑑み、当該退職の日に限り臨時的に置かれる官職に転任することは可能である（人規一一―八　九２）。これらの異動を認めないと、勤務延長を行った趣旨や公務能率を損なうものと考えられることから、例外的に異動を可能としているものである。

三　勤務延長の期限の延長

〔解釈〕二で述べたように勤務延長は、原則として一年以内の範囲で認められるものであるが、前述の事由が引き続きあると認めるときは、人事院の承認を得て一年を超えない範囲内で期限の再延長を行うことができる（法八一の七２）。この期限の延長は、二回以上に及ぶこともあり得るが、その回数に関わりなく前条第一項の規定による定年退職日（本条第一項ただし書に規定する職員にあっては、当該職員が占めている管理監督職に係る異動期間の末日）の翌日から起算して三年を超えることはできない（法八一の七２）。

勤務延長の期限の延長を任命権者が行うに当たっては人事院の承認が必要である。初めの勤務延長は、職員の職務遂行上の特別の事情等に関しては第一義的には任命権者が一番良く把握していると考えられることから任命権者の判断に委ねているが、その後更に期限の延長を行う場合には、勤務延長を必要とする事情の継続性、任命権者の判断の適否、任命権者の勤務延長の事由の解消への努力等について人事院が審査することとして、定年制度の趣旨を損なうことがないようにするものである。

四　勤務延長の終了

勤務延長された職員は、その期限が到来したときには当然に退職するが、これは「期限の到来による退職」であって、「定年退職」ではない。人事異動通知書は「……期限の到来により○年○月○日限り退職」との文面により確認的に交付される（人規一一―八　一〇⑥、人規一一―八運用通知第四１）。〔解釈〕二で述べたように、あらかじめ付された期限の到来以前に職員が自己の都合により退職することはできる。この場合、任用制度上は通常の「辞職」と同様の取扱いとなるが、退手法上は、定年に達した職員が退職することにより公務運営に著しい支障が生ずることを回避するために、引き続き勤務をさせたものである点を考慮して、「自己都合退職」ではなく「定年退職」扱いとされている（退手法五２）。

また、期限の到来以前に予期することのできない事態が生じて勤務延長職員を当該期限まで在職させる必要がなくなった場合には、当該職員は勤務延長事由の消滅と同時に退職することになる。しかしながら、当該職員は任命権者の要請により勤務延長されているものであり、これを一方的に任命権者が退職させることは公平の原則にも反することから、人事院規則において、このような場合には、勤務延長事由の消滅が明らかになった段階で勤務延長職員の同意を得て期限の繰上げを行って当該職員を退職させることとしている（人規一一―八　六）。しかし、期限の繰上げにつき職員の同意が得られない場合には、人事管理そのものが混乱するおそれもあるので、任命権者は勤務延長を行うに当たり、その事由の将来的な継続性についても慎重に検討し、そのような事態が発生することのないように留意する必要がある。

（定年に関する事務の調整等）

第八十一条の八　内閣総理大臣は、職員の定年に関する事務の適正な運営を確保するため、各行政機関が行う当該事務の運営に関し必要な調整を行うほか、職員の定年に関する制度の実施に関する施策を調査研究し、その権限に属する事項について適切な方策を講ずるものとする。

〔趣　旨〕

定年に関する内閣総理大臣の事務の調整

内閣総理大臣は、本法第一八条の二第二項の規定により、各行政機関がその職員について行う人事管理に関する方針、計画等に関し、その統一保持上必要な総合調整に関する事務をつかさどる。本条の前段部分は、この第一八条の二第二項の規定による内閣総理大臣の総合調整権を、定年に関する事務につき、改めて確認的に規定したものである。また、本条後段は、定年制度が人事行政全般に及ぼす影響に鑑み、内閣総理大臣が定年制度に関する諸般の施策について調査研究を行い、自ら適切な方策を講じなければならないことを定めたものである。

〔解　釈〕

調整及び調査研究の内容

本条により内閣総理大臣が調整を行うこととなるのは、各行政機関が行う定年に関する事務であり、具体的には各任命権者が行うこととされている定年退職日の指定、勤務延長の運用等である。また、本条により内閣総理大臣が調査研究し適切な方策を講ずることとなる事項としては、例えば、定年制度実施後の退職管理を踏まえた退職手当制度の見直しや定年退職後の生活設計等のための退職準備制度の実施等がある。

第二款　懲　戒

（懲戒の場合）

第八十二条　職員が次の各号のいずれかに該当する場合には、当該職員に対し、懲戒処分として、免職、停職、減給又は戒告の処分をすることができる。

一　この法律若しくは国家公務員倫理法又はこれらの法律に基づく命令（国家公務員倫理法第五条第三項の規定に基づく訓令及び同条第四項の規定に基づく規則を含む。）に違反した場合

二　職務上の義務に違反し、又は職務を怠つた場合

三　国民全体の奉仕者たるにふさわしくない非行のあつた場合

②　職員が、任命権者の要請に応じ特別職に属する国家公務員、地方公務員又は沖縄振興開発金融公庫その他その業務が国の事務若しくは事業と密接な関連を有する法人のうち人事院規則で定めるものに使用される者（以下この項において「特別職国家公務員等」という。）となるため退職し、引き続き特別職国家公務員等として在職した後、引き続いて当該退職を前提として職員として採用された場合（一の特別職国家公務員等として在職した後、引き続き一以上の特別職国家公務員等として在職し、引き続いて当該退職を前提として職員として採用された場合を含む。）において、当該退職までの引き続く職員としての在職期間（当該退職前に同様の退職（以下この項において「先の退職」という。）、特別職国家公務員等としての在職及び職員としての採用がある場合には、当該先の退職ま

での引き続く職員としての在職期間を含む。以下この項において「要請に応じた退職前の在職期間」という。）中に前項各号のいずれかに該当したときは、当該職員に対し、同項に規定する懲戒処分を行うことができる。定年前再任用短時間勤務職員が、年齢六十年以上退職者となつた日までの引き続く職員としての在職期間（要請に応じた退職前の在職期間を含む。）又は第六十条の二第一項の規定によりかつて採用されて定年前再任用短時間勤務職員として在職していた期間中に前項各号のいずれかに該当したときも、同様とする。

〔趣　旨〕

一　職員の責任

全て職員は、国民全体の奉仕者として、公共の利益のために勤務し、かつ、職務の遂行に当たつては、全力を挙げてこれに専念しなければならないこととされている。すなわち、職員はその本分を十分自覚し、服務規律を遵守し、公務の信頼の確保に努め、公正、誠実、能率的に職務を遂行しなければならない義務を負うものであり、職員が、職員としての義務に違反した場合には一定の責任を負わなければならない。

職員がその義務違反に対して負うべき責任としては、①懲戒責任、②刑事上の責任、③国庫に対する賠償責任、④民事上の責任がある。これらの責任のうち本法において規定されているのは懲戒責任（懲戒処分）と刑事上の責任の一部（行政刑罰）についてであって、それ以外のものについては、会計法、刑法、国家賠償法等他の法律にそれぞれ定められている。以下懲戒処分について述べるとともに、他の責任についても略述することとする。

二　懲戒処分

1　意　義

およそ組織体の維持存続のためには、官民を問わず、その構成員が部内の一定の秩序を維持する必要があり、構成員がその部内秩序を危うくした場合には、組織体の内部において制裁を加えられることが通例である。その制裁を一般に秩序罰又は懲戒罰という。

国家公務員（職員）に対する懲戒処分は、職員が一定の義務違反を行った場合に、国が使用者として有する権限に基づき、その責任を確認し公務員関係における秩序を維持する目的をもって当該職員に科する行政上の制裁であるということができる。

懲戒処分は職員にとって不利益な行政上の処分である点については分限処分と同じであるが、分限処分は、職員が法の定める一定の事由に該当する場合に、任命権者が主として公務能率維持の観点から職員の責任の有無と関係なく行う処分であるのに対し、懲戒処分は懲戒権者が職員に対して一定の義務違反を理由として公務秩序維持の観点からその責任を問うために科する制裁としての処分であり、両者はその目的及び性質を異にする。

また懲戒処分は、その目的、性質、効果等において刑罰とも異なる。すなわち刑罰は、国が一般統治権に基づき社会公共の秩序維持のため、特定の法益侵害行為を理由としてその侵害者に対して加える制裁であるのに対し、懲戒処分は公務員関係の秩序を維持するため、国が使用者として有する権限に基づき職員の義務違反を理由として違反者に対して加える制裁であり、公務員関係からの排除を限度に行うものである。

懲戒処分が刑罰とは異なることは前述のとおりであるが、懲戒処分も刑罰と同様有責行為に対する法律上の制裁であるので、当然行為者が責任能力を有することを前提とするものである。したがって行為時において心神喪失の状態にある者のなした行為に対し懲戒処分を科することはできない（昭二九・一〇・二五人指一三―二四）。

また、懲戒処分は、公務員関係における秩序を維持するため公務員関係からの排除を限度として行う秩序罰であり、職員としての身分の保有を前提として行われる処分であるから、既に退職して職員としての身分がない者に対して懲戒処分を行うことはできない。

また、一度退職した者が再び任用された場合には、原則として、前の在職中の非違行為を理由として懲戒処分を行うことはできない。懲戒処分の基礎である非違行為時における公務員関係は退職と同時に既に消滅したのであって、再度の任用による公務員関係とは別のものであり、前の公務員関係が復活したわけではないからである。

ただし、人事交流等によって特別職に属する国家公務員、地方公務員、特殊法人等の職員となるために辞職出向し復帰した職員が辞職出向する前に懲戒事由に該当する行為を行っていた場合には、復帰後にその行為を理由として懲戒処分を行うことができる（法八二Ⅱ）。人事交流等による辞職出向及び公務員への復帰のプロセスをみると、形式的には一度公務員の身分を失っているが、実質的にはその出向は人事当局に管理されたものであり、退職手当も支給されていない。したがって、公務における公務秩序維持という懲戒処分の趣旨から、このような人事異動の形式にとらわれて懲戒処分を行うことができないとすることは妥当ではないと考えられたものである。また、定年前再任用制度は、本来であれば定年まで継続して勤務できるところを本人の意向により、定年前に退職して短時間勤務の官職に就くことを可能とする制度であることから、平成一三年に導入された再任用制度と同様に、その服務関係は退職日前の服務関係と継続性が認められる。したがって、退職前の引き続く職員としての在職期間中やかつて定年前再任用短時間勤務職員として在職していた期間中に懲戒事由に該当する行為を行っていた場合にも、その行為を理由として懲戒処分を行うことができるとされている（法八二２）。

なお、職員である限りは、たとえ任命権者を異にして異動しても懲戒処分の基礎である公務員関係は同一であるから、前の任命権者の下における非違行為を理由として、後の任命権者が懲戒処分を行うことは可能である。

非常勤職員も、本法第二条の一般職の国家公務員であるから、単純な労務に服する者で任期を限って雇い入れられる者といえども、非違行為があった場合は懲戒処分に付し得ることは当然である。

常勤労務者の懲戒処分につき懲戒処分の対象となった事実のあった任期後引き続き任用が更新されている場合は、当該事実について懲戒処分を行うことができるとする行政実例（昭三三・一〇・二九職職七〇九職員局長）がある。

なお、職員となる前の非行を理由として採用後に懲戒処分をすることはできない。その非行を知りながら採用した場合、採用後に判明した場合のいずれの場合も同様である。当該非行が行われた時点においては公務員関係は存在しなかったからである。もっとも、採用前の非行を理由として禁錮以上の刑に処せられた場合は当然失職するものであり、また、採用前の非行が官職に必要な適格性を欠くと判断できるようなものである場合には、分限処分の対象となることもあり得る。さらに、採用に当たって、採用担当者からの確認にもかかわらず、本人が非行の事実を秘匿し、虚偽の申請等をしていた場合などについては、採用行為自体に瑕疵が生じ、取消し又は無効にもなり得ると考えられる。

2　懲戒処分と分限処分との関係

前述のように、懲戒処分と分限処分とは、その性質及び目的を異にするものであるから、職員の行った同一の行為を基礎として両者を併せて科したとしても二重処罰には当たらない。

この点については、職員の行った非違行為事実をもって職員の占めていた官職の適格性を欠くものと判断して、降任処分を行い、併せてその非違行為を理由として懲戒処分を科すことは特段不当ではない旨の判定（昭四二・七・一四人指一三―三一）及び刑事事件に関し起訴された職員を休職にし、判決が確定し復職した後において、有罪とされた職員を懲戒処分の対象としたことをもって違法とすることはできない旨の判定（昭四六・九・一二人指一三―一四）がなされている。

ところで、同じ効果を生じる分限処分と懲戒処分を重ねて行うことの可否が問題となる。

まず、分限免職又は懲戒免職にされた者については、その処分を受けた時点で公務員関係から排除されるので、新たに他の処分をする余地はない。次に、休職処分を受けている者に対して停職処分をすることができるかどうかであるが、確かに両者は身分を保有させたまま職務に従事させないとする効果は同じである。しかし、両者はその目的を異にし、また、通常は給与の支給の点において異なる取扱いがなされるものである。したがって、休職者に対して停職処分を行った場合は、職務に従事させないとする効果は顕在化しないが、例えば、休職事由が消滅したような場合には停職処分の効果が顕在化することになるのであって、休職中の職員に停職の処分を行うことは可能であると解する（第七四条〔解釈〕三参照）。

3　懲戒権行使の裁量性

懲戒処分は、懲戒権者が公務部内の秩序を維持するために、非違行為を行った職員に科する制裁であることは前述したが、まず、職員が本法第八二条第一項に掲げる懲戒事由に該当する場合に、懲戒処分を行うかどうかは懲戒権者の裁量により決定される。しかし、懲戒処分は全て公正でなければならないことが要求され（法七四1）、恣意による処分が許されないことはもとより、懲戒権者の決定は社会通念に照らして客観的妥当性を欠くものであってはならない。次に、懲戒処分の種類及び程度の選択も懲戒権者の裁量により決定されるが、これについても公正かつ妥当でなければならない。そしてその選択に当たっては、「懲戒事由に該当すると認められる行為の原因、動機、性質、態様、結果、影響等のほか、当該公務員の右行為の前後における態度、懲戒処分等の処分歴、選択する処分が他の公務員及び社会に与える影響等、諸般の事情を考慮」するもの（昭五二・一二・二〇最高裁）とされており、懲戒権者が公務秩序維持の観点から相当と判断される量定を選択すべきものである。

このように、懲戒処分の量定の決定は懲戒権者の判断によるものであるが、非違行為に対する懲戒権者の処分が一層厳正に行われるよう、懲戒権者が処分量定を決定するに当たっての参考に供するものとして、人事院は、代表的な非違行為の事例とそれに対応する標準的な処分量定を掲げた「懲戒処分の指針について」（平一二・三・三一職職六八人事院事務総長）を発出している。この指針は、それまでの各省における懲戒処分例を集約し、基準化したものである。同指針に掲げている代表事例の量定（免職、停職、減給、戒告）はあくまでも標準的なものであり、具体的な処分量定については、非違行為の動機、態様及び結果、故意又は過失の度合い、職員の職責、他の職員に与える影響、過去の非違行為の有無等のほか、適宜、日頃の勤務態度や非違行為後の対応等も含め総合的に考慮の上判断するものとされている。加えて、①非違行為の動機・態様が極めて悪質又はその結果が極めて重大、②管理・監督等行為者の職責が特に高いとき、③公務内外に及ぼす影響が特に大きいとき、④類似の非違行為による懲戒処分歴があるとき、⑤複数の非違行為があるときなどは標準例より加重し、①発覚前に自主的に申し出たとき、②非違行為の経緯その他の情状に特に酌量すべきものがあると認められるときなどは軽減することがあるとされている。また、標準例に掲げられていない非違行為についても、懲戒処分の対象となり得るものであり、これらについては標準例に掲げる取扱いを参考としつつ判断することとされている。いずれにせよ、懲戒権者は、同指針を踏まえ服務義務違反に対して厳正に対応することが求められる。なお、同指針が平成一二年になって発出された背景には、当時、懲戒処分の件数が年々増加傾向にある中で、処分の厳正さに対して疑問を呈される事例がみられたことがあるほか、同年四月からの倫理法の施行に伴い倫理法令違反について懲戒処分の標準例を示すに当たり、一般の非違行為についても同様に標準例を示すことが適切と考えられたためである。

また、懲戒処分が行われた際の懲戒処分の公表については、かつては懲戒処分を行った府省の判断で行われていたが、公表に当たって各府省の判断にばらつきがみられるなどの状況が生じてきた。これを受けて人事院は、①公務に対する国民の信頼に影響を及ぼすような非違行為を行った職員に対し厳正に懲戒処分を行ったことを公表することにより、公務に対する信頼の回復を図ること、②公表により他の職員の服務規律の確立を促し、同種の事案の再発防止を図ることを目的に、懲戒処分の公表に関する原則的な取扱いを示した「懲戒処分の公表指針について」（平一五・一一・一〇総参七八六人事院事務総長）を発出した。この指針では、各府省に対して懲戒処分の適正な公表に努めることを求めた上で、①職務遂行上の行為又はこれに関連する行為に係る懲戒処分、②職務に関連しない行為に係る懲戒処分のうち免職又は停職については公表するものとしている。同公表指針では、個別の事案ごとに、その社会的影響、非処分者の職責、被害者等のプライバシー等を勘案して公表対象、公表内容等について別途の取扱いをすべき場合があることもあるとしており、上述の①②の場合を含めて公表するか否かについては、懲戒権者が責任をもって各事案ごとに判断することとなる。

なお、非違行為が明らかになり、公務の秩序維持上懲戒処分に付す必要があると認められる職員から、辞職の申出がなされた場合には、任命権者は辞職を承認することなく懲戒手続に付し、早急な対応を行うことが適当である（七六条関係〔解釈〕二参照）。

4　取消し・撤回

次に、懲戒処分の取消し・撤回が可能か否かが問題となる。すなわち、被処分者が一定の争訟手段をとることによって人事院又は裁判所がこれを取り消すことが可能であることはいうまでもないが、懲戒権者が自発的に当該懲戒処分を取り消すこと、あるいは将来に向かってその効果を失わせることができるかどうかが問題となる。

まず、懲戒処分の取消しについては、一般の行政処分の取消しの法理が排除されるわけではないが、秩序罰として一定の形成的効果を持つものである以上、その取消しについては一般の行政処分に比して慎重を要することはいうまでもない。

すなわち、一般に懲戒権者が自ら取り消すことができるのは、法の適用を誤った場合、著しく客観的妥当性を欠き明らかに条理に反する場合、重大な事実の誤認のあることが処分後明らかになった場合など特殊な事情の存するときに限られる（昭二七・三・二五　七一―二四人事院事務総長）とされている。そしてこの場合には、当該懲戒処分を取り消した後、同一事件について改めて適正な認定に基づいて前の懲戒処分より軽い処分を行うこと、あるいはより重い処分を行うこともできると解される。しかしながら、法の適用を誤るなどの重大な瑕疵が存在せず、単にその裁量において軽きに失したことだけを理由としてこれを取り消すことはできないと考えられる。瑕疵ある処分といえども、一旦有効に成立した以上は既成の法律秩序を保護し尊重する見地から、その取消しについて一定の条理上の制限があることは否定できないからである。

次に、撤回の場合は、撤回の対象となる処分の実質的な効力の連続性を当然の前提としていることから、懲戒処分が行われた時点でその実質的効力が完結する免職及び戒告の処分については撤回の余地はあり得ないと考えられる。停職、減給の場合には、その実質的効力が存続している限りにおいて撤回の余地はないとはいえないが、これを撤回するためには、懲戒処分の効力を存続させることが著しく公益に反するといえる新たな事情の発生が要件となろう。一般的には、懲戒処分を撤回するためには法律の根拠を要するものと解される。そのような例として、大赦等が行われる場合における公務員等に対する懲戒の免除等について定めた「公務員等の懲戒免除等に関する法律（昭二七法一一七）」がある。

5　一事不再理の原則

懲戒処分は行政上の処分であるから憲法第三九条が刑罰について規定した一事不再理の原則がそのまま適用されるわけではないが、不利益を課する罰であるから、できるだけその趣旨は取り入れられるべきである。したがって一度行った懲戒処分において裁量が軽きに失したことを理由にそれを取り消し新たな処分をすることは許されない。しかし、職員につき数個の非違行為があり、そのうちのある非違行為を理由として懲戒処分がなされた後、同一の職員に対して別の非違行為を理由として重ねて処分をすることはもとより差し支えない。もっともその場合において、当初より複数の非違行為が判明していた場合には、一括して処分を行うのが通例であり、仮に、諸事情により分けて処分を行う場合であっても、既に行われた処分と合わせて、全体を一つの処分として行おうとした場合と均衡がとれた量定とする必要があろう。

6　懲戒処分の重複

既に懲戒処分を受けた者に対し、その効力が完結する前に別の非違行為を理由として重ねて新たな懲戒処分を行えるか否かについては、例えば、現に停職の処分を受けている者に免職の処分を行う場合は、停職期間の終了を待つ必要はなく、直ちにこれを行うことができる。また、停職中の者に更に停職又は減給の処分をすることも可能であると考える。けだし懲戒処分は職員に対し公務秩序維持のためその責任を問う制裁たる処分であり、停職者といえども職員としての身分を保有するものであり、これに対する懲戒権の一部である停職又は減給の処分を制限することは、適切ではないからである。

7　時　効

懲戒権者が職員の非違行為を知ったときに、既に当該非違行為がなされてから長期間が経過し、例えば、当該非違行為について刑事上の公訴の時効が成立しているような場合であっても、当該行為について懲戒処分を行うことは可能である。すなわち、懲戒処分には刑事罰と異なり時効の制度はなく、職員としての身分を有する限り、いつでもその非違行為を問責し得るのである。ただし、懲戒権者が、職員の非違行為事実を知りながら、漫然とあるいは恣意的に長期間放置してお いた後に懲戒処分を行うようなことは、懲戒権の濫用となる場合があるといえよう。

なお、「公務員等の懲戒免除等に関する法律」においては、大赦又は復権が行われる場合に、政令で定めるところにより、懲戒の処分を受けた者に対して将来に向かってその懲戒を免除することができることとともに、懲戒の処分を受けていない者に対して懲戒を行わないことができることをも規定しており（同法二）、同法に基づく「日本国との平和条約の効力発生に伴う国家公務員等の懲戒免除に関する政令（昭二七政令一三〇）」では昭和二七年四月二八日前の行為について、まだ懲戒の処分を受けていないものに対しては懲戒を行わないものとされたところである（同令二）。ただ、その後の二例（昭和四七年の沖縄の復帰、平成元年の昭和天皇の崩御）はいずれも懲戒処分を受けた者に対する懲戒免除に限られており、懲戒処分を受けていない者に対して懲戒を行わないこととすることは、議論の余地があり、組織の秩序維持の観点からも立法論的には慎重に対処すべきものといえよう。

8　懲戒処分と解雇

行政執行法人労働関係法第一八条は、同法第一七条の規定（争議行為の禁止）に違反する行為をした職員は、解雇される旨を規定している。同法第一八条の規定の趣旨は、同法第一七条の規定に違反した職員は、「当然にその地位を失うとか、一律に必ず解雇されるべきであるというのではなく」、「職員の身分保障に関する規定にかかわらず解雇することができる」ということであり、「解雇するかどうか、その他どのような措置をするかは、職員のした違反行為の態様、程度に応じ」、「合理的な裁量に委ねる趣旨」であると解されている（昭四三・一二・二四最高裁。当時の日本電信電話公社職員に関する判例）。

行政執行法人労働関係法第一七条の規定に該当する事実がある場合において同法第一八条に基づく解雇に処すか、本法に基づく懲戒処分とりわけ懲戒免職に処すかの問題はあるが、行政執行法人労働関係法第一八条に基づく解雇と本法に基づく懲戒処分とりわけ懲戒免職とはそれぞれ別の処分であり、それぞれの要件に該当する場合にはいずれの処分もなし得ると解される。

なお、行政執行法人労働関係法第一八条の解雇は、懲戒免職の場合と異なり、公務への就官能力の制限事由（法三八③）に該当しないとされている。ただし、退職手当の支給制限や共済法における長期給付としてのいわゆる三階部分の退職等年金給付（平成二七年九月以前の期間にあっては、経過的職域加算額）の給付制限の関係では、同法第一八条の解雇は懲戒免職と同じ性質を持つものであるとされている（昭三四・四・九法制局一発一三法制局第一部長。当時の日本国有鉄道職員に関する法制意見）。

行政執行法人職員以外の一般の職員が、違法な争議行為を行った場合、「国に対し、法令に基いて保有する任命又は雇用上の権利をもつて、対抗することができない。」（法九八3）と規定されており、通常の懲戒処分のいずれかが課されることになる。

三　国庫に対する賠償責任

職員が国庫に財産上の損害を与えた場合の国庫に対する賠償責任（弁償責任）については、会計法、物品管理法等の規定により、出納官吏、物品管理職員等の弁償責任が定められている。これは民法上の不法行為に基づく賠償責任と異なる公法上の賠償責任であり、会計法等の弁償責任に関する規定は、民法に対する特別法の関係に立つものである。したがって、それらの規定が適用になる限りにおいて、一般法の適用は排除されることになるものである。ただし、会計法等の規定の適用がない場合で、民法の定める不法行為の要件を具備するときは、職員は民法上の賠償責任を負うことになる。

四　民事上の責任

国の賠償責任を定めた一般法として国賠法があり、国賠法は、公権力の行使に当たる職員がその職務を行うについて、故意又は過失によって違法に他人に損害を加えたときは、国が、これを賠償する責に任ずることとしている（国賠法一1）。また、この場合、職員に故意又は重大な過失があったときは、国はその職員に対して求償権を有するものとされている（同法一2）。

したがって、職員が職務執行行為に関し故意又は重大な過失により違法に他人に損害を与えた場合は、国は職員に対し求償権を行使することができ、職員は国の求償権の及ぶ範囲内において賠償責任を負わなければならない。しかし、職員が軽過失により違法に他人に損害を加えたときは、国は被害者に対し賠償責任を負うが、職員に対する求償権の行使は認められない。

次に、職員が被害者に対して直接国賠法に基づく賠償責任を負うか否かが問題となる。まず、軽過失の場合は、国賠法が職員に対する国の求償権を否定している趣旨等に照らして、被害者が直接職員に対して賠償を請求することはできないと解される。故意又は重大な過失の場合については議論があるが判例はこれを消極に解している（昭三〇・四・一九最高裁）。

なお、「公権力の行使」の意義については、優越的な意思の発動たる作用と捉える考えや私経済作用を除く全ての公行政作用と解する考え等があるが、いずれにしても公権力の行使に当たる職員以外の職員の行為により発生した損害については、国賠法は適用されず、民法の不法行為等の規定に基づき損害賠償の請求が行われることになる。

五　刑事上の責任

職員の職務に関連する義務違反行為が、法律の定める犯罪に該当するときは、職員に刑事上の責任が科せられる。職員の職務に関連した行為についての刑事上の責任は、本法及びその特別法に定めるもののほか、刑法に汚職の罪の定めがある。

本法は職務に関連した義務違反のうち、特に重大な違反――例えば、守秘義務違反、政治的行為の制限違反等――に対して刑罰を科すことを規定しており（法一〇九～一一二）、その他国税通則法等の特別法にも刑罰についての規定が設けられている。

刑法上の公務員の職務に関する犯罪は、大別すると職務執行行為そのものにより法益を侵害するもの（職務犯罪）と職務執行行為そのものではないが、職務に関連して法益を侵害するもの（準職務犯罪）とに分けられる。前者には公務員がその職権を濫用し、人をして義務なきことを行わせ、又は、行うべき権利を妨害する犯罪（公務員職権濫用罪）や検察、警察等の職務を行う者が職権濫用により人を逮捕監禁する犯罪（特別公務員職権濫用罪）等があり、後者には職員が職務に関して賄賂を収受する犯罪（収賄罪）等がある。

〔解　釈〕

一　懲戒処分の種類と効果

懲戒処分として本法が定めている処分は、免職、停職、減給及び戒告の四種類であり、処分の重さは以上の順序である。

1　免　職

懲戒免職とは懲戒処分として職員の身分を剝奪し、公務員関係から排除する処分であって、懲戒処分中最も重い処分である。分限処分としての免職も職員の身分を剝奪し公務員関係から排除する点で懲戒免職と同じ効果を生じさせるが、懲戒免職が職員の責任を問う制裁としての処分であるのに対し、分限処分は公務能率の維持を目的とし、職員の責任を問う制裁でない点で異なるものであり、国家公務員としての就官能力、共済法における長期給付のうちいわゆる三階部分の退職等年金給付（平成二七年九月以前の期間にあっては経過的職域加算額。共に遺族年金に係るものを除く。）、退職手当の支給について随伴する効果が異なる。

懲戒免職の処分を受けた者に対しては次のような効果が随伴する。第一は、懲戒免職の処分を受けた日から二年を経過しない間は官職に就く能力を有しない（法三八③）。第二は、上述の共済法における長期給付について全部又は一部の支給制限がなされる（共済法九七1、国家公務員共済組合法施行令（昭三三政令二〇七）二一の二1②等）。第三は、退職手当が支給されない（退手法一二1）。

２　停　職

停職とは懲戒処分として、一日以上一年以下の期間、職員としての身分を保有させたまま職務に従事させない処分で、停職の期間中は給与は支給されない（法八三、人規一二—〇　二）。分限処分としての休職も職員としての身分を保有したまま職員を職務に従事させないものであるが、休職は職員の責任を問うものではないのに対して、停職は職員の責任を問うことを本来の目的としている点が異なる。また休職者は定員法上定員には算入されずその者の占める官職を他の者をもって補充することを妨げるものではない（人規一一—四　四２）とされているのに対して、停職者については定員上の取扱いについての特例が認められず、その者の占める官職に他の者を補充することはできない。

停職処分を受けた者に対しては次の効果が随伴する。第一は、昇給について評価終了日（九月三〇日）以前一年間に処分を受けた場合、勤務成績が良好でない職員として取り扱われ、昇給区分がＥとされる（人規九—八　三七1③）。第二は、期末・勤勉手当について、基準日に停職中であれば、これらの手当が一切支給されない（人規九—四〇　一③、七②）ほか、基準日に停職期間が終了している場合であっても、停職期間は在職期間・勤務期間の算定に当たって除算され（人規九—四〇　五2①、一一2①）、また、勤勉手当の成績率が標準の成績率よりも低い割合で決定される（人規九—四〇　一三、一三の二、一三の二の二）。第三は、併任は終了する（人規八—一二　三七3④）。第四は、前記**1**に記述の共済法における長期給付について一定の減額がなされる（共済法九七1、国家公務員共済組合法施行令二一の二1③等）。第五は、退職手当の期間計算において停職期間が一月以上ある場合（現実に職務をとることを要する日のあった月は除く。）はその月数の二分の一に相当する月数が在職期間から除算される（退手法七4）。

3　減　給

減給は、一年以下の期間、懲戒処分としての発令の日に受ける俸給の月額の五分の一以下に相当する額（減給分）を給与から減ずるものである（人規一二―〇　三前段）。減給の期間は月単位で定められ、その効力発生の日の直後の俸給の支給定日から減給期間として示された月数に応じて、各俸給の支給定日ごとに当該減給分（これが現に受ける俸給月額の五分の一に相当する額を超えるときは、当該額（人規一二―〇　三後段））を差し引くこととされている（「人事院規則一二―〇（職員の懲戒）の運用について」（昭三二・六・一職職三九三人事院事務総長））。減給の処分を受けた者に対しては次の効果が随伴する。第一は、昇給について評価終了日以前一年間に処分を受けた場合、勤務成績が良好でない職員又はやや良好でない職員として取り扱われ、昇給区分がD又はEとされる（人規九―八　三七1③）。第二は、勤勉手当の成績率が、標準より低い割合で決定される（人規九―四〇　一三、一三の二、一三の二の二）。

なお、労基法は、就業規則で、労働者に対して減給の制裁を定める場合においては、その減給は、一回の額が平均賃金の一日分の半額を超え、総額が一賃金支払期における賃金の総額の一〇分の一を超えてはならない（労基法九一）と規定し、人事院規則一二―〇第三条による減給についての定めとは異なる内容を規定している。一般職の国家公務員への労基法の適用は本法附則第六条の規定により除外されているが、行政執行法人職員については、行政執行法人労働関係法第三七条第一項の規定により本法附則第六条の規定が適用除外とされていることから、本法第八二条、第七四条第二項、人事院規則一二―〇第三条の規定との関係において労基法第九一条の規定の適用関係が問題になる。ところで行政執行法人労働関係法第三七条第一項の規定の趣旨は、行政執行法人職員が他の一般職の国家公務員に比較し、企業職員としての特殊性を有することから、本法の規定のうち、一般職の国家公務員としての勤務関係等を規律するのに不可欠のものはそのまま行政執行法人職員に適用することとする一方、行政執行法人労働関係法と抵触する本法の規定の適用を排除してその排除された分野については労基法等によって規律しようとしたものと解される。したがって、労働者を保護するための最低限度の労働条件を定めた労基法が行政執行法人職員へ適用されるのは、本法に規定のない事項に限られるというべきである。そして行政執行法人労働関係法第三七条第一項は、人事院の懲戒権限についての本法第八四条第二項及び第八四条の二の規定を除き、懲戒に関する本法第七四条及び第八二条から第八五条までの各規定の適用を排除しておらず、これらの規定は行政執行法人職員に対して適用されているところである。要するに、減給については本法第七四条第二項の規定による委任に基づき制定された人事院規則一二―〇第三条の規定で前記のごとく詳細に定められている以上、懲戒の種類、事由、程度が就業規則において定められることを前提にした労基法第九一条の規定は適用される余地はない（昭五四・三・二二東京地裁）と解されるのである。

４　戒　告

戒告とは、懲戒処分として、その責任を確認し、及びその将来を戒める処分である（人規一二―〇　四）。戒告の処分を受けた者に対しては次の効果が随伴する。第一は、昇給について評価終了日以前一年間に処分を受けた場合、勤務成績がやや良好でない職員又は勤務成績が良好でない職員として取り扱われ、昇給区分がＤ又はＥとされる（人規九―八　三七１③）。第二は、勤勉手当の成績率が、標準より低い割合で決定される（人規九―四〇　一三、一三の二、一三の二の二）。

法の定める懲戒処分の種類は以上の四種類である。職員に一定の非違行為があった場合、懲戒権者が懲戒処分としてこれ以外の種類の処分（例えば降格）をなし得るかについては、懲戒処分は職員に対して行われる重大な不利益処分であるので、処分事由のみならずその種類についても法が自ら制限的に列挙して規定したものであって、制裁的実質を備える処分を法の定めによらずに行うことはできない。ただし、懲戒処分と併せて、公務能率の確保の観点から分限処分としての降格（人規一一―一〇　三）を行うことは可能である。なお、退職手当は支給するが責任を取って辞職させることを諭旨免職と称している場合があるが、これは、辞職を促されて同意により辞職するということにすぎないものであって、懲戒処分には当たらない。

また、職員の非違行為に対して訓告、厳重注意等の矯正措置が事実上行われているが、これらの措置は、制裁的実質を備えた処分、すなわち、懲戒処分ではない。この点に関し、「訓告」等が職員に一定の非違行為があった場合、当該職員に対しその者の職務履行の改善向上を図るために制裁的実質を伴わない訓諭その他矯正の措置等監督上の具体的措置として行われるものであるならば、法はそれまでも禁止するものではないとされている（昭二八・八・三法制局長官）。

なお、訓告、厳重注意等は、職員に直接に法的効果を生ぜしめるものではないので、「行政庁の処分」には当たらない（昭三九・七・一五神戸地裁）とされているが、近年の成績主義強化の中で、訓告や厳重注意を昇給や勤勉手当の査定事由とするということも多く見受けられることも踏まえると、懲戒処分に準じた公正な手続きが必要となろう。

二　懲戒の事由

本法は懲戒処分の事由として三つの場合を掲げている。すなわち、①本法若しくは倫理法又はこれらの法律に基づく命令に違反した場合、②職務上の義務に違反し、又は職務を怠った場合及び③国民全体の奉仕者たるにふさわしくない非行のあった場合である。懲戒処分が職員に対して重大な不利益を与える処分であることから、法は懲戒の事由としてこの三つの場合を明示し、それらの事由がある場合に限って懲戒処分を行うことができることとしている。

また、懲戒処分は職員の責任を問うことを本来の趣旨とするものであるから、当該職員に故意又は過失のあることが要件である。

1　本法若しくは倫理法又はこれらの法律に基づく命令に違反した場合

まず、本条第一号では本法第三章第七節の服務に関する規定をはじめ、本法若しくは倫理法又はこれらの法律に基づく命令に違反した場合に懲戒処分の対象となるものとされているが、本法第九八条第一項には「職員は、その職務を遂行するについて、法令に従」わなければならないと定められているので、職務の遂行に関する法令である限り、本法以外の法令であっても、それに違反したときは本号に該当することになるものである。また、職員の法令違反が職務遂行とは関わりのないものであっても、その違反が「官職の信用を傷つけ、又は官職全体の不名誉となるような行為」（例えば刑法犯）として本法第九九条違反となるような場合はやはり本号に該当することになる。

2　職務上の義務に違反し、又は職務を怠った場合

本条第二号の職員の職務上の義務又は職務は、法令又は上司の職務上の命令によって定められる。また、職務上の義務に違反して本号に該当する場合は、本法第九八条第一項に違反するので、本条第一号にも該当することになるものであり、職務を怠って本号に該当する場合は、職務専念義務を規定した法第一〇一条第一項に違反するので、本条第一号にも該当することになるものである。

3　国民全体の奉仕者たるにふさわしくない非行のあった場合

「国民全体の奉仕者」の概念は憲法第一五条第二項から導かれる公務員の本質であり、本法第九六条第一項も服務の根本基準として「すべて職員は、国民全体の奉仕者として、公共の利益のために勤務し」なければならないことを規定している。国民全体の奉仕者とは国民の信託によって公務を担当する者として、国民全体の利益のために勤務する者の意である。

本条第三号は、このような公務員の理念ないし本質に反する非行を懲戒事由として規定したものである。何が非行であるかは健全な社会通念によって判断するほかはないが、全体の奉仕者としての公務員にふさわしくない行為である限り、必ずしも違法な行為に限定されるものではない。また、職務に関連した非違行為、例えば収賄等が本号に該当することはいうまでもないが、純粋に私行上の行為であっても、例えば傷害行為等が全体の奉仕者としてふさわしくない非行として本号に該当することがある。

三　懲戒の手続

懲戒処分の手続は本法及び人事院規則によって規定されている。手続が法令によって明確に規定されているのは、懲戒処分が職員の身分・地位に重大な影響を与える処分だからである。現行法体系では、懲戒処分決定前の事前手続としての聴聞等は義務付けられておらず、懲戒処分に対する不服申立てという人事院での事後手続が法定されている。しかしながら、処分に当たって、公正慎重な手続が求められることに変わりなく、本法及び人事院規則でその手順が定められている。また、一部の府省では処分を判断するための部内手続として懲戒委員会等による審査を設けている。

１　懲戒処分書の交付

懲戒処分は、職員に不利益を与える処分であるため、必ず職員に文書を交付して行わなければならないこととされており、その効力の発生は到達主義によることとされている（人規一二―〇　五１）。

この文書には、懲戒処分に係る職員の氏名、懲戒処分の内容、懲戒処分を発令した日付等を記載するほか、この文書が懲戒処分に関する文書であることを一見して明瞭にさせるために「懲戒処分書」の文字を記載しなければならない（「人事院規則一二―〇（職員の懲戒）の運用について」（昭三二・六・一職職三九三人事院事務総長）第五条関係４）。

懲戒処分書における懲戒処分の内容の記入については、それぞれの懲戒処分に応じて、次のように定められている（「人事院規則一二―〇（職員の懲戒）の運用について」第五条関係５）。

①　免職する場合　　「甲（根拠法令の条項を表示する。以下同じ。）により、懲戒処分として免職する。」

② 停職する場合　「甲により、懲戒処分として、　月（日）間停職する。」
③ 減給する場合　「甲により、懲戒処分として、　月間俸給の月額の　分の一を減給する。」
④ 戒告する場合　「甲により、懲戒処分として戒告する。」

この文書の交付は、これを受けるべき者の所在を知ることができない場合においては、その内容を官報に掲載することをもってこれに替えることができるものとし、掲載された日から二週間を経過したときに文書の交付があったものとみなされる（人規一二―一〇　五２）。

このような事情がない場合においては、本人に処分書を交付しなければ、処分の効力は発生しない。ただし、懲戒処分を受けるべき職員が「懲戒処分書」の受領を拒否し、当該職員の現実の受領がなされなかった場合は、当該職員が処分の内容を了知し得べき状態に置かれた時点で処分の効力が発生すると解すべきである。

また、配達証明郵便又は内容証明郵便により、本人に郵送した場合は、たとえその受領が拒否され、処分を受ける職員の現実の受領がなかったとしても、人規一二―一〇第五条所定の「交付」があったものとされる（昭三三・六・一六人指一三―三）。

２　処分説明書の交付

職員に対し懲戒処分を行おうとする場合には懲戒権者はその職員に対し、その処分の際、処分の事由を記載した説明書を交付しなければならない（法八九１）。この懲戒処分の事由を記載した説明書を「処分説明書」という。処分説明書の様式及び記載事項は、人事院事務総長通達（昭三五・四・一職職三五四）によって定められている。処分説明書を被処分者に交付することとした趣旨は、処分された職員に対して、いかなる非違行為について当該処分がなされたか、処分の理由を知らしめるとともに、その処分について不服がある場合、人事院に対して審査請求をすることができる旨及び審査請求期間を教示することにより、職員の身分保障を担保しようとしたものである。

処分説明書に記載すべき処分事由の範囲に関しては、次の人事院判定（昭三九・一〇・三一人指一三―一三）がある。すなわち、「およそ懲戒処分において問責の対象となる事実は、処分を行おうとする際には既に特定されていなければならないものであり、処分時に考慮されていなかった事実を処分後にあらたに処分理由として追加するごときは、懲戒処分の本旨にもとるものといわなければならない」のであり、「処分者が処分の際処分対象事実として認識し、評価した処分理由は、少なくとも上述の処分説明書交付の目的を失わしめない限度において、処分説明書に記載することを要し、したがって、人事院の審査において処分理由としてとり上げることのできる事実は、処分の際職員に交付された処分説明書記載の範囲の事実に限られ、この範囲をこえる事実は、処分の量定にあたり考慮すべき『情状』としてならばともかく、処分理由たる事実としてはとり上げえないものといわなければならない」とされている。

任命権者は懲戒処分を行ったときは、当該処分の発令の日から一か月以内に処分説明書の写し一通を人事院に提出しなければならない（人規一二―〇　七「人事院規則一二―〇（職員の懲戒）の運用について」第七条関係）。

四　人事交流等職員に対する懲戒処分

従前は、人事交流等によって特別職国家公務員、地方公務員、特殊法人職員等になるため辞職出向した後復帰した職員の辞職出向前の非違行為は、身分関係が一度切れているため問責できないものとされていたが、平成八年に発覚した過去の汚職事件において、当該職員に、発覚の前に地方公務員への辞職出向の期間があり懲戒処分を行えなかったことを契機として見直しが行われ、明文化されたものである。このような取扱いに変更した理由としては、その出向は実質的に人事当局に管理されたものであり、退職手当も支給されないほか、職員が特別職国家公務員等となるため辞職出向し再び職員として採用される場合の採用については、条件付採用とならないなど、任用、給与等人事上の諸制度において通常の新規採用の場合とは異なる取扱いがなされていることが挙げられる。このような取扱いは、いわば退職出向前の公務員関係を前提に、その後の復職時の採用から始まる公務員関係と退職前の公務員関係とを継続したものとして評価しているものと捉えることができる。したがって、退職出向において公務員関係がこのような評価を与えられている中にあっては、服務関係についても退職前後においてこれを継続したものとして扱い、退職前の非違行為を理由に復職後懲戒処分を行えることとすることは可能であると考えられたためである。なお、ＰＦＩ事業による公共施設等運営権者への国派遣職員等は、本条第二項の適用については、当該特別職国家公務員等とみなされる（民間資金等の活用による公共施設等の整備等の促進に関する法律（平一一法一一七）七八1、港湾法（昭二五法二一八）四三の二九1）。

また、定年前再任用短時間勤務職員が年齢六〇年以上退職者となった日の前又はかつて定年前再任用短時間勤務職員として在職していた期間中に懲戒事由に該当する行為を行っていた場合には、その行為を理由として懲戒処分を行うことができる（法八一2後段）。これは、職員の定年前再任用は、定年前再任用される前の良好な勤務の事実を基礎としており、定年前再任用された者の服務関係は定年前再任用される前の服務関係と継続性があるものとして取り扱うことが適当であるためである。

定年に達した際、勤務延長された職員については、勤務延長される前の非違行為を理由として懲戒処分をすることができる。この場合も公務員関係は継続し同一性を維持していると解されるからである。

（懲戒の効果）

第八十三条　停職の期間は、一年をこえない範囲内において、人事院規則でこれを定める。

② 停職者は、職員としての身分を保有するが、その職務に従事しない。停職者は、第九十二条の規定による場合の外、停職の期間中給与を受けることができない。

〔趣　旨〕

停職の意義

本条は懲戒処分のうち特に停職の効果について規定している。大日本帝国憲法時代の官吏の懲戒について定めた官吏懲戒令においては、懲戒の種類は、免官、減俸及び譴責の三種類であって、停職は存在せず、本法において新たに認められたものである。特に停職の効果についてのみ本法に規定されているのは、このような歴史的経緯によるものと思われる。本法の制定当初（昭和二二年）においては「停職の期間は一月以上一年以下とする。」と定められ、任命権者がその範囲内において具体的にこれを決定することとされていたが、昭和二三年の本法の改正により現行の規定に改められた。また停職者の給与についても、当初は「停職者は、その停職の期間中俸給の三分の一を受ける。」と規定されていたが、同改正により給与を受けることができないこととされた。

〔解　釈〕

一　停職の期間

本法の制定当初（昭和二二年）においては「停職の期間は一月以上一年以下とする。」と定められ、任命権者がその範囲内において具体的にこれを決定することとされていたのであるが、昭和二三年の本法の改正により停職の期間は一年を超えない範囲内のものとし、その範囲内において停職の期間に関する一般的基準の決定は人事院規則に委ねられた。人事院規則においては、停職の期間は一日以上一年以下とする（人規一二―〇　二）と定められ、懲戒権者はこの範囲内において具体的にその期間を決定することになる。停職の期間計算は暦日計算による（「人事院規則一二―〇（職員の懲戒）の運用について」（昭三二・六・一職職三九三人事院事務総長）第二条関係）こととされているので、停職の期間中に週休日等が含まれている場合は、その日も算入して期間を計算することになる。また起算点については本法及び人事院規則に特に規定がないので、民法第一三八条及び第一四〇条の期間計算の原則に従い期間の初日、つまり停職処分の効力発生日当日は算入されない。

なお、本項の規定に違反して停職を命じた場合、すなわち、一年を超える停職あるいは一日未満の停職を命じた場合、前者においては一年を超える部分は無効であり、後者においては全てが無効な停職処分であると解される。なお、このような停職処分を命じた者は、一年以下の懲役（新刑法の施行日以降は、拘禁刑）又は五〇万円以下の罰金に処せられる（法一〇九⑩）。

二　停職の効果

停職者は特定の官職を占めるが、その占める官職は停職直前に占めていた官職である。停職者である間においても配置換、転任等の異動を行うことは可能であり、異動が行われた時は異動後の官職が停職者の占める官職である。ただし、停職者が停職前に官職を併任している場合には、停職と同時に併任は当然終了するものとされる（人規八―一二　三七３④）。

停職者はその身分を保有するが職務に従事しないという点では休職者と同じであるが、前述のように、休職者と異なり、定員法上、行政機関における定員からは除外されず、停職者の保有する官職を他の職員をもって補充することも認められていない。これに関しては、停職者を出すとマンパワーが低下し国民に対するサービスが低下しかねない結果となるため、定員上の取扱いについては課題であると考える。

制定当初の本法においては、停職者は停職期間中俸給の三分の一を受けることとされていたが、昭和二三年の本法の改正により、停職者は停職の期間中給与を受けることができないこととされた。休職者の場合は、同様に職務に従事しないが、休職期間中俸給の全部又は一部が支給される。休職者についてはその生活が配慮されるが、停職者は、職務に従事しないことについて本人に責任があるので、ノーワーク・ノーペイの原則を貫徹させたものである。この給与の不支給は、停職期間中の給与についてであり、停職処分前に給与事由の生じている給与の支払を停職期間中に行うことは差し支えない。

停職期間中の職員に対して非違行為に関する事情の聴取又は書類作成等のために出頭を命じる場合があるが、その場合でも、これに給与を支給することはできない。ただし、実費の弁償を行うことを妨げるものではない（昭二五・一二・二法審回発九四人事院事務総長）。

ところで本条第二項後段は、「第九十二条の規定による場合」には給与を受けることができる旨規定しているが、「第九十二条の規定による場合」とは停職の処分を受けた者が人事院に対して、審査請求をし、人事院が調査の結果処分を受けるべき理由のないことが判明してその停職処分を取り消し、職員がその処分によって失った俸給の弁済を受けるように指示した場合をいうものと解される。停職処分が人事院の判定によって取り消された場合は、最初から停職処分はなかったことになるので、停職者が停職期間中給与を受ける場合とは異なるというべきであり、「第九十二条の規定による場合」とする文理には問題があるが、停職が取り消されても取消し前の停職期間に相当する期間中は現実に職務に従事していなかったので、その場合の給与の支払について疑義が生じることを避ける意味で確認的に規定したものといってよいであろう。

本項の規定に違反して停職者に俸給を支給した者は三年以下の懲役（新刑法の施行日以降は、拘禁刑）又は一〇〇万円以下の罰金に処せられる（法一一〇1⑭）。また、その行為を企て、命じ、故意にこれを容認し、唆し又はその幇（ほう）助をした者も同様である（法一一一）。

（懲戒権者）

第八十四条　懲戒処分は、任命権者が、これを行う。

② 人事院は、この法律に規定された調査を経て職員を懲戒手続に付することができる。

〔趣　旨〕

懲戒権者

懲戒処分を行使する権限を有する者（懲戒権者）を誰にするかは、人事行政上極めて重要な問題であるが、法はこの権限を任命権者に与え、あわせて人事院もまた懲戒権を行使することができることを定めている。

任命権者は任命権をはじめ、行組法第一〇条等に基づいて事務の統括権、服務統督権を有しており、部内の事情について通暁している者であることから、この者に公務員関係の部内秩序を維持するための懲戒権を与えることが最も適切であるとされたものである。一方、人事院は中央人事行政機関として、公務秩序を維持し、本法の適正な運用を確保する責務を負うものであることにより、任命権者とは別個に独自の懲戒権を与えられたものと考えられる。なお、倫理法又は倫理法に基づく命令に違反する行為に関して行われる懲戒処分については、次条により、人事院の懲戒権が国家公務員倫理審査会に委任されている。

任命権者の有する懲戒権は、その任命権の及ぶ官職を占めているいかなる職員についても行使することができる。また、人事院の懲戒権は行政執行法人職員を除き全ての職員に及ぶものである。

なお、任命権者はその任命権を部内の上級の職員に限り委任することができることとされており（法五五２）、これに基づき、任命権の委任が行われた場合には、その委任を受けた職員はその任命権の及ぶ範囲の職員について懲戒権を行使することができる。ところで任命権と分離して懲戒権を委任することができるか否かについては、法は明文の定めを置いていないが、もとより法は、任命権者が懲戒処分を行うと規定しているのであるから、その趣旨を没却するごとき委任は許されず、懲戒権を任命権と分離して委任するには、そうするだけの合理的理由の存することが必要である（昭五〇・一二・二五大阪地裁）。

〔解　釈〕

一　任命権者を異にする併任の場合の懲戒権

職員が併任により任命権者を異にする場合には、それぞれの任命権者が独自に懲戒処分を行うことができる。この場合併任に係る官職の任命権者の懲戒権の行使は、本務である官職の基本的な地位に影響を及ぼさない範囲であることを要すると解される。したがって、通常の場合は減給及び戒告に限られ、もし、免職又は停職相当の処分を必要とする場合は、本務である官職の任命権者に懲戒の対象となる事由を通知し、その処分を待つことが妥当である。また、併任に係る職員に対して減給又は戒告相当の処分を行う場合には、職務に関する非違行為を理由とするときはその職務を管轄する任命権者がこれを行い、職務とは関係のない私行上の非違行為を理由とするときは、本務の任命権者が処分を行うことが妥当であろう。

なお、それぞれの任命権者は独自に懲戒権を行使することができるのであるが、同一の非違行為に対して本務及び併任に係るそれぞれの任命権者が別個に二つの懲戒処分を重ねて行うことが許されるものではない。一方の任命権者が懲戒処分を行ったときは、他方の任命権者にこの旨を通知しなければならない（人規一二―一〇　六）こととされている。

二　転任等が行われた職員に対する懲戒権

職員が転任、昇任等によりその身分を継続したまま任命権者を異にする異動をした場合においては、現在の任命権者は当該職員が前任命権者の下において行った非違行為を理由として懲戒権を行使することができる。使用者である国と当該職員との間の身分関係が継続しているからである。なお、前任命権者は、その下で行われた懲戒に付すべき非違行為を知ったときは、人事行政運用上の措置として現任命権者に対して通知を行うべきであり、それに基づき現任命権者は自らの責任において懲戒権の行使を判断することになる。

三　事前審査と事後審査

任命権者の懲戒権の行使については、懲戒に付せられるべき事件が刑事裁判所に係属している場合において本法第八五条の規定により人事院の承認を経なければならないことを除き、事前に他の機関に付議することを要せず、自らの発意により、また自らの裁量によって懲戒処分を行うかどうか、またその種類、程度を決定することができる（昭三二・五・一〇最高裁）。

ところで、旧官吏制度の下においては、懲戒権者は譴責以外の懲戒処分については、あらかじめ懲戒委員会に付議しその議を経た上でこれを行うこととされていた（旧官吏懲戒令（明三二勅令六三））。すなわち、懲戒処分について事前審査制が採られていたのであるが、現行法では法律上事前審査制を採用していない。これは、職員に非違行為があった場合には速やかに懲戒処分を行い、もって国民の信頼を確保するとともに公務の能率的な運営を維持する趣旨であると考えられる。

他方、現行法においては、懲戒処分の公正を確保し（法七四１）、職員の利益を保護するため、懲戒処分を受けた者が人事院に対して審査請求をすることを定め、いわゆる事後審査制を採用している。

もっとも、任命権者がその懲戒権を行使するに当たってその適正を期するため、部内に懲戒委員会を設け、懲戒事案を調査又は審査させることは差し支えない。

倫理法又は倫理法に基づく命令に違反する行為に関して行われる懲戒処分については、任命権者による調査権及び懲戒権と国家公務員倫理審査会による調査権及び懲戒権とを調整する規定が同法第二二条から第三二条までに置かれている。

四　人事院の懲戒権

人事院の懲戒権については、「国公法第八四条第二項の規定は、人事院が任命権者の懲戒権の発動を促しうることを定めたものではなく、人事院もまた当該事案について、懲戒事由存否の確認、処分の種類及び程度の決定、処分の実施など懲戒処分に関する一連の手続を採ることができることを定めたもの」であって、「「この法律に規定された調査」とは、本法第一七条に規定された人事院の人事行政上の調査権に基く調査を指すもの」（昭三三・四・四東京地裁）とされている。

人事院が任命権者に対し懲戒権の発動を促し得ることは、本法第八四条第二項の規定を待つまでもなく、懲戒の根本基準の実施手続として可能なもの（法七四２）と考えられ、同項の規定は、人事行政の公正性確保のため、人事院に独自の懲戒権の行使を認めたものであるといえよう。

もっとも懲戒処分を行うのは第一義的には当該職員の服務を統督する権限を有する任命権者であり、人事院の懲戒権は、任命権者が当然に行うべき懲戒処分を行わない場合などに行使されるものと考えられる（昭四五・一〇・二七最高裁）。

なお、倫理法においては、国家公務員倫理審査会の任命権者に対する調査の要求、処分量定の協議、処分の勧告等の手続を具体的に定めることにより、国家公務員倫理審査会による懲戒権行使の仕組みが整備されている（八四条の二参照）。

（国家公務員倫理審査会への権限の委任）

第八十四条の二　人事院は、前条第二項の規定による権限（国家公務員倫理法又はこれに基づく命令（同法第五条第三項の規定に基づく訓令及び同条第四項の規定に基づく規則を含む。）に違反する行為に関して行われるものに限る。）を国家公務員倫理審査会に委任する。

〔趣　旨〕

第八四条第二項の規定により職員を懲戒手続に付する権限のうち、倫理法又は倫理法に基づく命令に違反する行為に関して行われるものを、国家公務員倫理審査会に委任する規定である。

〔解　釈〕

第八四条第二項の規定により職員を懲戒手続に付する権限のうち、倫理法又は倫理法に基づく命令（同法第五条第三項の規定に基づき各省各庁の長が定める当該各省各庁に属する職員の職務に係る倫理に関する訓令及び第五条第四項の規定に基づき行政執行法人の長が定める当該行政執行法人の職員の職務に係る倫理に関する規則を含む。）に違反する行為に関して行われるものは、本条により、国家公務員倫理審査会に委任されている。

公務に対する国民の信頼を確保するためには、職員に不祥事を行った疑いがあるときは、まずは任命権者が、それについて調査を行い、その調査結果に基づいて懲戒処分その他必要な措置を採ることが求められる。しかし、倫理法制定前に明らかになった不祥事は事務次官による収賄や局長クラスの供応受領など、官僚組織のトップに関わるものであったことから、懲戒処分等の措置を任命権者に委ねるだけでは不十分と考えられた。このため、国家公務員倫理審査会には、任命権者が行う調査及び懲戒処分を監督する権限が倫理法に基づいて与えられているとともに、必要な場合には、自ら懲戒処分を行うことができるように、倫理法又は倫理法に基づく命令に違反する行為に関して行われる第八四条第二項に基づく人事院の懲戒処分に付する権限を委任することとされたものである。それ以前には、非違行為に関する調査及び懲戒処分について人事院と任命権者の関係を整理する具体的な基準が定められておらず、人事院による懲戒手続の実例は存在しなかった。本条の創設に伴って、倫理法違反の行為に係る調査及び懲戒に関しての国家公務員倫理審査会と任命権者との関係を整理する規定が倫理法第二二条から第三二条までに置かれていることは、第一七条の二の〔解釈〕で述べたとおりである。

（刑事裁判との関係）

第八十五条　懲戒に付せらるべき事件が、刑事裁判所に係属する間においても、人事院又は人事院の承認を経て任命権者は、同一事件について、適宜に、懲戒手続を進めることができる。この法律による懲戒処分は、当該職員が、同一又は関連の事件に関し、重ねて刑事上の訴追を受けることを妨げない。

〔趣　旨〕

刑事裁判と懲戒処分との関係

旧官吏懲戒令（明三二勅令六三）及び本法の制定当初の規定は、懲戒処分に付せられるべき事件が刑事裁判所に係属する間は、同一事件に関し懲戒の手続を進めることができないことを定めていた。その趣旨とするところは、懲戒処分と刑事裁判所の判決が矛盾することを避けるためであったと考えられる。

しかしながら、刑事裁判所はあくまでも司法権に基づいて、社会公共の秩序維持のため当該事件の違法性を裁判するものであり、懲戒手続は、非違行為を行った職員に対し、公務員関係の内部秩序を維持するため、その職員に対する行政上の制裁を加えようとするものであって両者はその目的、性質、権限等を異にするものである。したがって、懲戒処分に付せらるべき事件が刑事裁判所に係属する場合には、厳格、かつ、慎重な訴訟手続を経て公訴事実の存否が判断されることとなるが、一方、懲戒処分は公務の信頼の確保及び公務秩序維持の観点から時宜に即して行う必要があるので、昭和二三年の本法の改正により、本法第八四条第二項の規定により懲戒権を有する人事院又は人事院から手続進行の承認を得た任命権者が、それぞれ懲戒手続を進行させることができるように改められたものである。

また、本条は、同一又は関連の事件に関し懲戒処分と刑事罰との併科を妨げないことを規定しているが、これは前述のごとく両者はその目的、性質、効果、権限等を異にする別個の制裁であるから、二重の処罰に当たるものではなく、当然のことを確認したものといえよう。

〔解　釈〕

刑が確定した時をいうものである。

人事院の承認

「懲戒に付せらるべき事件が、刑事裁判所に係属する間」とはその事件が刑事裁判所に受理されてからその裁判所を離脱するまでをいう（昭二六・三・二　七一―二二法制局長）が、ここで裁判所からの離脱とは判決の言渡しがあった時ではなく、刑が確定した時をいうものである。

次に、人事院の承認を経ることとされているのは、裁判の結果のいかんが懲戒処分を決定する上で重大な影響があると認められる場合には、刑事裁判の終結まで懲戒手続の進行を停止する必要があるため、その判断を人事院に委ねる趣旨である。ただし、任命権者が、懲戒手続の進行に関して、人事院の承認を必要とするのは、刑事上訴追されている本人についてのみであり、刑事事件に関連を有しているが訴追されるに至っていない者については承認を受ける必要はない（昭二五・一二・八法制四七法制局長）。

人事院の承認を経る手続は「懲戒手続進行の承認申請について」（昭三三・六・一三職職三九四職員課長）により、申請文書及び添付資料を提出して行うこととされている。この申請文書には①懲戒処分に付せられるべき職員の官職及び氏名、②公訴事実のうち懲戒処分の対象とする事実及び懲戒権者において当該事実を確認した具体的方法、③懲戒処分の根拠条項及び予定する量定、④裁判の経過の概要等を記載するものとされ、添付資料としては①起訴状の写、②判決書の写（判決のあった場合）、③当該職員の供述書又はその他懲戒処分の対象とする事実を証する資料等、が必要とされている。

この場合、刑事事件で起訴された職員と当局側が接触できず当該職員の供述書を得ることができない場合、あるいは本人が当該事実を否認している場合は、管理者の現認書、供述書、共犯者の自白、第三者の証言及び公判傍聴記録等から客観的に当該事実を確認し、それらの書類を添付して本条の承認申請を行うこととされている。

ところで、本条に基づく人事院の承認を経ることなく懲戒処分を行ったときは、当該処分は当然に無効ではないが、手続上の瑕疵ある処分として取消しの対象となるものと解される。

なお、職員が、公判廷における供述等により、懲戒処分の対象とする事実で公訴事実に該当するものがあることを認めている場合には、懲戒処分と判決内容に矛盾が生じるおそれが小さいことから、人事院の承認があったものとして懲戒手続を進行できることとされており、これにより難い場合にのみ人事院の個別の承認を得ることが必要となる。また、これによって、任命権者が懲戒処分を行った場合には、公判廷における供述書など公訴事実を確認した資料の写しを人事院に提出することとされている（人規一二―一〇　八）。

また、懲戒権者が懲戒処分を決定した後、処分の発令前に当該職員が同一事件に関して隔地にある検察当局によって起訴されていたことが判明した場合は、速やかに人事院に対して本条の規定による承認を求めてその瑕疵を補正すべきであるとされている（昭二七・一・一二　一二―一人事院事務総長）。

第三款　保　障

第一目　勤務条件に関する行政措置の要求

（勤務条件に関する行政措置の要求）

第八十六条　職員は、俸給、給料その他あらゆる勤務条件に関し、人事院に対して、人事院若しくは内閣総理大臣又はその職員の所轄庁の長により、適当な行政上の措置が行われることを要求することができる。

〔趣　旨〕

一　国家公務員の苦情処理制度

本法第三章第六節第三款は、「保障」と題して、①勤務条件に関する行政措置の要求、②職員の意に反する不利益な処分に関する審査、及び③公務傷病に対する補償について規定している。これらはいずれも職員の公務員としての特殊性に鑑み、職員が安んじて職務に専念できる環境と身分の保障を図り、もって職員の利益と勤務の継続を保護するものといえる。特に①は、労働協約締結権及び争議権を持たない職員の勤務条件を、②は法律によって認められた職員としての法的地位についての苦情をいずれも本人の申立て等に基づき、中立・第三者的な人事行政の専門機関である人事院の審査によって保護しようとするものである。このような制度は、本法によって新たに設けられ、戦前には、例を見なかったものである。旧官吏制度の下においては、官吏懲戒令や官吏分限令により、官吏を免官、減俸の懲戒処分に付す場合や心身の故障により免官する場合には事前に懲戒委員会の審査に付すべきこと、官庁事務の都合により休職にする場合には分限委員会の意見を徴すべきことなど、特定の処分に限って事前審査の手続が定められていた。しかし、これらは天皇の官吏に対する処遇の一環として行われていた官制大権に基づく処分上の手続であり、現行法のそれが民主的方法によって定められた法律に基づく職員の権利であるのとは基本的に異なったものといえる。

本法は人事院の事務として「苦情の処理」を掲げている（法三2）。職員の職場での不平不満は、分限や懲戒などによる身分上の変動、給与決定や休暇付与などの勤務条件、セクシュアル・ハラスメント、パワー・ハラスメントなどの職場の人間関係など様々な事由をめぐって起こるものであり、その中には任命権者によって解決が図られるもの、あるいは当局と向き合うことへのちゅうちょなどによって表面化することなく終わるものもある。こうした職員の苦情のうち不利益処分についての不満は、最終的に行政訴訟で争う途がある一方で、行政部内での解決を図る方途として人事院への審査請求が認められている。それ以外の不平不満についても、これが適切な解決を得られないまま放置されたり、対応を誤ったりした場合には、人事行政の公正を損ね、士気の低下や職場の人間関係の悪化を招き、ひいては公務の能率的運営に重大な影響を及ぼすことになりかねない。特に当局が一方の当事者であるため、職員が不満を明らかにすること自体が難しいことも多く、ひとたび問題が生じた場合には、当事者間において解決のための話合いをすることすら困難になることも少なくない。使用者と職員との間に生じた勤務条件に関する苦情、紛争の解決のために、中立的な第三者機関である人事院が、両当事者それぞれの言い分を聞いた上で公平に処理することは、職員の利益保護、人事行政の適正な運営、ひいては公務の公正かつ能率的な運営の確保のために不可欠である。そこで、本法は、人事院に対する勤務条件に関する行政措置要求の制度を設計している。

こうした苦情処理については、勤務条件に関する行政措置要求と職員の意に反する不利益な処分の審査のそれぞれについて詳細な手続が定められており、これは一般に行政委員会の準司法的権限の行使と呼ばれ、法律上の紛争等を行政内部の独立した機関により裁定するという司法上の救済手続に類似した機能を果たすものである。

また、職員の個々の苦情は、裁判による司法手続で解決を図ることが可能な場合が少なくないが、行政部内の手続としてこのような仕組みが設けられているのは、簡易な手続により迅速な処理が可能となること、行政部内の処理であるために違法性についての判断のみならず当不当についての判断も可能であること、及び実情に即した適切な処理が期待できることによるものである。

以上の二つの制度のほか、特別法による行政部内の救済制度として、補償法による災害補償の実施に関する審査の申立て及び福祉事業の運営に関する措置の申立て（補償法二四、二五）並びに給与法による給与決定に関する審査の申立て（給与法二一）があり、これらの四つを合わせて、公平審査制度と呼んでいる。さらに、これらの公平審査制度に加えて、勤務条件その他の職場の人事管理に対する一般的又は具体的な不満を対象とする職員からの苦情相談（人規一三―五）という苦情処理の仕組みがある。

これらの公平審査制度や苦情処理の仕組みは、本法第三条第二項の「苦情の処理」という人事院の任務を具体化したものである。

なお、申立て制度としては、これらのほかに、職員の株式保有等企業への参加関係等についての人事院の通知に対する審査請求（法一〇三5、6、7）がある。

行政措置要求及び不利益処分審査請求についての本法の規定は、昭和二四年一月から適用されたが、昭和二四年八月に至り人事院規則一三―一（職員の意に反する不利益な処分及び懲戒処分に関する審査の手続）が、昭和二六年四月になって人事院規則一三―二（勤務条件に関する行政措置の要求）がそれぞれ制定され、制度が実際に機能するようになった。その後、昭和三七年の行服法の制定（同年一〇月一日施行）に伴い、不利益処分審査請求は行政不服審査法上の不服申立てとして位置付けられた。

さらに、平成二六年六月に公布された行服法の全部改正（平二六法六八）により、不服申立ての手続が「審査請求」に一元化されたことに伴い、本法においても「不服申立て」を「審査請求」に改める改正が行われた（平成二八年四月一日施行）。

二　行政措置要求制度の意義

勤務条件に関する行政措置要求制度は、職員の労働基本権が制約されていなかった昭和二二年の法制定時に、職員の利益保護を図るものとして創設されたが、昭和二三年一二月の法改正により、労働基本権が制約されたことに伴い、その代償措置の一つとしても位置付けられるものとなった。

民間企業の労働者は、法制上、その労働条件を、労使双方の合意によって決定することとなっている。しかし、公務員はその職務の特殊性から団体協約締結権及び争議権を有せず、勤務条件に関する基礎事項は法律によって定められ、当局と交渉を行うことはできるが、職員は自己の勤務条件の最終的な決定に関わることはできない仕組みになっている。このような勤務条件の決定方式は、給与等の勤務条件に関し国会による民主的なコントロールを行うこと、すなわち、議会制民主主義に基づくものであり、かつ、職員の勤務条件を法律によって保障することとしているものである。

このような勤務条件の決定方式によれば、給与、勤務時間等の勤務条件は法律で定められるが、詳細な基準は人事院規則に委任され、実施に関しては、内閣総理大臣の定める指針及び各任命権者の裁量によるところも大きく、それらについて職員が見直しや改善の要求をする仕組みがこの行政措置要求の制度である。さらに、本法は、職員に団体協約を締結する権利は認めてはいないものの（法一〇八の五2）、職員団体に対し勤務条件について権限ある当局と交渉する権利を認め、当局は、登録職員団体から適法な交渉の申入れがあった場合においては、その申入れに応ずべき地位に立つものとされているので（法一〇八の五1）、行政措置要求の対象となる事項については、職員団体が当局に対して交渉を求めることも可能となるが、職員団体の代表者が人事院に対して行政措置要求することも可能とされている。このような、勤務条件に関する行政措置要求の制度は、労働基本権の制約を補完する役割を担っている。

〔解　釈〕

一　行政措置要求の主体

㈠　措置要求権者

行政措置要求を行うことができる者、すなわち行政措置要求の権利を有するのは、「職員」である。この「職員」は、本法の一般的適用を受ける一般職の職員に限られ、特別職の職員は含まれない。職員である限り常勤、非常勤の別を問わず、また、不利益処分審査請求については対象外とされている臨時的任用職員や条件付採用期間中の職員も含まれる。

㈡　特例職員

外務職員は、その職務が外交上の機密を扱うなどその職務の特殊性に鑑み、外務大臣により適当な措置が行われるよう要求するときは、人事院に対してではなく、外務人事審議会に対して行政措置の要求をすることとされている（外務公務員法一七）。外務人事審議会は、人事院が行うのとほぼ同様の手続により判定を行い、この外務人事審議会の判定に不服のあるときは、人事院に対して再審査の要求を行うことができるものとされている（外務公務員法一八）。外務職員であっても、人事院等、外務大臣以外の者により適当な措置が行われるよう要求するときは、人事院に対して申請を行うこととなる。

㈢　適用除外職員

行政執行法人の職員については、労働協約締結権が認められていること、また、勤務条件等に関する職員の苦情は、労使同数の代表者をもって構成する苦情処理共同調整会議によって処理することとされていること（行政執行法人労働関係法一二）など、民間の勤労者に類する取扱いがなされており、行政措置要求については適用除外とされている（行政執行法人労働関係法三七）。

㈣　離職者

離職者は、既に職員ではないので、行政措置要求を行うことはできない。行政措置要求を行っている職員が離職した場合は、その要求を適法に継続することができず、却下されることとなる。また、行政措置要求を行っている職員が死亡した場合も、遺族がそれを承継することはできない。これは、行政措置要求の本来の目的が、現に職員であるものの苦情を処理し、職員の勤務条件を改善することによって公務の能率的運営を保障しようとすることにあるからである。

㈤　団体的要求

人事院規則一三―二（勤務条件に関する行政措置の要求）第一条第一項は、職員が「（登録）職員団体〔中略〕を通じてその代表者により団体的に」行政措置要求をすることを認めている。これは、登録職員団体は職員の勤務条件の改善を主たる目的とする団体であり、また、行政措置要求の対象である勤務条件は、多数の職員に共通するものであること、更には同一内容の要求が多数なされることが予想される場合にはこれを一括して処理することが適切であることなどを考慮して、団体的に行うことを認めたものと考えられる。しかし、この場合も要求の主体はあくまでも個々の職員であり、当該職員団体に独自の要求を行う権利を付与したものではない。

㈥　代理人

行政措置要求は、職員自身の意思決定及び意思の表明によることが制度の趣旨であること、また、審査の過程においても要求内容につき人事院の調査により事案が解明されるので、本人以外の者が代理人として全ての手続を行い、また、審査に参加することは認められていない（平成二一・七・一二東京地裁、令和四・六・一四東京高裁）。なお、必要に応じ、個々の手続等を他の者に委任して処理させることはできるものと解される。

二　行政措置要求の対象

1　勤務条件

職員が行政措置要求を行うことができるのは、「俸給、給料その他あらゆる勤務条件に関し」てであり、給与の関係のほか、勤務時間、休暇、勤務環境など種々のものが含まれ、例として次のようなものが挙げられる。

①　俸給その他の給与に関すること
②　勤務時間、休憩、休日、休暇などに関すること
③　昇任、降任、転任、免職、休職、懲戒などの基準に関すること
④　勤務の安全、衛生に関すること

これらは、一般の「労働条件」に相当するもの、すなわち、職員が勤務を提供することについて存する諸条件で、職員が自己の勤務を提供し、又はその提供を継続するかどうかの決心をするに当たり、一般的に考慮の対象となるべき利害関係事項であるとされるものであり（昭三三・七・三法制局一発一九法制局長官）、その種類、内容を問わない。行政措置要求の対象は、勤務条件であれば執務環境の整備、器具の設置等事実上の行為であると運用上のものであると、制度の改善要求であるとを問わないものとされ、その具体的内容は、職員団体との交渉事項の範囲と同じである。

しかしながら、勤務条件でない事項については行政措置要求を行うことはできない。例えば、損害賠償や慰謝料の請求（昭四三・二・二却下決定）、非常勤職員の定員内繰入れ（昭四四・五・二七却下決定）、採用試験の新設・廃止（昭四八・一一・一五却下決定）等はいずれも勤務条件に当たらず、行政措置要求はできないとされている。なお、人事評価は、任用、給与、分限その他の人事管理の基礎とするために行われるものであり（法一八の二1）、評価結果を任用、給与等に反映させる基準はもちろんのこと、人事評価の実施に関する事項についても勤務条件に影響を及ぼすものについては、勤務条件に関する事項

として行政措置要求の対象となる。本法には、労組法に定める不当労働行為制度は設けられていないが、これに類似する不利益取扱いの禁止（法一〇八の七）に違反する不利益な取扱いについては、不利益処分審査請求の対象にならないものは行政措置要求の対象となる。

管理運営事項については、これを行政措置要求の対象とすることはできない。しかしながら、例えば、定員の増加そのものは管理運営事項に該当するものの、過重な勤務を解消するための措置という面から捉えれば勤務条件として要求の対象とすることができるように、管理運営事項と勤務条件は密接に関連する場合が少なくない。第三次公務員制度審議会答申第四号（昭和四八年九月三日）は、「管理運営事項の処理によって影響を受ける勤務条件は、交渉の対象となるものとする。」としているところであり、行政措置要求の場合も、管理運営事項の処理によって影響を受ける勤務条件は行政措置要求の対象となる。

以上のように、行政措置要求の対象の範囲は必ずしも明確でない場合もあるが、この制度の趣旨から考えれば、職員の苦情はこれをできるだけ広く取り上げて解決を図ることが望ましいといえよう。

２　行政上の措置

職員が要求することができる行政上の措置は、中央人事行政機関である人事院及び内閣総理大臣又は当該職員の所轄庁の長がその措置を行う権限を有する事項に限られる。共済組合の給付のように国とは別の法人格を持つ共済組合の権限である事項（昭二六・九・一一却下決定）等は行政措置要求の対象とならない。

行政機関の定める規則、命令等の制定改廃、行政行為の取消変更等も行政措置要求の対象となるが、法律の制定改廃は国会の権限であり、行政機関の権限に属しないので行政措置要求の対象とならない。もっとも、人事院は法律の制定改廃について意見の申出をする権限を有するので（法二三）、この意見の申出を行うように要求することは可能とされている。

３　要求の利益

この行政措置要求は、権限ある当局に対し具体的な行政上の措置を要求するものであるから、その具体的な行政上の措置によって実現すべき客観的、具体的利益すなわち訴えの利益に相当するいわば「要求の利益」がその職員について存するものでなければならない。

要求が抽象的な形でしか効果のないもの、単に精神的満足を求めるにすぎないもの、既に改善されている過去の事実としての勤務条件に関するものなどは、要求できないと解されている。このような「要求の利益」がないとして却下された事例としては、訓告、厳重注意など直接の法的効果の存しない事実上の行為の撤回を求めるもの（昭三八・一二・二四却下決定）、訓告、厳重注意などの理由の明示を求めるもの（同前）、謝罪を求めるもの（昭四〇・一一・八却下決定）、他人の昇格人事が不正であるとしてその是正を求めるもの（昭四八・八・二二却下決定）などがある。このほか、他人の勤務条件の改善を求めた行政措置要求について、職員本人にとっては具体的要求の利益が認められないとして却下された事例がある（昭四一・二・二五却下決定）。なお、過去の勤務条件に係る要求であっても、超過勤務手当の支給等については、遡って是正することが可能で、かつ、将来、同様の事例が起こり得るものとして受理し、事案を判定した例がある（平二〇・一二・一二判定）。

4　不利益処分審査請求対象事項との関係

本法第九〇条の規定による不利益処分審査請求など、行服法の体系によって審査請求をすることができる事項については、行政措置要求を行うことができない（人規一三―二　一2）。これは、職員が救済を求めている同一の事項については、結果的に一つの制度でその救済が図られれば足りること、及びその場合には救済の効果としてより強い効果を持つ不利益処分審査請求によることが適当であることによるものである。

三　行政上の措置を行う者

行政上の措置を要求する相手方は、その要求事項の内容に応じ、人事院、内閣総理大臣又はその職員の所轄庁の長である。人事院及び内閣総理大臣は中央人事行政機関として行政上の措置の要求を受けるほか、その所属職員について所轄庁としての立場で要求を受けることになる。所轄庁の長とは、その職員の所属する機関の長であるが、具体的にどの段階の長を指すかについては、要求のあった事項につき権限を有しているかどうかにより判断される。例えば、昇格基準を大臣が決定している場合にこれについての要求は大臣、給与の支給を管区局長が行っている場合にこれについての要求は管区局長、庁舎管理者が事務所長であるときの執務室の照明についての要求は事務所長というように、要求事項を処理する権限を有する者によって異なることになるものである。

四　行政措置要求の方法と手続

行政措置要求を行う職員（申請者）は、個別に、また、人事院に登録された職員団体を通じてその代表者により団体的に、行政措置要求を行うことができる（人規一三―二　一1）。この申請は要式行為であり、申請者は、行政措置要求書正副各一通を、書類、記録その他の適切な資料を添えて人事院に提出しなければならず（人規一三―二　二）、口頭による要求は認められていない。行政措置要求書の様式は特に定められていないが、①申請者の官職、氏名、住所、生年月日及び勤務官署、②要求事項、③要求の事由、④要求事項について当局と交渉を行った場合には、その交渉経過の概要、⑤要求の年月日、を記載しなければならない（人規一三―二　三1）。職員団体を通じて行政措置要求をする場合において、申請者が職員団体の代表者であるときは、団体の名称、団体における役職名、氏名及びその団体の主な事務所の所在地をも記載しなければならない（人規一三―二　三1①ただし書）。また、この記載事項に変更を生じた場合には、申請者は速やかにその旨を人事院に届け出なければならない（人規一三―二　三2）。

行政措置要求は、不利益処分審査請求と異なり審査請求期間のような期間の制限は存しない。これは、行政措置要求については、処分の場合と異なり、不服については始点が特定できず、また、要求の対象が存在し続ける限りいつでも苦情を解決する必要があり、期間により制限し得る性質のものでないからである。

なお、資料については、審査が始まった後も適宜提出できることとされている（人規一三―二　二ただし書）。

五　罰　則

本条の規定に反して故意に勤務条件に関する行政措置の要求の申出を妨げた者は、三年以下の懲役（新刑法の施行日以降は、拘禁刑）又は一〇〇万円以下の罰金に処せられる（法一一〇1⑮）。

（事案の審査及び判定）

第八十七条　前条に規定する要求のあつたときは、人事院は、必要と認める調査、口頭審理その他の事実審査を行い、一般国民及び関係者に公平なように、且つ、職員の能率を発揮し、及び増進する見地において、事案を判定しなければならない。

〔趣　旨〕

一　審査機関

(一)　人事院

勤務条件に関する行政措置要求を審査する機関は、人事院である。この審査を人事院に行わせる理由は、第一には、職員の勤務条件の内容が広範にわたり、かつ、その内容も専門的であることから、人事行政についての専門機関である人事院によって審査されるのが適当であると考えられるためである。人事院は人事行政や勤務条件について熟知しているだけでなく、これらについての広範な権限をも有しており、自ら処理し得る事項も少なくない。

第二に、労働基本権制約の代償機能を果たしている中立第三者機関である人事院が処理することにより、公正な判断が期待できることである。人事院は人事行政について政府から独立した機関として、任命権者の判断に拘束されることなく、自らの判断をもって適切と思われる措置を実施し、また勧告することができるからである。

(二)　苦情審査委員会

人事院は、事案の性質により適当と認める場合には、人事院事務総局の職員の中から、また、必要と認めるときには人事院の職員以外の専門的知識、経験を有する者を苦情審査委員に指名し、苦情審査委員会を設置して事案の審査に当たらせることができる（人規一三―二　九）。人事院は委員のうち一名を委員長として指名し、その事案の審査の指揮その他に当たらせる（人規一三―二　一〇）。委員会は、事案の審査につき人事院の権限とされている事項を行うことができる（人規一三―二　一一2）。委員会は、審査が終了すると審査結果を意見を付して人事院に提出し（人規一三―二　一一1）、人事院はこれに基づいて判定を行うこととなる。

なお、事案の処理の一つとして、人事院があっせんを行うことがあるが、委員会は審査のみを任務としており、審査には含まれないあっせんは委員会としては行えないものとされている。

二　判定の基準

事案を判定する際の判断の基準は、職員にとって適正な勤務条件とは何かということである。本法には、職員の勤務条件に関する諸原則が定められており、具体的には、平等取扱いの原則（法二七）、人事管理の原則（法二七の二）、情勢適応の原則（法二八）、職務給の原則（法六二）、勤務条件法定主義（法一〇六１）、不利益取扱いの禁止（法一〇八の七）等がある。審査を通じ明らかになった事実等をこの諸原則に照らして、その要求が勤務条件として適切であるか否かを具体的に判断することとなる。

このようにして、人事院は、その与えられた権限の中で、法律に基づき、また、社会一般の情勢を考慮しながら適正な勤務条件を見いだすべく努力することとなるが、その際、本条で規定しているように「一般国民及び関係者に公平なように、且つ、職員の能率を発揮し、及び増進する見地」から判断を行わなければならない。職員から行政措置の要求がなされた場合、必要に応じてこれを認め、職員の不平不満を解消し、職員が安んじて職務に専心することができるようにし、もって公務の能率が増進するようにしなければならないことは重要である。しかし、反面、勤務条件は申請者一人のものではなく、国家公務員全体のものであるので、その内容が国民の納得を得られるものでなければならない。これは、勤務条件が法定されている理由と同様である。

三　審査、判定の手続等に関する規則

勤務条件に関する行政措置要求は、職員の権利利益を保障する重要な制度の一つであり、その手続についても保障の根本基準である「公正」であることが要求される。このような趣旨から行政措置要求についてもその実施に必要な事項は人事院規則で定めることとされている（法七四）。勤務条件について行政措置要求を申し出ることは、当局の行っている現状についての不満の表明でもあり、処理を誤れば、問題を解決するどころか、人事管理や労使関係の上で新たな問題を引き起こしかねない要素もはらんでおり、担当者による取扱いは慎重を要する。そのため、その手続について一定の決まりを設けることにより、迅速かつ、秩序ある処理を実現し、もって、職員に対し適正な措置を保障しようとするものである。

この規則として、昭和二六年四月五日に人事院規則一三―二（勤務条件に関する行政措置の要求）が定められている。

四　類似制度とその意義

行政措置要求に類似する制度としては、不利益処分審査請求、災害補償の実施に関する審査の申立て及び福祉事業の運営に関する措置の申立て、並びに給与の決定に関する審査の申立ての制度が挙げられる。ここではそれぞれの審査について行政措置要求との差異を述べることとし、不利益処分審査請求については第二目で詳説し、他の二つの申立ての手続に関して

は〔解釈〕五、六でやや詳しく述べることとする。また、その他の苦情処理の仕組みである職員からの苦情相談（人事院規則一三—五）の手続について、〔解釈〕七で述べることとする。

1　行政措置要求と不利益処分審査請求の差異

不利益処分審査請求は、行政措置要求とともに人事院の準司法的機能に属するものであるが、この二つは次のような点に差がある。

(1)　行政措置要求においては、申請者個人についてのみならず同じ事情にある多数の職員についても影響を及ぼすものであることを前提に運用・制度改善等の行政上の措置を要求することができるが、不利益処分審査請求は、特定職員の具体的な不利益処分及び懲戒処分の取消しを求めるものであり、その効果は請求者以外には及ばない。

(2)　行政措置要求は、現在及び将来のあらゆる勤務条件に関して行うことができ、例えば現に受けている不利益な取扱いのみならず、現在の勤務条件の一層の改善をも要求し得るが、不利益処分審査請求はその対象が既に受けた分限処分や懲戒処分の取消しの要求に限られている。

(3)　行政措置要求の場合は、まずその要求の受理を決定する前に、人事院が関係当事者に対し要求事項につき交渉を行うように勧め、また事案の係属中においても、適切な解決をあっせんすることができる。これは、申請者と関係当局との間の交渉で円満な解決ができればそれが望ましいからである。一方、不利益処分審査請求の場合は、人事院は既に行われた処分についての適否・修正を判断するのみであって、あっせん等の規定は置かれていない。

(4)　不利益処分審査請求は、行服法による審査請求として位置付けられており、厳格な準司法的審理手続によることとなっているが、行政措置要求は、争訟手続ではなく事実の調査を中心に行われる。これは、行政措置要求がことの違法、不当を争うことを目的とするものではなく、「適正な行政上の措置が行われること」を目的としているからである。

2　災害補償についての審査申立て等

補償法は、人事院がその実施の責めに任ずるものとし、同法の実施と解釈に必要な人事院規則を制定し、また人事院指令を発する権限を与えるとともに各実施機関の行う補償の実施についての総合調整を行わせることとしている（補償法二）。その具体的内容については第三目で詳説するが、同法は、さらに、実施機関である国の機関等の行う公務上の災害又は通勤による災害の認定、補償金額の決定その他補償の実施について不服のある場合及び補装具の支給等補償法上の福祉事業の運営に関し不服のある場合に、人事院に対し審査の申立て又は措置の申立てをすることができることを定めている（補償法二四、二五）。

これは、災害補償についての実施機関である国の機関等の行う様々な決定は、不利益処分審査請求の対象となる処分ではないとされており、また、その運用等についての個別的な不服はその専門的な性格から行政措置要求にもなじみがたく、不利益処分審査請求に準じた特別な申立制度が設けられているものである。この制度によって、必要に応じ補償の実施等の是正を図るとともにその運用上の疑問や不満を解消することにより、災害補償制度の円滑な運用を確保することを目的とするものである。

3　給与の決定に関する審査の申立て

給与法は、同法の規定による給与の決定に関し苦情のある職員は、人事院に対し審査を申し立てることができることを定めている（給与法二一）。給与の改善に関する要求は行政措置要求の対象となるものではあるが、行政措置要求は、①主として現に存する勤務条件の改善のための措置を求めるものであり、②人事院の権限に属する事項については人事院が自ら実行し、その他の事項については、各所轄庁の長に対してその実行を勧告する制度であり、③要求の主体は個々の職員であるが、職員団体を通じて団体的に要求を行うことが可能であるのに対し、給与決定審査においては、①既に行われた個人の給与決定の更正を求めるものであり、②審査の結果、人事院は自ら更正し又は更正を命ずることができる制度であり、③個々の職員のみが申立てを行うことができることとされており、これらの点において両者は異なっている。実際の給与の決定や支給についての苦情は、勤務条件の改善を求める行政措置要求や行政処分を対象とした不利益処分審査請求とは、その趣旨及び対象を異にしているため、給与の決定の審査について特別の申立て制度を設けたものである。

〔解　釈〕

一　事案の受理

行政措置要求書が提出された場合には、人事院は、申請者の資格、要求事項その他の記載事項について審査し、その要求を受理すべきかどうかの決定を行わなければならない（人規一三―一　四）。受理のための審査に必要な場合には、受理前においても関係者からの事情聴取その他の調査を行うことができることとされている。この審査の結果、要求が不適法な場合には、人事院は相当の期間を定めて補正を命じ、また、それが軽微なものであって要求事項に影響のないものであるときは自ら補正することができる（人規一三―二　四の二）。

また、必要と認めるときは、受理すべきかどうかの決定を行う前に、関係者の間で交渉を行うよう勧めることができるものとされている（人規一三―二　五）。これは、事柄の性質上、当事者間で話し合って解決することが望ましい場合があるからである。

人事院は、適法な要求が提出されれば、これを受理しなければならず、受理したときはその旨を申請者に通知しなければならない。また、必要な場合には、内閣総理大臣、職員の所轄庁の長等の関係者にも通知するものとされている（人規一三―二　六）。要求が不適法で補正できない場合及び相当な期間が経過しても補正されない場合には却下することとなり、却下した場合には、その旨を申請者に通知しなければならない（人規一三―二　六）。なお、要求事項の一部について受理し、その他は却下することもできる。

二　事案の審査

人事院は、事案を受理した場合には、人事院が必要と認める調査、口頭審理その他の事実審査を行うこととなる。具体的には申請者その他の関係者から意見を徴し、資料の提出を求め、出頭を求めて陳述を聞き、実地調査を行うなど、必要に応じそれぞれを組み合わせて行うことになる。

人事院が必要と認める場合には、公開又は非公開の口頭審理を行うことができる（人規一三―二　七2）。ただし、口頭審理は、対審的調査方法であり、攻撃、防御の形式で行われることになるが、勤務条件の要求についての判断は、適正な勤務条件を発見することにあり、申請者と関係当局を完全な対立構造に置くことのデメリットも考慮すべきこと及び審理に時間を要することに鑑み、慎重に対応する必要があろう。これらの方法を用いるかどうかについての判断をも含め、いかなる手続を採っていくかは、その事案の内容に応じて人事院が判断すべきところとなる。

人事院は、適当と認めるときは、事案の審査の係属中においても、事案が適切に解決されるように、関係当事者間をあっせんすることができる（人規一三―二　七3）。

人事院は、事案の審査のために必要と認めるときは、証人を呼び出すことができるが、証言を求めようとするときは、あらかじめ宣誓を行わせ、虚偽の証言を行った場合の法律上の制裁を告げなければならない。また、口頭による証言に代えて口述書を提出させることができる（人規一三—二　八）。

三　事案の判定

㈠　判　定

事案の審査が終了したときは、人事院は判定を行わなければならない。判定は人事院会議の議決事項とされている（法一二６⑩）。判定は、書面で行い、かつ、要求の要旨及び判定の理由を記載しなければならない（人規一三—二　一四１）。行政措置要求は種々の要求が複合的に、又は予備的になされている場合が多く、判定も、必ずしも一体的に行われるだけでなく、全部容認のほか、一部容認等の判定もあり得る。この判定書は、申請者に送付されるが、必要に応じ、申請者の所轄庁の長等の関係者にも送付される（人規一三—二　一四２）。

㈡　再審査

人事院の判定に不服のある場合、再審査の要求は認められていない。外務人事審議会の判定に不服のある外務職員については人事院に対し再審査を要求することができるが（外務公務員法一八）、この場合でも人事院の判定に対する再度の審査の要求は認められていない。ただし、行政措置要求の対象となっている勤務条件は、社会一般の情勢に適応すべきものであり、その時々の社会の状況等諸事情の変化により同一の要求に対する判断も変化する可能性がある以上、そのような場合には、職員が同一事項について再度行政措置の要求を行うことは可能であろう。

㈢　取消訴訟

判定を不服とする者は、判定の取消しを求める行政事件訴訟を提起することができる。これに関し、地方公務員に対する判例は、職員が人事委員会又は公平委員会に判定を求めることはその権利ないし法的利益であるので、違法に措置要求を却下したときに権利の侵害となることはもとより、審査の手続が違法であるときも権利の侵害となり、さらに、審査の手続が適法になされても裁量権の限界を超えた判定は職員の権利又は法的利益の侵害となり、いずれも取消訴訟の対象となる行政処分であるとしている（昭三六・三・二八最高裁、国家公務員に関しては昭五五・一一・一二大阪地裁）。

四　要求の取下げ及び審査の打切り

職員は、行政措置要求が受理された後であっても、人事院が判定を行うまでは、書面によりいつでもこれを取り下げることができる（人規一三―二　一二）。調査の際のあっせんや、審査と並行しての話合いで事案が解決したとき、要求の理由がなくなったときなど、その理由を問わず、任意に取り下げることができる。要求が取り下げられたときは、これが始めからなかったのと同じに扱われる。職員は措置要求を一旦取り下げたときは、この取下げを撤回することはできない。しかし、同じ趣旨の新たな要求を行うことは可能である。

行政措置要求をした職員が離職し要求を行う資格がなくなったとき、死亡したり、長期間所在が不明となった場合など審査を継続することができなくなったとき、当事者同士の交渉や人事院のあっせんにより問題が解決し、又は要求の事由が消滅した場合など審査を継続する必要がなくなったときには、人事院は事案の審査を打ち切り、要求を却下することができることとされている（人規一三―二　一三）。

五　災害補償についての審査の申立て及び措置の申立て

職員の災害補償に関し、実施機関である各省庁の行う公務上の災害又は通勤による災害の認定、療養の方法、補償金額の決定その他補償の実施について不服のある者は、人事院に対し審査の申立てを行うことができ（補償法二四）、また、補装具の支給、リハビリテーション等福祉事業の運営に関し不服のある場合には、人事院に対して実施機関により適当な措置が講じられるよう申立てを行うことができる（補償法二五）。この福祉事業についての措置の申立ての手続等は、補償についての審査申立ての場合とほとんど同様であり（人規一三―三　二八以下）、以下補償の実施に関する審査申立てを中心に説明する。

1　審査申立ての要件

(一)　審査申立人

審査の申立てができるのは、補償の実施について「不服のある者」であり、職員に限らない。在職中に災害を受けた職員は、離職後も在職中に受けた災害について審査の申立てをする権利を失わない。また、職員が災害で死亡したときは、その遺族である配偶者、子、父母、孫等が、遺族補償、未支給の補償などにつき審査の申立てをすることができ、審査の申立てをした職員が死亡したときは、相続人がその手続を承継する。また、ここで「不服」とは、この制度が災害の補償という具体的措置を対象としていることから、それは補償の実施や福祉事業に対する具体的、直接的利害関係を前提とするものでなければならない。

災害補償の審査申立ては、代理人によって行うことができ、代理人は原則として審査の申立ての取下げ以外の一切の行為をすることができる（人規一三―三　九）。これは本人が傷病により直接申立てをすることができない場合、遺族が幼くて申立てを行うことができない場合等、他の者が代わって行う必要のある場合があるからである。

㈡　審査申立ての対象

審査の申立ての対象は、補償法による災害補償の実施に関するもの（補償法二四）であるが、具体的には、①職員の受けた災害が公務上の災害あるいは通勤による災害であることの認定を求めるもの、②公務上あるいは通勤によると認定された災害についての補償の実施内容に不服のあるものに分類される。①は傷病等が公務又は通勤に起因するものか否かの判定である。②の内容は非常に広範にわたり、例を挙げれば、療養の方法及びその期間、傷病の治癒及び再発の認定、障害等級の決定、休業補償の支給額及びその期間、遺族補償の額及び支給方法等様々なものがある。福祉事業の運営に関する措置の申立ての対象は、福祉事業の運営についての具体的、個別的な不服全般である。

㈢　審査申立ての方法

審査の申立ては、補償審査申立書正副各一通を人事院に提出して行う。審査申立書の記載内容は、①審査申立人の氏名、生年月日及び住所並びに災害を受けた職員との続柄又は関係、②災害を受けた職員の氏名並びに災害発生当時の官職及び勤務官署又は事務所、③補償に関する実施機関の通知の要旨及び年月日、④審査の申立ての趣旨及び理由、⑤審査の申立ての年月日であり、審査の申立てを代理人によって行う場合は、このほか代理人の氏名及び住所も記載しなければならない（人規一三―三　一一）。福祉事業の措置の申立ての場合は、福祉事業措置申立書正副各一通を提出して行うこととなるが、記載内容等は審査申立書に準じたものとなっている（人規一三―三　二八、二九）。

２　審査の方法

㈠　審査申立ての受理

審査申立てがなされたときは、人事院はこれを審査し、適法なものはこれを受理し、審査申立人及び実施機関にその旨通知する（人規一三―三　一二、一四）。不適法なものは相当の期間を定めて補正を命じ、また軽微なものは自ら職権で補正することができる。不適法であって補正することのできないものや相当の期間が経過しても補正されないものは却下し、その旨を審査申立人に通知する（人規一三―三　一三、一四）。

㈡　災害補償審査委員会

審査の申立てを受理すると、人事院は、その事案を災害補償審査委員会の審理に付する（人規一三―三　二、一六）。災害補償審査委員会は、災害補償についての審査の申立ての審査及び福祉事業の措置の申立ての審査の専門性に鑑み、医師等の学識経験者をも含め人事院に設置された常設の委員会であり、事案ごとに設置される公平委員会とは性格を異にしている。

㈢　審理の方式

災害補償審査委員会の審理は、書面を中心に行われ、口頭審理は行われない。しかし、審査申立人から申立てがあった場合は、口頭で意見を述べる機会が与えられ、また、審査申立人及び実施機関は、証拠書類その他の物件を提出することが認められている（人規一三―三　一七、一八）。

㈣　審理の実施

人事院は、審査のため必要があると認めるときは、補償を受け若しくは受けようとする者又はその他の関係人に対して、報告させ、文書その他の物件を提出させ、出頭を命じ、医師の診断を行い、又は検案を受けさせることができるとされており（補償法二六1）、また、人事院の職員に、被災職員の勤務する場所、災害のあった場所又は病院若しくは診療所に立ち入らせ、帳簿書類その他必要な物件を検査させ、又は補償を受け若しくは受けようとする者その他の関係人に対して質問をさせることができるとされている（補償法二七1）。災害補償審査委員会は、審理に関し必要があるときは、これらの人事院の権限を行うことができることとされ（人規一三―三　一九）、災害補償審査委員会は、審理に当たり、申立人や実施機関から提出された関係書類の検討を行うほか、調査担当の人事院職員を現地に派遣して、申立人、実施機関、医療機関、その他の関係人からの事情聴取、資料収集等を行っている。

㈤　審理の終了

災害補償審査委員会は、事案の審理が終了した場合には、委員会の意見等を付した調書を作成し、人事院に提出する（人規一三―三　三）。

３　判　定

人事院は、災害補償審査委員会から提出された調書に基づき議決をもって判定を行う。審査の申立て等に理由がないと認められるときは棄却し、理由があると認められるときには、人事院は判定でその申立てに係る補償の内容等が実現されるように実施機関の決定を変更し、又は命ずることとなる（人規一三―三　二四）。判定は書面で行い、かつ、審査の申立ての要旨及び判定の理由を付し、指令をもって発出される（人規一三―三　二五）。判定の通知は、判定書の正本を審査申立人及び実施機関に対し送付することによって行われる（人規一三―三　二六）。災害補償についての審査の申立てに対する人事院の判定は、実施機関を拘束するものである。この判定は行政部内のものとしては最終のものであり、再審査は認められていない。なお、国家公務員の災害補償請求権は、補償法等に定める要件に該当する事実が生じたときに法律上当然に発生するものであって、行政庁のなんらかの処分の介在を必要とするものではなく、人事院の判定は、当該災害についての行政庁としての見解を表明することにより、当該公務員に対する災害補償を簡易迅速に解決するための措置にすぎず、災害補償請求権の存否になんら法律上の影響を及ぼすものではないから、行政処分に該当せず、抗告訴訟の対象とはならないと解される（昭四四・一・二四東京地裁、平一七・九・二六東京地裁、平二七・九・一六山口地裁、令二・二・七福岡地裁）。

六　給与の決定に関する審査の申立ての手続等

給与法の規定による給与の決定に関し苦情のある職員は、人事院に対し審査を申し立てることができる（給与法二一）。

１　審査申立ての要件

(一)　審査申立人

審査の申立てができるのは、「この法律の規定による給与の決定（中略）に関して苦情のある職員」である（給与法二一）。この法律による給与の決定の行われない検察官等は「職員」には含まれない。なお、任期付研究員法による給与の決定（任期付研究員法六、七）に関して苦情のある任期付研究員及び任期付職員法による給与の決定（任期付職員法七、八）に関して苦情のある特定任期付職員は、給与法第二一条第一項の読替えにより審査の申立てができる。

(二)　審査申立ての対象

審査申立ての対象は、給与法の規定による給与の決定である。これには、手当の支給に係る「認定」も含まれる。既になされた決定が対象であり、決定の存しない場合、例えば、昇格の要求などはこの申立ての対象とならない。また、給与法以外の法律による給与である寒冷地手当等も対象とならない。なお、前述のとおり、任期付研究員法による給与の決定及び任期付職員法による給与の決定は対象となる。

昇給については、従来は、「現に受けている号俸を受けるに至つた時から、十二月を下らない期間を良好な成績で勤務したときは、一号俸上位の号俸に昇給させることができる」とされ、昇給しない場合については、給与の決定がないことから、申立ての対象とはならなかった。しかし、平成一八年四月に、成績主義の推進の観点から、昇給制度が改められ、毎年一回、一〇月一日から翌年の九月三〇日までにおけるその者の勤務成績に応じて昇給区分を決定することとされ、昇給区分に応じ、昇給日（一月一日）に昇給するか否か及び昇給する場合の昇給号俸数が定まることとなった。このため、昇給については、昇給しない場合も含め、昇給区分の決定を対象に申立てができることとなった。

㈢　審査申立ての方法

審査の申立ては、給与審査申立書正副各一通を人事院に提出して行う（人規一三―四　一二）。審査申立書の記載内容は、①審査申立人の勤務官署、官職、氏名、生年月日及び住所、②審査の申立てに係る給与の決定、③審査の申立てに係る給与の決定を行った者（給与権者）の職及び氏名、④審査の申立ての趣旨及び理由、⑤審査の申立ての年月日である（人規一三―四　五）。

2　審査の方法

㈠　審査申立ての受理

審査申立てがなされたときは、人事院はこれを審査し、適法なものはこれを受理して審査申立人及び実施機関にその旨通知する。不適法なものは相当の期間を定めて補正を命じ、また軽微なものは自ら職権で補正することができる。補正することのできないものや相当の期間が経過しても補正されないものは却下し、その旨を審査申立人に通知する（人規一三―四　六、七、八）。

㈡　審査の実施

給与の決定についての審査は、書面によって行われる。人事院が必要と認めるときは、審査申立人、給与権者その他の関係者に対し、証拠書類その他必要と認める資料の提出や陳述を求め、又はその他の必要な調査を行うことができることとされている。口頭審理は行われないが、審査申立人から申立てがあった場合は、人事院がその必要がないと認める場合を除き、口頭で意見を述べる機会が与えられる。この意見の陳述は非公開で行われ、人事院は、人事院事務総局の職員に、当該陳述を聞かせることができる。また、審査申立人及び給与権者は、証拠書類その他の資料を提出することが認められている（人規一三―四　一〇、一一）。

3　決　定

人事院は、審査が終了したときは、議決をもって決定を行う。審査の申立てに係る給与の決定が違法又は著しく不当でないときは申立ては棄却され、その給与の決定が法令に適合しないと認められるときには、人事院は自らその審査の申立てに係る給与の決定を更正し、又は更正を命ずる決定を行うこととなる。この決定は書面で行い、かつ、審査の申立ての要旨及び決定の理由を付し、指令をもって発出される。決定の通知は、決定書の正本を審査申立人及び給与権者に送付して行う（人規一三―四　一四、一五、一六）。

七　職員からの苦情相談

職員は、人事院に対し、文書又は口頭により勤務条件その他の人事管理に関する苦情の申出及び相談（苦情相談）を行うことができる（人規一三―五　二１）。

(一)　苦情相談の対象者

苦情相談ができるのは、一般職の国家公務員（行政執行法人の職員を除く。）である。離職した職員は原則として苦情相談はできないが、離職や暫定再任用又は定年前再任用に関する苦情相談については行うことができる（人規一三―五　二１）。

(二)　苦情相談の対象

苦情相談の対象は、職員の任用、給与、勤務時間その他の勤務条件や服務等人事管理の全般に関する事項である（人規一三―五　二１）。これには、職場におけるいじめや嫌がらせ、セクシュアル・ハラスメント、妊娠、出産、育児又は介護に関するハラスメント及びパワー・ハラスメントに関するものが含まれる。また、人事評価に関しても、制度や手続、個々の評価結果、評価結果の任免・給与等への活用に関する事項が苦情相談の対象となる。

㈢　事案の処理

苦情相談の処理は、人事院が指名した職員相談員が行う。職員相談員は、苦情相談を行った職員に対し、助言や制度の説明等を行うほか、関係当事者に対し、人事院の指揮監督の下、指導、あっせんその他の必要な措置を行う（人規一三―五三、四）。

（判定の結果採るべき措置）

第八十八条　人事院は、前条に規定する判定に基き、勤務条件に関し一定の措置を必要と認めるときは、その権限に属する事項については、自らこれを実行し、その他の事項については、内閣総理大臣又はその職員の所轄庁の長に対し、その実行を勧告しなければならない。

〔趣　旨〕

判定の結果採るべき措置

人事院は、行政措置の要求に対する判定の結果に基づきなんらかの措置をすることを必要と認めたときは、自己の権限に属する事項については自らこれを実行し、その他の事項については、その内容に応じ内閣総理大臣又はその申請者の所轄庁の長に対し、その実行を勧告しなければならない（法八八）。この勧告には法律上の拘束力はないが、行政措置要求制度の意義に鑑み、勧告を受けた機関がこれを尊重すべきことはいうまでもない。要求された措置が必要であるとの判定がなされ、当局がそれを尊重し、実行することが明らかであるときには、あえて勧告を行うことを要しないものと解する。また、その実行につき、予算や定員の増加が必要な場合など直ちに実施することのできない場合もあり得るが、当局はその実現に向けて最大限の努力をすることが必要である（例えば、看護婦（当時）等の夜間勤務の規制等に関する要求に対するいわゆる「二・八判定」（昭四〇・五・二四判定）においては、夜間勤務の日数を月八日以内にすることが適当である、一人夜勤の廃止に向かって努力すべきである等の判定がなされ、これを受け、当時の厚生省及び文部省は看護婦の増員等の措置を行った。）。

なお、要求された行政上の措置そのものは、直ちには認められない旨の判定を行った場合であっても、その要求を契機として人事院が自らこれを改善し、又は勧告を行うこともあり得る。

〔解　釈〕

この勧告を行う場合には、「勧告書」を作成し、その内容に応じてこれを内閣総理大臣又は申請者の所轄庁の長に送付し、その写しを申請者に送付しなければならない（人規一三―二　一五）。

ここで「所轄庁」とは、採るべき行政上の措置を行う権限を有する機関を指し、その措置の内容によって判断すべきものであることは第八六条の〔解釈〕三で述べたとおりである。

第二目　職員の意に反する不利益な処分に関する審査

（職員の意に反する降給等の処分に関する説明書の交付）

第八十九条　職員に対し、その意に反して、降給（他の官職への降任等に伴う降給を除く。）、降任（他の官職への降任等に該当する降任を除く。）、休職若しくは免職をし、その他職員に対し著しく不利益な処分を行い、又は懲戒処分を行おうとするときは、当該処分を行う者は、当該職員に対し、当該処分の際、当該処分の事由を記載した説明書を交付しなければならない。

② 職員が前項に規定する著しく不利益な処分を受けたと思料する場合には、同項の説明書の交付を請求することができる。

③ 第一項の説明書には、当該処分につき、人事院に対して審査請求をすることができる旨及び審査請求をすることができる期間を記載しなければならない。

〔趣　旨〕

一　不利益処分審査請求制度と処分説明書

本条から第九二条の二までの規定は、不利益処分についての審査請求に関する規定である。

本条は、職員の意に反して職員に対し不利益な処分を行い、又は職員に対して懲戒処分を行う場合においては、当該処分を行う者は、不利益処分について、処分の事由を記載した説明書を交付しなければならない義務を規定している。処分の事由を記載した説明書は、処分説明書と呼ばれる（法九〇の二）。不利益処分を受けた職員は、行服法による審査請求を人事院に対してのみすることができる（法九〇1）。

本条第一項は、処分者は処分説明書を職員に交付すべき義務を有することを規定しており、第二項では、その義務が履行されない場合を考慮して、処分を受けた者が処分説明書の交付の請求権を有することをも規定している。また、第三項は、審査請求に関する教示の規定であり、処分説明書には人事院に対して審査請求ができる旨及び審査請求をすることができる期間を記載しなければならないとしている。

すなわち、本条の趣旨は、処分された職員に対して、いかなる事由、非違行為について当該処分がなされたのか、処分の理由を知らしめるとともに、その処分について不服がある場合、人事院に対して審査請求をすることができる旨及び審査請求期間を教示し、職員の身分保障の一つとし、あわせて、処分者に処分説明書の交付を義務付けることによって、処分が公正、慎重になされることを担保しようとしたものである。

二　不利益処分審査請求制度の意義

不利益処分審査請求制度は、勤務条件に関する行政措置要求制度とともに本法が直接規定する人事院の準司法的機能の一つである。職員がその意に反して降給、降任、休職、免職その他著しく不利益な処分又は懲戒処分を受けた場合に、人事院に対して審査請求ができるものとし、その請求に基づき、人事院が処分の適法性、妥当性を審査した上で、職員が違法又は不当に不利益を受けたと判断した場合には、その不利益を回復させるための措置を自ら採り、又は処分者に対しその措置を採るよう指示することによって、職員の身分を保障しようとする制度である。

本法は、職員の意に反する分限処分、懲戒処分その他の不利益な処分について客観的な基準を定め、その乱用を防止するとともに、人事院の事後審査による不当処分に対する是正の道を設けることによって、成績主義に基づく公正な人事管理及び職員の身分保障について万全を期している。この制度の存在は、処分者に対して、処分手続の適切かつ公正な行使を促すとともに、職員にとっては、人事院の判定による強力な救済措置を可能ならしめるものであって、究極において、本法の根本理念たる公務の民主的能率的な運営を国民に保障しているものである。

三　不利益処分審査請求制度の沿革

旧官吏制度の下にあっては、官吏を懲戒処分（免官及び減俸）に付し、又は心身の故障により分限免職する場合には、文官高等懲戒委員会又は文官普通懲戒委員会の議決を要するとされており、官庁事務の都合により休職を命ずる場合には、同じく文官高等分限委員会又は文官普通分限委員会の諮問を経ることを要するものとされていた。一方、懲戒処分のうちの譴責処分、官制又は定員の改正により過員を生じたときの分限免職処分及び懲戒審査委員会の審査に付されたとき又は刑事事件に関し起訴されたときの休職処分は、本属長官が専行するものとされていた（旧官吏懲戒令（明三二勅令六三）、旧官吏分限令（明三二勅令六二））。このように、旧官吏制度においては、一部の懲戒処分及び分限処分についてのみ懲戒審査委員会等の事前審査に付することとされていたのであるが、本法は、全ての懲戒処分、分限処分及び著しく不利益な処分に審査の対象を広げる一方で、事前審査ではなく、第三者機関たる人事院の事後審査に付することとした。

不利益処分の審査に関する本法の規定は、昭和二二年の同法の施行の際には適用されず、昭和二三年の第一次本法改正を経た後、昭和二四年一月四日に施行された人事院規則一二―〇（職員の懲戒）により、まず懲戒処分についてのみ適用されることになり、同時に懲戒処分に対する審査請求の手続を定めた旧人事院規則一三―〇（懲戒処分に対する審査の請求）が制定された。同年一月八日には、不利益処分の審査に関する本法の規定が懲戒処分以外の処分についても適用されることとなり、不利益処分についての審査制度を実際に運用するため、細部にわたって手続を規定した人事院規則一三―一（職員の意に反する不利益な処分及び懲戒処分に関する審査の手続）が同年八月二〇日に制定施行され、実際に審理を開始することとなった。同規則は、基本的には職権主義的手続、当事者対立の審理構造、簡易迅速を目的とした手続という性格を有しており、行服法が制定された昭和三七年に至るまでの間、数回にわたり手続について小範囲の改正が行われたが、基本的な内容はほとんど制定当時のままであった。

昭和三七年に行服法及び行訴法が制定され、不利益処分に関する審査制度も行服法上の不服申立制度の一環と位置付けられ、審査請求前置主義の規定が置かれることとなった。

行服法は、明治二三年制定の訴願法に代わり、行政庁に対して不服申立てをさせる制度の根本を定める法律として制定されたものであり、従来の訴願法が行政庁に異議を申し立て得る事項を限定していたのに対し、広く行政庁の処分、特定の事実行為及び不作為について訴願を一般的に認めるという概括主義を採っている。しかし、公務員に対する処分等は、行政組織部内の人事管理の一環として行われるものであるので、一般国民に対する処分等についての救済を基本的目的とする行服法が一般概括主義を採ったからといって当然にこれを公務員関係に取り入れるのは適当ではないこと、加えて、公務員に対する処分等には各種のものがあり、これを全て不服申立ての対象とすることは適当ではないことから、本法第八九条第一項に規定する不利益処分及び法律に特別の定めのある処分だけを不服申立制度の対象とすることとした（法九〇２）（第九〇条〔解釈〕三参照）。このように不服申立ての対象を制限していることについては、違法な給与の決定、災害補償に関する不服等について別途審査の申立てができるものとされていること、さらに、本法第八六条によりあらゆる勤務条件に関して行政措置の要求が可能であり、職員は勤務条件についての不満を申し立てることができることから、不利益処分及び法律に特別の定めのある処分を除いて、職員に対する処分について不服申立ての道を制限しても、職員の権利及び利益の保護に欠けるものがあるとはいえないと考えられたものであろう。

行服法は、行政庁と国民の間における行政救済を目的とするものであり、このような法律を国と国家公務員との間の関係を対象とする不利益処分審査制度に適用することには法理論上の問題もあることから、行服法制定検討の当初は、不利益処分審査については、行服法の適用を受けず、行政審判とする案なども検討された。しかし、最終的に、不利益処分審査について、公権力の行使に係る行政庁に対する不服申立制度の一般法である行服法の適用を受けることとし、行政庁の内部の関係であることの特殊性等を考慮して、不服申立ての対象、審査手続について特別規定を設けることとした。

一方、行訴法は、昭和二三年制定の旧行政事件訴訟特例法に代わる行政事件訴訟についての一般法及び基本法として制定されたものであり、行政事件訴訟特例法が採っていた行政訴訟の提起について訴願し得るときは必ず訴願を経た後に行うべきこととする訴願前置主義（旧行政事件訴訟特例法二）を廃止し、原則として、処分の取消しの訴えは、その処分について法令の規定により審査請求をすることができる場合においても、直ちに提起することを妨げないとした（行訴法八１本文）。しかし、不利益処分については、訴訟に先立って、人事行政の専門的機関である人事院による審査を行うことが、公正な判断を確保し、職員の身分保障を図る上からも、また、紛争そのものの迅速な解決のためにも適当であることから、本法においては審査請求前置主義を採ることとした（法九二の二）。

行服法及び行訴法の制定に伴い、本法の一部が改正され、人規一三―一も全面改正された。すなわち、本法については、行服法による不服申立てについての教示の規定が新たに設けられ（法八九３）、従前の規定では処分説明書受領後三〇日以内と定められていた審査請求期間は、行服法の規定と一致するように改正され、処分説明書受領後六〇日以内と伸長された（法九〇の二）。また、従来、処分説明書の交付がない場合の審査請求期間が必ずしも明らかでなかったが、処分のあった日の翌日から起算して一年を経過したときは、不服申立てができないことが明確にされた（法九〇の二）。

このように、不利益処分についての審査請求は、行服法による不服申立てとなったが、不利益処分の審査は、従来より行服法に定める手続よりも慎重な手続で行われていたため、本法は、不利益処分の審査については、上述のような行服法の規定と一致させる改正を行っただけで、行服法の手続に関する規定の適用は排除されている（法九〇３）。さらに、行政事件訴訟との関係について、前述のとおり、人事院に審査請求ができる処分の取消しの訴えは、人事院の判定がなされた後でなければ裁判所に提起できないとする審査請求前置主義の規定が新設された（法九二の二）。

このような本法の改正に伴い、人規一三―一についても、名称を「不利益処分についての不服申立て」と改められて全文改正され、昭和三七年一〇月一日施行された。この改正は、従来から取り上げられていた審理運営上の問題点についての改正と答弁書、反論書など従前から事実上行われていた手続を成文化したものであって、審理の構造等については新旧規則間に本質的な相違はみられない。

人規一三―一は、昭和六〇年一月四日再び全面改正され、同年四月一日から施行された。この改正は、昭和四〇年以降違法な組合活動などを理由とした大量の懲戒処分がなされ、これについて大量の審査請求が行われて係属件数が飛躍的に増加していること、事案の複雑化等に伴い審理期間が長期化しているものもあることなどの問題が生じているため、これらの問題に対処するために行われたものである。その内容は、代理人の権限拡充や受命公平委員の新設などの審理体制の整備、審尋審理手続の明示、争点整理手続の新設、証人尋問、却下、審査終了に関する規定の整備などの措置を講じることにより、争訟の専門家でない職員でも容易に審査請求の手続を行えるようにして、公正な保障をより強化することとしたものである。

平成二六年に行服法が全部改正され、不服申立て（審査請求及び異議申立て）の審査請求への一元化、審理員による審理手続及び第三者機関への諮問手続の導入、審査請求期間の延長（六〇日から三月へ）等が行われた。これに合わせ、人事院の不利益処分審査制度においても、本法の一部改正により、不服申立てを審査請求に一元化するとともに、審査請求期間を六〇日から三月に延長した。なお、審理員による審理手続及び第三者機関への諮問手続を含め、行服法の手続に関する規定（改正行服法第二章）については、本法により引き続き適用除外としている（いずれの改正も平成二八年四月一日施行）。

四　不利益処分の意義

処分者が職員に対し処分説明書を交付しなければならない義務があり、かつ、処分を受けた職員が人事院に対して審査請求を行うことのできる処分は、①職員の意に反する降給、降任、休職、免職の処分、②その他の著しく不利益な処分、③懲戒処分である。①の処分は、本法第七五条に規定されているものであり、分限処分と呼ばれていることは、同条の解説で述べたとおりである。降給については同条第二項、降任、免職については本法第七八条、休職については本法第七九条にそれぞれ規定されている。なお、第一項で「他の官職への降任等」とあるのは、本法第八一条の二第三項で「（同条）第一項本文の規定による他の官職への降任又は転任」をいうものと定義されている。このような役職定年に伴う降任、転任等に伴う降給については、①の処分から除外されている。これは、これらの処分が、任命権者の裁量の余地のない客観的な要件である年齢により一律に行われるものであること、一定年齢に達したことによって非管理監督職等への降任等が義務付けられるため、非管理監督職へ異動させる事由について争点になり得ないと考えられることによるものである。ただし、これらの処分が、(1)標準職務遂行能力及び適性を有する官職に降任等をすること、(2)できる限り上位の職制上の段階に属する官職に降任等をすること、また、(3)例えば室長級職員と課長級職員が同時に降任等をするような場合、すなわち管理監督職職員とより上位の管理監督職を占める職員が同時に降任等をする場合には、上述の(1)及び(2)に従いつつ、原則として、降任等先の職制上の段階が逆転することのないよう、当該管理監督職職員（例の場合であれば室長級職員）は、同人より上位の管理監督職職員（例の場合であれば課長級職員）が降任等をした官職が属する職制上の段階と同じか下位の職制上の段階に属する官職に降任等をすることの三点が降任等を行うに当たって遵守すべき基準として決められており、この(1)～(3)の基準に反して行われる降任等などは、②の処分として不利益処分審査請求の対象となる。③の懲戒処分は、本法第八二条に規定されており、免職、停職、減給、戒告の四種類があることは同条の解説で述べたとおりである。

行服法は、広く行政庁の処分、特定の事実行為及び不作為について訴願を一般的に認めるという一般概括主義を採っているが、〔趣旨〕三で述べたとおり、一般国民に対する処分についての救済を基本的目的とする行服法の一般概括主義を行政組織部内の人事管理の一環として行われる処分に採り入れるのは適当ではないこと、公務員に対する処分は各種のものがあり、これを全て審査請求の対象とすることは適当ではないと考えられたことから、分限処分、懲戒処分等の不利益処分のみを審査請求制度の対象とすることとしている。

審査請求を行うことができる不利益処分は、権利の救済制度を公平に適用するという観点からして、客観的に定められなければならないものであり、①行政処分であること、②著しく不利益な処分であることの二つの要件を満たすものでなければならない。分限処分及び懲戒処分がこの要件を満たすものであることはいうまでもない。なお、休職期間を更新する処分は、休職者を休職期間満了後においても引き続き休職に付すための処分であり、処分の性質は、新たな休職処分と異なるところがないと考えられている。したがって、休職期間を更新する処分は、審査請求を行うことができる不利益処分である。次に、行政執行法人労働関係法第一七条に規定する争議行為の禁止に違反した職員を解雇する処分（行政執行法人労働関係法一八）は、本法が設定する規律や秩序の紊乱に対する懲戒処分ではなく、行政執行法人労働関係法上の争議行為の禁止を実効あらしめるための措置であるが、同時に、行政執行法人労働関係法上設定された争議行為禁止の規律違反に対する制裁としての性格を有するものであり、退職手当の支給制限等においても懲戒処分を受けた場合と同じに取り扱われている。このように解雇処分は懲戒免職処分と類似の性質を有するものと考えられており、審査請求を行うことができる不利益処分である。

「その他の著しく不利益な処分」を、分限処分や懲戒処分のように法定された「不利益処分」と区別し、職員が著しく不利益な処分を受けたと思料する場合の処分であるとして、思料不利益処分と呼ぶこともある。なお、著しく不利益な処分を受けたと思料する場合は処分説明書の交付を請求することができるとされているが（法八九２）、審査請求の対象となる処分か否かは客観的に判断されるべきものであるので、職員が主観的に不利益処分であると思料した場合に全て審査請求の対象となるものではなく、審査請求の対象となるためには、具体的な不利益性の主張が必要である。

1　行政処分

行政処分であることとは、行政庁が優越的な公権力の行使として、内容、時期、方法を明らかにした行為を行っていなければならず、しかも、その行政庁の行為によって、法律上の権利義務関係が直接的に変動し、一定の法律効果を生じているものでなければならない。したがって、内部的な意思決定が行われただけで、外部に表示されていない場合は、いまだ処分が存在するものとはいえないし、行政庁の行為であっても、私法上の行為は、行政処分ではない。人事異動に関する決定で、決裁された段階にとどまり、まだ外部に表示されていないものは、処分とは認められない。

法律上の権利義務関係に直接的に変動をもたらさないものであるため、不利益処分に該当しないものには、あっせん、勧告、訓告、厳重注意などがある。

「訓告」及び「厳重注意」は、本法上の懲戒処分ではなく、上司の部下に対する指導、監督上の実際的措置にすぎず、直接の法的効果をもたらさないので「処分」には該当しないとされている（昭三三・一〇・一三公訴一八八一、昭四八・一一・一二審査請求却下決定）。

行政庁の行為を待つまでもなく一定の要件を満たしたことにより法律上当然にその効果が発生したにすぎないものも、処分には該当しない。欠格条項に該当して失職する場合（昭四一・九・二五審査請求却下決定）、任期満了により退職する場合（昭三七・一〇・五審査請求却下決定）、定年により退職する場合がこれに当たる。

給与に関する取扱いもしばしば問題となるが、給与法の規定による給与の決定については、同法により給与の決定の審査の制度が設けられている（給与法二一）。なお、降給（法第八一条の二に規定する他の官職への降任等に伴う降給を除く。）については、分限処分であるので不利益処分審査請求の対象とされている（法八九1、九〇）。

無効な処分は、なんら法律上の効果を生じさせないものであるが、これが有効な処分としての外観を呈し、被処分者を拘束しているような場合には、行政処分として審査請求の対象になる。懲戒権を有しない職員によってなされた懲戒処分、任命権者でない職員によってなされた休職処分などが、これに当たる。

2　不利益性

著しく不利益な処分であるとは、その処分が、既得の権利又は救済に値する利益を直接かつ具体的に侵害することにより、著しい不利益をもたらすものであることである。平等取扱いの原則（法二七）、人事に関する不法行為の禁止（法三九）及び職員団体活動に関する不利益取扱いの禁止（法一〇八の七）等に反する身分取扱いは、職員の権利、利益を直接かつ具体的に侵害し、著しい不利益をもたらすものと考えられる。著しく不利益な処分には、違法な処分だけでなく、非常に不当な処分を含む。なお、地公法は、「その他その意に反すると認める不利益な処分」（地公法四九１）と規定しているが、「著しく不利益な処分」と「不利益な処分」との限界についての明確な基準はなく、両者は同一の内容であると解される。

次に、当然のことではあるが、不利益処分審査請求の審査に際しては、被処分者の意に反して行われた処分であるとして審査請求がなされていることが必要である。なお、意に反してなされた処分であるという主張が特段なされていなくても、審査請求がなされた以上、当該処分は請求者の意に反するものであるとみるべきである。

辞職承認処分については、強制、脅迫により辞職願が提出された場合などは、処分が取り消され、元の職に戻ることによって回復すべき法律上の利益が侵害されている場合に当たるものであることから、辞職の意思表示が無効又は取り消されるべきである旨の主張がなされた場合、辞職承認の辞令交付前に行った辞職願の撤回が認められなかったとの主張がなされた場合などは、審査請求の対象となると解されている（昭二八人指一三―二六等）。

いわゆる研究休職（人規一一―四　三１①）は、本人の意思により、あるいは本人の同意を得て発令されるのが通例であることから、その限りにおいて不利益処分には該当しないが、本人の同意を経ずにその意思に反し発令された場合のほか、強制、脅迫により同意書が提出された場合などは不利益処分として、審査請求の対象となろう。専従許可（法一〇八の六１ただし書）も本人からの申請に基づくものであり、その限りでは不利益処分に該当しないと解される。

いわば水平異動である配置換処分及び転任処分は、通常は著しく不利益な処分には該当せず、審査請求の対象となるためには、処分が取り消され、元の職に戻ることによって回復すべき法律上の利益が存在する場合であることが必要となる。明らかに下位の職制上の段階に相当すると認められる職制上の段階に属する官職や給与上の職務の級が下がってしまう官職に転任させる場合、職員の学歴、免許等を著しく無視した転任が行われる場合、職務内容の著しく異なる官職に転任させる場合、勤務地の変更を伴う異動で著しく家庭の事情を無視している場合、職員団体加入、活動を理由とした不当労働行為的な性格がある場合などの事情がある場合には、「著しく不利益な処分」に該当することとなる。このような処分について審査請求を行うときは、不服の理由として、具体的な不利益性の主張がなされていなければならないことはいうまでもない。判例でもこれらの考えが支持されている（平成二六・一・二七東京地裁）。行政実例としては、法務事務官看守から事務補助職員たるにすぎない「事務員」に配置換することは、著しく不利益な処分に当たるとした例がある（昭四二人指一三―一四）。また「処分」には転勤が含まれるとされている（昭二五・六・二二法審回発五二号法制局長）。降任又は降給を伴う転任が不利益処分となることはもとより、降任、降給を伴わない転任であっても不利益処分となる場合があり、公立学校の校長、教員の転任の場合、職務の性質、学校の規模、当該学校に対する社会的評価の程度も不利益処分かどうかを判断する一要素であるとする法制意見があるが（昭二六・七・二〇法務府法意一発四四）、この法制意見の基準は抽象的にすぎるといえよう。判例では、公務員の転任が不利益処分であるかどうかは、全体の奉仕者としての公務員の立場を基準として判断すべきであって、公務員の個人的事情を基準として判断すべきではないとしており（昭三六・一一・一四東京高裁）、また、市立中学校教諭に対する同一市内中学校間の配置換であってその身分、俸給等に異動を生ぜしめず、客観的、実際的見地からみても勤務場所、勤務内容等になんらの不利益を伴うものではないと認められた転任処分については、職員はその処分の取消しを求める訴えの利益を有しないとしているものがある（昭六一・一〇・二三最高裁）。

なお、転任の際には、職員は受入機関側の任命権者によって任用されるものであり、送出機関の出す出向命令は受入機関側が任命することについて同意を与えた旨を通知するものであるにすぎず（昭二七　一三―七九九別紙第二　六）、直接の法的効果を生ぜしめる処分ではないので、不利益処分には当たらないものであり（昭二七・一一・二八　五二―七二五訴願課長、昭五一・四・八津地裁）、前述のとおり、転任処分自体について審査請求の対象とする必要がある。

昇任は、一般的には不利益処分とは考えられていない処分であるが、上位の官職かどうか不明確な場合、その他前記の転任処分の場合と同様の事情がある場合には、不利益処分として審査請求の対象となろう。この場合も不利益処分の審査請求を行う場合には、不服の理由として具体的な不利益性の主張がなされていなければならないことはいうまでもない。判例には、職員組合の役員を昇格、昇給を伴うが組合員になれない他の職種に任命することは地公法第四九条の不利益処分に当たるとした例がある（昭四四・一・三一青森地裁）。

一旦承認した年次有給休暇の取消しや休職給支給の打切り、復職処分は、処分を取り消すことによって回復すべき法律上の利益があることから、不利益処分に該当するとされている（昭三八人指一三―三二　昭三〇人指一三―三五　昭二八人指一三―一三）。

人事院に関する給与審査申立て、行政措置要求又は審査請求の未受理又は未審査、判定、忌避申立て又は口頭審理の請求の却下等の処分は、不利益処分には該当しない（昭四四・四・四審査請求却下決定）。これらの処分は審査請求等の手続において行われるものであり、既に審査機関たる人事院の判断が示されているのであるから、これを争わせる必要はないからである。

〔解　釈〕

一　処分説明書の交付

処分者は、懲戒処分等の不利益処分を行う場合においては、処分の際に、職員に対し処分説明書を交付しなければならない（法八九1）。懲戒処分及び分限処分等は、懲戒処分書又は人事異動通知書を交付して行われ、これらの処分書等が到達したときに処分の効力が生じることとは、前述したとおりである。「処分の際」とは、これらの処分書等の交付と同時にとの意味である。もっとも、処分説明書は、懲戒処分書等とは別のものであり、処分説明書の交付は、処分の効力の発生要件をなすものではない。処分の通知が相手方の了知し得べき状態に置かれた場合は、処分説明書の交付がなくても当該処分は効力を発生するのであって、処分説明書を交付しなかったからといって当該処分は違法となるものではない（昭三五・四・一五富山地裁）。

懲戒処分は全て処分説明書を交付しなければならず、分限免職などの分限処分も同様であるが、病気休職などで本人了解の上休職にした場合には、処分説明書の交付を要しないとされている（昭二八・四・一六　一二―七七人事院事務総長）。降任処分も同様に考えられる。処分を行った者が不利益な処分であるとは考えず、処分説明書を交付しなかった場合であっても、処分そのものは本条第一項の不利益処分に該当することがある。この場合は、処分を行った者は本項の規定によって処分説明書の交付の義務を有するのであるから、処分を受けた職員は、処分者から処分説明書の交付がないときは、本条第二項の規定によって、処分説明書の交付を請求することができる。例えば、強制された辞職願に基づく辞職承認処分は不利益な処分であるとして、処分説明書の交付を請求することができると解されている（昭二四・一一・一六法制六人事院法制局長）。

職員の受けた処分が分限免職、懲戒免職又は辞職承認処分である場合には、その処分を受けると同時にその者は職員としての身分を失うこととなり、既に職員ではないのであるが、本条の規定の趣旨からみて、その者は本条の「職員」に含まれると解すべきである。

二　処分説明書の交付請求

職員が著しく不利益な処分を受けたと思料した場合は、処分説明書の交付を請求できる（法八九2）。本項の請求の相手方は、原則として処分を行った者である。処分を行った者の官職が既に廃止されている場合には、その官職に代わると認められる国の機関の地位にある者に対して、処分説明書の交付を請求できると解されている（昭二五・七・二四法制二六人事院事務総長）。職員が本項により処分説明書の交付を要求したときは、処分者は、いつでも説明書を交付しなければならないのを原則とする（昭二四・五・三〇法審回発四二〇法制部長）。しかしながら、本条第一項の不利益処分に該当する場合は、処分者に処分説明書を交付する義務が発生しているのであるが、職員から処分説明書の交付の請求があっても、訓告のように当該措置が不利益処分でないことが客観的に明白な場合には、処分者に処分説明書を交付する義務はないものと解される。なお、人事院規則一三―一は、審査請求の審査において、処分説明書は審査の対象とすべき処分理由を特定するものとして重要な意味を持つものであることから、不利益処分の審査請求に当たって処分説明書の写しを添付することを義務付けているが、本条第二項の規定により処分説明書の交付を請求したにもかかわらず処分説明書が交付されなかったときは、この限りでないとしている（人規一三―一　三2）。ただし、処分説明書の交付を請求したが交付されなかったときは、その経緯を審査請求書に記載しなければならないとしている（人規一三―一　四1⑤）。

処分を受けた職員から請求があった場合に、いつまでに処分説明書を交付しなければならないかについては、地公法は、請求の日の翌日から一五日以内に処分説明書を交付しなければならないと規定しているが（地公法四九3）、本法にはその旨の規定はない。しかし、できる限り速やかに交付しなければならないものと解される。

処分を受けた職員は処分説明書を受領していない場合には、処分があった日の翌日から起算して一年を経過するまでの間は審査請求をすることができることとされている（法九〇の２）。一方、処分説明書は、処分を受けた職員が当該処分について審査を請求することができなくなるまでの間、請求できると解されている（昭二九・七・二二　四二―八五八訴願課長）ことからすると、処分を受けた職員は、処分があった日の翌日から起算して一年を経過するまでの間、処分説明書の交付を請求できることとなる。

三　処分説明書の記載事項等

処分説明書の様式及びその記載事項については、「処分説明書の様式および記載事項等について」（昭三五・四・一職職三五四人事院事務総長）に定められている。処分説明書の記載事項中で最も重要な意味を持つ処分の理由の記載については、「処分の理由を、具体的かつ詳細に、事実を挙げて（いつ、どこで、どのようにして、何をしたというように）記入すること」とされている。もっとも、処分説明書の記載内容の精粗は、処分の効力を左右するものではない（昭四六人指一三―一三）。処分説明書には、例えば、懲戒処分であれば、本法第八二条第一項各号に当たる具体的事実をできる限り特定、明示して記載しなければならない。その際には、基本的処分事由となる事実は、事実関係の同一性を識別できる程度において全て記載することを要するが、付加的事実すなわち処分に際して考慮された諸般の情状たる事実については、これらを逐一記載することはほとんど不可能なことであるから、記載を要しないとされている（昭四九・七・一東京地裁等）。

四　処分説明書の訂正

処分説明書の記載事項について、内容の実質的な変更を伴う重要な訂正を行う場合、例えば、処分の理由欄中の「業務上横領の罪に該当」との記載を「公文書偽造・同行使・詐欺罪に該当」に訂正するような場合には、処分の理由欄に適正を欠く表現があったので別添の処分説明書のとおりこれを訂正する旨の公文書及び正しい表現の処分説明書を交付して行うことが例とされている。しかし、軽微な記載誤りの場合には、当該部分を訂正する旨の通知文書を交付して訂正を行うこととされている。しかし、処分説明書の記載事項は、処分を受けた職員が処分事実を確認し、その処分に不服がある場合には審査請求又は訴訟の審理における攻撃防御の基本になるものであるから、事実を確認して正確に記載する必要があり、安易に訂正することは許されないものである。なお、訂正があった場合の本法第九〇条の二の審査請求期間の適用については、当該公文書別添の処分説明書を被処分者が受領した時点から進行することになる。

五　処分事由の追加主張

　不利益処分の審査請求の審査又は不利益処分の取消訴訟において、処分者が、処分説明書に記載された事由以外の事由を処分の根拠として追加して主張することができるかどうかが問題となる。判例は、処分説明書に記載のない事実についての追加主張をなんらの限定なしに認めるものもあるが（昭三四・一・三〇東京高裁）、その大勢は、基本的処分事由たる事実については、処分説明書記載の事実と同一性のない事実を後の争訟過程で追加主張することはできないが、情状事実については、処分説明書に記載のない事実も主張することができるとしている（昭五九・一・三一東京高裁等）。人事院の判定も、処分説明書の記載から読み取ることのできる事実と基本的事実関係において同一性を有する事実は、処分説明書記載の範囲に属するものとして取り上げることができるとしている（昭三九人指一三―一二）。処分者が処分対象事実として評価した事実については、処分説明書交付の目的を失わしめない限度において、処分説明書に記載されてある必要があり、処分時には考慮されていなかった事実を処分者が処分後に新たに処分事由として追加するがごときは、本来許されるものではない。したがって、人事院の審査において処分事由として取り上げることができる事実も処分説明書に記載された事実の範囲に限られ、その範囲を超える事実については、処分の量定に当たって考慮される情状としてはともかく、処分事由たる事実としては取り上げることはできないと解される。

　特に、懲戒処分の場合は、具体的な行為の責任を問う処分であるので、処分説明書に明示された行為以外の行為を処分理由として追加することは、一般に、処分説明書に記載された事実と基本的事実関係において同一性を有する事実の範囲にあるものとは評価されないこととなろう。したがって、処分者は、処分当時把握しており、その責任を問う意思であった事実以外の事実が後に判明したときは、これについて別途懲戒処分を行うべきであって、追加理由とすることは消極に解すべきである。一方、勤務成績不良、心身の故障又は適格性の欠如を理由とする分限処分については、職員の状態に対してなされる処分であることから、その状態を示す事実の追加は、一般に、処分説明書に記載された事実と同一性を有する事実の範囲に含まれると評価されよう。しかしながら、例えば、適格性の欠如を事由とする分限処分の場合に、心身の特定の故障を追加するようなことは、そもそも分限処分の根拠事由を異にし、処分の同一性を逸脱するものであり、不適当である。

六　審査請求後の処分説明書の訂正

人事院に不利益処分の審査請求がなされた後の処分説明書の記載事項の訂正については、明らかに誤記であると認められるような記載事項は訂正が認められるが、行為の日時、場所、方法あるいは数量など記載内容の実質的変更をもたらすような訂正、追加については許されないと解される。すなわち、五で述べたように、処分時に考慮されていなかった事実及び処分説明書の処分理由に記載された範囲に属さない事実は不利益処分審査請求事案の審理（第九一条〔趣旨〕二参照）において処分事由たる事実として取り上げることはできないと解されるためである。ただし、公平委員会は調査機関であって、このような変更に該当するか否かの判断は人事院がなすべきであるから、公平委員会は、人事院の判断に必要な具体的事情について、両当事者の陳述を聴取し、当該事実が処分時に把握されていたことの有無、変更を必要とするに至った経緯等を調査するとともに、変更の申出のあった事実自体についても調査を行うこととされている。

七　教　示

不利益処分の審査請求の教示として、処分説明書には、当該処分につき、人事院に対して審査請求をすることができる旨及び審査請求をすることができる期間を記載しなければならないとされている（法八九3）。本項は、昭和三七年に行服法が制定された際に定められた規定である。行服法は教示制度を採用し、行政庁が不服申立てのできる処分をする場合には、処分の相手方に対し、不服申立てができる旨並びに不服申立てをすべき行政庁及び不服申立期間を教示すべきものとし（行服法八二1）、それにより処分を受けた者がこの制度を知り、この制度を活用できるようにしている。行服法の適用を受ける不利益処分の審査請求は、当然、この教示の規定が適用されることになるが、この点を明確にする意味で、本項で処分説明書に教示すべき内容を規定したものである。処分説明書には、「この処分についての審査請求は、国家公務員法第九十条及び人事院規則一三—一の規定により、この説明書を受領した日の翌日から起算して三箇月以内に、人事院に対して、することができます。ただし、この期間内であっても、処分があった日の翌日から起算して一年を経過した後は、することができません。」と記載されている。

また、行服法では、行政庁は、利害関係人から当該処分が不服申立てをすることができるかどうか、不服申立てをすべき行政庁及び不服申立期間について教示を求められたときは、当該事項を教示しなければならず、この場合に書面による教示を求められたときは、書面でしなければならないとされている（行服法八二2、3）。不利益処分について処分を受けた職員から処分説明書の交付請求を伴う教示の要求があった場合には、処分説明書を交付して教示を行うこととなる（法八九2、〔解釈〕二参照）。行政庁が教示をしなかった場合に審査請求期間の延長を認める規定は本法及び行服法にないが、期間満了後に行われた審査請求であっても、正当の理由があるときは、期間内に提出したものとみなされる（人規一三―一　六2）（第九〇条の二〔解釈〕一参照）。これに対して、教示がなかった場合の不服申立書の提出先については行服法で、当該処分について不服のある者は、処分庁に不服申立書を提出することができるとされ、当該処分が処分庁以外の行政庁に対し審査請求をすることができる処分であるときは、処分庁は速やかに不服申立書を当該行政庁に送付しなければならず、この場合には、初めから当該行政庁に審査請求がされたものとみなされるとされている（行服法八三）。したがって、不利益処分の場合には、処分庁に審査請求がなされたときには人事院に審査請求書の正本を送付しなければならない。

なお、行訴法は、行政庁が取消訴訟を提起することができる処分又は裁決をする場合には、当該処分又は裁決の相手方に対し、取消訴訟の被告とすべき者、取消訴訟の出訴期間及び審査請求前置の定めがあるときはその旨を教示すべきものとしている（行訴法四六1）。このため、処分説明書には、前記の不利益処分の審査請求の教示に加え、取消訴訟の教示が記載されており、具体的には、審査請求があった日から三箇月を経過しても、人事院の裁決又は決定がないときなどを除き、不利益処分についての処分の取消しの訴えは、審査請求に対する人事院の裁決又は決定を経た後でなければ提起することができない旨、また、不利益処分の取消しの訴えは、審査請求に対する人事院の裁決又は決定があったことを知った日の翌日から起算して六箇月以内に、国を被告として提起しなければならない旨、さらに、この期間内であっても、人事院の裁決又は決定があった日の翌日から起算して一年を経過した後は、提起することができない旨が記載されている。

（審査請求）

第九十条　前条第一項に規定する処分を受けた職員は、人事院に対してのみ審査請求をすることができる。

② 前条第一項に規定する処分及び法律に特別の定めがある処分を除くほか、職員に対する処分については、審査請求をすることができない。職員がした申請に対する不作為についても、同様とする。

③ 第一項に規定する審査請求については、行政不服審査法第二章の規定を適用しない。

〔趣　旨〕

不利益処分の審査請求

本条は、不利益処分に対して不服のある者に人事院に対する審査請求を認めたものである。不利益処分を受けた職員は、行服法による審査請求を人事院に対してだけすることができること、その範囲は不利益処分に限定されること及びその審査請求については行服法の手続規定は適用されないことを規定している。

前条の〔解釈〕で述べたとおり、一般国民に対する処分についての救済を基本的目的とする行服法の一般概括主義を行政組織部内の人事管理の一環として行われる処分に取り入れることは適当でないこと、公務員に対する処分には各種のものがあり、これを全て審査請求の対象とすることは適当ではないと考えられたことから、不利益処分のみを審査請求の対象としている。また、不利益処分の審査についても、行服法の手続に関する規定の適用を排除し、より慎重な手続で行うこととしている。

〔解　釈〕

一　審査請求権者

不利益処分について審査請求をすることができるのは、前条第一項に規定する処分を受けた職員である（法九〇①）。「前条第一項に規定する処分」とは、分限処分等の著しく不利益な処分又は懲戒処分のことであり、その意義については前条で解説したとおりである。「職員」とは、いうまでもなく、一般職に属する国家公務員である。不利益処分を受けた者を救済する制度の趣旨から、現に在職する者のほか、懲戒免職又は分限免職に付されたため国家公務員としての身分を失った者や、辞職の意思表示に関して瑕疵がある場合の辞職承認処分により辞職した者等が含まれる。不利益処分は、特定個人の利益に係るものであることから、勤務条件に関する行政措置の要求と異なり、職員団体の代表による申立ての道は開かれていない。

本法第六〇条の規定に基づいて臨時的に任用された職員及び本法第五九条の規定に基づき採用が条件付のものとされる職員については、分限処分については審査請求の対象とならないとされている（法八一）。臨時的任用の職員については、成績主義の例外として緊急の場合等になされる短期の任用であること、また、条件付採用期間中の職員については、不適格者の官職からの排除を容易にすることを目的とするものであることから、分限処分に対する審査請求権が認められていないものである。なお、非常勤職員については、一般の常勤職員と同様とされている。

外務職員（外務公務員法二5）については、その官職の特殊性に鑑み、外交機密の漏えいによって国家の重大な利益を毀損したという理由で懲戒処分を受けた場合におけるその処分に関する審査請求は、本条第一項の規定にかかわらず、外務大臣に対してしなければならず（外務公務員法一九）、外務大臣はその請求を受理したときは、直ちにその事案を外務人事審議会の調査に付さなければならないとされている（外務公務員法二〇）。

行政執行法人の職員に係る処分であって、労組法第七条各号に該当するものについては、行服法による審査請求をすることができないとされており（行政執行法人労働関係法三七3）、人事院に対する審査請求の対象とはなり得ない。これらの不当労働行為については、中央労働委員会に対して救済の申立てをすることとなる。

検察官については、検察庁法により、その任免、分限等について本法の特例が定められているが、審査請求については、他の職員と異なるところがない。

本法第九八条第二項で禁止されている争議行為に参加した職員等については、「国に対し、法令に基いて保有する任命又は雇用上の権利をもつて、対抗することができない。」とされているが（法九八3）、この規定は、その審査請求権までも失わせる規定とは解されず、争議行為に参加し、又は争議行為をあおり、そそのかしたこと等を理由に懲戒処分を受けた職員であっても、人事院に対し審査請求を行うことができるものであるとされている。行政執行法人労働関係法第一八条により解雇された職員についても、同様に審査請求を行うことができる。

処分を受けた職員が自己の都合などで離職してしまった場合に、その職員が当該離職の前に受けた処分について審査請求を行うことができるかどうかが問題となる。この点については、離職したことのゆえに処分を取り消し、又は修正する実益があると明らかに認められないものについては審査請求の対象としないものとして取り扱われており、離職者からの給与上の損失を伴わない転任、配置換処分に対する審査請求は、処分を取り消し、又は修正する法律上の利益を認められないとされている（昭六〇・四・一公平局長決定）。処分を受けた職員が衆議院議員等の公職に立候補して、公選法第九〇条の規定により公務員たることを辞したものとみなされるに至った場合について、判例は、違法な免職処分さえなければ公務員として有するはずであった給与請求権その他の権利が害されたままになっているという不利益状態の存在する余地がある以上訴えの利益は失わないとしている（昭四〇・四・二八最高裁大法廷）。

また、離職者からの戒告処分に対する審査請求についても、戒告処分が職員が本法第八二条第一項各号に該当する場合にその責任を確認し将来を戒めるものであるため、処分を取り消し、又は修正する法律上の利益があるかどうかが問題となる。法律上の利益がないとする見解もあるが、判例は、戒告処分を受けた職員は、その後の直近の昇給予定時期において当然に昇給を受けることができず、処分後一年間は特別昇給の対象から除外されるという法的地位に置かれており、戒告処分が取り消されることによって、このような法的地位から解放され、戒告処分のない状態で昇給又は特別昇給を期待し得る地位を回復することとなるため、このような利益は、職員が退職したからといって当然に失われるものではないとしている（昭六一・一二・一七東京高裁）。なお、この判例は、平成一八年の制度の見直し前の旧昇給制度におけるものであるが、同判例の考え方は、昇給時期が統一され、昇給しない者も含め全員が昇給区分を決定される現行の昇給制度においては、一層当てはまるものと思われる。

不利益処分について審査請求を行った職員が死亡した場合には、相続人がその地位を承継するが（人規一三―一　一〇、昭五五・一〇・二九東京高裁）、処分を取り消し、又は修正する法律上の利益がない場合は、当然のことながら、承継することはできない。在職中に不利益処分を受け、その後離職し、いまだ審査請求をしないうちに死亡してしまった場合には、審査請求権の一身専属的性質に鑑み、相続権者によっても、審査請求をすることができないと取り扱われている。

二　審査請求の審査庁

本法は、不利益処分の審査請求の審査を人事院の専管事項としているが、これは、職員の不利益処分に関する審査請求を人事行政の専門的機関、第三者機関たる人事院に専ら審査させることにより、その専門的、中立的立場から、公正かつ適切な判断を行わしめるとともに、その判断の統一性を図ることとしているものである。

三　不利益処分以外の処分と不作為

不利益処分及び法律に特別の定めがある処分以外の職員に対する処分並びに不作為については、行服法による審査請求が認められない（法九〇２）。国家公務員と国との関係に一般概括主義を取り入れることは適当ではなく、また、公務員に対する処分には各種のものがあるため、不利益処分以外のものについては、行政機関内部の問題として任命権者の判断、裁量を尊重することとして、審査請求の対象を限定しているものである。

「法律に特別の定めがある処分」についての審査請求としては、私企業からの隔離に関し、株式所有等により企業に対する職員の関係がその職務遂行上適当でないと認める旨の人事院の通知に対する審査請求がある（法一〇三5）。「不作為」とは、行政庁が法令に基づく申請に対し、相当の期間内になんらかの処分その他公権力の行使に当たる行為をすべきであるにもかかわらず、これをしないことをいう（行服法三）。例えば、職員が行った年次休暇、病気休暇等の承認申請に対し承認、不承認について判断が示されない場合、辞職願を提出したにもかかわらず辞職承認処分がなされない場合などは、いずれも速やかに判断が下されなければならないものであるが、これらの不作為については、行服法上の審査請求をすることは許されていない。

四　行服法の手続の適用除外

不利益処分の審査請求の審査については、従来から、行服法に定める手続よりも慎重な手続で行われていたため、本法は、行服法の手続に関する規定（行服法第二章）の適用を排除している（法九〇3）。審査手続として、人規一三―一（不利益処分についての審査請求）でより詳細な規定が定められており、この規則に基づき審査が行われている。不作為についての審査請求（行服法第三条）と再審査請求（行服法第六条及び第四章）は適用が除外されていないが、前述したように、不作為については審査請求をすることはできず（法九〇2）、また、人事院の判定については、人事院規則の定めるところにより人事院によってのみ審査されるものとされ（法九二3）、人規一三―一に規定されている再審の請求の規定に基づいて行われているため、これらの規定は当然適用にならない。

（審査請求期間）

第九十条の二　前条第一項に規定する審査請求は、処分説明書を受領した日の翌日から起算して三月以内にしなければならず、処分があつた日の翌日から起算して一年を経過したときは、することができない。

〔趣　旨〕

審査請求期間の意義

本条は、審査請求期間について規定している。行政行為については、行政上の法律関係を安定させるために、審査請求を一定の期間に限り、その期間経過後はもはやその処分を争い得ないものとする必要があり、不利益処分についても、服務上及び公務秩序維持の観点からも、処分の効力を長きにわたって争い得る状態に置くことは適当ではないため、審査請求期間が設けられているものである。

昭和三七年の行服法施行に伴う改正以前の本法においては、不利益処分を受けた職員は、「処分説明書を受領した後三十日以内に、人事院に、その審査を請求することができる。」とされていた（同法九〇）。しかし、行服法に基づく審査請求又は異議申立ては、原則として、処分のあったことを知った日の翌日から起算して六〇日以内又は処分のあった日の翌日から起算して一年以内にしなければならないとしたため（行服法一四、四五）、行服法との均衡を考慮して、不利益処分の不服申立期間については、処分説明書を受領した日の翌日から起算して六〇日以内とされ、かつ、処分のあった日の翌日から起算して一年を経過したときは不服申立てをすることができないこととされたものである。

また、平成二六年の行服法の全部改正において、不服申立て（審査請求及び異議申立て）が審査請求に一元化され、審査請求期間が六〇日から三月に延長されるのに合わせ、不利益処分の不服申立期間についても、その用語が審査請求期間に改められるとともに、期間が六〇日から三月に延長された。

〔解　釈〕

一　審査請求期間

不利益処分の審査請求は、処分説明書を受領した日の翌日から起算して三月以内に行われなければならず、また、処分のあった日の翌日から起算して一年以内に行われたものであることを要する（法九〇の二）。処分説明書には、審査請求期間が教示されている。

処分について処分説明書が交付されている場合には、審査請求は、処分のあった日の翌日から起算して一年以内の要件を満たすとともに、処分説明書を受領した日の翌日から起算して三月以内に行われたものでなければならない。処分説明書が交付されていない場合には、審査請求は、処分のあった日の翌日から起算して一年以内になされなければならない。したがって、仮に、職員が処分のあったことを知らなかった場合、あるいは処分のあったことをずっと後になって知った場合であっても、処分のあった日の翌日から起算して一年を経過したときは審査請求をすることはできない。

「処分のあった日」とは、当該処分の内容を了知し得べき状態に置かれた日を指している。到達主義を採る処分（原則として人事異動通知書又は懲戒処分書の交付によって処分の効力が生ずるとされている降給、降任、休職、免職及び懲戒処分）については、人事異動通知書又は懲戒処分書の交付日を指し、その他の処分については、発令日すなわち任命権者がその意思を外部に表示した日を指している。処分書、処分説明書ともに、現実に交付されなくても受領し得べき状態に置かれればよい。すなわち、被処分者が処分書又は処分説明書の受領を拒んだ場合であっても、社会通念上一般に了知し得べき状態に置かれたと認められるときには、受領があったとみなされる。判例でも、辞令書が郵便によって配達されたときは、特別の事情がない限り、郵便配達の日に処分があったことを知ったものと認められるとされ（昭二七・四・二五最高裁）、懲戒処分書及び処分説明書を郵便により配達した場合に、家族らが受領を拒絶し、差出人に返送されたとしても、一旦本人の自宅に配達されたのであるから、本人の了知し得べき状態に置かれたものというべきであるとされている（昭三九・七・一五神戸地裁）。

三月又は一年の期間を経過した後に行われた審査請求であっても、そのことにつき正当な理由があるときは、提出期限内に提出されたものとみなされている（人規一三―一　六２）。例えば、審査請求期間の教示がされず、又は誤った審査請求期間が教示され、請求者が他の方法でも審査請求期間を知ることができなかったような場合のほか、地震、洪水などの天災によって交通手段が途絶したり、災害に遭うなどしたりして、期限までに審査請求をすることが客観的に著しく困難であったような場合などが考えられる。行服法においても、正当な理由があるときを審査請求期間の例外として規定しており（行服法一八１ただし書、２ただし書）、同規定は本法では適用除外となっているが（法九〇３）、人事院規則で規定を設け、審査請求権を保護しているものである。

二　期間の計算

審査請求期間の計算は、民法の原則に従って行われる。まず、民法第一四〇条に従い、「処分説明書を受領した日」及び

「処分のあった日」の当日は算入せず、翌日から暦に従って計算することとなる（民法一四一、一四三）。審査請求期間の末日が、日曜日、祝日その他の休日に当たるときは、その翌日をもって満了するものと解される（民法一四二）。休日に関しては、年末年始の取扱いが問題となる。民法第一四二条は、「その日に取引をしない慣習がある場合に限り、期間は、その翌日に満了する。」としているため、年始の一月二日、三日については休日に当たるとされているが（昭三三・六・二最高裁大法廷）、年末の一二月二九日、三〇日、三一日については、一般の休日には当たらないとされている（昭四三・一・三〇最高裁等）。したがって、年末の取扱いについては民法によることができないため、刑訴法等においては立法的に年末の休日を規定している（刑訴法五五　特許法三等）。不利益処分の審査請求期間に関しても、年末については休日と同様に取り扱っているが（昭三四・三・一七公訴四八九）、公務の実情を踏まえれば、妥当な解釈といえよう。

審査請求書を郵送する場合の期間計算については、郵送に要した日数は算入しないとされ（人規一三―一　六③）、発信主義が採用されている。これは、本条に定める審査請求期間が比較的短いため、職員に有利な配慮をしているものである。したがって、期間の末日に審査請求書を郵送すれば、期間内に到達しなくても、有効に提出されたこととなる。通常は、期間満了日までの消印があれば有効となるが、消印が期間経過後の日付のものであっても、期間内に投函したことを請求者が立証すれば、当該審査請求は有効であると解すべきである。

（調査）

第九十一条　第九十条第一項に規定する審査請求を受理したときは、人事院又はその定める機関は、直ちにその事案を調査しなければならない。

②　前項に規定する場合において、処分を受けた職員から請求があつたときは、口頭審理を行わなければならない。口頭審理は、その職員から請求があつたときは、公開して行わなければならない。

③　処分を行つた者又はその代理者及び処分を受けた職員は、すべての口頭審理に出席し、自己の代理人として弁護人を選任し、陳述を行い、証人を出席せしめ、並びに書類、記録その他のあらゆる適切な事実及び資料を提出することができる。

④　前項に掲げる者以外の者は、当該事案に関し、人事院に対し、あらゆる事実及び資料を提出することができる。

〔趣　旨〕

一　不利益処分審査請求事案の調査

本条は、不利益処分の審査請求があった場合における事案の調査手続について規定している。不利益処分を受けた職員からの審査請求を受理したときは、人事院又はその定める機関は、直ちにその事案を調査しなければならない（法九一―1）。本条の「調査」は、本法第一七条の基本的調査権の規定を受けたものである。前述したように、行政執行法人の職員については本法第一七条が適用されないため、本条が人事院の行う調査権の根拠規定となる。本条は、さらに、口頭審理方式、代理人選任権、証人、証拠等の提出権等について規定している（法九一―2～4）。

不利益処分審査請求事案の審査は、人事院の有する準司法的機能の一つであり、公平委員会による間接審理主義及び職権探知主義に基づいて行われる。また、その審理は、口頭審理を中心とし、請求者と処分者の両当事者が相対立する審理構造（対審構造）が採られている。もっとも、準司法的手続といっても、あくまでも行政部内における職権探知主義に基づく審査手続であることから、簡易で迅速に事案を処理できるように、民事訴訟手続のような当事者主義に基づく精緻複雑なものではなく、効率的な手続とすることに工夫が払われなければならない。

二　間接審理主義

不利益処分審査請求事案の調査は、人事院自ら行うことは法律上は可能であるが、実際には、判定機関である人事院自らは行わず、人事院の指名した公平委員で構成される公平委員会によって行われている。本条第一項の人事院の定める機関とは、公平委員会である。裁判においては、裁判官が事件の審査及び事件に対する判決に携わるが、不利益処分の審査請求においては、事案の調査機関である公平委員会と判断機関である人事院とは別個になっている。これは、一般の行政機能も同時に担っている人事院に全ての審査請求の調査を行わせることには簡易迅速な処理という点で自ずと限度があり、他方において審査請求に対する審理や判断は慎重に行われる必要があることから、調査機能と判断機能を分離し、前者を専門的調査機関である公平委員会に委ね、その報告と意見を基にして人事院が判定を行うこととしているものである。

三　職権探知主義

私的権利関係の紛争を解決する民事訴訟では、当事者主義を基調としており、権利の発生消滅という法律効果の判断に直接必要な事実は当事者が弁論において提出しない限り判決の基礎に採用することができないという弁論主義の原則が採られている。弁論主義は、「訴えなければ裁判なし」という不告不理の原則の表れである。しかし、不利益処分の審査請求の審査の対象となる事案は、私人間の紛争ではなく公務員秩序に影響する行政処分であるので、その審理は実体的真実を目標として客観的な公正を期さなければならない。このため、手続は、当事者の弁論いかんにかかわらず職権で事実関係を探知し、必要な証拠を取り調べるという職権探知主義が原則とされている。したがって、例えば、公平委員会は事件の解明に必要と認めれば、当事者が主張又は立証しない事項についても自ら積極的にこれを調査できる種々の権限を与えられており、また、当事者が申請した証拠調べが事件の解明に不必要と思われるような場合には当事者の意思にかかわらずこれを却下できるなどとされている。

四　当事者対立の審理構造

行服法における審査請求の審理は、書面審理主義が採られており、審査請求書、弁明書、反論書等の書面に基づいて審理が行われ、審査請求人等から申立てがあったときに、口頭で意見を述べる機会を与えるものとされている（行服法三一）。これに対し、不利益処分審査請求事案の審理は、口頭審理を基本としており、請求者が口頭審理の請求を行った場合には、当事者立会いの下で証拠調べ等の審理を口頭により行うこととなる。さらに、職員の請求があれば、審理は公開の場で行われる。他方、対審構造的な口頭審理を希望しない請求者は、両当事者が一堂に会する方式ではなく公平委員会の審尋によって行う審尋審理を選択することもできる（人規一三―一　六四1）。

不利益処分審査請求事案の審査手続は処分を受けた者の審査請求によってのみ開始されるものであるから、請求者は審理の単なる対象として取り扱われるべきではなく、手続において一方の主体として参加させられなければならない。また、この制度は人事院が本法上準司法的機能を持つといわれている所以のものであり、単に聴聞の機会を当事者に与えるだけでなく、職権探知主義を採りつつ、審査手続についても職員の請求により、当事者主義的な口頭審理を公開の場で行うこととされているところである。また、事案の調査、審理に当たる機関（公平委員会）は、その審理については独立性のあるものとされている。

〔解　釈〕

一　審査請求の手続等

1　審査請求の方法

不利益処分についての本法第九〇条の規定による審査請求は、審査請求書正副二通を人事院に提出してしなければならないとされている。審査請求書には、請求者の官職、処分の内容及び時期、処分に対する不服の理由等を記載し、処分説明書の写し（交付されているときに限る。）を添付しなければならない。なお、審査請求は代理人によっても行うことができるとされている（人規一三―一　三、四）。

2　受　理

人事院は、審査請求書が提出されたときは、その受領確認のための受付を行い、審査請求書の記載事項、添付書類等について点検、審査を行った後、請求書の提出期限、処分の性質等の点について受理要件を満たしているかどうかの要件審査を行うこととされている。要件を満たしているものはこれを受理し、不備のあるものについては、人事院が職権により又は請求者自身が人事院の補正命令によりその補正を行った上受理し、要件を満たさないものについては却下する（人規一三―一　五、六）。受理した審査請求であっても、本来却下されるべきものであることが事後に判明した場合には、人事院は当該審査請求を却下する（人規一三―一　七）。

却下しなければならない審査請求は、次のものである（人規一三―一　六）。

①　審査請求をすることができない者によって行われた審査請求（例：特別職国家公務員からの請求）

②　本法第八九条に規定する処分に該当しないことが明らかな事実について行われた審査請求（例：訓告、厳重注意を受けた職員からの請求、懲戒処分、分限処分以外の処分で具体的な不利益性の主張がない請求）

③　本法第九〇条の二に規定する期間経過後に行われた審査請求

④　審査請求をすることにつき法律上の利益がないことが明らかな請求者によって行われた審査請求（例：同僚職員への懲戒処分に対する（委任のない）他の職員からの請求）

⑤　補正命令に従った補正が行われない審査請求

⑥　その他不適法にされた審査請求で不備が補正できないもの

懲戒処分、分限処分以外の処分については、請求者の処分についての不利益性の主張に理由があるかどうかが不利益処分該当性に影響するため、この判断が要件審理又は本案審理のいずれの段階に当たるかが問題となる。訴訟においては、不利益性が認められない処分については訴えの利益なしとして本案前の判決（訴え却下）が行われるが、不利益処分審査請求制度においては、不利益性の主張に理由があるかどうかを判断するためには事実関係の調査も必要とすることから、公平委員会の審理の過程で不利益性の主張に理由がないと認められる場合は、原則として、当該審査請求を却下するのではなく処分承認の判定を出すこととされている。

受理することによって審査請求は人事院に係属し、人事院は当該審査請求について速やかに調査し、判定すべき義務を負うこととなる（法九一、九二）。受理の効果は審査請求を受け付けた日に遡及し、当該審査請求はその日から人事院に係属していたこととなる。

本法第九二条の二は、不利益処分の取消訴訟に関して審査請求前置主義を規定しており、審査請求に対する人事院の裁決を経た後でなければ取消しの訴えを提起することはできないと規定している。審査請求が不適法なものとして却下された場合は、審査請求は有効に係属しなかったものであり、実質審査もなく本案の裁決もないのであるから、裁決前置の要件を満たしていないこととなる。したがって、不利益処分についての審査請求が却下された場合は、当該処分の取消訴訟は不適法となる。しかし、審査請求の提起が適法であるのに人事院が誤ってこれを却下した場合には、裁決前置の要件を満たしているものと解され、不利益処分についての取消訴訟は適法となる。

３　審査の終了

受理の時点では審査係属要件を満たしていたが、その後に要件を欠くに至った場合には、審査の終了となる。すなわち、係属中の事案が次の要件を満たしたときは、人事院はその事案の審査を終了するものとされている（人規一三―一　一四）。

①　処分者が処分を取り消したとき、あるいは、処分を取り消す判決又は処分の無効を確認する判決が確定したとき

②　請求者が死亡した場合において、その地位が承継されないとき又は相続人がないとき若しくは知れないとき

③　請求者の所在が不明となり、審査を継続することができないとき
④　請求者が審査請求を継続する意思を放棄したと明らかに認められるとき
⑤　人事院規則一三―一第四五条第二項（第六七条において準用する場合を含む。）の規定に基づき審理が終了されたとき
⑥　その他審査請求を継続することにつき法律上の利益がなくなったことが明らかなとき

（注）人規一三―一第四五条第二項に基づいて、公平委員会は、請求者から反論書等が相当の期間内に提出されない場合において、公平委員会が更に一定の期間を定めてこれらの書面の提出を求めたにもかかわらず、当該提出期間内に提出されなかったとき、又は請求者及びその代理人が共に口頭審理の期日に正当な理由がなくて出席しないときは、審理を終了することができる（人規一三―一　四五1、2）。

審査係属要件の欠缺という観点からは、却下と終了は同じであるが、終了になった審査請求は、受理後一定の期間有効なものとして係属している点が異なっている。

なお、請求者は、事案に関する人事院の判定があるまでは、いつでも審査請求を取り下げることができるとされており（人規一三―一　一二）、審査の終了における「請求者が審査請求を継続する意思を放棄したと明らかに認められるとき」とは、本人が審査を継続する意思のないことを言明し、取下書を提出する旨の発言を繰り返し行いながら取下書を提出しない場合、審査継続意思の確認を繰り返し行っているのに応答がない場合などが該当する（昭四三・二・一七審査終了決定等）。

4　審査の併合

人事院は、必要があると認めるときは、請求者又は処分者が共通の事案や事実関係が同一又は関連性のある事案については、併合して審査をすることができる（人規一三―一　九1）。また、当事者は、人事院に対し、事案の併合及び併合した事案の分離を申し立てることができる（人規一三―一　九3）。

事案の審査を併合すれば、同種の主張や証拠に対する重複調査を避けることにより審理が促進されるが、反面、当事者、代理人の数が増え、事案内容が膨大となり、審理対象が公平委員会の処理能力に応じた適正規模を超えるとその審理が困難となってくる。したがって、人事院は、当事者からの併合の申立てがあってもそれが公平委員会の審理指揮の技術的限界を

超える大規模なものと認めるときは、併合は行わず、また、人事院は、必要があると認めるときは、併合した事案を分離することができるとされている（人規一三―一　九２）。

二　調査機関・審理関係者

１　公平委員会

本法第九〇条第一項に規定する審査請求を受理したときは、人事院は、三名又は五名の公平委員を指名し、公平委員会を設置するものとされている（人規一三―一　一九）。公平委員会は事案ごとに設置され、通常は三名で組織される。公平委員は、原則として人事官及び事務総局の職員のうちから指名されるが、必要と認めるときは学識経験のあるその他の者を公平委員に指名することができる（人規一三―一　二一１）。人事官が公平委員に指名された例はないが、人事官及び事務総局の職員以外の学識経験者が指名された例としては、百日ぜきワクチンの不正利用に関する事案で学識経験者として大学教授等が指名された例（昭二六人指一三―六八）がある。公平委員については、公平委員が当事者又は事案と密接な関係にあるため審理の公正が危ぶまれるような事情がある場合に当該公平委員が審理に関与することを禁じるために欠格条項が定められており、

① 当該審査請求の当事者、代理人である者若しくはこれらであった者又は職務上審査請求の対象となった処分に関与した者

② 当事者の配偶者、四親等以内の血族若しくは三親等以内の姻族である者又はこれらであった者

③ 当該審査請求の審理において証人又は鑑定人となった者

は、公平委員になることができないとされている（人規一三―一　二一２）。

公平委員会の役割は、人事院が当該事案について判断を行うに必要な資料を収集するための調査を行うことであり、公平委員会の構成員である公平委員には、この任務を遂行するため強い独立性が保障されており、「何人からも指示を受けず、良心に従い、かつ、法律、規則、指令及び人事院の議決に基づいてその職務を行わなければならない。」とされている（人規一三―一　二二）。

公平委員のうち一名は公平委員長として指名され、その事案の審理を指揮し、進行を図り、秩序維持の責任を負う（人規

地における証拠調べを行わせることができる（人規一三―一　二六）。また、公平委員会は、人事院が指名した調査員に証拠の所在地における証拠調べを行わせることができるとされている（人規一三―一　六二、六三）。

公平委員に審理の公正を妨げるような事情がある場合には、当事者は、人事院に対し、公平委員の忌避を申し立てることができる（人規一三―一　二七）。審理の公正を妨げるような事情とは、公平委員と当事者の関係又は公平委員と事案の関係からみて、当該公平委員について不公正な審理を行うおそれを抱かせるに足る合理的、客観的事情をいう。したがって、公平委員に忌避が認められるのは、欠格条項に準じるような事情がある場合に限られ、審理指揮など公平委員の職権の行使に関する不満を理由とする忌避は認められないとされている（昭四三・六・三忌避申立て却下決定等）。忌避の申立てがあった場合には、人事院は直ちにその審査を行うが（人規一三―一　二八）、その場合でも人事院が公平委員の指名を取り消すまでは、公平委員会はその権能を当然に失うわけではなく、公平委員会の審理は続行される。

2　審理関係者

不利益処分審査請求事案の関係者には、請求者と処分者のほかに、代理者、代表者、代理人がいる。

(一)　代理者

本条第三項では、処分者の「代理者」を規定している。処分者が自ら当事者として審理に参加することは困難なことが予想されるため、処分者は代理者一名を選任し、及び解任することができ、その選任した代理者を審理に参加させることができるとしている。代理者は、代理人とは異なり、当事者とみなされているものである（人規一三―一　一六）。

(二)　代表者

併合事案では、請求者は、審理活動を一本化して行い、あわせて文書受領の便宜を図るため、請求者の中から代表者一名を選任することができるとされている。また、人事院又は公平委員会は、併合事案の請求者が代表者の選任を行わない場合でも、必要と認めるときは、請求者に対して代表者一名の選任を命じることができるとされている（人規一三―一　一五）。

(三)　代理人

当事者は、その事案の審査のためにいつでも代理人を選任することができ、また、解任することができる（法九一3、人規一三―一　一七）。選任する代理人の数に制限はないが、多数に及ぶ場合には、公平委員会は審理に出席する代理人の数を制限することができる（人規一三―一　一七5）。

代理人は、当事者のためにその事案の審査に関する一切の行為をすることができ、その権限内でした行為は本人がしたと同一の効力を生じる。さらに、請求者から特別の委任を受けた代理人は審査請求を取り下げることもできる。代理人の行った行為は当事者が遅滞なく取り消し、あるいは訂正したときは、その効力が消滅する（人規一三―一　一八）。

三　審理の方式

1　審理の方式

行服法の審理は、書面審理が原則とされているが（行服法三一）、不利益処分審査請求事案の審理は、口頭審理を基本としている。すなわち、処分を受けた職員から請求があったときは、口頭審理を行わなければならないとされ、また、請求があったときは公開して行わなければならず、処分者、代理者及び請求者は、全ての口頭審理に出席することができるとされている（法九一2、3）。

人規一三―一は、口頭審理と審尋審理の二つを規定している。請求者はそのいずれかを選択でき、また、審理が終了するまではいつでも他の方式に変更することができるとされている（人規一三―一　四1⑦、三二、六四）。

口頭審理においては、当事者の真意の把握や釈明、争点整理を対面方式により迅速に行うことが可能となり、また、請求者も当事者として参加することができる等の長所があり、一方、審尋審理は、当事者から提出された資料や公平委員会が自ら行う調査によることになるため、審理技術の優劣にかかわらず、簡易迅速に真実発見のための審理を行うことができる利点がある。なお、審尋審理の場合だけでなく、審理を能率的に進めるために、口頭審理においても適宜書面が活用される。

2　口頭審理

口頭審理とは、両当事者立会いの下で証拠調べその他公平委員会が必要と認める事項に関する審理を口頭によって行う審理方式をいう（人規一三―一　三一1）。すなわち、口頭審理の場合、審理は、準司法的な対審形式をとり、同一期日に当事者双方が同一場所に会し、自らの主張と立証を行う形で進められる。この場合においても公平委員会は口頭審理の準備のため処分者に対し答弁書、請求者に対し反論書の提出を求めるなど必要な事項を書面により明らかにすることを求めることができる（人規一三―一　三五、三六、三七）。請求者から公開の請求があれば、審理は公開して行われるが、公の秩序、善良の風俗を害するおそれがあると認めるときは、公平委員会は、非公開とすることができ（人規一三―一　三一3）、また、本法第一〇〇条第一項に規定する職務上の秘密についての陳述、証言を求めるときは、当事者、代理人、傍聴人を退席させることができるとされている（人規一三―一　三一4）。当事者は全ての口頭審理への出席権が保障されている（法九一3）。

3　審尋審理

審尋審理とは、書面及び公平委員会の行う審尋によって進められる審理方式をいう（人規一三―一　六四）。当事者や証人に対する審尋は非公開で行われ、当事者の立会いは原則として認められないとされている（人規一三―一　六五）。すなわち、審尋審理は、両当事者の主張を公平委員会が個別に聴取し、また立証段階においても、証人尋問の際には、原則として両当事者を立ち会わせず、公平委員会のみが尋問を行うものである。審尋審理においても、通常、証拠調べや請求者の意見陳述は、審尋の場で口頭で行われている。

審尋審理の場合は、公平委員会が積極的に職権を行使して真実の究明に当たるという基本姿勢が口頭審理の場合よりも強く要請される。したがって、請求者と処分者間の主張・立証能力に著しい開きがあり、両当事者の審理遂行能力の実質的対等性を公平委員会が自ら実現することを要請されるような事案については、審尋審理が適していると考えられる。請求者が審理手続に不慣れであり、適切な代理人がついていない事案、請求者が処分者との対審を望まない事案などについては、審尋審理が活用されている。

四　審理の準備段階

1　審理場所・審理期日

口頭審理及び審尋審理の場所は、請求者の希望、証拠調べの都合、当事者の住所等を参考として、公平委員会が、可能な限り請求者の勤務地周辺の都市における適当な審理場を確保して、審理を行うこととされている。審理能率の観点から、審理期日を集中して審理を行い、短期間に調査を完了することが目標とされている。審理期日と場所が確定すると、公平委員長は、当事者に対してその旨を通知することとされている（人規一三―一　三三）。

2　答弁書・反論書

公平委員会は、処分者に対し、相当の期間を定めて処分理由及び請求者の主張に対する反論を記載した答弁書の提出を求めることができるとされ（人規一三―一 三五）、答弁書が提出されると、公平委員会はそれを請求者に送付し、相当の期間を定めてこれに対する請求者の認否、反論を記載した反論書の提出を求めることができるとされている（人規一三―一 三六）。答弁書及び反論書の提出は、公平委員会及び当事者が審理に先立ち当事者の対立点をあらかじめ把握することにより審理の円滑な促進に資するために採られるものであり、口頭審理、審尋審理のいずれにおいても共通して採られる手続である。

３　争点整理手続・打合せ

公平委員会は、口頭審理を円滑に行うために必要があると認めるときは、争点の整理、証拠調べの申請、証拠調べの決定等について審理を行うために、争点整理手続を行うことができる（人規一三―一 四〇）。争点整理手続においては、これらの口頭審理を準備するための審理が両当事者の出席を得て非公開の場で行われる。また、公平委員会は、処分の理由又は不服の理由に不明確な点がある場合や審理期日、審理の進行等について当事者と打合せを行うことができる（人規一三―一 四一）。審尋審理においても事案の争点を整理するための審理を行うことができるとされている（人規一三―一 六五１②）。

五　審　理

審理は、前述したように、請求者の希望により、口頭審理又は審尋審理で行われる。口頭審理は、公開又は非公開で行われ、審尋審理における審尋は非公開で行われる。審理は、主張段階と立証段階に分けられる。公平委員会は、当事者に対しその主張の不明な箇所について釈明を求めてこれを明らかにし、双方の対立点を浮き彫りにした上で、それぞれの主張の立証を行わせる。また、審理指揮に任ずる公平委員長は、口頭審理において発言の許可、禁止、秩序維持のための処置をすることができるとされている（人規一三―一 四二）。

職員が審理に請求者として出席する場合には、法令の規定により勤務しないことが認められる場合として職務専念義務が免除される。しかし、請求者の代理人として口頭審理に出席する場合は、請求者と代理人である職員との関係は私的な関係にすぎないのであるから、特別休暇にも法令の規定により勤務しないことが認められる場合（いわゆる出勤扱い）にもならないとされている（昭三四・一〇・三〇公訴一二三八七人事院事務総長）。

１　主張段階

主張段階は、両当事者の処分理由及び不服理由を明らかにし、双方の主張の争点を整理して立証の主題を提供する段階である。公平委員会は、必要があると認める場合には、当事者に対し、処分の理由又は不服の理由について、質問し、又は口頭審理を通じて立証することを求めることができるとされている（人規一三―一　三七）。処分理由の確認、不服理由の確認、処分理由及び不服理由に対する反対当事者の認否、公平委員会による問題点についての確認整理等により、争点整理を行い、調査の対象、範囲を明確にする。

懲戒処分、分限処分事案については、主要事実たる処分事実について処分者側が立証責任を有するため、処分理由の確認が先行するが、配置換処分、転任処分、辞職承認処分等の事案については、主要事実たる裁量権の濫用、意思表示の強迫等による瑕疵の存在等の不利益性に関する事実については請求者側に証明責任があるため、不服理由の確認が先行することがある。

２　立証段階

争点整理で明確になった当事者の対立点のうち、事実関係に関する部分については、証拠による立証が行われる。不利益処分審査請求制度においては、公正中立な立場からの真相の究明が要求されるため、弁論主義ではなく、職権主義を基調としている。立証段階は、通常、処分者側申請証拠調べ、請求者側申請証拠調べ、職権証拠調べの順に行われる。配置換処分等の不利益性に関する事実について請求者側に証明責任がある事案については、請求者側申請証拠調べが先行することがある。人事や職場環境に関する事実資料は基本的に当局側が所持していることから、実態を明らかにするため、職権による証拠調べが重要になることも多い。

３　証拠調べ

人事院は、証人喚問、書類の提出要求等の調査権を有しており、職権で必要な証拠調べをすることができるとされ（法一七、九二）、これらの調査権に基づき、公平委員会は、証人を尋問し、証拠資料を調査し、その他必要と認める証拠調べをすることができるとされている（人規一三―一　四六）。

一方、当事者も、立証に際しては、自ら準備した証人を出席させ、並びに書類、記録その他のあらゆる適切な事実及び資料を提出することができるとされている（法九一３）。また、当事者以外の者も、人事院に対し、あらゆる事実及び資料を提出することができるとされている（法九一４）。

当事者が証人を審理に出席させる場合には、証人出席申請書をもって公平委員会の承認を求めなければならない（人規一三―一　四七）。また、当事者は証拠資料を提出することができ、自ら準備できない証拠についても、公平委員会に対し、公平委員会が証人を呼び出して尋問し、又は証拠資料を提出させて調査させることを申し立てることができる（人規一三―一　五〇）。公平委員会は、証拠調べを不必要と認める場合、あるいは当事者等からなされた証拠資料の提出や証拠調べの申立てが時機に遅れてなされ、その調査の審理の進行が著しく遅延すると認める場合は、これを却下することができる（人規一三―一　四九、五一）。

公平委員会は、呼出状によって証人を呼び出し、あるいは、証拠資料の所持者に証拠資料の提出を求めることができる（人規一三―一　五二、五三）。この場合には、公平委員会が自らの判断により行うものと、当事者からの申立てによるものとがある。

証人として喚問を受け正当の理由がなくてこれに応じなかった者及び虚偽の陳述をした者、並びに書類等の証拠資料の提出要求に対し正当の理由がなくてこれに応じなかった者及び虚偽の事項を記載した資料を提出した者に対しては、三年以下の懲役（新刑法の施行日以降は、拘禁刑）又は一〇〇万円以下の罰金に処せられることとなっている（法一一〇１③～⑤（新刑法の施行日以降は、②～④））。このため、証人呼出、証拠資料提出要求の際には、法律上の制裁を通知することとされている（人規一三―一　五二、五三）。なお、行政執行法人の職員に対する証人呼出等については、本条が法律上の根拠規定であり、本法第一七条は適用されず、これらの刑罰は適用されない（行政執行法人労働関係法三七１①）。このため、証人呼出等の際の法律上の制裁の通知は行われない。

証人尋問の際には、あらかじめ宣誓を行わせ、虚偽の証言を行った場合の法律上の制裁を告げなければならない（人規一三―一　五四）。行政執行法人の職員については虚偽の証言を行った場合の法律上の制裁を告げる必要はない。刑法第一六九条は、「法律により宣誓した証人が虚偽の陳述をしたときは、三月以上十年以下の懲役（注）に処する。」と規定しており、人規一三―一による証人の宣誓は、本法第一七条及び第九一条に基づくものとして、やはり法律による宣誓とみるべきであるが、本法に証人として虚偽の陳述をした場合の刑罰の特別規定があるため（法一一〇）、偽証罪の適用は排除されるとしている（団藤重光編『注釈刑法』第四巻、二四四頁）。

（注）新刑法の施行日以降は、「懲役」が「拘禁刑」になる。

当事者は、公平委員長の許可を得て、証人を尋問することができる（人規一三―一　五五1）。この場合において、当事者の一方が申請した証人については、いわゆる交互尋問の方法が採られ、申請した当事者が先に尋問し、次いで反対当事者の尋問、公平委員会による尋問の順で進められる。公平委員会は、必要があると認めるときは、当事者による尋問の途中でも自ら当該尋問に係る事項及び関連する事項について尋問することができるとされている（人規一三―一　五五2）。弁論主義が採られている民事訴訟においては、当事者が尋問権を有し、裁判長は補充尋問権を有するにすぎず、証人の尋問は、その尋問の申出をした当事者、他の当事者、裁判長の順序でするとされている（民訴法二〇二）。これに対して職権主義を基調とする不利益処分審査請求事案の審査では、公平委員会に第一順位の尋問権があるが（人規一三―一　四六）、効率的に審理を進めるという観点から、事情を知る当事者による尋問を先行させることとしているものである。

公平委員長は、既にした尋問と重複する尋問、証人を侮辱し、又は困惑させる尋問、意見の陳述を求める尋問、証人が直接経験しなかった事実についての尋問、誘導尋問等であって、相当でないと認めるものについては、これを制限することができる（人規一三―一　五五3）。

公平委員会は、あらかじめ尋問事項を示して当事者本人の同意を得て、当事者本人を尋問することができるとされている（人規一三―一　五八）。本人の同意を要するとしたのは、当事者に尋問を強要すると自己に不利益な供述を強要することになりかねず、当事者にとって酷となることを考慮したものである。公平委員長は、事案の性質、証人の心身の状態、証人と当事者又は代理人との関係その他の事情により、証人が当事者、代理人又は傍聴人の面前で陳述するときは圧迫を受け精神の平穏を著しく害されるおそれがあると認める場合であって、相当と認めるときは、当事者、代理人又は傍聴人と証人との間で、相互に相手の状態を認識することができないようにするための遮蔽の措置を採ることができる（人規一三―一　五六）。当該遮蔽の措置は、平成二七年の改正により、セクシュアル・ハラスメントによる被害者が証人となる場合等に、証言をすることに難色を示す場合があること等から、証人を保護し、また、証言を得て真実解明を図る観点から、刑事訴訟及び民事訴訟において法律上明確に規定されていること等も踏まえ、導入することとしたものである。そのほか、公平委員会は、必要があると認めるときは、証人相互間等で対質を行わせ、鑑定人に鑑定させ、検証を行い、証拠の所在地における証拠調べ等を行うことができるとされている（人規一三―一　五九〜六二）。

審尋審理においても、答弁書及び反論書の提出、交互尋問等の当事者の出席を前提とする手続以外は、ほぼ口頭審理の場合と同様の証拠調べが行われる（人規一三―一　六七）。

4　最終陳述

審理の主張段階及び立証段階を終了すると、公平委員会は審理の終了に先立ち、当事者に対し最終陳述の機会を与える。これは審理の過程を通じて明らかとなった事実関係を総括して当事者が自己の申立ての正当性を公平委員会に対して最終的に主張するために行われるものである。最終陳述は口頭又は書面によって行われる（人規一三―一　四四）。

六　調　書

調査が終了すると、公平委員会は、人事院がその事案について公正妥当な判定が行うことができるように、審査を行った日ごとに、当事者の口頭による陳述、証人尋問などの内容をまとめた審理の記録書を作成し、当事者から提出された主張に関する文書、証拠資料などとあわせて調書として取りまとめ（人規一三―一　六八）、これに事案の内容を検討して得た当該審査事案に対する公平委員会の意見を付して、判断機関である人事院に対して提出する（人規一三―一　二〇）。

当該事案の当事者及びその代理人は、公平委員会（調書が人事院に提出された後は人事院）の許可を得て、調書を閲覧し、あるいは謄写することができる（人規一三―一　六九）。

（調査の結果採るべき措置）

第九十二条　前条に規定する調査の結果、処分を行うべき事由のあることが判明したときは、人事院は、その処分を承認し、又はその裁量により修正しなければならない。

②　前条に規定する調査の結果、その職員に処分を受けるべき事由のないことが判明したときは、人事院は、その処分を取り消し、職員としての権利を回復するために必要で、且つ、適切な処置をなし、及びその職員がその処分に

よつて受けた不当な処置を是正しなければならない。人事院は、職員がその処分によつて失つた俸給の弁済を受けるように指示しなければならない。

③　前二項の判定は、最終のものであつて、人事院規則の定めるところにより、人事院によつてのみ審査される。

〔趣　旨〕

一　処分の適法性・妥当性の審査

本条は、前条に規定する調査の結果に基づく人事院の判定及び採るべき処置について規定し、あわせて、その判定が最終のものであり、人事院によってのみ再審されることを規定している。

不利益処分の審査請求についての人事院の判定は、行服法上の裁決に当たる行政処分である。行政処分の取消訴訟においては、処分が適法であるか違法であるかの適法性が審査されるが、判定においては、適法性の審査に加えて、処分が妥当であるか不当であるかの妥当性についても審査する。

およそ処分は、公正でなければならず（法七四1）、平等取扱いの原則（法二七）及び不利益取扱いの禁止（法一〇八の七）に違反してはならないものであり、また、処分事由たる事実に基づいてなされ、しかもこれに相当する処分であって、社会通念上妥当性のあるものでなければならない。これらの観点から、人事院は、不利益処分の審査請求の判定において、証拠に基づいて事実を認定し、処分が適法であるかどうか及び処分が妥当であるかどうかの処分の量定についても判断を行うこととされているものである。

不利益処分の審査請求における適法性、妥当性の審査については、処分権者が職員に一定の処分事由が存在するとして処分権限を発動したことの適法性及び妥当性の審査と、当該処分事由に基づき職員に対しいかなる法律効果を伴う処分を課すかという処分の種類及び量定の選択、決定に関する適法性及び妥当性の審査とに分けて考えることができる。例えば、当該処分につき処分権限を発動すべき非違事由が存在すると認める場合には、処分権者の処分するとの意思決定そのものについてはこれを承認した上、処分権者が選択、決定した処分の種類及び量定の面について、その適法性及び妥当性を判断し、人事院の裁量によりこの点に関する処分権者の意思決定の内容に変更を加えることができるものである。

二　判定の種類

人事院の判定には、承認、修正、取消しの三種類がある。すなわち、不利益処分の審査請求については、調査の結果、その職員に処分を行うべき事由のあることが判明したときは、人事院は、その処分を承認し、又はその裁量により修正しなければならず、処分を受けるべき事由のないことが判明したときは、その処分を取り消さなければならないとされている（法九二１、２）。

行服法では、審査請求に理由がないときは、審査庁は、裁決で審査請求を棄却するものとされ、処分についての審査請求が理由があるときは、裁決で、当該処分の全部若しくは一部を取り消し、又はこれを変更することとされている。ただし、審査庁が処分庁の上級行政庁又は処分庁のいずれでもない場合には、当該処分を変更することはできない（行服法四五、四六）。これに対し、本条による人事院の判定は、職権探知により原処分を審査し、これを適法かつ妥当と認めるときは処分を承認し、処分に理由はあるものの量定が妥当でないと認めるときは処分の内容に変更を加え、処分に理由がないと認めるときは取り消すという人事院の積極的判断である点に違いがある。

三　判定の法的効果

処分承認判定の場合は、処分者の行った処分が相当であることを確認するにとどまり、それ以上特段の法的効果を生ぜしめないが、処分取消し又は処分修正の判定の場合には、いわゆる形成的効力すなわち処分者の行った処分を直接変更する効力を有し、その効果の発生に処分者による別個の処置を必要としない。例えば、懲戒免職処分を取り消す人事院の判定があったときには、その処分は発令時に遡って取り消され、当初から免職処分が行われなかったのと同一の効果を生じることとなる。

なお、人事院の判定、処置又は指示に故意に従わなかった者は、一年以下の懲役（新刑法の施行日以降は、拘禁刑）又は五〇万円以下の罰金に処せられる（法一〇九⑪）。

〔解　釈〕

一　判定の手続

公平委員会による不利益処分審査請求事案の審理が終了した後、公平委員会は、調書を作成し、意見を付して、人事院に提出することとされている（人規一三―一　二〇）。人事院の行う調査はいわゆる間接調査であるので、人事院は、人事院会議において公平委員会の提出した審理調書に基づいて事案を審査し、その議決により速やかに人事院指令で判定を行う（法一二６⑪）。判定書には、主文、事実及び争点、理由、判定に加わった人事官の氏名を記載し（人規一三―一　七〇）、請求者及び処分者に送付することとされている（人規一三―一　七二）。

二　判　定

1　承認判定

審査の結果、処分を行うべき理由があり、かつ、当該処分が適法かつ妥当である場合は、処分承認の判定を行う（法九二1）。前述したように、処分承認の判定は、職権探知により原処分を審査し、これを適法かつ妥当として維持する人事院の積極的判断である。

請求者に争議行為禁止規定違反の事実が認定される場合には、請求者は国に対して任命又は雇用上の権利をもって対抗できないことから（法九八3）、原則として、処分の当、不当の判断に立ち入ることはできないと解されており、このことを明らかにするために、判定の種類としては承認判定であるが、特に判定の主文で「棄却」の語を用い、「審査請求を棄却する」としている。なお、行政執行法人労働関係法が適用される行政執行法人の職員については、本法第九八条第二項及び第三項は適用除外となっていることから（行政執行法人労働関係法三七1①）、争議行為禁止規定に違反して処分を受け、その事実が認定される場合においても、判定においては「承認」の語が用いられている。

2　修正判定

審査の結果、処分を受けるべき理由はあるが、その処分が妥当ではないと認めるとき、例えば処分者の主張に一部事実誤認がある場合、処分が均衡を失し苛酷にわたる場合などには、処分修正の判定を行う（法九二1）。

㈠　修正判定の法的性格

修正判定の法的性格については、実質上原処分の一部を維持し一部を取り消す処分であるとする説、原処分を全部取り消して新たな処分をするもので原処分は消滅して効力を失うとする説、停職六月を同三月にするような処分の種類が異ならない修正は原処分の一部取消しであり、免職を停職にするような処分の種類を異にする修正は原処分の全部取消し新たな処分に当たるとする説、原処分の法律効果を変更させるだけの効力しか持たず原処分はそのまま存続するとする説などの各種の説があるが、判例は、修正判定は、原処分を行った懲戒権者の懲戒権の発動に関する意思決定を承認し、これに基づく原処分の存在を前提とした上で、原処分の法律効果の内容を一定の限度のものに変更する効果を生ぜしめるにすぎないものであり、これにより、原処分は当初から修正裁決による修正どおりの法律効果を伴う懲戒処分として存在していたものとみなされることとなるものと解すべきであるとしている（昭六二・四・二一最高裁）。

㈡　加重修正

原処分をそれより重い種類、程度の処分に修正することを、加重修正という。加重修正を行うことができるかどうかについては学説では争いがあるが、人事院の判定においては、職員の権利、利益の保護を目的とする不利益処分審査制度の趣旨に鑑み、加重修正を行うことは妥当ではないと解されている（昭四七人指一三―一二）。なお、行服法においては、審査請求人の不利益に処分を変更することはできないとしている（行服法四八）。

㈢　処分の基礎を異にする修正

処分の基礎を異にする修正とは、例えば、本法第七八条に基づく分限処分を第八二条の懲戒処分に、あるいはその逆の修正を行うことである。これについては、かつては人事院においても処分の基礎を異にする修正が行えるとの肯定説が採られ（昭三三・八・一二公訴一四三四公平局長）、判定においても幾つかの実例があるが、現在では、処分の基礎を異にする修正を行うことは、別個の処分を行うことになるのでできないとする否定説が採られている。

肯定説による最後の事案は、懲戒免職を分限免職に修正したものであるが、このような修正をしなければ具体的妥当性を著しく欠くような特殊な場合には例外として行えるとしていた（昭四八人指一三―四三）。しかし、その後の公共企業体等労働関係法（現行政執行法人労働関係法）第一八条に基づく解雇処分に関する事案で、請求者の行った非違行為に対して解雇処分を行ったことは、合理的な裁量の範囲を逸脱したものであり、懲戒処分をもって臨むのが相当であったと認定した場合においても、同法に基づく解雇処分を本法上の懲戒処分に修正することは、本法第九二条第一項の修正の範囲を超えるものと考えられ、修正はできないとして処分を取り消しており（昭五一人指一三―五一）、その再審の請求の却下決定において、修正とは、当該処分と目的、性質ないし根拠を同じくする処分の範囲内でその内容に変更を加えるものと解すべきであり、処分の基礎を異にする修正はできないことを明らかにした（昭五二・四・一九再審請求却下決定）。また、同じ理由により懲戒免職を分限免職に修正することはできないとした事案がある（昭五八人指一三―六〇）。

㈣　争議行為事案の修正

争議行為の禁止規定に違反していることが審査の結果明らかになった場合には、原則として処分の当、不当を勘案することなく審査請求が棄却されるが、例外として、争議行為に関与した程度が他の参加者と比較して著しく軽度であるにもかかわらず、処分の程度がはなはだ過重であるような場合など特別な事情が存するときは、直ちに審査請求を棄却することなく、処分を修正することがある（昭四一人指一三―一二等）。

3　取消判定

審査の結果、処分を受けるべき事由がないことが判明したときは、当該処分を取り消す判定を行う（法九二2前段）。免職処分を取り消す旨の判定があったときは、初めから免職処分が行われなかったのと同一の結果となるから、その職員の国家公務員としての身分、官職、給与、所属部課等は、当然処分当時の状態に復帰し、発令上の措置を必要としない（昭二六・七・九　三二―一二七四人事院事務総長）。

三　指示指令

人事院は、処分を取り消した場合には、請求者の職員としての権利を回復するために必要かつ適切な処置をなし、その処分によって受けた不当な処置を是正し、また、処分によって失った俸給の弁済を受けるように指示しなければならないとされている（法九二2）。また、人事院規則一三―一においては、人事院は、処分を取り消し、又は修正した場合には、その判定を実施するため自ら必要な処置をし、かつ、関係庁の長又は関係する行政執行法人の長に対し、必要な処置をするように指示するものと規定している（人規一三―一　七一）。この指示は人事院指令として行われ、判定と同時に発出される。判定に伴う指示は、行政行為のうちいわゆる下命の性格を有し、これに故意に従わなかった者は一年以下の懲役（新刑法の施行日以降は、拘禁刑）又は五〇万円以下の罰金に処せられる（法一〇九⑪）。

処分取消しの判定が行われたときは原処分は本来存在しなかったこととなり、処分修正の判定があった場合には、原処分は処分時に遡って修正され、処分時に判定によって修正されたと同様の処分が行われたこととなるが、いずれにしても、原処分が存在していた事実があるため、これを現状に復し、請求者の受けた不利益の救済を実効あるものとするために諸般の処置がなされることが必要となる。本条では、処分を修正した場合における処置等については直接には規定していないが、例えば、懲戒停職六月を三月に修正したような場合には、処分取消しの場合と同様に、給与弁済の指示等が必要となるため、人事院規則において、処分修正の場合の処置等についても規定しているものである。

人事院の行う「自ら必要な処置」とは、例えば人事院が処分者に対し判定の実施について報告を求め、あるいはその実施について調査する等、判定を実施するために採る具体的な措置をいう。

関係庁の長等が行わなければならない「必要な処置」としては、例えば、免職処分が取り消された場合には、当該取消判定によって請求者は現職に復帰するが、既にその官職を他の職員が占めていたときは、請求者の後に当該官職に任命された職員を配置換するか又は請求者を当該官職に相当する他の官職に就けるなどの措置が必要となり、そのほか人事異動通知書の交付、給与の弁済の措置が必要となる。請求者の権利回復のための処置が処分者等によって十分になされる場合には、当該処置について人事院の措置は必要ではないと解されることから、これらの処置の全てを人事院が指令をもって指示しなければならないものではない。実際に行われている指示としては、俸給等の給与の弁済の指示がある。

人事院の判定によって免職処分が取り消された場合、原処分によって勤務しなかった期間に係る給与については、勤務しなかった場合であっても在職していれば当然に支給される給与（例　給与法適用職員の扶養手当、期末手当、住居手当、寒冷地手当）は、判定の結果に基づき当然に追給されるが、勤務することを前提として支給される俸給、地域手当、勤勉手当、俸給の特別調整額については、当然には追給されない（給与法五、一五等）。しかし、勤務しなかったことについて当該職員には責めに帰すべき事由がないので、処分が行われなかったならば本来受けたであろう俸給等の額に相当するものを支払う必要が生じる。このため、人事院は、職員がその処分によって失った給与の弁済を受けられるよう関係庁の長等に指示を行うものとされているのである（法九二2後段　人規一三―一　七二）。実際の指示は、取消判定の場合は、「原処分を受けたことにより支給されなかった俸給その他の給与を本人に弁済すべきことを指示する」とされ、修正判定の場合は、「原処分を受けたことにより支給されなかった俸給その他の給与から上記判定による修正後の処分によっても受けることのできない俸給その他の給与を除いた給与を、本人に弁済すべきことを指示する」とされている。

給与の弁済は、その処分が行われなかったならば、その職員が失わなかったであろう給与の補償的性質を有する弁済である。類似の制度として、不当労働行為の救済として行われるバックペイ命令がある（労組法二七の一二1）。不利益処分審査制度における給与弁済の指示は、行政上の是正措置であり労働委員会による裁量権が大幅に認められるバックペイ命令とはその性質を異にするものと解されている。

給与の弁済がこのような性質であることから、処分により勤務しなかった期間に別途の収入があっても、給与の弁済額からその収入分を減額したり、差し引くことはしない。また、給与以外の損害（例えば、処分を受けたことにより被った精神的苦痛など）があってもそれを賠償する必要はない。これらについては国賠法に基づく賠償の請求として別途訴訟によることになる。

勤務しなかった期間における昇給、昇格については、昇給、昇格のいずれも実際の勤務成績に応じて行うものであることから、給与の追給の際には考慮しなくてもよいとされているが、他方で、処分者としては職員の受けた不利益を解消するように、継続して勤務していたならば昇給、昇格をしていたであろうと考えられる場合には、昇給、昇格をしていたものとして弁済の額を算定するなどの配慮を払うことが望ましいと解されている。

四　再審の請求

人事院の行った不利益処分審査請求事案の判定は最終のものであって、人事院規則の定めるところにより、人事院によってのみ審査されるとされており（法九二3）、人事院規則一三―一に人事院の判定についての審査（以下「再審」という。）の規定が定められている（人規一三―一　七四～八〇）。これは、法律により人事院が処置する権限を与えられている部門においては人事院の決定及び処分は人事院によってのみ審査されるとしている本法第三条第三項の規定を受けたものであり、人事院の判定が行政部内においては最終のものであって、他の行政機関において審査されることがないことを意味している。もとより、憲法第三二条の規定による裁判を受ける権利に影響を及ぼすものではない。また、行服法には再審査請求の規定が設けられているが（行服法第六条及び第四章）、これは不利益処分審査請求については適用除外とされている行服法第二章に規定される裁決に対する再審査請求であり、当然適用されない。

請求者及び処分者の双方とも、次の場合に再審の請求をすることができる（人規一三―一　七四）。

① 公平委員の欠格条項に該当する者が公平委員又は調査員として審理に関与したことが判明した場合
② 判定の基礎となった証拠資料が偽造又は変造されたものであることが判明した場合
③ 判定の基礎となった証人の証言、当事者の陳述又は鑑定人の鑑定が虚偽のものであることが判明した場合
④ 審理の際、証拠調べが行われなかった重大な証拠が新たに発見された場合
⑤ 判定に影響を及ぼすような事実について判断の遺脱があった場合

再審の請求は、判定のあった日の翌日から起算して六月以内に、再審請求書を人事院に提出してしなければならない（人規一三―一　七五、七六）。

人事院は、再審の請求を受理した場合には、請求の範囲内において再審を行うが（人規一三―一　七七）、規則に掲げる再審の要件に該当する場合その他特に必要があると認める場合は、職権により再審を行うことができるとされている（人規一三―一　七八）。人事院は、再審の結果、最初の判定を正当と認めるときは、これを確認するものとし、不当と認めるときは、最初の判定を修正し、又はこれに代えて新たに判定を行うとされている（人規一三―一　七九）。

五　審査費用

公平委員会が職権喚問した証人等の旅費、公平委員会が職権で行った証拠調べに関する費用、審理手続の中で文書送付に要した費用は、人事院の負担となるが、その他の当事者、代理人が審理出席に要する費用、当事者の申請した証人に要する旅費等は、当事者がそれぞれ負担するとされている（人規一三―一　八三）。

（審査請求と訴訟との関係）

第九十二条の二　第八十九条第一項に規定する処分であつて人事院に対して審査請求をすることができるものの取消しの訴えは、審査請求に対する人事院の裁決を経た後でなければ、提起することができない。

〔趣　旨〕

不利益処分審査請求と訴訟との関係

本条は、不利益処分の審査請求と訴訟との関係について、審査請求前置主義を採ることを規定している。昭和三七年に行服法と同時に行訴法が施行され、従前の行政事件訴訟特例法によるいわゆる訴願前置主義が廃止されたが、不利益処分については、人事行政の専門的機関である人事院の審査を先行させ、人事行政についての専門的、中立的立場からの判断を加えさせることが、公正な判断を確保し、職員の身分保障を図る上からも、また、争訟そのものの迅速な解決のためにも適当であることから、本法に審査請求前置主義の規定が特に設けられたものである。なお、平成二六年の行服法改正の際、審査請求前置主義を縮小する方向での見直しが図られたが、公務員の不利益処分については、その意義に鑑み、引き続き維持されることとなった。地方公務員の不利益処分についても審査請求前置主義が採られている（地公法五一の二）。

〔解　釈〕

一　審査請求前置主義

人事院に審査請求ができる処分の取消しの訴えについては、審査請求前置主義が採られており、人事院の判定がなされた後でなければ、原処分の取消しの訴えを裁判所に求めることはできない（行訴法八1ただし書　法九二の二）。これは、人事院が人事行政の専門機関として、その専門的立場から処分の違法性のみならず不当性を含む合理的、かつ公正な判断を行える立場にあること、行政内部の人事管理の問題について人事行政の専門機関において審査を行うことにより判断の統一を図ることができること、簡易迅速な手続によって被処分者の救済が図れること、出訴前に人事行政の専門的機関の救済を求めるほうが訴訟経済面からも妥当であること等の理由により、審査請求前置主義を採らない行訴法の例外として設けられたものである。

しかし、次の場合には、判定（裁決）を経ないで原処分の取消しの訴えを行うことができる（行訴法八2）。

①　審査請求があった日から三月を経過しても裁決がないとき
②　処分、処分の執行又は手続の続行により生ずる著しい損害を避けるため緊急の必要があるとき
③　その他裁決を経ないことにつき正当な理由があるとき

二　行政執行法人の職員の不当労働行為と審査請求前置主義

行政執行法人労働関係法は、行政執行法人の職員に対する不利益処分が不当労働行為に該当する場合には、人事院に対し

て行服法による審査請求をすることができないとし（行政執行法人労働関係法三七3）、この場合には、中央労働委員会に対して不当労働行為救済の申立てをすることができることとなっている（労組法二五1、二七）。このため、行政執行法人の職員に対する不利益処分に不当労働行為該当の瑕疵があるものとする場合には、直ちにその取消しを裁判上請求することができるが、訴訟において不当労働行為該当以外の瑕疵を当事者が主張しまた裁判所が審理するについては、審査請求に対する人事院の裁決を経由することを要するとされている（昭四九・七・一九最高裁）。

三　判定と行政事件訴訟

人事院の決定及び処分は、人事院によってのみ審査され（法三3）、他の行政機関からの干渉を受けないとされているが、いうまでもなく、これは裁判所に提訴する職員の権利をなんら制限するものではない（憲法三二、七六2　法三4）。不利益処分の審査請求に対する判定についても同様である。したがって、人事院の行った不利益処分審査請求事案の判定について不服のある職員は、裁判所に、事案により判定の取消しを求めて提訴することもできるし、また、処分庁を相手として処分自体の取消しを求めて提訴することもできる。

この場合、判定の取消しを求める訴えは、判定に不服があれば全て行うことができるものではない。すなわち、原処分が違法であることを理由として訴えを提起することができる場合には、判定の取消しを原処分の違法を理由として求めることはできず（行訴法一〇2）、判定に固有の違法、すなわち判定主体に関する違法、判定手続に関する違法、判定の形式に関する違法がある場合に限られる。

不利益処分について人事院の修正判定があった場合に、その取消請求訴訟を原処分庁を被告とする原処分取消請求とすべきか（原処分主義）、あるいは裁決庁たる人事院を被告とする判定取消請求とすべきか（裁決主義）について、判例、学説は分かれていたが、最高裁は、懲戒処分に修正判定があった事案に関し、修正裁決は、懲戒権者の懲戒権の発動に関する意思決定に基づく原処分の存在を前提とした上で原処分の法律効果の内容を一定の限度のものに変更する効果を生ぜしめるにすぎず、修正裁決により原処分が一体として取り消されて消滅し新たな内容の処分をしたものではなく、原処分は修正裁決によって軽減されたものの懲戒処分としては存在するとして、原処分主義を採っている（昭六二・四・二一最高裁）。

処分者は判定に不服があっても、裁判所に提訴することはできない。これは、行政機関である処分者が、同じ行政機関である人事院を被告とすることは機関訴訟となるので、法の明文の規定がなければ一般に認められないとされており（行訴法四二）、人事院の判定は、行政機関の判断としては最終のものと位置付けられ（法九二3）、判定に関しては機関訴訟の定めがないことによるものである。

原処分を承認又は修正した判定が裁判所の判決により取り消され、それが確定したときは、判決の趣旨に従い、改めて人事院は審査請求に対する判定をしなければならない（行訴法三三2）。

第三目　公務傷病に対する補償

（公務傷病に対する補償）

第九十三条　職員が公務に基き死亡し、又は負傷し、若しくは疾病にかかり、若しくはこれに起因して死亡した場合における、本人及びその直接扶養する者がこれによつて受ける損害に対し、これを補償する制度が樹立し実施せられなければならない。

②　前項の規定による補償制度は、法律によつてこれを定める。

（法律に規定すべき事項）

第九十四条　前条の補償制度には、左の事項が定められなければならない。

一　公務上の負傷又は疾病に起因した活動不能の期間における経済的困窮に対する職員の保護に関する事項

二　公務上の負傷又は疾病に起因して、永久に、又は長期に所得能力を害せられた場合におけるその職員の受ける損害に対する補償に関する事項

三　公務上の負傷又は疾病に起因する職員の死亡の場合におけるその遺族又は職員の死亡当時その収入によつて生計を維持した者の受ける損害に対する補償に関する事項

（補償制度の立案及び実施の責務）

第九十五条　人事院は、なるべくすみやかに、補償制度の研究を行い、その成果を国会及び内閣に提出するとともに、

その計画を実施しなければならない。

〔趣　旨〕

一　公務災害補償制度確立の要請

本法は、第六節第三款第三目として、公務災害に対する補償に関し、⑴一般職の職員の公務上の負傷、疾病及び死亡によって職員及びその扶養者が受ける損害を補償する制度が法律によって行われるべきこと、⑵この制度には、①公務上の傷病による活動不能の期間における経済的困窮に対する保護、②永久に又は長期に所得能力を害せられた場合の損害に対する補償及び③職員の死亡の場合における遺族等の受ける損害の補償について定められるべきこと、更に⑶人事院は補償制度の立案及び実施の責務を有することを規定している。このように、公務上の災害に対する補償制度を確立することとし、また、その運用の責務を人事院に課しているのは、第五節で能率の増進の観点から職員の健康及び安全保持のための計画を実施することとして、公務による災害の発生を予防することを基本としながらも、万一、職員が公務の遂行に伴い災害を被った場合には、その生命、身体を毀損したことによる損害については、国がその過失の有無にかかわらず責任をもって補償することを制度として確立し、もって、職員及びその扶養者の生活基盤を保障するとともに、職員が安んじて公務に専念できるよう中立第三者機関である人事院が公正かつ専門的に補償事務を行うことをその趣旨とするものである。一般職の職員の公務災害補償に関しては、本法の要請を受けて、昭和二六年に補償法が制定されており、同法に基づく統一的な実施・運営がなされてきている。

二　公務災害補償の性格

前述のとおり、公務災害に対する補償は、一般職の職員が、その公務の遂行中に公務に起因して生じた傷病等によって被った経済的損失について、国が使用者としてその損失を補填するものであり、その法的性格は、任用関係を前提として使用者としての国に課せられた特殊な損害賠償責任と理解されている。ただし、この公務災害補償は、一般の民事上の損害賠償と比較して、次のような特質を有している。

①　国の無過失責任に基づくものであり、災害の発生につき国に過失があったか否かを問わないこと。

②　補償の対象となる範囲は、身体的損害（医療費、休業損害、障害及び死亡による逸失利益等）に限られ、被服の毀損等の物的損害及び慰謝料は含まれないこと。
③　補償の迅速な実施のために、あらかじめ定められた基準に従い、定型的な内容で補償の給付が行われること。
したがって、公務災害補償は、国民の生活水準の維持という観点から行われる社会保障とは一線を画するものであり、職員が公務上の災害を受けた場合に、共済法による給付等他の社会保障としての公的給付が併給されることがあり得る。しかし、このような場合には、同一事由による重複支給の排除等の趣旨で制度間の調整が行われることとなっている。

また、公務上の災害の原因となった事故が第三者加害事故等であるため、民事上の損害賠償との競合関係が生じる場合があるが、このような場合には、損害に対する二重塡補を排除する趣旨で補償と損害賠償との調整が行われることとなっている。

三　公務災害補償制度の沿革

1　戦前の沿革

戦前の公務における災害補償の制度は、他の人事制度の分野と同様、官吏と雇員、傭人という身分の違いに応じて異なる制度の適用があった。

まず、官吏については、明治一七年の官吏恩給令（明一七太政官達一七）に始まる増加恩給及び扶助料の制度がある。恩給制度においては、官吏が公務により重傷を負い、若しくは不治の病にかかり、職に堪えず退官を命ぜられ、若しくは退官を許された場合には、普通恩給に加えて増加恩給が支給された。公務による負傷については、治療に必要な費用が支給されることとなっており、また、公務により死亡した場合には、遺族に対する扶助料の支給が定められていた。この文官に対する恩給制度は、その後大日本帝国憲法の発布に伴い、恩給制度を法律化した官吏恩給法（明二三法四三）及び官吏遺族扶助法（明二三法四四）、更に恩給に関する制度を統合した恩給法（大一二法四八）に受け継がれた。また、官吏の公務による負傷については、官吏療治料給与の件（明二五勅令八〇）により、治療に必要な費用が支給されることとなっていた。

官吏以外の者に対する制度としては、官役人夫死傷手当規則（明八太政官達五四）及び各庁技術工芸ノ者就業上死傷手当内規（明一一太政官達四）がその先駆的なものである。その後、大正五年の鉱業法、工場法の施行に伴う民間労働者に対する制度の確立を経て、傭人扶助令（大七勅令三八二）及び雇員扶助令（昭三勅令一〇九）が制定された。これらは、いずれも、鉱法及び工場法の内容を考慮して定められた制度であり、療養費用として療治料、後遺障害に対して障害扶助料、死亡に対して遺族扶助料及び葬祭料等が支給されることとなっていた。

２　労基法の制定と応急措置法

昭和二二年九月に労基法が制定、実施されたことに伴い、同法は国家公務員にも適用されることとなったが（昭和二三年の本法の第一次改正で附則第一六条（現行の附則第六条）が設けられ、労基法は適用除外された。）、〔趣旨〕三１に述べた従前の勅令等による給付の水準は労基法の災害補償の水準を下回るものであったため、当面の措置として労基法の水準まで給付内容を改善する必要があった。このため、政府職員及び職員の遺族等に対する給与で労基法の定める労働条件に相当するものが当該基準に達しないときは、その基準まで引き上げることを内容とする「労働基準法等の施行に伴う政府職員に係る給与の応急措置に関する法律」（「応急措置法」）が制定され、労基法の施行日に遡って適用された。

３　補償法の制定とその後の改正

人事院は、本法第九三条から第九五条までの規定に基づき、公務災害補償に関する法律の制定に向けて鋭意検討を重ね、昭和二六年二月一七日に、国会及び内閣に対し、国家公務員災害補償法案として災害補償制度の確立に関する研究の成果の提出及び法律制定についての意見の申出を行った。政府は、人事院の意見の申出を受けて法案を第一〇回国会に提出し、補償法は同国会で成立し、同年六月二日に公布され、七月一日から施行された。これにより、一般職の職員の災害補償は応急措置法から補償法によることに改められた。なお、船員である職員については、船員法及び船員保険法との関係で制定時の補償法の適用対象とはされなかったが、その後昭和四一年の改正で同法の対象とされることとなった。

補償法については、制定後今日に至るまでに社会状況の変動等を踏まえて、労働者災害補償保険法（以下「労災保険法」という。）における制度改正に準拠等しながら（補償法二三）、制度の対象の拡大、給付内容、水準の充実等の改正が行われ、制定時とはかなり内容を異にするものとなっている。これらの改正のうち主要なものは次のとおりである。

①　障害補償の一部（障害等級第一級から第三級まで）を一時金による補償から年金による補償に変更（昭三五・六・一三施行）

②　障害補償の障害等級第七級までの年金による補償の拡大、遺族補償の年金化（昭四一・七・一施行）
③　ＩＬＯ第一二一号条約水準を達成するための年金水準の改善（昭四五・一一・一適用）
④　警察官等の特別公務災害制度の創設（昭四七・一・一適用）
⑤　通勤災害保護制度の創設（昭四八・一二・一施行）
⑥　ＩＬＯ第一二一号勧告水準を達成するための障害補償及び遺族補償年金の水準の改善（昭四九・一一・一施行）
⑦　傷病補償年金の創設（昭五二・四・一施行）
⑧　遺族補償年金の水準の改善（昭五五・一一・一適用）、障害補償年金差額一時金及び障害補償年金前払一時金の創設（昭五六・一一・一施行）
⑨　遺族補償年金の受給資格年齢の引上げ、年金たる補償のスライド規定の整備（昭六〇・一〇・一施行）
⑩　年金たる補償に係る平均給与額の最低限度額及び最高限度額の導入（昭六二・二・一施行）
⑪　遺族補償年金の額の改善（平七・八・一施行）
⑫　介護補償制度の創設（平八・四・一施行）
⑬　通勤災害保護制度における通勤の範囲の拡大（平一八・四・一施行）

昭和四八年に導入された通勤災害保護制度は、本法の要請を受けたものではないが、自動車の普及による通勤に伴う危険の増大など社会的背景の変化、ＩＬＯ第一二一号条約では通勤による災害を労働災害の定義に含めるべきこととされていることなどを考慮し、労災保険法においても同様の制度の導入が予定されていたことを踏まえ、特に補償法を改正して、通勤による災害についても公務上の災害と同様の補償を行う制度を創設したものである。なお、人事院は、職員の利益保護の観点から、同制度の創設につき本法第二三条に基づいて補償法の改正の意見の申出を行っている。

なお、特別職の国家公務員の災害補償については、その種類に応じ次に掲げるそれぞれの法律により定められているところであるが、その内容については補償法の規定を準用し、あるいは一般職職員の例によることとされ、同法適用職員と同様の補償が行われている。

国会職員　国会職員法

国会議員の秘書　国会議員の秘書の給与等に関する法律
裁判官　裁判官の災害補償に関する法律
裁判所職員　裁判所職員臨時措置法
防衛省職員　防衛省の職員の給与等に関する法律
行政執行法人の役員　独立行政法人通則法
その他の特別職の職員　特別職の職員の給与に関する法律

四　公務災害を受けた職員の人事上の取扱い

公務上の災害を受けた職員については、災害補償制度上の措置のほか、給与、退職手当等他の人事に関する制度においても一般私傷病と比べて有利な取扱いがなされることがある。

1　免職、休職及び休暇

一般職の職員の身分上の取扱いのうち分限については、本法第七八条は、いわゆる分限免職の事由の一つとして、「心身の故障のため、職務の遂行に支障があり、又はこれに堪えない場合」を挙げており、また、第七九条は、休職事由の一つとして、「心身の故障のため、長期の休養を要する場合」を挙げている。これらは、いずれも心身の故障のため職務遂行能力に欠けることとなった職員については、公務能率を維持する観点からこれを公務から排除せざるを得ないという趣旨で定められている措置であり、本法上は公務傷病による場合と私傷病による場合で特に区別はされていない。なお、労基法第一九条では、業務上の災害を受けた者の保護の観点から、使用者は、労働者が業務上負傷し、又は疾病にかかり療養のために休業する期間及びその後三〇日間は解雇してはならない（療養開始三年経過後打切補償を行う場合等はこの限りでない。）としているが、公務上の災害を受けた職員の免職についても、運用上同様の配慮がなされるべきものと考えられる。

次に、行政執行法人に勤務する職員以外の一般職の職員のうち、常勤職員の病気休暇制度では、病気休暇は連続九〇日を超えることはできないとされているが、公務災害及び通勤災害による場合はこの期間制限が適用除外されている。また、非常勤職員の場合は、年次休暇以外の無給休暇の一つとして公務傷病による療養のための休暇が認められている（人規一五―一五）。

２　給　与

給与法に基づく給与上の取扱いについては、公務上の災害を受けた職員は次のような点で一般私傷病の場合に比べて有利となっている。

①　療養のため九〇日を超えて勤務しない場合には俸給の半減措置が執られるが、公務傷病についてはこの半減措置がない（給与法附則６）。

②　病気休職の場合、一年間（結核性の疾病の場合は二年間）に限って本来の給与の一〇〇分の八〇の休職給が支給されるが、公務傷病の場合は、全期間給与の全額が支払われる（給与法二三1～3）。

③　期末手当及び勤勉手当について、公務傷病による病気休暇、病気休職の期間については、手当の算定基礎となる在職期間から除算しない（人規九―四〇　五、七）。

④　公務傷病による病気休暇、病気休職の場合、それらの休暇等の期間は昇給区分の決定に当たり勤務していない期間としては取り扱われず、その余の勤務した期間の勤務成績を基に昇給区分が決定され（ただし、全期間勤務しない場合は昇給しない。）、また、復職時調整の換算率が三分の三以下（一般私傷病の場合は三分の一以下）とされている（人規九―八　三七、四四）。

３　退職手当

退手法上は、公務上の災害を受けた職員が退職した場合は、勤続期間の計算において二五年以上の長期勤続後の定年退職者と同様、最も有利に取り扱われ（退手法五）、また私傷病による病気休職が一月以上ある場合には勤続期間からその期間の二分の一が除算されるが、公務傷病による病気休職の場合は除算されない（退手法六の四、七４等）。

〔解　釈〕

一　本法と補償法の関係

１　補償法の役割

本法第九三条では、職員の公務に基づく負傷、疾病及び死亡によって職員本人及びその扶養する者が受ける損害に対し、これを補償する制度が法律によって実施されるべきことが規定され、同第九四条ではその補償制度に定められるべき事項が列記され、さらに、同第九五条においては、人事院に補償制度の研究成果を国会及び内閣に提出するとともに制度を実施する責務が課せられている。このような本法の要請を受け、人事院の意見の申出に基づいて災害補償を実施するための直接の根拠法として制定されたのが補償法である。

第九四条で補償制度に定めるべき事項として列記されているものの第一は、「公務上の負傷又は疾病に起因した活動不能の期間における経済的困窮に対する職員の保護に関する事項」であるが、これは、療養のため勤務することができない期間において療養の費用を要すること及び所得が減少、喪失することによる経済的困窮に対する措置を指すものであり、主として補償法の療養補償及び休業補償がこれに当たる。第二は、「公務上の負傷又は疾病に起因して、永久に、又は長期に所得能力を害せられた場合におけるその職員の受ける損害に対する補償に関する事項」であるが、これは傷病が治癒したときに後遺障害が存するためその後職員の所得能力が喪失又は制限されることによる損害に対する措置を指すものであり、補償法の障害補償がこれに当たる。第三は、「公務上の負傷又は疾病に起因する職員の死亡の場合におけるその遺族又は職員の死亡当時その収入によつて生計を維持した者の受ける損害に対する補償に関する事項」であるが、これは職員の収入によって生計を維持していた遺族等が職員の死亡に伴って被る損害に対する措置を指すものであり、補償法の遺族補償及び葬祭補償がこれに当たる。以上のほか、前述の〔趣旨〕三のとおり、補償法の制定後、昭和五二年に傷病補償年金が設けられているが、これも第九四条に掲げる事項（前述の第一及び第二）に相当するものといえる。

また、補償法においては、民間の労災保険制度の動きも見ながら、昭和四八年に通勤災害保護制度、平成八年に介護補償を創設しているが、これは第九四条自体が直接的に求めている事項ではないものの、その趣旨を踏まえた措置であるといえよう。

2　補償法の適用対象

補償法は、その第一条で一般職に属する全ての職員を対象とすることを規定している。したがって、非常勤職員や行政執行法人の職員も適用対象に含まれるものである。

ところで、労基法の災害補償に関する規定については、本法附則第六条で一般職の職員についてその適用が除外されているが、行政執行法人の職員については、行政執行法人労働関係法第三七条第一項により、本法附則第六条の規定が適用除外されているため、結局労基法の規定の適用を受けることとなっている。しかしながら、労基法第八四条では、同法に規定する災害補償の事由について、労災保険法又は厚生労働省令で指定する法令に基づいて労基法の災害補償に相当する給付が行われるべきものである場合には、使用者は補償の責を免れるとされており、厚生労働省令で指定する法令の一つとして補償法が指定されている。また、独立行政法人通則法第五九条では、行政執行法人の職員には労災保険法が適用除外されている。したがって、行政執行法人職員についても、補償法による補償のみが行われることになる。

また、行政執行法人の職員については、行政執行法人労働関係法第八条の団体交渉事項として災害補償に関する事項が掲げられているため、団体交渉事項と補償法との関係が問題となる。この点については、行政執行法人労働関係法が、その第三七条で、一般に団体交渉を経て労働協約を締結し得る勤務条件その他の事項についても本法の勤務条件に関する諸規定を適用除外しているにもかかわらず、本法第九三条から第九五条までについての適用除外を行っていないこと、また、補償法が本法第九三条第二項の「補償制度は、法律によってこれを定める。」とする規定を根拠に制定されていることなどから、補償の要件及び内容に関しては、専ら補償法によるべきであり、これを上回る内容の補償については、団体交渉になじまず、労働協約を締結することはできないと解されている。

次に、国際機関派遣法の規定により国際機関等に派遣されている職員については、派遣先の機関の業務を公務とみなして補償法を適用することとなっている（国際機関派遣法六）。また、一般職又は特別職に属する職員以外に、本法第二条第七項の規定により国との個人的基礎においてなされる勤務契約によって雇用される外国人があるが、これらの者には補償法の適用はなく、国は使用者として労基法に基づく補償を行うべきものと解されている。

3　補償法による補償の範囲

補償法第一条には、同法の目的として、①職員の公務上の災害又は通勤による災害に対する補償を迅速かつ公正に行うこと及び②被災職員の社会復帰の促進及び被災職員とその遺族の援護を図るために必要な事業を行い、もって被災職員及びその遺族の生活の安定と福祉の向上に寄与することが掲げられている。本法と補償法の関係で特筆すべき事項は、補償法では本法が対象とする職員の公務上の災害のみならず職員の通勤による災害についても補償することとしていること、また、補償法においては本法が予定する身体的損害に対する補償のほか、これを補完する付加的給付として、福祉事業を実施することしていることである。

すなわち、第一に、補償法は、職員の公務上の災害に対する補償等を実施するために制定されたものであるが、昭和四八年の改正で通勤災害保護制度が導入され、公務上の災害のみならず通勤による災害をも対象とするものとなった。これは、通勤による災害は、緊急用務のための出勤など特殊な場合を除いては官の支配管理下において生じた災害とはいえず、公務上の災害には当たらないとされていたものであるが、①通勤と勤務とは密接な関連性があり、勤務を提供するためには通勤という行為が必要不可欠のものであること、②通勤難の深刻化、通勤の遠距離化、自動車の普及による交通事情の悪化等から通勤に伴う危険性が増大したこと、③多くの先進国で通勤による災害に対し保護が加えられていること、④ＩＬＯ第一二一号条約では通勤による災害を労働災害の定義に含めるべきこととされていることなどの諸事情を考慮し、民間においても労災保険法改正により通勤災害保護制度の導入が予定されていたことを踏まえ、公務上の災害に当たらない通勤による災害についても、補償法に基づいて公務上の災害と同様の保護を加えることとしたものである。なお、単身赴任者の増大を踏まえ、平成一八年の同法の改正により、その帰省先住居と勤務場所又は赴任先住居との間の移動等も通勤の範囲に含まれることとされたほか、複数の勤務場所の間の移動も通勤の範囲に含まれることとされている。

次に、福祉事業については、補償法制定当時は外科後処置、休養、補装具等数種類にすぎず、福祉施設と規定されていたものであるが、民間企業における法定外給付に対応するなどの観点から、昭和四〇年代以降次第にその施策内容が拡充され、平成一〇年代に一部の福祉事業で整理が行われたものの、現在では人事院規則一六—三（災害を受けた職員の福祉事業）に基づいて一八種類の福祉事業が実施されるに至っており、災害補償制度の中で重要な地位を占めるようになっている。

二　国家公務員の災害補償の特徴

補償法による補償は、同法第二三条が、補償の実施については、これに相当する労基法及び労災保険法の補償の実施との間における均衡を失わないように十分考慮しなければならないと規定していることもあり、労災保険法の改正に合わせた改正を順次行うことにより、その対象となる災害の範囲、給付内容はほぼ同様のものとされているが、労災保険法と比べて次のような特徴を持っている。

第一に、補償法は、国が自らの職員に対して使用者としての責任から災害補償を行うものであり、国が直接被災職員又はその遺族に対して補償を行うこととしている。この点は労基法による災害補償と同様であるが、同法の災害補償責任を担保するための制度である労災保険法においては、それが多種多様の民間企業の労働者を対象とするものであることに鑑み、補償を確実に行うため保険制度を採ることとしている。

第二に、労災保険法は、国（厚生労働省）が保険の管掌者としてその実施に当たるのに対して、補償法は、実施機関（人事院が指定する本府省等の国の機関及び行政執行法人（旧郵政被災職員に係る補償の実施については、日本郵政株式会社））が同法及び人事院の定める基準の下に直接その実施に当たる。人事院はその総合調整に当たるとともに、実施に関する最終的責任を負うものとされ、補償制度の実施のために必要な人事院規則の制定、実施機関の指導等を行うこととされている。

第三に、国家公務員の災害補償は、国が直接、自らの災害補償責任を果たすものであることから、労災保険のように請求主義を採らず、補償を行うべき事由が生じた時点で権利が発生し、国に補償を行うべき義務が生じるものとされている。この結果、実施機関が行う公務上の災害の認定は、それ自体は実体的に被災職員又はその遺族の権利関係の発生、消滅に影響を及ぼす行政処分ではないと観念されている（昭四五・一〇・一五東京地裁）。

このように請求主義を採らないこととも関連して、災害が発生した場合は実施機関が被災職員等の請求を待たず職権でこれを探知し、公務上の災害又は通勤による災害により補償を受ける権利を有する旨の通知を行うこととされている。このため、各実施機関を更に細分した組織区分ごとに補償事務主任者が置かれ、災害が発生した場合には速やかに実施機関に報告することとされている。なお、前記の通知を行うまでは時効は進行しないこととされている。

第四に、労災保険の保険給付に関する決定に不服のある者は、労働者災害補償保険審査官に対し審査請求ができ、また、労働保険審査会に対して再審査請求ができることとされているのに対して、実施機関の行う公務上の災害又は通勤による災害の認定、補償の実施、福祉事業の運営に関して不服のある者は、人事院に対して審査の申立て又は措置の申立てを行うことができることとされている（補償法二四、二五、人規一三―三）。この審査の申立て等に対する判定は人事院指令の形式で行われるが、前述のとおり公務上の災害の認定は行政処分ではないので、この制度は行服法上の審査請求ではない。

次に、補償及び福祉事業の種類及び内容には、以下に述べるような労災保険との相違がある。

①　警察官など職務の内容が特殊な職員が、その生命又は身体に高度な危険が予測される状況の下において、犯罪の捜査、天災時における人命の救助等の職務に従事し、そのため災害を受けた場合には、傷病補償年金、障害補償及び遺族補償の額を五〇パーセントの範囲内で上積みする特別公務災害補償制度が設けられていること（補償法二〇の二）。

②　在外公館に勤務する職員等が、戦乱、内乱等の発生時に、その生命又は身体に高度な危険が予測される状況の下において、外交領事事務等に従事し、そのため災害を受けた場合に、傷病補償年金、障害補償及び遺族補償の額を五〇パーセントの範囲内で上積みする制度が設けられていること（補償法二〇の三、人規一六―二　六の二）。

③　労災保険の休業（補償）給付は、療養の開始後四日目から支給される（業務上の災害について最初の三日分は、労基法により使用者が負担する。）のに対し、補償法では休業の全期間に対して休業補償が支給されること（補償法一二）。

④　民間労働者が業務上の災害又は通勤による災害を受けた場合には、労災保険による給付に加えて、個別の企業からも相当額の金銭給付を受けている場合が多いことに鑑み、使用者の直接補償という性格を有する補償法においては、この民間企業が個別に行っているいわゆる法定外給付に相当する給付を行うため福祉事業として特別援護金制度（障害特別援護金及び遺族特別援護金）が設けられていること（補償法二二、人規一六―三　一九の四、一九の五）。

⑤　船員である職員について、船員保険法の保険給付等との均衡を考慮して、特例措置（予後補償、行方不明補償等）が設けられていること（補償法二〇の三、人規一六―二）。

⑥　労災保険の年金スライドは、前年度の毎月勤労統計による全産業の労働者一人当たりの平均給与額が変動した場合に、八月分から改定されるのに対して、補償法に基づく年金たる補償のスライドは、平成一二年度の一般職の国家公務員の給与水準を一〇〇とした上で、これに毎年の国家公務員の給与改定率（令和二年度までは給与勧告における官民較差率）を累積的に乗じて作成する各年の指数を用いて改定しており（給与改定が行われなかった場合には前年度の当該指数に「1」を乗ずる。）、また、改定も翌年度の四月分からであること（補償法四の二。毎年の人事院の給与勧告における官民較差率を累積的に用いる方式だと官民較差が少なく給与改定が行われない場合にも較差率に応じたスライド改定だけは毎年行われることになるため、令和三年度からは、官民較差率に替えて給与改定率に改められている。）。

三　公務上の災害及び通勤による災害の範囲

１　公務上の災害の範囲

補償法では、第一条の目的規定において公務上の災害（負傷、疾病、障害又は死亡をいう。）と規定されているほか公務上の災害を定義した規定はないが、一般に、公務上の災害とは公務遂行性及び公務起因性を有する災害であると観念されている。公務遂行性とは、災害が官の支配管理の下で発生したことをいい、公務起因性とは災害が職員の職務と相当因果関係をもって発生したことをいう。

補償法の解釈を示す人事院規則においては、公務上の災害の範囲について、公務に起因する負傷、障害及び死亡並びに人事院規則一六―〇（職員の災害補償）別表第一に掲げる疾病と規定されており（人規一六―〇　二）、さらに、これらについての認定基準は、「災害補償制度の運用について（昭四八職厚九〇五人事院事務総長。以下の記述において「運用通達」という。）」に示されている。

公務上の災害の認定は各実施機関が行うものであるが、その認定に当たっては、人事院の示す一般基準に基づきつつ、過去の認定事例や医学的知見を踏まえて個々の事例における具体的妥当性に基づいて判断されている。なお、このような一般基準によって判断が困難な場合には、実施機関は必要な資料を添えて人事院事務総局職員福祉局長に協議することとされている（運用通達第二）。以下、負傷、疾病、障害及び死亡の別に認定基準について概説する。

㈠　公務上の負傷の認定

公務上の負傷の認定については、運用通達（昭四八・一一・一職厚九〇五）第二の１にその基準が示されている。

○運用通達第二（公務上の災害の認定関係）の１（公務上の負傷の認定）

１　公務上の負傷の認定

次に掲げる負傷は、原則として、公務上のものとする。ただし、⑴に該当する負傷であっても、故意又は本人の素因によるもの、天災地変によるもの（天災地変による事故発生の危険性が著しく高い職務に従事している場合及び天災地変による罹災地へ当該罹災地以外の地域から出張した場合におけるものを除く。）及び偶発的な事故によるもの（私的怨恨によるものを含む。）と明らかに認められるものについては、この限りでない。

⑴　次に掲げる場合に発生した負傷

ア　通常又は臨時に割り当てられた職務（国家公務員法（昭和二二年法律一二〇号）第三章第四節の二の規定による研修又はこれ

に相当する研修の受講及び人事院規則一〇―四（職員の保健及び安全保持）の規定による健康診断又はこれに相当する健康診断の受診を含む。）を遂行している場合（出張の期間中の場合を除く。）

イ　職務の遂行に通常伴うと認められる合理的な行為（公務達成のための善意による行為を含む。）を行っている場合

ウ　勤務時間の始め又は終わりにおいて職務の遂行に必要な準備行為又は後始末行為を行っている場合

エ　勤務場所において負傷し、又は疾病にかかった職員を救助する行為を行っている場合

オ　非常災害時において勤務場所又はその附属施設（無料国設宿舎等、事業附属寄宿舎及び研修施設附属宿泊施設を含む。）を防護する行為を行っている場合

カ　出張又は赴任の期間中である場合（次に掲げる場合を除く。）

(ア)　合理的な経路又は方法によらない順路にある場合

(イ)　(ア)に該当する場合以外の場合において、恣意的行為を行っているとき。

(ウ)　出張先の宿泊施設が補償法第一条の二に規定する住居としての性格を有する場合において、当該宿泊施設内にあるとき、又は当該宿泊施設と勤務場所との間の往復の途上にあるとき。

キ　次に掲げる出勤又は退勤（住居（(イ)の場合にあっては、職員の居場所を含む。）又は勤務場所を始点又は終点とする往復行為をいう。以下同じ。）の途上にある場合（合理的な経路若しくは方法によらない場合又は遅刻若しくは早退の状態にある場合を除く。）

(ア)　公務運営上の必要により特定の交通機関によって出勤又は退勤することを強制されている場合の当該出勤又は退勤の途上

(イ)　突発事故その他これに類する緊急用務のため、直ちに又はあらかじめ出勤することを命ぜられた場合の出勤の途上

(ウ)　午後十時から翌日の午前七時三十分までの間に開始する勤務につくことを命ぜられた場合の出勤の途上

(エ)　午後十時から翌日の午前五時までの間に勤務が終了した場合の退勤の途上

(オ)　週休日に特に勤務することを命ぜられた場合の出勤又は退勤の途上

(カ)　休日に特に勤務することを命ぜられた場合（交替制勤務者等でその日（代休日を除く。）に当然に勤務することとなっている場合を除く。）の出勤又は退勤の途上

(キ)　週休日とされていた日に勤務時間の割振りが変更されたことにより勤務することとなった場合（交替制勤務者等にあっては、その日前一週間以内に変更された場合に限る。）の出勤又は退勤の途上

(ク)　勤務時間法第一三条の二第一項に規定する超勤代休時間又はこれに相当する時間に特に勤務することを命ぜられた場合の出勤又は退勤の途上

(ケ)　(ア)から(ク)までに掲げる場合の出勤又は退勤に準ずると認められる出勤又は退勤等特別の事情の下にある場合の出勤又は退勤

の途上

ク　職員がその所属する官署又は事務所の長の支配管理の下に実施されたレクリエーション行事（人事院規則一〇―六（職員のレクリエーションの根本基準）の規定によるレクリエーション行事及びこれに相当するレクリエーション行事をいう。）に参加している場合（二以上の官署又は事務所が共同して実施する運動競技会にその所属する官署又は事務所の代表選手として当該官署又は事務所の長から指名されて参加した場合を含む。）

(2)　次に掲げる場合に発生した負傷で、勤務場所又はその附属施設の設備の不完全又は管理上の不注意その他所属官署又は事務所の責めに帰すべき事由によると認められるもの（(1)のアからカまでに該当する場合のものを除く。）

ア　官署又は事務所が専用の交通機関を職員の出勤又は退勤の用に供している場合において、当該出勤又は退勤の途上にあるとき（(1)のキの(ア)に該当する場合を除く。）。

イ　勤務のため、勤務開始前又は勤務終了後に施設構内で行動している場合

ウ　休息時間又は休憩時間中に勤務場所又はその附属施設を利用している場合

(3)　無料国設宿舎等、事業附属寄宿舎又は研修施設附属宿泊施設において、当該宿舎の不完全又は管理上の不注意によって発生した負傷

(4)　職務の遂行に伴う怨恨によって発生した負傷

(5)　公務上の負傷又は疾病と相当因果関係をもって発生した負傷

(6)　(1)から(5)までに掲げるもののほか、公務と相当因果関係をもって発生した負傷

(二)　公務上の疾病の認定

公務上の疾病の範囲については、人規一六―〇別表第一に掲げられており、大別すれば同表第一号の公務上の負傷に起因する疾病、同表第二号から第九号に掲げる職業性疾病、同表第一〇号のその他公務に起因することの明らかな疾病の三種類である。

(1)　公務上の負傷に起因する疾病は公務上のものとされる。具体的には、次のような場合がこれに当たる。

①　負傷した当時、なんら疾病の素因を有していなかった者が、その負傷によって発病した場合

②　負傷した当時、疾病の素因はあったが発病する程度でなかった者が、その負傷により、その素因が刺激されて発病した場合

③　負傷した当時、疾病の素因があり、しかも早晩発病する程度であった者が、その負傷により、発病の時期を著しく早めた場合

④　負傷した当時、既に発病していた者が、その負傷により、その疾病を著しく増悪した場合

(2)　人規一六—〇別表第一の第二号から第九号までに掲げる職業性疾病については、特に反証のない限り公務上のものとされる。これらの各号に掲げられているものの概要は、次のとおりである。

①　物理的因子にさらされる業務に従事したため生じた疾病、例えば、エックス線等を取り扱う業務に従事したため生じた放射線障害

②　身体に過度の負担を与える作業態様の業務に従事したため生じた疾病、例えば、腰部に過度の負担を与える不自然な作業姿勢により行う業務に従事したために生じた腰痛

③　化学物質等にさらされる業務に従事したために生じた疾病

④　粉じんを飛散する場所における業務に従事したため生じたじん肺症

⑤　細菌、ウイルス等の病原体にさらされる業務に従事したため生じた疾病

⑥　がん原性物質又はがん原性因子にさらされる業務に従事したため生じた疾病

⑦　相当の期間にわたって継続的に行う長時間の業務その他血管病変等を著しく増悪させる業務に従事したため生じた狭心症、心筋梗塞、脳出血等の疾病

⑧　人の生命にかかわる事故への遭遇その他強度の精神的又は肉体的負荷を与える事象を伴う業務に従事したため生じた精神及び行動の障害

(3)　その他公務に起因することが明らかな疾病

なお、個別の疾病に関する認定基準として、「腰痛に関する公務上の災害の認定について（昭五二職補三二四）」、「放射線障害に関する公務上の災害の認定について（昭五七職補六〇九）」、「上肢作業に従事する職員に係る公務上の疾病の認定について（平九職補一二五）」、「心・血管疾患及び脳血管疾患の公務上災害の認定について（令三職補二六六）」及び「精神疾患等の公務上災害の認定について（平二〇職補一一四）」が示されている。このうち、「心・血管疾患及び脳血管疾患の公務上災害の

認定について」は、最新の医学的知見等を踏まえて平成一三年の認定指針から対象疾患の追加等を行うとともに、いわゆる過労死ラインの水準（一か月に一〇〇時間程度、二か月以上で一か月当たり八〇時間程度の超過勤務）は維持した上で、超過勤務が同水準に至らない場合でも、勤務時間以外の質的要因を総合的に評価し業務の過重性を判断するとの平成一三年の認定指針の考え方を明記するなどして、認定指針として定めたものである。また、「精神疾患等の公務上災害の認定について」は、平成一一年に作られた認定指針を同二〇年に全面改正したものであるが、その後も改正を重ね、同二四年に超過勤務時間数だけでなく質的要因を総合的に評価し業務の過重性を判断するとの考え方は維持しつつ、具体的な超過勤務時間数（特に業務の過重性に留意して検討すべき場合として、精神疾患発症前六か月間のうちの一か月間に業務上の必要から概ね八〇時間以上の超過勤務を行った場合を示すとともに、過重な負荷となる可能性のある業務が発生し、その対応のために精神疾患発症の一か月前に概ね一〇〇時間以上の超過勤務を行った場合などは発症原因とするに足る強度の精神的又は肉体的負荷を受けたものとすること）を明示したほか、同年及び令和二年には評価対象となる出来事の類型として、順次セクシュアル・ハラスメント、パワー・ハラスメントを追加するなど、判断基準の明確化を図ってきている。

㈢　公務上の障害及び死亡の認定

公務上の負傷又は疾病と相当因果関係をもって生じた障害又は死亡は、公務上のものとされる（運用通達第二の３）。

２　通勤による災害の範囲

通勤による災害とは、通勤に起因して発生した負傷、疾病、障害又は死亡であり、言い換えれば、通勤に通常伴うと認められる危険が具体化した災害である。例えば、通勤の途上において自動車にひかれたことによる負傷等は原則として通勤による災害と認められる。しかし、通勤途上の事故であっても、自殺等被災職員の故意によって生じた災害、私的怨恨によって生じた災害等は、通勤に通常伴う危険が具体化したものではないので、通勤による災害とは認められない。

この場合の「通勤」については、補償法第一条の二第一項において、「職員が、勤務のため、次に掲げる移動を、合理的な経路及び方法により行うことをいい、公務の性質を有するものを除くものとする。」と定義され、同項において、「住居と勤務場所との間の往復」、「一の勤務場所から他の勤務場所への移動」及び「住居と勤務場所との間の往復に先行し、又は後続する住居間の移動」が掲げられている。公務の性質を有するものとは、緊急用務のための出勤などの特殊な出退勤であり、このような通勤はそれ自体が公務であるから、そこで生じた災害は公務上の災害となるものである（運用通達第二の1の(1)のキ）。

また、補償法第一条の二第二項においては、通勤の往復の経路を逸脱し、又は往復を中断した場合においては、当該逸脱又は中断の間及びその後の往復は通勤としないが、当該逸脱又は中断が、日常生活上必要な行為として人事院規則で定める行為をやむを得ない事由により行うための最小限度のものである場合は、逸脱、中断の間を除き、合理的経路に復した後は通勤として取り扱うこととされている。日常生活上必要な行為として人事院規則では、①日用品の購入その他これに準ずる行為、②学校教育法第一条に規定する学校において行われる教育、公共職業能力開発施設において行われる職業訓練その他これらに準ずる教育訓練であって職業能力の向上に資するものを受ける行為、③病院又は診療所において診察又は治療を受けることその他これに準ずる行為、④選挙権の行使その他これに準ずる行為及び⑤負傷、疾病又は老齢により二週間以上の期間にわたり日常生活を営むのに支障がある配偶者（婚姻の届出をしていないが、事実上婚姻関係と同様の事情にある者を含む。）、子、父母、配偶者の父母その他人事院が定める者の介護（継続的に又は反復して行われるものに限る。）が定められている（人規一六―〇　三の二4）。

補償法第一条の二の解釈など通勤による災害の認定に関する事項については、運用通達第三及び「通勤による災害の認定について（昭四八職厚一〇二九）」に示されているが、認定が困難な場合には、実施機関は、必要な資料を添えて人事院事務総局職員福祉局長に協議することとされている。

四　補償及び福祉事業の内容

1　平均給与額及び補償の種類

(一)　平均給与額

療養補償を除く他の補償については、職員の一日当たりの給与額（平均給与額）を一定の算式に基づいて算定し、この額に一定の日数又は率を乗じてその補償額を定めることとしている。平均給与額の算定方法は、事故発生日（負傷若しくは死亡の原因である事故の発生の日又は診断によって疾病の発生が確定した日）の属する月の前月の末日から起算して過去三月間にその職員に支払われた給与の総額を、その期間の総日数で除して得た額とすることが原則である（補償法四）。この場合の給与の総額は、給与法の適用される常勤職員の例では、期末手当、勤勉手当を除く全ての給与を含め、寒冷地手当については、事故発生日に支給地域に在勤し、過去一年間に同手当が支給された場合に、直近の支給日に支給された同手当額に五を乗じ三六五で除したものに平均給与額の算定の基礎となる総日数を乗じて得た額を加えることとしている。

また、このような計算方法の原則によると額の決定が不能又は不公正となる場合には、補償法第四条及び同条に基づく人規一六―〇により例外的な平均給与額の計算方法が定められている（例えば、採用日に被災するなど過去三月の給与支給実績のない場合には、基本的給与の月額を三〇で除した額を平均給与額とするとされている。また、平成二四年四月から二六年三月までの給与の特例減額支給のため、この特例減額期間を含む者については、平均給与額が低く決定される。このため、平成二六年四月以降の補償では特例減額支給がないものとして再計算した平均給与額を用いることとされている。）。

なお、年金たる補償等の額の算定の基礎として用いる平均給与額については、以上によるほか、補償法第四条の二及び第四条の三において、スライド率や被災職員の年齢階層に応じた最低限度額及び最高限度額が設けられているが、この点については2で詳述する。

㈡　療養補償

職員が公務上負傷し若しくは疾病にかかり、又は通勤により負傷し若しくは疾病にかかった場合においては、国は、療養補償として、必要な療養を行い、又は必要な療養の費用を支給する（補償法一〇）。この場合の療養の範囲は、①診察、②薬剤又は治療材料の支給、③処置、手術その他の治療、④居宅における療養上の管理及びその療養に伴う世話その他の看護、⑤病院又は診療所への入院及びその療養に伴う世話その他の看護並びに⑥移送であり、それぞれ療養上相当と認められる限度で行われる（補償法一一）。

㈢　休業補償

職員が公務上又は通勤により、負傷し又は疾病にかかり、療養のため勤務することができない場合で、その給与を受けないときは、国は、休業補償として、その勤務することができない期間につき、平均給与額の一〇〇分の六〇に相当する額を支給する（補償法一二）。また、このような場合には、休業補償のほか福祉事業の休業援護金として、平均給与額の一〇〇分の二〇に相当する額が支給されるので（人規一六―三　一三）、両者を合わせると平均給与額の一〇〇分の八〇に相当する額が支給されることとなる。

㈣　傷病補償年金

職員が公務上又は通勤により、負傷し又は疾病にかかり、その療養の開始後一年六月を経過した日以降において当該負傷又は疾病が治らず、かつ、一定程度以上の障害の状態（傷病等級第一級から第三級まで）にある場合には、傷病等級に応じて平均給与額の三一三日分から二四五日分の傷病補償年金を支給する（補償法一二の二）。傷病補償年金を受ける者には、休業補償は行わない（補償法一二の二３）。

なお、傷病補償年金の年額に五〇円未満の端数があるときはこれを切り捨て、五〇円以上一〇〇円未満の端数があるときはこれを一〇〇円に切り上げる（補償法一七の八）。また、傷病補償年金は、支給すべき事由が生じた月の翌月から支給を受ける権利が消滅した月まで支給され、毎年二月、四月、六月、八月、一〇月及び一二月に前月分までの金額が支払われる（補償法一七の九）。これらの取扱いは、障害補償年金及び遺族補償年金も同様である。

㈤　障害補償、障害補償年金差額一時金及び障害補償年金前払一時金

職員が公務上又は通勤により、負傷し又は疾病にかかり、治ったときに障害等級に該当する程度の障害が存する場合においては、障害等級第一級から第七級までの者には障害補償年金を支給し、第八級から第一四級までの者には障害補償一時金を支給する（補償法一三）。障害補償年金の額は、障害等級に応じて平均給与額の三一三日分（第一級）から一三一日分（第七級）であり、障害補償一時金の額は、障害等級に応じて平均給与額の五〇三日分（第八級）から五六日分（第一四級）である。

なお、障害補償年金を受ける権利を有する者が死亡した場合において、その者に支給された障害補償年金の額が、障害等級に応じて定められた額（例えば、障害等級第一級の場合平均給与額の一三四〇日分）に満たないときは、遺族にその差額に相当する額を障害補償年金差額一時金として支給する（補償法附則４～７）。また、障害補償年金を受ける権利を有する者から申出があったときは、障害等級に応じて定められた額を限度として、障害補償年金前払一時金を支給し、その額に達するまでの間、障害補償年金の支給を停止する（補償法附則８～11）。

㈥　介護補償

傷病補償年金又は障害補償年金を受ける権利を有する者が、その傷病補償年金又は障害補償年金を支給すべき事由となった一定の障害によって常時又は随時介護を要する状態にあり、かつ、常時又は随時介護を受けている場合に、介護補償を支給する（補償法一四の二）。介護補償の額は、月を単位として、被災職員が現実に介護に要する費用として支出した額を算定した上で、一定の額（常時介護の場合は、一七二、五五〇円（令和五年四月現在））を上限に支給する。ただし、親族等の介護を受けていて介護の費用を支出していない場合にも、一律の額（常時介護の場合は、七七、八九〇円（同上））を支給する（人規一六—〇　二八の三、運用通知第一一の二4）。

(七)　遺族補償及び遺族補償年金前払一時金

職員が公務上又は通勤により死亡した場合、職員の遺族に対して、遺族補償として、遺族補償年金又は遺族補償一時金を支給する（補償法一五）。

(1)　遺族補償年金　　遺族補償年金を受けることができる遺族（受給資格者）は、職員の配偶者（事実上の婚姻関係にある者を含む。）、子、父母、孫、祖父母及び兄弟姉妹であって、職員の死亡の当時その収入によって生計を維持していたものである。なお、妻以外の者にあっては、職員の死亡の当時、次の要件に該当した場合に限られ、また、職員の死亡の当時胎児であった子が出生したときは、将来に向かって、その子は、職員の死亡の当時その収入によって生計を維持していた子とみなされる（補償法一六）。

①　夫、父母又は祖父母については、六〇歳以上であること。

②　子又は孫については、一八歳に達する日以後の最初の三月三一日までの間にあること。

③　兄弟姉妹については、一八歳に達する日以後の最初の三月三一日までの間にあること又は六〇歳以上であること。

④　①から③に該当しない夫、子、父母、孫、祖父母又は兄弟姉妹については、一定の障害の状態（障害等級第七級以上）にあること。

これらの受給資格者のうち、実際に遺族補償年金を受ける受給権者となるのは、配偶者、子、父母、孫、祖父母、兄弟姉妹の順序であり、父母については、養父母を先にし、実父母を後にする（補償法一六3）。また、最先順位の受給資格者が複数いる場合は、これらの者が全て受給権者となる。

遺族補償年金の額は、受給権者たる遺族及びその者と生計を同じくしている受給資格者の人数に応じて定められており、一人の場合は平均給与額の一五三日分（五五歳以上又は一定の障害の状態にある妻は一七五日分）、二人の場合は平均給与額の二〇一日分、三人の場合は平均給与額の二二三日分、四人以上の場合は平均給与額の二四五日分である（補償法一七）。

次に、職員の死亡の当時遺族補償年金の受給権者とされた者も、その後、次の要件に該当すれば遺族補償年金を受けることができなくなり、同順位の者がなければ次の順位の者に遺族補償年金を受ける権利が移る（補償法一七の二１）。また、受給資格者も、これらの要件に該当することとなった場合は受給資格を失うこととなる（補償法一七の二２）。

① 死亡したとき。
② 婚姻をしたとき。
③ 直系血族又は直系姻族以外の者の養子となったとき。
④ 離縁によって死亡した職員との親族関係が終了したとき。
⑤ 職員の子、孫又は兄弟姉妹である者が一八歳に達した日以後の最初の三月三一日が終了したとき。
⑥ 一定の障害を有していた夫、子、父母、孫、祖父母又は兄弟姉妹については、その事情がなくなったとき。

また、遺族補償年金の受給権者から申出があったときは、平均給与額に一、〇〇〇日分を乗じて得た額を限度として、遺族補償年金前払一時金を支給し、その額に達するまでの間、遺族補償年金の支給を停止することとしている（補償法附則12～15）。

(2)　遺族補償一時金　　遺族補償一時金は、職員の死亡当時遺族補償年金を受けることができる遺族がない場合に支給されるほか、遺族補償年金の受給権者の権利が消滅した場合において、他に遺族補償年金の受給資格者がなく、かつ、既に支給された年金額が遺族補償一時金の額に満たない場合に、いわゆる失権差額一時金として支給される（補償法一七の四）。遺族補償一時金を受けることができる遺族は、職員の死亡の当時次に掲げる要件に該当する者であり、このうち現実に遺族補償一時金を受けるのは次の順序による（補償法一七の五）。

① 配偶者
② 職員の収入によって生計を維持していた子、父母、孫、祖父母及び兄弟姉妹

③　①、②以外の者で主として職員の収入によって生計を維持していた者
④　②に該当しない子、父母、孫、祖父母及び兄弟姉妹

遺族補償一時金の額は、①、②、④に該当する者にあっては平均給与額の一、〇〇〇日分、③に該当する者のうち、職員の死亡の当時において、職員の三親等内の親族で一八歳未満若しくは五五歳以上の年齢であったもの又は一定の障害の状態にあったものにあっては平均給与額の七〇〇日分、③に該当するその他の者にあっては平均給与額の四〇〇日分である（補償法一七の六、人規一六―〇　三〇）。

(八)　葬祭補償

職員が公務上又は通勤により死亡した場合には、葬祭を行う者に対して、葬祭補償として、三一万五千円に平均給与額の三〇日分に相当する額を加えた額と平均給与額の六〇日分に相当する額のいずれか高い方の額を支給する（補償法一八　人規一六―〇　三二）。

2　年金平均給与額の限度額及び年金たる補償等の額の改定

傷病補償年金、障害補償年金及び遺族補償年金の場合は、年金額の算定の基礎とする平均給与額について年齢階層別の最低限度額及び最高限度額が設けられ、また、年金額の自動改定が行われる措置が定められている。さらに、療養開始後一年六月を経過した休業補償（以下「長期療養者の休業補償」という。）についても、傷病補償年金受給者との均衡から、年金たる補償と同じ年齢階層別の最低・最高限度額が適用される。

(一)　年金等平均給与額の最低限度額及び最高限度額

年金たる補償に係る平均給与額及び長期療養者の休業補償については、被災職員の年齢階層（原則として五歳幅）ごとの最低限度額及び最高限度額が設けられている。すなわち、補償法第四条の規定により計算した平均給与額が、被災職員の年齢に応じた最低限度額を下回る場合には当該最低限度額を、被災職員の年齢に応じた最高限度額を超える場合には当該最高限度額を、それぞれ年金平均給与額として年金額を算定することとなる。この場合の被災職員の年齢とは、遺族補償についてはその者が生存していると仮定した場合の年齢である（補償法四の四、平四人事院公示六）。

このような措置が採られた趣旨は、①給与が一般に低い若年時に被災した職員に係る平均給与額は低額となり、その後は

年金額の自動改定によりこの年金額の水準が維持されるにすぎない。すなわち、若年時に被災した職員が壮年に達したときに受ける平均給与額は、壮年となった被災職員と同一の年齢の者が被災した場合の平均給与額に比べて低く、相当大きな格差が生じていたこと、②年金額が被災職員の年齢に伴って変動せず、特に相当高額の年金を受給する者が高齢になってもその年金額が維持されるため、一般に高齢者は加齢に応じて賃金収入が減少することとの関係で不均衡が生じていたことなどを考慮し、被災職員の年齢の推移に応じて限度額を適用することにより、このような不均衡を是正しようとするものである。また、長期療養者の休業補償についても、傷病補償年金を受ける者との均衡を考慮して、年金たる補償と同様の措置が採られている（補償法四の三、平四人事院公示六）。

最低限度額及び最高限度額については、労災保険における限度額を考慮して人事院が定めることとされている（補償法四の四2、平四人事院公示六）。労災保険における限度額は、年齢階層ごとに、当該年齢階層に属する労働者をその賃金日額の高低に従い区分し、下から五パーセントめの額を最低限度額の基礎、上から五パーセントめの額を最高限度額の基礎とし、その他の事情も考慮して定められるものである。国家公務員については、労災保険において前年八月から用いている限度額に、前年度の国家公務員の給与改定率（給与改定が行われなかった場合には「1」。なお、令和二年度までは人事院の給与勧告における官民較差率を用いていたが、この方式だと官民較差が少なく給与改定が行われない場合にも較差率に応じた改定だけは毎年行われることになるため、令和三年度からは、官民較差率に替えて給与改定率に改められている。）を乗じることにより、前年度の賃金実態に基づく額を推計して毎年四月に限度額を改定することとされている。国家公務員について毎年四月に限度額を改定することとしたのは、年金たる補償の額の自動改定の時期と同一の時期としたものである。

㈡　年金たる補償の額の改定

補償法第一七条の一二は、年金たる補償の額について、国民の生活水準、物価その他の諸事情に著しい変動が生じた場合においては、変動後の諸事情を総合勘案して、速やかに改定措置を講ずべきことを規定しているが、実際には、年金たる補償の額の改定は、国家公務員の給与改定率にスライドする方法がとられている。すなわち、この規定は年金額の改定を羈束するものではなく、いわゆる訓示規定と理解されている。具体的には、かつては、個々の年金ごとにその年金額の算定の基礎となる平均給与額を国家公務員の給与水準の変動等に応じて再計算し、その額がそれまで用いている平均給与額の一定割合を超える場合には平均給与額を新たな額とすることにより、年金額の改定を行ってきた。しかしながら、このように個々の被災職員ごとに緻密な計算を行うことは実務上極めて煩雑であったことなどから、昭和六〇年の補償法の改正で年金額のスライド改定方式を採用することとなった。これは、毎年四月における一般職の国家公務員の給与水準が六パーセントを超えて変動した場合に翌年度の四月分から年金額を改定するものであった。その後、平成二年からは、当時、各公的年金が完全自動物価スライド制に移行していたことを契機に、これまでの「六パーセント」の枠を撤廃し、国家公務員の給与水準の変動を反映させる完全自動給与スライド制を採用し、これまで法附則で措置していたスライドに係る規定を本則上のものに改めた（補償法四の二1）。

また、平成二年改正時は、スライド率の算定は職員の給与水準を平均給与額ベースで捉えて行っていたが、この場合、職員の高齢化などの公務の人員構成の変化の影響等を受けることとなり、労働者全体の給与水準に基づく労災保険制度のスライド率との間に乖離が生じることが見込まれたことから、これを避けるため、平成一二年度の給与水準を一〇〇に指数化した上で国家公務員の給与改定率（従前は毎年の人事院の給与勧告における官民較差率を用いていたが、この方式だと官民較差が少なく給与改定が行われない場合にも較差率に応じた改定だけは毎年行われることになるため、令和三年度からは、官民較差率に替えて給与改定率に改められている。）を用いてスライド率を算定している（平一二人事院公示八）。

3　補償の制限、未支給の補償及び補償の特例

（一）　補償の制限

①職員が、故意の犯罪行為又は重大な過失により、公務上の傷病若しくは通勤による傷病又はこれらの原因となった事故を生じさせた場合及び②職員が正当な理由がなくて療養に関する指示に従わないことにより、傷病若しくは障害の程度を増進させ、又はその回復を妨げた場合には、人事院規則で定めるところにより、休業補償、傷病補償年金又は障害補償の全部又は一部を行わないことができることとされている（補償法一四）。具体的には、①の場合は、療養開始の日から三年に達する日までに支給すべき休業補償、傷病補償年金又は障害補償の額の一〇〇分の三〇に相当する額を減ずることができ、また、②の場合は、一回につき休業補償の一〇日分又は傷病補償年金の額の三六五分の一〇に相当する額の支給を行わないことができるものとされているが、いずれも、実施機関があらかじめ人事院の承認を得て行うことが必要である（人規一六―

○　二八）。

㈡　未支給の補償

補償を受ける権利を有する者が死亡した場合において、その死亡した者に支給すべき補償でまだその者に支給しなかったものがあるときは、その者の配偶者、子、父母、孫、祖父母又は兄弟姉妹であってその者の死亡の当時その者と生計を同じくしていたもの（遺族補償年金及び遺族補償年金前払一時金については当該遺族補償年金を受けることができる他の遺族、障害補償年金差額一時金については当該障害補償年金差額一時金を受けることができる他の遺族）に、これを支給する。この場合の未支給の補償を受けるべき者の順位は、先に掲げた順序（遺族補償年金及び遺族補償年金前払一時金については遺族補償年金を受けるべき遺族の順位と同じ、障害補償年金差額一時金については、障害補償年金差額一時金を受けるべき遺族の順位と同じ）である（補償法二〇、附則一六、二一）。

㈢　警察官等の特別公務災害

昭和四七年の補償法の改正により、警察官等職務内容の特殊な職員に係る補償の特例が設けられた。その内容は、警察官、海上保安官その他職務内容の特殊な職員で人事院規則で定めるものが、その生命又は身体に対する高度の危険が予測される状況の下において、犯罪の捜査、被疑者の逮捕、犯罪の制止、天災時における人命の救助その他の人事院規則で定める職務に従事し、そのため公務上の災害を受けた場合における当該災害に係る傷病補償年金、障害補償又は遺族補償について、五〇パーセントの範囲内で補償額の加算を行うものである（補償法二〇の二）。

このような特例が設けられた趣旨は、昭和四七年の浅間山荘事件における警察官の殉職等を契機として、国民の生命、身体及び財産の保護その他公共の安全と秩序の維持に当たるという警察官等の職責の特殊性及びその職務遂行の際の危険性が考慮されたものである。

人事院規則で特例の対象として定められている職員は、警察官、皇宮護衛官、海上保安官、海上保安官補、刑事施設の職員、入国警備官、麻薬取締官、漁業監督官、警察通信職員、国土交通省地方整備局等に所属し河川又は道路の管理に従事する職員及び同省地方航空局に所属し消火救難業務に従事する職員である（人規一六―〇　三二）。

㈣　在外公館に勤務する職員等の特例

在外公館に勤務する職員又は公務で外国旅行中の職員が、戦争、事変、内乱その他の異常事態の発生時にその生命又は身体に対する高度の危険が予測される状況の下において、外交領事事務等に従事し、そのため公務上の災害を受けた場合には、その傷病補償年金、障害補償又は遺族補償については、五〇パーセントの範囲内で割増加算された額が支給される（補償法二〇の三、人規一六―一　六の二）。

㈤　船員である職員の特例

船員法第一条に規定する船員である職員については、船員法及び船員保険法との均衡を考慮し、平均給与額の計算、療養補償の範囲、休業補償、障害補償及び遺族補償の額についての特例のほか、予後補償及び行方不明補償を行うという特例が定められている（補償法二〇の三、人規一六―二）。

4　福祉事業の種類

補償法第一条には、その目的として、補償のほか、被災職員の社会復帰の促進及び被災職員とその遺族の援護を図るために必要な事業を行うことが掲げられている。また、同法第二二条においては、人事院及び実施機関に対し、このような福祉事業の実施に努める義務が課せられており、さらに、業務上の災害又は通勤による災害を受けた民間事業の従業員及びその遺族に対する福祉に関する給付その他の事業の実態を考慮して、その実施を図ることが規定されている。

福祉事業は、同法第一条の規定からも明らかなように、被災職員の損害の塡補を定型的に行うことを本旨とする補償に加えて、社会復帰の促進及び生活の援護のため国が附加的に行うものであり、労災保険における社会復帰促進等事業や、民間企業における法定外の給付に対応するものであり、実際には、諸種の現金給付制度がその中心を占めている。

福祉事業のうち社会復帰を促進するための措置としては、外科後処置、補装具、リハビリテーション及びアフターケアがあり、また、療養生活、就学等の援護のための措置としては、休業援護金、ホームヘルプサービス、奨学援護金、就労保育援護金、各特別支給金、各特別援護金、各特別給付金及び長期家族介護者援護金があるが、これらの各福祉事業の概要は以下に述べるとおりである。

⑴　外科後処置　　障害が存する者のうち、義肢装着のための断端部の再手術、醜状軽減のための処置、局部神経症状の軽減のための処置等が必要と認められる者に対し、診察、治療等の処置を行い、又はその費用を支給する（人規一六―三

六、運用通知第一八の1）。

(2)　補装具　障害が存する者に対し、義肢、義眼、眼鏡、補聴器、車いす等必要な補装具を支給する（補償法二二2　人規一六―三　七、八）。

(3)　リハビリテーション　障害が存する者のうち、社会復帰のために身体的機能の回復等の措置が必要であると認められるものに対し、機能訓練、職業訓練等を行い、又はその費用を支給する（人規一六―三　九）。

(4)　アフターケア　外傷による脳の器質的損傷を受けた者で障害が存するものその他人事院が定める者には、傷病の治癒後においても、アフターケアとして、必要な処置を行い、又はその費用を支給する（人規一六―三　一一）。

(5)　休業援護金　休業補償を受ける職員等に対し、原則として一日につき平均給与額の一〇〇分の二〇の額を支給する（人規一六―三　一三）。

(6)　ホームヘルプサービス　在宅で介護を要する重度被災職員（傷病等級又は障害等級第三級以上）に対し、介護事業者による介護サービスの供与を行い、又はその費用を支給する（三割は自己負担）（人規一六―三　一四、運用通知第一八の6）。

(7)　奨学援護金　傷病補償年金、障害補償年金（障害等級第三級以上）又は遺族補償年金の受給権者で子弟の学資支弁が困難な者等に対し、学校等の区分に応じて、一定の月額を支給する（人規一六―三　一五～一七）。

(8)　就労保育援護金　遺族補償年金等の受給権者で自己の就労のため未就学の子を保育所等に預けている者のうち、保育費用を援護する必要があると認められる者等に対し、一定の月額を支給する（人規一六―三　一八）。

(9)　特別支給金　傷病補償年金、障害補償及び遺族補償の受給権者に対し、見舞、弔慰の趣旨の一時金として支給するものであり、労災保険においても、被災労働者等援護事業として同様の給付が行われている。具体的には、傷病補償年金を受ける者に対する傷病特別支給金、障害補償を受ける者に対する障害特別支給金及び遺族補償を受ける者に対する遺族特別支給金がある（人規一六―三　一九、一九の二、一九の三）。

(10)　特別援護金　民間企業の労働者が、業務上又は通勤により、死亡し、又は障害を有することとなった場合には、労災保険法による諸給付がなされるほか、使用者たる企業から相当額の別途の給付いわゆる法定外給付が支給される場合が多い。特別援護金は、このような民間企業における法定外給付の支給状況に鑑み、民間企業の被災労働者と国家公務員の被災者との間の実質的な災害補償の水準の均衡を図るという観点から、国がいわば個別事業主としての立場で、障害を有する者又は遺族の生活の援護のため支給するものである。障害特別援護金は障害等級に応じ、遺族特別援護金は遺族の区分に応じ、いずれも一時金として支給され、公務上の災害又は通勤による災害によっても額が異なる（人規一六―三　一九の四、一九の五）。

⑾　特別給付金　平均給与額の算定基礎には、被災職員に対して支給されていた期末手当、勤勉手当等の特別給が含まれていないため、補償の額にこれらが反映されていないことを考慮し、特別給を給付内容に反映させる趣旨で、各種の補償を受ける者に対し、特別給付金を併せて支給する。具体的には、傷病特別給付金、障害特別給付金、遺族特別給付金及び障害差額特別給付金があり、いずれもその者に支給すべき補償の額に特別給支給率（特別給の支給実績に応じて定めるものであり、一〇〇分の二〇を上限とする。）を乗じて得た額（上限額がある。）を、年金又は一時金として支給する（人規一六―三　一九の六～一九の一三）。

⑿　長期家族介護者援護金　常時介護を要する重度障害者（第一級の傷病等級又は傷害等級に該当し、傷病補償年金又は障害補償年金の受給権を有する者）が、年金受給事由発生後、一〇年経過以後に、公務上の事由によらずに死亡したときに、長期間介護に当たってきた遺族に対して、一〇〇万円を支給する（人規一六―三　一九の一四）。

五　損害賠償との調整及び他の公的給付との調整

１　補償と損害賠償との調整

職員が公務上の災害又は通勤による災害を受けた場合であって、例えば、公務外出中路上で他の者の運転する自動車に追突されて被災した場合のように第三者の行為によって災害を受けたときには、被災職員は、補償法による補償のほか、同一の事由について当該第三者から損害賠償を受けることがある。このような場合には、同一の損害に対する二重塡補を回避するため、国が先行して補償を行ったときは、その価額の限度において、国は補償を受けた者が第三者に対して有する損害賠償の請求権を取得し（求償権の取得）、また、補償を受けるべき者が、国に先行して第三者から同一の事由につき損害賠償を受けたときは、国は、その価額の限度において補償の義務を免れる（免責）こととされている（補償法六）。国が第三者に対して行う求償の範囲は、補償の種類ごとに、受給権者が第三者に対して有する損害賠償請求権に属する金額の範囲内で、事故発生日から五年（自動車損害賠償保障法に基づく責任保険及び責任共済に対する場合又は事故発生日が平成二九年四月一日以前である場合にあっては、三年）を経過した日までの間に行った補償の額に相当する額である。また、国が補償の義務を免れる範囲は、事故発生日から起算して七年（事故発生日が平成二五年三月三一日以前の場合にあっては、三年）を経過した日までの間に行うべき補償の額の範囲内で、補償の種類ごとに、受給権者が損害賠償として受けた金額に相当する額である。

次に、職員が公務上の災害又は通勤による災害を受けた場合であって、例えば、官用車により被災したときには、被災職員は、補償法による補償のほかに、国賠法、民法その他の法律により、同一の事由について国から損害賠償を受けることがある。このような場合にも、損害の二重塡補を回避する趣旨で、災害補償を行ったときは、同一の事由については、国はその価額の限度で損害賠償の責めを免れ、一方、国が損害賠償を行ったときは、その価額の限度において災害補償の義務を免れることとされている（補償法五）。

2　補償と他の公的給付との調整

療養補償、休業補償、葬祭補償及び年金たる補償については、他の公的給付との併給関係が生じる場合があり、このような場合については相互の関係につき次のような制度間の調整が行われている。

(一)　共済法との関係

公務上の災害の場合には、共済短期給付は適用されない。また、通勤による災害に対して補償法による療養補償、休業補償、傷病補償年金又は葬祭補償が行われる場合は、共済短期給付としての療養給付、傷病手当金及び埋葬料は支給されない（共済法六〇2、六三4、六六14）。

また、公務上の障害又は通勤による障害により、傷病補償年金又は障害補償年金と障害厚生年金が併給される場合及び公務上の死亡又は通勤による死亡により、遺族補償年金と遺族厚生年金が併給される場合には、年金たる補償の額を一定割合減額することにより年金間の調整を行うこととされている。平成二七年一〇月一日からの被用者年金制度一元化後の年金間の調整は、以下のとおりとなっている（補償法の一部を改正する法律（昭四一法六七）附則八、人規一六―〇　四一）。

①　被用者年金一元化後に被災職員又は遺族が受け取ることとなる厚生年金と補償年金との調整については、補償年金の

一部を支給しないことにより調整する（ただし、減額後の額が人事院規則で定める額を下回るときは当該人事院規則で定める額とする。）。

② 旧職域加算に代わる新三階年金における公務障害年金及び公務遺族年金については、年金間調整の対象としない。

③ 特別公務災害における補償の加算部分については、年金間調整の対象としない。

なお、共済組合員資格を有しない非常勤職員又はその遺族に国民年金法の障害基礎年金又は遺族基礎年金が併給される場合についても同様の調整がなされる。

(二) 健康保険法等による給付との関係

補償法による療養補償、休業補償、傷病補償年金又は葬祭補償が行われるときは、健康保険法による療養の給付、傷病手当金、埋葬料及び国民健康保険法による療養の給付は行われない（健康保険法五五、国民健康保険法五六）。

六　審査申立て等

1　補償の実施に関する審査の申立て等

実施機関の行う補償の実施について不服がある者は、人事院規則一三—三（災害補償の実施に関する審査の申立て等）に定める手続に従い、人事院に対し審査を申し立てることができ、この申立てがあったときは、人事院は速やかにこれを審査して判定を行わなければならないこととされている（補償法二四）。補償法は適切な審査等を担保するため、2で述べるように人事院に報告、出頭、立入検査等の権限を付与している。実施機関の行う補償の実施について人事院は、人事院規則、通達等により基準を示すほか、日常的指導、監査、定期報告等を通じて総合調整を行っているが、さらに、その実施について不服がある者に直接人事院に対し審査を申し立てる権利を認め、その不服に理由があるときは実施機関の原決定の変更を命ずることにより補償の適正な実施を図ることとしているものである。

また、実施機関の行う福祉事業の運営について不服のある者は、補償の実施に関する審査の申立ての場合と同様に、人事院に対して、実施機関により福祉事業に関する適当な措置が講ぜられるべきことを申し立てることができることとされている（補償法二五、人規一三—三　第三章）。

2　報告、出頭、立入検査等

人事院又は実施機関は、審査又は補償の実施のため必要があると認めるときは、補償を受け若しくは受けようとする者又はその他の関係人に対して、報告をさせ、文書その他の物件を提出させ、出頭を命じ、医師の診断を行い、又は検案を受けさせることができる（補償法二六）。

また、人事院又は実施機関が審査又は補償の実施のため必要があると認めるときは、その職員に、被災職員の勤務する場所、災害のあった場所又は病院若しくは診療所に立ち入らせ、帳簿書類その他必要な物件を検査させ、又は補償を受け若しくは受けようとする者その他の関係人に対して質問させることができる（補償法二七）。

補償を受ける権利を有する者が、先に述べたような場合に、正当な理由がなくて、報告をせず、物件を提出せず、若しくは医師の診断を拒み、又は質問に対して答弁をしなかったときは、人事院又は実施機関は、補償の支払を一時差し止めることができる（補償法二七の二）。

さらに、報告、出頭、立入検査を拒んだ者は、六月以下の懲役（新刑法の施行日以降は、拘禁刑）又は二〇万円以下の罰金に処することとされている（補償法三四）。

３　時　効

補償を受ける権利は、二年間（傷病補償年金、障害補償、遺族補償、障害補償年金差額一時金、障害補償年金前払一時金及び遺族補償年金前払一時金については、五年間）、これを行わないときは、時効によって消滅する。ただし、補償を受けるべき者が、この期間経過後その補償を請求した場合において、実施機関が補償法第八条の規定により、補償を受けるべき者に公務上の災害又は通勤による災害の認定の通知をしたこと又は自己の責めに帰すべき事由以外の事由によって通知をすることができなかったことを立証できない場合には、この限りでないとされている（補償法二八、附則一六）。二年間の消滅時効に掛かるのは、療養補償、休業補償、葬祭補償、予後補償及び行方不明補償であり、これらの権利はその行使が比較的容易であることから、短期の消滅時効としているものである。補償法上、補償を受ける権利については、使用者である国及び被災職員等の認識にかかわらず、公務上の災害又は通勤による災害と評価される事実が生じた時点で当然に発生し、国には補償を行うべき義務が生じるものと捉えられており、これに関連して、実施機関は補償を受けるべき者に対して補償を受ける権利が発生している旨を通知しなければならず、これを怠った場合には、補償を受ける権利を保護するために時効は進行しないとされている。このような時効の進行の取扱いは労働者からの請求主義を採る労災保険法等とは異なっているが、これは、労災保険法では被災労働者等からの請求に対する認定行為によって補償を受ける権利が発生し、この権利の行使自体が時効の対象とされていることによるものである。

4　通勤災害に係る一部負担金

通勤による災害に対する補償の内容は公務上の災害の場合と同様であるが、通勤による災害は官の支配管理下で生じた公務上の災害とは性格が異なることから、通勤による災害により療養補償を受ける職員は、一部負担金として、二〇〇円を超えない範囲内で人事院規則で定める額を国に納付しなければならないこととされている（補償法三一の二）。

第七節　服　務

（服務の根本基準）

第九十六条　すべて職員は、国民全体の奉仕者として、公共の利益のために勤務し、且つ、職務の遂行に当つては、全力を挙げてこれに専念しなければならない。

②　前項に規定する根本基準の実施に関し必要な事項は、この法律又は国家公務員倫理法に定めるものを除いては、人事院規則でこれを定める。

〔趣　旨〕

一　服務の意義

本節は、国家公務員に適用されるべき服務に関する基準を定めており、第九六条から第一〇六条までの一一条により構成されている。これらの条項中、「服務」を定義している条項はないが、一般に服務とは、組織の構成員が自らの所属する組織との関係において基本的に守るべき定めや規律として捉えられている。

大日本帝国憲法下において、公務員は「天皇の官吏」として官吏服務紀律（明二〇勅令三九）により服務が規律されていた。しかし、現行制度においては、服務の基準は、国民の代表たる国会議員で構成され国権の最高機関である国会により法律で定めることが求められ、かつ、その際、公務員にも憲法の定める基本的人権が保障されることを前提としつつ、全体の奉仕者としての地位の特殊性や職務の公共性からそれを制約する場合について、具体的に定める必要がある。

二　服務の根本基準の意味

1　国民全体の奉仕者

本条第一項は、国家公務員の服務の根本基準として、第一に国民全体の奉仕者として公共の利益のために勤務すべき義務があることを、第二に職務の遂行に当たって全力を挙げて専念すべき義務があることを定めている。

職員が「国民全体の奉仕者」として勤務することは、憲法第一五条第二項が「すべて公務員は、全体の奉仕者であつて、一部の奉仕者ではない。」と規定していることに基づくものである。この憲法の規定は、本法が適用される一般職の国家公務員に限らず、特別職の国家公務員、更には地方公務員も含む公務員全体に通有する基本原則であり、例えば地方公務員についても、地公法第三〇条に憲法のこの規定を受けた規定が置かれており、その内容は本条とほぼ同様である。このように、本条の「国民全体の奉仕者」という文言は、憲法第一五条第二項の規定を受けた国家公務員の基本的な性格を表した言葉で、第二次世界大戦後、国家公務員の基本的性格が戦前の天皇を頂点とする国家機構の中で天皇に対して忠実無定量の勤務を尽くすことを本分とされたことから、民主主義を基本原理とする国家体制の下、主権を有する国民全体の奉仕者へと大きく転換したことを示すものであり、歴史的に意義のある規定である。すなわち、戦前の大日本帝国憲法下における官吏の服務は、国会で定められた法律ではなく、同憲法第一〇条の官制大権に基づき、天皇の命令である勅令としての官吏服務紀律によって定められていた。官吏服務紀律は、官吏の性格を天皇の官吏として位置付け、その勤務の在り方については、第一条で「凡ソ官吏ハ天皇陛下及天皇陛下ノ政府ニ対シ忠順勤勉ヲ主トシ法律命令ニ従ヒ各其職務ヲ尽スヘシ」と規定し、官吏に対していわゆる忠実無定量の勤務義務を負わせていた。しかし、第二次世界大戦後に制定された現行憲法の下においては、民主主義が基本原理とされ、国民に主権のあることが基本原則とされたことから、国家公務員についても、天皇の官吏から国民全体の奉仕者へと、その基本的性格が一変することとなったのである。このように、憲法、本法、地公法等において、公務員の基本的性格が全体の奉仕者にあることを明文化したことは、我が国の政治体制が第二次世界大戦を境に基本的に変革されたことを公務員制度の面においても明らかにしたものといえる。そして、国民全体の奉仕者であることから、服務面においては、例えば、公務員の政治的中立性を確保するため政治的行為を制限する必要が生じ、また、職務の公共性等から争議行為の禁止が求められている。

2　公共の利益

本条第一項の「公共の利益のために勤務し……なければならない。」という文言は、国家公務員の勤務の目的と行動の指針を明らかにしたもので、国家公務員が勤務するに当たっては、一部の国民のために奉仕するのではなく、国民全体の奉仕者として行動する必要があることを示したものである。すなわち、この箇所は、その直前に規定されている「国民全体の奉仕者」という文言と表現や視点の違いはあるにしても、結局は同じことを述べているものということができる。「公共の利益のために勤務」するという点から、服務上、職務に係る倫理の保持、私企業からの隔離が求められている。

なお、何が公共の利益に合致する目的であり、行動であるかについては、その時代の政治、経済、社会の状況や国民の価値観などの諸条件に即して具体的に判断すべきものと考えられ、具体的な国家公務員の全体の奉仕者としての目的や行動の指針は、このような諸条件の中で法令その他により具体的に決定されるものということができる。

これに関して明確な規範を示しているのは倫理法である。同法は、その目的として「国家公務員が国民全体の奉仕者であってその職務は国民から負託された公務であることにかんがみ、……職務の執行の公正さに対する国民の疑惑や不信を招くような行為の防止を図」る（同法一）とした上で、職員が遵守すべき職務に係る倫理原則として、①国民全体の奉仕者であり、国民の一部に対してのみの奉仕者でないことを自覚し、職務上知り得た情報について国民の一部に対してのみ有利な取扱いをする等国民に対し不当な差別的取扱いをしてはならず、常に公正な職務の遂行に当たらなければならないこと、②常に公私の別を明らかにし、いやしくもその職務や地位を自らや自らの属する組織のための私的利益のために用いてはならないこと、③職員は、法律により与えられた権限の行使に当たっては、当該権限の行使の対象となる者からの贈与等を受けること等の国民の疑惑や不信を招くような行為をしてはならないことを示している（同法三）。

３　職務への専念

服務の根本基準の第二は、職員が職務の遂行に当たって全力を挙げて専念すべきことである。職務専念義務については、本法第一〇一条において、より具体的に定めており、その詳細は同条で述べることとするが、それとは別に本条で服務の根本基準の一つとして職務への専念を定めている理由は、このことが国家公務員の服務全体を通じる基本的な原則であることを強調するためと考えられる。

すなわち本法第一条第一項は、本法が「公務の民主的且つ能率的な運営を保障することを目的とする。」と規定している。この能率的な運営を保障するためには、服務においても職員が全力を挙げて職務に専念することが肝要であるとし、これを根本基準の一つとして位置付けたものである。この根本基準から本法第一〇一条の兼職の制限、第一〇三条及び第一〇四条の兼業の制限等の具体的な規定が導き出されている。

〔解　釈〕

一　国家公務員の基本的な性格と服務の特質

前述したように国家公務員は、国民全体の奉仕者として公共の利益のために勤務すべきことと、その職務の遂行に当たっては全力を挙げて専念すべきことが基本的に要請されている。後者については、私的雇用契約に基づく私企業の勤労者にあっても同じような義務が課せられている。しかし、前者の国民全体の奉仕者として公共の利益のために勤務すべき義務を負うという点については、国家公務員をはじめとする公務員のみが有する私企業の勤労者にはみられない基本的な性格を表すものである。このため、国家公務員については、私企業の勤労者にはみられない特別な服務義務が課せられ、中には憲法で国民に保障されている基本的人権についても、国家公務員に関してはその地位の特殊性に基づいて制約を課しているものもある。その制約の主なものは次のとおりであり、後述のとおり、①、②などの違反は刑事罰の対象にもなっている。

① 労働基本権（憲法二八）——争議行為等の禁止（法九八2、3）

② 集会、結社及び表現の自由（憲法二一）——政治的行為の制限（法一〇二）

③ 職業選択の自由（憲法二二）——在職中の求職の規制（法一〇六の三）

このほか、職務に係る倫理の保持も、憲法に定める全体の奉仕者としての公務員の性格に由来する特別な制約といえよう。

このような特別な服務義務は、全体の奉仕者という公務員の身分に由来するものであるから、具体的な官職や職責とは関係なく、また、勤務中であるか否かを問わず広く一切の職員に適用されるべきものという考え方がある（佐藤功・鶴海良一郎著『公務員法』三六四頁）。しかしながら、現行の公務員制度においては、幹部職員から一般職員、行政執行法人職員まで等しく公務員とされており、かつ、公務員は特別な身分ではなく、各々が具体的な職務を遂行することとされていることを踏まえれば、憲法の保障する権利を制約するに際しては、職責等に応じて均衡のとれたものである必要があると考えられる。すなわち、公務の公正性や信頼に関わるか否かという点については、勤務中か否か、官職や職責はどうかということなどに応じ、国民の公務への信頼を失わせるものであるか、部内秩序にどのような影響を与えているか等を具体的に判断していくことが適切であると考えられる。なお、このような服務に関する特別な制約が課せられている一方で、国家公務員に対しては、国民全体の奉仕者として後顧の憂いなく勤務に専念する条件を整えるべく、本法で人事院の代償機能や身分保障に関する諸規定が設けられているほか、給与法で給与制度が、勤務時間法で勤務時間・休暇制度が、補償法で災害補償制度が、共済法で共済組合制度が設けられているなど法律によって措置が講じられている。

二　服務義務の内容と制裁

1　服務の内容

国家公務員の服務義務については、本条を根本基準として、次条の第九七条から第一〇四条までに具体的な規律が規定されている。これらの詳細については、それぞれの義務を規定している各条で述べることとする。なお、倫理法で定められる職務に係る倫理の保持（法三２）も、本条第二項が示すとおり、服務義務の一部と位置付けられる（第三条の二〔解釈〕二参照）。

①　服務の宣誓（法九七）
②　法令及び上司の命令に従う義務（法九八１）
③　争議行為等の禁止（法九八２、３）
④　信用失墜行為の禁止（法九九）
⑤　秘密を守る義務（法一〇〇）
⑥　職務に専念する義務（法一〇一）
⑦　政治的行為の制限（法一〇二）
⑧　私企業からの隔離（法一〇三）
⑨　他の事業又は事務の関与制限（法一〇四）

さらに、本法第三章の「第八節　退職管理　第一款　離職後の就職に関する規制」中の「他の役職員についての依頼等の規制」（法一〇六の二）及び「在職中の求職の規制」（法一〇六の三）も服務義務である。

2　服務義務違反に対する制裁

(一)　懲戒罰

本法は、以上の服務規定に違反した職員に対する制裁措置として、第八二条以下に懲戒罰を、第一〇九条以下に刑事罰を規定し、服務規律のより厳格な確保を図ることとしている。

まず、服務義務違反に対する懲戒罰について述べると、前述の服務規定に違反した職員は本法第八二条第一項に規定する三つの懲戒事由のうち、少なくとも第一号の「この法律……又はこれらの法律に基づく命令……に違反した場合」に該当し、懲戒免職、停職、減給又は戒告のいずれかの処分の対象となるものである。

なお、本条は、服務の根本基準として服務諸規定の根幹を成す規定であるとされているが、本条第一項自体は精神的、倫理的な訓示規定であり、この規定の違反のみを理由とする懲戒処分を行うことはなく、第九七条以下の各条の具体的な服務義務規定に違反したことを理由として懲戒処分を行うべきものと解されている。

(二)　刑事罰

(1)　懲戒罰と刑事罰の関係　本法に規定する服務義務に違反する行為については、懲戒罰だけでなく、その内容いかんによっては本法第一〇九条以下の規定やその他の法律の規定により、刑事罰が科せられることがある。懲戒罰と刑事罰の違いは、前者が公務員関係内部の秩序維持の観点から行われるものであるのに対して、後者は社会一般の公共秩序の維持の観点から行われるものであることにある。より具体的には、前者が公務員関係を前提としていることから職員としての在職中でなければ行うことができないのに対して、後者は職員の在職中はもとより、離職後においても在職中の非違行為を理由として行うことができるものである点及び前者が使用者としての国（任命権者）が行政処分として行うものであるのに対して、後者は一般統治権者としての国が司法上の処分として行うものである点に相違がある。

このような違いがあることから、同一の非違行為に対しても懲戒罰と刑事罰とを併せ行うことができるものであり、この点に関し、昭和四九年一一月六日の最高裁判所の猿払事件判決は「国公法の規定をみると、公務員の政治的行為の禁止の違反に対しては、一方で、前記のとおり、同法第一一〇条第一項第一九号（注）が刑罰を科する旨を規定するとともに、他方では、同法第八二条が懲戒処分を課することができる旨を規定し、さらに同法第八五条においては、同一事件につき懲戒処分と刑事訴追の手続を重複して進めることができる旨を定めている。このような立法措置がとられたのは、同法による懲戒処分が、もともと国が公務員に対し、あたかも私企業における使用者にも比すべき立場において、公務組織の内部秩序を維持するため、その秩序を乱す特定の行為について課する行政上の制裁であるのに対し、刑罰は、国が統治の作用を営む立場において、国民全体の共同利益を擁護するため、その共同利益を損う特定の行為について科する司法上の制裁であつて両者がその目的、性質、効果を異にするからにほかならない。」と判示している。

（注）現在は同法第一一二条の二第二号であり、新刑法の施行日以降は第一一〇条第一項第一八号となる。

(2)　服務義務違反に対する刑事罰の規定　本法上、刑事罰によって担保されている服務義務及び刑事罰の規定は次のとおりである。

①　争議行為等の禁止　本法第九八条第二項前段に規定する違法な行為の遂行を共謀し、唆し、若しくはあおり、又はこれらの行為を企てた者——三年以下の禁錮又は一〇〇万円以下の罰金（法一一一の二①（新刑法の施行日以降は、一一〇1⑯））

（注）新刑法の施行日以降は、「懲役」及び「禁錮」が「拘禁刑」になる。

②　秘密を守る義務　本法第一〇〇条第一項又は第二項の規定に違反して秘密を漏らした者——一年以下の懲役又は五〇万円以下の罰金（法一〇九⑫）

前記の行為を企て、命じ、故意にこれを容認し、唆し、又はその幇（ほう）助をした者——一年以下の懲役又は五〇万円以下の罰金（法一一一）

本法第一〇〇条第四項（同条第五項において準用する場合を含む。）の規定に違反して陳述及び証言を行わなかった者——三年以下の懲役又は一〇〇万円以下の罰金（法一一〇1⑱（新刑法の施行日以降は、⑰））

前記の行為を企て、命じ、故意にこれを容認し、唆し、又はそのほう助をした者——三年以下の懲役又は一〇〇万円以下の罰金（法一一一）

③　政治的行為の制限　本法第一〇二条第一項に規定する政治的行為の制限に違反した者——三年以下の禁錮又は一〇〇万円以下の罰金（法一一一の二②（新刑法の施行日以降は、一一〇1⑱）

④　私企業からの隔離　本法第一〇三条の規定に違反して営利企業の地位についた者――一年以下の懲役又は五〇万円以下の罰金（法一〇九⑬）

（注）①及び③については、ＩＬＯ第一〇五号条約（強制労働の廃止に関する条約）締結のための国内法整備の一環として、同条約が禁止する強制労働に該当するおそれのある懲役刑に替えて禁錮刑とすることを内容とする議員立法による本法改正が令和三年六月に成立している。

また、「他の役職員についての依頼等の規制」（法一〇六の二）や「在職中の求職の規制」（法一〇六の三）の違反に関しても刑事罰（三年以下の懲役（新刑法の施行日以降は、拘禁刑））（法一一二）が設けられている（ただし、義務違反と犯罪の構成要件とは同一ではなく、他の職務上の不正な行為を行うこと等が必要である。）。

このような本法上の刑事罰以外にも、次のような場合には刑事罰を科する旨の規定が法律によって定められている。

①　所得税法、公選法、入札談合等関与行為の排除及び防止並びに職員による入札等の公正を害すべき行為の処罰に関する法律等により、特定の職員が特定の秘密を漏洩した場合

②　公選法により、職員が地盤培養行為といった特定の政治的行為をした場合

③　刑法により、職員が職権濫用、収賄等の行為をした場合

三　服務の特例

本法の服務義務の規定は全ての一般職の国家公務員に適用することが原則であるが、一般職の国家公務員であっても、職務と責任の特殊性に基づき、次のような適用除外その他の特例が設けられている。

1　非常勤職員・臨時的職員

非常勤職員（本法第六〇条の二第一項に規定する短時間勤務の官職を占める職員を除く。）及び臨時的職員については、その勤務の臨時性を考慮するとともに経済的な不利益をもたらさないようにする必要から、次の服務義務が適用除外されている。

①　宣誓の義務（職員の服務の宣誓に関する政令一①）

②　営利企業の役員等との兼業制限（人規一四―八　6）

③　他の事業又は事務の関与制限（職員の兼業の許可に関する政令三）

また、諮問的非常勤職員については、人規一四―七第一項により、業務内容に鑑み多様な人材を確保する必要から政治的行為の制限も適用除外されている。

2　行政執行法人職員

行政執行法人職員については、労働協約締結権が付与されていることに伴って人事院の一部機能が及ばないようにしていることなどから次の服務義務が適用除外されている。

①　争議行為等の禁止（行政執行法人労働関係法三七１①。ただし、同趣旨の規定が同法第一七条第一項で定められている。）

②　秘密を守る義務のうち、人事院による調査等への応諾義務（行政執行法人労働関係法三七１①。なお、国家公務員倫理審査会又は再就職等監視委員会による調査への応諾義務は適用除外されていない。）

3　警察職員

警察職員の服務の宣誓については、職員の服務の宣誓に関する政令第一条第三項により、国家公安委員会が内閣総理大臣の承認を得て、別段の定めをすることができることとされている。

四　服務に関する人事院規則等

本条第二項は、服務の根本基準に関し必要な事項は、本法又は倫理法で定められているものを除き、人事院規則で定めることを規定している。

本項を根拠とした単一の人事院規則はないが、個別の服務義務規定に応じた人事院規則が次のとおり定められており、これらの人事院規則はそれぞれの該当条項とともに、本項をその根拠として制定されていると解すべきものである。

①　人事院規則一四―五（公選による公職）

②　人事院規則一四―七（政治的行為）

③　人事院規則一四―八（営利企業の役員等との兼業）

④　人事院規則一四―一七（研究職員の技術移転事業者の役員等との兼業）

⑤　人事院規則一四―一八（研究職員の研究成果活用企業の役員等との兼業）

⑥　人事院規則一四―一九（研究職員の株式会社の監査役との兼業）
⑦　人事院規則一四―二一（株式所有により営利企業の経営に参加し得る地位にある職員の報告等）

なお、本項は、行政執行法人労働関係法第三七条第一項第一号により、行政執行法人に勤務する一般職に属する国家公務員には適用されないとされている。したがって、行政執行法人職員は、本項のみを根拠とする人事院規則がある場合にはその適用は受けないことになるが、前述した人事院規則は、いずれも本法の他の服務規定の委任を受け、又はそれを執行するために、それらの諸規定を根拠として制定されているものでもあり、これらの諸規定は行政執行法人労働関係法において適用除外されていないことから、結果として前述したいずれの人事院規則も、これらの職員に適用されることになる。

国家公務員の服務については、前述した人事院規則のほかに、服務の宣誓に関して職員の服務の宣誓に関する政令が、他の事業又は事務の関与制限に関して職員の兼業の許可に関する政令がそれぞれ制定されている。これらの政令は、前者にあっては本法第九七条、後者にあっては本法第一〇四条の委任を受け、又はそれを執行するために制定されたものである。また、このほか服務に関する政令として、再就職規制の実施等のために定められた退職管理政令及び国家公務員倫理規程がある（職務上の秘密に属する事項の発表の条件・手続に係る政令は現在定められていない（第一〇〇条〔解釈〕二参照））。

（服務の宣誓）

第九十七条　職員は、政令の定めるところにより、服務の宣誓をしなければならない。

〔趣　旨〕

服務の宣誓の意義

前条で述べたように国家公務員は国民全体の奉仕者として公共の利益のために勤務するという基本的な性格を持ち、その服務についても一般の勤労者にはない特殊な義務を課せられている。服務の宣誓は、国家公務員がこのような特殊な義務を有していることを、新たに職員となった者に対して、倫理的な観点から自覚させるために行うものである。

この制度は、戦後、米国の影響によって採用されたが、キリスト教を基盤とする社会においては、宣誓は宗教心に裏打ちされたものといってよい。この点、宗教との関わりが欧米諸国とは異なる現在の我が国においては、宣誓の効果の担保は宗教ではなく、個人の自覚と良心に求めることになる。このため、宣誓の内容を実際に担保していくためには、採用時の宣誓だけでなく、研修などを通じて服務規律を維持することの必要性を繰り返し自覚させることによって、公務員としての倫理感を一人一人の職員の心にまで植えつけていく努力を怠ってはならないであろう。

〔解　釈〕

一　宣誓の方法

服務の宣誓については、本条に基づいて、職員の服務の宣誓に関する政令が定められている。この政令の第一条第一項及び第二項によれば、新たに職員となった者は、その職務に従事する前に、定められた様式による宣誓書を任命権者に提出しなければならないこととされている。しかし、天災その他任命権者が定める理由がある場合には、宣誓書の提出をしないで職務に従事し、その理由がやんだ後に速やかに行えば足りるとされており、宣誓をするまでは職務に従事できないというものではない。

二　宣誓書の内容等

宣誓書の内容は、職員の服務の宣誓に関する政令に別記様式として次のとおり定められている。

宣　誓　書

私は、国民全体の奉仕者として公共の利益のために勤務すべき責務を深く自覚し、日本国憲法を遵守し、並びに法令及び上司の職務上の命令に従い、不偏不党かつ公正に職務の遂行に当たることをかたく誓います。

年　月　日

氏　　名

なお付言すれば、職員は、服務の宣誓を行うことで初めて本法に規定されている様々な服務上の義務を負うものではなく、服務義務は、職員として採用されたときから宣誓の有無に関わりなく課せられるものである。また、職員に服務義務違反行為があった場合にも、懲戒その他の制裁措置は当該義務違反行為を該当条項に照らして直接に課すものであって、服務の宣誓に違反したことを理由として行うものではない。

三　宣誓の特例

(1)　非常勤職員・臨時的職員　非常勤職員（本法第六〇条の二第一項に規定する短時間勤務の官職を占める職員を除く。）及び臨時的職員については、職員の服務の宣誓に関する政令第一条第一項により、宣誓書の任命権者への提出の義務が課せられていない。

(2)　警察職員　警察職員の服務の宣誓については、職員の服務の宣誓に関する政令第一条第三項により、国家公安委員会が内閣総理大臣の承認を得て別段の定めをすることができるとされている。また、服務の宣誓の内容については、警察法第三条に「この法律により警察の職務を行うすべての職員は、日本国憲法及び法律を擁護し、不偏不党且つ公平中正にその職務を遂行する旨の服務の宣誓を行うものとする。」と規定されている。

(3)　人事官　人事官は、本法第二条第三項第三号に規定されているように特別職に属しており、本条の適用は受けないが、本法第六条により「人事院規則の定めるところにより、最高裁判所長官の面前において、宣誓書に署名してからでなければ、その職務を行つてはならない。」ものとされている。この規定に基づき、人事院規則一―一〇（人事官の宣誓）にその宣誓の内容等が定められている。

（法令及び上司の命令に従う義務並びに争議行為等の禁止）

第九十八条　職員は、その職務を遂行するについて、法令に従い、且つ、上司の職務上の命令に忠実に従わなければならない。

②　職員は、政府が代表する使用者としての公衆に対して同盟罷業、怠業その他の争議行為をなし、又は政府の活動能率を低下させる怠業的行為をしてはならない。又、何人も、このような違法な行為を企て、又はその遂行を共謀し、そそのかし、若しくはあおつてはならない。

③　職員で同盟罷業その他前項の規定に違反する行為をした者は、その行為の開始とともに、国に対し、法令に基い

て保有する任命又は雇用上の権利をもつて、対抗することができない。

〔趣　旨〕

一　法令及び上司の命令に従う義務

1　法令に従う義務

本条第一項は、職員に対して法令及び上司の職務上の命令に従って職務を遂行すべき義務を課している。近代国家は議会制民主主義を基本原則としており、議会が定めた法律及びこれに基づく政令その他の規程を遵守して国政を運営することが要請されている。そしてこのような要請を行政上実現するためには、行政が法令に基づいて執行されることが必要である。

本条第一項は、我が国の行政を担当している職員に対し、このような民主主義の原則に則って、その職務の執行に当たり、法令に従って事務や事業を遂行すべき義務を明らかにした規定である。

2　上司の職務上の命令に従う義務

前述したように本条第一項は、職員が法令に従うべきことと並んで、上司の職務上の命令にも従って職務を遂行すべきことを定めている。職務の執行方法については、直接法令で規定されている場合もあるが、一般に法令は、基準ないしは原則のみを定めているものが多く、その具体的な執行は権限ある機関の判断に基づいてなされることが通例である。そしてその判断を所属の職員に対して正式に指示する方法が職務命令である。したがって、法治主義を担保するためには法令に従う義務のみならず、法令を具体化する上司の職務上の命令に従う義務が必要であり、この二つの義務が本条第一項で併せて規定されているのである。

また、いかなる組織であれ組織の目的を効率的に達成するためには、組織全体として統一的に職務が遂行されていく必要がある。職務命令は組織活動を統一的、整合的に遂行していくための手段であり、部下が上司の職務命令を忠実に遂行することは、組織の目的を達成するための欠かせない要件であるといわなければならない。このような意味で、上司の職務上の命令に従う義務は、私企業の勤労者等にも等しく求められる義務であるが、公務員のそれは公法上の義務であり、私企業の勤労者のそれは私法上の契約に基づくものであるという違いがある。

二　公務員と労働基本権

憲法第二八条は、「勤労者の団結する権利及び団体交渉その他の団体行動をする権利は、これを保障する。」と規定して、勤労者にいわゆる労働基本権を保障している。ここにいう勤労者とは、他人に精神的、肉体的な役務を供することの対価として賃金や報酬といった給付を受け、それを生活の資としている者を指すものと解されている。公務員も、自己の勤務を提供することによって生活の資を得ているものであるから、ここにいう勤労者であり、同条の労働基本権の保障が原則として及ぶものと考えられている。

しかしながらその一方で、公務員は全体の奉仕者として公共の利益のために勤務するものであり（憲法一五2）、このようなその地位の特殊性に基づき、公務員の労働基本権は国民（住民）全体の共同の利益の見地から、それぞれの職種の職務の内容に応じて次表のように一定の制約が課されている。

公務員の種類			適用法律	団結権	団体協約締結権	争議権
国家公務員	一般職	非現業職員	国家公務員法	○（一〇八の二）	×（一〇八の五）	×（九八）
		警察職員 海上保安庁職員 刑事施設職員 入国警備官	国家公務員法	×（一〇八の二）	×（一〇八の五）	×（九八）
		行政執行法人職員	行政執行法人労働関係法	○（四）	○（八）	×（一七）
	特別職	防衛省職員	自衛隊法	×（六四）	×（六四）	×（六四）
		裁判所職員	裁判所職員臨時措置法（国公法の準用）	○（国公法一〇八の二）	×（国公法一〇八の五）	×（国公法九八）
		国会職員	国会職員法	○（一八の二）	×（一八の二）	×（一八の二）
		非現業職員	地方公務員法	○（五二）	×（五五）法令、条例等に抵触しない限	×（三七）

地方公務員					
一般職				りにおいて、書面による協定を結ぶことができる。	
	警察職員 消防職員	地方公務員法	×（五二）	×（五五）	×（三七）
	現業職員等	地方公営企業等労働関係法	○（五）	○（七）	×（一一）
	単純労務職員	（準用） 地方公営企業等労働関係法	○（五）	○（七）	×（一一）

(1)　（　）内の数字は、それぞれ適用法律中の該当条文を指す。
(2)　○印は、権利が認められているもの、×印は禁じられているものを指す。
(3)　地方公務員である単純労務職員は地公法に基づく職員団体を組織することもできるが、その場合には労働協約の締結権はない。

三　国家公務員の労働基本権の法制上の変遷

1　労組法、労調法及び本法の施行

大日本帝国憲法下の官吏は、天皇の官吏として国家との関係で特別な身分関係を持つものとされ、一般の勤労者とは異なる存在と考えられていた。

第二次世界大戦後、公務員も勤労者として労働関係法規が適用されることとなり、具体的には昭和二一年三月一日に施行された労組法においては、警察・消防・監獄職員については団結権を禁止されていたが、それ以外の官公吏等については労働組合の結成及び労働協約の締結が容認されていた。また、同年一〇月一三日に施行された労調法においては、国と地方公共団体の非現業職員の争議行為は禁止されたが、現業職員については、公益事業関係者の抜打ち争議は禁止されたものの、一般的には争議行為が認められていた。

一方、昭和二二年一〇月二一日に本法が制定されたが、国家公務員には引き続き労働三法が適用されていたので、国家公務員は民間の勤労者と同様に団結権及び協約締結権を含む団体交渉権を持ち、現業職員については限定的な争議権も認められていた。

2　マッカーサー書簡と政令第二〇一号

本法制定の前後は、戦後の不安定な社会経済情勢を背景として労働争議が頻発していたのであるが、特に全官庁共闘委員会は、昭和二二年二月一日を期して無期限のストライキを計画するに至った。この二・一ストは、その前日に連合国最高司令官からの中止命令がなされることによって回避されたが、その後も官公庁の労働組合の労働攻勢は激しさを増し、翌二三年八月には再びゼネストを計画することとなった。これに対処するため同年七月二二日にマッカーサー連合国最高司令官から芦田内閣総理大臣宛に書簡が発せられ、公務員の争議行為を禁止することが命じられた。

政府はこの書簡に基づいて、本法の改正が行われるまでの臨時的な措置として、昭和二三年七月三一日に、いわゆる政令第二〇一号（昭和二三年七月二二日附内閣総理大臣宛連合国最高司令官書簡に基く臨時措置に関する政令）を公布、施行した。この政令は、公務員の地位の特殊性に基づき、その団体交渉によって国民を拘束することを否認し、同盟罷業、怠業的行為を禁止することを主たる内容とするものであった。

3　本法の第一次改正と公共企業体等労働関係法の施行

政令第二〇一号は本法が改正されるまでの暫定的措置であったことから、政府はその内容を含む本法の改正法を立案し、同法は昭和二三年一二月三日に公布・施行されることとなった。この改正は、旧法一一五箇条のうち、全文改正が三一箇条、一部改正が七七箇条、新たに追加されたものが一四箇条という大幅なもので、労働基本権に関しては、団結権の保障、団体協約締結権を含まない交渉権の保障、警察職員等の団結の禁止、争議行為等とその企画・共謀・教唆・扇動の禁止、争議行為等の禁止に違反した者の身分保障を行わないこと、争議行為等の共謀・教唆・扇動・企画に対する刑事罰の適用、労働三法の適用の除外等を、人事院勧告制度等労働基本権制約の代償措置の導入と併せて措置するものであった。

なお、前述のマッカーサー書簡は、鉄道や政府専売事業の公社化を求めていたので、新たに日本国有鉄道法、日本専売公社法及び公共企業体労働関係法が昭和二四年六月一日から施行され、以後、日本国有鉄道と日本専売公社の職員は一般職の国家公務員ではなくなり、本法の適用から除かれることとなった。さらに、昭和二七年七月三一日に公布された労働関係調整法等の一部を改正する法律により、公共企業体労働関係法は、公共企業体等労働関係法と題名を改められ、日本電信電話公社の職員は同年八月一日、いわゆる五現業（郵政、印刷、造幣、林野、アルコール専売）の職員は翌二八年一月一日から同法の適用を受けることとなった。一般職の職員であるこれら五現業職員については、本法のうち、本条第二項と第三項などの適用が除外された。その後、この公共企業体等労働関係法は、日本専売公社、日本電信電話公社、日本国有鉄道の民営化に伴い、昭和六一年法律第九三号により、国営企業労働関係法と題名が改められた。さらに、独立行政法人制度の創設に伴い、平成一一年法律第一〇四号により、国営企業及び特定独立行政法人の労働関係に関する法律に題名が改められた。なお、その際、国立研究所等の一部が特定独立行政法人に移管され、そこに勤務する職員に協約締結権が付与された。その後、郵政事業の公社化に伴い、平成一四年法律第九八号により、特定独立行政法人等の労働関係に関する法律に題名が改められ、次いで、平成一九年一〇月、郵政事業は民営化され、最後まで現業事業として残った国有林野事業については、平成二五年四月から一般会計化に伴い、非現業化し、協約締結権を否定することとなって現業事業が全てなくなり、平成二四年法律第四二号により、題名が特定独立行政法人の労働関係に関する法律に改められた後、独立行政法人制度改革に伴い、平成二六年法律第六七号により、題名が行政執行法人の労働関係に関する法律に改められた。

四　ＩＬＯ条約との関係及び諸外国の状況

1　ＩＬＯ条約との関係

ＩＬＯにおいて労働基本権について規定した基本的な条約のうち、ＩＬＯ第八七号条約（結社の自由及び団結権の保護に関する条約）においては、第一〇八条の二〔趣旨〕三2で述べるとおり、労働者及び使用者の結社の自由及び団結権が保障されている一方で、争議権（ストライキ権）については明文の規定が置かれていない。各国におけるＩＬＯ条約の適用状況の審議・評価を行う条約勧告適用専門家委員会や結社の自由の侵害について労働組合等の申立てに基づき審議を行う結社の自由委員会は、国家の名の下に権限を行使する公務員及び用語の厳格な意味における不可欠業務に従事する公務員等を除き、公務員にもストライキ権を保障すべきであること、ストライキ権の制約に対しては利益保護のための十分な代償措置が講じられるべきであることなどを意見として表明してきているが（二〇一二年三月条約勧告適用専門家委員会意見、二〇一八年六月結社の自由委員会報告等）、同条約がストライキ権の保障を含むかについては、国際的にも労使の間に意見の対立が見られる（二〇一二年ＩＬＯ総会委員会議事概要参照）。我が国政府からは、ＩＬＯにおいてストライキ権を扱った国際文書が存在しないことはＩＬＯ自身も認めていることを指摘しつつ、我が国の公務員の労働基本権についてはその地位の特殊性と職務の公共性に鑑み国民全体の共同利益の保障という見地から一定の制約の下に置かれていること、人事院勧告制度等の代償措置が講じられていることなどを報告してきている（二〇〇九年第八七号条約日本政府年次報告、二〇二一年同報告等）。

また、もう一つの基本的な条約であるＩＬＯ第九八号条約（団結権及び団体交渉権についての原則の適用に関する条約）は、労働者の団結権を保障し、労使の自主的交渉のための手続の発達及び利用を奨励・促進するため、必要に応じ国内事情に適する措置を執らなければならないことなどを定めている。同条約との関連では、その第六条が、同条約は「公務員」の地位を取り扱うものではなく、その権利又は分限に影響を及ぼすものと解してはならない旨規定していることと、我が国における労働基本権の制約との関係がかねてより論点とされてきた。我が国政府は、法令による勤務条件の保障を享有する非現業職員は「公務員」に含まれるとの見解を採ってきているが（二〇一四年第九八号条約日本政府年次報告等）、労働側は政府が「公務員」の範囲を広く捉えていると批判してきている（二〇〇九年一〇月連合意見等）。近年の結社の自由委員会の見解においては、直接国の行政に従事する公務員（同委員会によれば、政府の省庁及びその他のこれに相当する機関に雇用される公務員）については第九八号条約の適用除外を認めた上で、団体交渉権の制限に対しては、利益保護のため適切な保障が措置されるべきであるとしている（二〇〇二年一一月結社の自由委員会報告）。他方、我が国の現行制度について、条約勧告適用専門家委員会は、国の行政に従事していない公務員が給与決定に参加する能力が相当程度制限されていることを指摘している。これに対し、我が国政府は、第六条の「公務員」の範囲について前述の見解に立ちつつ、団体協約締結権及び争議権が認められてない職員については、代償措置として、中立・第三者機関たる人事院が設けられていること、給与勧告等に当たり人事院が職員団体からの意見聴取や意見交換を行うなど人事院勧告制度の枠組みにおいて給与決定過程に職員団体が関与するシステムが確立されていること等を報告してきている（二〇〇七年第九八号条約日本政府年次報告、二〇〇九年同報告等）。

戦前の官吏制度では、公務従事者は国家権力の形成や行使に当たる官吏と契約による雇傭人等に分かれていたが、現行制度では、戦前の身分制への反省から全て公務員であるとして一元制を導入している。ＩＬＯの専門家委員会等の意見では、行政の対象が拡大する中で争議権を制約する公的セクターの対象について、「国家の名の下に権限を行使する公務員」、「不可欠業務に従事する公務員」、「直接国の行政に従事する公務員」など真に国が行うべき業務の従事者に限定するという考え方がみられる。我が国に当てはめてみると、平成一三年の中央省庁再編時には約五〇万人いた一般職非現業の国家公務員は、業務の民営化、国立研究所、国立大学、国立病院、国立美術館・博物館等の独立行政法人化等によって大きく減少し、令和四年度末予算定員は約二九万千人となっており、業務の観点から見て真に国が行うべき業務に従事する者への純化が相当に進んでいるといえよう。我が国政府は、近年の現業部門の独立行政法人化や民営化をも踏まえて、「我が国においては、労働基本権の制約を受ける国家公務員の数は大きく減少してきており、現在の我が国における国家公務員に対する労働基本権の制約は、相当程度限定的なものとなってきていると考えている。」と報告している（二〇二一年第九八号条約日本政府年次報告）。

2　諸外国における公務員の労働基本権の状況

諸外国（米国、英国、ドイツ及びフランス）における中央政府又は連邦政府の公務員の労働基本権の状況について、主として給与の決定過程を念頭に置きつつ以下に概観する。

まず、米国の連邦公務員については、合衆国憲法が保障する集会の自由の延長として、一部の職員（連邦捜査局職員等）を除いて、団結権が認められている一方で、連邦法で定められる事項が労使交渉及び協約の対象から除外されている。給与、勤務時間等の勤務条件はほとんど連邦法によって定められているため、これらについて協約事項のある一部の労務職員を除き労使交渉は行われていない。また、連邦法に規定されておらず協約締結が認められる事項については、一定の交渉単位において多数労働者の支持を得た労働組合が排他的な団体交渉権を獲得し、その他の労働組合の団体交渉権は全面的に否定される。管理・監督職員や機密を扱う職員は、この交渉単位に入ることが認められていないため、団体交渉権がない。争議行為については、職員の属する機関や職位を問わず単純参加を含めて禁止されている。なお、米国は、ＩＬＯ第八七号条約及び第九八号条約を批准していない。

英国においては、軍人、警察官等を除いた全ての国家公務員に対して、団結権、協約締結権を含む団体交渉権及び争議権が認められている。このうち、課長級ポスト以上に在職する上級公務員については、労使交渉による給与決定は行われておらず、独立機関である上級公務員給与審議会が勧告を行い、それを受けて最終的に首相が改定を決定する仕組みとなっている。上級公務員給与審議会が勧告を行うに当たっては、労働組合等から意見や資料の提出を受けるほか、財務省も労働組合と意見交換を行っている。給与に関する交渉がないため、それをめぐって争議権が実際に行使されたことはない。他方、上級公務員以外の一般職員については、財務省の指示した方法に従って承認された給与歳出枠の範囲内で、各省・各エージェンシーが労働組合との間で俸給額の改定などの配分について交渉し、決定される仕組みとなっている。労使合意の内容に従って労働協約が締結されるが、交渉が不調の場合には、各省・各エージェンシーが自ら改定内容を決定し、実施することとなる。このような場合には、ストライキに発展することもある。上級公務員、一般職員のいずれについても、給与は法定されていない。

ドイツの連邦公務員は、公法上の勤務義務、忠誠義務を負い、主として公権力の行使に当たる職務を遂行する官吏と、労働契約に基づく私法上の雇用関係にある公務被用者によって構成されている。このうち官吏については、団結権は保障されているものの、協約締結権はなく、給与は法律で定められ、争議権も認められていない。給与改定は、一般的には、公務被用者の賃金交渉の妥結結果を踏まえ、国の経済・財政状況に一定の配慮をして行われてきている。連邦給与法の改定に当たっては、労働組合が法案作成段階で関与することが法定されており、議会への法案提出前に政府から改正案が労働組合に提示され、労働組合には書面での意見提出の機会及び政府側との会談の機会が与えられる。なお、労働組合側の意見が受け入れられない場合には、それが法案の趣旨説明に記載される。他方、公務被用者については、団結権、協約締結権及び争議権のいずれも認められており、給与は労使交渉により統一的に決定され、労働協約が締結される（交渉が不調の際には使用者が一方的に決定することはできない。）。なお、このほかに、法令や労働協約の定める勤務条件の各官署における具体的な適用や個別の人事案件に関する使用者の意思決定に勤務者が参画する官吏・公務被用者共通の仕組みとして、職員協議会制が設けられている。

フランスの国家公務員については、軍人等を除き、団結権及び争議権が認められている一方で、協約締結権は認められていない。給与は政令等で定められており、改定を実施する権限は政府が有しているが、給与改定など一定の事項については労使交渉が認められている。労使が合意に達した場合には、政府が作成した議定書に労働組合が署名することとされているが、近年、給与について、このような合意に至った例はない。議定書には、法的に労使双方を拘束する効力はなく、倫理的、政治的な拘束力があるのみであったが、合意を促し、公務における労使対話の枠組みを強化するねらいから、二〇一九年の法令等により、一定の要件を満たす場合に、合意された議定書に法的効力が付与されることとなった。労使合意が不調の場合には、政府は独自に給与改定を行うことができ、労働組合側は争議行為で対抗するかという事態になる。また、フランスにおいても、労使交渉とは別に、職員が代表者を通じて一定の案件について使用者との協議に参加する職場協議会制度が設けられている。

五　争議行為等の禁止に対する最高裁判決の変遷

ところで本条第二項等による公務員の争議行為等の禁止については、それが労働基本権を保障する憲法第二八条に違反するか否かが従来しばしば訴訟によって争われてきた。この点に関する最高裁判所の判断は過去二回にわたって大きく変更されている。

1　弘前機関区事件判決（政令第二〇一号事件判決）（昭二八・四・八）

この問題についての最初の最高裁判所の判断は、弘前機関区事件判決である。この判決では、当時国家公務員であった国鉄職員の争議行為に関して、「国民の権利はすべて公共の福祉に反しない限りにおいて立法その他の国政の上で最大の尊重をすることを必要とするのであるから、憲法二八条が保障する勤労者の団結する権利及び団体交渉その他の団体行動をする権利も公共の福祉のために制限を受けるのは已を得ないところである。殊に国家公務員は、国民全体の奉仕者として公共の利益のために勤務し、且つ職務の遂行に当つては全力を挙げてこれに専念しなければならない性質のものであるから、団結権、団体交渉権についても、一般の勤労者とは違つて特別の取扱を受けることがあるのは当然である。」と判示し、憲法第一三条の「公共の福祉」と第一五条の「全体の奉仕者」を公務員の労働基本権を制約する根拠とした。

2　全逓中郵事件判決（昭四一・一〇・二六）等

昭和四一年に至り最高裁判所は、全逓中郵事件判決で、「「公務員は全体の奉仕者であつて、一部の奉仕者ではない」とする憲法一五条を根拠として、公務員に対して右の労働基本権をすべて否定するようなことは許されない」と判示することとなった。ただし、「国民生活全体の利益の保障という見地からの制約を当然の内在的制約として内包している」とし、具体的にどのような制約が合憲とされるかについては次の諸点を考慮に入れ、慎重に決定する必要があるとしている。

①　労働基本権の制限は、労働基本権を尊重確保する必要と国民生活全体の利益を維持増進する必要とを比較衡量して、合理性の認められる必要最小限のものにとどめなければならない。

② 労働基本権の制限は、職務又は業務の停廃が国民生活全体の利益を害し、国民生活に重大な障害をもたらすおそれのあるものについて、これを避けるために必要やむを得ない場合について考慮されるべきである。
③ 労働基本権の制限違反に伴う不利益については、必要な限度を超えないように、十分な配慮がなされなければならない。特に、勤労者の争議行為等に対して刑事制裁を科することは、必要やむを得ない場合に限られるべきである。
④ 職務又は業務の性質からして、労働基本権を制限することがやむを得ない場合には、これに見合う代償措置が講ぜられなければならない。

さらに同判決は、争議行為に刑事罰を科し得る場合として、「もし争議行為が労組法一条一項の目的のためでなくして政治的目的のために行なわれたような場合であるとか、暴力を伴う場合であるとか、社会の通念に照らして不当に長期に及ぶときのように国民生活に重大な障害をもたらす場合には、憲法二八条に保障された争議行為としての正当性の限界をこえるもので、刑事制裁を免れないといわなければならない。」とし、いわゆる限定合憲論を判示した。

その後、昭和四四年四月二日の都教組事件判決及び全司法仙台事件判決において、最高裁判所は先の全逓中郵事件判決の限定合憲論を継承した上、あおり、唆し等の刑事罰の適用について、「違法性の強いものであることのほか、あおり行為等が争議行為に通常随伴するものと認められるものでないことを要するものと解すべきである。」として、いわゆる「二重しぼり論」を判示した。

3　全農林警職法事件判決（昭四八・四・二五）

昭和四八年に至って最高裁判所はまた新たな判断を示した。いわゆる全農林警職法事件等に関する判決がそれであり、同判決が示した公務員の争議行為等の禁止の理由は次のとおりである。

① 公務員は、勤労者として、自己の労務を提供することにより生活の資を得ているものである点において一般の勤労者と異なるところはないから、憲法二八条の労働基本権の保障は公務員に対しても及ぶものと解すべきである。
② ただ、この労働基本権は、勤労者の経済的地位の向上のための手段として認められたものであって、それ自体が目的とされる絶対的なものではないから、おのずから勤労者を含めた国民全体の共同利益の見地からする制約を免れないものであり、このことは、憲法一三条の規定の趣旨に徴しても疑いのないところである。

③　以下、この理を、非現業の国家公務員について詳述すれば、次のとおりである。

④　公務員は、憲法一五条の示すとおり、実質的には、その使用者は国民全体であり、公務員の労務提供義務は国民全体に対して負うもので、公務員の地位の特殊性と職務の公共性に鑑みるときは、これを根拠として公務員の労働基本権に対し必要やむを得ない限度の制限を加えることは、十分合理的な理由があるというべきである。

⑤　次に公務員の勤務条件は、私企業の場合のごとく労使間の自由な交渉に基づく合意によって定められるものではなく、原則として、国民の代表者により構成される国会の制定した法律、予算によって定められることとなっている。

⑥　さらに、私企業においては、一般に使用者にはいわゆる作業所閉鎖（ロックアウト）をもって争議行為に対抗する手段があるばかりでなく、労働者の過大な要求を容れることは、企業の経営を悪化させ、企業そのものの存立を危殆ならしめ、ひいては労働者自身の失業を招くという重大な結果をもたらすことともなるのであるから、労働者の要求はおのずからその面よりの制約を免れず、ここにも私企業の労働者の争議行為と公務員のそれとを一律同様に考えることのできない理由の一が存するのである。

⑦　なお付言するに、ＩＬＯ第九八号条約第六条は、「この条約は、公務員の地位を取り扱うものではなく、また、その権利又は分限に影響を及ぼすものと解してはならない。」と規定して、公務員の地位の特殊性を認めており、また結社の自由委員会は、「公務員は、その雇用を規制する立法の通常の条件として、ストライキ権を禁止されており、この問題についてさらに審査する理由がない。」とし、公務員の争議行為は、一般私企業におけるとは異なる制約に服すべきものとなし得ることは国際的視野に立っても肯定されているところなのである。

⑧　しかしながら、公務員についても憲法によってその労働基本権が保障される以上、その労働基本権を制限するに当たっては、これに代わる相応の措置が講じられなければならない。そこで、検討を加えてみるに、公務員に対しても、制約に見合う代償措置として身分、任免、服務、給与その他に関する勤務条件についての周到詳密な規定を設け、更に中央人事行政機関として準司法機関的性格を持つ人事院を設けている。

⑨　以上に説明したとおり、公務員の従事する職務には公共性がある一方、法律によりその主要な勤務条件が定められ、身分が保障されているほか、適切な代償措置が講じられているのであるから、国公法がかかる公務員の争議行為及びそ

のあおり行為等を禁止するのは、勤労者をも含めた国民全体の共同利益の見地からするやむを得ない制約というべきであって、憲法二八条に違反するものではないといわなければならない。

また、同判決においては、二裁判官による以下の追加補足意見が付されている。

① 代償措置こそは、争議行為を禁止されている公務員の利益を国家的に保障しようとする現実的な制度であり、公務員の争議行為の禁止が違憲とされないための強力な支柱なのであるから、それが十分にその保障機能を発揮し得るものでなければならず、また、そのような運用が図られなければならない。

② もし仮にその代償措置が迅速公平にその本来の機能を果たさず実際上画餅に等しいとみられる事態が生じた場合には、公務員がこの制度の正常な運用を要求して相当と認められる範囲を逸脱しない手段態様で争議行為に出たとしても、それは、憲法上保障された争議行為であるというべきである。

③ もっとも、この代償措置についても、全ての国家的制度と同様、その機能が十分に発揮されるか否かは、その運用に関与する全ての当事者の真摯な努力にかかっているのであるから、当局側が誠実に法律上及び事実上可能な限りのことを尽くしたと認められるときは、要求されたところのものをそのまま受け容れなかったとしても、この制度が本来の機能を果たしていないと速断すべきでない。

以後、最高裁判所は非現業の地方公務員については岩教組事件判決（昭五一・五・二一）、当時の現業の国家公務員については全逓名古屋中郵事件判決（昭五二・五・四）において同趣旨の判示を行っている。その後も、最高裁判所は、人勧凍結反対闘争事件判決（平一二・三・一七）において全農林警職法事件判決を踏まえた判断を示している。このように、前述の追加補足意見も含め、全農林警職法事件で示された考え方が定着して今日に至っているといってよいであろう。

なお、人勧凍結反対闘争事件において原告の控訴を棄却した東京高等裁判所の判決（平七・二・二八）においては、全農林警職法事件判決における前述の追加補足意見を踏まえ、代償措置が画餅に等しいと見られる事態が生じたかどうかについて検討が加えられており、「政府は、人事院勧告を尊重するという基本方針を堅持し、将来もこの方針を変更する考えはなかったものであるが、昭和五七年当時の国の財政は……困難な問題を抱える未曾有の危機的な状況にあったため、やむを得ない極めて異例の措置として同年度に限って人事院勧告の不実施を決定したのであって、これをもって違法不当なものとすることはできず、たとえ公務員に争議権が認められていたとしても、給与支給の原資が乏しければ給与の増額は見送らざるを得ないのであるから、右昭和五七年度に限って行われた人事院勧告の不実施をもって直ちに、公務員の争議行為等を制約することに見合う代償措置が画餅に等しいと見られる事態が生じたということはできないものといわざるを得ない。」との判断が示されている。

この原審（東京高等裁判所）の判断に関して、最高裁判所は以下のように判示している（平一二・三・一七）。

① 国家公務員法九八条二項の規定が憲法二八条に違反するものでないことは、当裁判所の判例（全農林警職法事件判決）とするところであり、これと同旨の原審の判断は、正当として是認することができる。

② 本件ストライキの当時、国家公務員の労働基本権の制約に対する代償措置がその本来の機能を果たしていなかったということができないことは、原判示のとおりである。

〔解　釈〕

一　法令に従う義務

職員は、その職務を遂行するについて、法令に従ってこれを行わなければならない。国家公務員も、同時に国民の一人であるから、別途、国民一般を対象として制定されている法令を遵守する義務があることも当然であるが、本条第一項にいう「法令」とは、「職務を遂行するについて」定められているものをいう。

例えば、運転を職務とする職員の場合は、運転業務に従事することがその職務であるから、道路交通法に違反したときは、本項に違反することとなるが、一般の職員が家族とドライブをしている最中に道路交通法に違反したといったときは、信用失墜行為の禁止（法九九）や「国民全体の奉仕者たるにふさわしくない非行のあつた場合」（法八二１③）に該当することはあり得るが、本項に該当するものではない。

二　上司の命令に従う義務

１　職務命令の方法

職務命令には、特定の職員を対象として行うものと職員一般を対象として行うものとがある。また、それを伝達する方法としては、口頭による場合と文書による場合とがあり、特定の職員に対する職務命令は口頭によることが多く、職員一般に対する場合は文書によることが普通で、訓令や通達という形式を採ることが多い。この訓令や通達は、通常は本条第一項の「法令」ではなく、職務命令に属するものといってよい。訓令及び通達の発出については、行組法第一四条第二項に「各省大臣、各委員会及び各庁の長官は、その機関の所掌事務について、命令又は示達をするため、所管の諸機関及び職員に対し、訓令又は通達を発することができる。」と明文の規定が設けられている。

2　職務命令の要件

本条第一項の職務命令が有効に成立するためには、次の要件を充足している必要がある。

(1)　権限ある上司から発出されたものであること　ここでいう上司とは、職員の職務上の上級者として指揮監督権限を与えられた者をいう。上司とは、指揮監督の系列において上位の職にある者といってよいであろう。例えば隣の課の課長といった、単に地位や役職階層が上位の指揮監督権限のない者は、本項にいう上司には当たらない。また、組織は一般に階層構造を成しているが、仮に階層的にみて上下の関係にある、例えば局長と課長といった二人以上の上司が、同一の事柄について異なる内容の職務命令を出した場合には、より上位の役職階層を占める上司である局長の職務命令が優先すると解される。

(2)　職務に関するものであること　職務命令は、上司の職務権限の範囲内にあり、かつ、受命者の担当職務の範囲内にあるものでなければならない。したがって、職務命令の範囲は、原則として本法第一〇五条に規定する職員の職務の範囲内にあるものに限られる。例えば、原則として会計課の職員に人事課の仕事を命令することはできない。しかし、この点については職務付加による例外があり、その詳細は第一〇五条で述べることとする。

(3)　職務命令の内容が適法なものであり、かつ実行可能なものであること　職務命令の内容は適法であることはもちろん、実行可能なものでなければならない。職務命令が適法でなければならないことについて、仙台高等裁判所の昭和二九年一一月一〇日の判決は、それが犯罪行為を命ずるようなものであった場合には職員はその命令に従うべきではなく、それを実行した場合にはかえって上司と共に罪に問われることを次のように判示している。

「すべて国家公務員（以下公務員と称する）は、その職務を遂行するについては上司の職務上の命令に忠実に従わなければならないが、上司の違法な命令にもつねに必ず盲従すべき義務あるものでないことは、公共の利益のために国民全体に奉仕すべき公務員の国家公共的な性格に照し当然の事理であるといわねばならない。すなわち公務員は上司の命令が上司の権限の範囲内において発せられたものであつて、その命ぜられた事項が自己の職務の範囲内に属しかつ自己の職務上の独立に関しないものであること、適法な手続により発せられたものであること等の要件を備えているかどうかを考慮し、その命令がこれらの要件を備えている場合にはこれに従わなければならないが、これらの要件が明らかに欠けている場合においては、これに従わないことが出来る。否寧ろ之を拒否すべきものと解するのを相当とする。而して何人といえども犯罪行為をなす権限を有するものではなく、又いかなる上司といえども下僚に対し犯罪行為をなすべきことを命ずる権限あるものではないから、公務員は、上司により命ぜられた事項が明らかに犯罪行為をなすことにある場合には、当該命令を拒否することを要し、もしその命に従い右事項が罪となるべき事実に該当することを認識しながら敢えてこれを行うにおいては、上司と共に右犯行につき共同正犯の責を免れることはできないし、もとより罪を犯す意がないとなすことはできない。」

また、職務命令は法律上又は事実上不可能なことを命じるものであってはならない。例えば、納税義務のないことが明らかである者に対する徴税命令は法律上不可能であり、死亡した者の逮捕命令は事実上不可能である。

３　職務命令の効力と服従義務

職員は、前述した要件を具備している職務命令が発出された場合にはこれに対して「忠実に」（法九八１）従わなければならない。職務命令に明白かつ重大な瑕疵がある場合には、当該職務命令は無効であり、部下はこれに従う必要はない。しかし、職務命令の効力が明らかではない場合、例えば取消しの原因となる瑕疵を有する職務命令の場合には、その命令は一応適法の推定を受け、部下はその職務命令に従わなければならない。このような場合に部下に職務命令の審査権があるとすると、階層的な組織における職務の遂行が困難になるからである。

他方、職務命令に対する部下の服従の義務は、職員の意見の申出や不満の表明を否定するものではない。この点について第二次世界大戦前の官吏服務紀律第二条は、「官吏ハ其職務ニ付本属長官ノ命令ヲ遵守スヘシ但其命令ニ対シ意見ヲ述ルコトヲ得」と規定していた。本法にはこのような諫言に関する規定は存在しないが、公務の公正かつ能率的な運営の観点からは職員が積極的に意見を具申すべきことは当然である。ただし、意見を申し出たにもかかわらず、上司の命令が変更されない場合には、職員はその命令に従わなければならず、もしそれに従わないときは本条第一項の服務義務違反に問われることになる。

なお、ドイツ連邦官吏法第六二条及び第六三条は、適法な職務遂行に関して、官吏個人の責任を認める一方で、上司の職務上の命令を遂行し、その一般的方針に従う義務を官吏に課し、職務上の命令の適法性に疑義がある場合には遅滞なくこれを上司に主張しなければならない旨を明文で規定している。このような規定が設けられた背景には、第二次世界大戦中の官吏の忠誠義務の在り方への反省があったといわれる。この上司に対する異議申立て（Remonstration）は、官吏の義務であると同時に権利でもあるとされている。すなわち、官吏はその職務行為の適法性について個人として全責任を有することとされていることから、官吏に対してこのような異議申立ての権利を保障しているのである。直接の上司の一段階上位の上司まで異議申立てを行ってもなお命令が維持された場合には、官吏は命令を遂行する義務を負う一方で責任を免れることとされている。

三　争議行為等の意味

本条第二項前段は、争議行為及び怠業的行為の禁止を規定しているが、講学上、争議行為は正常な業務の運営を阻害する行為であり、その行為類型としてストライキ、怠業、ピケッティング、職場占拠などがある。同項においても、争議行為の例示として怠業を規定している。他方、同項においては、争議行為と政府の活動能率を低下させる怠業的行為を別概念のものと整理しているが、前述のように怠業も争議行為の行為類型の一つとなり得るものであるため、両者の区別は実際問題として必ずしも明確ではない。いずれにせよ双方の区別は相対的なもので、同項にいう「怠業的行為」とは、国の正常な業務の運営を阻害するまでには至っていないが、政府の活動能率を低下させる行為であるといってよいであろう。

四　争議行為等の態様

まず、争議行為の態様としては本条第二項に同盟罷業と怠業が例示されているが、「同盟罷業」とは、一般にストライキと呼ばれているもので、複数の勤労者が共同して労働力の供給を停止する行為をいい、「怠業」とは、同じく複数の勤労者が共同で仕事や作業の能率を意識的に低下させる行為をいうものである。なお、怠業は今日では一般にサボタージュと同義のものと観念されているが、サボタージュには本来は積極的に生産設備などを破壊する行為が含まれていたものである。

次に、本条第二項は、「怠業的行為」を禁止しているが、怠業的行為とは職員が共同で政府の活動能率を低下させる行為であり、怠業とは相対的な程度の差があるにすぎないと考えられる。なお、行政執行法人職員の争議行為の禁止の場合は、「怠業」は禁止されているが、「怠業的行為」の文言は用いられていない（行政執行法人労働関係法一七１）。

争議行為等は、その目的によって、給与や勤務時間といった勤務条件の改善や向上を目的として行われる「経済スト」、特定の政権や政策に関する政治的な要求を掲げて行う「政治スト」、他の労働団体等を支援するための「同情スト」などに区分することができる。

また、行為の態様によって、全国的な規模又はそれに近い規模で行われる「ゼネラル・ストライキ」（いわゆる「ゼネスト」）、一部の組合員が当該労働団体全体の意思に反して行う「山猫スト」、目的実現のため飲食物を断つ「ハンガー・ストライキ」（いわゆる「ハンスト」）などに区別することができる。

近年においては、労使関係の安定化に伴い、件数としては少なくなったが、争議行為等としてこれまで公務員の労働団体が実際に行ってきた主なものとして次のようなものがある。

(1)　勤務時間内職場大会　　職員が一斉に勤務時間中に職務を放棄して集会等に参加する方法で、争議行為等に該当することはもとより、個々の職員の職務専念義務（法一〇一１）にも違反することになる。さらに、職場大会が庁舎内（その敷地を含む。）で許可なく行われた場合には、庁舎管理規則違反の問題も生じる。また、勤務時間内に行われることにより、給与法の定めるところにより給与の減額の問題が生じることになる（給与法一五）。

(2)　一斉休暇闘争　　職員が一斉に年次休暇を請求して勤務をしないことにより業務の正常な運営を阻害する方法をいう。このような行為は、形式的には権利の行使の名をかりて行われるものであるが、実質的には集団として国の業務の正常な運営を阻害することを目的として行われるものであり、争議行為等に該当するものである。この点に関し、最高裁判所は、白石営林署事件判決（昭四八・三・二）において、「いわゆる一斉休暇闘争とは、これを、労働者がその所属事業場において、その業務の正常な運営の阻害を目的として、全員一斉に休暇届を提出して職場を放棄・離脱するものと解するときは、その実質は、年次休暇に名を藉りた同盟罷業にほかならない。したがつて、その形式いかんにかかわらず、本来の年次休暇権の行使ではないのであるから、これに対する使用者の時季変更権の行使もありえず、一斉休暇の名の下に同盟罷業に入った労働者の全部について、賃金請求権が発生しないことになるのである。」と判示している。

(3)　超過勤務拒否闘争　業務の繁忙期などを狙い、複数の職員が共同で超過勤務を拒否する方法で、争議行為等に該当することはもとより、超過勤務（時間外勤務）命令は職務命令であるから、個々の職員について上司の命令に従う義務（法九八1）や職務専念義務（法一〇一1）の違反も生じることになる。

(4)　宿日直勤務拒否闘争　団体行動として宿日直勤務を行わない方法で、争議行為等に該当することはもとより、宿日直命令は職務命令であるから、個々の職員については、上司の命令に従う義務（法九八1）や職務専念義務（法一〇一1）の違反も生じることになる。

(5)　業務研究闘争（業研闘争）　職員が一斉に事務室内の自分の席で専ら執務参考資料や法令集を読むなどして、来客や電話の応対を怠ったり、上司の指示・命令に従わなかったりする方法である。この行為は、外見上は勤務をしているかのように見えるが、職制上の機能を排除するものであり、争議行為等に該当する。また、個々の職員については職務専念義務違反（法一〇一1）等の問題が生じる。

(6)　遵法闘争　業務に関する法令を遵守すると称して極めて形式的、杓子定規に業務を行い、意識的、かつ、故意に業務の運営を阻害し、あるいは勤務能率を低下させる方法である。争議行為等の中の怠業に該当する。

(7)　ピケッティング（ピケ）　スト参加者の脱落の防止、あるいは業務の運営を妨げるため、職員が集団で庁舎の入口などで説得又は就業を阻む方法をいう。このピケッティングが庁舎外で平穏な説得に終始している場合には特に服務上の問題は生じないが、争議行為等をあおり、唆すときは、争議行為等の助長行為（法九八2後段）に該当し、物理的に正常な業務の運営を阻害するときは争議行為等に該当する。また、庁舎内（その敷地を含む。）で許可なく行われるときは庁舎管理上の問題が生じる。

(8)　座り込み　職員が集団で庁舎内（その敷地を含む。）に座り込む方法をいい、正常な業務の運営に支障を及ぼすことにより争議行為等に該当するほか、許可なくこれが行われ、あるいは退去命令に応じないことにより庁舎管理上の問題が生じる。

(9)　その他の争議行為等の態様　以上のほか、争議行為等の態様として遅刻戦術、早退戦術、出張拒否闘争等があるが、これらの行為は職員の集団によって行われ、業務の正常な運営を阻害することによって争議行為等に該当することとなるほか、個々の職員についてそれぞれの具体的な態様に応じて上司の命令に従う義務（法九八1）、職務専念義務（法一〇一1）等の服務義務違反の問題が生じるものである。

なお、行政執行法人については、当局側が行う作業所閉鎖が、禁止されている（行政執行法人労働関係法一七2）。作業所閉鎖（ロック・アウト）は、使用者が勤労者の争議行為に対抗するための手段であり、争議行為の一つと考えてよいであろうが、行政執行法人の業務は、正確かつ確実に執行することが求められるものであることから、勤労者の争議行為等と同様に禁止されることになる。本法にはこれに類する規定はないが、当然の事理であるといってよい。

五　争議行為等の企画、助長等の行為

本条第二項は、争議行為等に直接参加する実行行為のほか、争議行為等を企て、あおり、唆す等の企画、助長等の行為を禁止している。

この企画、助長等の禁止は職員だけではなく、全ての国民を対象とし、後述するようにその違反に対しては罰則の適用があることに注意を要する。

本条第二項で規定している企画、助長等の文言の意味は次のとおりである。

① 「企て」とは、企画することを意味し、計画を策定することなどをいう。争議行為等を実行するために会議を開くこと、準備をすることなどは「企て」に含まれるが、「共謀し」に該当することもあろう。

② 「共謀し」とは、争議行為等を実行するために複数の者が協議することをいう。

③ 「そそのかし」とは、教唆の意味であり、争議行為等を行う意思のない職員に対して、争議行為等を実行する決意を新たに生じさせるに足る慫慂行為をすることをいう。

④ 「あおつて」とは、扇動を意味し、争議行為等を実行させる目的をもって、例えば言動、文書、図画などによって、職員の争議行為等を実行する決意を生じさせ、あるいは既に生じている意思を助長させるような勢いのある行為をいう。

これらの企て、共謀、助長等の行為は、それが現実に影響を及ぼすおそれがあるものでなければならないが、そのような行為である限り、現実に争議行為等が実行されたかどうかを問うものではない。

また、「何人たるを問わず第九十八条第二項前段に規定する違法な行為の遂行を共謀し、唆し、若しくはあおり、又はこれらの行為を企てた者」（法一一一の二①（新刑法の施行日以降は、一一〇1⑯）は、三年以下の禁錮（新刑法の施行日以降は、拘禁刑）又は一〇〇万円以下の罰金に処することとされている。争議行為等の実行行為については刑事罰の適用はないが、刑法の教唆犯又は従犯と異なり、共謀、助長等の行為については、このように独立して刑事罰を科することとしているのは、立法意思として争議行為等を未然に防止することを重視したからであると考えられる。

なお、行政執行法人職員には本条第二項は適用されず（行政執行法人労働関係法三七1①）、したがって、本法第一一一条の二第一号（新刑法の施行日以降は、第一一〇条第一項第一六号）の罰則も適用されないこととなるので、行政執行法人労働関係法第一七条第一項で禁止されている争議行為の共謀、助長等を行った者に対しては、それが職員であるときは、専ら懲戒罰の対象となる。

六　争議行為等を行った職員の身分上の取扱い

争議行為等を行った職員は、本条第三項により、その行為の開始とともに、国に対し、法令に基づいて保有する任命又は雇用上の権利をもって、対抗することができないこととされている。

この規定の文言は、争議行為等を行った公務員は、国又は地方公共団体に対し、その保有する任命又は雇用上の権利をもって対抗することができない旨の政令第二〇一号の文言を引き継いだものである。

本項の「任命又は雇用上の権利」とは、本法に規定されている分限上の保障（法七五以下の規定）、懲戒上の保障（法八二以下の規定）をいうものと解されている。すなわち、この規定は、職員が争議行為等を行ったときは、それを理由として不利益な扱いを受けたとしても、その職員は法令に基づいて保有する「任命又は雇用上の権利」を国に対して主張することができないことを明らかにしたものであり、争議行為等の結果、身分上重大な結果が生じることを特に明示したものであるとされている。

これに対して、不服申立て権は「任命又は雇用上の権利」に含まれないので、争議行為等を行った職員が懲戒処分を受けた場合、当該処分に不服のある者は人事院に対して不利益処分の審査請求（法九〇1）を行うことができるものと解されている。

しかし、審理によって争議行為等を行ったことが明らかにされたときは当該職員には本項に基づいて救済は与えられないものとされ、懲戒権者の行った処分を認める場合には、人事院の判定においては通常、処分の「承認」という言葉が用いられているのに対して、この場合に限って請求の「棄却」という言葉が用いられている（特別の事情がある場合に「棄却」せずに「修正」した事例もある（第九二条の〔解釈〕二2㈣参照）。）。

なお、本項は行政執行法人職員には、行政執行法人労働関係法第三七条によって適用除外されているが、同法第一八条に同旨の規定がある。

（信用失墜行為の禁止）

第九十九条　職員は、その官職の信用を傷つけ、又は官職全体の不名誉となるような行為をしてはならない。

〔趣　旨〕

一　公務の信用と職員の非行

公務員は、国民全体の奉仕者として公共の利益のために勤務するものであり、特定の利益のために勤労を行う民間企業の従業員とは異なる社会的地位を有している。このような立場にある公務員が非行を行うことは、当該本人が厳しく非難されることはもとより、公務に対する国民の信頼を損ね、公務全体の信用をも失うこととなるものである。

このような観点から、本条は公務員がその占めている官職の信用を損ね、公務員全体が批判を受けるような行為、すなわち、信用失墜行為を公私にわたって行うことを厳重に禁止している。

二　汚職の防止

第二次世界大戦前の官吏制度においては、官吏服務紀律第三条第一項により、「官吏ハ職務ノ内外ヲ問ハス廉耻ヲ重シ貪汚ノ所為アルヘカラス」と規定され、そのような行為をすることを厳に戒めていた。現行の国家公務員制度においては、このような行為は本条の信用失墜行為に該当することになるが、この貪汚の行為の中で最も国民からの指弾を浴びるのが汚職である。一旦汚職が発生すると、公務全体の信用を計り知れないほど傷つけることはこれまでの例から明らかであろう。

〔解　釈〕

一　信用失墜行為の内容

1　「官職の信用」と「官職全体の不名誉」

本条は、「職員は、その官職の信用を傷つけ、又は官職全体の不名誉となるような行為をしてはならない。」と規定している。「その官職の信用を傷つけ」とは、個々の職員が占めている官職の信用を損なうことであり、職務に関連して非行を行った場合である。また、「官職全体の不名誉となるような行為」とは、公務員全体にとって不名誉となるような行為である。一般に官職の信用を傷つける行為は、同時に官職全体の不名誉となる行為でもあるといってよいであろう。

2　信用失墜行為の態様

本条にいう信用失墜行為には、職務遂行行為として行われるものに限らず、職務に必ずしも直接関係しない行為や勤務時間外の私的な行為も含まれる。本条に該当する行為の代表例としては次のような行為がある。

① 職務に直接関係する信用失墜行為――業務上横領、職権の濫用、運転業務中の交通事故、管理監督責任違反

② 職務に関連する信用失墜行為――職務遂行中の暴言等、飲食物等の供応の受領

③ 職務と関連しない信用失墜行為――私用のドライブ中における飲酒運転、常習賭博、勤務時間外の傷害や暴行

3　信用失墜行為の判断基準

このように本条の信用失墜行為には、職務上の行為だけでなく、私生活上の行為も含まれているが、具体的にどのような行為が本条に該当するかは、収賄や業務上横領などのようにそれが極めて明白であるものは別として、健全な社会通念に基づいて判断することになる。この社会通念は、それぞれの時代の価値観や倫理感によって変動する余地があるので、それぞれの事案のそのときの状況に応じて個別に判断する必要があろう。そしてその判断は任命権者の恣意によるものではなく、社会的に妥当性があり、客観的かつ納得性のあるものでなければならない。なお、ＳＮＳ等の私的利用が信用失墜行為に該当し得る場合もあること（差別的発言等の他人の権利利益を侵害するおそれがある内容の発信等）などについて注意を促すため、「国家公務員のソーシャルメディアの私的利用に当たっての留意点」（平二五・六総務省人事・恩給局）が示されている。

二　汚職の防止

公務員の信用失墜行為の典型で、一般に最も厳しい批判を受けるのがいわゆる汚職である。汚職が発覚した場合、司直の手が伸び、テレビや新聞等で上司の謝罪する姿や本人の職場が大きく報道されるなど、その発生は公務の信用を著しく傷つけることになるものである。

汚職とは一般に、収賄、横領、背任などをいうものであるが、最も頻繁に世間を騒がせるのは収賄である。収賄については、刑法第二編中「第二十五章　汚職の罪」として、単純収賄罪（刑法一九七１前段）、受託収賄罪（刑法一九七１後段）、事前収賄罪（刑法一九七２）、第三者供賄罪（刑法一九七の二）、加重収賄罪（刑法一九七の三１、２）、事後収賄罪（刑法一九七の三３）及びあっせん収賄罪（刑法一九七の四）が規定されている。

我が国の公務員は、全体としては廉恥心が強く、道徳的水準も高いといってよいであろうが、一たび汚職に手を染める不心得者が生まれると、世間の厳しい指弾を受け、公務員全体の立場を損ねることは既に述べたとおりであり、当局は汚職の防止に常時努める必要がある。

汚職の発生を防止するための基本は、個々の公務員自身の自覚によることが基本であり、公務員各自が全体の奉仕者としての使命感を強く持ち、自らを厳しく律することが必要である。次に、各職場の管理監督者は部下の行動に常日頃から注意を怠らず、汚職の発生を未然に防止するよう手段を尽くすことが大切である。また、許可、認可、検査等、特定の相手方に利益あるいは不利益をもたらすことを職務内容とする官職への人事配置については組織全体として配慮し、また、内部監察体制を確立することも大切である。

このような汚職の防止をはじめとする公務員の綱紀粛正については、累次にわたる閣議決定等により対策が講じられてきたが、平成一〇年の金融不祥事を契機として倫理法が制定されるに至ったことは、第三条の二の〔解釈〕二で述べたとおりである。

（秘密を守る義務）

第百条　職員は、職務上知ることのできた秘密を漏らしてはならない。その職を退いた後といえども同様とする。

② 法令による証人、鑑定人等となり、職務上の秘密に属する事項を発表するには、所轄庁の長（退職者については、その退職した官職又はこれに相当する官職の所轄庁の長）の許可を要する。
③ 前項の許可は、法律又は政令の定める条件及び手続に係る場合を除いては、これを拒むことができない。
④ 前三項の規定は、人事院で扱われる調査又は審理の際人事院から求められる情報に関しては、これを適用しない。何人も、人事院の権限によつて行われる調査又は審理に際して、秘密の又は公表を制限された情報を陳述し又は証言することを人事院から求められた場合には、何人からも許可を受ける必要がない。人事院が正式に要求した情報について、人事院に対して、陳述及び証言を行わなかつた者は、この法律の罰則の適用を受けなければならない。
⑤ 前項の規定は、第十八条の四の規定により権限の委任を受けた再就職等監視委員会が行う調査について準用する。この場合において、同項中「人事院」とあるのは「再就職等監視委員会」と、「調査又は審理」とあるのは「調査」と読み替えるものとする。

〔趣　旨〕

一　行政と秘密

およそ民主主義の下における行政は国民に対して公開で行われることが基本的な原則であるが、行政がその目的を適正に達成するためには、一定の秘密を厳正に守らなければならない場合がある。

例えば、他国との外交交渉の際の訓令や報告の内容が外部に漏れるようなことがあれば、我が国の立場を著しく不利にしかねない。また、特定の国民の財産の状況、家庭の事情などの情報に接する業務に従事している職員がその業務を通じて知り得た個人のプライバシーを漏らすようなことは、当該個人の利益を侵害することになる。さらに、公共事業の入札予定価格や国家試験の問題の内容を事前に漏らすことがそれぞれの行政の遂行を阻害することは明らかであろう。

本条はこのような観点に立って職員に対し服務義務の一つとして守秘義務を課しているものである。

なお、一般に公務員の服務義務は、職員の在職中に限って課せられるものであるが、守秘義務については、秘密はその性質上、職員の在職と関わりなく守られなければならないものであるため、職員の身分を離れた後も課せられるものである。

二　秘密の発表

前述のように、守秘義務は行政の適正な遂行のために課せられるものであるが、他のより重要な目的の達成のために守秘義務に特例を設けざるを得ない場合がある。本条第二項から第五項においては、このような場合に所定の調整を行うための措置として、原則として所轄庁の長の許可を条件として守秘義務を解除し得ることを定めている。

三　秘密の意味

秘密とは一般に知られていない事実であって、それを漏らすことにより、特定の法益を侵害するものをいうものとされている。この場合の特定の法益には公的なものだけでなく、私的なものも含むものである。

本条の秘密については、形式説と実質説とがある。形式説は、指定秘説とも呼ばれ、行政庁において所定の権限ある者が秘密としての表示をしたものを守秘義務の対象である秘密とする説である。これに対し、実質説は、自然秘説とも呼ばれ、形式的な表示のいかんにかかわらず、事柄の性質上、客観的に秘密であるものが守秘義務の対象であるとする説である。

この点について最高裁判所の徴税トラの巻事件判決（昭五二・一二・一九）は、実質説をとっている。すなわち、同判決においては、「国家公務員法一〇〇条一項の文言及び趣旨を考慮すると、同条項にいう「秘密」であるためには、国家機関が単にある事項につき形式的に秘扱の指定をしただけでは足りず、右「秘密」とは、非公知の事項であつて、実質的にもそれを秘密として保護するに価するものと認められるものをいうと解すべき」であると判示している。本条にいう秘密は形式秘は含まれず、実質秘であると解すべきである。なお、形式秘を漏らした場合、本条違反とはならないが、本法第九八条第一項の職務命令違反に該当し、問責されることはあり得る。

次に、特定秘密の保護に関する法律（平二五法一〇八）においては、行政機関の長は、当該行政機関の所掌事務に係る防衛、外交、特定有害活動の防止及びテロリズムの防止に関する事項に関する情報であって、公になっていないもののうち、その漏えいが我が国の安全保障に著しい支障を与えるおそれがあるため、特に秘匿することが必要であるものを特定秘密として指定することとされており（同法三1）、その保護に関し必要な事項を定めている。この特定秘密は、本法における秘密にも該当するものであるが、前者の範囲は後者に比べてより限定的となっている。

〔解　釈〕

一　「職務上知ることのできた秘密」と「職務上の秘密」

本条第一項が漏らしてはならないこととしている秘密は、「職務上知ることのできた秘密」であり、本条第二項でその発表について許可を要するとしている秘密は「職務上の秘密」である。このように本条は、秘密について二つのものを書き分けているが、第一項の秘密は、第二項の秘密よりも広い概念で、職員が職務の執行に関連して知り得た秘密の全てをいい、職員が担当している職務に直接関係する秘密、すなわち「職務上の秘密」のほか、担当職務外の秘密であっても職務の遂行に関連して知り得たものが含まれる。例えば、徴税に携わる職員が、その職務の遂行上たまたま知り得た納税者の家庭的事情などがこれに当たる。職員が退職した後までも遵守しなければならない守秘義務は、この広い概念の秘密についてである。

これに対して第二項の狭義の「職務上の秘密」は、職員が職務上所掌している秘密に限定されるものであり、直接、職務の法益に関わるものとして、この秘密を発表する場合には所轄庁の長の許可を要するものとされているのである。

二　秘密事項の発表の許可

職務上の秘密であっても、他の法益との権衡上、これを公表しなければならない場合がある。本条第二項は、職員が法令による証人や鑑定人となる場合には、守秘義務と証人や鑑定人として真実を明らかにする必要性とを調整するために、現職の職員については所轄庁の長の、退職者についてはその退職した官職又はこれに相当する官職の所轄庁の長の許可を得て守秘義務を解除し得ることを規定している。また、第三項で、所轄庁の長による「前項の許可は、法律又は政令の定める条件及び手続に係る場合を除いては、これを拒むことができない。」として、所轄庁の長は原則として許可を与えなければならないことを定めている。現在、同項にいう政令は定められていないが、その法律としては、刑訴法、議院における証人の宣誓及び証言等に関する法律、民訴法等に次に掲げるような規定があり、国の重大な利益に関わるとき等はこれを拒むことができる旨、定められている。

○刑事訴訟法

第百四十四条　公務員又は公務員であつた者が知り得た事実について、本人又は当該公務所から職務上の秘密に関するものであることを申し立てたときは、当該監督官庁の承諾がなければ証人としてこれを尋問することはできない。但し、当該監督官庁は、国の重大な利益を害する場合を除いては、承諾を拒むことができない。

○議院における証人の宣誓及び証言等に関する法律

第五条　各議院若しくは委員会又は両議院の合同審査会は、証人が公務員（国務大臣、内閣官房副長官、内閣総理大臣補佐官、副大臣、大臣政務官及び大臣補佐官以外の国会議員を除く。以下同じ。）である場合又は公務員であつた場合その者が知り得た事実について、本人又は当該公務所から職務上の秘密に関するものであることを申し立てたときは、当該公務所又はその監督庁の承認がなければ、証言又は書類の提出を求めることができない。

②　当該公務所又はその監督庁が前項の承認を拒むときは、その理由を疏明しなければならない。その理由をその議院若しくは委員会又は合同審査会において受諾し得る場合には、証人は証言又は書類を提出する必要がない。

③　前項の理由を受諾することができない場合は、その議院若しくは委員会又は合同審査会は、更にその証言又は書類の提出が国家の重大な利益に悪影響を及ぼす旨の内閣の声明を要求することができる。その声明があつた場合は、証人は証言又は書類を提出する必要がない。

④　前項の要求後十日以内に、内閣がその声明を出さないときは、証人は、先に要求された証言をし、又は書類を提出しなければならない。

○民事訴訟法

（公務員の尋問）

第百九十一条　公務員又は公務員であった者を証人として職務上の秘密について尋問する場合には、裁判所は、当該監督官庁（衆議院若しくは参議院の議員又はその職にあった者についてはその院、内閣総理大臣その他の国務大臣又はその職にあった者については内閣）の承認を得なければならない。

２　前項の承認は、公共の利益を害し、又は公務の遂行に著しい支障を生ずるおそれがある場合を除き、拒むことができない。

なお、前述のように、職員が公表することについて許可を受けることを要するのは「職務上の秘密」の公表である。したがって、「職務上知ることのできた秘密」であっても「職務上の秘密」に該当しないものの公表については、許可を受ける必要はなく、この場合は、一般の証言や鑑定の原則に従うことになる。

次に、本条第四項は、その前段で「前三項の規定は、人事院で扱われる調査又は審理の際人事院から求められる情報に関しては、これを適用しない。」と規定している。すなわち、人事院が行う本法第一七条の人事行政に関する調査、第八七条の勤務条件に関する行政措置要求の調査、第九一条の不利益処分の審査請求についての調査等について職員の守秘義務と秘密の公表に関する所轄庁の長の許可の規定を全面的に排除している。さらに本項は、その後段で、職員に人事院に対する罰則を伴う証言義務を課している。このような規定を設けた理由は必ずしも明らかではないが、職員の利益保護及び人事行政の適正な運営を重視、尊重した趣旨であると考えられる。

また、本条第五項においては、第四項の規定は、本法第一八条の四の規定により内閣総理大臣から職員の退職管理に関する事項についての調査の権限の委任を受けた再就職等監視委員会が行う調査に準用される旨を定めている。この場合においても、再就職等監視委員会に対する証言義務違反は罰則の対象とされている。

なお、本法第一七条の二により、第一七条の規定による人事院の調査権限のうち職員の職務に係る倫理の保持に関して行われるものであって第九〇条第一項に規定する不服申立てに係るもの以外のものは、国家公務員倫理審査会に委任されており、この場合の本条第四項の適用については、「人事院」とあるのは「国家公務員倫理審査会」と読み替える等と倫理法第三四条で定められている。

三　秘密の指定権者、指定手続その他秘密文書の取扱い

秘密の指定権者は原則として当該事項を所掌する所轄庁の長であるが、内部委任により、局長、課長等の職員にその指定を委任している場合には、その委任を受けた職員が秘密の指定権者となる。従前は、秘密の指定権者、指定の手続、秘密文書の取扱い、指定の範囲等については、「秘密文書等の取扱いについて」（昭四〇・四・一五事務次官等会議申合せ）等により定められていた。現在は、前述の特定秘密の取扱いについては特定秘密の保護に関する法律の体系下において定められるとともに、特定秘密以外の情報が記録された行政文書で秘密保全を要するもの（秘密文書）の管理については、行政文書管理規則（公文書等の管理に関する法律（平二一法六六）に基づき行政機関に作成が義務づけられているもの）の規定例、規定の趣旨・意義及び実務上の留意点を解説した「行政文書の管理に関するガイドライン」（令四・二・七内閣総理大臣決定）において各府省統一ルールが定められている。

○行政文書の管理に関するガイドライン（抄）（行政文書管理規則の規定例部分）

第一〇　秘密文書等の管理

1　特定秘密である情報を記録する行政文書の管理

特定秘密（特定秘密の保護に関する法律（平成二五年法律第一〇八号）第三条第一項に規定する特定秘密をいう。以下同じ。）である情報を記録する行政文書については、この訓令に定めるもののほか、同法、特定秘密の保護に関する法律施行令（平成二六年政令第三三六号）、特定秘密の指定及びその解除並びに適性評価の実施に関し統一的な運用を図るための基準（平成二六年一〇月一四日閣議決定）及び同令第一一条第一項の規定に基づき定められた○○省特定秘密保護規程に基づき管理するものとする。

2　特定秘密以外の公表しないこととされている情報が記録された行政文書のうち秘密保全を要する行政文書（特定秘密である情報を記録する行政文書を除く。以下「秘密文書」という。）の管理

(1)　秘密文書は、次の種類に区分し、指定する。

極秘文書　秘密保全の必要が高く、その漏えいが国の安全、利益に損害を与えるおそれのある情報を含む行政文書

秘文書　極秘文書に次ぐ程度の秘密であって、関係者以外には知らせてはならない情報を含む極秘文書以外の行政文書

(2)　秘密文書の指定は、極秘文書については各部局長が、秘文書については各課長が期間（極秘文書については五年を超えない範囲内の期間とする。(3)において同じ。）を定めてそれぞれ行うものとし（以下これらの指定をする者を「指定者」という。）、その指定は必要最小限にとどめるものとする。

(3)　指定者は、秘密文書の指定期間（この規定により延長した指定期間を含む。以下同じ。）が満了する時において、満了後も引き続き秘密文書として管理を要すると認めるときは、期間を定めてその指定期間を延長するものとする。また、指定期間は、通じて当該行政文書の保存期間を超えることができないものとする。

(4)　秘密文書は、その指定期間が満了したときは、解除されたものとし、また、その期間中、指定者が秘密文書に指定する必要がなくなったと認めるときは、指定者は、速やかに秘密文書の指定を解除するものとする。

(5)　指定者は、秘密文書の管理について責任を負うものを秘密文書管理責任者として指名するものとする。

(6)　秘密文書は、秘密文書を管理するための簿冊において管理するものとする。

(7)　秘密文書には、秘密文書と確認できる表示を付すものとする。

(8)　総括文書管理者は、秘密文書の管理状況について、毎年度、○○大臣に報告するものとする。

(9)　他の行政機関に秘密文書を提供する場合には、あらかじめ当該秘密文書の管理について提供先の行政機関と協議した上で行うものとする。

(10)　総括文書管理者は、この訓令の定めを踏まえ、秘密文書の管理に関し必要な事項の細則を規定する秘密文書の管理に関する要領

を定めるものとする。

また、政府機関における情報セキュリティについては、サイバーセキュリティ戦略本部において、「政府機関等のサイバーセキュリティ対策のための統一規範」（平二八・八・三一同本部決定）をはじめ統一基準群が定められており、これらに基づき各府省庁において情報セキュリティポリシーを策定し、情報セキュリティ対策を実施している。

四　秘密の漏えい及び懲罰

本条第一項の規定により、職員は現職中であると退職後であるとを問わず、職務上知ることのできた秘密を漏らしてはならないが、ここで「漏らす」とは、秘密である事実を一般に知らしめること、又は知らしめるおそれのある行為をすることをいう。その漏らす方法については、文書であると口頭であるとを問わず、また、積極的な行為、すなわち作為であると漏えいの黙認、すなわち不作為であるとを問わない。さらに、秘密を漏らす対象は、不特定多数の人びとである場合はもちろん、特定の人を対象とした場合であっても、その者を通じて広く流布されるおそれがある以上、漏えいに該当することになる。

秘密を漏えいした者が現に職員である場合には、本条に違反したことに基づき懲戒処分の対象となる（法八二1①）ほか、本法第一〇九条第一二号の規定により刑事罰の対象となる。また、退職した者は、既に職員ではないため公務員関係の秩序を維持するための懲戒処分の対象とはならないが、国が一般統治権に基づいて行う刑事罰の対象になる（法一〇九⑫）。本条に関して本法が科することとしている刑事罰は次のとおりである。（注）新刑法の施行日以降は、「懲役」が「拘禁刑」になる。

①　本条第一項又は第二項の規定に違反して秘密を漏らしたとき――一年以下の懲役又は五〇万円以下の罰金（法一〇九⑫）

②　本条第四項（同条第五項において準用する場合を含む。）の規定に違反して陳述や証言を行わなかったとき――三年以下の懲役又は一〇〇万円以下の罰金（法一一〇1⑱（新刑法の施行日以降は、⑰））

③　①及び②の行為を企て、命じ、故意にこれを容認し、唆し又はそのほう助をしたとき――各本条の刑（法一一一）

さらに、秘密を守る義務については、特定の職員の特定の行為について別途規定が設けられている場合がある。その主な例は次のとおりである。（注）新刑法の施行日以降は、「懲役」が「拘禁刑」になる。

① 国税に関する調査又は国税の徴収に関する事務に従事している者又は従事していた者が、これらの事務に関して知ることのできた秘密を漏らしたとき——二年以下の懲役又は一〇〇万円以下の罰金（国税通則法一二七）

② 地方税に関する調査に関する事務に従事している者又は従事していた者が、その事務に関して知り得た秘密を漏らしたとき——二年以下の懲役又は一〇〇万円以下の罰金（地方税法二二）

③ 行政機関の行った統計調査に係る調査票情報等の取扱いに従事する行政機関の職員又は職員であった者が、その業務に関して知り得た個人又は法人その他の団体の秘密を漏らしたとき等——二年以下の懲役又は一〇〇万円以下の罰金（統計法五七1）

④ 特許庁の職員又はその職にあった者が、その職務に関して知得した特許出願中の発明に関する秘密を漏らしたとき——一年以下の懲役又は五〇万円以下の罰金（特許法二〇〇）

⑤ 特許庁の職員又はその職にあった者が、その職務に関して知得した実用新案登録出願中の考案に関する秘密を漏らしたとき——一年以下の懲役又は五〇万円以下の罰金（実用新案法六〇）

⑥ 特許庁の職員又はその職にあった者が、その職務に関して知得した意匠登録出願中の意匠に関する秘密を漏らしたとき——一年以下の懲役又は五〇万円以下の罰金（意匠法七三）

⑦ 診療録又は助産録の提出・検査に関する事務に従事した公務員又は公務員であった者が、その職務の執行に関して知り得た医師等の業務上の秘密又は個人の秘密を正当な理由がなく漏らしたとき——一年以下の懲役又は五〇万円以下の罰金（医療法八六1）

⑧ 中央選挙管理会の庶務に従事する総務省の職員等が選挙人の投票した被選挙人の氏名等を表示したとき——二年以下の禁錮又は三〇万円以下の罰金（公選法二二七）

⑨ 国家公務員倫理審査会の事務に従事する者又はその職を退いた者が、職務上知ることのできた秘密を漏らしたとき——二年以下の懲役又は一〇〇万円以下の罰金（倫理法四六）

⑩　公正取引委員会の職員又は職員であった者が、その職務に関して知得した事業者の秘密を他に漏らしたとき――一年以下の懲役又は一〇〇万円以下の罰金（私的独占の禁止及び公正取引の確保に関する法律九三）

⑪　特定秘密の取扱いの業務に従事する者がその業務により知得した特定秘密を漏らしたとき――一〇年以下の懲役又は情状により（金銭的対価を伴う秘密漏えい事案について罰金刑を任意的に併科することとし）一〇年以下の懲役及び一〇〇〇万円以下の罰金（特定秘密の保護に関する法律二三1）

⑫　マイナンバー制度に係る情報提供等事務又は情報提供ネットワークシステムの運営に関する事務に従事する者又は従事していた者がその業務に関して知り得た当該事務に関する秘密を漏らしたとき――三年以下の懲役若しくは一五〇万円以下の罰金又はこれを併科（行政手続における特定の個人を識別するための番号の利用等に関する法律（平二五法二七）五〇）

これらの規定と本条との関係は、一個の行為が二個以上の罪名に触れる刑法第五四条第一項の観念的競合に当たり、その最も重い刑により処断されることになる。

また、近年、行政機関の保有する情報の公開に関する法律（情報公開法）（平一一法四二）や行政機関の保有する個人情報の保護に関する法律（平一五法五八。現在は、個人情報の保護に関する法律（個人情報保護法）（平一五法五七）に統合。）の制定など、行政機関による情報の取扱いを規律する法律が整備されており、これらの法律の規定と本法の守秘義務との関係が問題となり得るため、以下に概説する。

まず、情報公開法第五条は、行政機関の長は、行政文書の開示請求があったときは、同条各号に掲げる不開示情報が記録されている場合を除き、当該行政文書を開示しなければならない旨を定めている。ここで開示を義務付けられている情報については、そもそも実質秘に当たらないとも解し得るが、職員には法令に従う義務（法九八1）が課せられていることに鑑みれば、同条の規定に基づき開示することは、本条にいう漏えいに該当せず、守秘義務違反とはならないと解される。また、同法第七条は、開示請求に係る行政文書に不開示情報が記録されている場合であっても、公益上の理由による裁量的開示を行政機関の長に認めているが、同条の規定に基づく開示の場合も同様に守秘義務違反とはならないと解される。さらに、情報公開法に基づき行政文書の開示を行ったところ、不開示情報かつ実質秘に当たるものが結果として開示された場合についても、秘密の漏えいが職員の過失による場合には故意による開示や職員が上司の職務上の命令に違反して誤った開示を行ったような場合は別として、守秘義務違反を問うことができないと解されている（宇賀克也著『新・情報公開法の逐条解説（第八版）』七二頁、七三頁）。この点については、秘密の漏えいが職員の過失による場合については、当該職員が本条第一項に違反するものとして刑罰に処せられることはないとの政府答弁もある（平成一一年内閣衆質一五〇第二七号）。

次に、個人情報保護法第六七条においては、個人情報の取扱いに従事する行政機関の職員又は職員であった者等は、その業務に関して知り得た個人情報の内容をみだりに他人に知らせ、又は不当な目的に利用してはならない旨を定めている。同法に規定する個人情報は、必ずしも本条の秘密に該当するものではないため、同法第六七条は、本条よりも義務の対象範囲を拡大していることとなる。また、同法第一七六条は、行政機関の職員又は職員であった者が、正当な理由がないのに、個人の秘密に属する事項が記録された個人情報ファイルを提供したときは、二年以下の懲役（新刑法の施行日以降は、拘禁刑）又は一〇〇万円以下の罰金に処する旨を定めている。ここでいう個人の秘密とは、本条の秘密と同様、非公知性と秘匿の必要性の要件を満たす実質秘であると解されており、本条との関係は観念的競合に当たり、刑が重い同法第一七六条により処断されることになる。

（職務に専念する義務）

第百一条　職員は、法律又は命令の定める場合を除いては、その勤務時間及び職務上の注意力のすべてをその職責遂行のために用い、政府がなすべき責を有する職務にのみ従事しなければならない。職員は、法律又は命令の定める場合を除いては、官職を兼ねてはならない。職員は、官職を兼ねる場合においても、それに対して給与を受けてはならない。

②　前項の規定は、地震、火災、水害その他重大な災害に際し、当該官庁が職員を本職以外の業務に従事させることを妨げない。

〔趣　旨〕

一　職務専念義務の意義

本条は、服務の根本基準として「すべて職員は、……職務の遂行に当つては、全力を挙げてこれに専念しなければならない。」ことを定めている本法第九六条第一項の規定を具体的に定めたものである。公務員は勤務を提供することによって国民全体の奉仕者としての責務を積極的に果たすことになるものであり、したがって、勤務時間中、全力を挙げてその職務に専念することは、職員の服務義務の中でも最も基本的な義務であるといわなければならない。

まず、本条第一項前段は、職員は勤務時間中は自己の精神的、肉体的な活動能力の全てを職務の遂行に用いること、すなわち、その反面からみると勤務時間中は職務の遂行に関係のない行為をしてはならないことを定めている。本法がこのような規定を設けた理由は、職員各自がこの義務を遵守することによって、全体として「公務の民主的且つ能率的な運営を保障」（法一1）するという本法の目的を達成することにある。このような職務専念義務に関して最高裁判所はこれを極めて厳格に解し、電電公社職員のベトナム反戦プレート闘争事件判決（昭五二・一二・一三）において、労働組合の指示に基づいて勤務時間中にリボン等を着用する行為は職務専念義務に違反するとし、次のように判示している。

「被上告人の勤務時間中における本件プレート着用行為は、前記のように職場の同僚に対する訴えかけという性質をもち、それ自体、公社職員としての職務の遂行に直接関係のない行動を勤務時間中に行つたものであつて、身体活動の面だけからみれば作業の遂行に特段の支障が生じなかつたとしても、精神活動の面からみれば注意力のすべてが職務の遂行に向けられなかつたものと解されるから、職務上の注意力のすべてを職務遂行のために用い職務にのみ従事すべき義務に違反し、職務に専念すべき局所内の規律秩序を乱すものであつたといわなければならない。同時にまた、勤務時間中に本件プレートを着用し同僚に訴えかけるという被上告人の行動は、他の職員の注意力を散漫にし、あるいは職場内に特殊な雰囲気をかもし出し、よつて他の職員がその注意力を職務に集中することを妨げるおそれのあるものであるから、この面からも局所内の秩序維持に反するものであつたというべきである。」

また、近時のコロナ禍において、民間では大企業やＩＴ企業を中心にテレワークが定着しつつある。公務職場でもテレワークが広がりを見せており、テレワーク中の職務専念義務の在り方が議論されている。テレワークそのものを規律する法令が存在しない中で、テレワークの運用上は、テレワーク勤務においても職場勤務と同様に勤務時間中は職務に専念することが必要であるとされる一方、やむを得ない範囲内でごく短時間の執務の中断があっても、総体として職場勤務と同等の勤務を提供されている範囲内であれば、職務専念義務が果たされているものといえる。

二　兼職の制限

次に、本条第一項中段は、職員は原則として官職を兼ねてはならないことを定めている。本法がこのような規定を設けた趣旨は、一人の職員が二以上の官職を兼ねることは、いずれか一方の官職又はそのいずれの官職についても職務専念義務を完全に果たし得なくなることを避けるためであると考えられる。しかし、それをあまりに厳格に貫いた場合には、かえって現実の要請に対応できなくなるおそれがあるため、「法律又は命令の定める場合」には兼職を認め得ることとしている。これを受けて人規八―一二第三五条から第三八条まで及び第四九条は併任することができる場合及びその要件等を定めている。実際の運用においては併任を行う場合が少なくなく、その必要性に応じたものといえよう。

さらに本条第一項後段は、官職を兼ねる場合であっても、それに対して給与を受けてはならないことを定めている。給与については、本来の職務の遂行に勤務時間中の全ての注意力を用いることを前提としてその対価が決められているからであろう。また、併任に係る職務の遂行が本務の勤務時間と重なる場合には、兼職した官職の職務の遂行に注意力を用いた程度に応じて、同程度の注意力を本職の職務遂行に用いることができなくなることを考慮し、そのプラス・マイナスを相殺することとしたものということもできよう。この点に関し、人規八―一二第三八条は、「併任の場合において、勤務時間の重ならない部分に対しては、法第百一条第一項後段の規定は、なんらの影響を及ぼすものではない。」と規定している。

本条の職務専念義務と同様の規定を設けている地公法第三五条には、兼職を禁止する規定は設けられていない。国家公務員と地方公務員について異なる取扱いをしている趣旨は必ずしも明らかではないが、地公法においても職階制が採られていたが、必ずしも厳格な仕組みを一律に導入することが予定されておらず、法律上も兼職を禁止するまでもないと考えられていたものであろう。

三　本職以外の業務従事

本条第二項は、地震、火災、水害その他重大な災害に際しては、当該官庁が職員を本職以外の業務に従事させることを妨げないと規定している。職員は、本条第一項により職務に専念する義務を負うものであるが、非常災害が発生した場合などには人命の救助、庁舎の防護等緊急を要する作業が予測されるため、そのような場合には、一時的、異例的なものとして、本来の職務を離れて、それらの業務に従事させることを認めたものであり、むしろ当然のことを規定したものといえる。これに類似した規定として、所掌業務の遂行に著しい支障のない場合は、職員を災害応急対策又は災害復旧のための業務に従事させることができる旨を定めた災害対策基本法の規定（災害対策基本法二九～三三）がある。

〔解　釈〕

一　職務専念の具体的態様

職員は勤務時間中は全力を挙げて職務に専念しなければならないものであるが、勤務の具体的な態様は、必ずしも固定的、画一的ではない。例えば、官職を兼ねている場合、出張や赴任中の場合、研修を受けている場合、宿日直勤務に就いている場合等、それぞれの場合に応じて職務専念義務の在り方も当然に異なるものである。これらの場合の職務専念の在り方について述べると概ね次のとおりである。

1　併　任

併任とは、「採用、昇任、降任、転任又は配置換の方法により現に官職に任命されている職員を、その官職を占めさせたまま、他の官職に任命することをいう。」（人規八―一二　四⑥）ものである。前述のように本条第一項中段は、法律又は命令の定める場合は兼職を認めており、これを受けて人規八―一二第三五条が併任を行うことができる場合を次のとおり定めている。

①　法令の規定により、併任が認められている場合
②　現に任命されている官職と勤務時間が重ならない他の官職に併任する場合
③　併任の期間が三月を超えない場合
④　前述した場合のほか、併任によって当該職員の職務遂行に著しい支障がないと認められる場合

さらに、人規八―一二第四九条においては、非常勤官職への併任ができる場合の特例として、内閣府設置法第三七条、国家行政組織法第八条等の審議会等の非常勤官職に併任し、又は非常勤職員を非常勤官職に併任することができる旨が定めら

れている。

なお、併任の実態をみると、「専ら併任」と称して、長期間にわたり専ら併任先の業務に従事する例が散見される。これは、定員の新規増員を厳しく抑制する中で、組織間、府省間での定員の移動が機動的には行われず、業務量が増大している本省や内閣官房に十分な定員が配置されていないため、地方機関から本省への併任や他省から内閣官房への併任の形式で業務処理がなされるためである。しかしながら、これは、緊急避難的な運用であって、本質的には、官職への任用を基本とする現在の任用制度を歪める運用といえよう。人規八―一二の運用方針では、内閣官房等における政府全体として取り組むべき重要又は緊急な政策課題へ対応する場合などであってその職員の職務遂行に著しい支障がないと認められるときのような併任が認められる場合においても、当該併任される職員の現に任命されている官職の職務遂行、当該職員の処遇等への影響に鑑み、併任を必要とする事情、期間等を十分にしん酌し、適切に行うよう努めなければならないとしている（平二一人企五三二第三五条関係３）。

以上のような場合に該当して職員が二つ以上の官職を兼ねた場合で、かつ、それらの官職の勤務時間が重なるときには、その両方の官職の職務のいずれについても注意力の全てを用いることは実際問題として不可能である。そのような場合には職員は併任の内容に応じそれぞれの職務に専念することになる。

２　出張・赴任

旅費法第二条第六号により、「出張」とは、「職員が公務のため一時その在勤官署（常時勤務する在勤官署のない職員については、その住所又は居所）を離れて旅行し、又は職員以外の者が公務のため一時その住所又は居所を離れて旅行することをいう。」ものとされている。また、「赴任」とは同条第七号により、「新たに採用された職員がその採用に伴う移転のため住所若しくは居所から在勤官署に旅行し、又は転任を命ぜられた職員がその転任に伴う移転のため旧在勤官署から新在勤官署に旅行することをいう。」ものとされている。出張又は赴任により旅行中であっても、職務専念義務が免除されるわけではないが、給与上の取扱いとしては、給与法の運用方針第一六条関係第三項により、「公務により旅行（出張及び赴任を含む。……）中の職員は、その旅行期間中正規の勤務時間を勤務したものとみなす。」こととされている。したがって、例えば、出張のために列車に乗っている場合は、その間も正規の勤務時間を勤務したものとみなされることになる。列車に乗って目的地に向けて移動しつつある状態は出張の目的である職務遂行に必要な行動と考えられるからである。

3　研　修

勤務時間法第一〇条により、通常の勤務場所を離れる勤務のうち研修その他の勤務する時間帯が定められる勤務で人事院規則で定めるものを命ぜられた職員については、当該勤務を命ぜられた時間を割り振られた勤務時間とみなすこととされている。同条の人事院規則で定める勤務としては、職員が一日の執務の全部を離れて受ける研修（研修の課業時間が一週間につき、当該研修を受ける職員の一週間の勤務時間を超えず、かつ、その四分の三を下らないものであることなど、人事院が定める基準に適合するものに限る。）などが、人規一五―一四第一〇条で規定されている。すなわち、職員は、研修カリキュラムに定められている課業を受講している限り、職務専念義務を果たしていることになる。例えば、人事院が定めた基準に合致して行われている研修コースの課業時間が午後五時に終了するものである場合、それを受講している職員の本務における正規の勤務時間が午後六時までであるとしても、研修期間中は五時までの研修を受けることによって職務に専念したことになるものである。

4　宿日直

宿日直業務の場合は、それを命ぜられた職員が庁舎や設備等の保全、外部との連絡等、宿日直の目的に応じた勤務を必要かつ十分に行っていればよく（勤務時間法一三1）、宿直者が仮眠をとることがあっても職務専念義務に違反するものではない。研修及び宿日直業務については、第一〇五条で改めて述べることとする。

二　職務専念義務の免除

職員の職務専念義務は、「法律又は命令の定める場合」（法一〇一1前段）に免除される。現在、法令により職務専念義務が免除され、又は免除することができるのは次の場合であり、このうち(1)から(4)まで、(5)(ア)及び(6)から(12)までは、そもそも職務が割り振られていない場合であり、(5)(イ)及び(13)から(38)までは、勤務時間は割り振られているが、具体的な勤務が免除される場合である。

(1)　休　職　「休職者は、職員としての身分を保有するが、職務に従事しない。」（法八〇4）

(2)　停　職　「停職者は、職員としての身分を保有するが、その職務に従事しない。」（法八三2）

(3)　国際機関等派遣　「派遣された職員……は、その派遣の期間中、職員としての身分を保有するが、職務に従事しない。」（国際機関派遣法三）

(4)　官民人事交流　「交流派遣職員は、その交流派遣の期間中、職務に従事することができない。」とされ（官民人事交流法一〇１）とされ、「次に掲げる法律の規定は、交流派遣職員には適用しない。

一　国家公務員法第百一条の規定」（官民人事交流法一〇２）

(5)　法科大学院派遣　(ア)専ら教授等の業務を行うための派遣にあっては「派遣された検察官等は、その派遣の期間中、検察官等としての身分を保有するが、職務に従事しない。」（法科大学院派遣法一一５）とされ、(イ)本務を行いつつ、教授等の業務を行うための派遣にあっては「派遣された検察官等は、その正規の勤務時間……のうち当該法科大学院において教授等の業務を行うため必要であると任命権者が認める時間においては、勤務しない。」（法科大学院派遣法四９）

(6)　その他の派遣　「派遣された国の職員……は、その派遣の期間中、国の職員としての身分を保有するが、職務に従事しない。」（福島復興再生特別措置法四八の三７。同様の規定が同法八九の三７、令和七年に開催される国際博覧会の準備及び運営のために必要な特別措置に関する法律二五７及び令和九年に開催される国際園芸博覧会の準備及び運営のために必要な特別措置に関する法律一五７。）

(7)　弁護士職務従事　「弁護士職務従事職員は、その弁護士職務従事期間中、……法務省職員……としての身分を保有するが、その職務に従事しない。」（判事補及び検事の弁護士職務経験に関する法律五１）

(8)　専従許可　「職員は、職員団体の業務にもっぱら従事することができない。ただし、所轄庁の長の許可を受けて、登録された職員団体の役員としてもっぱら従事する場合は、この限りでない。」（法一〇八の六１）とされ、「第一項ただし書の許可を受けた職員は、……休職者とする。」（法一〇八の六５）

(9)　育児休業　「育児休業をしている職員は、職員としての身分を保有するが、職務に従事しない。」（育児休業法五１）

(10)　自己啓発等休業　「自己啓発等休業をしている職員は、職員としての身分を保有するが、職務に従事しない。」（自己啓発等休業法五１）

(11)　配偶者同行休業　「配偶者同行休業をしている職員は、職員としての身分を保有するが、職務に従事しない。」（配

偶者同行休業法五１）

⑿　検察官の剰員による欠位待ち　「検事長、検事又は副検事が検察庁の廃止その他の事由に因り剰員となつたときは、法務大臣は、その検事長、検事又は副検事に俸給の半額を給して欠位を待たせることができる。」（検察庁法二四）

⒀　超勤代休時間　「超勤代休時間を指定された職員は、当該超勤代休時間には、特に勤務することを命ぜられる場合を除き、正規の勤務時間においても勤務することを要しない。」（勤務時間法一三の二２）

⒁　休　日　「職員は、国民の祝日に関する法律……に規定する休日……には、特に勤務することを命ぜられる者を除き、正規の勤務時間においても勤務することを要しない。十二月二十九日から翌年の一月三日までの日……についても、同様とする。」（勤務時間法一四）

⒂　休日の代休日　「代休日を指定された職員は、勤務を命ぜられた休日の全勤務時間を勤務した場合において、当該代休日には、特に勤務することを命ぜられるときを除き、正規の勤務時間においても勤務することを要しない。」（勤務時間法一五２）

⒃　交替制等勤務職員の休息時間　「休息時間は、正規の勤務時間に含まれるもの」とする。（人規一五―一四　八３）

⒄　休　暇　「職員の休暇は、年次休暇、病気休暇、特別休暇、介護休暇及び介護時間とする。」（勤務時間法一六）

⒅　当局との交渉　「適法な交渉は、勤務時間中においても行なうことができるものとする。」（法一〇八の五８）

⒆　短期の組合業務従事許可　「所轄庁の長は、職員が、職員団体の業務にもつぱら従事する場合を除き、登録された職員団体の役員又は登録された職員団体の規約に基づいて設置される議決機関……、投票管理機関若しくは諮問機関の構成員として勤務時間中当該団体の業務に従事することを許可することができる。」（人規一七―二　六１）

⒇　行政措置要求事案の審査への出頭　「職員は……行政上の措置が行われることを要求することができる。」（法八六）ものであり、「人事院は、事案の審査のため必要と認めるときは、申請者……代理者又はその他の関係者から意見を徴し、又はこれらのものに対し資料の提出を求め、若しくは出頭を求めてその陳述を聞き、その他の必要な事実調査を行うことができる。」（人規一三―二　七１）

(21)　審査請求の口頭審理への請求者の出席　「処分を受けた職員は、すべての口頭審理に出席……できる。」（法九一３）

(22)　災害補償審査申立ての審理等への出頭　「人事院又は実施機関は、……補償を受け若しくは受けようとする者又はその他の関係人に対して、……出頭を命じ、医師の診断を行い……できる。」（補償法二六1）

(23)　公務災害被災職員の出頭　「人事院又は実施機関は、……その職員に……補償を受け若しくは受けようとする者その他の関係人に対して質問させることができる。」（補償法二七1）

(24)　給与の決定に関する審理への出頭　「この法律の規定による給与の決定……に関して苦情のある職員は、人事院に対し審査を申し立てることができる。」（給与法二一1）とされ、「人事院は、……陳述を求め、又はその他の必要な調査を行うことができる。」（人規一三―四　一〇1）

(25)　苦情相談の事情聴取　「各省各庁の長は、前項の規定により職員相談員から事情聴取等を求められた職員が請求したときは、当該事情聴取等に応ずるために必要な時間、勤務しないことを承認するものとする。」（人規一三―五　五2）

(26)　倫理法等違反行為に係る調査への出頭　「各省各庁の長等……は、法第十七条第一項の規定により審査会から事情聴取等を求められた職員が請求したときは、その者が審査会による調査に応ずるため必要な時間、勤務しないことを承認するものとする。」（人規二二―一　六2）とされ、「各省各庁の長等は、法第十七条第三項の規定により審査会から出頭を求められた職員が請求した場合には、その者が出頭し質問に応ずるため必要な時間、勤務しないことを承認するものとする。」（人規二二―一　九2）

(27)　兼　業　「職員は、兼業の許可が与えられたときは、その許可の範囲内で、その割り振られた正規の勤務時間の一部をさくことができる。」（職員の兼業の許可に関する政令二）。なお、特別の法律で兼業が認められ、職務専念義務の免除が認められる場合として、次のようなものがある（第一〇四条〔趣旨〕参照）。

①　非常勤の消防団員との兼職

消防団を中核とした地域防災力の充実強化に関する法律（平二五法一一〇）第一〇条第一項の規定により、非常勤の消防団員との兼職が認められた職員は、その活動を行うため、所轄庁の長等の承認を受けて正規の勤務時間の一部について、職務専念義務が免除される（消防団を中核とした地域防災力の充実強化に関する法律第十条第一項の規定による国家公務員の消防団員との兼職等に係る職務専念義務の免除に関する政令（平二六政令二〇六）1）。

② 矯正医官の兼業

矯正医官の兼業の特例等に関する法律（平二七法六二）第四条により、矯正医官が法務大臣の承認を受けて部外診療を行う場合には、正規の勤務時間を勤務しないこととなる時間について、職務専念義務が免除される。

③ 国立ハンセン病療養所医師等の兼業

ハンセン病問題の解決の促進に関する法律（平二〇法八二）第一一条の二により、国立ハンセン病療養所医師等が厚生労働大臣の承認を受けて所外診療を行う場合には、正規の勤務時間を勤務しないこととなる時間について、職務専念義務が免除される。

(28) レクリエーション行事への参加　「各省各庁の長は、勤務時間内においてレクリエーション行事を実施する場合には、人事院の定めるところにより、職員が当該行事に参加するために必要な時間、勤務しないことを承認することができる。」（人規一〇—六　五）

(29) 総合的な健康診査（人間ドック）　「各省各庁の長は、職員が請求した場合には、その者が総合的な健康診査で人事院が定めるもの……を受けるため勤務しないことを承認することができる。」（人規一〇—四　二二の二1）

(30) 特定保健指導　「各省各庁の長は、高齢者の医療の確保に関する法律（昭和五十七年法律第八十号）第十八条第一項に規定する特定健康診査の結果により健康の保持に努める必要がある職員（人事院の定める職員に限る。）が請求した場合には、その者が同法第二十四条の規定による特定保健指導を受けるため勤務しないことを承認することができる。」（人規一〇—四　二四の三1）

(31) 就業禁止　「各省各庁の長は、前項の事後措置〔健康診断等に基づく療養等の措置〕の実施に当たり、伝染性疾患の患者又は伝染性疾患の病原体の保有者である職員のうち、他の職員に感染のおそれが高いと認められる職員についてやむを得ないと認める場合には、業務に就くことを禁止することができる。」（人規一〇—四　二四2）

(32) 妊産婦の健康診査及び保健指導　「各省各庁の長は、妊産婦である女子職員が請求した場合には、人事院の定めるところにより、その者が母子保健法……第十条に規定する保健指導又は同法第十三条に規定する健康診査を受けるため勤務しないことを承認しなければならない。」（人規一〇—七　五）

(33)　妊産婦の休息　「各省各庁の長は、妊娠中の女子職員が請求した場合において、その者の業務が母体又は胎児の健康保持に影響があると認めるときは、当該職員が適宜休息……するために必要な時間、勤務しないことを承認することができる。」（人規一〇―七　六２）

(34)　妊娠中の通勤緩和　「各省各庁の長は、妊娠中の女子職員が請求した場合において、その者が通勤に利用する交通機関の混雑の程度が母体又は胎児の健康保持に影響があると認めるときは、正規の勤務時間等の始め又は終わりにおいて、人事院の定める時間、勤務しないことを承認しなければならない。」（人規一〇―七　七）

(35)　船員の就業禁止　「各省各庁の長は、伝染性疾患にかかり、若しくは伝染性疾患の病原体を保有している船員について他の船員への伝染を防止するため、又は心身に故障を生じた船員について自身を傷つけ、若しくは他の船員に害を及ぼすことを防止するため必要があると認めるときは、その者を業務に就かせてはならない。」（人規一〇―八　七１）

(36)　育児時間　「各省各庁の庁は、職員……が請求した場合において、公務の運営に支障がないと認めるときは……当該職員がその小学校就学の始期（常時勤務することを要しない職員……にあっては、三歳）に達するまでの子を養育するため一日につき二時間を超えない範囲内で勤務しないこと……を承認することができる。」（育児休業法二六１）

(37)　研究公務員の研究集会への参加　「研究公務員が、科学技術に関する研究集会への参加（その準備行為その他の研究集会に関連する事務への参加を含む。）を申し出たときは、任命権者は、その参加が、研究に関する国と国以外の者との間の交流及び行政執行法人と行政執行法人以外の者との間の交流の促進に特に資するものであり、かつ、当該研究公務員の職務に密接な関連があると認められる場合には、当該研究公務員の所属する試験研究機関等の研究業務の運営に支障がない限り、その参加を承認することができる。」（科学技術・イノベーション創出の活性化に関する法律一八）

(38)　外務公務員の休暇帰国　「外務大臣は、在外公館に勤務する外務公務員のうち一又は二以上の在外公館に引き続き勤務する期間（不健康地その他これに類する地域で外務大臣が指定するものにある在外公館にあっては、勤務する期間一月につき一月を加算した期間）が三年をこえる者に対し、三年につき一回、二月以内の期間（勤務地と本邦との間を往復するに要する期間を除く。）の休暇のための帰国……を許すことができる。」（外務公務員法二三１）

このほか、皇室の慶弔関係の儀式が行われる場合に、当該儀式が行われる日について休日とするとともに、法令の規定の適用については祝日法に規定する日等として取り扱う旨の特別の法律が制定されることがある。過去の例は次のとおりであるが、このうち①については、昭和六〇年の給与法の一部改正の際に、祝日法に規定する休日においては勤務することを要しない旨の規定が新設される前のものである。

① 皇太子明仁親王の結婚の儀の行われる日を休日とする法律（昭三四法一六）
② 昭和天皇の大喪の礼の行われる日を休日とする法律（平元法四）
③ 即位礼正殿の儀の行われる日を休日とする法律（平二法二四）
④ 皇太子徳仁親王の結婚の儀の行われる日を休日とする法律（平五法三二）
⑤ 天皇の即位の日及び即位礼正殿の儀の行われる日を休日とする法律（平三〇法九九）

なお、これまでその時々の事由に基づいて、その都度に限り職務専念義務を免除することとして発出された人事院規則又は人事院指令には、平成以降、次のようなものがある。

① 昭和天皇の大喪の礼の行われる日の非常勤職員の勤務の取扱いについて（平元人指一四―一）
② 週四十時間勤務制の試行のための職員の職務に専念する義務の免除（人規一四―一四）
③ 即位礼正殿の儀の行われる日の非常勤職員の勤務の取扱いについて（平二人指一四―一）
④ 皇太子徳仁親王の結婚の儀の行われる日の非常勤職員の勤務の取扱いについて（平五人指一四―一）
⑤ 平成七年兵庫県南部地震の被害に伴う職員の職務に専念する義務の免除に関する臨時措置について（平七人指一四―一）
⑥ 長野オリンピック冬季競技大会の運営の業務に従事する職員の職務に専念する義務の免除（人規一四―一五）
⑦ 一九九八年パラリンピック冬季競技大会の運営の業務に従事する職員の職務に専念する義務の免除（人規一四―一六）
⑧ 二千二年ワールドカップサッカー大会の運営の業務に従事する職員の職務に専念する義務の免除（人規一四―二二）
⑨ 平成十六年新潟県中越地震の被害に伴う職員の職務に専念する義務の免除に関する臨時措置について（平一六人指一四―一）
⑩ 平成二十三年東日本大震災の被害に伴う職員の職務に専念する義務の免除に関する臨時措置について（平二三人指一

四―二）
⑪　平成二十八年熊本地震の被害に伴う職員の職務に専念する義務の免除に関する臨時措置について（平二八人指一四―二）
⑫　平成三十年七月豪雨の被害に伴う職員の職務に専念する義務の免除に関する臨時措置について（平三〇人指一四―一）
⑬　令和元年台風第十九号の被害に伴う職員の職務に専念する義務の免除に関する臨時措置について（令元人指一四―一）
⑭　新型コロナウイルス感染症に係る抗体検査を受ける場合における職員の職務に専念する義務の免除に関する臨時措置について（令二人指一四―一）
⑮　令和二年七月豪雨の被害に伴う職員の職務に専念する義務の免除に関する臨時措置について（令二人指一四―二）
⑯　新型コロナウイルス感染症に係る予防接種を受ける場合等における職員の職務に専念する義務の免除に関する臨時措置について（令三人指一四―二）
⑰　令和三年に開催される東京オリンピック競技大会又は東京パラリンピック競技大会の運営の業務に従事する職員の職務に専念する義務の免除（人規一四―二三）

三　欠　勤

職員が職務専念義務を免除されていないにもかかわらず勤務を欠いた場合は欠勤となり、本条違反を理由とする懲戒処分の対象となるほか、給与法第一五条の規定によりその給与を減額されることになる。

（政治的行為の制限）
第百二条　職員は、政党又は政治的目的のために、寄附金その他の利益を求め、若しくは受領し、又は何らの方法を以てするを問わず、これらの行為に関与し、あるいは選挙権の行使を除く外、人事院規則で定める政治的行為をしてはならない。
②　職員は、公選による公職の候補者となることができない。
③　職員は、政党その他の政治的団体の役員、政治的顧問、その他これらと同様な役割をもつ構成員となることがで

きない。

〔趣　旨〕

一　行政の中立性・安定性の確保

我が国は、議会制民主主義を採用し、国民から選ばれた代表者（国会議員）を通じて国民の意思を国政に反映させる政治制度を採っている。このような制度が正常に運営されるためには、国民がそれぞれの政治的意見を自由に表明できることが基本的前提である。このような観点から憲法第二一条第一項は、「集会、結社及び言論、出版その他一切の表現の自由は、これを保障する。」と規定し、政治活動の自由を国民に保障している。公務員も国民の一員であり、原則としてこの憲法第二一条の集会、結社及び表現の自由の保障が及ぶことはいうまでもない。しかし、その一方で公務員は、憲法第一五条第二項が規定しているように「全体の奉仕者」であり、特定の政治的グループの利益のために奉仕することは、この公務員の基本的な性格に反することになる。すなわち、公務員はその地位の特殊性に基づき、中立的な立場で公正に職務を行うことが要請される。

また、議院内閣制の下にある我が国においては、国政を担当する国会議員及び国会が選出する内閣総理大臣は選挙の結果によって交代するものであるが、公務員人事が政党や政治家の交代と連動して行われることとなると、政治から中立で専門性を持つ職業公務員集団は維持できなくなり、その結果、公正な行政の執行に対する国民の信頼が失われるおそれがある。したがって、行政の公正性、安定性を維持するためには、公務員の政治的中立性を確保する必要があり、憲法に保障される政治的活動についても公務員は謙抑的であることが求められ、そのために公務員制度上、一定の制限を加える規制を定めたのが本条である。

まず、最高裁判所の猿払事件判決（昭四九・一一・六）は、公務員が政治的に中立性を維持すべきことについて次のように述べている。

「国民の信託による国政が国民全体への奉仕を旨として行われなければならないことは当然の理であるが、「すべて公務員は、全体の奉仕者であつて、一部の奉仕者ではない。」とする憲法一五条二項の規定からもまた、公務が国民の一部に対する奉仕としてではなく、その全体に対する奉仕として運営されるべきものであることを理解することができる。公務のうちでも行政の分野におけるそれは、憲法の定める統治組織の構造に照らし、議会制民主主義に基づく政治過程を経て決定された政策の忠実な遂行を期し、もつぱら国民全体に対する奉仕を旨とし、政治的偏向を排して運営されなければならないものと解されるのであつて、そのためには、個々公務員が、政治的に、一党一派に偏することなく、厳に中立の立場を堅持して、その職務の遂行にあたることが必要となるのである。すなわち、行政の中立的運営が確保され、これに対する国民の信頼が維持されることは、憲法の要請にかなうものであり、公務員の政治的中立性が維持されることは、国民全体の重要な利益にほかならないというべきである。」

また、平成二四年一二月七日の社保庁職員事件判決及び世田谷事件判決においても、最高裁判所は、「本件罰則規定の目的は、……公務員の職務の遂行の政治的中立性を保持することによって行政の中立的運営を確保し、これに対する国民の信頼を維持することにあるところ、これは、議会制民主主義に基づく統治機構の仕組みを定める憲法の要請にかなう国民全体の重要な利益というべきであ」るとしている。

次に、公務員が政治的な変化に関わりなく、安定した行政を遂行すべきことについて「人事院規則一四―七（政治的行為）の運用方針について」は次のように述べている。

「国の行政は、法規の下において民主的且つ能率的に運営されることが要請される。従つて、その運営にたずさわる一般職に属する国家公務員は、国民全体の奉仕者として政治的に中立な立場を維持することが必要であると共に、それらの職員の地位は、たとえば、政府が更迭するごとに、職員の異動が行われたりすることがないように政治勢力の影響又は干渉から保護されて、政治の動向のいかんにかかわらず常に安定したものでなければならない。」

二　政治的行為の制限に関する憲法問題

前述のように政治的行為の制限は、職員の市民的自由と公務員の中立性及び行政の安定性を確保することを調整するための措置であるが、このように職員の政治活動を制限することについては憲法第二一条第一項の集会、結社及び表現の自由の保障に抵触するのではないかという問題がある。

前述した猿払事件判決においては、最高裁判所は、憲法第二一条との関係について、「憲法二一条の保障する表現の自由は、民主主義国家の政治的基盤をなし、国民の基本的人権のうちでもとりわけ重要なものであり、法律によってもみだりに制限することができないものである。そして、およそ政治的行為は、行動としての面をもつほかに、政治的意見の表明としての面をも有するものであるから、その限りにおいて、憲法二一条による保障を受けるものであることも、明らかである。」が、前述のとおり「行政の中立的運営が確保され、これに対する国民の信頼が維持されることは、憲法の要請にかなうものであり、公務員の政治的中立性が維持されることは、国民全体の重要な利益にほかならない」ことを踏まえ、「公務員の政治的中立性を損うおそれのある公務員の政治的行為を禁止することは、それが合理的で必要やむをえない限度にとどまるものである限り、憲法の許容するところであるといわなければならない。」としている。また、「国公法一〇二条一項及び規則による公務員に対する政治的行為の禁止が右の合理的で必要やむをえない限度にとどまるものか否かを判断するにあたつては、禁止の目的、この目的と禁止される政治的行為との関連性、政治的行為を禁止することにより得られる利益と禁止することにより失われる利益との均衡の三点から検討することが必要である。」とし、結論として「国公法一〇二条一項及び規則五項三号、六項一三号は、合理的で必要やむをえない限度を超えるものとは認められず、憲法二一条に違反するものということはできない。」と判示している。

さらに、前述した社保庁職員事件判決及び世田谷事件判決においても、最高裁判所は、表現の自由としての政治活動の自由は「立憲民主政の政治過程にとって不可欠の基本的人権であって、民主主義社会を基礎付ける重要な権利であることに鑑みると」、「公務員に対する政治的行為の禁止は、国民としての政治活動の自由に対する必要やむを得ない限度にその範囲が画されるべきものである。」とした上で、罰則規定による政治的行為に対する規制が必要かつ合理的なものとして是認されるかどうかは、「罰則規定の目的のために規制が必要とされる程度と、規制される自由の内容及び性質、具体的な規制の態様及び程度等を較量して決定せられるべきものである」とし、結論においては、本条を合憲であるとしている。

第二に問題とされるのは本条の規定は概括的であり、具体的な政治的行為の制限の内容を包括的に人事院規則に委ねていることである。法律がこのように広範囲にわたる規制を人事院規則に委ね、しかもそれに刑事罰を科していること（法一一一の二②（新刑法の施行日以降は、一一〇1⑱））は、憲法第三一条が「何人も、法律の定める手続によらなければ、その生命若しくは自由を奪はれ、又はその他の刑罰を科せられない。」と定めていることに違反するのではないかということが問題とされるのである。

この点に関する最高裁判所の判断は、まず、前述した猿払事件判決において、「政治的行為の定めを人事院規則に委任する国公法一〇二条一項が、公務員の政治的中立性を損うおそれのある行動類型に属する政治的行為を具体的に定めることを委任するものであることは、同条項の合理的な解釈により理解しうるところである。」とし、「同法八二条による懲戒処分及び同法一一〇条一項一九号（注）による刑罰の対象となる政治的行為の定めを一様に委任するものであるからといつて、そのことの故に、憲法の許容する委任の限度を超えることになるものではない。」と述べ、人事院規則一四—七は合憲であるとしている。

（注）現在は同法第一一一条の二第二号であり、新刑法の施行日以降は第一一〇条第一項第一八号となる。

さらに、前述した社保庁職員事件判決及び世田谷事件判決において最高裁判所は、本条第一項の政治的行為とは、「公務員の職務の遂行の政治的中立性を損なうおそれが、観念的なものにとどまらず、現実的に起こり得るものとして実質的に認められるものを指し、同項はそのような行為の類型の具体的な定めを人事院規則に委任したものと解するのが相当である。そして、その委任に基づいて定められた本規則も、このような同項の委任の範囲内において、公務員の職務の遂行の政治的中立性を損なうおそれが実質的に認められる行為の類型を規定したものと解すべきである。」とし、「本件罰則規定は、不明確なものとも、過度に広汎な規制であるともいえないと解される。」とし、世田谷事件判決では、本条第一項が「憲法上禁止される白紙委任に当たらないことは明らかである。」としている。これらにより、結論においては、憲法第三一条違反を否定している。

このほか、昭和三〇年の東京高裁の判決では、「人事院は内閣の所轄の下にある官庁ではあるが、一般の行政官庁と異り内閣に対して著しい独立性を有している。（中略）人事院は一般の行政官庁とは著しく異つた特殊の性格をもつている機関であり、政治的意図によつて左右され難い官庁であることが明らかであることから国会がその立法権の一部を委任授権する相手方としては、人事院は通常の行政官庁よりもはるかに信頼度の高い機関であるということができ……授権の仕方は相当である」（昭三〇・九・二〇東京高裁）としている。加えて、猿払事件判決における大隅裁判官等による反対意見においても、「人事院が内閣から相当程度の独立性を有し、政治的中立性を保障された国家機関で、このような立場において公務員関係全般にわたり法律の公正な実施運用にあたる職責を有するものであることに照らすときは、右の程度の抽象的基準のもとで広範かつ概括的な立法の委任をしても、その濫用の危険は少なく、むしろ現実に即した適正妥当な規則の制定とその弾力的運用を期待することができると考えられる。」旨述べている。

三　禁止される政治的行為

本条第一項の委任に基づいて制定されている人事院規則一四―七（政治的行為）においては、〔解釈〕二で後述するとおり、同規則第五項に列挙された政治的目的を持つ第六項に列挙された政治的行為が原則として禁止されている。この禁止に違反した場合には刑事罰が科されることを踏まえれば罰則をもって禁止される政治的行為はどのようなものか、具体的な行為が罰則の対象となる政治的行為に該当するかの判断において行為者の地位及び職務の内容、行為の内容及び態様等が考慮要素となり得るのかが問題となる。

前述した猿払事件判決においては、最高裁判所は、「公務員の政治的中立性を損うおそれのある公務員の政治的行為」が禁止されており、非管理職の現業公務員が、勤務時間外に国の施設を利用することなく行った選挙用ポスターの掲示等の行為に関して、「政治的行為が公務員によつてされる場合には、当該公務員の管理職・非管理職の別、現業・非現業の別、裁量権の範囲の広狭などは、公務員の政治的中立性を維持することにより行政の中立的運営とこれに対する国民の信頼を確保しようとする法の目的を阻害する点に、差異をもたらすものではな」く、「政治的行為の禁止の趣旨からすれば、勤務時間の内外、国の施設の利用の有無、職務利用の有無などは、その政治的行為の禁止の合憲性を判断するうえにおいては、必ずしも重要な意味をもつものではない。」としている。

また、前述した社保庁職員事件判決において、最高裁判所は、本条第一項に定める政治的行為の内容及び同項による人事院規則への委任について、「本法の委任の趣旨及び本規則の性格に照らすと、本件罰則規定に係る本規則六項七号、一三号（五項三号）については、それぞれが定める行為類型に文言上該当する行為であって、公務員の職務の遂行の政治的中立性を損なうおそれが実質的に認められるものを当該各号の禁止の対象となる政治的行為と規定したものと解するのが相当である。」とした上で、「公務員の職務の遂行の政治的中立性を損なうおそれが実質的に認められるかどうかは、当該公務員の地位、その職務の内容や権限等、当該公務員がした行為の性質、態様、目的、内容等の諸般の事情を総合して判断するのが相当である。具体的には、当該公務員につき、指揮命令や指導監督等を通じて他の職員の職務の遂行に一定の影響を及ぼし得る地位（管理職的地位）の有無、職務の内容や権限における裁量の有無、当該行為につき、勤務時間の内外、国ないし職場の施設の利用の有無、公務員の地位の利用の有無、公務員により組織される団体の活動としての性格の有無、公務員による行為と直接認識され得る態様の有無、行政の中立的運営と直接相反する目的や内容の有無等が考慮の対象となるものと解される。」と判示している。

このような考え方に基づき、社会保険事務所の年金審査官が勤務時間外に政党機関紙等を配布した行為について、罰則規定の構成要件に該当しないとしている。他方、前述した世田谷事件判決においては、本省の課長補佐が勤務時間外に政党機関紙を配布した行為について、構成要件該当性を肯定している。

ところで、猿払事件の判決に対しては、「公務員の地位、職務の内容・性質などの個別的事情は捨象して、「一体となって国民全体に奉仕すべき責務を負う行政組織」の中立性の確保が主眼とされて、政治的行為の一律禁止の合憲性が帰結されており、公務員も国民の一人として政治活動の自由を有するという前提そのものが否定されてしまう結果になっている。……郵便局員が勤務時間外に組合推薦の議員候補者の選挙用ポスターを掲示・配布する行為（については）……少なくとも適用違憲とすべきではなかったかと思われる。」（佐藤幸治著『日本国憲法論（第二版）』一八三頁）などの批判的な学説がみられるところである。一方、社保庁職員事件、世田谷事件の両判決においては、前述のとおり、「公務員の地位、その職務の内容や権限等、当該公務員がした行為の性質、態様、目的、内容等の諸般の事情を総合して判断するのが相当」としており、このような両判決については、「猿払事件最高裁判決の論理を根本的に組み替え、その射程を実質的に限定した。」（長谷部恭男著『憲法の円環』二四八頁）とする見方もある。ただ、両判決は最高裁判所小法廷においてなされたものであり、また、当該両判決においては、問題となった「本件罰則規定」が憲法の規定に違反するものでないと解することができることについて、猿払事件判決等の趣旨に徴して明らかであると判示されており、当該両判決は猿払事件判決を変更するものではないといえよう。この点について、両判決に付された裁判長千葉裁判官の補足意見は、「本件罰則規定」の法令解釈及び判断の枠組み・合憲性の審査基準が猿払事件判決のそれと矛盾・抵触するものではない旨述べている。

四　政治的行為の制限と国民投票運動との関係

憲法第九六条に定める憲法改正についての国民の承認に係る投票（国民投票）に関する手続等を定めた日本国憲法の改正手続に関する法律（国民投票法）（平一九法五一）は、制定当初より、公務員の地位利用による国民投票運動を禁止していたが（同法一〇三）、「公務員が国民投票に際して行う……賛否の勧誘その他意見の表明が制限されることとならないよう」（同法附則一一）にとの観点から、国会の憲法審査会を中心に検討が行われ、平成二六年六月二〇日に公布、施行された国民投票法の一部改正により、中央選挙管理会の委員及び中央選挙管理会の庶務に従事する総務省の職員、検察官、警察官等の特定公務員を除く公務員は「公務員の政治的目的をもって行われる政治的行為又は積極的な政治運動若しくは政治活動その他の行為（以下この条において単に「政治的行為」という。）を禁止する他の法令の規定（以下この条において「政治的行為禁止規定」という。）にかかわらず、国会が憲法改正を発議した日から国民投票の期日までの間、国民投票運動（憲法改正案に対し賛成又は反対の投票をし又はしないよう勧誘する行為をいう。以下同じ。）及び憲法改正に関する意見の表明をすることができる。ただし、政治的行為禁止規定により禁止されている他の政治的行為を伴う場合は、この限りでない。」（同法一〇〇の二）と規定された。したがって、同条によれば、専ら憲法改正案に対し賛成又は反対する目的を持って国民投票運動や憲法改正に関する意見表明を行うことはなんら制限されず、当該目的は現行の人規一四―七第五項に規定する政治的目的のいずれにも該当しないため、このような行為はそもそも本条による政治的行為の制限の対象とならない（これに対し、地公法第三六条第二項においては、「公の……投票において特定の……事件を支持し、又はこれに反対する目的をもつて」「公の……投票において投票をするように、又はしないように勧誘運動をすること」が禁止されており、憲法改正に係る国民投票もその対象となる。）。ただし、国家公務員の政治的行為の制限を定めた本条及び人規一四―七は、国民投票法第一〇〇条の二にいう「政治的行為禁止規定」に該当するため、特定の政党その他の政治的団体を支持し又はこれに反対すること等の政治的目的を持って示威行為を企画・組織・指導し、又はこれらの行為を援助するなど同規則が制限の対象としている行為は、たとえ国民投票運動や憲法改正に関する意見表明に際して行うものであっても制限の対象となる。

なお、前述の国民投票法の一部改正法附則第四項は、「国は、この法律の施行後速やかに、公務員の政治的中立性及び公務の公正性を確保する等の観点から、国民投票運動に関し、組織により行われる勧誘運動、署名運動及び示威運動の公務員による企画、主宰及び指導並びにこれらに類する行為に対する規制の在り方について検討を加え、必要な法制上の措置を講ずるものとする。」と定めており、国家公務員、地方公務員を通じた組織的運動の規制の在り方が、「初回の国民投票までに何らかの結論を得」（平二六・五・二八参議院憲法審査会　発議者船田元衆議院議員）ることを念頭に、国会の憲法審査会を中心に検討されることとなる。

〔解　釈〕

一　適用の範囲

1　政治的行為が制限される職員の範囲

本条の政治的行為の制限は、非常勤の顧問、参与等、後述する一部の職員を除き、原則として全ての職員に適用される。臨時的任用職員、条件付採用職員及び休職・休暇・停職等により職務専念義務を免除されている職員についても適用されるものである（人規一四―七　1）。また、在籍専従制度や短期の組合業務従事制度によって職員団体の業務に従事している職員も政治的行為が制限される。さらに、一般の非常勤職員も任用されている間は常勤職員と同様に制限を受けるものである。なお、地方公務員などが国家公務員の官職を兼ねた場合には、国家公務員としての身分を有する以上、本法の政治的行為の制限の規定の適用を受けることとなる。

例外として、任命の態様及びその職務の内容に鑑み政治的行為の制限の適用を除外されている職員があるが、それは次のとおりである。

①　顧問、参与、委員で諮問的な非常勤職員（本法第六〇条の二第一項に規定する短時間勤務の官職を占める職員を除く。）（人規一四―七　1）

②　諮問的な非常勤の官職で、議長、会長、副会長、議員、院長、会員、評議員、参事、客員研究官、幹事、専門調査員、調査員、審査員、報告員及び観測員の名称を有するものを占める職員（昭二六人指一四―三1）

③　諮問的な非常勤の統計調査員、仲介員、保護司及び参与員の官職を占める職員（昭二六人指一四―三1）

さらに、行政事例として具体的な官職の中で諮問的な非常勤職員であると判断された官職には、例えば次のものがある。

①　公認会計士審査会委員――各界各層の学識経験者を充て、試験問題の作成及び採点を行う（昭二五・五・一七法審回発第四六）

②　検察官適格審査会委員――検事総長、最高裁判事、日弁連会長、学士院会員等で構成され、検察官の適格性について審査し、議決を法務大臣に通知する（昭二六・二・一九　七一―一六人事院法制局長事務代理）

③　地方職業安定審議会委員――労使公益を代表する者で、知事の諮問に応じて公共職業安定所の業務の運営その他職業安定法の施行に関する重要事項を調査審議する（昭二六・三・二四院大電第三三号）

④　都道府県労働基準審議会委員――労使公益を代表する者で、知事の諮問に応じて労基法の施行及び改正等に関する事項を審議する（昭二六・四・四院名電第二四号）

2　共同行為

政治的行為の制限は、職員が単独で、又は職員が共同して行う場合にのみ課せられるものではなく、「公然又は内密に、職員以外の者と共同して行う場合においても、禁止又は制限される」（人規一四―七　2）。ここで「公然又は内密に」とは「共同して行う」ことについてである。また、「共同して行う」とは、職員が共同の意思を単独又は他人とともに実行することをいう。例えば政党の設立趣意書に職員が職員以外の者と一緒に氏名を連署している場合（人規一四―七　6⑤該当）は、それは「公然」の共同行為であり、職員が職員以外の者と政治的目的を有する図画を一緒に作成して、職員以外の者に掲示させた場合（人規一四―七　6⑬該当）には、それは「内密」の共同行為となる。

3　間接行為

政治的行為の制限は、職員自らが行う場合だけでなく、「職員が自ら選んだ又は自己の管理に属する代理人、使用人その他の者を通じて間接に行う場合においても、禁止又は制限される。」（人規一四―七　3）。ここで「自ら選んだ」とは、明示であると黙示であるとを問わず、職員本人の選任行為があったと認定されることをもって足りる。また、「自己の管理に属する」者とは、例えば部下、雇人などのように、通常本人の意思に基づいて行為をなすべき地位にある者をいう。「その他の者」とは、代理人や使用人以外の者で、自ら選んだり、自己の管理に属したりしているものをいい、代理人、使用人その他の者が職員であるか否かは問わない。また、「通じて間接に行う」とは、自分の意思を他人によって実行することをいう。

4　勤務時間外の行為

政治的行為の制限規定は、「職員が勤務時間外において行う場合においても、適用される。」（人規一四―七　4）。職員の勤務時間外の行為についても政治的行為の制限を課すこととしたのは、公務員の政治的中立性を維持するためには、勤務時間外であっても公務員の地位にある限り、その影響力を及ぼし得るからである。ただし、禁止されている政治的行為のうち、政治的目的をもって政治上の主義主張や政党などの表示に用いられる旗、腕章などを着用したり、表示したりする行為（人規一四―七　６⑯）は、それだけでは一般の人と区別されない外形的な行為であるから、勤務時間中に限って禁止されるものである。

５　職務遂行行為

人規一四―七第七項は、「この規則のいかなる規定も、職員が本来の職務を遂行するため当然行うべき行為を禁止又は制限するものではない。」と規定している。例えば、労働情勢の調査を職務とする職員が、政党機関紙を上司に配布したり、係内で回覧したりする行為等は、形式的には同規則第六項第七号に該当するが、それが職務として行われているものである限り、この規則に違反するものでないことを念のため明らかにしている。

二　禁止される政治的行為

１　禁止の形式

本条第一項は、「人事院規則で定める政治的行為をしてはならない。」と規定しており、その委任に基づいて人事院規則一四―七（政治的行為）が制定されている。同規則においては、職員が禁止又は制限される政治的行為として特定の政治的目的を第五項で、特定の政治的行為を第六項で、それぞれ限定的に列挙している。この両項により第五項に列挙された政治的目的を持つ第六項に列挙された政治的行為が原則として禁止されることになる。ただし、同規則第六項第五号の「政党の結成の企画等と政党役員への就任等」、同項第六号の「政党への入党勧誘運動等」、同項第七号の「政党機関紙の発行・配布等」の行為は、それらの行為自体が政治的目的を有するものであることから、同規則第五項の政治的目的と関わりなくその行為自体が禁止される。

なお、本条については、「人事院規則一四―七（政治的行為）の運用方針について」が示達されており、そこで詳細に用語の定義などがなされている。

２　政治的目的

まず、禁止される政治的目的については、前述のように人規一四—七第五項に列挙されているが、その内容及びそれぞれの意味は次のとおりである。

(1)　公職の選挙における特定の候補者の支持又は不支持（人規一四—七　5①）

「規則一四—五に定める公選による公職の選挙において、特定の候補者を支持し又はこれに反対すること。」

ここで「公職」とは、人事院規則一四—五（公選による公職）に規定されている衆議院議員、参議院議員、地方公共団体の長、地方公共団体の議会の議員のそれぞれの職をいうものである。

次に「特定」とは、候補者の氏名が明示されている場合に限らず、客観的に判断してその対象が確定し得る場合を含むものとされている。また、「候補者」とは、法令の規定に基づく正式の立候補届出又は推薦届出をすることによって候補者としての地位を有するに至った者をいう。したがって、正式の立候補届出をいまだ行っていない者を支持したり、反対したりするようなことがあったとしても、そのことのみによって本条に違反することにはならない。なお、衆議院比例代表選出議員選挙及び参議院比例代表選出議員選挙においては、名簿の届出が受理された時点で、その名簿に掲載された者が「特定の候補者」となる。

「支持し又はこれに反対する」とは、特定の候補者が投票や当選を得たり、又は得ないように影響を与えることをいう。例えば、職員が選挙用の自動車に同乗して選挙運動を行うことをはじめ、職員が特定の候補者の選挙長、総括責任者あるいは出納責任者に就任すること、また、特定の候補者に選挙事務所を提供したり、あっせんしたりすることは、いずれも「特定の候補者を支持する」ことに該当するものである。しかし、公選法の規定により、開票立会人や選挙立会人となることは、特定の候補者を支持することにはならない。また、同法第一四四条の二第一項に基づく公設のポスター掲示場を所有地内に設置することも、特定の候補者のポスターを掲示するものではないから、「特定の候補者を支持」するものではない。ただし、公職の候補者となった特定の者のポスターを自己の占有物に掲示させるような場合は特定の候補者の支持に該当するおそれがある。

(2)　最高裁判所裁判官の国民審査における支持又は不支持（人規一四—七　5②）

「最高裁判所の裁判官の任命に関する国民審査に際し、特定の裁判官を支持し又はこれに反対すること。」

「国民審査」とは、憲法第七九条の規定に基づき、最高裁判所裁判官国民審査法に定める最高裁判所裁判官の任命に関する国民審査をいい、「支持し又はこれに反対する」の意味は2(1)で述べたとおりである。

(3)　政党その他の政治的団体の支持又は不支持（人規一四―七　5③）

「特定の政党その他の政治的団体を支持し又はこれに反対すること。」

「政党」とは、政治上の主義や施策の推進、支持、反対、公職の候補者の推薦、支持、反対等の全部又はいずれかを行うことを本来の目的とする団体をいう。「その他の政治的団体」とは、政党以外の団体で、前述の目的を持つものをいう。例えば、特定の候補者の後援会は、公職の候補者を推薦し、支持する目的を持った団体であるから「政治的団体」に該当するものである。

「支持し又はこれに反対する」とは、特定の政党その他の政治的団体について、それらの団体の勢力を維持拡大するように、又はしないようにすること、それらの団体の綱領、主張、主義、施策を実現するように、又はしないようにすること、それらの団体に属する者が公職に就任するように、又はしないようにすること等をいう。特定の政党に限定することなく、各政党の政策を分析説明すること、特定の政党とは関係なく政策について見解を表明し、あるいは批判することは、「支持し又はこれに反対する」ことには当たらないといえよう。

(4)　特定の内閣の支持又は不支持（人規一四―七　5④）

「特定の内閣を支持し又はこれに反対すること。」

「特定の内閣を支持し又はこれに反対する」とは、特定の内閣が存続するように又は成立するように、あるいはそれが存続しないよう又は成立しないようにすることをいう。例えば、現内閣に対し「○○（首班の氏名）内閣打倒」と書いたプラカードを掲げることは、ここでいう政治的目的に該当する。また、特定の内閣の首班や閣員全員を支持し又は反対することも、ここでいう政治的目的を有するものと認められる。しかし、内閣総理大臣以外の特定の国務大臣に対する支持又は反対は、本号の政治的目的には該当しないと考えられる。

(5)　特定の政策の主張又は反対（人規一四―七　5⑤）

「政治の方向に影響を与える意図で特定の政策を主張し又はこれに反対すること。」

「政治の方向に影響を与える意図」とは、憲法に定められた民主主義政治の根本原則を変更しようとする意思をいい、「特定の政策」とは、政治の方向に影響を与える程度のものであることを必要とすると解されている。したがって、特定の政策の実現を主張したり、特定の法案の成立に反対したりする場合であっても、それが憲法に定められている民主主義政治の根本原則を変更しようとするものでない限り、ここにいう政治的目的には該当しないことになる。

(6)　国の機関等で決定した政策の実施の妨害（人規一四—七　5⑥）

「国の機関又は公の機関において決定した政策（法令、規則又は条例に包含されたものを含む。）の実施を妨害すること。」

「国の機関又は公の機関において決定した政策」とは、国会、内閣、内閣の統轄下にある行政機関、地方公共団体等、政策の決定について公の権限を有する機関が正式に決定した政策をいう。換言すれば、当該機関がその権限に基づいて決定した政策で、実施することのできる段階にあるものをいう。例えば、政策が法律で定められるべき事項を内容とするものである場合には、それが国会で議決されて法律となったものをいい、法律案の段階ではこれに当たらない。

なお、「公の機関」とは、国の機関に準じた公共的な性格を備えた機関をいうと解されており、地方公共団体やこれに相当する公法人の機関で、政策を決定し得るものがそれに該当することになろう。

また、「実施を妨害する」とは、その手段、方法のいかんを問わず、有形無形の威力をもって組織的、計画的又は継続的に政策の目的の達成を妨げることをいう。単に政策の批判を行うことは、ここでいう「実施を妨害すること」には当たらないものと考えられる。

(7)　条例の制定・改廃等に関する署名の成立又は不成立（人規一四—七　5⑦）

「地方自治法（昭和二十二年法律第六十七号）に基く地方公共団体の条例の制定若しくは改廃又は事務監査の請求に関する署名を成立させ又は成立させないこと。」

ここで「署名を成立させ」とは、地方自治法第七四条（条例の制定・改廃の請求）又は第七五条（監査の請求）に定める数に達する選挙権者の連署を得ることをいう。例えば、地方公共団体の事務監査の直接請求の請求代表者となることは、本号の政治的目的に該当するが、個人として署名することは該当しない。

(8)　地方公共団体の議会の解散・長の解職等の請求の署名の成立又は不成立（人規一四—七　5⑧）

「地方自治法に基く地方公共団体の議会の解散又は法律に基く公務員の解職の請求に関する署名を成立させ若しくは成立させず又はこれらの請求に基く解散若しくは解職に賛成し若しくは反対すること。」

「地方自治法に基く地方公共団体の議会の解散の請求」とは、地方自治法第七六条に定める地方公共団体の議会の解散の請求をいい、「法律に基く公務員の解職の請求」とは、同法第八〇条に定める地方公共団体の議会の議員の解職の請求、同法第八一条に定める地方公共団体の長の解職の請求及び同法第八六条に定める地方公共団体の副知事、副市町村長等の解職の請求並びに地方教育行政の組織及び運営に関する法律第八条第一項に定める教育委員会の教育長又は委員の解職の請求をいうものである。

次に、「署名を成立させ」とは、これらの議会の解散や公務員の解職の請求に必要な数に達する選挙権者の連署又は署名を得ることをいう。また、「賛成し若しくは反対する」とは、これら解散や解職の請求において、賛成投票や反対投票を得たり、又は得ないようにするため影響を与えることをいう。

3　政治的行為

禁止される政治的行為は人規一四―七第六項に列挙されている。前述のように同項に該当する行為は、三つの例外（人規一四―七　6⑤～⑦）を除き、いずれも前項で述べた政治的目的が存在する場合に初めて、本条で禁止又は制限される政治的行為となるものである。

(1)　公私の影響力の利用（人規一四―七　6①）

「政治的目的のために職名、職権又はその他の公私の影響力を利用すること。」

「公の影響力」とは、例えば、上司が部下に対して勧誘する等の職員の官職に基づく影響力をいう。また、「私の影響力」とは、例えば、職員である職員団体の幹部が組合員に特定の政党に入ることを勧誘する等の職員団体における地位を利用するような、私的団体における地位、その他親族関係、債権関係などの私的関係に基づく影響力をいう。すなわち、国家公務員としての地位においてであると私人としての地位においてであるとを問わず、政治的目的のために職員が自己の影響力を利用することが禁止される。

(2)　寄附金等の利益の提供・不提供等（人規一四―七　6②）

「政治的目的のために寄附金その他の利益を提供し又は提供せずその他政治的目的をもつなんらかの行為をなし又はなさないことに対する代償又は報復として、任用、職務、給与その他職員の地位に関してなんらかの利益を得若しくは得ようと企て又は得させようとすることあるいは不利益を与え、与えようと企て又は与えようとおびやかすこと。」

「その他の利益」とは、金銭又は物品に限らず、権利の授与、貸与等の有形、無形の利益をいうものとされている。

(3)　寄附金・会費等の受領等（人規一四―七　6③）

「政治的目的をもつて、賦課金、寄附金、会費又はその他の金品を求め若しくは受領し又はなんらの方法をもつてするを問わずこれらの行為に関与すること。」

ここで「関与」とは、援助、勧誘、仲介、あっせん等をいうものである。例えば、単に党費を支払うことはここでいう政治的行為には該当しないが、職員が自分の所属する課の職員の党費の集金を行うことは本号に該当するものである。

(4)　寄附金・会費等の国家公務員への支払い（人規一四―七　6④）

「政治的目的をもつて、前号に定める金品を国家公務員に与え又は支払うこと。」

ここにいう「国家公務員」は、一般職に限らず特別職に属する国家公務員も含まれる。しかし、地方公務員は含まれない。

(5)　政党の結成の企画等と政党役員への就任等（人規一四―七　6⑤）

「政党その他の政治的団体の結成を企画し、結成に参与し若しくはこれらの行為を援助し又はそれらの団体の役員、政治的顧問その他これらと同様な役割をもつ構成員となること。」

ここでいう行為は、それ自体が政治的目的を持つものとされ、人規一四―七第五項で定める政治的目的を持つことは要件とはされていない。また、この規定は、政治的団体の本部だけでなく、その支部やそれに準ずる組織体の場合についても適用される。

次に、「企画し」とは、発起人となること、綱領、規約等を立案すること、結成準備会を提案することなどをいう。また、「参与し」とは、綱領、規約等の起草を助け、あるいは準備委員となるなど、企画者を補佐して推進的役割を果たすことをいう。また、「これらの行為を援助し」とは、企画あるいは参与することについて、自らが直接に行うと間接に行うとを問わず、労力、財産、物品などを提供し又は宣伝、広告、仲介、あっせんなどを行うことをいう。

「政治的顧問」とは、その団体の幹部と同程度の地位にあって、その団体の政策の決定に参与する者をいう。また、「これらと同様な役割をもつ構成員」とは、名称のいかんを問わず、役員又は政治的顧問と同等の影響力又は支配力を有する構成員をいう。単に党員となることは差し支えない。

(6)　政党への入党勧誘運動等（人規一四—七　６⑥）

「特定の政党その他の政治的団体の構成員となるように又はならないように勧誘運動をすること。」

この行為もそれ自体が政治的目的を持つ行為とされ、前項で述べた政治的目的を持つことは要件とされない。ここで「勧誘運動をすること」とは、組織的、計画的又は継続的に第三者を勧誘することをいう。したがって、例えば、たまたま道で会った友人との間で、特定政党への入党が話し合われたような場合は、ここでいう政治的行為には該当しない。

(7)　政党機関紙の発行・配布等（人規一四—七　６⑦）

「政党その他の政治的団体の機関紙たる新聞その他の刊行物を発行し、編集し、配布し又はこれらの行為を援助すること。」

この行為もそれ自体が政治的目的を持つ行為であるから、前項で述べた政治的目的を持つことは要件とされない。例えば、政党の機関紙を職場で配布する行為は本号の制限に抵触する。したがって、たまたま自分が読んでいた政党機関紙を同席の友人に貸して読ませるような行為は該当しない。また、政党機関紙へ単に投稿する行為も該当しない。

(8)　選挙での投票勧誘運動（人規一四—七　６⑧）

「政治的目的をもつて、第五項第一号に定める選挙、同項第二号に定める国民審査の投票又は同項第八号に定める解散若しくは解職の投票において、投票するように又はしないように勧誘運動をすること。」

「勧誘運動」とは、前述した第六号の勧誘運動に準じて考えればよい。したがって、例えば、選挙の際にたまたま道で会った友人に特定の候補者への投票を依頼するような行為は、本号の政治的行為には該当しない。また、例えば、町長のリコールが行われる場合に単に署名押印することは本号に該当しない。

しかし、例えば、特定の公職の候補者が掲示するポスターに職員が推薦人としてその名前を記載することは、人規一四—

七第五項第一号に規定する政治的目的を持って、本号に掲げる政治的行為を行うことになる。また、公選法第一四二条に定める通常葉書に特定の候補者の推薦人として氏名を表示する場合も同様である。

(9)　署名運動の企画・指導等（人規一四―七　6⑨）

「政治的目的のために署名運動を企画し、主宰し又は指導しその他これに積極的に参与すること。」

ここにいう「運動」と「企画し」とは、3(6)で述べた「政党への入党勧誘運動等」の「勧誘運動をすること」、3(5)で述べた「政党の結成の企画等と政党役員への就任等」の「企画し」にそれぞれ準じて解釈することになる。「主宰」とは、実施について自らの責任で総括的な役割を演じることをいう。「指導し」とは、樹立された計画に基づいて実施を具体的に指導することをいう。「その他これに積極的に参与すること」とは、署名運動を企画、主宰、指導する者を助け、あるいはその者の指示を受けて署名運動において推進的な役割を演ずることをいう。例えば、地方自治法に定める条例の制定改廃や事務監査の請求に際して、単に署名をすることは本号の政治的行為に該当しないが、これらの請求の代表者となる場合は該当することになる。

(10)　示威運動の企画等（人規一四―七　6⑩）

「政治的目的をもつて、多数の人の行進その他の示威運動を企画し、組織し若しくは指導し又はこれらの行為を援助すること。」

「示威運動」とは、多数の威力を示すために公衆の目につきやすい道路、広場等で行進するなどの行為をいう。ここで禁止されるのは「示威運動の企画、指導等」の行為であって、単に示威運動に参加することは、本号には該当しない。

(11)　集会における意見の公表等（人規一四―七　6⑪）

「集会その他多数の人に接し得る場所で又は拡声器、ラジオその他の手段を利用して、公に政治的目的を有する意見を述べること。」

「集会」とは、屋内屋外を問わず、一定の目的のための人の集合をいう。「多数の人に接し得る場所」とは、例えば、公会堂、公園、街路などをいい、現に多数の人が参集していることは必要としないが、参集し得る状態にあることを要する。また、「拡声器、ラジオその他の手段を利用し」とは、多数の人に音声を伝達することができる手段を用いることであり、この場合は多数の人に接し得る場所で行うと否とを問わない。さらに、「公に」とは、不特定多数の人を対象にすることであり、例えば、特定の会員だけが参加した非公開の会合で政治的目的を有する意見を述べるようなことは本号の政治的行為には該当しない。

⑿　国又は行政執行法人の庁舎・施設等への文書の掲示等（人規一四―七　6⑫）

「政治的目的を有する文書又は図画を国又は行政執行法人の庁舎（行政執行法人にあつては、事務所。以下同じ。）、施設等に掲示し又は掲示させその他政治的目的のために国又は行政執行法人の庁舎、施設、資材又は資金を利用し又は利用させること。」

本号の政治的行為のうち、後段の行為は政治的目的のためにすることが必要であるが、前段の行為は行為の目的物である文書や図画が政治的目的を持っていることが要件である。この「文書又は図画」には、新聞、図書、書簡、壁新聞、パンフレット、リーフレット、ビラ、チラシ、プラカード、ポスター、絵画、グラフ、写真、映画などのほか、黒板に白墨で記載した文字や図形なども含まれる。本項第七号の「政党その他の政治的団体の機関紙たる新聞その他の刊行物」も、ここにいう「文書又は図画」に含まれる。

次に、「国又は行政執行法人の庁舎（行政執行法人にあつては、事務所。以下同じ。）、施設等」とは、国又は行政執行法人が使用し、又は管理している建造物、付属物等をいい、必ずしも固定的な設備であることを要しない。また、「掲示させ」又は「利用させ」る行為には、他の者が掲示又は利用することを国又は行政執行法人の庁舎（行政執行法人にあっては、事務所）、施設、資材又は資金を管理する責任を有する者が許容する行為も含まれる。例えば、職員が国の施設内に政治的目的を有するポスターを掲示し、施設の管理責任者がその行為を容認した場合には、掲示した職員だけでなく、施設の管理責任者も本号に該当することになる。

⒀　文書・図画等の掲示・配布・朗読等（人規一四―七　6⑬）

「政治的目的を有する署名又は無署名の文書、図画、音盤又は形象を発行し、回覧に供し、掲示し若しくは配布し又は多数の人に対して朗読し若しくは聴取させ、あるいはこれらの用に供するために著作し又は編集すること。」

ここで「形象」とは、彫刻、塑像、模型、人形、面などをいう。職員が政治的目的を持つ文書、図画等を著作したり、編集した場合で、それらのものを発行、回覧、掲示、配布、又は多くの人に朗読、聴取させるなどしたときは、本号に該当することになる。なお、本号の政治的行為には行為者が政治的目的のために行っているという意思の有無は問わず、行為の目的物である文書、図画等自体が政治的目的を有するものであれば足りると解されている。例えば、特定の公職の候補者に投票することを依頼する文書を配布したり、組合の掲示板に掲示したりすることは、人規一四―七第五項第一号の政治的目的及び本号の政治的行為に該当し、政治的行為の制限に抵触することになる。

⒁　演劇の演出・主宰等（人規一四―七　６⑭）

「政治的目的を有する演劇を演出し若しくは主宰し又はこれらの行為を援助すること。」

まず、ここでいう「演出」には、俳優として出演することは含まれない。「これらの行為を援助する」行為の中には、演劇の脚本の提出、その演劇を上演するための資金の供与、募金、無償あるいは不当に安い対価で資材、設備、労働力、技術などを提供、あっせんすること、積極的にその宣伝をすることなどが含まれる。

⒂　旗・腕章等の製作・配布（人規一四―七　６⑮）

「政治的目的をもつて、政治上の主義主張又は政党その他の政治的団体の表示に用いられる旗、腕章、記章、えり章、服飾その他これらに類するものを製作し又は配布すること。」

ここでいう「その他これらに類するもの」の中には、まん幕、のぼり、はち巻、たすき、ちょうちんなどが含まれる。

⒃　勤務時間内の旗・腕章等の着用・表示（人規一四―七　６⑯）

「政治的目的をもつて、勤務時間中において、前号に掲げるものを着用し又は表示すること。」

ここで「勤務時間」とは、職員が実際に勤務すべき時間をいう。したがって、例えば年次休暇中の時間は含まれないが、超過勤務中の時間、宿日直勤務中の時間等は含まれる。

⒄　脱法行為（人規一四―七　６⑰）

「なんらの名義又は形式をもつてするを問わず、前各号の禁止又は制限を免れる行為をすること。」

本号は脱法行為を禁止している。例えば、金銭の貸借契約を装って寄附金を受領するような行為は、本項第三号の脱法行為となる。

三　違法な政治的行為の防止及び違反した場合の措置

１　防止措置

職員が本条で制限又は禁止されている政治的行為を行うことのないようにするためには、適切な予防措置を講じる必要がある。そのため人事院は、衆議院議員選挙、参議院議員選挙、統一地方選挙が行われるたびに、当該選挙の公（告）示の前に事務総長名で各府省事務次官等に対し、本法第一〇二条、人規一四―七及び同運用方針を添付し、次の例のような内容の通達を発することとしている。

○参議院議員の通常選挙に際しての職員の政治的行為の制限に関する違反防止について（通知）（令四・六・一　職審九三
人事院事務総長）

近く、参議院議員の通常選挙が行われる予定ですが、一般職の国家公務員については、国民全体の奉仕者として政治的に中立な立場を維持することが必要であること等から、国家公務員法第一〇二条及び人事院規則一四―七（政治的行為）の定めるところにより、一定の政治的行為が禁止・制限されています。貴府省等におかれては、今回の選挙に際していやしくも国民の批判を受けることのないよう、職員に対してこれらの規定の遵守を徹底するとともに、違反行為の防止のための適切な措置を講じられるようお願いします。

なお、違反する行為又は事実があったことを了知された場合には、人事院規則一四―七第八項の規定に従い、速やかに人事院事務総長宛て御通知ください。

２　人事院への通知

人事院規則一四―七第八項は、「各省各庁の長及び行政執行法人の長は、法又は規則に定める政治的行為の禁止又は制限に違反する行為又は事実があつたことを知つたときは、直ちに人事院に通知するとともに、違反行為の防止又は矯正のために適切な措置をとらなければならない。」ことを定めている。同項は、政治的行為の禁止又は制限に関する規定の運用を統一し、各府省等の間で齟齬のないようにすることを目的として設けられたものである。また、政治的行為の禁止又は制限に違反する行為や事実があった場合には、各省各庁の長及び行政執行法人の長が遅滞なくその防止又は是正のための適切な措置を採るよう求めている。

なお、この人事院に対する通知は、「人事院規則一四―七第八項による通知について」（昭二四・一〇・一二　調監一九四六人事院事務総長）により、違反事項別に人事院事務総長あての通知書によって、次の点に留意した上、行うこととされている。
① 通知書は、違反行為や事実の発生・発見の都度遅滞なく提出すること。
② 通知書は、違反行為や事実の概要、発生日時と場所、違反行為をした者の所属部局課名、官職名、氏名を記載すること。
③ 違反行為や事実の証拠や資料となる物があるときには、通知書に添付して提出すること。
④ 参考資料として、違反行為や事実に対して採るべき措置、防止や矯正のために採るべき措置などを判明次第適宜報告すること。

3　違反者に対する懲戒処分及び刑罰

本条の政治的行為の制限に違反した職員は、本法第八二条第一項第一号に該当し、懲戒処分の対象となる。また、本法第一一一条の二第二号（新刑法の施行日以降は、本法第一一〇条第一項第一八号）に基づき、三年以下の禁錮（新刑法の施行日以降は、拘禁刑）又は一〇〇万円以下の罰金に処せられることになる。このように国家公務員の政治的行為の制限については刑事罰が適用されるものであり、人事院規則一四―七に委任される制限、禁止の範囲がその重大性に鑑み広範にすぎるとする憲法上の議論があること、及びこの点について最高裁判所の合憲判決があることは本条の〔**趣旨**〕で述べたとおりである。

（注）　本条違反の罰条については、ＩＬＯ第一〇五号条約（強制労働の廃止に関する条約）締結のための国内法整備の一環として、同条約が禁止する強制労働に該当するおそれのある懲役刑に替えて禁錮刑とすることを内容とする議員立法による本法改正が令和三年六月に成立している。

四　公選法による公務員の政治的行為の禁止又は制限

公務員の政治的行為については、本法による禁止又は制限のほかに、公選法による公務員の特定の政治的行為の禁止又は制限がある。本法と公選法との関係については、一方が他方の適用を排除し、又は抵触する関係に立つものではないので、両法は併せて職員に適用される。公選法による公務員の政治的行為の規制の概要は次のとおりである。

(1)　公務員の立候補制限

国家公務員は、内閣総理大臣等、法令で定める特定の者を除き、在職中公職の候補者となることができない（公選法八九1）。立候補を禁止される公務員が、同法の規定による届出により公職の候補者となったときは、当該届出の日に公務員の職を辞職したものとみなされる（公選法九〇）。

(2)　特定公務員の選挙運動の禁止

裁判官、検察官、警察官、収税官吏等、特定の公務員は在職中選挙運動をすることができない（公選法一三六）。この禁止に違反した場合は、六月以下の禁錮（新刑法の施行日以降は、拘禁刑）又は三〇万円以下の罰金に処せられる（公選法二四一）。

(3)　地位利用による選挙運動の禁止

国家公務員は、その地位を利用して選挙運動をすることができない（公選法一三六の二1①）。また、国家公務員は、公職の候補者又は公職の候補者となろうとする者（現に公職にある者を含む。）を推薦する等の目的で、又は職員自身が公職の候補者として推薦される等の目的で、その地位を利用して公職の候補者の推薦に関与する等の所定の行為を行った場合には、地位利用による選挙運動とみなされる（公選法一三六の二2）。このような禁止に違反した場合には、二年以下の禁錮（新刑法の施行日以降は、拘禁刑）又は三〇万円以下の罰金に処せられる（公選法二三九の二2）。

(4)　職権濫用による選挙の自由妨害の禁止

①　国家公務員が、職権を濫用して選挙の自由を妨害した場合は、四年以下の禁錮（新刑法の施行日以降は、拘禁刑）に処せられる（公選法二二六1）。

②　国家公務員が、選挙人に対して、投票しようとし、又は投票した被選挙人の氏名の表示を求めた場合は、六月以下の禁錮（新刑法の施行日以降は、拘禁刑）又は三〇万円以下の罰金に処せられる（公選法二二六2）。

(5)　地盤培養行為の禁止

国家公務員であって衆議院議員又は参議院議員の選挙において候補者となろうとする者が、当該選挙区等で職務上出席した会議等の機会を利用して選挙に関して選挙人にあいさつをするなど所定の行為を行った場合は、二年以下の禁錮（新刑法の施行日以降は、拘禁刑）又は三〇万円以下の罰金に処せられる（公選法二三九の二1）。

(6)　公務員等の特別連座

国家公務員であった者が、離職した日以後最初に公職の候補者となった衆議院議員又は参議院議員の選挙（離職後三年以内に行われたものに限る。）で当選した場合において、当該当選人がかつて在職した公務員としての職（離職前三年間に在職したものに限る。）と同一の職にある公務員等で当該当選人から選挙に関し指示や要請を受けたものが、当該当選人のために行った選挙運動又は行為に関して、買収及び利害誘導罪、職権濫用による選挙の自由妨害罪等の特定の罪を犯して刑に処せられたときは、当該当選人の当選は無効とされる（公選法二五一の四）。

（私企業からの隔離）

第百三条　職員は、商業、工業又は金融業その他営利を目的とする私企業（以下営利企業という。）を営むことを目的とする会社その他の団体の役員、顧問若しくは評議員の職を兼ね、又は自ら営利企業を営んではならない。

②　前項の規定は、人事院規則の定めるところにより、所轄庁の長の申出により人事院の承認を得た場合には、これを適用しない。

③　営利企業について、株式所有の関係その他の関係により、当該企業の経営に参加し得る地位にある職員に対し、人事院は、人事院規則の定めるところにより、株式所有の関係その他の関係について報告を徴することができる。

④　人事院は、人事院規則の定めるところにより、前項の報告に基き、企業に対する関係の全部又は一部の存続が、その職員の職務遂行上適当でないと認めるときは、その旨を当該職員に通知することができる。

⑤　前項の通知を受けた職員は、その通知の内容について不服があるときは、その通知を受領した日の翌日から起算して三月以内に、人事院に審査請求をすることができる。

⑥　第九十条第三項並びに第九十一条第二項及び第三項の規定は前項の審査請求のあつた場合について、第九十二条の二の規定は第四項の通知の取消しの訴えについて、それぞれ準用する。

⑦　第五項の審査請求をしなかつた職員及び人事院が同項の審査請求について調査した結果、通知の内容が正当であると裁決された職員は、人事院規則の定めるところにより、人事院規則の定める期間内に、その企業に対する関係

の全部若しくは一部を絶つか、又はその官職を退かなければならない。

〔趣　旨〕

一　営利企業の役員等との兼業の禁止

1　趣　旨

本条第一項は、職員が営利企業の役員、顧問又は評議員（以下「役員等」という。）を兼ねること、及び自らが営利企業を営むことを禁止している。本法がこのような規定を設けた趣旨は、職員がこのような兼業により、①本来の職務の遂行がおろそかになること、②その職務と兼業する営利企業の業務との間に利害関係が生じて職務の公正な運営が阻害されること、あるいは③職員が関係する営利企業の業務そのものが公務の信用を傷つけるおそれもあり、これらをあらかじめ防止することを目的としている。したがって、そのようなおそれのない場合は、人事院の承認を得ることを条件として、例外的に兼業が認められる（法一〇三２）。本条第一項の兼業の制限については、人事院規則一四―八（営利企業の役員等との兼業）及び同規則の運用方針により、その詳細が定められている。なお、試験研究機関等の研究職員が、技術移転事業者（ＴＬＯ）の役員等、自己の研究成果を活用する事業を実施する営利企業の役員等又は株式会社の監査役の職を兼ねる場合については、同規則の規定にかかわらず、それぞれ人事院規則一四―一七（研究職員の技術移転事業者の役員等との兼業）、人事院規則一四―一八（研究職員の研究成果活用企業の役員等との兼業）又は人事院規則一四―一九（研究職員の株式会社の監査役との兼業）の定めるところによることとされている。これらの兼業については、一定の要件の下で兼業を認める公益性が認められることなどによるものである。

次に、本条第一項の兼業禁止の趣旨について項を改めて述べることとする。

2　職務専念義務の確保

職員は、「職務の遂行に当つては、全力を挙げてこれに専念しなければならない。」（法九六１）ものであり、「その勤務時間及び職務上の注意力のすべてをその職責遂行のために用い、政府がなすべき責を有する職務にのみ従事しなければならない。」（法一〇一１）こととされている。第一〇一条〔趣旨〕一で述べたように、この職務専念義務は、服務の根本基準（法九六）であり、職員にとって最も基本的な服務義務である。本条第一項は、職員が、その本来従事すべき職務以外に、営利企業の役員等の地位に就いたり、自ら営利企業を営んだりした場合には、勤務時間中もそのことに注意と関心が向けられて、職務への集中が損なわれるおそれがあるため、職務専念義務に悪影響を及ぼすことのないよう、それを未然に防止する観点から措置されている。

3　職務の公正な執行の確保

服務の根本基準の一つとして、「すべて職員は、国民全体の奉仕者として、公共の利益のために勤務し……なければならない。」（法九六1）ことが定められている。職員が特定の営利企業の役員等の地位を兼ね、あるいは自ら営利企業を営む場合には、意識的、無意識的にその利益を念頭に置いて職務を遂行しかねず、その結果、職務の公正さを損なうおそれがある。また、当該企業と国との間に指導監督、補助金の交付、物品納入契約などの利害関係が生じる場合には、その弊害の生じるおそれは一層強くなる。いずれにしても公共の利益を害するおそれがあり、これを防止することも本条が措置されている理由の一つである。

4　公務の信用の確保

服務義務の一つとして本法は、職員が「その官職の信用を傷つけ、又は官職全体の不名誉となるような行為をしてはならない。」（法九九）ことを定めている。職員が営利企業の役員等を兼ね、あるいは自ら営利企業を営むことにより、その営利企業の種類若しくは内容、又は企業活動のいかんによっては、公務に期待されている信用を損ねるおそれがないとはいえない。そのような事態の発生を防止することも本条を措置している理由の一つである。

二　株式の保有等の規制

本条第三項から第七項までは、株式の所有等の関係によって営利企業の経営に参加し得る地位にある職員に対し、人事院は人事院規則の定めるところにより報告を徴することができること、その他これに関連して必要な事項を定めている。この規定は、一定数以上の株式を所有することにより、営利企業の経営に影響力を有し、経営参加の可能性がある職員について、その職務と当該営利企業との間に特別な利害関係が生じ、職務の公正な運営が阻害され、その結果として公務の信用が損なわれることを防止しようとするものである。ここで規定されている人事院規則は長らく制定されていなかったが、平成一二年から国立大学教官及び研究職員による営利企業の役員兼業が認められたこと、官民人事交流法に基づく交流採用、任期付採用等により官民の人材の交流が生じてきたことなどから、「経営に参加し得る地位」に国家公務員が就く可能性が増すとともに、株式所有等による経営参加についてルールを明確化する必要が生じたため、人事院規則一四―二一（株式所有により営利企業の経営に参加し得る地位にある職員の報告等）が平成一二年に制定された。

なお、倫理法により、本省審議官級以上の職員には、株取引等の報告の義務が別途課されている（倫理法七）。

三　離職者の営利企業への就職の制限

国家公務員法等の一部を改正する法律（平一九法一〇八）による改正前の本条においては、「職員は、離職後二年間は、営利企業の地位で、その離職前五年間に在職していた人事院規則で定める国の機関又は特定独立行政法人と密接な関係にあるものに就くことを承諾し、又は就いてはならない。」（旧法一〇三２）とされ、また、「所轄庁の長の申出により人事院の承認を得た場合には、これを適用しない。」（旧法一〇三３）とされていた。このような規定が設けられていた趣旨は、職員がその在職中、離職後特定の営利企業に就職する目的で、その地位や職権を利用して当該企業に便宜を与えるなどし、もって職務の公正な執行を歪めることのないようにすることにあった。この人事院によるいわゆる事前承認制度は、前述した法改正により、平成二〇年一二月三一日付けで廃止され、新たに再就職等規制が導入されている（本書第一〇六条の二〔趣旨〕参照。）。

〔解　釈〕

一　営利企業の役員等との兼業等

ここではまず、人規一四―八に基づく一般の兼業等について述べることとし、研究職員の役員等との兼業に係る例外規定については、項を改めて概説することとする。

１　制限される行為の態様

本条第一項で規制されているのは、営利企業の役員等の職を兼業すること、及び自ら営利企業を営むことである。これを更に詳しく述べると次のとおりである。

(一)　役員・顧問・評議員の職を兼ねる場合

本条第一項は「商業、工業又は金融業その他営利を目的とする私企業（以下営利企業という。）を営むことを目的とする会社その他の団体の役員、顧問若しくは評議員の職を兼ね」ることを具体的に制限しているが、ここで「営利企業を営むことを目的とする会社その他の団体」とは、利潤を得てこれをその構成員に配分することを主たる目的としている企業体をいう。したがって、会社法上の会社のほか、信用金庫法に基づく信用金庫などもこれに該当する。しかし、例えば、中小企業等協同組合法に基づいて設立された事業協同組合、信用協同組合及び協同組合連合会等、一般社団法人及び一般財団法人に関する法律に基づく一般社団法人及び一般財団法人は、収益活動を行うことはあっても、利潤の分配は行われないので、ここにいうその他の団体には該当しないと解されている（法第一〇四条の問題となる。）。

次に、「役員」とは、取締役、執行役、会計参与、監査役、業務を執行する社員、理事、監事、支配人、発起人及び清算人をいう。職員が、このような役員や顧問、評議員の職を兼ねることは、たとえそれが名義だけのもの、あるいは実際に業務に従事していない場合であっても、この制限に当たることになる。また、ここで支配人とは、商法第二一条の規定により商人（自己の名をもって商行為をすることを業とする者）に代わってその営業に関する一切の裁判上又は裁判外の行為をすることのできる権限を有するものであり、単なる呼称としての支配人は、そのような権限がない限り、該当しないものである。

㈡　自ら営利企業を営む場合

「自ら営利企業を営む」とは、職員が自己の名義で商業、工業、金融業などを経営する場合であり、業態のいかんを問わない。したがって、自家消費程度のものである場合は別として、客観的にみて営利を主たる目的とする企業であると判断される場合は、農業、牧畜、酪農、果樹栽培、養鶏などの事業を行うことも、これに該当することになる。また、例えば、職員がアパートを他の者と共有で経営している場合も、本項に該当し、さらに、配偶者の名義でこれを経営している場合も、実質的に職員が経営していると客観的に判断される場合には本項に該当する。なお、大日本帝国憲法下の官吏服務紀律においては、その第一一条で「官吏並ニ其家族ハ本属長官ノ許可ヲ得ルニ非サレハ直接ト間接トヲ問ハス商業ヲ営ムコトヲ得ス」と規定されていたが、現在は専ら職員本人の実質的な営利企業従事が規制されているのである。

なお、本項は非常勤職員（本法第六〇条の二第一項に規定する短時間勤務の官職を占める職員を除く。）及び臨時的職員には適用されない（人規一四―八　6）。これらの職員の場合は、他に職を有することを禁止することが実情に即しないからである。

2　人事院の承認の基準

営利企業の役員等との兼業の制限は、「人事院規則の定めるところにより、所轄庁の長の申出により人事院の承認を得た場合には」（法一〇三2）、例外としてその制限が解除される。このための「人事院規則」として、人規一四―八が定められているが、その第一項は、次の各要件の全てを満たす場合として人事院が定める場合のほかは、兼業を承認することができないとしている。

(1)　職員の占めている官職と営利企業との間に特別な利害関係又はその発生のおそれがないこと。

(2)　営利企業に従事しても職務の遂行に支障がないと認められること。

(3)　その他国家公務員法の精神に反しないと認められること。

(1)の「特別な利害関係」とは、当該営利企業について、補助金の割当て、交付等を行うこと、物件の使用、権利の設定等について許可、認可、免許等を行うこと、生産方式、規格、経理等に対する検査、監査等を行うこと、国税の査定、徴収を行うこと等、監督若しくは権限の行使又は工事契約、物品購入契約などの関係をいうものである。

(2)の「職務の遂行に支障がないと認められること」とは、兼業することにより心身の疲労を生じ、そのために職務遂行の能率に悪影響を及ぼすおそれがないと判断されることをいうものである。

(3)の「国家公務員法の精神」とは、本条第一項の趣旨である職務専念義務、職務の公正な執行及び公務の信用の保持の確保の全てを満たすことであるといってよい。すなわち、これらの本法の要請に応えることを通じて、公務の能率的で適正な運用を図り、もって国民の信頼に値する行政を遂行することにいささかでも反しないようにすることが、最も基本的な判断基準であるということができよう。

営利企業の役員等との兼業に関する承認の基準は以上のとおりであるが、役員、顧問、評議員などの役職は営利企業の経営責任を負うものであるから、実際にはほとんど承認される余地はないと考えられ、実際にも、人規一四―八第一項に基づく人事院の定めはなされていない。また、自ら営利企業を営む場合も、前述の諸要件を満たしている場合に限って承認されることになり、人規一四―八の運用方針においては、不動産若しくは駐車場の賃貸又は太陽光電気の販売に係る自営の場合とそれら以外の事業に係る自営の場合とについて、それぞれ次のとおり具体的な承認基準が定められている（昭三一職職五九九）。

(1)　不動産若しくは駐車場の賃貸又は太陽光電気の販売に係る自営を行う場合で、次に掲げる基準のいずれにも適合すると認められるとき。

①　職員の官職と承認に係る不動産若しくは駐車場の賃貸又は太陽光電気の販売との間に特別な利害関係又はその発生のおそれがないこと。

②　入居者の募集、賃貸料の集金、不動産の維持管理等の不動産若しくは駐車場の賃貸又は太陽光発電設備の維持管理等の太陽光電気の販売に係る管理業務を事業者に委ねること等により職員の職務の遂行に支障が生じないことが明らかであること。

③　その他公務の公正性及び信頼性の確保に支障が生じないこと。

(2)　不動産若しくは駐車場の賃貸及び太陽光電気の販売以外の事業に係る自営を行う場合で、次に掲げる基準のいずれにも適合すると認められるとき。

①　職員の官職と当該事業との間に特別な利害関係又はその発生のおそれがないこと。

②　職員以外の者を当該事業の業務の遂行のための責任者としていること等により職員の職務の遂行に支障が生じないことが明らかであること。

③　当該事業が相続、遺贈等により家業を継承したものであること。

④　その他公務の公正性及び信頼性の確保に支障が生じないこと。

3　承認権者・承認手続等

承認権者及び承認手続については、本条第二項は「所轄庁の長の申出により人事院の承認を得た場合」と規定している。このように本法は人事院を承認権者としているが、人事院は、本法第二一条の規定に基づき、営利企業の役員等との兼業にあっては行政職俸給表㈠の七級相当以下の職員及び行政執行法人の職員等について、自ら営利企業を営む場合にあっては全ての職員について、所轄庁の長又は行政執行法人の長に承認権限を委任し、更に所轄庁の長等もその権限を部内の上級の職員に委任することができるものとしている（人規一四―八　２）。その結果、人事院が直接に承認するのは、行政職俸給表㈠の八級相当以上の職員、すなわち、本府省の課長級以上の職員が営利企業の役員等を兼ねる場合である。なお、営利企業の役員等との兼業については、前述したとおり、現在、後述する研究職員の兼業の場合を除き承認する余地はないものとして取り扱われている。また、同規則第三項は、所轄庁の長等は、人事院の定めるところにより、毎年一回、当該所轄庁の長等又はその委任を受けた者が与えた承認の状況を人事院に報告しなければならないことを定めており、同規則第四項は、所轄庁の長等又はその委任を受けた者が与えた承認が承認基準に反すると人事院が認めた場合は、人事院はこれを取り消すことができることを定めている。

この承認手続において、職員自身ではなく、所轄庁の長が人事院に対し申請することとされている（法一〇三２）のは、服務の直接の監督者である所轄庁の長がまず当該職員と営利企業との関係を厳重に審査することが適切であり、その上で重ねて人事院が審査を行うことにより、一層慎重な判断をすることができるからである。この承認の具体的な手続については、「この規則に定める承認の手続に関し必要な事項は、事務総長が定める。」（人規一四―八　７）とした規定に基づいて人事院規則一四―八の運用方針に定められている。

仮に、この承認を得ることなく営利企業の役員等の地位に就き、あるいは自ら営利企業を営んだ職員は、本法第八二条第一項第一号に該当し、懲戒処分の対象となる。また、本法第一〇九条第一三号に基づき、一年以下の懲役（新刑法の施行日以降は、拘禁刑）又は五〇万円以下の罰金に処せられる。

二　研究職員の役員等との兼業

１　人事院の承認の基準

試験研究機関等の研究職員が、技術移転事業者（ＴＬＯ）の役員等、研究成果活用企業の役員等又は株式会社の監査役の職を兼ねる場合については、前述のとおり特例が設けられている。承認基準としては、基本的には、〔解釈〕一２で前述した三つの基準を具体化したものが各人事院規則において規定されている。それに加えて、技術移転事業者の役員との兼業にあっては、役員兼業を行おうとする研究職員が、技術に関する研究成果又はその移転について、技術移転事業者の役員等としての職務に従事するために必要な知見を有していることや当該役員等の職務の内容が、主として研究機関認定事業に関係するものであること（人規一四―一七　四）が、定められている。また、研究成果活用企業の役員等の兼業にあっては、研究職員が、承認の申出に係る研究成果活用企業の事業において活用される研究成果を自ら創出していることや研究職員が就こうとする役員等としての職務の内容が、主として研究成果活用事業に関係するものであること（人規一四―一八　四）が定められ、さらに、株式会社の監査役との兼業にあっては、研究職員が、承認の申出に係る株式会社における監査役の職務に従事するために必要な知見を研究職員の職務に関連して有していること（人規一四―一九　四）が、それぞれ定められている。

2　承認権者・承認手続等

前述のとおり、本条第二項は、人事院を承認権者としているが、人事院は、これらの兼業に承認を与える権限を所轄庁の長又は行政執行法人の長に委任しており、更に所轄庁の長等もその権限を部内の上級の職員のうち人事院が指定する者に委任することができることとしている（人規一四―一七　三、人規一四―一八　三、人規一四―一九　三）。承認を受けて兼業を行う研究職員は、四月から九月まで及び一〇月から翌年三月までの半期ごとに、氏名、所属及び官職、兼業先の企業の名称、兼業先の役員等としての職務の内容等それぞれの人事院規則で定める事項を承認権者に報告しなければならないとされており（人規一四―一七　六、人規一四―一八　六、人規一四―一九　六）、所轄庁の長等は、半期ごとに、兼業の状況について公表するものとされている（人規一四―一七　九、人規一四―一八　九、人規一四―一九　九）。また、人事院は、必要があると認めるときは、所轄庁の長等又はその委任を受けた者に対し、兼業に関する事務の実施状況について報告を求め、及び監査を行うことができ、兼業の承認がそれぞれの人事院規則の規定に反すると認めるとき等は、その承認を取り消すことができる（人規一四―一七　一〇、人規一四―一八　一〇、人規一四―一九　一〇）。

なお、役員兼業等を勤務時間内に行うことは原則として認められないが、研究職員の役員等との兼業のうち、構造改革特別区域法（平一四法一八九）に定める内閣総理大臣の認定を受けた構造改革特別区域計画に基づくもので、人事院規則一―三九（構造改革特別区域における人事院規則の特例に関する措置）に定める要件に該当する場合に限り、承認権者の承認を受けて勤務時間の一部を兼業に割くことができることとされており、その割かれた勤務時間については、給与法第一五条の規定の例により、給与が減額される（人規一―三九　二～四）。

三　株式所有により営利企業の経営に参加し得る地位にある職員の報告

1　株式所有状況の報告等

本条第三項以下の規定に基づき、人事院規則一四―二一（株式所有により営利企業の経営に参加し得る地位にある職員の報告等）において、会社（株式会社及び会社法の施行に伴う関係法律の整備等に関する法律（平一七法八七）第三条第二項に規定する特例有限会社）の株式所有状況の報告等について必要な事項が定められている。同規則第二条第一項によれば、職員が、次の要件のいずれにも該当する場合は、株式所有により営利企業の経営に参加し得る地位にあるものとされ、株式所有状況報告書により、所轄庁の長等を経由して、人事院に報告しなければならないものとされている。

(1)　会社の発行済株式の総数の三分の一を超える株式（特例有限会社にあっては発行済株式の総数の四分の一を超える株式）を有していること。

(2)　当該会社が職員の在職機関（国の機関又は行政執行法人）と密接な関係にあること。

職員から株式所有状況報告書が提出された場合には、所轄庁の長等は、職員の職務遂行上適当でないかどうかの見解、配置換等による職務内容の変更の有無などを記載した書類を添付して、人事院に送付するものとされている（人規一四―二一　二4）。

これに関しては、規制緩和や業務合理化等の観点から、令和四年七月より、人事院が株式所有状況の報告を職員から徴する権限のうち、職員の株式所有状況が次の**2**(1)若しくは(2)のいずれにも該当しない場合、又は(1)若しくは(2)のいずれかに該当するが、当該会社の議決権の総数に占める職員の有する議決権の割合が三分の一（特例有限会社にあっては四分の一。以下同じ。）以下であるか若しくは前記**二**の技術移転事業者若しくは研究成果活用企業である当該会社の役員等との兼業が承認されている場合の権限は、所轄庁の長等に委任され、その場合の人事院への報告は要しない（人規一四―二一　三の二）こととされた。なお、本条第三項以下の規定は、非常勤職員（法第六〇条の二第一項に規定する短時間勤務の官職を占める職員を除く。）及び臨時的職員には適用されない（人規一四―二一　二1）。

2　職務遂行上適当でないと認める基準等

本条第四項では、人事院は、職員の企業に対する関係の全部又は一部の存続が、当該職員の職務遂行上適当でないと認めるときは、その旨を当該職員に通知することができるとしている。具体的には、株式所有状況報告を行った職員が次のいずれかに該当すると認める場合は、会社の議決権の総数に占める職員の有する議決権の割合が三分の一以下である場合、前記二の技術移転事業者又は研究成果活用企業である当該会社の役員等との兼業が承認されている場合その他人事院の定める場合を除き（人規則一四—二一　三2（これらの場合について「当該職員の職務遂行上適当でないと認めないものとする」とされている。））、当該職員の職務遂行上適当でないと認めるものとされている（人規一四—二一　三1）。

(1)　会社に対し処分や行政指導を行うなど行政上の権限の行使に携わることを職務内容とする場合。ただし、事業の開始の届出や施設の設置の届出など裁量の余地の少ない権限又は軽微な権限の行使はこれに該当しない。

(2)　当該職員の在職機関と会社との間の契約の締結又は履行に携わることを職務内容とする場合。具体的には、工事請負、国有財産売払い、物品納入等についての在職機関と会社との契約に関し、職員が当該会社の推薦若しくは選考、工事等の予定価格の積算若しくは入札執行又は当該契約の締結若しくは履行についての監督若しくは検査等に従事する場合である。

人事院は、これらの基準に照らし職員の職務遂行上適当でないかどうかについて判断し、所轄庁の長等を経由して、その結果を当該職員に通知するものとされている（人規一四—二一　三3、三の二）。人事院から通知を受けた職員は、その通知の内容について不服があるときは、本条第五項に基づき、通知を受領した日の翌日から起算して三月以内に、人事院に審査請求をすることができる（人規一四—二一　四1）。人事院は、通知の内容が正当であると認めるときは、裁決で審査請求を棄却し、正当でないと認めるときは、裁決で通知の内容を変更するものとされている（人規一四—二一　四2、3）。

3　職務遂行上適当でないと認められた場合の措置等

本条第七項は、企業に対する関係が職務遂行上適当でないと認められた職員は、その企業に対する関係の全部若しくは一部を絶つか、又はその官職を退かなければならないことを規定している。具体的には、当該職員は、審査請求の期間が経過した日の翌日又は審査請求に対する棄却の裁決のあった日の翌日から起算して六〇日以内に、次のいずれかの措置等を行わなければならないとされている（人規一四—二一　五1）。

(1)　株式所有により営利企業の経営に参加し得る地位にある場合に該当しないこととなる措置。例えば、株式会社にあっては所有株式を発行済株式総数の三分の一以下、特例有限会社にあっては四分の一以下となるよう譲渡することが該当する。

(2)　職務遂行上適当でないと認められないこととなる措置。例えば、共有で権利行使者を別に指定し、議決権行使の指図も行わない場合が該当する。

(3)　辞職の申出

職務遂行上適当でないと認められた職員は、(1)若しくは(2)の措置を講じたとき、又は会社等により行われた定款の変更等の措置により、経営に参加し得る地位にある場合に該当しないこととなったとき等は、直ちにその内容を所轄庁の長等に報告するものとされている（人規一四―一八　六１）。後者の例としては、当該職員の有する株式を議決権のない株式とすることなどが考えられる。所轄庁の長等がこの報告を受理したとき、当該職員が辞職したとき、又は配置換その他の方法による職務内容の変更の措置により職務遂行上適当でないと認められないこととなったと思料するときは、直ちにその内容を人事院に報告するものとされている（人規一四―一八　六２）。なお、当該職員から前述の報告の提出がない場合で、かつ、当該職員から辞職の申出がなされない場合には、所轄庁の長等は配置換等による職務内容の変更の措置を講ずべきものといえよう。所轄庁の長等からの報告を受けた人事院は、職務遂行上適当でないと認められないかどうかについて確認した上で、所轄庁の長等を経由して、その結果を当該職員に対し通知するものとされている（人規一四―一八　七）。

（他の事業又は事務の関与制限）

第百四条　職員が報酬を得て、営利企業以外の事業の団体の役員、顧問若しくは評議員の職を兼ね、その他いかなる事業に従事し、若しくは事務を行うにも、内閣総理大臣及びその職員の所轄庁の長の許可を要する。

〔趣　旨〕

他の事業又は事務の関与制限

本条は、本法第一〇三条第一項に規定する営利企業の役員等との兼業の制限と並んで、職員が報酬を得て、営利企業以外の職を兼業すること、あるいは事務、事業に従事することを制限している。すなわち、第一〇三条第一項は、職員が営利企業の役員、顧問、評議員の地位を兼ねること、及び自ら営利企業を営むことの制限であり、専ら営利企業への関与という観点からの規制であるのに対し、本条の制限は、報酬を得て営利企業の役員等以外の兼業をする場合を規制しているものである。また、本条の場合は、内閣総理大臣及び所轄庁の長の許可を得た場合に制限が解除されることとされている。両者の兼業制限制度の主な違いは次のとおりである。

服務規定	対象となる行為	報酬	申請者	承認（許可）権者	罰則
法一〇三条一項	営利企業の役員等との兼業	有無を問わない	所轄庁の長	人事院	有
法一〇四条	営利企業の役員等兼業以外のあらゆる事業・事務との兼業	得る場合に限る	本人	内閣総理大臣及び所轄庁の長	無

本条が設けられた趣旨は、前条の兼業の場合とほぼ同様であり、職務専念義務、職務の公正な執行及び公務の信用の確保にあるといってよい。また、本条が報酬を得る場合に限って制限したのは、報酬を得る場合はこれらの服務義務を損なうおそれが相対的に大きいと考えられたからであろう。

ただし、特別法により本条の特例が三つ設けられている。①消防団を中核とした地域防災力の充実強化に関する法律において、職員から報酬を得て非常勤の消防団員と兼職することを認めるよう求められた場合には、本条の許可の権限を有する者は、職務の遂行に著しい支障があるときを除き、これを認めなければならず、当該兼職が認められた場合に、本条の許可を要しないこととされている（消防団を中核とした地域防災力の充実強化に関する法律一〇）。また、②矯正医官の兼業の特例等に関する法律による法務大臣の承認を受けた矯正医官が部外診療を、③ハンセン病問題の解決の促進に関する法律による厚生労働大臣の承認を受けた国立ハンセン病療養所医師等が所外診療を、それぞれ報酬を得て行う場合には、本条の許可を要しないこととされている（矯正医官の兼業の特例等に関する法律四１・３、ハンセン病問題の解決の促進に関する法律一一の二１・３）（一〇一条関係**［解釈］**二(27)参照）。

本条の兼業の制限に関しては、職員の兼業の許可に関する政令（昭四一政令一五）、職員の兼業の許可に関する内閣官房令

（昭四一総理府令五）、「職員の兼業の許可について」（昭四一・二・一一総人局九七）及び「「職員の兼業の許可について」に定める許可基準に関する事項について」（平三一・三・二八閣人人二二五）によって詳細に定められている。

なお、官民人事交流法による交流派遣職員の派遣先企業の業務への従事、法科大学院派遣法による検察官等の教授等の業務への従事や判事補及び検事の弁護士職務経験に関する法律による弁護士の職務への従事については、本条の規定は適用除外されている（官民人事交流法一二4、法科大学院派遣法四10、一一4、判事補及び検事の弁護士職務経験に関する法律六2）。官民人事交流法に基づく交流派遣を命じること等は、職員を民間企業等の業務に従事させることであるため、改めて兼業許可を求めさせる必要がないからである。

〔解　釈〕

一　制限される兼業の態様

本条で制限される兼業は、職員が次のいずれかの兼業を報酬を得て行う場合である。

①　非営利事業の団体の役員、顧問又は評議員の職を兼ねる場合

②　①のほか、営利企業を含むあらゆる事業や事務を兼ねる場合

なお、本条の規定は、その勤務の内容に鑑み、非常勤職員（本法第六〇条の二第一項に規定する短時間勤務の官職を占める職員を除く。）と臨時的職員については適用されない（職員の兼業の許可に関する政令二）。

ここで「事業に従事し、若しくは事務を行う」場合とは、職員が職務以外の事業又は事務に継続的又は定期的に従事する場合をいうものである。したがって、例えば、たまたま依頼されて講演をし、あるいは雑誌に論文を掲載して謝金を得たような場合は、本条の規制の対象とはならない。また、本条にいう「報酬」とは、労務、仕事の完成、事務処理の対価として支払われる金銭その他の有価物をいい、対価の意味合いを持たない謝礼や実費弁償は含まれない。

二　許可権者及び許可の基準

職員が報酬を得て本務以外の事業や事務に従事する場合には、内閣総理大臣及び所轄庁の長の許可を必要とする。二重の許可を要することとされたのは慎重を期するためであり、また、内閣総理大臣は職員の服務をつかさどる権限に基づき許可を行うものである（法一八の二1）。なお、職員の兼業の許可に関する政令第一条により、行政職俸給表㈠の七級相当以下の

職員の兼業の場合及び職員が地方公共団体の非常勤職員を兼業する場合（地方自治法第一三八条の四第一項に規定する委員等を兼ねる場合を除く。）については、内閣総理大臣の許可権限を所轄庁の長に委任することができることとされ、この規定を受けた職員の兼業の許可に関する内閣官房令第五条は、これらの職員に対する許可の権限を所轄庁の長に委任している。また、その属する職務の級が研究職俸給表等の特定の級である職員等で科学技術・イノベーション創出の活性化に関する法律第二条第一二項の研究公務員であるものが、同法第一七条第一項の共同研究等その他これに類する研究に従事する場合における兼業の許可に関する内閣総理大臣の権限についても、所轄庁の長に委任することとされている（職員の兼業の許可に関する内閣官房令五2）。この許可について、職員の兼業の許可に関する内閣官房令第一条は、兼業許可の基準として、次の二つの要件を満たした場合に限りこれを認めることができるものとしている。

①　職員の占めている官職と兼ねようとする事業や事務との間に特別な利害関係がないか、そのおそれがないと認めるとき（職務の公正な執行の維持）

②　職務の遂行に支障がないと認めるとき（職務専念義務の確保）

具体的には、前述の昭和四一年の通達「職員の兼業の許可について」により、本条の許可は、二年を超えない期間について与えることが原則であるとされ、また、次の場合には原則として許可しないこととされているほか、前述平成三一年の「「職員の兼業の許可について」に定める許可基準に関する事項について」により、公益的活動等を行うための兼業に関し円滑な制度運用を図るため、次の②及び⑤について明確化するための解説（②に原則該当しない兼業時間数の明示（週八時間以下、一箇月三〇時間以下、平日（勤務日）三時間以下）等、⑤に該当しない非営利団体の種別の明確化等（独立行政法人・地方独立行政法人等は該当しないが、設立目的に沿った活動実績が事業報告等により確認できない特定非営利活動法人などは原則該当など））が行われている。平成三〇年六月閣議決定の未来投資戦略二〇一八において、民間において「副業・兼業の促進」を図ろうとする一方で、「国家公務員については、公益的活動等を行うための兼業に関し、円滑な制度運用を図るための環境整備を進める。」とされていた。

①　兼業のため勤務時間を割くことにより、職務の遂行に支障が生ずると認められるとき（職務専念義務の確保）

②　兼業による心身の著しい疲労のため、職務遂行上その能率に悪影響を与えると認められるとき（職務専念義務の確

保）

③　兼業しようとする職員が在職する国の機関と兼業先との間に、免許、認可、許可、検査、税の賦課、補助金の交付、工事の請負、物品の購入等の特殊な関係があるとき（職務の公正な執行の維持）

④　兼業する事業の経営上の責任者となるとき（職務専念義務の確保・職務の公正な執行の維持）

⑤　兼業することが、国家公務員としての信用を傷つけ、又は官職全体の不名誉となるおそれがあると認められるとき（公務の信用の保持）

三　許可手続等

内閣総理大臣に対する許可の申請は、職員の兼業の許可に関する内閣官房令第二条の兼業許可申請書の様式によって行うこととされており、この場合、同令第三条により、所轄庁の長がまず許可を行い、所轄庁の長を経由して内閣総理大臣に申請することとされている。

本条の許可を得ないで報酬を伴う他の事業や事務に従事した職員は、本法第八二条第一項第一号に該当することにより懲戒処分の対象となる。なお、本条違反については、第一〇三条第一項の違反の場合と異なり、刑事罰の適用はない。

次に、本条の兼業の許可が与えられたときは、「その許可の範囲内で、その割り振られた正規の勤務時間の一部をさくことができる」（職員の兼業の許可に関する政令二）が、この場合、「さかれた勤務時間については給与を減額する。」（人規一四―八　5）こととされている。

（職員の職務の範囲）

第百五条　職員は、職員としては、法律、命令、規則又は指令による職務を担当する以外の義務を負わない。

〔趣　旨〕

職員の職務の範囲

本条は、職員が職員として遂行する義務のある職務の範囲を明確にすることを目的とした規定である。職員の職務については、法令及び上司の命令に従う義務（法九八1）並びに職務に専念する義務（法一〇一1）が別に規定されており、本条は、この二つの義務の基礎を示したものということができよう。旧官吏制度下における官吏関係は官吏身分の付与によって成立し、個別の官吏の担当職務については官吏がいわゆる忠実無定量の勤務義務を負っていた。本法がこのような規定を設けた趣旨は、本法の下では身分的な従属関係を否定し、職務（官職）を基礎とした勤務関係を構築することを明らかにするためのものと考えられる。すなわち本条は、職員が法令により職員に割り当てられた職務以外の職務については勤務義務を負わない旨を示して、その勤務関係の定量性を明らかにしているものである。また、昭和二四年一月の新給与実施法で勤務時間の規定が設けられて以来、給与法を経て、現行の勤務時間法においても週所定勤務時間が定められ、一〇一条の職務専念義務規定と合わせてみれば、法令によって定められた勤務時間以外には勤務義務を負わないことが、勤務時間の面からも具体的に明らかになっている。本法は職階制の導入を前提としていたため、本条を置いて、個々の職員の職務内容を明確にすることを求めることも意図されていたように思われる。平成一九年改正により職階制規定は廃止されたが、引き続き職務を基本とした人事管理が行われていることから、本条の意義に変わりはない。なお、本法に遅れて制定された地公法には、本条に類する規定は設けられていない。

ところで、実際の勤務では、多くの民間企業と同様、日本型雇用慣行の下、いわゆる大部屋主義の集団的な執務体制をとるのが通例であることから、個々の職員の職務内容は概括的で他の職員との重なりが多いという特色がある。円滑な公務遂行や人材育成などの面で利点も多い一方、勤務関係の定量性や職員の専門性という面では課題もあるところである。職員の職業意識が変化する下で、今後、個々の職員の担当業務の明確化が求められていくことが考えられ、人材確保という点からも、改めて本条の趣旨に即した業務配分が求められるといえよう。

〔解　釈〕

一　「法律、命令、規則又は指令」の意味

本条の「法律」とは、国会の制定する成文法、すなわち、狭義の意味での法律をいい、「命令」とは、政令、府令、省令等、行政機関が制定する成文法としての命令を、「規則」とは、命令のうち、人事院規則、会計検査院規則、各外局の規則等、行政機関が有する規則制定権に基づいて定めるものを、更に「指令」とは、行政機関が定める事務分掌規程等をそれぞれいうものであり、人事院指令は「指令」に含まれる。

職員は、その職務をこれらの法律、命令等に基づき、かつ、本法の法令及び上司の命令に従う義務（法九八1）並びに職務に専念する義務（法一〇一1）にしたがって遂行するものであるが、それは所定の勤務時間に、各自の担当職務について なされるものである。以下、勤務時間に関する法令及び担当職務に関する法令について項を改めて概説することとする。

二　勤務時間に関する法律、命令等

職員の勤務時間については、勤務時間法第五条に基本的事項が定められている。同条第一項は、「職員の勤務時間は、休憩時間を除き、一週間当たり三十八時間四十五分とする。」と規定し、また、同条第二項は、定年前再任用短時間勤務職員の「勤務時間は、前項の規定にかかわらず、休憩時間を除き、一週間当たり十五時間三十分から三十一時間までの範囲内で、各省各庁の長が定める。」と規定している。また、育児短時間勤務職員等及び任期付短時間勤務職員については、育児休業法において特例が定められている。個々の職員について、勤務時間法及び人事院規則一五―一四（職員の勤務時間、休日及び休暇）の規定に基づき、これらの勤務時間が割り振られ、職員はそこで定められた正規の勤務時間の範囲内で、職務遂行の義務を負うことが原則である。

さらに、「各省各庁の長は、……正規の勤務時間……以外の時間において職員に設備等の保全、外部との連絡及び文書の収受を目的とする勤務その他の人事院規則で定める断続的な勤務をすることを命ずることができる。」（宿日直勤務）（勤務時間法一三1）とされ、また、「各省各庁の長は、公務のため臨時又は緊急の必要がある場合には、正規の勤務時間以外の時間において職員に前項に掲げる勤務以外の勤務をすることを命ずることができる。」（超過勤務）（勤務時間法一三2）とされている。この時間外勤務（宿日直勤務及び超過勤務）を命じられた時間においても、職員は職務遂行の義務を負うものである。なお、宿日直勤務を命ずる場合には、「当該勤務が過度にならないように留意しなければならない。」（人規一五―一四一五）とされている。また、超過勤務を命じる場合には、「職員の健康及び福祉を害しないように考慮しなければならない。」（人規一五―一四　一六）とされ、併せて超過勤務を命ずる時間の上限等が定められている（人規一五―一四　一六の二の二。詳細については、第一〇六条の解説を参照されたい。）。

三　担当職務に関する法律・命令等

1　本来の職務（本務）

職員の担当職務は、各省設置法、同組織令、更にこれらの法令に基づく組織規程、事務分掌規程などによって具体化されることになる。もっとも、現実の業務執行体制をみると、一応組織編成に基づく職務分担が行われているものの、いわゆる大部屋内のチーム体制によって職務遂行が行われているため、局長、課長等組織管理責任者の命令によって、業務分担が重複していたり、優秀な職員に本務以外の職務が付加されたりする例もみられ、必ずしも個々の職員の本務が重複することなく整理されているわけではない。

2　付加的職務

職員の職務としては、本来の職務のほか、次のような職務が付加されることがある。

(1)　災害応急対策・災害復旧のための業務　重大な災害が発生し、その災害応急対策又は災害復旧のため必要があるときは、災害対策基本法第二九条から第三三条までの規定に基づき、職員を本職以外の業務に従事させることができる。

(2)　国家公務員共済組合の運営に関する業務　共済法第一二条第一項に基づき、「各省各庁の長又は行政執行法人の長は、組合の運営に必要な範囲内において、その所属の職員その他国に使用される者又は行政執行法人に使用される者をして当該組合の業務に従事させることができる。」こととされている。

(3)　宿日直業務　前述のとおり、「各省各庁の長は、……正規の勤務時間……以外の時間において職員に設備等の保全、外部との連絡及び文書の収受を目的とする勤務その他の人事院規則で定める断続的な勤務をすることを命ずることができる。」（勤務時間法一三1）こととされている。

(4)　応援業務　それぞれの組織の業務の処理に当たっては、一時的に多量の業務を処理しなければならない場合、あるいは臨時緊急に処理しなければならない場合など業務に繁閑が生じることは避け難いことである。このような場合、通常は、まず、当該業務を担当する職員の超過勤務によって処理することになるが、必要に応じて他の業務を担当する職員に職務命令に基づいて応援させることが可能であり、応援する職員にとってその業務は付加的職務となる。このような応援業務を職員に行わせる場合には、管理・監督者は、当該職員の本来の職務の繁閑、付加される職務についての適応性、業務量、健康・安全等に配慮しなければならないものと解される。

３　職場外研修の受講

職員が通常の職場を離れて研修所等で行われる研修に参加する場合は、第一〇一条〔解釈〕一３で前述したとおり、職員が一日の執務の全部を離れて受ける研修（研修の課業時間が一週間につき、当該研修を受ける職員の一週間の勤務時間を超えず、かつ、その四分の三を下らないものであることなど、人事院が定める基準に適合するものに限る。）については、人規一五—一四第一〇条により、勤務時間法第一〇条の人事院規則で定める勤務とされており、当該研修を命ぜられた時間は割り振られた勤務時間とみなされる。

（勤務条件）

第百六条　職員の勤務条件その他職員の服務に関し必要な事項は、人事院規則でこれを定めることができる。

②　前項の人事院規則は、この法律の規定の趣旨に沿うものでなければならない。

〔趣　旨〕

一　勤務条件の意義

１　勤務条件の範囲

本条には「勤務条件」という見出しが付されているが、現在、本条を直接の根拠として人事院規則で定められている勤務条件は、交替制等勤務職員に適用される休息時間のみである。本法施行以来、国家公務員の勤務時間、週休日、休日、休暇等については、給与に比して体系的な法整備が遅れ、ようやく平成六年六月に一般職の職員の勤務時間、休暇等に関する法律（勤務時間法）が制定されるまでの間は、本条に基づいてこれらの勤務条件に関連する人事院規則が制定されていた経緯がある。ここでは、これら勤務時間等に関する勤務条件の内容を中心に説明することとする。

(1)　本法における本条以外の「勤務条件」に関する規定をみてみると、第三条第二項において「人事院は、……給与その他の勤務条件の改善……に関する勧告……に関する事務をつかさどる。」とされ、第二八条第一項ではこれを具体的に規定し、「この法律及び他の法律に基づいて定められる職員の給与、勤務時間その他勤務条件に関する基礎事項は、国会により社会一般の情勢に適応するように、随時これを変更することができる。その変更に関しては、人事院においてこれを勧告することを怠つてはならない。」とされている。このほか、職員は、「その勤務条件の維持改善を図ることを目的として」職員団体を結成することができ（法一〇八の二1）、「職員の給与、勤務時間その他の勤務条件に関し」当局と適法な交渉を行うことができる（法一〇八の五1）とされ、更に「職員は、俸給、給料その他あらゆる勤務条件に関し、人事院に対して、人事院若しくは内閣総理大臣又はその職員の所轄庁の長により、適当な行政上の措置が行われることを要求することができる。」（法八六）こととされている。

(2)　法制意見では、地公法第二四条第五項の「勤務条件」とは、「労働関係法規において一般の雇用関係についていう『労働条件』に相当するもの、すなわち、給与及び勤務時間のような、職員が地方公共団体に対し勤務を提供するについて存する諸条件で、職員が自己の勤務を提供し、又はその提供を継続するかどうかの決心をするにあたり一般的に当然考慮の対象となるべき利害関係事項であるものを指す。」（昭二六・四・一八法務府法意一発二〇法制意見第一局長、同旨昭三二・七・三法制局一発一九法制局長官）としており、本法上の「勤務条件」についても同様に、民間企業の「労働条件」に相当するものと考えられるが、その範囲はかなり広いといってよいであろう（なお、昭三六・一〇・五東京地裁も、本条の「勤務条件」という語につき、「一般的な用語例に従えば『労働条件』と呼ばれるものに相当すると解される。」としている。）。

(3)　また、勤務条件の範囲を考えるに当たっては、かつての国の経営する企業や行政執行法人等の職員の団体交渉の対象とすることのできる労働条件が参考となると考えられるが、かつての国営企業労働関係法を引き継ぐ行政執行法人労働関係法では次の事項が規定されている（同法八）。

①　賃金その他の給与、労働時間、休憩、休日及び休暇に関する事項
②　昇職、降職、転職、免職、休職、先任権及び懲戒の基準に関する事項
③　労働に関する安全、衛生及び災害補償に関する事項
④　前三号に掲げるもののほか、労働条件に関する事項

ここでも労働条件には相当幅広いものが含まれているといえよう。

要するに本条の「勤務条件」とは、民間企業の従業員の労働条件と同義であり、給与、勤務時間、週休日、休日、休暇、

災害補償、安全衛生等がその主な内容である。

(4)　勤務条件が民間企業の労働者について使われている労働条件という用語と同義であるとすれば、なぜ公務員について労働条件という用語を用いなかったのかという疑問が生ずるが、労働条件と勤務条件の違いについて、本法の制定時の国会審議において、当時の佐藤達夫法制局長官は次のように述べている。「ここで勤務という言葉を使っておりますのは、むしろ公職の職務という面をクローズ・アップいたしまして、その職務を遂行していく面からの条件ということであります。でありますから労働条件という言葉と、あるいは場合によっては同じ事柄を、一つの面と他の面からとらえたということになる場合もあるかと存じますけれども、この押えている面は、あくまでも公職という方面からくるその職務の遂行についての面を押えての勤務ということに、御了解願ってよろしいと思います。」（昭二二・九・二七衆・決算委）

これを敷衍すれば、公務員の「勤務」については、公務の遂行ということから、単なる権利としての勤務条件ではなく、義務としての服務関係と調和する必要のあるものとして概念されており、したがって、勤務条件についても服務との関係が問題となる。なお、憲法において「勤労条件」という言葉が用いられているが（憲法二七2）、その内容は「勤務条件」及び「労働条件」と同義であると解される。

2　服務と勤務条件

本法の構成では、本条は第三章第七節「服務」に属しており、条文見出しは「勤務条件」となっているものの「職員の勤務条件その他職員の服務に関し」と書かれているため、前述のとおり、両者の関係が問題となる。

過去においては、勤務条件は服務に包含されていると理解する余地もあり得るとの解釈や、「服務関係と勤労関係……は、別個の分野にあるものとすれば、勤務条件は、勤労関係に属し、服務関係には、属しないものといわなければならないから、両者を『服務に関し必要な事項』とするのは、おかしいといわなければならない。」（浅井清著『新版国家公務員法精義』三九九頁）とする意見もあった。

この点について、本法における勤務条件に係る規定と服務規定との関係をみてみると、給与以外の勤務条件の柱となる勤務時間については、職務専念義務との関係で「職員は……その勤務時間……のすべてをその職責遂行のために用い、政府がなすべき責を有する職務にのみ従事しなければならない。」（法一〇一1）と規定されている。また、国民の祝日、年末年始の休日等のほか、職員が休暇を取得した場合にも勤務が免除されるなど、勤務時間、休日等と職務専念義務及びその免除とは密接な関係にある。さらに、「職員はその職務を遂行するについて……上司の職務上の命令に忠実に従」う義務を負い（法九八1）、職員の職務の範囲は、「法律、命令、規則又は指令による職務」とされる（法一〇五）ので、職務命令と超過勤務や宿日直勤務等との関係も密接である。

勤務時間や休暇等勤務条件は、一義的には職員の権利として捉えられることが普通であるが、それらの権利の行使は業務の適切な実施を確保することと不可分の関係にある。現在の公務員制度の下では公務員も「勤労者」であり、戦前の官吏のように無定量の責務を負うわけではないので、公務員の勤務条件を服務の中に完全に包摂することはできないことは当然といわなければならない。そこで、本条については、勤務条件について業務実施（服務）との間で一定の調和が図られるよう、人事院規則による規定を設けることができる旨を明らかにしたものと解することが適当と考えられる。

なお、昭和二五年一二月に制定された地公法においては、勤務条件は第三章第六節「服務」ではなく、第四節「給与、勤務時間その他の勤務条件」に位置付けられ、「職員の給与、勤務時間その他の勤務条件は、条例で定める。」（地公法二四5）と規定されている。

二　勤務条件法定主義

1　憲法との関係

(1)　昭和二一年一一月三日に公布され、翌二二年五月三日に施行された憲法は、「すべて国民は、健康で文化的な最低限度の生活を営む権利を有する。」（憲法二五1）と謳い、この生存権を保障するために、「賃金、就業時間、休息その他の勤労条件に関する基準は、法律でこれを定める。」（憲法二七2）と規定するとともに、労働基本権を保障している（憲法二八）。

(2)　昭和二二年四月七日に公布され、同年九月一日から施行された労基法は、この憲法第二七条第二項に基づくものであり、また、同法は「労働条件は、労働者が人たるに値する生活を営むための必要を充たすべきものでなければならない。」（労基法一）と、憲法第二五条第一項を踏まえつつ、労働条件の原則を規定している。このため、労基法が適用されない一般職国家公務員（行政執行法人職員を除く。）についても、労基法に相当する勤務条件に関する基準の法定が必要であると解され、現在では、労基法の定める最低基準を上回っている民間の労働協約ないし就業規則事項を含め、国家公務員の各種勤務条件が、給与法、勤務時間法等によって定められている。

2　労働基本権との関係

一般職国家公務員については、その職務の公共性及び地位の特殊性に基づき労働基本権が制限されているが、その代償措置として人事院の勧告制度が設けられている。例年行われる給与の改定についてはこのシステムがよく知られているが、給与以外の勤務時間その他の勤務条件に関しても、同様に人事院勧告制度によってその改定が行われている。すなわち、職員は当局との労働協約により勤務時間等の勤務条件を決定することができないため、情勢適応の原則（法二八1）により、人事院は、必要に応じて勤務条件に関する基礎事項の変更に関して勧告を行うこととされている。また、人事院は本法の目的を達成するため、法令の制定改廃に関する意見の申出（法二三）を行うことも認められている。さらに、勤務時間法では、人事院は、「職員の適正な勤務条件を確保するため、勤務時間、休日及び休暇に関する制度について必要な調査研究を行い、その結果を国会及び内閣に同時に報告するとともに、必要に応じ、適当と認める改定を勧告する」権限と責務を有している（勤務時間法二①）。このように人事院勧告や意見の申出を通じて、勤務条件の基礎的事項は勤務時間法等の法律で、詳細事項は人事院規則で定められている。なお、同法の制定前においては、給与法に勤務時間や休暇等に係る勧告、報告を行うことができる旨の規定があった。人事院は従来から随時、これらの規定に基づき、給与以外の勤務条件についても勧告、報告、意見の申出等を行ってきている。

なお、勤務時間、休暇等についても勤務条件である以上、民間準拠の考え方が基本となる。しかしながら、民間においてもこれらの勤務条件は産業や企業規模の別によって幅があること、公務では職員の服務の在り方とも関連するため仕事の性質や職務環境等に配慮すべき必要性が高いこと、さらに、国全体としてあるべき働き方を実現していくという政策的な見地から、公務が先導して社会一般の状況を改革することが求められる場合もあること（例として、完全週休二日制への移行、介護休暇、ボランティア休暇、不妊治療に係る通院等のための休暇の導入など）から、給与のような官民給与の厳格な同種同等比較による民間準拠とは異ならざるを得ず、より柔軟に多様な要素を勘案することが求められる（法二八解説参照）。

3　労基法との関係

(1)　いわゆる一般職の国家公務員に係る労基法の適用については、昭和二三年の第一次本法改正の前後で扱いが大きく変わっている。

昭和二二年一〇月の本法制定当初（施行は昭和二三年七月）は、労基法は一般職の職員に対し全面的に適用されていた。本法制定時の国会審議の状況をみても、職員の勤務時間については、労基法の体系の中で規定することが前提とされていたことがうかがえる。

例えば、昭和二二年九月二七日衆議院決算委員会における、本条の趣旨の説明においては、「百五条に「職員の勤務条件その他職員の服務に関し必要な事項は、人事院規則でこれを定めることができる。」とございますが、服務条件として考えられますのは、たとえばなるべく役所の近所に住まえとか、役所に遠い所に住んでおって勤務に差支えるような場合には本属長官に申し出てもらいたいとか、旅行をする場合は一応本属長官の方に申し出て許可を得るとか、手続をしてくれとか、賜暇の場合はどうだとかいうような事柄が内容として考えられます。」と説明されており、本条は主として労基法で直接には規律されていないところの服務関係を規定することを予定していたようである。

また、同日の質疑において、「勤務条件という中には、もちろん出勤時間であるとか、労働時間などが含まれておるわけですね。」という質問に対し、佐藤達夫内閣法制局長官は、「さしあたっては……それは実は考えておらなかったのでありまず。これはむしろ労働基準法の方の系統の問題として考えておったのでありますけれども、これらの調整関係は、労働基準法と申しますか、労働関係の憲法の条文があるのでありますが、その精神のもとに何らかの形できめられることになりまず。」「こういうように漠としたような書き方で、他の法律の特例が含まれるとは、夢にも考えておらぬわけであります。……これはやはり勤務時間というようなものもこの人事院規則で定められ、労働基準法のわくの中で定まっておるというふうにお答えしておきます。」と述べており、職員の勤務時間等については労基法が適用され、その枠内で必要に応じて、いわば就業規則と同様な観点から、人事院規則を定めることとするという立法意図があったと解される。

ただ、実際には、「国家公務員法の規定が適用せられるまでの官吏の任免等に関する法律」（昭二二法一二一）の規定により、官吏その他政府職員の服務に関する事項については、本法の規定が適用されるまでの間、従前の例によることとされていたため、職員の勤務時間、休暇等については、当面、大正一一年閣令第六号（官庁執務時間並休暇ニ関スル件）等の内容がその従前の例として職員に適用されることとなった。

(2)　しかし、昭和二三年一二月、本法の第一次改正が行われた際に、労働基本権を制約するとともに、労基法、船員法を含む労働関係の法律は一般職の職員には適用しないこととされた（本法附則一六（現行の附則六））。

この改正により、労基法の枠組みとは別に国家公務員固有の制度を整備する必要が生じてきた。昭和二三年一一月一三日の参議院人事・労働連合委員会においては、「今までバラバラに規定してあります休暇、休日、労働時間あるいはこの勤務時間というものについての規定を体系的に早く法律に纏めまして、制定して頂くことが私共の勤めと、こう思っております。」（岡部臨時人事委員会法制部長）との説明がなされており、勤務時間や休暇等についても、給与と同様、体系的な法制化が想定されていたといえる。

なお、このとき併せて、「別に法律が制定実施されるまでの間、国家公務員法の精神にてい触せず、且つ、同法に基く法律又は人事院規則で定められた事項に矛盾しない範囲内において、労働基準法及び船員法並びにこれらに基く命令の規定を準用する。」（第一次改正法附則三）とされ、法的整備がなされるまでの間は労基法が一応準用されることとなったが、実際には、前述の従前の例による事態が続いた。

(3)　後述するように、その後、職員の勤務時間、休暇等については徐々に法的整備が進められ、平成六年には「一般職の職員の勤務時間、休暇等に関する法律」として体系化が完成した。このため、現在では、実質的に労基法の準用の余地はなくなったと解せられる。また、国家公務員の勤務条件については服務との関係が深いことを反映して、年次休暇の請求の性質などについて、労基法とは異なる取扱いがなされているほか、フレックスタイム制の構成や超過勤務の扱いについても、労基法の枠組みとは異なっている。

4　勤務条件法定主義と人事院規則への委任

(1)　本法においては、勤務条件のうち給与については一節を設けてその根本基準、法律で定めるべき事項を含め、基本的な枠組が規定されているのに対し、勤務時間をはじめとする給与以外の勤務条件については同様の規定は設けられていない。

(2)　まず、昭和二四年一月から施行された新給与実施法の一部改正法により、はじめて法律に職員の勤務時間についての規定が定められた。これにより勤務時間に関しては大正一一年閣令第六号に基づく従前の例によることなく、法律の定めるところにしたがって取り扱われることとなった。その後、昭和二五年四月に前述の新給与実施法を引き継ぐ給与法が施行された。さらに同年一二月の同法改正で、休暇に関する人事院の勧告権限が規定され（同法旧二5）、休暇も法律で定めることが予定された。しかし、それが実際に法律で規定されたのは、後述のとおり、昭和六〇年の一般職の職員の給与等に関する法律改正に至ってである。

(3)　昭和二八年には一般職の国家公務員の給与準則等を定める法律案が国会に提出された。これは成立するに至らなかったが、この給与準則等法案において、「給与準則を定め、あわせて職員の勤務時間、休日及び休暇に関する事項を定め、もつて職員の適正な勤務条件を確保することを目的とする。」と規定され、一週間の勤務時間や勤務時間の割振りのみならず、休憩時間、休息時間、時間外勤務及び時間外勤務の制限も規定されていた。さらに国民の祝日や年末年始を休日として規定し、休暇についても休暇の種類のほか、年次休暇、特別休暇及び無給休暇の内容を規定し、実施細目を人事院規則に委ねることとしていた。

(4)　給与準則等法案が成立しなかったことから、休暇については「従前の例」とする扱いが続いたが、昭和六〇年、一般職の職員の給与に関する法律の中に休暇に係る規定を設ける改正が行われた。この改正により、休暇についてもはじめて法律上明確に規定され、従前の例によらない新たな休暇の創設が可能となるとともに、国民の祝日等の休日及び年末年始の休日の取扱いも法律上明記されることとなった。さらに、平成六年には、給与法から独立する形で、勤務時間法が制定され、これにより勤務時間、休日及び休暇に関する包括的な法体系が確立した。

(5)　勤務時間法においては、これらの勤務条件について法律で基本的な事項を定めるとともに、同法が委任する細目事項のほか、その実施に関し必要な事項について、人事院規則を制定することができるとされている（勤務時間法二②）。

5　勤務時間法制定の意義と今後の方向

(1)　本法が昭和二三年の改正時から一般職の職員について労基法とは別体系で職員の勤務時間等の勤務条件を規定することを予定していたとすれば、給与以外の勤務条件についても、その根本基準等をはじめとする所要の規定が設けられていないのは不自然との見方もあり得よう。この点については、昭和二三年改正において、労働基本権を制約し、労基法とは別体系の下で勤務条件を定めることとした際に、職員の勤務条件のうち、戦後の混乱が続く中で職員の生活に直接影響する給与制度の確立や給与水準の改善が急務と考えられ、その他の勤務時間や休暇に関しては、給与ほどは重視されていなかったのではないかと考えられる。

(2)　しかしながら、急速な社会経済発展に伴い、職員の給与水準が徐々に上がってくるにつれ、勤務時間、休日、休暇等についても職員の関心が増大し、権利性が強く意識されるようになってきた。このため、前述のとおり、まず給与法の中で、順次、これら勤務条件についても規定が整備され、続いて、給与の観点からこれら勤務時間、休日、休暇等の勤務条件について規定する形ではなく、独自の体系的な根拠法を設けることが必要であるとの考え方が高まってきた。

このため、平成四年五月に完全週休二日制が実施されたことを契機に、人事院は勤務時間等に関する新法の制定など法体系の整備に着手し、平成四年八月の給与勧告の際の国会及び内閣に対する報告の中でその旨言及した。続く、平成五年八月の給与勧告の際の報告の中では、今後の勤務時間・休暇制度の重要課題として、

①　引き続き総実勤務時間の短縮を図っていくこと

②　不規則な勤務形態となることが避け難い交替制等勤務職員の健康・福祉に配慮した措置を推進していくこと

③　社会の高齢化・女性の社会進出・核家族化の進展などの社会状況の下で、個人生活と職業生活との調和を図る仕組みを整備していくこと

等を挙げるとともに、具体的な措置の方向として、週四〇時間勤務制の原則の明定、船員の時短の実施、交替制等勤務職員の四週八休の原則の確立及びその実践の推進、休日の代休制度の新設、介護休暇（無給）制度の新設等を提示し、「昨年の報告の趣旨」（法体系の整備）をも踏まえ、成案を得て、別途、立法措置について意見の申出を行う旨言及した。

その後、関係者との協議、検討を経て、人事院は、平成五年一二月、国会及び内閣に対して、「一般職の職員の勤務時間、休暇等に関する法律の制定についての意見の申出」を行い、政府はこれを受けて法律案の作成を進め、平成六年四月一九日、「一般職の職員の勤務時間、休暇等に関する法律案」を第一二九回国会に提出した。審議は六月に入ってから始まり、衆参とも全会一致で可決され、同月八日に成立、同月一五日に平成六年法律第三三号として公布され、同年九月一日から施行された。また、勤務時間法の委任事項及び実施細則を定める人事院規則（人事院規則一五―一四（職員の勤務時間、休日及び休暇）及び人事院規則一五―一五（非常勤職員の勤務時間及び休暇））が制定され、同年九月一日から施行された。

この勤務時間法の制定をもって、勤務時間、休暇等については、本法施行後、四〇年以上にわたって課題であった統一的な法体系の確立が実現した。

(3)　平成一〇年代以降、少子高齢化の急速な進展、男女共同参画の強力な推進の必要など公務を取り巻く社会環境は大きく変化するとともに、長引くデフレ生活の中で個人の価値観やライフスタイルの多様化が進み、長時間労働の是正や職業生活と家庭生活の両立支援等が重要な課題となっていった。この間、本省庁等の残業を減らすための取組みや育児・介護を行っている職員への勤務時間の弾力化などが実施された。人事院は平成二七年八月に女性活躍とワークライフバランス推進のため、原則として全ての職員を対象とするフレックスタイム制導入を勧告し、同二八年四月から実施されている。一方、政府は、平成二七年九月、一億総活躍社会の実現を目標とした全員参加型社会を目指すことを目標に掲げ、その重要な方策として、働き方改革（同一労働同一賃金の実現（正規・非正規の賃金格差是正）、長時間労働の是正、高齢者の就業促進など）を進めることとした。平成三〇年には、働き方改革の総合的かつ継続的な推進、長時間労働の是正、多様で柔軟な働き方の実現等、雇用形態にかかわらない公正な待遇の確保などを内容とする「働き方改革を推進するための関係法律の整備に関する法律（平三〇法七一）（以下「働き方改革関連法」という。）が成立し、同三一年四月以降、順次施行されている。公務における長時間労働慣行などについては公務部内からも厳しい批判があがっており、民間準拠の観点も踏まえて、業務遂行上の必要性と公務職場の環境整備の観点に立って、引き続き時代に即した不断の改善を行っていく必要がある。

なお、休業制度（育児休業制度、自己啓発等休業制度及び配偶者同行休業制度）については、本条を直接の根拠として制定されたものではなく、また、身分を保有しながら職務に従事しないという意味では休職と共通する面がある。一方で、職員本人の意思に基づき職務に従事しないという意味では「休暇」とも共通する側面があり、職員にとっても重要な勤務条件の一つであることから、これらについても本条において解説することとする。

〔解　釈〕

一　勤務時間の基本

1　勤務時間の意義及び沿革

(1)　勤務時間は、給与とともに重要な勤務条件の一つである。一日、一週又は一月の間に何時間をどのように勤務するのかということは、その勤務に対してどれだけの給与が支払われるのかということと同様、勤労者が勤務を提供し、あるいは、その提供を継続するかどうかに当たって重要な判断要素となる事柄である。

(2)　大日本帝国憲法下における官吏は、天皇の官吏として天皇に対し忠実無定量の勤務義務を負うものとされ、当時においては、勤務条件としての勤務時間の観念は、一般的には存在しなかった。当時、官吏の執務の量的なよりどころとされたものの一つに大正一一年閣令第六号があり、官庁の執務時間が定められていたが、これは官庁が通常の執務を行っている時間、すなわち開庁時間を示していたにすぎず、必ずしも官吏の勤務時間までを規定しているものではなかった。同令には「事務ノ状況ニ依リ必要アルトキハ執務時間外ト雖執務スヘキモノトス」と定められ、いわゆる官吏の無定量の義務の裏付けがなされていた。

(3)　昭和二二年九月に労基法が施行され、労働時間について、一日八時間、一週四八時間の原則が定められた。これは一九一九年の国際労働機関で採択された条約第一号「工業的企業における労働時間を一日八時間、且一週四十八時間に制限する条約」及び一九三〇年の同条約第三〇号「商業及び事務所における労働時間の規律に関する条約」によって、国際的基準と認められてきたものを立法化したものであった。

労基法は、一般の労働関係とは異なった勤務関係に立つ公務員にも適用すべきかどうかについて当初より議論がなされたが、非現業公務員については労働時間の延長等について労働組合との協定を要件としない旨の特例（労基法三三3）を設けて、一応適用されることとなった。しかし、実際には、当時の大正一一年閣令第六号で定められてきた執務時間は、労基法の基準を上回っていたため、それがそのまま就業規則的な性格をも含むものとして取り扱われ、別段の変更は加えられなかった。

(4)　昭和二二年一〇月本法が制定公布され、翌二三年七月から施行されたが、勤務時間に関する具体的な規定は設けられなかった。

同年一二月の本法の第一次改正により一般職の国家公務員については労基法を適用しないこととされた（法附則一六（現行の附則六））。一方で、同改正法附則第三条により、別に法律が制定実施されるまでの間、本法の精神に抵触せず、かつ、本法に基づく法律又は人事院規則に矛盾しない範囲内において労基法の準用が認められた。しかし、実際には、「国家公務員法の規定が適用せられるまでの官吏の任免等に関する法律」（昭二二法一二一）の規定により、官吏その他政府職員の服務に関する事項については、本法の規定が適用されるまでの間、従前の例によることとされたため、職員の勤務時間については、「従前の例」として、なお大正一一年閣令第六号の官庁執務時間によるものとされた。

(5)　昭和二三年の新給与実施法の一部改正により、はじめて法律に勤務時間の規定が設けられ、昭和二四年一月一日から施行された。同法の勤務時間の規定は、昭和二五年四月に制定された一般職の職員の給与に関する法律（昭二五法九五）（以下この節において「旧給与法」という。）第一四条に受け継がれた。

(6)　その後、給与法における勤務時間等に関する数次の改正を経て、平成四年五月、一週間の勤務時間を四〇時間とする完全週休二日制が実現した。さらに、前述（〔趣旨〕二5(2)）のとおり、平成五年一二月、人事院は、「一般職の職員の勤務時間、休暇等に関する法律」の制定について意見の申出を行い、翌年六月、勤務時間法が制定公布、同年九月から施行され、現在に至っている。

(7)　勤務時間法の適用を受ける職員は、別に法律で定めるものを除き、全ての一般職の職員である（勤務時間法二）。従来は、労使交渉によって給与、勤務時間等を定めることができる国営企業に勤務するいわゆる現業職員及び行政執行法人職員が適用除外とされていたが、前者については、平成二五年四月以降、国有林野事業の企業会計制度の廃止に伴い、国有林野職員の勤務条件決定方式が労使交渉方式から人事院勧告制度に基づくものに改められた結果、該当者がいなくなった。他方、検察官、在外公館に勤務する外務公務員等のように給与に関しては他の法律で特例（全部又は一部）が定められている職員であっても、勤務時間については本制度の適用を全て受ける職員となっている。ただし、外務公務員については、勤務時間法に規定する休暇のほかに、その職務と責任の特殊性、特に勤労環境の違いを考慮して、外務公務員法で服務の一環として休暇帰国の制度が設けられている（本法附則四、外務公務員法二三）。

なお、勤務時間法の適用対象職員のうち、休職・休業中の職員や国際機関等に派遣されている職員、官民交流により民間企業に派遣されている職員等については、職務に従事しないことから、勤務時間の割振りがなく、勤務時間法が適用される余地はないものと解せられる。

昭和 24 年以降の勤務時間法制の変遷

昭 24. 1. 1	新給与実施法の一部改正 ・ 職員の勤務時間は、１週間について 40 時間から 48 時間までの範囲内で人事院規則で定める（第 19 条第１項） →１週間 48 時間制（24. 1. 1 ～ 24. 7. 22） １週間 44 時間制（24. 7. 23 ～） ・ 職員の勤務時間は、原則として月曜日から土曜日までの６日間において割り振り、日曜日は勤務を要しない日とする
昭 25. 4. 3	給与法施行 ・ 職員の勤務時間は、１週間について 40 時間から 48 時間までの範囲内で人事院規則で定める（第 14 条第１項） →１週間 44 時間制 ・ 職員の勤務時間は、原則として月曜日から土曜日までの６日間において割り振り、日曜日は勤務を要しない日とする
昭 56. 3. 29	給与法附則の改正 ・ 勤務を要しない時間方式による４週５休制の実施（職員ごとに指定）（附則で規定）
昭 61. 1. 1	給与法の一部改正 ・ 休日（第 14 条の２）及び休暇（第 14 条の３）の法的整備
昭 63. 4. 17	給与法附則の改正 ・ ４週６休制の実施（勤務を要しない時間方式）
昭 64. 1. 1	給与法の一部改正（行政機関休日法の施行） ・ １週間 42 時間制 ・ ４週６休制の本則化（日曜日及び第２・第４土曜日は勤務を要しない日かつ閉庁日）
平　4. 5. 1	給与法の一部改正 ・ １週間 40 時間制 ・ 土曜閉庁方式による完全週休２日制（日曜日及び土曜日は勤務を要しない日）
平　5. 4. 1	研究職員へのフレックスタイム制実施（人規 15-13）
平　6. 9. 1	勤務時間法施行 ・ 週所定勤務時間の法律上の明定 ・ 交替制等勤務職員の４週８休原則の法律上の明示 ・ 休日代休制度及び介護休暇制度の新設 ・ 基本的な勤務条件制度や基準をできるだけ法律へ格上げ ・ 各省各庁の長の主体性の尊重及び事務簡素化
平　9. 6. 4	任期付研究員法施行 ・ 裁量勤務制の実施
平 13. 4. 1	新再任用制度施行 ・ 再任用短時間勤務の実施
平 19. 8. 1	育児休業法の一部改正（勤務時間法の読替え） ・ 育児のための短時間勤務制の導入（育児休業法第 17 条、第 25 条）
平 20. 4. 1	勤務時間法の一部改正 ・ 専門スタッフ職俸給表適用職員にフレックスタイム制適用を拡大
平 21. 4. 1	勤務時間法等の一部改正 ・ １週間 38 時間 45 分、１日７時間 45 分制
平 22. 4. 1	勤務時間法等の一部改正 ・ 超勤代休時間制度の新設
平 28. 4. 1	勤務時間法等の一部改正 ・ 原則、全職員を対象にフレックスタイム制を拡充 ・ 育児又は介護を行う職員のフレックスタイム制をより柔軟化
平 29. 1. 1	勤務時間法等の一部改正 ・ 介護休暇の分割、介護時間の新設
平 31. 4. 1	超過勤務命令の上限規制（人規 15-14）

（注）４週５休（６休）制とは、４週間に１回（２回）ずつ交替で土曜日を休みとする方式。

2　執務時間と勤務時間

(1)　職員の勤務時間の観念が確立する以前においては、実態としては大正一一年閣令第六号に規定された官庁の執務時間が職員の勤務のための拘束時間となっていた。

そもそも執務時間とは、官庁という組織体の執務態勢に係る観念であって、国民の便宜を考慮した行政事務処理のための時間であり、いわば管理運営事項として位置付けられるのに対し、勤務時間は、個々の職員の勤務義務に係る観念であって、職員の勤務条件である。このように両者は性格を異にするものであるが、従前の「執務時間」の規定は、その中に職員の勤務時間の性格も含んでいたと考えられていた。しかし、職員の勤務時間がその割振り基準を含めて法律上規定されたことにより、大正一一年閣令第六号の官庁の執務時間に係る規定は、行政機関の組織体としての活動時間に係る意義のみを有するものと解される。

(2)　執務時間とは、「官庁又は都道府県庁という組織体が完全な執務態勢をとるべき時間をいう。」（昭三八内閣法制局見解）とされており、一定の業務の取扱時間である、いわゆる窓口時間とは異なり、また、ボイラー技士、守衛等一部の交替制等勤務職員が業務に従事している時間の全てが官庁の執務時間というわけでもない。「完全な執務態勢」とは必ずしも全ての職員が勤務すべき時間ということではなく、「完全な執務態勢にあるといえるかどうかは、その処理すべき事務量とこれに対応すべき職員数、現に職員の執務する時間、職員の能率等との相関において判断されるべきことがらであって、単に一定の時間帯において現に執務する職員数が通常の時間帯より少ないからといって、そのことのみをもって、直ちに当該時間帯において完全な執務態勢にないものとすることはできない。」と解されている（昭四六・一二・二一内閣法制局見解）。

(3)　官庁の執務時間を定めている大正一一年閣令第六号は、新憲法施行前に制定されたものであるが、新憲法の下では、法律事項ではなく、命令事項であるとされており（昭三八内閣法制局見解）、したがって、新憲法施行前の命令の効力を定めた昭和二二年法律第七二号によって引き続きその効力を有する一方、旧給与法に抵触する部分は効力を失うとされている（給与法附則4）。

現に、大正一一年閣令第六号は、昭和二四年以降にも総理庁令（総理府令・内閣府令）により改正が行われてきているが、根拠となる法律が存しないため、その性格は、いわば実施命令的なものと考えられ、したがって、その効力は広く国民との関係にまで及ぶものではなく、行政機関内部における規定と解することが妥当であろう。ただ、国民に対して適正な行政サービスを提供する観点からは、行政機関の活動時間についても、法律上の根拠があることが望ましい。この点からいえば、現在、週休二日制の実施の際に制定された「行政機関の休日に関する法律」（昭六三法九一）は、行政機関の閉庁のみ定めているが、規定内容の充実が今後の課題といえよう。

なお、大正一一年閣令第六号の主な内容は次のとおりであった。

○官庁執務時間並休暇ニ関スル件（大一一・七・四閣令六）

１　官庁ノ執務時間ハ日曜日及休日ヲ除キ午前八時三十分ヨリ午後五時迄トス但シ土曜日ハ午後零時三十分迄トス

２　土地ノ状況ニ依リ又ハ事務ノ性質上必要アル場合ニ於テハ主務大臣ハ内閣総理大臣ノ許可ヲ得テ前項ノ執務時間ノ変更、繰替又ハ延長ヲ為スコトヲ得

３　事務ノ状況ニ依リ必要アルトキハ執務時間外ト雖執務スヘキモノトス

４　（略）

５　（略）

６　現業其ノ他特別ノ事務ヲ所掌スル官庁ノ執務時間及休暇ニ付テハ主務大臣別ニ之ヲ定ムルコトヲ得

3　勤務時間の長さ

(一)　一週間の勤務時間

職員の勤務時間については、勤務時間法において、次のとおり一週間の勤務時間が原則として三八時間四五分であることが明定されている（定年前再任用短時間勤務職員の勤務時間については**六**で後述）。

○一般職の職員の勤務時間、休暇等に関する法律

（一週間の勤務時間）

第五条　職員の勤務時間は、休憩時間を除き、一週間当たり三十八時間四十五分とする。

２　（略）

現在までの経過をみると、勤務時間法が制定される前の旧給与法第一四条第一項においては、一般の職員の週所定勤務時間は、四〇時間から四八時間の幅の範囲内で人事院規則で定めることとされ、具体的な勤務時間を人事院規則に委任していた。これは、労基法の最長制限時間が週四八時間とされていたこと、また、公務においても職務や勤務形態の特殊性から勤務時間の延長を行う必要性がある職種があったこと、更に一九三五年に国際労働機関で採択された「労働時間を一週四十時間に短縮することに関する条約」（第四七号）のめざす新しい国際的基準を意識しながら一定の範囲を設定し、公務における勤務時間を社会一般の情勢に容易に対応させることができるようにするため、人事院規則によって具体的な勤務時間の定めができることとしていたものである。

○勤務時間法制定前の旧給与法

（一週間の勤務時間）

第十四条　職員の勤務時間は、休憩時間を除き、一週間について四十時間を下らず四十八時間をこえない範囲内において、人事院規則で定める。

２・３　（略）

人事院規則で定める時間については、昭和二四年一月一日施行の新給与実施法に基づき、当初は一週間四八時間の勤務時間が定められていたが、その年の七月には夏期勤務時間の特例として一週間四四時間制が採用され、同年一〇月には通年の制度として一週間四四時間の勤務時間が定められた。また、昭和五〇年代後半以降の民間の動向等を踏まえた一連の週休二日制の取組みの進展の中で、昭和六四年一月施行の改正給与法により、週休土曜日を含む週にあっては四〇時間、それ以外の週にあっては四四時間などとされ、さらに、平成三年八月には、民間準拠による勤務条件の改善という観点からだけでなく、社会全体の労働時間短縮の推進の要請に応える観点から、完全週休二日制の人事院勧告が国会及び内閣になされ、その実施に伴い、平成四年五月施行の改正給与法施行を受け、一週間四〇時間とされていた。

その後、①週所定勤務時間は基本的な勤務条件であること、②完全週休二日制の実施により、平成四年五月から法律で定めた幅の下限である四〇時間となっていたことなどを踏まえ、同年九月施行の勤務時間法においては、従来の人事院規則に具体的な勤務時間を委任する方法ではなく、週所定勤務時間が四〇時間であることが法律上明定された。

次いで、平成二〇年に、人事院は、民間従業員の労働時間が職員の勤務時間より一日当たり一五分程度、一週当たり一時間一五分程度短い水準で定着していたことなどから民間準拠を基本に職員の勤務時間を改定すべきことを勧告し、これに基づき勤務時間法が改正され、平成二一年四月から職員の勤務時間は一週間三八時間四五分となり、現在に至っている。

㈡　船員の勤務時間の特例

勤務時間法第一一条において、船員の勤務時間の特例が設けられ、艦船の迅速な出動に支障が生じないよう、各省各庁の長は、船舶に乗り込む職員について、人事院と協議して、一週間当たり三八時間四五分に一時間一五分を超えない範囲で延長することができるとされ、また、勤務時間が延長された職員の一日の勤務時間は七時間四五分に一週間当たりの勤務時間を延長した時間の五分の一の範囲内（一日当たり最大一五分）で各省各庁の長が定める時間を加えた時間とされている。なお、現在、同条の規定に基づく特例として、海上保安庁の船員の勤務時間が週四〇時間に延長されている。

二　週休日・勤務時間の割振りの基準

1　週休日

㈠　週休日

(1)　週休日とは、正規の勤務時間が割り振られていない日であって、特に超過勤務又は宿日直勤務を命ぜられない限り、職員に就労の義務がない日のことであり、勤務時間法制定前は「勤務を要しない日」と称されていた。週休日を設けることにより、職員を全日仕事から解放して、蓄積疲労の除去、家事や娯楽、教養の向上のための時間の確保等を図り、職員の生理的機能の保全、作業能率の向上、更には働く者の健康で文化的な生活の維持に資することとしているものである。また、勤務時間の割振りに際して、週休日をまず定めるとしたのは、週休日の置き方が、職員にとって特に重要な勤務条件であると考えられているからである。

(2)　週休日は、暦日の午前零時から午後一二時までの丸二四時間、勤務を離れて自由に使用できることを要件としており、この間、わずかの時間であっても正規の勤務時間が割り振られている場合は、その日を週休日とすることはできない。労基法では、労働時間が八時間以内で三交替連続作業が行われる場合は、例外的に暦日のいかんを問わず連続二四時間の休みを与えればよいとされている例（昭二三・一〇・一四基発一五〇七）がみられるが、国の場合は、週休日の適切な確保のため、そのような取扱いはされていない。

(二)　週休制の原則

(1)　原則として日曜日及び土曜日が週休日として設定されている（勤務時間法六1）。従前は「勤務を要しない日」という用語が用いられていたが、用語として「休日」との区別が不明瞭であることから、内容を適切に表すために、勤務時間法においては「週休日」に改称したものである。

なお、交替制等勤務職員の週休日については、勤務時間法第七条第一項において「各省各庁の長は、公務の運営上の事情により特別の形態によって勤務する必要のある職員については、前条第一項……の規定にかかわらず、週休日……を別に定めることができる。」とされている。

(2)　キリスト教文化圏においては、日曜日を安息日として休業することが古くからの習慣となっていたが、国際的基準としても、一九二九年に国際労働機関において採択された「工業的企業における週休の適用に関する条約」（第一四号）及び一九五七年に採択された「商業及び事務所における週休に関する条約」（第一〇六号）により週休制の原則が定められている。

我が国では、戦前は、工場法で女子及び一六歳未満の労働者について月二回の休日制が定められ、商店法で月一回の休日を与えるべきことなどが定められていたが、週休制の原則がより広く法制にとり入れられたのは、昭和二二年の労基法が「使用者は、労働者に対して、毎週少くとも一回の休日を与えなければならない。」（同法三五1）と定めたことから始まる。

公務においては、明治九年四月以降、日曜日を休みとする週休制がとり入れられていた（明九・三・一二太政官達二七）が、戦後、勤務時間制度が規定された新給与実施法においては、週六日勤務制が明記されるとともに原則として日曜日は勤務を要しない日と定められた。その後、平成四年五月から完全週休二日制が実現され、現在に至っている。

○一般職の職員の勤務時間、休暇等に関する法律

（週休日及び勤務時間の割振り）

第六条　日曜日及び土曜日は、週休日（勤務時間を割り振らない日をいう。以下同じ。）とする。ただし、各省各庁の長は、定年前再任用短時間勤務職員については、これらの日に加えて、月曜日から金曜日までの五日間において、週休日を設けることができる。

2～4　（略）

２　勤務時間の割振り

(1)　一般の職員について月曜日から金曜日までの各日に割り振られる勤務時間は、勤務時間法第六条第二項の規定により一日七時間四五分とされている。旧給与法の下では、「勤務を要しない日」（週休日）を除き、勤務時間の割振り権者の定めも含め大部分の事項が人事院規則で定められていたが、勤務時間法においては、勤務条件の確保の観点から、基本的な制度や勤務条件の基準はできる限り法定する形をとっている。

勤務時間法制定前は、一般の職員の勤務時間の割振りは、旧人規一五―一第五条により、会計検査院及び人事院の職員を除き、内閣総理大臣が定めるものとするとともに、特別の事情がある職員として人事院が定める職員については、人事院の承認を得て、各庁の長が定めるものとされていた。勤務時間法においては、これを各省各庁の長の主体性の尊重等の観点から改め、一般の職員についても、交替制等勤務職員の場合と同様、職員の服務を統督する各省各庁の長が勤務時間を割り振ることとなった（勤務時間法六２）。

なお、公務におけるフレックスタイム制においては、各省各庁の長が、始業・終業時刻についての職員の申告を考慮して、公務の運営に支障がない限り、当該申告どおりの勤務時間を割り振るものとされている（勤務時間法六３）。

また、交替制等勤務職員の勤務時間の割振りについては、勤務時間法第七条第一項において「各省各庁の長は、公務の運営上の事情により特別の形態によって勤務する必要のある職員については、前条第一項及び第二項の規定にかかわらず、……勤務時間の割振りを別に定めることができる。」とされている。

(2)　通勤事情を考慮して職員の勤務時間の割振りを行うものとして、時差通勤がある。これは、昭和三〇年代、東京、大阪等の大都市圏における通勤事情が著しく悪化したことに対する緩和策として、総理府交通対策実施本部（当時）が各省庁、地方公共団体、民間事業所等に対して時差通勤の実施を呼びかけ、政府が率先して昭和三六年から東京及び大阪で実施したのがはじまりである。その後、逐次、対象地域は拡大され、現在は東京都、さいたま市、川崎市、横浜市、大阪市、名古屋市、福岡市、仙台市及び広島市（海田町を含む。）において時差通勤が実施されている。

時差通勤を行う場合は、通常の八時三〇分出勤のほかに、例えば九時と九時三〇分という出勤時刻を設け、その分退庁時刻を遅らせた勤務時間の割振りが行われている。こうした時差通勤は、交通混雑緩和への協力であるとともに、交通混雑に伴う職員の健康及び安全の面の負担を軽減することもその目的としている。

(3)　また、業務の能率向上と職員の家庭生活等への配慮に基づき職員の勤務時間の割振りを行うものとして、早出遅出勤務がある。これは、一日の勤務時間の長さを変えずに勤務時間の始業時刻を弾力的に設定するものであり、現在、勤務時間法第四条及び第六条第二項の規定を根拠とする業務上の必要に応じた早出遅出勤務、疲労蓄積防止のための早出遅出勤務及び修学等のための早出遅出勤務のほか、本法第七一条を根拠とし、人規一〇―一一に詳細な規定のある育児又は介護を行う職員の早出遅出勤務がある（育児又は介護を行う職員の早出遅出勤務については三8を参照）。

○一般職の職員の勤務時間、休暇等に関する法律

（週休日及び勤務時間の割振り）

第六条　（略）

2　各省各庁の長は、月曜日から金曜日までの五日間において、一日につき七時間四十五分の勤務時間を割り振るものとする。（後略）

3・4　（略）

3　フレックスタイム制

(一)　フレックスタイム制の沿革

(1)　民間のフレックスタイム制とは、一定期間（清算期間）における総労働時間をあらかじめ定めておき、労働者がその枠内で各日の始業及び終業の時刻を自主的に決定することができる制度をいう。かつては労基法上、フレックスタイム制に関する規定はなく、事実上、始業及び終業の時刻が労働者の自主的決定に委ねられている限り、同法第三二条第二項及び第八九条第一号の趣旨に反しないものとして扱われていたが、昭和六三年四月に改正施行された労基法で同制度が法的に認められた。

公務においては、人事院は、平成四年八月の勧告時報告において、特に研究業務については、業務遂行が研究者個人の主体的な判断に委ねられている面が多く、実験・観測など集中的・継続的に行う必要があることから、固定的・一律的な勤務時間によるよりも、勤務等に応じた弾力的、効率的な勤務時間配分を認めた方が、総実勤務時間を短縮し、職業生活と個人

生活との調和を図るとともに、人材確保等にも効果が期待できるとして、まずは研究職を対象にフレックスタイム制を導入する旨言及し、平成五年一月、当該制度を実施するための人規一五―一三を公布、同年四月からフレックスタイム制が実施された。平成六年九月の勤務時間法施行に伴い同規則は廃止され、同規則のうち基本的事項が勤務時間法第六条第三項に、細部が人規一五―一四等で定められた。なお、労基法上のフレックスタイム制では、始業及び終業の時刻を労働者の決定に委ねているが、公務におけるフレックスタイム制では、各省各庁の長が、勤務時間の割振りとして、職員の申告を考慮して、始業及び終業の時刻を最終的に決定する仕組みとなっている。

(2)　平成二〇年四月から新たに設けられた専門スタッフ職俸給表の適用を受ける職員についても、調査、研究等の業務を自律的に行うこと及びそれらの業務を集中的・継続的に行う必要があることから、平成一九年一一月に勤務時間法を改正し、翌年四月からフレックスタイム制の適用対象に追加された。また、従来フレックスタイム制の適用が認められていなかった調査業務に従事する研究職俸給表適用職員についても、フレックスタイム制を適用することができるよう併せて措置された。

(3)　「矯正医官の兼業及び勤務時間の特例等に関する法律（平二七法六二）」において、矯正施設等に勤務する医師（矯正医官）の確保策の一つとして、平成二七年一二月一日から矯正医官についてもフレックスタイム制が適用されることとなったが、(4)の適用対象拡大のための勤務時間法改正により、同法における関係規定は削除された。

(4)　平成二六年一〇月、各府省が構成員である「女性職員活躍・ワークライフバランス推進協議会」において「国家公務員の女性活躍とワークライフバランス推進のための取組指針」が決定され、この中で、人事院に対して、幅広い職員がより柔軟な働き方ができるようなフレックスタイム制の導入について、検討要請が行われた。これまで公務でもフレックスタイム制が実施されていたが、公務部内では公務能率確保のためには、官庁の開庁時間中は全職員が職場で勤務することが基本と考えられてきた。この要請を受けた人事院では、各府省や職員団体等関係者の意見を聴取し、公務運営への影響等も検討した結果、柔軟で多様な勤務形態の選択肢を用意することは職員がその能力を十分に発揮し、高い士気をもって効率的に勤務できる環境を整備することとなること、働きやすい環境を整備することは職員の仕事と育児や介護等との両立を推進し、人材確保にも資することから、公務運営に支障がないよう十分配慮した上で、原則として全ての職員を対象にフレックスタイム制を拡充することが適当と判断し、同二七年八月八日勤務時間法改正を勧告した。これを受けた勤務時間法及び人事院規則等の改正により、平成二八年四月一日から原則として全ての職員を対象にフレックスタイム制が拡充された。

㈡　フレックスタイム制の概要

⑴　労基法上のフレックスタイム制は、労使協約等で定める一定の条件の下、労働者が始業、終業時刻を自律的に決定するものであるが、公務におけるフレックスタイム制は、各省各庁の長が、始業・終業時刻についての職員の申告を考慮して、業務の運営に支障がない限り、当該申告どおりの勤務時間を割り振るものとしている。

勤務時間法第六条は、第一項において週休日を日曜日及び土曜日とする旨の原則を定め、第二項において月曜日から金曜日までの五日間において一日七時間四五分の勤務時間を割り振る旨の原則を定めている。フレックスタイム制について定めた第三項は、第二項の勤務時間の割振りについての特例として位置付けられている。

⑵　対象となる職員は原則として全ての職員であるが、業務の性質上特定の勤務時間に勤務する必要がある職員（いわゆる交替制等勤務職員及び課業時間に従い勤務する必要がある大学校の学生等（人規一五—一四　二））は対象外とされている。

⑶　割り振られる勤務時間については、一般の職員について原則として、四週間を単位とし、一日につき六時間以上の勤務時間を割り振ることとされている。その際、各省各庁の長が必ず職員に共通する勤務時間を割り振らなければならない時間帯（いわゆるコアタイム）は、月曜日から金曜日までの午前九時から午後四時までの時間帯において連続する五時間（休憩時間を除く。）とされ、始業時刻及び終業時刻を設定することができる時間帯（いわゆるフレキシブルタイム）は、始業時刻は午前七時以後に設定し、終業時刻は午後十時以前に設定することとされている（人規一五—一四　三1）。

⑷　各省各庁の長は、職員の始業時刻及び終業時刻についての申告を受けた場合には、当該申告を考慮して勤務時間を割り振るものとされている。この場合、各省各庁の長としては、申告どおりに勤務時間を割り振ることで公務の運営に支障がないと認められるか否かを考慮し、支障が認められないのであれば、申告どおりに勤務時間を割り振る一方、公務の運営に支障があると認められる場合には、職員の申告を考慮しつつも当該申告の内容とは異なる勤務時間の割振りを行うこととなる（勤務時間法六3）。

⑸　㈠で述べたとおり、フレックスタイム制は、研究職員等を対象に導入され、その後、専門スタッフ職職員、矯正医官

と対象が拡大されてきたものであり、それら職種の割振り基準は、原則として全ての職員を対象とする現行制度の基準より柔軟なものとなっていたことから、基準の特例として存置されている。また、子の養育又は配偶者等の介護を行う職員については、職員が育児や介護の時間を適切に確保できるよう支援するために、人事院規則において定めている単位期間やコアタイムといった割振りの基準が一般の職員よりも柔軟になっているのみならず、週休日の特例として、勤務時間法第六条第四項により週休日を日曜日及び土曜日に加えて設けることができるとされている（勤務時間法六4、人規一五―一四　四の三等）。

○一般職の職員の勤務時間、休暇等に関する法律

（週休日及び勤務時間の割振り）

第六条　（略）

2　（略）

3　各省各庁の長は、職員（人事院規則で定める職員及び次条の規定の適用を受ける職員を除く。以下この条において同じ。）について、始業及び終業の時刻について職員の申告を考慮して当該職員の勤務時間を割り振ることが公務の運営に支障がないと認める場合には、前項の規定にかかわらず、人事院規則で定めるところにより、職員の申告を経て、四週間を超えない範囲内で週を単位として人事院規則で定める期間（次項において「単位期間」という。）ごとの期間につき前条に規定する勤務時間となるように当該職員の勤務時間を割り振ることができる。

4　（略）

4　交替制等勤務職員の割振り

(1)　公務運営上の事情により特別の形態によって勤務する必要のある職員、すなわち交替制等勤務職員についての勤務時間の割振りは、勤務時間法第七条により各省各庁の長が行うこととされている。つまり、交替制等職員の勤務形態については、公務運営に責任を有する各省各庁の長が、個別の業務ごとに、いかなる業務運営体制を採るべきかを、業務の内容、職務の困難性の度合、職場環境、勤務要員数等の諸条件を勘案して判断し、決定することになる。

同条第一項にいう「特別の形態」とは、一般の職員が同法第六条第一項の規定により日曜日及び土曜日を週休日とすることが原則とされているのに対して、刑務所の看守、守衛のように、二四時間体制の業務運営が必要なため、複数の職員の交替によらなければならない職員、又は税関、航空管制官のように、曜日にかかわらず対応する必要がある職員など、日曜日

及び土曜日を週休日とすることができないような勤務形態を意味する。

(2)　勤務時間法第七条第二項本文は、交替制勤務職員等特別の形態によって勤務する必要のある職員の勤務時間の割振りの原則について、毎四週間につき八日の週休日を設けること、及び当該期間につき一週間当たりの勤務時間を第五条に定める勤務時間（三八時間四五分）とすることとし、いわゆる四週八休制の原則を明示し、具体的な基準については人事院規則に委ねている。

(3)　他方、勤務時間法第七条第二項ただし書は、特別の形態によって勤務する必要のある職員のうち、同項本文の基準により週休日及び勤務時間の定めができない場合の割振り基準について定めている。同項本文によることができない場合とは、職員の職務の特殊性又はその官庁の特殊の必要により、四週間の期間では割振りが完結しないため、更に長い期間（又は四週間未満の期間）をとって割振りを行う必要がある場合や四週八休の割合で週休日を設けることができない場合などがある。このような割振りは、職員にとって他の職員との均衡上不利な勤務条件となる可能性があることから、①人事院と協議すること、②人事院規則で定めるところによること、③五二週間を超えない期間を週休日及び勤務時間の単位期間とすることを要件に四週八休の特例を認めている。

○一般職の職員の勤務時間、休暇等に関する法律

（週休日及び勤務時間の割振り）

第七条　各省各庁の長は、公務の運営上の事情により特別の形態によって勤務する必要のある職員については、前条第一項及び第二項の規定にかかわらず、週休日及び勤務時間の割振りを別に定めることができる。

2　各省各庁の長は、前項の規定により週休日及び勤務時間の割振りを定める場合には、人事院規則で定めるところにより、四週間ごとの期間につき八日（定年前再任用短時間勤務職員にあっては、八日以上）の週休日を設け、及び当該期間につき第五条に規定する勤務時間となるように勤務時間を割り振らなければならない。ただし、職務の特殊性又は当該官庁の特殊の必要により、四週間ごとの期間につき八日（定年前再任用短時間勤務職員にあっては、八日以上）の週休日を設け、又は当該期間につき同条に規定する勤務時間となるように勤務時間を割り振ることが困難である職員について、人事院と協議して、人事院規則で定めるところにより、五十二週間を超えない期間につき一週間当たり一日以上の割合で週休日を設け、及び当該期間につき同条に規定する勤務時間となるように勤務時間を割り振る場合には、この限りでない。

5　裁量勤務制

(1)　裁量勤務（労働）制とは、一般に、業務の性質上、業務遂行の手段や方法、時間配分等を大幅に労働者の裁量に委ねる必要がある業務について、労働者を実際にその業務に就かせた場合、労使であらかじめ定めた時間、働いたものとみなす制度をいう。現在の公務における裁量勤務制は、任期付研究員の一部について例外的に認められており（任期付研究員法八1）、各省各庁の長が、職務の性質上、勤務の方法や時間配分等を大幅に職員の裁量に委ねることが当該職員に係る研究業務の能率的な遂行に資すると認める場合に、勤務時間の割振りを行うことなく、職員を当該職務に従事させることができる制度となっている。こうした勤務形態は、割り振られた勤務時間に沿って勤務するという職員の勤務形態に係る大原則の例外をなすものであり、裁量勤務制が適用される職員は、自らの裁量により勤務時間、勤務場所等の決定を行うことができるとともに、実際に勤務する時間の長短は問われない。

公務において裁量勤務制の導入が検討されるようになったのは、専門分野において高い研究成果を出し、専門能力の高い研究者を公務に招へいしようとする場合、十分な給与処遇と同時に、研究業務に係る自由度の保障も不可欠と考えられたことが契機となっている。このため、現在、裁量勤務制の適用対象は、招へい型任期付研究員（任期付研究員法三1①、八1）に限られている。

(2)　裁量勤務職員は勤務時間の割振りを行われないで職務に従事することとされ、勤務場所の選択についてもその裁量に委ねられている。したがって、裁量勤務職員がその勤務官署以外の場所において勤務する場合に逐一申し出なければならない仕組みとすることは適当ではないが、一方で、所属する研究機関の職員が裁量勤務職員と全く連絡が取れないような状態が引き続くことは、研究業務の遂行に支障を生じさせることもあり得ることから、各省各庁の長が必要と認める場合には、その場所や勤務内容等、各省各庁の長が必要と認める事項についてあらかじめ申し出なければならないこととされている。

三　勤務時間に関する諸制度

1　週休日の振替等

(1)　週休日の振替等の公務への導入に至る経緯

民間企業においては、週休日や国民の祝日等の休日に労働させる必要がある場合、その日は労働日として取り扱い、一定期間内の他の労働日を休日に振り替えるいわゆる振替休日の制度が採られていることが多い。
公務における週休日の振替等の制度は、週休日の確保の観点から、昭和六〇年一月に施行された改正給与法により導入されたものであり、それ以前は、週休日に勤務させる必要がある場合には、超過勤務を命ずるしか方法がなかった。このため、休日数の確保、超過勤務縮減の観点から振替等の制度が措置されたものである。勤務時間法制定時においては、若干の字句の整理を除き、旧給与法に基づく勤務時間の割振り変更の規定が移植されたものであり、制度内容は従前と同じである。なお、国民の祝日等の休日に係る代休制度については、〔解釈〕四「2　休日の代休日」を参照されたい。

(2)　週休日の振替ができる場合

勤務時間法第八条の規定によれば、「週休日とされた日において特に勤務することを命ずる必要がある場合」に週休日の振替を行うことができるものとされている。「特に勤務することを命ずる」のは、公務運営上の必要から命ずるのであるから、職員の個人的事情による振替を行うことができないことはいうまでもない。なお、週休日の振替が業務の都合等でできない場合は、当該週休日における勤務は超過勤務となるが、週休制の趣旨、職員の健康・福祉の観点から、できるだけ振替によることとすべきであり、また職員の選択によらしめる性格のものではない。

(3)　振替の対象となる日

人規一五―一四第六条第一項において、週休日に勤務を命ずる場合の振替の対象となる勤務日の範囲が定められており、当該勤務日の範囲は、勤務することを命ずる必要がある週休日を起算日とする前四週間・後八週間以内の日とされている。

(4)　四時間の勤務時間の割振り変更

勤務日の勤務時間のうち四時間をその勤務日に割り振ることをやめて、勤務することを命ずる必要がある週休日に前述の四時間の勤務時間を割り振ることができる。

○一般職の職員の勤務時間、休暇等に関する法律

（週休日の振替等）

第八条　各省各庁の長は、職員に第六条第一項若しくは第四項又は前条の規定により週休日とされた日において特に勤務することを命ずる必要がある場合には、人事院規則の定めるところにより、第六条第二項から第四項まで又は前条の規定により勤務時間が割り振

られた日（以下この条において「勤務日」という。）のうち人事院規則で定める期間内にある勤務日を週休日に変更して当該勤務日に割り振られた勤務時間を当該勤務することを命ずる必要がある日に割り振り、又は当該期間内にある勤務日の勤務時間のうち四時間を当該勤務日に割り振ることをやめて当該四時間の勤務時間を当該勤務することを命ずる必要がある日に割り振ることができる。

2　休憩時間

(一)　休憩時間の意義及び沿革

職員の一日の勤務の合間において、食事のための時間が確保されるべきことは当然であるが、更に一日の勤務時間の中途に勤務から離れ得る時間を設け、勤務が引き続き長時間に及ぶのを避けることは、連続勤務に伴う疲労を排除して勤務能率を維持するためにも、職員を慢性疲労の状態に陥れないためにも必要なことである。休憩時間は、このような趣旨で勤務時間の中途に勤務時間以外の自由時間として置かれる時間であって、その間、職員の職務専念義務はなく、給与も支給されない。労基法においても同様に、労働者の権利として、休憩時間を労働時間の途中に与えることが義務付けられている。

休憩時間については、旧給与法においては、法律上の具体的な定めはなく、人事院規則において定められていたが、勤務条件の基礎的事項であると考えられることから、勤務時間法上、根拠規定が整備された。

○一般職の職員の勤務時間、休暇等に関する法律

（休憩時間）

第九条　各省各庁の長は、第六条第二項から第四項まで、第七条又は前条の規定により勤務時間を割り振る場合には、人事院規則の定めるところにより、休憩時間を置かなければならない。

(二)　休憩時間の置き方

(1)　勤務時間と休憩時間との関係がどのようにあるべきかは、様々な条件によって異なる。休憩時間に関する規制は、大別して、連続労働時間による方式（何時間の連続労働の後に何分の休憩を置くべきか定める。）と労働時間の総計による方式（一勤務の労働時間の総計に対し何分の休憩を置くべきか定める。）の二とおりがあるところ、連続労働時間による場合は、勤務能率を維持する観点からは優れていると考えられる一方、休憩時間の長さばかりでなくその置き場所をも定めるこ

ととなり、作業の内容や勤務態様が多様にわたる場合の弾力性にやや欠ける面はある。公務においては前者を、労基法は後者の方式を採っている。

(2)　休憩時間の置き方に係る一般的な基準として、概ね毎四時間の所定の勤務の後に置かなければならないこととされている（人規一五―一四　七1）。また、例外的に休憩時間は四時間未満の勤務の途中においても置くことができるが、公務能率、職員の拘束時間への影響を考慮し、労働医学的にみて必要な場合や、勤務時間の割振り上やむを得ない特段の事情がある場合に限られるべきものと解される。

(3)　交替制等勤務以外の一般の職員については、午後零時から一時までの間に六〇分の休憩時間が置かれることが通常であるが、各省各庁の長が業務の運営並びに職員の健康及び福祉を考慮して必要と認める場合には休憩時間を四五分とすることが認められている。労基法では、休憩時間は、原則として一斉に与えなければならないとしており、勤務時間法にはこのような規定はないものの、公務に支障がない限り同様に配慮すべきものと考えられる。

㈢　自由利用の原則

休憩時間は、職員が自由に利用することができるのを原則とするが、週休日と異なり、始業から終業までの時間の途中に置かれるために、その利用に事実上の拘束を受けることが生じるのはやむを得ない場合がある。この意味では、休憩時間の自由利用は、文字どおり無制限絶対のものではなく、勤務に就かないことの自由の保障を最低限度とする相対的なものであって、職場規律保持上の必要がある場合には、休憩の目的を損なわない限り、必要な制限を加えることは、差し支えないとされている。

なお、休憩時間であっても、公務のため臨時又は緊急の必要がある場合は、超過勤務を命ずることができる。

3　休息時間

㈠　休息時間の意義

休息時間は、継続的な勤務の途中で与えられる短時間の勤務休止時間であり、その間における生理的機能回復や心理的負担からの解放により、勤務時間全体を通じての職員の勤務能率を増進させることを目的としている。職員の健康と福祉の確保を目的とする職員保護の制度である休憩時間とは異なり、休息時間は積極的に公務能率の増進を図ることを目的としているものである。

従来、休息時間は全ての職員に適用されていたが、実際には、休憩時間と休息時間とを連続して置き、合わせて昼休みとして利用させる府省が多く、前述の目的とは異なる運用が一般的となっていた。また、人事院の調査でも、事務・管理部門において国の休息時間に相当する時間を設けている企業は少ないことが判明したため、平成一八年七月、一般の職員について休息時間が廃止された。一方、交替制等勤務職員については、深夜にわたる連続勤務などの負荷が大きく、民間企業でも負担に配慮している例が見られたこと等を踏まえ、勤務時間については一般の職員と共通とした上で、勤務時間中に休息時間を設けることによって、負担の軽減を図ることが適当とされたため、例外的に引き続き休息時間が措置された。この結果、前述のとおり、現在、本条を根拠に人事院規則で定められているのは、交替制等勤務職員の休息時間（人規一五—一四　八）のみとなっている。

(二)　休息時間の置き方

休息時間は、正規の勤務時間の概ね四時間ごとに一五分と定められている（人規一五—一四　八1）。一方、休憩時間とは異なり、連続勤務時間が概ね四時間に満たない場合には置くことができない。また、休息時間は正規の勤務時間に含まれ、その時間についても給与が支払われる。

4　通常の勤務場所を離れて勤務する職員の勤務時間

(1)　職員が研修等通常の勤務場所を離れて勤務することを命ぜられた場合においては、その勤務形態の実態から、正規の勤務時間による勤務を求めることが必ずしも合理的でないと認められる場合がある。このような趣旨で、従前は研修に関して、旧人規一〇—三において勤務のみなし制度が設けられていたが、この制度は勤務時間に直接関連する制度であるため、勤務時間法を制定するに当たって、その根拠規定が法律上整備された経緯がある。

(2)　勤務時間法第一〇条の適用対象となる「通常の勤務場所を離れる勤務のうち研修その他の勤務する時間帯が定められる勤務」とは、職員が一日の執務の全部を離れて受ける研修及び矯正医官が行う施設外勤務（矯正施設の外の医療機関、大学その他の場所において医療に関する調査研究又は情報の収集若しくは交換を行う勤務をいう。）とされ、人事院が定める基準に適合するものに限られている（人規一五—一四　一〇）。なお、一般の出張などはここでの対象となっていない。

(3)　「当該勤務を命ぜられた時間」（研修の課業時間や施設外勤務の時間）が割り振られた勤務時間とみなされる結果、職員は課業時間等にしたがって研修等に従事すればよいこととなる。言い換えれば、課業時間等についてのみ本法第一〇一条の職務専念義務を負うこととなるため、課業時間等以外の本来の正規の勤務時間については職務専念義務を負わないが、割り振られた勤務時間以外の課業時間等については職務専念義務があることとなる。また、給与の取扱いは、課業時間等以外の正規の勤務時間について勤務がなくても減額されず、正規の勤務時間以外の課業時間等に勤務を行っても超過勤務手当が支給されない。

(4)　勤務時間法第一〇条の勤務のみなし制度は、通常の勤務場所を離れて勤務する場合で、「勤務する時間帯が定められる勤務」で人事院規則で定めるもの（研修等）を命ぜられた職員については、当該勤務を命ぜられた時間を割り振られた勤務時間とみなしている。一方、労基法第三八条の二の事業場外労働のみなし労働時間制は、従業員が事業場外で業務に従事した場合で、当該従業員の「労働時間を算定し難いとき」に、所定労働時間労働したものとみなしており、法律構成が異なる。

○一般職の職員の勤務時間、休暇等に関する法律

（通常の勤務場所を離れて勤務する職員の勤務時間）

第十条　第六条第二項から第四項まで、第七条又は第八条の規定により勤務時間が割り振られた日（以下「勤務日等」という。）に通常の勤務場所を離れる勤務のうち研修その他の勤務する時間帯が定められる勤務で人事院規則で定めるものを命ぜられた職員については、当該勤務を命ぜられた時間をこれらの規定により割り振られた勤務時間とみなす。

5　正規の勤務時間以外の時間における勤務

(一)　正規の勤務時間以外の時間における勤務の沿革

正規の勤務時間以外の時間においても、上司は職務上の命令として勤務を命ずることができる。現在、正規の勤務時間以外の勤務としては、宿日直勤務及び超過勤務が定められており、これらの勤務を命じられた時間は、正規の勤務時間ではないが、職員が勤務しなければならない職務専念義務（法一〇一－1）のある時間である。

他方、公務における勤務は、戦前の官吏制度のように忠実無定量ではないことから、所定勤務時間のほか、正規の勤務時間以外の時間における勤務についての根拠規定を整備し、その要件を明らかにし、職員の適正な勤務条件の確保を図る必要がある。勤務時間法制定前においては、超過勤務及び宿日直勤務については、本法第一〇六条を根拠として人事院規則で規定されていたが、勤務時間法制定の際に職員の勤務条件に関わる基本的な制度として、法律により根拠規定を定めることとしたものである。このため、勤務時間法第一三条は、正規の勤務時間以外の時間においても職務上の命令を発し得る勤務として、宿日直勤務と超過勤務の二つを定めている。

㈡　宿日直勤務

(1)　宿日直勤務の性格と法的根拠

職員に正規の勤務時間以外の勤務を命じ得る場合としては、勤務時間法第一三条において、後述の超過勤務のほかに宿日直勤務が定められている。宿日直勤務を命ずることができる場合として、勤務時間法第一三条第一項は、「職員に設備等の保全、外部との連絡及び文書の収受を目的とする勤務その他の人事院規則で定める断続的な勤務」としている。「断続的な勤務」とは、勤務態様の面から、命じられた勤務時間に比し勤務の密度が極めて薄いものを指す。具体的な勤務の内容は人規一五―一四第一三条第一項に定められており、各省各庁の長は、その責任遂行のため必要がある場合には、宿日直勤務に関する訓令、通達等を定めて、職務命令として宿日直勤務を命ずることとなる。この職務命令は、本法第九八条第一項の職務命令であって、それら業務を本来の職務としない職員に対しても付加業務として発せられるものである。勤務時間法は、職員の勤務時間の観点からその命令の法的根拠を整理したものであり、宿日直勤務に係る職務命令は勤務時間法の定める要件を充足する必要がある。

(2)　超過勤務との関係

職員の正規の勤務時間以外の時間における勤務は、勤務時間法第一三条第一項に規定する宿日直勤務と同条第二項に規定する超過勤務に区別される。その区別の基準は、その時間外の勤務が、断続的な勤務であるかどうか、臨時又は緊急の業務であるかどうかによるが、現在、断続的な勤務に該当する勤務は、宿日直勤務として人規一五―一四第一三条第一項各号に掲げられているものに限定されている。いずれの場合でも職員にとっては大きな負担となるものであるので、実際に勤務を命ずるに当たっては、できるだけ制限的に運用することが望ましい。

なお、労基法に基づく宿直又は日直については、勤務様態や宿日直手当の支給のほか、勤務回数の限度など許可基準が示されている（昭二二・九・一三基発一七、昭六三・三・一四基発一五〇）。

(3)　宿日直勤務の種類

宿日直勤務は、その勤務内容及び勤務形態により次の三種類に分けられ、宿日直手当の額は、宿日直の種類によって異なる（人規九―一五　二）。

①　普通宿日直勤務　本来の勤務に従事しないで行う庁舎、設備、備品、書類等の保全、外部との連絡、文書の収受及び庁内の監視を目的とする勤務

②　常直勤務　普通宿日直勤務を庁舎に附属する居住室において私生活を営みつつ常時行う勤務

③　特別宿日直勤務　本来の勤務と同様の内容であるが、待機を中心とした勤務密度が極めて薄い断続的勤務

○一般職の職員の勤務時間、休暇等に関する法律

（正規の勤務時間以外の時間における勤務）

第十三条　各省各庁の長は、第五条から第八条まで、第十一条及び前条の規定による勤務時間（以下「正規の勤務時間」という。）以外の時間において職員に設備等の保全、外部との連絡及び文書の収受を目的とする勤務その他の人事院規則で定める断続的な勤務をすることを命ずることができる。

2　（略）

㈢　超過勤務

(1)　超過勤務の意義

超過勤務とは、一日の所定勤務時間を超える勤務及び週休日における勤務であって、勤務時間法第一二条の船員の作業従事時間及び同法第一三条第一項の宿日直勤務以外のものをいう。民間企業で時間外労働、残業、休日出勤などと呼ばれているものに相当するが、民間企業においては原則としていわゆる三六協定の締結と届出が必要とされているのに対し、勤務時

間法の適用を受ける国家公務員については、国民生活の安全や利益のために公務が果たすべき責務等を考慮し、こうした枠組みによらず各省各庁の長が超過勤務を命ずることができるとされている点で違いがある。

通常の場合、正規の勤務時間内で職務を処理し終わるようにその業務配分が行われ、一日の仕事は正規の勤務時間内に処理することが大原則である。しかし、業務には時として予測できない臨時的な仕事や緊急を要する仕事が発生することも避けられないところであって、これらの業務の処理のために、一日の正規の勤務時間を超えて、あるいは週休日に、職員を業務に従事させざるを得ない場合が生じることもある。国際労働条約においても、各国の労働立法においても、労働時間、休日等の原則に対する例外措置を認めている。

(2)　超過勤務命令の要件

勤務時間法第一三条第二項は、超過勤務を命ずる場合に必要とされる要件を規定しており、単に仕事上の必要があれば命じ得るものではなく、公務のための臨時又は緊急の必要が存する場合にのみ命ずることができるとされている。

臨時の必要とは、文字どおり正規の勤務時間を超えて処理しなければならない一時的な業務が発生した場合をいう。例えば、会計検査その他の検査、監査等が行われることとなった場合のその準備のための業務のように、一時的に業務が繁忙となる場合がこれに当たる。これらは、そのために恒常的な職員を配置することは無駄を生じるので、臨時的に職員を増員するほか、超過勤務によって業務を処理することが適当である。

また、緊急の必要とは、業務の処理に時間的急迫が存する場合である。例えば、台風によって河川の堤防が決壊したために応急対策を講じるような場合であって、臨時的業務の性格を併せ持つことが多いが、通常の業務であっても、その処理期限が急に繰り上がったような場合が含まれる。

超過勤務命令は、同項を根拠とする本法第九八条第一項の「上司の職務上の命令」に該当すると解される。

〇一般職の職員の勤務時間、休暇等に関する法律

（正規の勤務時間以外の時間における勤務）

第十三条　（略）

2　各省各庁の長は、公務のため臨時又は緊急の必要がある場合には、正規の勤務時間以外の時間において職員に前項に掲げる勤務以外の勤務をすることを命ずることができる。

(3)　超過勤務命令の上限

超過勤務命令については、従来、「超過勤務の縮減に関する指針について」（平成二一年職職―七三人事院事務総局職員福祉局長通知）により年間の超過勤務の上限目安時間数を示していたが、働き方改革関連法の成立を受けて、勤務時間法に基づいて人事院規則一五―一四（職員の勤務時間、休日及び休暇）の一部を改正し、超過勤務命令を行うことができる上限を定め、平成三一年四月から施行した（人規一五―一四　一六の二の二）。

時間の上限は、民間労働法制において設けられた時間外労働等の上限時間や前記指針の上限目安時間を踏まえて設定されている。原則は一箇月において四五時間、かつ、一年において三六〇時間であるが、例外として、他律的業務（業務量、業務の実施時期その他の業務の遂行に関する事項を自ら決定することが困難な業務をいう。）の比重が高い部署に勤務する職員については、一箇月において一〇〇時間未満、一年において七二〇時間、二箇月から六箇月までの各一箇月当たりの平均時間について八〇時間かつ一年のうち一箇月において四五時間を超えて超過勤務を命ずる月数について六箇月となっている。

これにより、各省各庁の長は上限を超えて超過勤務を命ずることができなくなるが、他方において、超過勤務ができないことによって国民生活に重大な影響を及ぼすなどの恐れのある行政事務については、特例業務（大規模災害への対処、重要な政策に関する法律の立案、他国又は国際機関との重要な交渉その他の重要な業務であって特に緊急に処理することを要するものと各省各庁の長が認める業務）として、それに従事する職員又は従事していた職員に対しては、上限時間に関する規定は適用しないものとしている。同時に、各省各庁の長は、この特例により上限時間等を超えて職員に超過勤務を命ずる場合には、当該超えた部分の超過勤務を必要最小限のものとし、かつ、当該職員の健康の確保に最大限の配慮をしなければならないとされている。

さらに、各省各庁の長は、上限時間等を超えて職員に超過勤務を命じた場合には、当該超過勤務を命じた日が属する「年」

の末日の翌日から起算して六箇月以内に、当該超過勤務に係る要因の整理、分析及び検証を行わなければならないとされている。各省各庁の長に対して上限時間等を超えて行った超過勤務命令について法令上の説明責任を負わせることにより、安易に上限時間を超えて超過勤務を命ずることの抑止を図っている。

(4)　超過勤務に関する特例的取扱い

①　指定職俸給表の適用を受ける職員及び俸給の特別調整額が支給される管理又は監督の地位にある職員並びに専門スタッフ職俸給表の二級以上の職員も勤務時間法第一三条第二項の対象ではあるが、正規の勤務時間を超えて勤務した場合にも超過勤務手当は支給されない（給与法一九の八2）。なお、特別調整額が支給される職員等についても、週休日、祝日法による休日等、年末年始の休日等及び災害への対処等により勤務日の深夜（午前零時から五時まで）に勤務した場合には管理職員特別勤務手当（給与法一九の三）が支給される。

②　出張中の職員は、その旅行期間中正規の勤務時間を勤務したものとみなすこととされているので、通常の場合は時間外に勤務したとしても超過勤務にはならない。ただし、旅行目的地において正規の勤務時間を超えて勤務すべきことがあらかじめ命じられている場合で勤務した事実と時間が明確なものについては、超過勤務手当が支給される（給与法運用方針第一六条関係）。

6　超勤代休時間

民間においては、平成二二年四月に労基法の改正法が施行され、長時間労働を抑制し、労働者の健康を確保するとともに仕事と生活の調和が取れた社会を実現する観点から、月六〇時間を超える時間外労働の割増賃金率が五割以上に引き上げられるとともに、労使協定により、この引上げ分の割増賃金の支払に代えて有給の休暇（代替休暇）を与えることができることとされた。これを踏まえ、公務においても、長時間の超過勤務を強力に抑制するとともに、こうした超過勤務を命ぜられた職員に休息の機会を与えるため、月六〇時間を超える超過勤務に係る超過勤務手当の支給割合を一〇〇分の一五〇に引き上げるとともに、当該支給割合の引上げ分の支給に代えて超勤代休時間を指定することができることとされた（勤務時間法一三の二）。

民間法制の「代替休暇」ではなく、「超勤代休時間」という名称を用いているのは、この仕組みが、職員の請求に基づき承認行為を要する年次休暇等とはその性質を異にするものであることに鑑み、休暇の一類型としてではなく、各省各庁の長の指定により「超過勤務手当の支給の代わりに休むことができる時間」という内容を適切に表すものとして「超勤代休時間」という名称とされたものである。このような仕組みを採ることで、予算編成業務等、業務に季節的繁閑がある職場においては実効性があると考えられる。

7　女子職員及び年少職員の特例（第七三条〔解釈〕一5参照）

女子については、妊娠・出産・哺育等に係る機能保護の観点が必要であり、また、年少者についても成年男子に比較して精神的、肉体的に未成熟な状態にあること等から、成年男子と全く同じ条件で勤務させることには問題がある。現在、ＩＬＯが採択している条約や勧告の種類をみると、女子・年少者の保護に関するものが相当多数にのぼっており、国内法である労基法、船員法においても、特に年少者・女子に関する章が設けられ、これらの者の特別措置が定められている。

国家公務員の場合も、能率の観点から、本法第七一条に基づき人規一〇―七において制限を定めており、各省各庁の長に対する就業制限的措置として、勤務時間制度に関し、妊産婦である女子職員や一八歳未満の年少職員について深夜勤務、時間外勤務を制限する特例、母子保健法（昭四〇法一四一）に規定する保健指導又は健康診査を受けるための職務専念義務の免除の特例などが設けられている。

8　育児又は介護を行う職員の特例等

育児又は介護を行う職員の福祉のための施策については、後述の育児・介護に係る休業・休暇制度等に加え、人規一〇―一一による早出遅出勤務の措置並びに深夜勤務及び超過勤務についての制限が置かれており、その概要は次のとおりである。

(1)　早出遅出勤務

各省各庁の長は、①小学校就学の始期に達するまでの子のある職員が当該子を養育するため、②小学校に就学している子で、いわゆる放課後児童クラブにおいて育成されている子のある職員が当該施設へ迎えや送りに行くため、③要介護者を介護する職員が当該要介護者を介護するため、請求があった場合には、公務の運営に支障がある場合を除き、早出遅出勤務を認めるものとされている。

ここでの早出遅出勤務とは、職員が育児又は介護を行うために、一日の勤務時間を変更せず、始業及び終業の時刻を他の職員とは異なるあらかじめ定められた特定の時刻とする勤務時間の割振りによる勤務をいい、フルタイム勤務を継続しながら家庭責任を果たせるようにするための措置である。

(2)　深夜勤務の制限

各省各庁の長は、小学校就学の始期に達するまでの子のある職員が当該子を養育するため、又は要介護者を介護する職員が当該要介護者を介護するために請求した場合には、公務の運営に支障がある場合を除き、深夜勤務（午後一〇時から翌日の午前五時までの間における勤務）をさせてはならないとされている。

(3)　超過勤務の制限

各省各庁の長は、三歳未満の子を養育するために職員が請求した場合には、当該職員の業務を処理するための措置を講ずることが著しく困難である場合を除き、超過勤務をさせてはならない。これは、民間企業に係る育児・介護休業法の改正において特定の場合に係る所定外労働の制限が新設されたことを踏まえ、公務においても平成二二年六月から同様の措置が導入されたものである。また、職員が小学校就学の始期に達するまでの子を養育するため、又は、要介護者を介護するために請求した場合には、当該職員の業務を処理するための措置を講ずることが著しく困難である場合を除き、一月について二四時間、一年について一五〇時間を超えて超過勤務をさせてはならないとされている。

四　休　日

1　休日の意義と効果

(1)　一般に休日という言葉は、いろいろの意味に使われている。一つの用い方は、週休日と同意義に用いるものであって、労基法第三五条にいう休日がこれに当たり、いま一つの用い方は、「祝日法」に規定する休日を指し、勤務時間法上「休日」というときは、これに年末年始の休日を加えたものを指している。

これらの日の違いをみると、週休日は、職員の健康と福祉を図るために、正規の勤務時間が割り振られない日であり、勤務時間制度上その置き方が規制されている。一方、勤務時間法上の「休日」は、当然に休みとなる日ではなく、週休日と重なる場合を除いては正規の勤務時間が割り振られている勤務日であるが、よりよき社会、より豊かな生活を築きあげるために、祝い、感謝し、記念する日として、あるいは、社会の慣行に合わせて、特に勤務することを命ぜられた職員以外の者には、正規の勤務時間における勤務が免除される日とされている。

なお、従前は、職員についての「休日」という場合は祝日法による休日を指し、しかも、旧給与法上は休日給の規定を除き休むこと自体について明確な位置付けが行われていなかったが、昭和六〇年の休暇制度の改定の際、従来年末年始の特別休暇とされていたものも含めて、給与法上、休日に係る規定が整備され、その後、勤務時間法に引き継がれたものである。

○一般職の職員の勤務時間、休暇等に関する法律

（休日）

第十四条　職員は、国民の祝日に関する法律（昭和二十三年法律第百七十八号）に規定する休日（以下「祝日法による休日」という。）には、特に勤務することを命ぜられる者を除き、正規の勤務時間においても勤務することを要しない。十二月二十九日から翌年の一月三日までの日（祝日法による休日を除く。以下「年末年始の休日」という。）についても、同様とする。

(2)　休日においては、特に勤務が命ぜられない限り、勤務を要しない。要すれば、勤務命令を解除条件とした職務専念義務の免除である。

休日に特に命ぜられて勤務に就いた全時間に対し、一時間当たり給与額の一〇〇分の一三五の休日給が支給される（給与法一七、人規九—四三　三）。また、休日に勤務をさせることを予定していた職員から休みたい旨申出があった場合においてそれを認めるときは、各省各庁の長は、年次休暇等を承認するのではなく、勤務割りを変更するなどして、休日勤務命令を取り消して、休日として休ませるように対処することとなる。

2　休日の代休日

(一)　休日の代休日の意義

休日に特に勤務を命ぜられた場合においては、休日給の支給という給与面での措置を講じていたところであるが、実質的な休日数の確保、職員の健康・福祉の増進等、総実勤務時間の短縮の推進及び給与以外の勤務条件の改善に資するとの観点から、平成六年の勤務時間法制定に際して「休日の代休日」が新規に設けられ、休日勤務に対して、休日給は支給しないが、代休を付与するという措置が認められることとなったものである。

この制度の趣旨は、もともと、特に勤務を命ぜられなければ、正規の勤務時間における職務専念義務が免除される休日に、特に勤務を命ぜられた場合に、その休日勤務に代わるものとして、職員に対してまる一日（暦日）の休みを代休として与えることによって、職員の実質的な休日数を確保し、総実勤務時間の短縮を促進することにある。このような休日代休制度の趣旨に鑑みれば、休日に勤務を命じた場合には、極力、職員に対して、代休を与えることが望ましいといえよう。

(二)　代休日の指定

代休の対象となる休日については、勤務時間法第一五条第一項において「祝日法による休日又は年末年始の休日」に限定されており、同項自体によって指定された代休日は含まれていない（再代休は認められない。）。勤務時間法第一五条第一項は、代休の対象となる休日の勤務命令について、「休日である勤務日等に割り振られた正規の勤務時間の全部について特に勤務することを命じた場合」と規定しており、代休指定に際しては、正規の勤務時間全部についての勤務命令があることを条件としている。なお、代休日の指定に際しては、職員があらかじめ代休日の指定を希望しない旨を申し出た場合には代休日を指定しないこととされており（人規一五—一四　一七2）、その場合には、特に勤務することを命じた休日の勤務に対しては、休日給が支給される。

○一般職の職員の勤務時間、休暇等に関する法律

（休日の代休日）

第十五条　各省各庁の長は、職員に祝日法による休日又は年末年始の休日（以下この項において「休日」と総称する。）である勤務日等に割り振られた勤務時間の全部（次項において「休日の全勤務時間」という。）について特に勤務することを命じた場合には、人事院規則の定めるところにより、当該休日前に、当該休日に代わる日（次項において「代休日」という。）として、当該休日後の勤務日等（第十三条の二第一項の規定により超勤代休時間が指定された勤務日等及び休日を除く。）を指定することができる。

2　前項の規定により代休日を指定された職員は、勤務を命ぜられた休日の全勤務時間を勤務した場合において、当該代休日には、特に勤務することを命ぜられるときを除き、正規の勤務時間においても勤務することを要しない。

五　休　暇

1　休暇制度の沿革

(1)　大日本帝国憲法下では、官吏の休暇は、天皇から暇を賜わるという「賜暇」として観念され、必要に応じて個々の勅令等により定められていた。例えば、現在の年次休暇に相当するものとしては、大正一一年閣令第六号があり、同令第五項では「本属長官ハ所属職員ニ対シ七月二十一日ヨリ八月三十一日迄ノ間ニ於テ事務ノ繁閑ヲ計リ二十日以内ノ休暇ヲ与フルコトヲ得但シ事務ノ都合ニ依リ当該期間内ニ於テ休暇ヲ与フルコトヲ得サル場合ニ於テハ他ノ期間ニ於テ之ヲ与フルコトヲ妨ケス」と規定されていたが、このほかに忌引の休暇を定めていた明治二五年勅令第九六号、父母の祭日の休暇を定めていた明治六年太政官達第三一八号、年末年始の休暇を定めていた明治六年太政官布告第二号等があった。

(2)　昭和二二年五月三日施行された日本国憲法の下においても、同年一二月三一日までは、日本国憲法施行の際現に効力を有する命令の規定の効力等に関する法律（昭二二法七二）等によって、これら休暇に関する命令等は法律又は政令と同一の効力を有するものとされていた。この間、昭和二二年九月一日に労基法が施行され、国家公務員にも当時適用されることとなった。しかしながら、前述の閣令第六号等は一般法である労基法の特別法の関係に立つため、年次有給休暇を定める労基法第三九条等の規定は適用の余地はなかったが、公民権の行使、産前産後・育児時間・生理休暇等の規定は、従前の命令等に定めがなく、国家公務員にも適用されたものと考えられる。その後、翌二三年一月一日から施行された「国家公務員法の規定が適用せられるまでの官吏の任免等に関する法律」（昭二二法一二一）により、官吏その他政府職員の服務に関する事項は、本法の規定が適用せられるまでの間、従前の例によることとされ、前述の大正一一年閣令第六号等で定めていた内容のほか、労基法等の規定の内容が引き継がれるという法律関係が、昭和六〇年の一般職の職員の給与に関する法律の改正により休暇の法的整備が行われるまで続くこととなった。

昭和六〇年の改正では、休暇は勤務時間と並ぶ重要な勤務条件であるとの観点等から、一般職の職員の給与に関する法律にその根拠を設けることとし、同法の目的規定及び題名が改められた。また、「休暇」としては、まず労基法の年次有給休暇に相当する年次休暇が定められ、年次休暇についての承認権を休暇の「時期」のみに及ぶものとして、賜暇的な性格は払拭された。このほか、職員が自らについて生じた職務外の事由により勤務しないことに相当の理由があると認められる場合のうち勤務条件として法令をもって保障されるべき事由について特別休暇、病気休暇が定められ、伝染性疾患の患者であって他の職員への感染のおそれが高いと認められる職員等に対する就業禁止や当局との適法な交渉時間など、狭義の職務専念義務の免除の制度との間の体系の整理が行われた。

次いで平成五年一二月の人事院の意見の申出に基づき、平成六年六月、「一般職の職員の勤務時間、休暇等に関する法律」が制定公布され、同年九月から新たな法律に基づく休暇制度が実施された。この勤務時間法制定の際に、それまでの年次休暇、特別休暇及び病気休暇に加え、職員の職業生活と家庭生活を図る制度の一つとして介護休暇が導入された。

(3)　休暇に関する人事院規則は、昭和二四年一二月に本法第一〇六条を根拠として制定された（人事院規則一五―六（休暇））が、当初は休暇の手続を定めていたにすぎず、休暇の事由等については給与を減額しない場合として、一般職の職員の給与に関する法律の運用方針において定められていた。昭和四三年になって従来の在籍専従休暇制度の専従休職制度への切替えを契機として、前述運用方針、人事院規則、人事院細則等により個々に規定されていたものを総合整備するため、人事院規則一五―六が全面改正された。これが昭和六〇年の休暇の法的整備の際に人事院規則一五―一一（職員の休暇）に引き継がれた。

さらに、平成六年の勤務時間法の成立を受けて、人事院規則の再編整備が行われ、休暇に関する勤務時間法の委任事項及び実施細則については、人規一五―一一が廃止され、人規一五―一四が制定された。

2　休暇の概念

(1)　民間企業においては、労基法に基づき、年次有給休暇の付与が義務付けられていることに加え、各企業で定める一定の事由に該当する場合に勤務しないことが労働者の権利として認められていることが多い。公務においても、職員は、勤務時間中、職務に専念する義務を負うが、一定の事由によっては、必要な時間、その義務を免除し勤務から解放することが必要となる。休暇制度はそうした事由の一つであるが、一方で、本法は、公務の能率的運営を国民に対し保障するという目的を明示しており、勤務からの解放とこの目的との調和を図る必要がある。

「休暇」について、法律上特に定義付けはなされていないが、「休暇」とは、職員が、割り振られた正規の勤務時間を正当に勤務しないことが認められている状態のうち、その勤務しない事由が、

①　雇用関係の中で、被傭者の休息、娯楽、能力啓発など自由な目的のため付与される民間における年次有給休暇（労基法三九）に相当するものとして公務員にも保障すべきもの（年次休暇）

②　専ら職員側の私生活上ないし社会生活上の事由によって勤務義務を履行し難い状態に置かれた場合のうち、その勤務しないことが人倫上、社会慣習上ないしは物理上、真にやむを得ないものと認められ、かつ、職員の勤務条件として法律又は人事院規則をもって保障するにふさわしいものとして認められる場合のもの（病気休暇、特別休暇及び介護休暇）

として整理することができる。

なお、本法第一〇一条第一項では、「職員は、法律又は命令の定める場合を除いては、その勤務時間及び職務上の注意力のすべてをその職責遂行のために用い、政府がなすべき責を有する職務にのみ従事しなければならない。」と規定されており、休暇は、「法律又は命令の定める場合」として職務専念義務が免除される制度の一つと位置付けられる。

(2)　休暇は、前述のように、「休むことができる」という勤務条件としての側面だけでなく、問責されることなく正当に職務専念の義務が免除されるという服務の側面も持っている。

なお、職務専念義務が免除される場合は、休暇のほかにも休日、休職、派遣、休業等様々なものがあるが、休暇は、①職員本人の意思に基づき、②職務を割り当てられたまま比較的短期間職務を離れるものという性質を併せ持っている点で、それらと異なっている。

3　年次休暇

(一)　年次休暇の意義

(1)　職員の年次休暇は次のとおり定められている。

○一般職の職員の勤務時間、休暇等に関する法律

（年次休暇）

第十七条　年次休暇は、一の年ごとにおける休暇とし、その日数は、一の年において、次の各号に掲げる職員の区分に応じて、当該各号に掲げる日数とする。

一　次号及び第三号に掲げる職員以外の職員　二十日（定年前再任用短時間勤務職員にあっては、その者の勤務時間等を考慮し二十日を超えない範囲内で人事院規則で定める日数）

二　次号に掲げる職員以外の職員であって、当該年の中途において新たに職員となり、又は任期が満了することにより退職することとなるもの　その年の在職期間等を考慮し二十日を超えない範囲内で人事院規則で定める日数

三　当該年の前年において独立行政法人通則法（平成十一年法律第百三号）第二条第四項に規定する行政執行法人の職員、特別職に属する国家公務員、地方公務員又は沖縄振興開発金融公庫その他その業務が国の事務若しくは事業と密接な関連を有する法人のうち人事院規則で定めるものに使用される者（以下この号において「行政執行法人職員等」という。）であった者であって引き続き当該年に新たに職員となったものその他人事院規則で定める職員　行政執行法人職員等としての在職期間及びその在職期間中における年次休暇に相当する休暇の残日数等を考慮し、二十日に次項の人事院規則で定める日数を加えた日数を超えない範囲内で人事院規則で定める日数

2　年次休暇（この項の規定により繰り越されたものを除く。）は、人事院規則で定める日数を限度として、当該年の翌年に繰り越すことができる。

3　年次休暇については、その時期につき、各省各庁の長の承認を受けなければならない。この場合において、各省各庁の長は、公務の運営に支障がある場合を除き、これを承認しなければならない。

まず、年次休暇は、「一の年ごとにおける休暇」とされ、病気休暇、特別休暇及び介護休暇のように特別の事由がある場合に認められるものとは異なり、職員が希望する時期に、その理由を問わず取得することができる休暇である。年次休暇の趣旨は、職員を有給で毎年、一定の日数、勤務から解放することによって、職員に安んじて休息、娯楽その他のための機会を確保することにある。

(2)　国家公務員の年次休暇の法的性格は、昭和六〇年の改正により労基法の年次有給休暇の性格により近づいたが、公務の特性から必ずしも同一ではない。すなわち、年次休暇の成立要件として、各省各庁の長の「時期」についての「承認」が規定されており、この意味において、労基法の年次有給休暇のような労働者の時季指定権やこれに対する使用者の時季変更権という観念は存在しない。

(3)　他方、労基法上の年次有給休暇については、その法的性格を請求権とみるか形成権とみるかが争われていたが、昭和四八年三月二日、最高裁第二小法廷の「白石営林署事件」の判決において次のように判示された。

「年次有給休暇の権利は、法定要件を満たした場合法律上当然に労働者に生ずる権利であって、労働者の請求をまっては

じめて生ずるものではない。労基法第三九条第三項〔現第五項〕の『請求』とは休暇の時季を指定するという趣旨であって、労働者が時季の指定をしたときは、客観的に同項ただし書所定の事由（請求された時季に有給休暇を与えることが事業の正常な運営を妨げる）が存在し、かつ、これを理由として使用者が時季変更権の行使をしない限り、その指定によって年次有給休暇が成立し、当該労働日における就労義務が消滅するものと解するのが相当である。すなわち、休暇の時季指定の効果は、使用者の適法な時季変更権の行使を解除条件として発生するのであって、年次休暇の成立要件として、労働者による『休暇の請求』や、これに対する使用者の『承認』の観念を容れる余地はない。」

なお、この判決は労基法が適用にならない職員の休暇制度に直接的な影響を及ぼすものではないが、後述のとおりその解釈・運用に当たって参考とすべき点も含まれている。

㈡　年次休暇の承認

⑴　国家公務員の年次休暇については、その時期につき、各省各庁の長又はその委任を受けた者の承認を受けなければならないこととされている（勤務時間法一七３前段、四２）。これは、公務は国民に対し、常に適切かつ安定した行政サービスを提供する役割を負っており、その責務は職員の権利の行使によっても妨げられることがあってはならないので、このような公務の特殊性と職員の権利の行使との関係をあわせ考慮し、各省各庁の長の承認を休暇の効力が発生する要件としたものであるが、一方、各省各庁の長が休暇を不承認とする事由については、公務の運営に支障がある場合に限られる（勤務時間法一七３後段）。この場合、各省各庁の長の承認権が及ぶのは、職員が特定した「時期」に限定され、各省各庁の長としては、その時期において公務の運営に支障があるかないかを判断し、承認するか否かを決定することとされている。以上の趣旨から、年次休暇の請求はあらかじめ各省各庁の長に請求しなければならないが、病気、災害その他やむを得ない事由によりあらかじめ請求できなかった場合には、その事由を付して事後において承認を求めることができるとされている（人規一五—一四　二七１）。

また、公務の運営に支障がある場合とは、一般的には、年次休暇を請求した職員の所属庁において、その職員が欠けることによって業務運営への具体的な支障が発生する場合であると考えられている。したがって、日常的な公務の運営に際して通常予測されるような支障はこれに該当せず、その支障の程度が相当高いことが明らかに見込まれる場合であるといってよいであろう。具体的には、各省各庁の長は、公務の運営の支障の有無について、職員が年次休暇を請求した時期における職員配置の状況、業務の量、代替要員の確保の可能性等を総合して判断する必要がある。

前述の最高裁判決においては、最低配置人員の状態にある場合でも、通常の配慮をして代替勤務者が確保できる状態であるとすれば、そのような配慮をして年次休暇権の行使を認めるべきであるとしていることに留意する必要があろう。

(2)　年次休暇は、職員が希望する時期にその理由を問わず使用できる休暇（無因休暇）であり、原則としてその利用目的による制限はないと解すべきであろう。したがって、管理者は原則として職員に年次休暇の利用目的を問うべきではないが、年次休暇の請求が競合するような場合に、いずれの請求を優先させるかの判断が微妙な場合等もあり、利用目的を質問することが許されないわけではないと考える。

㈢　年次休暇と争議行為

いわゆる争議行為のために年次休暇を利用することについては、争議行為は、公務の正常な運営を阻害することを目的としているので、そのような行為のために年次休暇を利用することは、制度の本来の趣旨に反するものとして認められないと解すべきである。例えば、職員がいっせいに休暇を請求し、職場を放棄するような場合は、その本質は同盟罷業と認められ、そのような場合には年次休暇は認められない。前出の「白石営林署事件」の最高裁判決も、一斉休暇闘争が労働者がその所属する事業場において、その業務の正常な運営の阻害を目的として、全員一斉に職場を放棄、離脱するものであるときは、年次有給休暇に名を借りた同盟罷業にほかならないものであり、本来の年次有給休暇権の行使ではないとして、その間の労働者の賃金請求権は発生しないとしている。

なお、一旦承認した年次休暇について争議行為を目的として利用されたことが判明した場合には、承認に当たって錯誤があったものとして承認を取り消すことができるものであり、あるいは当然無効であると解される。

他方で、同判決は、労基法上の年次有給休暇の自由利用の原則を打ち出しており、他の事業所における違法な争議行為の応援にも休暇の成立を否定していない。

㈣　年次休暇と違法行為

(1)　職員は休暇中といえども違法行為に触れることは厳に慎むことは当然であるが、年次休暇は職務からの解放を趣旨とし、請求の時期に係る公務の運営の支障の有無のみを承認基準とし、その利用目的を問わない職員の法律上の権利として設定されていることから、請求に際して、公務の運営に支障がない場合には原則として承認せざるを得ないと考えられる。同様に、休暇期間中又は終了後に違法行為を行ったことが明確になった場合でも、取消しはできないものと考えられる。ただし、職員が明らかに業務の運営を阻害する目的をもって違法行為を行うことが明らかな場合（例えば、庁舎の破壊を理由に休暇を請求する場合）には、権利の濫用として不承認とすることはできると解されている（中島忠能著『公務員の新休暇制度詳解』九六頁）。いずれにせよ、職員は国家公務員として厳格な服務規律が課せられているところであり、職員が休暇中に違法行為に及んだ場合には、服務規律違反として厳正な処分をもって対応すべきことはいうまでもない。

(2)　これに関連して、職員が刑事事件の被疑者として逮捕され、勾留された場合の期間等について、年次休暇の承認が可能かどうかが実務上問題になるが、勾留中に弁護士等の代理人を通じて将来に向かっての年次休暇の請求が行われた場合についても、原則的には公務の運営の支障の有無を判断して承認するかどうかを決定せざるを得ないであろう。他方で、事後的に請求があった場合には、原則として「やむを得ない事由」に該当しないものとして事後承認しないこととされているが、例外として、いわゆる誤認逮捕など職員に犯罪の事実が全くないにもかかわらず逮捕勾留されていたような場合には、本人の責に帰すべき事由がなく「やむを得ない事由」に該当し、事後承認する余地がある。

なお、既に年次休暇を承認している場合には、逮捕勾留されたことを理由として承認を取り消すことはできないのは当然である。

㈤　年次休暇の日数

(1)　年次休暇の日数は、職員のその年の在職期間の区分に応じて定められており、一年を通じて勤務する職員の場合、一年につき二〇日である（勤務時間法一七1①）。労基法の年次有給休暇の最低基準が六箇月間の継続勤務と全労働日の八割以上出勤を要件として、継続勤務年数に応じて一〇労働日から二〇労働日までの逓増方式をとっているのとは異なり、公務においては、通年の勤務をする職員には一律の日数が付与されている。

(2)　当該年の中途において、新たに職員となり、又は任期が満了することにより退職することとなる職員については、その者の当該年における在職期間等に応じ、特例的な日数が定められている（勤務時間法一七1②）。

㈥　年次休暇の繰越し

年次休暇は、一年間に職員が自由な目的で休むために設けられているものであるが、現実問題として当該年に全ての日数を休まない場合もあるので、年次休暇を有効に活用できるよう翌年に限って繰り越せるとしている。一の年における年次休暇の残日数のうち、翌年に繰り越し得る年次休暇の日数は、二〇日を限度とされている（勤務時間法一七2）。

この繰り越し得る年次休暇の日数は、平成六年までは一〇日を限度としていたものであるが、使用日数が漸減傾向にあったことや民間における取扱い等を考慮し、平成七年への繰越しから二〇日を限度とした。

なお、労基法においては、年次有給休暇についても、同法の請求権（賃金の請求権を除く。）に係る二年の消滅時効の規定が適用されるので、前年に生じた年次有給休暇で未使用のものは日数に関係なく翌年に繰り越して使用することができる（労基法一一五）。

㈦　年次休暇の単位

(1)　年次休暇の単位は、まとまった単位で利用するのが本来の趣旨にかなっているため、原則として、一日とされているが、特に必要があると認められるときは、一時間を単位として認めることができる（人規一五―一四　二〇1）。

元気回復という観点からは一日単位でまとめて休ませることが職員保護になると考えられるが、育児、介護、通学、買物等の私事の都合等により勤務時間の一部を割く必要が生じた場合に、必要な時間だけ休暇を認めることの方が、職員のためにも、また、公務の運営の面からもメリットがあると考えられることから、当初より全日数について時間単位の年次休暇を認めている（なお、平成二一年の改正前は、年次休暇の単位は、原則一日又は半日とされていたが、同年の時短により端数が生じ実務的に管理が困難になったこと等から、半日単位は廃止された。）。

労基法では長らく、一日以上の単位で与えることを原則とし（昭六三・三・一四付基発一五〇）、労働者が希望し、使用者が同意した場合であれば、半日単位の付与も可能（平七・七・二七基発三三〇）とされていたが、年次有給休暇の取得率の促進や労働者の仕事と生活の調和を図る観点から、平成二〇年に法改正が行われ、平成二二年四月より、労使協定を結べば、年次有給休暇のうち五日以内の日数に限って時間単位で取得できるとされている。

(2)　民間労働者については、働き方改革関連法の成立により、一定日数の年次有給休暇の確実な取得の観点から、使用者は、一〇日以上の年次有給休暇が付与される労働者に対し、五日について、毎年、時季を指定して与えなければならないこととされた（労基法三九7）。公務においても、年次休暇の使用を促進するため、人事院は「計画表の活用による年次休暇及び夏季休暇の使用の促進について」（平成三〇年職職―二五二人事院事務総局職員福祉局長通知）を発出し、平成三一年一月一日から、各省各庁の長は、休暇の計画表の活用等により、一の年の年次休暇の日数が一〇日以上の職員が当該年において年次休暇を五日以上確実に使用することができるよう配慮することとした。

4　病気休暇

(一)　病気休暇の意義

病気休暇は、負傷又は疾病のために勤務できない職員に対し、医師の証明書等に基づき、療養のため勤務しないことがやむを得ないと認められる必要最小限度の期間、その療養に専念させる目的で、勤務することを免除する制度であり、勤務時間法において次のとおり定められている。

○一般職の職員の勤務時間、休暇等に関する法律

（病気休暇）

第十八条　病気休暇は、職員が負傷又は疾病のため療養する必要があり、その勤務しないことがやむを得ないと認められる場合における休暇とする。

病気休暇は、明治時代の勅令、官吏俸給令（昭二一勅令一九二）等を経て、給与法に根拠を置く休暇制度に引き継がれたが、その期間については「必要最小限度の期間」とのみ定められ（人事院規則一五―六（休暇）の運用について（職職―一〇三六）第一項関係6）、取得日数の上限は特に定められていなかった。これは、本法第七九条第一号において、「心身の故障のため、長期の休養を要する場合」には、公務能率の維持増進の観点から職員を休職に付することができるとされており、この趣旨からも、病気休暇が認められる期間にはおのずと限界があると考えられていたことによる。また、後述のとおり、給与制度上も、病気休暇の場合は九〇日を超えて引き続き勤務しなければ原則として俸給が半減することとされていたため、長期にわたり病気休暇のままとする運用は想定されていなかった。しかし、①民間準拠の観点から、民間企業における状況を踏ま

えた制度とする必要があること、②精神疾患などにより長期にわたる病気休暇を取得する者の割合が上昇傾向にあり、長期にわたって職務に従事しない前提の下に欠員補充が可能となる休職との役割の違いを明確にする必要性が強まってきたこと、③断続的に病気休暇を取得する職員に対し、本人の健康の保持増進の観点から療養に専念させるとともに円滑な職務復帰を可能にするなど、適切な健康管理及び服務管理を行う必要があること等を踏まえ、平成二三年一月より、人事院規則において病気休暇の期間の上限が設けられた。

㈡　病気休暇の期間

⑴　職員が負傷又は疾病により勤務できないときは、療養のため勤務しないことがやむを得ないと認められる必要最小限度の期間、各省各庁の長の承認を得て、病気休暇が認められることとされている。病気休暇の期間の上限については、前述のように、平成二三年一月から、①生理日の就業が著しく困難である場合、②公務災害、通勤災害の場合、③人規一〇―四に基づく勤務の軽減措置を受けた場合を除き、「連続して九十日を超えることはできない」こととされ、また、連続する八日以上の期間の病気休暇を取得した後に職務に復帰し、実勤務日数が二〇日に達する日までの間に再度病気休暇を取得する場合には、復帰前後の病気休暇の期間は連続しているものとみなされることとされた（人規一五―一四　二一1、2）。

⑵　病気休暇は、療養のため必要に応じて一日、一時間又は一分を単位として取り扱うこととされているが、病気休暇の期間計算においては、時間及び分単位で病気休暇を取得した日も、全日病気休暇を取得した日として取り扱うこととされている。

㈢　病気休暇と給与との関係

⑴　病気休暇が承認された期間は、一般的には給与が減額されることはないが、病気休暇が長期に及んだときは、一定の条件の下に俸給を半減することとされている（給与法附則6）。具体的には、①公務上又は通勤による負傷・疾病の場合、生理日の就業が著しく困難な場合及び人規一〇―四による勤務の軽減措置を受けた場合には、俸給半減は行わない（人規九―八二　四）、②①以外の場合には、その傷病が非結核性のものであるか結核性のものであるかを問わず、九〇日を超えて引き続き勤務しない場合に、俸給を半減する。

なお、平成二二年までは、公務外の場合で、その傷病が結核性のものであるときは、一年を超えて引き続き勤務しない場合に俸給を半減するものとされていたが、平成二三年の見直しに合わせ、結核性疾患による病気休暇等に係る特例は廃止されることとなった。

また、職員が病気休暇（公務上の負傷又は疾病による病気休暇等を除く。）により、昇給日前一年間において一定数以上の日数を勤務しなかった場合には、原則として、勤務しなかった日数に応じ、その職員の昇給区分を下位に決定することとされている。

(2)　勤勉手当の勤務期間の計算に当たっては、負傷又は疾病（公務上等の場合を除く。）により勤務しなかった期間から週休日、超勤代替時間を指定された日、国民の祝日に関する法律による休日及び年末年始の休日を除いた日が三〇日を超える場合には、その勤務しなかった全期間を在職した期間から除算することとされている。

㈣　生理日の就業が著しく困難な場合の取扱い

(1)　従前、女子職員が生理により就業が著しく困難な場合は、二日の範囲内の期間の特別休暇が認められていた。昭和六〇年の女子差別撤廃条約の批准に伴う関係国内法令の整備の一環として女子保護規定の見直しが行われた際、生理を特別扱いとする女子保護規定を設けることは問題であること、生理日に就業が困難であるものは、医学的には月経困難症の範ちゅうに属し、疾病の一つと考えられるところから、昭和六一年四月以降は、病気休暇として取り扱うものとした。

(2)　この生理日の就業が著しく困難な場合における病気休暇の取扱いについては、病気休暇の上限期間である九〇日に算入しないなどの取扱いがされているほか、従来からの経緯等を考慮し、承認したその病気休暇の期間のうち、連続する最初の二日間については、昇給及び勤勉手当の取扱いが不利にならないよう措置が講じられている。

5　特別休暇

㈠　特別休暇の意義

職員は、専ら本人の私的生活上ないしは社会生活上の事由から、勤務義務を履行し得ない状況に置かれることがある。その場合、その勤務し得ないことが人倫上、社会慣習上、ないしは物理上、真にやむを得ないものと認められ、かつ、勤務条件として法律又は人事院規則をもって保障するにふさわしいものとして措置されているのが特別休暇である。特別休暇については法律上次のとおり定められている。

○一般職の職員の勤務時間、休暇等に関する法律

（特別休暇）

第十九条　特別休暇は、選挙権の行使、結婚、出産、交通機関の事故その他の特別の事由により職員が勤務しないことが相当である場合として人事院規則で定める場合における休暇とする。この場合において、人事院規則で定める特別休暇については、人事院規則でその期間を定める。

㈡　特別休暇の内容

特別休暇は、「特別の事由により職員が勤務しないことが相当である場合として人事院規則で定める場合における休暇」であり、「人事院規則でその期間を定める」とされている（勤務時間法一九）。「特別の事由」はその時々の社会通念によって変化してきているが、現在、人事院規則においては、次のとおり、一九種の特別休暇の事由及び期間が定められている（人規一五—一四　二二1）。

(1)　選挙権等の公民権の行使をする場合　　必要と認められる期間
(2)　裁判員等として官公署へ出頭する場合　　必要と認められる期間
(3)　骨髄又は末梢血幹細胞の家族以外への提供者等となる場合　　必要と認められる期間
(4)　ボランティア活動に参加する場合　　一の年において五日の範囲内の期間
(5)　結婚する場合　　結婚の日の五日前の日から結婚の日後一月を経過する日までの期間における連続する五日の範囲内の期間
(6)　不妊治療に係る通院等の場合　　一の年において五日（当該通院等が体外受精等である場合にあっては、一〇日）の範囲内の期間
(7)　産前の場合　　六週間（多胎妊娠：一四週間）以内に出産する予定である女子職員が申し出た出産の日までの期間
(8)　産後の場合　　出産の日の翌日から八週間を経過する日までの期間（産後六週間を経過した本人が就業を申し出た場合において医師が支障がないと認めた業務に就く期間を除く。）
(9)　生後一年に達しない子の保育時間の場合　　一日二回それぞれ三〇分以内の期間（男子職員：それぞれ三〇分から配

偶者が取得している期間を差し引いた期間）

⑽　妻が出産する場合　妻の出産に係る入院等の日から出産の日後二週間を経過する日までの期間における二日の範囲内の期間

⑾　育児参加をする場合　妻の出産予定日の六週間（多胎妊娠：一四週間）前の日から出産の日後一年を経過する日までの期間における五日の範囲内の期間

⑿　小学校就学の始期に達するまでの子の看護をする場合　一の年において五日（子が二人以上の場合：一〇日）の範囲内の期間

⒀　要介護者の短期の介護その他の世話をする場合　一の年において五日（要介護者が二人以上の場合：一〇日）の範囲内の期間

⒁　親族が死亡した場合　親族に応じて連続する日数の範囲内の期間

⒂　父母を追悼する場合　一日の範囲内の期間

⒃　夏季における心身の健康の維持・増進等の場合　一の年の七月から九月までの期間内における週休日等を除いて原則として連続する三日の範囲内の期間

⒄　災害による現住居の滅失・損壊等の場合　原則として連続する七日の範囲内の期間

⒅　災害・交通機関の事故等により出勤が困難な場合　必要と認められる期間

⒆　災害・交通機関の事故等による退勤途上の危険を回避する場合　必要と認められる期間

6　介護休暇

㈠　介護休暇の意義

職員が家族を介護しなければならなくなった場合、肉体的、精神的に職業生活と介護の二重の負担がかかることになり、これにより職務遂行にも影響を及ぼすばかりでなく、場合によっては当該職員が退職を余儀なくされることもあり得る。このような事態を回避するためには、職員が一定期間職務から離れて家族の介護に専念できる制度を設けることが職員の勤務条件の確保及び公務能率の確保という視点から意義深いと考えられる。とりわけ高齢社会が急速に進展した我が国においては、親の介護は多くの職員が直面する問題である。

介護休暇は、このような観点から、民間企業における制度義務付けに先立ち、平成六年の勤務時間法の制定に伴い、職員の職業生活と家庭生活の調和を図る制度の一つとして同年九月より導入された。平成二八年には、民間労働法制において育児・介護休業法等の改正が行われたこと等を踏まえ、民間法制と同様の制度となるよう、介護休暇の三回までの分割や介護時間の新設について、国会及び内閣に対し、勤務時間法の改正についての勧告を行った。これを受けた改正法は平成二九年一月に施行され、次のとおり定められている。

○一般職の職員の勤務時間、休暇等に関する法律

（介護休暇）

第二十条　介護休暇は、職員が要介護者（配偶者等で負傷、疾病又は老齢により人事院規則で定める期間にわたり日常生活を営むのに支障があるものをいう。以下同じ。）の介護をするため、各省各庁の長が、人事院規則の定めるところにより、職員の申出に基づき、要介護者の各々が当該介護を必要とする一の継続する状態ごとに、三回を超えず、かつ、通算して六月を超えない範囲内で指定する期間（以下「指定期間」という。）内において勤務しないことが相当であると認められる場合における休暇とする。

2　介護休暇の期間は、指定期間内において必要と認められる期間とする。

3　介護休暇については、一般職の職員の給与に関する法律第十五条の規定にかかわらず、その期間の勤務しない一時間につき、同法第十九条に規定する勤務一時間当たりの給与額を減額する。

（介護時間）

第二十条の二　介護時間は、職員が要介護者の介護をするため、要介護者の各々が当該介護を必要とする一の継続する状態ごとに、連続する三年の期間（当該要介護者に係る指定期間と重複する期間を除く。）内において一日の勤務時間の一部につき勤務しないことが相当であると認められる場合における休暇とする。

2　介護時間の時間は、前項に規定する期間内において一日につき二時間を超えない範囲内で必要と認められる時間とする。

3　介護時間については、一般職の職員の給与に関する法律第十五条の規定にかかわらず、その勤務しない一時間につき、同法第十九条に規定する勤務一時間当たりの給与額を減額する。

㈡　休暇制度として位置付けた理由

一般に、職員の勤務条件の一環として職務専念義務を免除する制度を設計する場合、職務の割当てがあることを前提とする休暇制度とするか、あるいは職務から離れ、その者の定員に係る後補充を可能とする休業制度とするかという選択肢がある。国家公務員の休業制度の代表的なものとしては、育児休業制度が平成四年に設けられているが、当該制度は職員が生後一歳に満たない子を一歳に達するまで養育するときに利用ができ、その期間は最大でほぼ一年に及ぶ長期のものとして設計され、平成一四年四月からは子が三歳に達するまで養育することができるよう上限が延長されたところである。したがって、承認権者側も、その間の職員の業務維持のために、当該期間における職員の配置換その他代替要員の確保ができるシステムを採っている。しかし、介護の場合は、介護する立場に立つこととなる職員の年齢層が比較的高く、これらの者の職責も重くなっていることが多いため、長期間の職場離脱及び代替要員の確保が事実上困難であると考えられること、また、介護には様々な形態があり、必ずしも連続した全日の介護を必要とせず、一日のうちの一部の時間をカバーすれば足り得る場合など多様な形での取得が想定されることもあって、休業制度より休暇制度とした方が適当と判断したものである。なお、民間企業においては、労基法上、産前産後の休みも「休業」と称するなど、もともと休暇と休業との間で厳密な区別がされておらず、育児、介護の双方につき、「休業」の名称が用いられている（育児・介護休業法）。

㈢　介護休暇の期間

平成六年の制度導入に当たって介護休暇の期間は、当初、同種の制度を持つ民間企業の従業員の利用実態や当時の労働省の介護休業制度等に関するガイドライン等を参考に、連続する暦日の三月の期間内とされた。その後、民間においては平成一一年四月から最低三月の期間内の介護休業をすることができる旨の介護休業制度が導入されて以後広く定着し、その期間も長期化していった。人事院は平成一三年八月にこのような民間の状況を踏まえ、介護休暇の期間を六月に延長する旨の勤務時間法の改正についての勧告を行い、これを受けた勤務時間法の改正により、平成一四年四月から介護休暇の取得可能期間が三月から六月に延長された。

㈣　介護休暇の単位

介護を必要とする形態には要介護者の傷病等の状況に応じて様々なものが想定できる。したがって、必ずしも日の全部について介護に従事する必要がない場合も考えられることから、一日単位だけでなく一時間単位での取得も認めることとしている（人規一五―一四　二三の二）。

㈤　介護休暇中の給与

介護休暇中の給与については、民間企業における介護休業の扱いの実態に鑑み、俸給及び俸給に準ずる手当については支給しないこととしている。

なお、介護休暇によって勤務しない期間における扶養手当などの生活関連手当等については支給することとしているが、その理由は、介護休暇制度は休業等の職務からの離脱と異なり、比較的短期間で断続的かつ時間単位での取得をも認める制度であること、また、扶養手当・住居手当・通勤手当等の手当は、勤務に対する対価性の極めて高い俸給等とは異なり、生活の実態を考慮した生活補給的な給与であることから、単に勤務を欠いたからといって支給しないこととすることは手当制度それぞれの趣旨から好ましくないと判断したものである。

㈥　介護時間

介護時間は、日常的な介護ニーズに対応するために平成二九年から導入された休暇であり、各省各庁の長が、職員が要介護者を介護するため一日の勤務時間の一部について勤務しないことが相当であると認められる場合に、連続する三年の期間内において、一日につき二時間を超えない範囲内で認められる休暇である。介護時間の承認を受けて勤務しなかった時間は無給であるが、昇給区分の決定や勤勉手当の期間率の算定に当たっての特例が設けられている。

7　病気休暇、特別休暇、介護休暇及び介護時間の承認

⑴　病気休暇、特別休暇（人事院規則で定めるものを除く。）、介護休暇及び介護時間については、各休暇の成立要件として、各省各庁の長の承認が必要である（勤務時間法二一）。

なお、特別休暇のうち人事院規則で定めるものについては、この規定の適用が除外されており、母性保護という事柄の性質上、承認にかからしめることが適当でない産前の場合及び産後の場合の休暇がこれに該当する。

⑵　各省各庁の長は、病気休暇又は特別休暇の請求について、それぞれの休暇の事由に該当すると認めるときは、これを承認しなければならない。ただし、その請求に係る時期が業務多忙で、当該職員が休むことにより公務の運営に支障が生じるような場合であって、他の時期においても当該休暇の目的を達することができると認められる場合は、この限りではない

として、他の時期に変更して承認する余地を認めている（人規一五―一四　二五）。

また、介護休暇及び介護時間の請求についても、事由に該当すると認められる場合には承認しなければならないのは同様であるが、一方で、当該請求に係る期間のうち、公務の運営に支障がある日又は時間については、この限りでないとされている（人規一五―一四　二六）。ただし、この場合の「公務の運営の支障」については、当該休暇の請求に係る時期における職員の業務内容、業務量、代替者の配置の難易等を総合して判断するものとされている。

○一般職の職員の勤務時間、休暇等に関する法律

（病気休暇、特別休暇、介護休暇及び介護時間の承認）

第二十一条　病気休暇、特別休暇（人事院規則で定めるものを除く。）、介護休暇及び介護時間については、人事院規則の定めるところにより、各省各庁の長の承認を受けなければならない。

六　定年前再任用短時間勤務職員の勤務時間・休暇等

1　定年前再任用短時間勤務職員の勤務時間等

(一)　定年前再任用短時間勤務職員の勤務時間数

本法第六〇条の二に基づき、任命権者は、六〇歳に達した日以後退職をした者を本人の希望により、その者の定年退職日相当日までの間、短時間勤務の官職に採用することができる。この規定により採用された職員（定年前再任用短時間勤務職員）は、形式的な勤務時間による法的整理上は非常勤職員の一に位置付けられている。しかしながら、定年前再任用短時間勤務職員は、勤務時間が短いとはいえ、常勤職員の行っている業務と同質の業務に従事する者であり、求められる能力も常勤職員と同等のものであることから、定年前再任用短時間勤務職員の給与その他の勤務条件や身分取扱い等の人事管理上の取扱いは、勤務時間数を反映させるものを除き、常勤職員と同じとされている。

定年前再任用短時間勤務職員の勤務時間は、休憩時間を除き、一週間当たり一五時間三〇分から三一時間までの範囲内で、各省各庁の長が定めることとされている（勤務時間法五2）。常勤職員の勤務時間が一日につき七時間四五分である（勤務時間法六2）ことから、定年前再任用短時間勤務職員の勤務時間の上限・下限についても七時間四五分の整数倍で設定さ

れている。なお、下限については、週二日に見合う勤務時間未満では、本格的に職務に従事するとは言い難いものと考えられることから、週一五時間三〇分とされた。

○一般職の職員の勤務時間、休暇等に関する法律

（一週間の勤務時間）

第五条　（略）

2　国家公務員法第六十条の二第二項に規定する定年前再任用短時間勤務職員（以下「定年前再任用短時間勤務職員」という。）の勤務時間は、前項の規定にかかわらず、休憩時間を除き、一週間当たり十五時間三十分から三十一時間までの範囲内で、各省各庁の長が定める。

(二)　一般の定年前再任用短時間勤務職員の週休日・勤務時間の割振り

一般の定年前再任用短時間勤務職員の週休日については、日曜日及び土曜日に加えて、月曜日から金曜日までの五日間において設けることができることとなっている（勤務時間法六1ただし書）。また、一日の勤務時間は、一日につき七時間四五分を超えない範囲内で割り振ることとされている（勤務時間法六2ただし書）。

実際の割振りに当たっては、月曜日から金曜日までの各日に一日四時間や六時間の勤務時間を割り振ったり、一日七時間四五分の勤務時間を隔日に割り振ったりするなど、一週間当たり一五時間三〇分から三一時間までの範囲内で、業務の事情等に応じた多様な勤務形態の選択が可能である。

定年前再任用職員であっても、フレックスタイム制を適用することができる。勤務時間の申告方法やコアタイムの設定等フレックスタイム制に関する基本的な規定は、常勤職員と変わらない。

(三)　定年前再任用短時間勤務職員の週休日・勤務時間の割振りの特例

定年前再任用短時間勤務職員であっても、勤務時間法第七条第一項に定める「公務の運営上の事情により特別の形態によって勤務する必要のある職員」であれば、交替制等勤務による週休日及び勤務時間の割振りを行うことができる。定年前再任用短時間勤務職員の場合は、週休日を四週間ごとの期間につき八日以上設け、勤務時間を当該期間につき一週当たり一

五時間三〇分から三一時間までの範囲内で各省各庁の長が定めた勤務時間となるように割り振ることとなる（勤務時間法七2）。

㈣　定年前再任用短時間勤務職員の超過勤務

定年前再任用短時間勤務職員に対しても、勤務時間法第一三条第二項にいう「公務のため臨時又は緊急の必要がある場合」には、正規の勤務時間以外の時間に超過勤務を命ずることができる。ただし、その際には、各省各庁の長は定年前再任用短時間勤務職員の勤務時間が常勤職員よりも短く設定されている趣旨に十分留意しなければならない（人規一五―一四　一六の二）とされている。

2　定年前再任用短時間勤務職員の休暇

定年前再任用短時間勤務職員については、常勤職員と同様に、勤務時間法適用職員として、年次休暇、病気休暇、特別休暇・介護休暇及び介護時間が付与される。

ただし、年次休暇については、二〇日を基礎としてその者の一週間の勤務日数に応じて比例付与した日数とすることが基本になっている（勤務時間法一七1①）。

七　非常勤職員の勤務時間・休暇等

1　非常勤職員の勤務条件の定め方

常勤を要しない職員については、業務の必要に応じて雇用することを原則とするところから、常勤職員とは勤務条件の定め方、内容を異にしているが、これらの職員についても適正な勤務条件の確保がなされることが必要なのは当然である。勤務時間法第二三条において、常勤を要しない職員の勤務時間及び休暇については、その職務の性質を考慮して人事院規則で定めるとされており、この規定に基づき、人規一五―一五が制定されている。

なお、〔解釈〕六で述べたように、定年前再任用短時間職員も法的には非常勤職員に分類されるが、勤務時間数を反映させるものを除き、常勤職員と同じ取扱いとするという政策が採られ、ここでいう非常勤職員とは別扱いとされている。他方、育児短時間勤務職員は、勤務時間自体は通常の職員よりも短く設定されているものの、常時勤務を要する官職に就いており、非常勤職員ではない。

○一般職の職員の勤務時間、休暇等に関する法律

（非常勤職員の勤務時間及び休暇）

第二十三条　常勤を要しない職員（定年前再任用短時間勤務職員を除く。）の勤務時間及び休暇に関する事項については、第五条から前条までの規定にかかわらず、その職務の性質等を考慮して人事院規則で定める。

2　非常勤職員の勤務時間等

(1)　従前、非常勤職員については、人規一五―一五第二条において、「日々雇い入れられる非常勤職員」及び「常勤職員の一週間当たりの勤務時間の四分の三を超えない範囲内において定められている職員」と分類した上で、それぞれの勤務時間等を定めていたため、本来は非常勤職員の勤務時間の扱いを定めているに過ぎないこの規定が非常勤職員を定義するかのような扱いがなされていた。しかし、平成二二年一〇月から、任用が日々更新されるという仕組みが廃止され、代わって、会計年度内で臨時的な業務に応じて最長一年間の任期を定めて任用するという期間業務職員制度が導入された（人規八―一二　四⑬）。これに伴い、人規一五―一五が改正され、「相当の期間任用される職員を就けるべき官職以外の官職である非常勤官職」（期間業務職員はこれに該当）と「その他の非常勤職員」に区別して勤務時間に係る定めを整備し、前者はいわゆるフルタイムも可能とし、後者は常勤職員の勤務時間の四分の三を上限とするパートタイムとされた。なお、「相当の期間」とは、「一年を超える期間」と整理されている。

○人事院規則一五―一五（非常勤職員の勤務時間及び休暇）（平六・七・二七）

（勤務時間）

第二条　非常勤職員の勤務時間は、相当の期間任用される職員を就けるべき官職以外の官職である非常勤官職に任用される非常勤職員については一日につき七時間四十五分を超えず、かつ、常勤職員の一週間当たりの勤務時間を超えない範囲内において、その他の非常勤職員については当該勤務時間の四分の三を超えない範囲内において、各省各庁の長（勤務時間法第三条に規定する各省各庁の長をいう。以下同じ。）の任意に定めるところによる。

(2)　非常勤職員についても、任用する前提として、担当すべき職務及び勤務すべき時間を具体的に割り振った形で定め、本人にも勤務条件として明示する必要がある。その際、人規一五―一五の運用通知において、①非常勤職員の休憩時間及び

定められた勤務時間以外の時間における勤務については、常勤職員の例に準じて取り扱うものとすること、②非常勤職員の勤務時間を定めるに当たっては、常勤職員の勤務時間に関する基準を考慮するものとすることとされている。

(3)　また、同運用通知においては、非常勤職員の定められた勤務時間以外の時間における勤務については、常勤職員の例に準じて取り扱うものとされ、勤務時間法第一三条第一項に定める宿日直勤務に相当する勤務も命じ得るものとされている。

3　非常勤職員の休暇

非常勤職員の休暇は、年次休暇と年次休暇以外の休暇の二種類に分かれている。

(一)　年次休暇

(1)　年次休暇は、その利用目的を問われることなく保障される有給の休暇であり、民間における年次有給休暇に相当するものである。

年次休暇を与えられる職員の要件及び日数は人事院が定めることとされており（人規一五―一五　三）、一定の継続勤務と全勤務日の八割以上の出勤を要件として、一週間の勤務日数及び一年間の勤務日数に応じて次頁の表のように定められている。

(2)　「継続勤務」とは、原則として同一官署において、その雇用形態が社会通念上中断されていないと認められる場合の勤務をいう。連続的な雇用が行われ、その間に若干の雇用中断期間が置かれている場合については、労基法の解釈例規と同様に取り扱うこととされており、一〇日程度の中断であれば、一般的に継続勤務として取り扱われることとなる。

(3)　「全勤務日」とは、非常勤職員の勤務を要する日の全てをいい、休暇及び育児休業の期間は出勤したものとみなして取り扱うこととされている。

(4)　年次休暇は、二〇日を限度として、次の一年間に繰り越すことができる（平成七年一月以前は一〇日が限度であった。）。ただし、この繰越しは、次の一年間に限り認められるものであり、繰り越された年次休暇が更に繰り越されることはない。

(5)　年次休暇の単位は、平成七年一月以前は全て一日とされていたが、それ以降は時間単位の年次休暇が認められてい

〈非常勤職員の年次休暇の付与日数〉

1週間の勤務日の日数		5日以上	4日	3日	2日	1日
1年間の勤務日の日数		217日以上	169日から216日まで	121日から168日まで	73日から120日まで	48日から72日まで
雇用の日から起算した継続勤務期間	6月	10日	7日	5日	3日	1日
	1年6月	11日	8日	6日	4日	2日
	2年6月	12日	9日	6日	4日	2日
	3年6月	14日	10日	8日	5日	2日
	4年6月	16日	12日	9日	6日	3日
	5年6月	18日	13日	10日	6日	3日
	6年6月以上	20日	15日	11日	7日	3日

（注）1週間の勤務日の日数欄の「5日以上」には、1週間の勤務日が4日以下とされている職員で、1週間の勤務時間が29時間以上であるものを含む。

る。

㈡　年次休暇以外の休暇

(1)　非常勤職員についても、年次休暇以外に、勤務しないことを正当化することが人倫上、社会習慣上やむを得ないものと認められる場合については、勤務条件としての休暇を保障しており、現在、有給の休暇としては、①公民権の行使、②官公署への出頭、③現住居の滅失等、④災害等による出勤困難、⑤災害時の退勤途上における身体の危険回避、⑥忌引を事由にする休暇、⑦結婚、⑧夏季、⑨不妊治療に係る通院、⑩産前、⑪産後、⑫妻の出産、⑬妻が出産する場合の子の養育、無給の休暇としては、①保育時間、②子の看護、③短期介護、④介護、⑤介護時間、⑥生理日の就業が著しく困難な場合、⑦保健指導又は健康診査に基づく指導事項の遵守、⑧公務上の傷病、⑨私傷病、⑩骨髄等ドナーを事由にする休暇がそれぞれ認められている(人規一五—一五　四)。

(2)　年次休暇以外の休暇は、必要に応じて一日、一時間又は一分を単位として取り扱うものとされている。

㈢　休暇の承認

年次休暇については、その時期につき、各省各庁の長の承認を受けなければならず、各省各庁の長は、公務の運営に支障がある場合を除き、これを承認しなければならない。年次休暇以外の休暇（産前、産後の場合を除く。）の承認については、常勤職員の例に準じて取り扱うこととされている。

八　休業

1　休業の概念

現在、国家公務員の休業制度については、育児休業法、自己啓発等休業法及び配偶者同行休業法が制定されている。休業中の職員は「職員としての身分を保有するが、職務に従事しない。」(育児休業法五1、自己啓発等休業法五1、配偶者同行休業法五1)とされ、休職中の職員と同様の状況におかれることとなる。休職は当局による一方的な不利益処分として構成されるのに対し、休業は職員からの請求を受け当局が承認することで成立する。共に長期間職務を離脱する場合の措置となっている。

本法第一〇一条第一項において、「職員は、法律又は命令の定める場合を除いては、その勤務時間及び職務上の注意力のすべてをその職責遂行のために用い、政府がなすべき責を有する職務にのみ従事しなければならない。」と規定されており、休業は、「法律又は命令」により職務専念義務が免除される制度の一つと位置付けられるものである。

法令により職務専念義務が免除されるものとしては、休業のほか、休暇、休日、休職、派遣等様々なものがあるが、休業は、職員本人からの請求に基づき、勤務条件の一つとしての性質も持っているという点で、休暇とも共通する面がある。ただ、休暇については、取得可能期間が比較的短期間であることから、休暇中の職員は定員内として取り扱われるのに対し、休業の場合は、取得可能期間が比較的長期間となることが想定されているため、休業中の職員は定員外として取り扱われ、代替要員を確保できるようになっているなど、両者には差異もある。

2　育児休業制度

(一)　育児休業制度の沿革

育児休業制度については、子を養育する国家公務員の継続的な勤務を促進し、もってその福祉を増進するとともに、公務の円滑な運営に資することを目的として導入されたものであり(育児休業法一)、介護休暇制度と並び、国家公務員の両立支援制度の根幹をなすものである。従来、女子教育職員や看護婦等については、職場に占める女性の割合が高いこともあって、「義務教育諸学校等の女子教育職員及び医療施設、社会福祉施設等の看護婦、保母等の育児休業に関する法律」(昭五〇法六二。以下「女子教職員等育児休業法」という。)による育児休業が認められていたが、職種を問わない育児休業制度の導入がなされたのは平成に入ってからであった。

民間企業における育児休業については、平成二年一二月、政府に育児休業制度の法制化について立法を求める与野党合意が成立し、その際、公務員についても必要な法的措置を講じる必要があるという点で一致がみられた。その後、民間労働者について育児休業制度等の法制化が行われることとなったことを踏まえ、人事院は平成三年四月、国会及び内閣に対し、一般職の国家公務員について、育児休業等の制度を創設するための法律を制定することが適当であるとの意見の申出を行った。これに基づき、同年一二月、「国家公務員の育児休業等に関する法律」が制定公布され、平成四年四月から施行された。これに伴い、女子教職員等育児休業法は廃止された。

また、法制定後の育児休業制度の沿革は次のとおりである。

(1)　育児休業手当金の新設及び育児休業給の廃止

育児休業中の労働者に対し、民間企業においては、平成七年四月から雇用保険制度の下で育児休業給付金が支給されることとなったこと等を踏まえ、人事院は、平成六年四月、国家公務員等共済組合制度の所管省庁である大蔵省に対し、同制度の中で民間の育児休業給付に見合った給付を行うことが適当である旨の意見を申し入れた。これを受け、育児休業手当金の新設や育児休業期間中の共済掛金の支払免除等を内容とする共済法の一部改正法案が平成七年二月に国会に提出され、同年三月に制定公布され、同年四月から施行された。

また、女子教育職員等については、従来から共済掛金相当額の育児休業給が支給されていたことを勘案し、育児休業法の施行後においても引き続き同様の給付を行っていたが、人事院では、この育児休業給について、国家公務員等共済組合制度における育児休業手当金の措置に併せて廃止するための育児休業法の改正を行うよう、平成七年一月、国会及び内閣に対し意見の申出を行った。これを受けて、前述の共済法の一部改正法案の附則における関連改正の形で育児休業法が改正され、同年四月から育児休業給は全対象者に係る手当金に統合される形で廃止された。

(2)　その後の主な制度改正

育児休業法の施行後も、人事院は職員の育児休業取得をより容易にする観点から、民間企業の状況等も踏まえて意見の申出を累次行い、それに沿う形で法改正がなされているところ、主な改正を挙げると以下のとおりである。

平成一二年一月から、特別給の基準日に育児休業をしている職員について、勤務実績に応じて特別給を支給できることとなった。

平成一四年四月から、民間企業について定める育児・介護休業法で、一歳から三歳に達するまでの子を養育する労働者について、「育児休業に準ずる措置」又は「勤務時間の短縮等の措置」のいずれかを講ずることが義務付けられたことを踏まえ、育児休業及び部分休業の対象となる子の年齢が「一歳まで」から「三歳まで」に引き上げられた。

平成一九年八月から、育児を行う職員が常勤職員のまま短時間勤務をすることができる短時間勤務の制度が導入されるとともに、短時間勤務を行う職員が処理できなくなる業務に従事させるため、任期を定めて職員を任用する任期付短時間勤務職員の制度及び短時間勤務職員を並立的に任用し、空いた常勤官職に他の常勤職員を任用することができる仕組みが設けられた。

従前は恒常的な官職はフルタイム常勤職員が一人で業務処理を行うことを前提として、常勤職員定員一人と一体のものとされてきた。この並立任用制により、常勤官職は一定量の業務量を有しており、その業務処理は合理的な方法であれば一人の者による必要はないことが示された。現在、欧州各国では正規職員でパートタイム勤務者が多く認められ、人件費管理においても労働時間数を通じて定員・人員数管理が行われており、並立任用制は、我が国においても勤務形態の多様化に伴う人件費や定員管理の弾力化の必要性を提起している。なお、平成二七年度から、産前・産後休暇、配偶者出産休暇、育児参加のための休暇及び介護休暇等の休暇や、育児短時間勤務、育児時間等の実態に応じて定員が措置されており（いわゆる「ワークライフバランス定員」）、人件費・定員管理が一部弾力化されている。

あわせて、保育時間と同様、一日未満の単位の職務専念義務免除である性格をより適切に示すため、それまでの「部分休業」を「育児時間」に改称し、対象となる子の年齢が三歳から小学校就学前までに引き上げられた。また、部内の他の職員との均衡上必要と認められる範囲内において、人事院規則の定めるところにより、必要な調整を行うことができる（育児休業法九）こととされた。

平成二二年六月からは、育児休業等を取得できる要件として、配偶者が専業主婦（夫）である場合は除外するという規定等が廃止され、平成二三年四月からは非常勤職員にも育児休業制度が適用されることとなった。

平成二九年一月から、育児休業、育児短時間勤務及び育児時間並びに育児のためのフレックスタイム制の特例の対象となる「子」の範囲について、法律上の子に加え、職員が特別養子縁組の成立に係る監護を行う者といった法律上の子に準ずる関係にある者も含めることとされた。

令和四年一〇月から、育児と仕事の両立支援制度をより柔軟に利用できるよう、育児休業の取得回数制限が緩和され、それまでは原則一回しか育児休業を取得できなかったが、原則二回までの取得が可能となった。これに加え、男性職員による育児の促進のため、子の出生の日から八週間の産後休暇の期間（五七日間）についても、二回までの育児休業の取得が可能となった（「産後パパ育休」）。

(二) 育児休業制度の内容

(1) 育児休業

職員は三歳未満の子を養育するために、任命権者の承認を得て育児休業をすることができる。育児休業の承認は期間を定めて請求するものとされ、請求があったときは、任命権者は原則として、承認しなければならない（育児休業法二）。育児休業を請求できる職員は性別を問わないが、継続勤務を図るという育児休業の趣旨等から、臨時的に任用された職員等は除かれる（育児休業法三1）。また、平成二二年六月からは配偶者が同居で無職であるなど職員以外の当該子の親が常態として養育が可能な場合や、平成二三年四月からは一定の要件を満たす非常勤職員についても、育児休業を請求することができるようになっている（非常勤職員は、子の養育の事情に応じ、一歳に達する日から一歳六月に達する日までの間で人事院規則で定める日（当該子の養育の事情を考慮して特に必要と認められる場合として人事院規則で定める場合に該当するときは、二歳に達する日）まで育児休業をすることができる。）。

また、育児休業の期間や身分・給与の取扱い等は次のとおりである。

① 育児休業の期間は子が三歳に達するまでであり、人事院規則で定める特別の事情（配偶者の入院等の予見できなかった事実が生じた場合等）がある場合を除き、それまでの期間で連続して一回に限って育児休業をできることとされていたが、平成二二年六月からは、職員（産後休暇を取得した者を除く。）が子の出生の日から産後休暇の期間（五七日間）内に育児休業を開始し終了した場合には、特別の事情がない場合でも、再び育児休業をすることができることとなった。さら

に、㈠⑵のとおり、令和四年一〇月からは、原則二回までの取得に加え、子の出生の日から産後休暇の期間についても二回までの「産後パパ育休」の取得が可能となった（育児休業法三1）。

② 育児休業をしている職員は、職員としての身分を保有するが、職務に従事しないものとされ（育児休業法五1）、休職者と同様、異動させない限り、育児休業中は育児休業の承認を受けたときに占めていた官職を保有することとされている。一方で、休職の場合と同様、職員は定員外と扱われることから、代替者の後補充は可能である。

③ 育児休業は、産前の休業を始めた場合、出産した場合、休職・停職処分を受けた場合、育児休業に係る子が死亡した場合や職員の子でなくなった場合は、承認の効力が失われる。また、任命権者は、育児休業をしている職員が子を養育しなくなったこと、その他人事院規則で定める事由に該当すると認めるときは、育児休業の承認を取り消すものとされている（育児休業法六）。

④ 任命権者は、育児休業の請求があった場合において、当該請求の期間について他の職員の配置換その他の方法によって当該請求をした職員の業務を処理することが困難であると認めるときは、任期付採用や臨時的任用を行うことができる（育児休業法七）。

⑤ 育児休業者は無給とされるが、基準日に育児休業をしている職員については、当初、特別給も支給しないこととされていたところ、平成一二年一月から施行された改正法により、基準日以前六箇月以内の期間に勤務した期間があるときは特別給（期末手当・勤勉手当）は支給されることとなった（育児休業法五、八）。さらに、平成二三年一一月からは、男性職員の育児休業取得促進の一助となるよう、一月以下の育児休業取得者について、平成二三年一一月からは期末手当を（人規九―四〇　五2②）、平成二八年四月からは勤勉手当を（同一一2②）、それぞれ減額しないよう措置されている（人規九―四〇　五2②）。なお、国家公務員共済組合制度の一環として、育児休業手当金の支給（子が一歳に達する日まで（配偶者が育児休業をしている場合は一歳二月まで、保育所に入所できない場合等は一歳六月まで、その子が一歳六月に達した日後の期間について、育児休業等をすることが必要と認められるときは二歳まで）、標準報酬日額の五〇％（育児休業期間が一八〇日に達するまでの期間は六七％）を支給）、育児休業期間中の共済掛金の免除等が経済的支援として行われる（共済法六八の二、一〇〇の二）。

⑥　育児休業の期間は、復職時の号俸の調整については全期間を勤務したものとみなすことができる（育児休業法九、人規一九―〇　一六1）。育児休業の承認に係る期間の全部が子の出生の日から産後休暇の期間内にある育児休業の期間とそれ以外の育児休業の期間のそれぞれについて、育児休業の承認に係る期間（当該期間が二以上あるときは、それぞれの期間を合算）が一箇月以下である育児休業を除いて、期末手当に係る在職期間としては、二分の一が除算され、勤勉手当については、全期間が除算となる（人規九―四〇　五2②、一一2②）。また、退職手当については、子が一歳までの育児休業期間の三分の一、それ以降の期間の二分の一を除算する（育児休業法一〇2）。

⑦　職員は育児休業を理由として不利益な取扱いを受けない（育児休業法一一）。

⑧　職員は、育児休業中も引き続き共済組合に加入し、各種の給付を受けることができる。

(2)　育児短時間勤務

職員は、任命権者の承認を受けて、小学校就学の始期に達するまでの子を養育するため、常時勤務を要する官職を占めたまま短時間勤務（一日三時間五五分・週五日、一日七時間四五分週三日などの勤務形態パターンの中から決定）をすることができる（育児休業法一二）。勤務時間は短いが、常時勤務を要する官職を占めている点が、定年前再任用短時間とは異なる。

育児短時間勤務職員については、一週間当たりの勤務時間が常勤職員の概ね二分の一である二人の職員を同一の官職に任用（並立任用）することができる（育児休業法一五）。

給与については、俸給月額及び職務関連手当は勤務時間に応じた額を、生活関連手当は全額を支給することが基本となる（育児休業法一六）。また、育児短時間勤務職員については、各省各庁の長は、公務の運営に著しい支障が生ずると認められる場合として人事院規則で定める場合に限り、宿日直勤務又は超過勤務を命ずることができる（育児休業法一七）。

なお、任命権者は、育児短時間勤務職員の業務を処理するため必要があると認めるときは、一週間の勤務時間が一〇時間から一九時間二〇分までの範囲内で、任期付短時間勤務職員（非常勤職員）を任用することができる（育児休業法二三、二五）。

育児短時間勤務職員（育児休業法一二）及び任期付短時間勤務職員（育児休業法二三）については、いずれもフルタイムの常勤職員と同様に、年次休暇、病気休暇、特別休暇・介護休暇及び介護時間が付与される。ただし、年次休暇については、その者の勤務時間を考慮して、二〇日に、その者の勤務形態に応じて比例付与した日数となっている。

(3)　育児時間

育児時間は、平成一九年改正前は「部分休業」と称されていたものであり、職員は、任命権者の承認を受けて、小学校就学の始期に達するまでの子を養育するため、一日につき二時間を超えない範囲内で勤務しないことができる（育児休業法二六1）。なお、子を養育する職員であれば、職種、男女を問わず取得できるが、育児時間制度の趣旨に鑑み、任期付短時間勤務職員並びに育児短時間勤務職員及び一定の要件を満たす非常勤職員以外の非常勤職員（定年前再任用短時間勤務職員は除く。）は対象から除外されている（育児休業法二六1、人規一九―〇　二八）。

3　自己啓発等休業制度

(1)　法制定の目的及び経緯

自己啓発等休業制度は、行政課題の複雑・高度化に対応できるよう、職員の自己研鑽に向けた自発性や自主性を積極的に活かす柔軟な仕組みとして、組織の活性化と職員の公務感覚の一層の醸成を図る観点から、意欲ある職員の主体的な大学等における修学や国際貢献活動を支援することを目的として導入されたものである。

同制度は、平成一八年八月に人事院が国会及び内閣に行った意見の申出に基づき、平成一九年五月に「国家公務員の自己啓発等休業に関する法律」が制定公布され、同法は同年八月から施行された。

(2)　自己啓発等休業制度の内容

自己啓発等休業法に基づき、大学等における修学や国際貢献活動を希望する常勤の職員は、任命権者の承認を受ければ、大学等における修学のための休業にあっては二年（大学等における修学の成果を挙げるために特に必要な場合として人事院規則で定める場合は、三年）、国際貢献活動のための休業にあっては三年を超えない範囲内の期間を限度として、自己啓発等休業をすることができる（自己啓発等休業法三1）。

休業期間中、職員としての身分は保有するが、職務には従事しないこととされ、給与は支給しない（自己啓発等休業法五）。

本人の申出による休業制度という意味では育児休業と共通する面があるが、自己啓発等休業の場合、修学や国際貢献活動への参加を通じて自己啓発等を図ること等を目的としており、承認されなければ職員は離職を余儀なくされるとまでは言い難いことが一般的であることから、公務の運営に支障がある場合には承認しないことがあり得る（自己啓発等休業法三1）のに対し、育児休業の場合、請求をした職員の業務を処理するための措置を講ずることが著しく困難である場合を除き、承認しなければならない（育児休業法三3）こととされているなどの違いが挙げられる。

また、大学院等への修学を目的とする自己啓発等休業と、行政官長期在外研究員制度に基づく派遣との違いとしては、前者は、職員の請求に基づき承認権者が認めた場合に、身分を保有したまま職務を離れて修学することを可能とする制度であり、派遣前に占めていた官職に後補充が行えるのに対し、後者は、任命権者が職務命令として職員を出張させて行う研修制度であり、職員は官職を占めているため当該官職には後補充は行えない点などが挙げられる。ただし、行政官長期在外研究員制度等による留学中の職員の代替職員を確保する場合には、2㈠⑵で述べたいわゆる「ワークライフバランス定員」の活用が認められている。

4　配偶者同行休業制度

⑴　法制定の目的及び経緯

配偶者同行休業制度は、職員が、勤務等の事由により外国に滞在する配偶者と生活を共にするための休業制度を設けることにより、有為な国家公務員の継続的な勤務を促進し、もって公務の円滑な運営に資することを目的として導入されたものである。

平成二五年八月に人事院が国会及び内閣に対して行った同制度の創設に係る意見の申出に基づき、同年一一月に「国家公務員の配偶者同行休業に関する法律」が制定公布され、同法は平成二六年二月から施行された。

⑵　配偶者同行休業の内容

配偶者同行休業法に基づき、外国で勤務等をする配偶者と生活を共にすることを希望する常勤の職員は、任命権者の承認を受ければ、三年を超えない範囲内の期間を限度として、配偶者同行休業をすることができる（配偶者同行休業法三1）。なお、配偶者は国家公務員である必要はなく、民間企業など勤務先を問わない。

休業の期間中、職員としての身分は保有するが、職務には従事しないこととされ、給与は支給しない（配偶者同行休業法五）。

配偶者同行休業についても、自己啓発等休業と同様、承認されなければ職員は離職を余儀なくされるとまでは言い難いことから、公務の運営に支障がある場合には承認しないことがあり得る（配偶者同行休業法三1）。他方、配偶者同行休業も育児休業と同様、任命権者は、配偶者同行休業の請求があった場合において、当該請求の期間について他の職員の配置換その他の方法によって当該請求をした職員の業務を処理することが困難であると認めるときは、任期付採用や臨時的任用を行うことができることとしている（配偶者同行休業法七）。

第八節　退職管理

第一款　離職後の就職に関する規制

（他の役職員についての依頼等の規制）

第百六条の二　職員は、営利企業等（営利企業及び営利企業以外の法人（国、国際機関、地方公共団体、行政執行法人及び地方独立行政法人法（平成十五年法律第百十八号）第二条第二項に規定する特定地方独立行政法人を除く。）をいう。以下同じ。）に対し、他の職員若しくは行政執行法人の役員（以下「役職員」という。）をその離職後に、若しくは役職員であつた者を、当該営利企業等若しくはその子法人（当該営利企業等に財務及び営業又は事業の方針を決定する機関（株主総会その他これに準ずる機関をいう。）を支配されている法人として政令で定めるものをいう。以下同じ。）の地位に就かせることを目的として、当該役職員若しくは役職員であつた者に関する情報を提供し、若しくは当該地位に関する情報の提供を依頼し、又は当該役職員をその離職後に、若しくは役職員であつた者を、当該営利企業等若しくはその子法人の地位に就かせることを要求し、若しくは依頼してはならない。

②　前項の規定は、次に掲げる場合には適用しない。

一　職業安定法（昭和二十二年法律第百四十一号）、船員職業安定法（昭和二十三年法律第百三十号）その他の法令の定める職業の安定に関する事務として行う場合

二　退職手当通算予定職員を退職手当通算法人の地位に就かせることを目的として行う場合（独立行政法人通則法第五十四条第一項において読み替えて準用する第四項に規定する退職手当通算予定役員を同条第一項において準用する次項に規定する退職手当通算法人の地位に就かせることを目的として行う場合を含む。）

三　官民人材交流センター（以下「センター」という。）の職員が、その職務として行う場合

③　前項第二号の「退職手当通算法人」とは、独立行政法人（独立行政法人通則法第二条第一項に規定する独立行政法人をいう。以下同じ。）その他特別の法律により設立された法人でその業務が国の事務又は事業と密接な関連を有するもののうち政令で定めるもの（退職手当（これに相当する給付を含む。）に関する規程において、職員が任命権者又はその委任を受けた者の要請に応じ、引き続いて当該法人の役員又は当該法人に使用される者となつた場合に、職員としての勤続期間を当該法人の役員又は当該法人に使用される者としての勤続期間に通算することと定めている法人に限る。）をいう。

④　第二項第二号の「退職手当通算予定職員」とは、任命権者又はその委任を受けた者の要請に応じ、引き続いて退職手当通算法人（前項に規定する退職手当通算法人をいう。以下同じ。）の役員又は退職手当通算法人に使用される者となるため退職することとなる職員であつて、当該退職手当通算法人に在職した後、特別の事情がない限り引き続いて選考による採用が予定されている者のうち政令で定めるものをいう。

〔趣　旨〕

一　国家公務員の再就職規制の背景・経緯等

本節「退職管理」は、平成一九年の本法改正により新たに設けられた節である。国家公務員の人事管理は、新規学卒者を中心とした初任者クラスの係員への採用に始まる長期継続雇用を基本として行われているが、退職管理は採用以来の昇進管理や給与処遇など一連の人事管理の中で、いわゆる出口として職員の退職についてどのように取り扱い、新陳代謝を図っていくかという問題に応えるものである。後述のとおり、戦前の我が国の官吏や米英独仏等諸外国の国家公務員のように、相当程度高い水準の退職年金ないし恩給が支給される場合には、それら退職給付の在り方が退職管理の中心課題となるが、退職年金の水準がそれ程高くない我が国の人事管理制度の下では、従来から退職後の再就職管理の在り方が、退職管理の第一の課題とされてきた。このほか、退職それ自体に関しても、定年制や早期退職、退職手当等の退職給付の在り方など様々な課題が包含されている。また、高齢層職員の人事管理をめぐっては、人事管理以外にも、組織の定員管理や予算管理など業

務運営方法とも密接な関連があり、退職管理はこれらを通じた総合的な問題把握、検討が必要な分野である（第八一条の六〔趣旨〕四参照）。

本節は、従前、服務（第七節）の一部であった離職後の営利企業への再就職制限の制度（旧法一〇三2等）の下における再就職の在り方に対する批判等を踏まえ、平成一九年の本法改正において、それに代わるものとして設けられたこともあり、退職管理全般をカバーするものではなく、あくまで「離職後の就職に関する規制」、すなわちいわゆる「天下り」問題に規定内容は限られている。

二 以下で平成一九年改正の趣旨等を述べる前に、国家公務員の再就職規制の背景や経緯等について概観する。

(1)　営利企業への再就職制限の制度は、昭和二二年の本法制定時より設けられていたが、当初は、あくまで「職員が在職中、公共の利益のために勤務せず民間営利企業と私に情実関係を結び、これを利用する天降り」（佐藤功・鶴海良一郎著『公務員法』四五〇頁）を禁止することが立法の主眼であり、今日的な意味での「天下り」、すなわち「府省庁が退職後の職員を企業、団体等に再就職させること」（政府答弁書（平二一・一二・四閣議決定））の問題とは、趣旨において次元が異なるものであった。当時は、戦前からの充実した恩給制度が存続していたこともあって、そのまま引退する者も多く、再就職のあっせんを人事当局が組織的に行う必要が必ずしもなかったことも背景にあったといえよう（村松岐夫編著『最新公務員制度改革』一一二三頁）。

その後、昭和三〇年代に入り、幹部公務員の退職年齢が徐々に延びていく中、職員の新陳代謝の必要性もあり、早期退職慣行を前提に人事当局によるあっせん等を通じた民間企業への再就職が増加していくことになった。その背景には、企業側においても、行政運営に精通した者の採用により、関係府省との連絡調整の円滑化や情報収集等への期待感があったものと推察される。このような人事管理の一環として行われる再就職では、職員個人が直接、企業に対して就職活動を行うわけではなかったため、本法が制定時に想定していた就職に伴う不正が実際に惹起される可能性は、実質的には極めて少なかったといえよう。しかしながら、このように公務員の再就職の受入れについて企業と官庁が組織的に対応する中で、徐々に組織と組織との関係を通じた不適切な依存関係が生じる場合も出てきて、官民癒着として問題視されるようになり、あわせて、規制として十分に機能していない「ザル規制」ではないかとの批判も強くなっていった。特に、平成に入って以降、幹部公務員の不祥事等により公務員批判が強まると、民間企業への再就職は、権限等を背景とした押しつけ的天下り又は談合等の温床ではないかといった批判が一層高まっていった。

(2)　一方、特殊法人等の非営利法人への再就職については、昭和二〇、三〇年代の頃までは必ずしも「天下り」批判の対象とはなっていなかった。「もともと役所がやっていた業務の一部であることも多く、『あたかも公務内の組織』であるかのような扱いであって…民間への天下りとは異なるイメージをもって受け止められていた。」（前記村松一三五頁）という事情も背景にあった。

しかしながら、非営利法人が増加していく中で、いわゆる「わたり」（退職後、公的な法人の役員への就任・退職を繰り返すことをいう。その度に高額退職金を受け取っていた。当初は「わたり鳥」とも呼ばれていた。）や仕事の割には高い報酬といった主として処遇面での批判が徐々に高まっていくなど、特殊法人等への再就職も「天下り」として批判の対象となっていき、更には、「天下り」先の確保のために、不要な公的法人を設け、国が無駄な補助金等を支出しているのではないかといった批判も高まっていった。

これに対し、政府においては、財政投融資の見直しや民営化の推進により、特殊法人等の整理合理化を進めるとともに、併せて人事面でも、累次の閣議決定等によって役員等の報酬及び退職金の水準是正を図りつつ、特殊法人等の長や役員の国家公務員出身者の割合の制限や特殊法人相互間の役員の「わたり」の禁止、更には公益法人役員の所管省庁出身者の割合の制限等を設けるなど非営利法人への再就職に係る規制を強化していった。また、平成一三年以降、省庁内の研究機関等を分離して設置された独立行政法人についても、できるだけ民間人材を活用すべしといった考え方から、同様の制限が課せられていった。このような状況については、「問題点に応じた対応をすればよいのであって、公務員が『行くことそれ自体』を悪だとして禁止するのはおかしい」「行政経験のある人材が在籍した方が、その事務の円滑な執行に資する点での国民生活への便益に鑑み、府省からの再就職自体をあながち否定すべきものでもない」（前記村松一五五頁等）といった意見もみられたところである。

(3)　こうした中、平成一二年末から始まった一連の公務員制度改革の議論においては、任命権者の自主性の尊重の観点から、営利企業への再就職についての人事院の事前承認制を廃止し、人事権者（各省大臣等）が責任をもって承認する等の仕組みに変更することが政府より提案されたが（公務員制度改革大綱（平一三・一二・二五閣議決定））、各方面からお手盛りによって「天下り」を助長するものとして大きな批判が生じ、実施には至らなかった。むしろ、非営利法人役員への再就職と、予算や権限を背景として行われてきた企業への「天下り」はともに当局のあっせんを通じて行われているので、それらに対する規制を強化すべきとの議論が高まっていった結果、平成一九年本法改正においては、憲法の保障する職業選択の自由との関係や官民人材交流の観点も踏まえ、営利企業への再就職自体の制限を廃止した上で、営利企業及び非営利法人に対して、①人事当局による職員の再就職あっせん行為の禁止、②在職中の利害関係企業等に対する求職活動の禁止、③再就職者による出身府省等に対する依頼等の行為の禁止（(参考) で述べる米国の制度も参考にしたもの）からなる制度に転換するとともに、その監督責任を明確にするため、行政運営自体にも責任を持つ内閣総理大臣が責任を持って公正かつ厳格に監視する仕組み（権限は内閣府に置かれる再就職等監視委員会に委任）に改められた。

ただ、人事院による退職後二年間の事前承認制がなくなったため、退職後短期間のうちに「関連企業へ『あっせんなしに』天下りする例も多く見られるようになっている。」（前記村松一四四頁）との批判も生じている。また、諸外国のように昇任や異動等を含めた人事配置全体を公募等本人の意思を踏まえて行うこととするのであればともかく、退職に関してのみ本人に委ねるのは一貫していないのではないか、あるいは、特に公務と民間の中間的な領域にある行政的業務を執行する公的法人等の場合、行政経験者を役員候補者からはずすことは非効率的ではないか、といったあっせんの禁止に伴う問題点も考えられる。いずれにせよ、国家公務員の再就職規制の在り方については、退職後の公務員をその後どう処遇していくのかと併せて、未だ議論が尽きていないといえよう。

(参考)　諸外国の状況

ここで、諸外国における国家公務員（官吏）の再就職規制に係る仕組みについて、参考までに概観する。

まず、米国では、連邦公務員の再就職自体を規制する一般的な制度はないが、退職職員が在職中の立場を利用して企業に有利となるような影響力を行使することを防止するため、刑法典において、退職後の一定期間、連邦政府職員に接触することが規制されている（接触禁止）。違反に対しては、刑事罰が科されるが、近年、実際に刑事訴追される事例は少ないようである。そもそも米国の職業公務員の場合、退職給付（年金及び退職一時金）の最終年収に対する割合（代替率）が、七割程度と高く（平二九・四　人事院「民間の企業年金及び退職金の実態調査の結果並びに当該調査の結果に係る本院の見解について」参考資料）、退職後の再就職の必要性が乏しいことも背景にあろう。

次に、英国では、一定の場合に国家公務員の再就職の制限が設けられている。本省課長級以上の職員が離職後二年以内に、また、その他の職員が在職時の職権行使の相手方に離職後一年以内に就職する場合が対象となる。承認は役職レベルに応じて、事務次官・局長級は企業就職諮問委員会の助言に基づき首相が、部長・課長級は各省次官が（各省次官による決定の写しが諮問委員会に送付される。）、その他職員は各省等において、それぞれ行うこととされている（二〇一九年四月からの一年間で、公務員（外交官、軍人を含む。）三九人から一〇八件の就職について申請が提出されている。）。事務次官、局長級は、離職後二年間新しい雇用主のために政府に対してロビーイングを行うことが禁止される。事務次官級は原則として離職後三箇月待期期間が課せられる。その他、在職時に関与した業務に就くことの禁止や関係する出身省等へのロビー活動の禁止等の条件が付されている。なお、英国でも、代替率は、六〜七割程度と高水準にある。

また、ドイツでも、連邦官吏は離職後十分な額の恩給（本人掛金なし）（代替率　六七・八％）が支給されるため、恩給生活に入るのが一般的であり、再就職は稀である。例外的に再就職する場合には、当局によるあっせんはなく、退職官吏が自ら見つけることになる。その場合、退職後五年以内（定年退職の場合は三年以内）の再就職については、退職前五年間の職務と関係があり、それによって職務上の利益が侵害される可能性のあるときは、在職した省に届けなければならず、省の業務と利害対立が生ずるおそれがある場合には就職は認められない。

最後に、フランスでも、年金の代替率は高く（五九・一％）、国の官吏の退職後の再就職は稀であり、年金生活に入るのが一般的である。ただ、本省部長級以上等の職員が離職後三年以内に企業（公企業を含む。）に再就職する場合には、公職透明性委員会の承認が必要とされている。

ちなみに、我が国国家公務員の退職一時金の年金換算分（二〇年の支給期間として換算）を含む年金の代替率は、課長で三一・一％、事務次官で二六・九％とこれらの国が六〜七割程度の高水準になっていることと比べて相当程度低い水準にある。公務員人事管理の経緯や位置付け、取り巻く社会環境や風土等が異なり、単純な比較は適当ではないものの、今後の我が国公務員の退職管理の在り方を中長期的に考えていく上で、一つの示唆となろう。

本条等の再就職等規制は、平成一九年の本法改正によって新設され、平成二〇年一二月三一日から施行されている。以下、〔趣旨〕一と重なる部分はあるが、この間の経緯と改正の概要を説明する。

二　平成一九年の本法改正による再就職等規制導入の趣旨

平成一九年の本法改正前は、本法は、「職員は、離職後二年間は、営利企業の地位で、その離職前五年間に在職していた人事院規則で定める国の機関又は特定独立行政法人と密接な関係のあるものに就くことを承諾し、又は就いてはならない。」（旧法一〇三２）、また、「所轄庁の長の申出により人事院の承認を得た場合には、これを適用しない。」（旧法一〇三３）としていた。国家公務員は、国民全体の奉仕者として公共の利益のために勤務するという基本的性格を有している。このため、職員が在職中に特定の企業と癒着するなどして公務の公正性を歪めることのないよう、また、公務の公正性に対する国民の信頼を損なうことのないよう、従前、本法は、職員の服務として、離職後二年間、離職前五年間の在職機関と密接関連のある営利企業への再就職を禁止した上で、職業選択の自由にも鑑みて、人事院規則で定めるところにより公務の公正性に支障を生じないと認められる場合に限り事前承認によりその制限を解除していたものである。この事前承認制度においては、行政上の権限や契約の関係などについて、離職前五年間に職員が就いていた官職との関係に加えて、在職していた府省等との関係が審査されていた。

この規制の下、職員個人が民間企業と接触することにより個別の業務遂行において便宜を図るといったことは避けられていたが、その一方で退職管理の一環として各府省等の人事当局の関与の下で民間企業への再就職が行われていた。平成一九年改正前の本法は、このように職員個人の行動を規制しており、各府省等の人事当局による民間企業等へのあっせん行為それ自体については規制していなかったものである。

また、この規制は営利企業との関係のものであり、政府資金により事業が行われていた特殊法人や各府省の業務の一部を外部に切り出して設けられた独立行政法人への再就職は、営利企業についてであれば規制される「離職後二年」を経ずとも、公務員の能力活用の一環として行われてきた。

しかし、〔趣旨〕一で言及したとおり、官庁が許認可や契約関係を持つ民間企業への再就職や、報酬・退職金が高額な特殊法人等への再就職事例が明らかになると、予算や権限を背景にした各府省の優越的な地位に基づく押し付け的なあっせんは、官製談合等の癒着関係や無駄な歳出の増加の原因となり、行政コストを引き上げているのではないかなどの批判が高まり、個々の再就職事例について国会で厳しくただされる場面も増えていった。

こうしたことから、平成一九年の本法改正では、「押し付け的あっせんや官製談合に対する強い批判がある。」（「公務員制度改革について」平一九・四・二四閣議決定）として、公務の公正性を確保し、もって国民の信頼確保を図ろうとする趣旨から、新たな再就職等規制が導入された。この新たな規制においては、従前の再就職先を事前規制する方式を改め、職員個人の就職の自由を認める一方で、再就職後の出身府省との不適切な関係を処罰するという米国型行為規制方式が採られた。同時に各府省による再就職のあっせんは禁止され、再就職に伴って発生し得る具体的な問題行為（他の役職員等の再就職についての依頼等、自己の利害関係企業等への求職及び再就職者による依頼等の三行為）について、営利企業に限らずそれ以外の法人との間に関しても、禁止するものである。一方、官民の闊達な交流や人材活用は阻害しないで促進すべきとの観点などから、従前の再就職自体を制限する規制は廃止された。あわせて、退職管理に関する改革として、職員の離職に際し離職後の就職の援助に関することなどを行う官民人材交流センターが設置された。これら平成一九年の本法改正により導入された職員の再就職に関する問題への対応については、再就職情報の一元管理・公表制度等をも含めた全体像を理解する必要がある。

三　再就職に関するあっせんその他の行為を規制

本条は、職員が、営利企業等に対し、行政執行法人の役員若しくは一般職の職員（役職員）又は役職員であった者について、①当該営利企業等若しくはその子法人に再就職させる目的で、その者に関する情報を提供し若しくは再就職ポストに関する情報の提供を依頼し、又は、②その者の当該営利企業等若しくはその子法人への再就職を要求し若しくは依頼することを禁止している。これは、人事担当の職員等が他の役職員又は役職員であった者を営利企業等の地位に再就職させることを目的とした、いわゆる「あっせん」等を禁止するものである。このため、「再就職あっせん規制」と呼称されることがあるが、これは予算や権限を背景とした組織による再就職のあっせんを禁ずることを最重要視したためであって、条文上は「あっせん」という用語は規定されていない。本条は、それだけにとどまらない広範な行為を規制しており、再就職させようとする者に関する情報を提供する行為及び民間企業等のポストに関する情報提供を依頼する行為も禁止し、直接的なあっせんにまで至らない行為であっても規制しているのである。

四　職員属性等に応じた再就職等規制の適用関係等

本法による再就職等規制では、職員の役職段階の別等により本法上特例が定められる場合があるほか、他の法律において一部特例が定められている。本条（あっせん等規制）においては役職段階の別等に応じた違いはないが、他の二規制（自己の利害関係企業等への求職活動に関する規制、再就職者による依頼等に関する規制）における役職段階の別等に応じた取扱いは、各条の〔解釈〕において解説することとする。ここでは、「他の法律」に関し、特定地方警務官に対する再就職等規制（三規制）の適用関係の概要についてまとめておく。

地方警務官である都道府県警察の警視正以上の階級にある警察官については、一般職の国家公務員として本法の規定が基本的にはそのまま適用になるが、再就職等規制については、地方警務官のうち、特定地方警務官（地方警務官のうち、その属する都道府県警察において巡査の階級から順次警視の階級まで昇進し、引き続き警視正（大規模警察署の署長等）以上の階級に昇任して地方警務官となった者）又は特定地方警務官であった者について、警察法において、本条が適用されないなどの特例が設けられている（この特例において本法第一〇六条の四の規定が適用されない特定地方警務官であった再就職者については、本法と同様の地公法上の働きかけ規制が適用されている（警察法五六の五）。）。

これは、特定地方警務官は、もともと都道府県警察で採用され、都道府県警察職員として人事管理が行われてきた者であることから、同じ警視正以上の都道府県警察職員でも警察庁等の国の行政機関から人事異動で都道府県警察の警視正等になった者とは取扱いを異ならせる必要があるためである。

〔解　釈〕

一　本条による規制の課せられる職員

本条は、〔趣旨〕で説明したとおり、主に、人事当局による再就職あっせん行為等を禁止しようとするものであるが、本条第一項の規制対象となる「あっせん行為等」は、人事当局以外の部局も含め、役職段階も関係なく、基本的に全職員（一般職に属する全ての職員）の行為を対象としている。休職中の職員、国際機関派遣法による国際機関等への派遣職員等の身分は有するが職務に従事しないこととされている職員や任期付職員に対しても本条による規制が課されている。ただし、定年前再任用短時間勤務職員等を除く非常勤職員、臨時的職員及び条件付採用期間中の職員は、本条によるあっせん等禁止の課せられる職員には含まれない（本法附則四、退職管理政令四六１）。

二　禁止される依頼等の相手方である営利企業等

後述する「他の役職員等」についての再就職の「依頼等」が禁止されるのは、全ての営利企業と、国・地方公共団体・行政執行法人・特定地方独立行政法人や国際機関以外の全ての法人に対してである。再就職に伴う官民癒着や行政経費の増加などの問題は一部の営利企業との関係にとどまるものではないことなどから、平成一九年の本法改正後は、全ての営利企業のほか、調査・検査などの権限が付与されたり、事務事業が委託されて補助金等の形で国費が支出されることとなり得る組織形態として、全ての法人についても営利事業を営むか否かにかかわらず禁止される依頼等の相手方とされた。従来は行政と民間企業との癒着が問題視されてきたところ、近年、行財政の現状や公的団体の不透明な支出に対する国民の批判が高まったこと、狭義の行政以外は民間に任せようといった風潮が強まる中で、公的団体に対しても規制が拡大されることとなったものと考えられる（村松岐夫編著『公務員制度改革』一三三～一三八頁）。なお、〔趣旨〕一において言及したが、特殊法人や独立行政法人を含めて一律に規制対象とすることに疑問なしとしない考え方がある。すなわち、従来は行政事務とされていた業務がそれらの法人に切り出されたりしてきた経緯がある中で、それらの業務を所掌する法人においては、行政経験豊富な元職員を活用できるとするのが自然であることなどを踏まえた考え方である。

「営利企業」とは、本法第一〇三条第一項に規定する「商業、工業又は金融業その他営利を目的とする私企業」であり、本書の同条関係の〔解釈〕一１㈠のとおり、事業を行うことにより「利潤を得てこれをその構成員に配分することを主たる目的とする企業体」をいうが、個人企業も含まれる。また、「営利企業以外の法人」については、前述のとおり、法人の種別にかかわらず、全ての法人が対象である。したがって、営利事業を全く行っておらず法人ではない個人・団体が対象でないことは明確だが、問題となり得るのは、法人でない非営利を標ぼうする団体が事業の一部として営利事業を行っている場合である。実際に本規制の対象であるかないかについては、法人ではない団体が営利事業を行っていないかなどを個々に精査して判断することが必要であろう。

三　禁止される依頼等の対象者である他の役職員及び役職員であった者

禁止される依頼等の対象者は、他の役職員等、すなわち、依頼等を行う職員以外の全ての職員、職員であった者、行政執行法人の役員及び役員であった者である。依頼等の主体となる職員と同じ国の機関に所属するかどうかは問わない。例えば、営利企業等に予算・権限関係のある府省等が予算・権限関係のない府省等の職員の再就職について依頼等することや、異なる府省等間でのいわばバーター的依頼等も禁止されている。また、元職員・元役員についての再就職の依頼等も禁止され、再就職を繰り返すいわゆる「わたり」を発生させる依頼等もできない。なお、定年前再任用短時間勤務職員等を除く非常勤職員、臨時職員及び条件付採用期間中の職員については、本条により禁止される依頼等の対象となる他の役職員等には含まれない（本法附則四、退職管理政令四六２）。

四　禁止される行為類型

本条第一項は、大別して次の１及び２の二つの「依頼等」の行為を禁止している。なお、再就職が実現しなくとも、依頼等の行為自体で本条違反を構成し得る。

１　本条第一項は、まず、職員が、他の役職員等を営利企業等若しくはその子法人の地位に就かせることを目的として、当該営利企業等に対し、当該役職員等に関する情報を提供し、又は、当該地位に関する情報の提供を依頼することを禁止する。ここで、「地位」とは、営利企業等の全ての地位であって、役員であると非役員であるとを問わない。

禁止される具体的な行為内容は、自分以外の他の役職員等を再就職させる目的をもって、その名前や職歴などの情報を提供し、又は、その子法人を含めて営利企業等の地位に関する職務内容や待遇等のいわゆる求人情報の提供を依頼することである。この場合において、職員が他の役職員等を再就職させることの意図を言明せずに営利企業等からの依頼を受けて当該他の役職員等に関する情報を提供した場合でも、情報提供した職員の再就職につながる蓋然性が一定程度認識されるような状況であれば、再就職させる目的の伴う違反行為に該当する可能性がある。また、再就職させたい当該他の役職員等について具体的には言及しない状況でも、例えば役員ポストが空く予定があるかどうか営利企業等に尋ねる行為は、全体状況や他の言動を併せ考えたときに情報提供を求める行為として本条違反になり得る。また、本条第一項には「当該営利企業等」「当該役職員」などという規定があるが、それぞれ不特定多数のものを想定する依頼等の行為があっても本条違反になり得る。

また、適法に就職活動を行っている職員が、例えば、求職先の営利企業等の求めで、自らの職歴証明を提出する必要が発生する場合がある。この場合に、当該職員の求めに応じて、人事当局が職歴証明という形で、当該職員の情報を、当該職員自身を介して営利企業等に提供することは、特段の事情がなければ、本条第一項違反となる地位に就かせることを目的とした行為、あるいは、次の2で解説する地位に就かせる要求・依頼のいずれにも該当しない。「特段の事情」とは、そうした求職活動における職員の求めに応じた行為とは同一視できないような、地位に就かせる目的での本人を介した間接的な情報提供行為が行われる場合である。なお、他の役職員等を当該地位に就かせる目的で、同様の間接的な情報提供（あるいは当該地位に関する情報提供依頼）として、例えば、人事当局等の職員が、営利企業等の属する業界団体等や府省の出身者等を介して、当該役職員等の情報の提供（あるいは当該地位に関する求人情報の提供の依頼）をすることは、それぞれ、第三者である当該業界団体等と営利企業等を同一視できる場合あるいは第三者である府省出身者等を利用していると認められる場合には、本条第一項違反となる行為に該当すると整理されるであろう。

「子法人」については、営利企業等に財務及び営業又は事業の方針を決定する機関を支配されている法人として、具体的には、当該営利企業等に株式等の議決権の総数の過半数の議決権を保有されている法人のことをいい、当該子法人にこれと同様に議決権を保有されている他の法人も当該営利企業等の子法人とみなされる（退職管理政令一）。

2　次に本条第一項は、〔解釈〕四1に解説した行為のほか、営利企業等に対し、他の役職員等を営利企業等若しくはその子法人の地位に再就職させることを要求し、又は依頼することを禁止する。これは、再就職等規制導入前に国会等で問題となった再就職をあっせんする直接的行為を禁止するものである。他の役職員等の再就職を強く求める「要求」だけでなく、「依頼」する行為も規定し、広くあっせん行為を禁止している。この際、例えば、人事当局等の職員が、営利企業等の属する業界団体等や府省の出身者等に他の役職員等を再就職させる要求・依頼を行わせることは、それぞれ、第三者である当該業界団体等と営利企業等を同一視できる場合、あるいは第三者である府省出身者等を利用していると認められる場合には、本条第一項違反となる行為に該当すると整理されるであろう。

五　禁止が解除される場合

本条第二項は、依頼等の禁止を適用しない場合を掲げる。すなわち、次の1から3までに記述する三つの場合に限っては、例外的に、依頼等の行為を行うことは違法とされない。ただし、本法第一〇六条の三及び第一〇六条の四においては、内閣総理大臣の承認を得てそれぞれの行為規制が解除される場合が設定されているが、本条においては、規制を個別に解除する措置は設けられていない。本条は、国民からの批判の特に強い行為を禁止するものであり、政府が、個別再就職事例に応じて重大な規制を解除することは想定されないからである。

　なお、本条第二項においては、例えば、法律に所管法人理事長等の任命権を大臣が有する旨規定されている場合において、大臣が職員又は元職員を任命しようと任命手続を進めるときに、当該府省等の職員がその任命手続を進めて当該法人と人事情報のやりとりを行うことに対しては規制の解除規定は置かれていない。しかし、法律の規定に基づき任命権を行使しようとする大臣の指示に基づいて職員が必要な手続を進める行為自体は、もともと本条第一項が禁止する行為には該当しないと整理できる。

１　まず本条第二項は、国の公共職業安定所（ハローワーク）の職員が、職業安定法、船員職業安定法等の法令の定める職業の安定に関する事務として依頼等を行う場合を規制の対象としないとしている（法一〇六の二２①）。他の役職員等が、法律に定められた職業紹介事業を活用することは、職業選択の自由や勤労の権利を背景にいわば一市民として行うことであり、また、ハローワークとしては労働力需給の調整等本来的な任務を果たすものであって、求職者が役職員又は元役職員であることだけで職業紹介業務の遂行を禁止すべきものではないことによる。ただし、この際、各府省等の人事当局等の職員が、現に職業紹介等を受けている他の役職員等のために、ハローワーク職員による再就職先紹介行為とは別途に、依頼等を行うことは本条第一項違反となる。

２　本条第二項は、他の役職員等を退職手当通算法人（独立行政法人及び特殊法人等でその業務が国の事務又は事業と密接な関連を有する法人のうち、退職手当通算規程（国に引き続き復帰する者に退職手当通算法人から退職手当を支給しないこととしている。）がある法人（法一〇六の二３、退職管理政令二））の地位にいわゆる現役出向させることを目的として依頼等を行う場合を規制の対象としないとしている（法一〇六の二２②）。現役出向については、従来から辞職出向、退職出向などとも称されているものであり、任命権者の要請により人事交流の一環などとして、出向人事のための情報のやりとりが必然的に行われるが、辞職して出向した後引き続き国家公務員として復帰することが前提とされており、予算・権限関係を背景にして早期退職者の再就職を押し付けるといった問題事例とは性質が異なる。

３　最後に、本条第二項は、官民人材交流センターの職員がその職務として他の役職員等の再就職に関する依頼等を行う場合を規制の対象としないとしている。同センターが行う本法に基づく再就職に関する依頼等は、各府省等の人事当局による再就職あっせんをさせない代わりに内閣総理大臣の責任の下で機能させるものとして、本条の規制が導入されるのと同時に退職管理に関する全体の制度改革の一環として措置されたものである。平成一九年の本法改正法案を国会に提出する前の同年四月に閣議決定された「公務員制度改革について」においては、「各府省等の人事の一環としての再就職あっせんから、センターによる再就職支援に重点を移していく。」とされていた。

六　本条第一項違反の取扱い

本条第一項に違反する行為をした職員は、本法第八二条による懲戒処分の対象となる。

また、他の役職員等の再就職の要求・約束をした場合に関しては、本法第一一二条に刑事罰（三年以下の懲役（新刑法の施行日以降は、拘禁刑））が定められている。この際、犯罪を構成するのは、他の入札価格を漏らすような職務上不正な行為等の要求等が伴う場合であり、単なる再就職の要求だけでは犯罪を構成しない。本条（及び本法第一〇六条の三）の規定により禁止される行為も「不正な行為」であるが、本法第一一二条に規定する「職務上不正な行為」からは、本条第一項（及び本法第一〇六条の三第一項）の規定に違反する行為は除かれている。

まず、本法第一一二条第一号によって、営利企業に都合の良い職務上不正な行為をする等の見返りに他の役職員等の再就職を要求等した職員は、当該刑事罰に処せられる。仮に営利企業等から不正行為を強く求められた場合の要求・約束であっても、他の役職員の再就職の当該要求・約束をした職員が当該刑事罰に処せられる。

次に、本法第一一二条第二号によって、他の役職員に職務上不正な行為を行わせようとした等の見返りに、営利企業等に他の役職員等を再就職させることを要求等した職員が当該刑事罰に処せられる。

最後に、本法第一一二条第三号によって、職務上不正な行為をするよう依頼等され、再就職あっせんが行われている事情に配慮して、不正な行為をした等の職員が当該刑事罰に処せられる。幇（ほう）助犯としてではなく、独立した犯罪として処罰される。また、当該再就職の要求や約束に関する依頼等がされていることの認識は必要だが、共謀関係までは必要とされない。

これら本法第一一二条各号に該当する職員について、本法第一一二条は、刑法に正条あるときは刑法によるとしている。

なお、本条第一項が規定する禁止行為のうち、本法第一一二条の規定により刑事罰の対象となる職員の行為は、他の役職員等を営利企業等又はその子法人の地位に就かせることの要求であり、同条は、本条に規定されている他の役職員等に関する情報提供行為や地位に関する情報提供依頼行為については、刑罰の対象とはしていない。

（在職中の求職の規制）

第百六条の三　職員は、利害関係企業等（営利企業等のうち、職員の職務に利害関係を有するものとして政令で定めるものをいう。以下同じ。）に対し、離職後に当該利害関係企業等若しくはその子法人の地位に就くことを目的として、自己に関する情報を提供し、若しくは当該地位に関する情報の提供を依頼し、又は当該地位に就くことを要求し、若しくは約束してはならない。

②　前項の規定は、次に掲げる場合には適用しない。

一　退職手当通算予定職員（前条第四項に規定する退職手当通算予定職員をいう。以下同じ。）が退職手当通算法人に対して行う場合

二　在職する局等組織（国家行政組織法第七条第一項に規定する官房若しくは局、同法第八条の二に規定する施設等機関その他これらに準ずる国の部局若しくは機関として政令で定めるもの、これらに相当する行政執行法人の組織として政令で定めるもの又は都道府県警察をいう。以下同じ。）の意思決定の権限を実質的に有しない官職として政令で定めるものに就いている職員が行う場合

三　センターから紹介された利害関係企業等との間で、当該利害関係企業等又はその子法人の地位に就くことに関して職員が行う場合

四　職員が利害関係企業等に対し、当該利害関係企業等若しくはその子法人の地位に就くことを目的として、自己に関する情報を提供し、若しくは当該地位に関する情報の提供を依頼し、又は当該地位に就くことを要求し、若しくは約束することにより公務の公正性の確保に支障が生じないと認められる場合として政令で定める場合において、政令で定める手続により内閣総理大臣の承認を得た職員が当該承認に係る利害関係企業等に対して行う場合

③　前項第四号の規定による内閣総理大臣が承認する権限は、再就職等監視委員会に委任する。
④　前項の規定により再就職等監視委員会に委任された権限は、政令で定めるところにより、再就職等監察官に委任することができる。
⑤　再就職等監視委員会が第三項の規定により委任を受けた権限に基づき行う承認（前項の規定により委任を受けた権限に基づき再就職等監察官が行う承認を含む。）についての審査請求は、再就職等監視委員会に対して行うことができる。

〔趣　旨〕

一　求職活動を行う職員本人に課せられる規制

本条は、在職中の職員のその利害関係企業等に対する求職活動を禁ずる。本法第一〇六条の二が再就職者本人ではない職員の行為を規制していたのに対し、本条は再就職しようとする職員本人の一定の行為を規制する。国家公務員にも職業選択の自由が認められるところであるが、予算や権限の配分上営利企業等に影響力のある職務に従事している職員が、仮に、自らの職務とする予算や権限を背景に利害関係企業等に便宜を図るなどし、離職後の再就職を実現しようとすることがあるならば、公務の公正な執行に対する国民の信頼を大きく損なうものとなることから職員本人の求職行為を規制することとしている。

二　職員本人による利害関係企業等に対する求職活動の規制

本条により在職中の職員が求職活動を行うことができないのは、職員本人の求職時において従事する職務と営利企業等（法一〇六の二1）との間に利害関係がある場合（在籍部局において意思決定の権限を有しない場合等の一定の場合を除く。）である。これは、求職活動の時点で営利企業等に実際に影響力を発揮し得る職員が職務遂行の公正性を歪めることのないよう規制するものであるが、その制約の下で、職員は自らの知識経験を活用する適材適所の再就職のための求職活動をすることはできる。

〔解　釈〕

一　本条により規制の課せられる職員

本条第一項における「職員」は、法第一〇六条の二第一項と同様、基本的に全職員（一般職に属する全ての職員）である。ただし、定年前再任用短時間勤務職員を除く非常勤職員等、臨時的職員及び条件付採用期間中の職員は、本条による求職活動規制の課せられる職員には含まれない（本法附則四、退職管理政令四六1）。なお、職務に従事しない職員については、職務に従事しない間、職務との関係で発生する利害関係企業等が実態上存在しない。

本条には、求職活動をする職員の役職段階による特例がある。役職段階に応じた利害関係企業等への影響力の違いが勘案されており、本条第二項第二号は、在籍する「局等組織」（後述〔解釈〕四2において解説する。）における意思決定の権限を実質的に有しない役職段階にある官職として政令で定めるものに就いている職員が求職活動を行う場合には、本条第一項を適用しないとする。具体的には退職管理政令等の規定により、行政職俸給表㈠四級以下等に決定されている係長級以下の職員には、本法による求職活動規制を適用していない（法一〇六の三2②、退職管理政令七）。これは、国の組織の実際において、意思決定の権限を実質的に有する官職を占める職員は、部局長等の決裁権者のほか専決権者として本府省課長補佐級以上の職員であることなどから、本府省係長級以下の官職を占める職員を適用除外としているものである。

二　求職活動を規制される利害関係企業等（職務として携わる一定の事務の相手方）

本条第一項により求職活動を規制される利害関係企業等とは、求職者たる職員本人のその時点の職務と利害関係を有する営利企業等として、退職管理政令が定める許認可等の処分や契約関係など権限や予算を通じて営利企業等と関わりを持つこととなる事務の種別に応じて次の1から7までに掲げるものであり、事業運営への影響に鑑み、あるいは、事務の公正な執行を確保する観点から、それらの事務に従事している職員の求職活動を禁止するものである。

1　行政手続法第二条第三号に規定する許認可等（行政庁の許可、認可、免許その他のその者に対しなんらかの利益を付与する処分）の事務の相手方となる営利企業等（許認可等には、承認、認定、決定、登録等も含まれる（行政管理研究センター編『逐条解説行政手続法　改正行審法対応版』二二頁）。また、許認可等を現に受け事業を行い、又は申請している営利企業等だけでなく、申請しようとすることが明らかな営利企業等も含まれる。）（退職管理政令四①）

2　補助金等に係る予算の執行の適正化に関する法律（昭三〇法一七九）第二条第一項に規定する補助金等及び地方自治法第二三二条の二の規定により都道府県が支出する補助金等の交付を受け、又は受けようとしている営利企業等（補助金等とは、国以外の者に給付する補助金、負担金等であり、また、地方警務官が職務として携わる地方自治法第二三二条の二の規定による都道府県が支出する補助金の交付事務が想定されている。補助金等を現に受けて事務事業を行い、又は申請している営利企業等ばかりでなく、申請しようとすることが明らかな状態にある営利企業等も含まれる。）（退職管理政令四②）

3　各種法令の規定に基づき行われる立入検査、監査又は監察を現に受け、又は受けようとしていることが明らかな営利企業等（当該営利企業等に対し実際に検査等を行う職員だけでなく、検査等の方針及び実施計画の作成に関する事務に携わる職員や検査等の実施時期を決めるなどの裁量を有する職員も規制の対象となっている。）（退職管理政令四③）

4　行政庁が、法令に基づき、直接に、義務を課し、又はその権利を制限する処分である不利益処分（行政手続法二④）の名宛人たる営利企業等（退職管理政令四④）

5　行政機関が法令の規定に基づき一定の行政目的を実現するため特定の者に作為又は不作為を働きかける指導、勧告、助言等の行政指導（行政手続法二⑥）を現に行っている相手方の営利企業等（退職管理政令四⑤）

6　国、行政執行法人又は都道府県の締結する売買、貸借、請負その他の契約をし、又は当該契約の申込みをし、若しくは申込みをしようとしていることが明らかである営利企業等（①画一的な継続的給付契約としての電気、ガス若しくは水道水の供給又は日本放送協会による放送の役務の給付の当事者たる営利企業等、②職員が契約に携わり、又は履行に携わっている契約の総額が二千万円未満である場合における営利企業等を除く。）（退職管理政令四⑥、退職管理官房令二）

7　検察官、検察事務官又は司法警察職員による犯罪の捜査を受けている被疑者、公訴の提起を受けている被告人又は刑の執行を受ける者である営利企業等（退職管理政令四⑦）

三　本条により禁止される求職活動の行為類型

本条第一項により禁止される行為を大別すれば、利害関係企業等に対して行う①自己に関する情報提供、②利害関係企業等の地位に関する情報提供の依頼及び③自己の再就職の要求・約束である。「情報提供」「情報提供の依頼」の解釈については、法第一〇六条の二第一項により禁止される行為における取扱い（**〔解釈〕四1**参照）と同様である。「自己に関する情報」

とは、職員本人の名前、職歴等をいい、「地位に関する情報」とは、利害関係企業等又はその子法人の地位の職務内容、待遇等をいう。子法人への求職行為を親法人たる利害関係企業等に行うことも禁止されている。また、利害関係企業等の求めに応じ自己に関する情報を提供した場合であっても、当該利害関係企業等との関係で公務の公正性を歪める懸念は変わりないものであり、本条第一項違反となる場合がある。なお、再就職が実現していなくとも、利害関係企業等への求職活動自体が本条違反となり得る。

四　利害関係企業等であっても求職活動の禁止が解除される場合

本条第二項の規定により、次の１から４までに解説する四つの行為に限り、利害関係企業等への求職活動であっても例外的に違法とはされない。ただし、それらの場合において求職活動が進められているときであっても、仮に、各府省等の職員による法第一〇六条の二第一項により禁止されている情報提供行為などが存在するときには、当該行為は同項違反である。

１　本条第二項は、まず、職員が、いわゆる現役出向のため退職手当通算法人へ離職して出向しようとする場合において、自らの情報を提供したり、出向先の地位に関する情報の提供を自ら依頼する行為を規制の対象としない（法一〇六の三２①）。これは、法第一〇六条の二第一項における取扱いと同様である。

２　前述〔解釈〕一で言及したところであるが、本条第二項は、本府省係長級以下の官職を占める職員の求職活動を規制の対象としない（法一〇六の三２②、退職管理政令七）。本府省係長級以下の職員は、その在籍する部局、すなわち、官房・局といった局等組織（国家行政組織法第七条第一項に規定する官房・局、同法第八条の二に規定する施設等機関、これらに準ずる局長級分掌職などの国の部局若しくは機関、行政執行法人又は都道府県警察（退職管理政令五、六））における意思決定の権限を実質的に有せず、前述〔解釈〕二１から７までの処分等について便宜を図ることなどは困難である。

３　本条第二項は、官民人材交流センターに紹介された利害関係企業等に対してその支援手続の中で行う求職活動を規制の対象としない（法一〇六の三２③）。

４　本条第二項は、最後に、職員とその利害関係企業等との関係を個別に整理した場合において、次の㈠①から④までに掲げる場合に該当し当該利害関係企業等に求職活動を行うことが公務の公正性の確保に支障が生じないとして内閣総理大臣の承認を得たときには、利害関係企業等への求職活動を可能とする（法一〇六の三２④）。この内閣総理大臣の承認の権限は、再就職等監視委員会に委任されている（法一〇六の二３）。なお、管理職職員（行政職俸給表㈠の職務の級七級相当以上の管理又は監督の地位にある職員（退職管理政令二七））が本条第二項第四号の承認を得て利害関係企業等に求職活動を行って再就職した場合には、本法第一〇六条の二七の規定により、離職後二年間、再就職先の営利企業等に対して離職時に在職していた機関が交付した補助金等の総額及び在職機関と当該営利企業等との契約の総額等を離職時の在職機関が公表することが義務付けられている。

㈠　本条第二項第四号における公務の公正性の確保に支障が生じないと認められる場合とは、次の①から④までに掲げる場合のいずれかに該当し、かつ、公務の公正性を損ねるおそれがないと再就職等監視委員会が認めて承認される場合である（退職管理政令八）。

①　職員が職務として携わる前述〔解釈〕二1から7までに掲げる処分等の事務に関する法令の規定及び運用状況に照らしてその職員の裁量の余地が少ないと認められる場合（退職管理政令八1①）

②　職員の有する高度の専門的な知識経験を必要とする利害関係企業等又はその子法人への再就職を当該利害関係企業等が求めている場合（退職管理政令八1②）（ただし、この場合に該当する場合であっても、前述〔解釈〕二3で解説した検査等を現に行っている場合又は行おうとしている場合（退職管理政令八1②）のほか、不利益処分をしようとしている場合又は犯罪の捜査、控訴の提起若しくは維持若しくは刑の執行をするという特に密接な利害関係にある場合（退職管理官房令二）には、①に該当して再就職等監視委員会に承認される場合を除き、求職活動の禁止は解除されない。）

③　利害関係企業等を経営する親族の要請に応じ、当該利害関係企業等又はその子法人に再就職する場合（退職管理政令八1③）（ただし、この場合に該当する場合であっても、前述〔解釈〕二3で解説した検査等を現に行っている場合又は行おうとしている場合のほか、不利益処分をしようとしている場合又は犯罪の捜査、控訴の提起若しくは維持若しくは刑の執行をするという特に密接な利害関係にある場合には、①に該当して再就職等監視委員会に承認される場合を除き、求職活動の禁止は解除されない。）

④　利害関係企業等の地位について、一般に募集され、その応募者が公正かつ適正な手続により選考されると認められる場合において、その応募者になろうとする場合（退職管理政令八1④）

(二)　再就職等監視委員会に委任されている承認権限については、同委員会は、本府省局長級以上の職に就いたことのない職員に対する承認の権限を、再就職等監察官に委任することができることとされている（法一〇六の三4、退職管理政令一二）。求職活動に関する承認事務の効率的な処理が必要との観点から可能な限り再就職等監察官に権限委任できる規定を置きつつ、府省全体に影響力を有する本府省局長級以上の職を占める職員に関する承認手続については、同委員会による慎重な審議が想定されている。なお、同委員会又は権限委任を受けた場合の再就職等監察官は、求職の承認の申請があった場合に、公務の公正性を確保するために必要があると認めるときは、承認に際し、必要な条件を付すことができるとされ、当該条件への違反があるときは、その承認を取り消すことができる（退職管理政令一〇）。

(三)　再就職等監視委員会又は再就職等監察官が行った本条第二項第四号の承認に関する審査請求は、同委員会に対して行うことができることとされている（法一〇六の三5）。

五　本条第一項違反の取扱い

本条第一項に違反する行為をした職員については、本法第八二条による懲戒処分の対象となる。

また、自らの再就職の要求・約束をした場合に関して、本法第一一二条に刑事罰（三年以下の懲役（新刑法の施行日以降は、拘禁刑））が定められている。ただし、犯罪を構成するのは、他の入札価格を漏らすような職務上不正な行為等の要求等が伴う場合であり、単なる就職の要求だけでは犯罪を構成しない。

まず、本法第一一二条第一号によって、職務上の不正な行為の見返りに自らの再就職の要求等をした職員は、当該刑事罰に処せられる。仮に営利企業等の側から不正行為を強く求められた場合の要求・約束であっても、再就職の要求・約束をした職員が刑事罰に処せられる。

次に、本法第一一二条第二号によって、他の役職員に対し、職務上不正な行為を行わせようとした見返りに、営利企業等に自らを再就職させる要求をし、又は自らの再就職の約束をした職員が当該刑事罰に処せられる。

最後に、本法第一一二条第三号によって、不正な行為をするよう依頼等され、同条第二号に規定する依頼主の求職活動又は再就職の約束があった事情に配慮して、職務上不正な行為をした職員が当該刑事罰に処せられる。

これらに該当する者について、本法第一一二条は、刑法に正条があるときは刑法によるとしており、例えば、職員が請託を受けて職務上不正な行為をするよう他の職員に要求等をしてその対価として自らの再就職の約束をした場合については、刑法第一九七条の四のあっせん収賄罪（五年以下の懲役（新刑法の施行日以降は、拘禁刑））のみが成立し得ることになる。収賄に当たるためには、金銭的な賄賂の収受が典型的だが、就職のあっせんも賄賂となり得る。

なお、本法第一一二条の規定により刑事罰の対象となる職員の行為は、本条第一項に規定される禁止行為のうち、利害関係企業等又はその子法人の地位に自らを就かせることの要求・約束であり、自己に関する情報の提供行為や地位に関する情報提供依頼行為は対象とされていない。また、本条第一項が、職員の職務に係る利害関係企業等に対する自らの求職活動に限って禁止しているのに対して、本法第一一二条は、職員の職務に係る利害関係の有無にかかわりなく営利企業等に対して、職務上の不正な行為又は相当の行為の不作為を伴う、自ら又は他の役職員等の再就職の要求・約束を行った職員に対して罰則を科しているという違いがある。

（再就職者による依頼等の規制）

第百六条の四　職員であつた者であつて離職後に営利企業等の地位に就いている者（退職手当通算予定職員であつた者であつて引き続いて退職手当通算法人の地位に就いている者（以下「退職手当通算離職者」という。）を除く。以下「再就職者」という。）は、離職前五年間に在職していた局等組織に属する役職員又はこれに類する者として政令で定めるものに対し、国、行政執行法人若しくは都道府県と当該営利企業等若しくはその子法人との間で締結される売買、貸借、請負その他の契約又は当該営利企業等若しくはその子法人に対して行われる行政手続法（平成五年法律第八十八号）第二条第二号に規定する処分に関する事務（以下「契約等事務」という。）であつて離職前五年間の職務に属するものに関し、離職後二年間、職務上の行為をするように、又はしないように要求し、又は依頼してはならない。

②　前項の規定によるもののほか、再就職者のうち、国家行政組織法第二十一条第一項に規定する部長若しくは課長の職又はこれらに準ずる職であつて政令で定めるものに、離職した日の五年前の日より前に就いていた者は、当該職に就いていた時に在職していた局等組織に属する役職員又はこれに類する者として政令で定めるものに対し、契

約等事務であつて離職した日の五年前の日より前の職務（当該職に就いていたときの職務に限る。）に属するものに関し、離職後二年間、職務上の行為をするように、又はしないように要求し、又は依頼してはならない。

③　前二項の規定によるもののほか、再就職者のうち、国家行政組織法第六条に規定する長官、同法第十八条第一項に規定する事務次官、同法第二十一条第一項に規定する事務局長若しくは局長の職又はこれらに準ずる職であつて政令で定めるものに就いていた者は、当該職に就いていた時に在職していた府省その他の政令で定める国の機関、行政執行法人若しくは都道府県警察（以下「局長等としての在職機関」という。）に属する役職員又はこれに類する者として政令で定めるものに対し、契約等事務であつて局長等としての在職機関の所掌に属するものに関し、離職後二年間、職務上の行為をするように、又はしないように要求し、又は依頼してはならない。

④　前三項の規定によるもののほか、再就職者は、在職していた府省その他の政令で定める国の機関、行政執行法人若しくは都道府県警察（以下この項において「行政機関等」という。）に属する役職員又はこれに類する者として政令で定めるものに対し、国、行政執行法人若しくは都道府県と営利企業等（当該再就職者が現にその地位に就いているものに限る。）若しくはその子法人との間の契約であつて当該行政機関等においてその締結について自らが決定したもの又は当該行政機関等による当該営利企業等若しくはその子法人に対する行政手続法第二条第二号に規定する処分であつて自らが決定したものに関し、職務上の行為をするように、又はしないように要求し、又は依頼してはならない。

⑤　前各項の規定は、次に掲げる場合には適用しない。

一　試験、検査、検定その他の行政上の事務であつて、法律の規定に基づく行政庁による指定若しくは登録その他の処分（以下「指定等」という。）を受けた者が行う当該指定等に係るもの若しくは行政庁から委託を受けた者が行う当該委託に係るものを遂行するために必要な場合、又は国の事務若しくは事業と密接な関連を有する業務として政令で定めるものを行うために必要な場合

二　行政庁に対する権利若しくは義務を定めている法令の規定若しくは国、行政執行法人若しくは都道府県との間で締結された契約に基づき、権利を行使し、若しくは義務を履行する場合、行政庁の処分により課された義務

を履行する場合又はこれらに類する場合として政令で定める場合
三　行政手続法第二条第三号に規定する申請又は同条第七号に規定する届出を行う場合
四　会計法（昭和二十二年法律第三十五号）第二十九条の三第一項に規定する競争の手続、行政執行法人が公告して申込みをさせることによる競争の手続又は地方自治法（昭和二十二年法律第六十七号）第二百三十四条第一項に規定する一般競争入札若しくはせり売りの手続に従い、売買、貸借、請負その他の契約を締結するために必要な場合
五　法令の規定により又は慣行として公にされ、又は公にすることが予定されている情報の提供を求める場合（一定の日以降に公にすることが予定されている情報を同日前に開示するよう求める場合を除く。）
六　再就職者が役職員（これに類する者を含む。以下この号において同じ。）に対し、契約等事務に関し、職務上の行為をするように、又はしないように要求し、又は依頼することにより公務の公正性の確保に支障が生じないと認められる場合として政令で定める場合において、政令で定める手続により内閣総理大臣の承認を得て、再就職者が当該承認に係る役職員に対し、当該承認に係る契約等事務に関し、職務上の行為をするように、又はしないように要求し、又は依頼する場合
⑥　前項第六号の規定による内閣総理大臣が承認する権限は、再就職等監視委員会に委任する。
⑦　前項の規定により再就職等監視委員会に委任された権限は、政令で定めるところにより、再就職等監察官に委任することができる。
⑧　再就職等監視委員会が第六項の規定により委任を受けた権限に基づき行う承認（前項の規定により委任を受けた権限に基づき再就職等監察官が行う承認を含む。）についての審査請求は、再就職等監視委員会に対して行うことができる。
⑨　職員は、第五項各号に掲げる場合を除き、再就職者から第一項から第四項までの規定により禁止される要求又は依頼を受けたとき（独立行政法人通則法第五十四条第一項において準用する第一項から第四項までの規定により禁止される要求又は依頼を受けたときを含む。）は、政令で定めるところにより、再就職等監察官にその旨を届け

出なければならない。

〔趣　旨〕

一　**退職して既に職員の身分を失っている再就職者に対する規制**

本条は、再就職した元職員が、再就職先の従業員等として、一般職の国家公務員として在職していた部局の役職員等に働きかける行為を禁ずるものであり、いわゆる事後規制の規定である。本法第一〇六条の二及び第一〇六条の三が現職の職員の行為を規制する規定であったのに対して、本条は職員の身分を失っている元職員の従業員等としての行為を規制している。

このような仕組みに関しては、既に平成一三年の「公務員制度改革大綱」（平一三・一二・二五閣議決定）において、新たに再就職後の「行為規制」を導入するとして働きかけ規制について言及されていた。

事後規制を採る米国では、刑法上の規定として退職した連邦職員の現役職員への接触が規制（退職後、合衆国が当事者であるなどの事項等に関して、合衆国以外の者のために、現役職員に接触してはならない等）されているが、そのチェックは難しく、実際に刑事訴追される事例は少ないようである。

その後導入された本条については、規制の実効性を高めることができるよう、本条違反の再就職者を罰則の対象とするほか、禁止される働きかけを受けた職員からの再就職等監察官への直接の届出を義務付けている。この届出義務に違反した職員は懲戒処分の対象となる。

二　**再就職者の在職時の職務と離職後の現職への影響力に応じた規制**

再就職後に元の職場の役職員に働きかけることを規制するに当たって、元職員が在職中に就いていたポストや職務内容により働きかけの範囲が異なっている。すなわち本条は、元職員一般に適用される規制に加え、〔解釈〕五に解説するとおり、在職時の地位（権限）・職務に応じ上乗せ規制を定めている。

〔解　釈〕

一　**本条により規制の課せられる「元職員」**

本条第一項は、営利企業等に再就職している元職員の一定の場合の働きかけ行為を禁止する。「離職前五年間」には、任期付職員としての期間のほか、休職期間中など身分を保有するが職務に従事しない職員であった期間も含まれる。ただし、身分は保有するが職務に従事しない期間については、形式的に官職に就いてはいるが当該元職員に職務は割り振られていないことから、その官職が本来担当する事務は当該元職員に禁止される働きかけの対象には含まれない。

本条における元「職員」ではない元非常勤職員（元定年前再任用短時間勤務職員等を除く。）、元臨時的職員及び元条件付採用期間中の職員については、本条第一項は適用されない。退職手当通算法人に現役出向している者についても、本条第一項は適用されない。そもそもそのような出向は復帰することを前提に出身府省と密接な連絡調整を行うことを与件として実施されてきており、そのような仕組みの中での出身府省への働きかけ行為は公務の公正性や国民の信頼を損ねる懸念は低いためである。また、行政執行法人を含めた国の他の機関、国際機関、地方公共団体等への再就職者や現に再就職をしていない元職員にも適用されない。

二　働きかけ行為として禁止される行為類型

本条が禁止する働きかけ行為は、職務上の行為の要求・依頼としてなんらかの作為又は不作為を求める行為である。もちろん、公開されている情報であれば、仮に提供されても、求めた再就職者がなんらかの特別の便宜を受けるわけではなく、これを求める行為は規制されない。なお、働きかけたがその成果が得られていない段階でも、要求等の行為が存在すれば、本条違反を構成する。

三　働きかけ行為を禁止される対象事務

働きかけを禁止されるのは、「契約等事務」についてである。契約等事務とは、国、行政執行法人若しくは都道府県と営利企業等若しくはその子法人との間で締結される売買、貸借、請負その他の契約又は営利企業等若しくはその子法人に対して行われる許認可等の処分（行政庁の処分その他公権力の行使に当たる行為（行政手続法二②））である（法一〇六の四1）。なお、本条第一項が都道府県との契約の締結等を規定しているのは、都道府県警察の特定地方警務官を含む地方警務官に対して、特定地方警務官以外の一般職の職員であった者が働きかけを行うことを禁止するためである（警察法五六の三4）。

四　離職前五年間に在職していた局等組織の役職員等に対する働きかけ規制

本条第一項は、再就職者が、離職前五年間に在職していた本府省の官房、局といった部局単位の局等組織に属する役職員及び当該局等組織の役職員ではないがこれに類するものとして再就職者の離職前の地位等に応じて退職管理政令で定める者に対し、再就職者が離職前五年間に職務として携わっていた契約等事務に関し働きかけを行うことを離職後二年間禁止する（法一〇六条の四1、退職管理政令一二）。

本条第一項の規制をこのように期間限定で行っているのは、職業選択の自由、特に営業の自由に関する議論や本法の旧第一〇三条第二項の事前承認制度での取扱いも踏まえ、元職員でない民間人であれば、他の法令に抵触しない限り、自由に営業活動を行うことができることにも鑑みて、既に離職して民間人となった元職員の行政機関に対する働きかけを一律には禁止しないためである。

五　在職時の役職段階及び職務内容に即した上乗せ規制

本条第一項における働きかけ規制は、再就職した元職員一般について、離職前五年間に在職していた局等組織等の役職員に対する働きかけを禁止するものであるが、本条は、同項による規制に加え、再就職者の影響力が現職時の地位や契約・許認可等事務の内容に即して異なるものであることを踏まえ、次の１から３までのとおり、上乗せ的な規制を課している。

１　まず、本条第二項は、離職前五年より前に本府省部課長級の職に就いていた再就職者が、離職後二年間、当該部課長級の職員として在職していた局等組織等の役職員に、離職前五年より前の当該部課長級の職務としての契約等事務に関し、働きかけることを禁止する。これは、部課長級の職員は、一般の職員と比べ、人的関係もより広く、後任者などへの影響力はより長期に及ぶことから付加されているものであって、国民からの信頼の確保といった法益も踏まえ、離職前五年より前に部課長級の職員として担当した契約等事務に関しても、規制を及ぼせるものである。この規制における、再就職者の就いていた部課長級の職及び働きかけ先の役職員の範囲については、退職管理政令に具体的に規定されている（退職管理政令一三、一四）。

２　次に、本条第三項は、本府省局長級以上の職に就いたことのある再就職者が、離職後二年間、当該局長級以上の職員として在職していた府省等や行政執行法人・都道府県警察といった機関単位としての行政機関等の役職員に、当該行政機関等の所掌に属する契約等事務に関し、働きかけることを禁止する。局長級以上の職に就く職員は、部局等の最終責任者であって権限が大きいばかりでなく、行政機関等内における部局を越えた業務等の調整などにおいて、局長等として在籍する部局以外の部局に対しても影響力を持ち得るためである。本項の規制における、再就職者の就いたことのある本府省局長級以上の職の範囲等については、退職管理政令に定められている（退職管理政令一五～一七）。

３　最後に、本条第四項は、現職時の役職段階にかかわらず、再就職者が、在職していた府省等（退職管理政令一八）の役職員等（本条４、退職管理政令一九）に対し、再就職者自らが現職の時に締結について決定した契約又は自らが決定した処分について、働きかけを行うことを禁止している。その契約を実際に締結せず、又はその処分を執行していなくても禁止される。この禁止は、例えば「離職後二年間、離職前五年間の契約等」といった一定の期間が定められているわけではなく、期限の定めなく禁止するものである。

六　契約等事務であっても、働きかけ行為の禁止が解除される場合

本条第五項は、契約等事務であっても、働きかけの禁止を適用しない場合を掲げる。すなわち、次の１から６までに説明する六つの場合に限り、例外的に契約等事務であっても働きかけ行為が違法とされない。

１　まず第一号として、試験、検査、検定等の行政上の事務について法律に基づく指定、登録等の処分を受けた者がその事務を行うため若しくは当該行政上の事務について委託を受けた者がその事務を行うために必要な場合又は独立行政法人及び退職手当通算法人が行う業務のために必要な場合を掲げる（本条５①、退職管理政令二〇）。このような業務に関し、情報提供を求めるなどといった働きかけ行為を禁止することは、委託等の形態により、又は特別の法律の規定により国の行政機関以外の法人に行わせることの意義が没却されることとなる。したがって、このような業務については、退職手当通算法人への現役出向者だけでなく、それ以外の一般の再就職者である元職員の働きかけ行為も規制は解除される。

２　次に第二号として、行政庁に対する権利義務を定めている法令の規定若しくは国、行政執行法人若しくは都道府県との間で締結された契約に基づき権利を行使し義務を履行する場合、行政庁の処分により義務を課された場合又は法令違反の事実の是正のための処分がなされていないと思料するときに処分を求める場合を掲げる（本条５②、退職管理政令二一）。既に定められている権利の行使・義務の履行についてまで働きかけ行為を禁止することは、営利企業等の行動を必要以上に制約

することにつながりかねないからである。

3　第三号として、許認可等を求める行政手続法第二条第三号に規定する申請及び行政庁へのそれ以外の通知行為たる同条第七号に規定する届出を行う場合を掲げる。当該申請については行政手続法上法令に基づくものと定義されている（行政手続法二③）。また、届出についても、行政手続法上、一定の事項について通知する行為として法令の規定により義務付けられているものと定義されており（行政手続法二⑦）、それぞれ法令の予定する行為として公務の公正性を歪めることは考えにくい。

4　第四号として、会計法に規定する一般競争入札等の手続に従い契約を締結するために必要な場合を掲げる。会計法上の一般競争入札のほか、行政執行法人が公告して申込みをさせることによる競争の手続又は地方自治法における一般競争入札若しくはせり売りの手続に従い契約を締結するために必要な場合も働きかけ行為を行うことができる。地方自治法上の事務が規定されているのは、都道府県警察の特定地方警務官を含む地方警務官に特定地方警務官以外の元職員が働きかけを行うことが規制される中で、競争入札に参加するなど公式に定められた手続に従い契約を締結する場合の働きかけを例外として可能とさせるものである。

5　第五号として、法令の規定により又は慣行として公にされ、又は公にすることが予定されている情報の提供を求める場合については、一定の日以降に公にすることが予定されている情報をその日より前に提供するよう求める場合でなければ、働きかけ行為を行うことができるとする。

6　最後に第六号として、本条第一項から第四項までにおいて禁止する働きかけ行為を行っても、公務の公正性に支障を生じないと認められる一定の場合において、一定の手続により内閣総理大臣の承認を得て行う場合を掲げる。再就職した元職員による働きかけ行為の内容を整理した場合に、前述〔解釈〕１から５までの場合以外にも、非常に限定的ではあるが、次の㈠で説明するとおり、当該働きかけ行為が公務の公正性を歪めるおそれがない場合が想定されているものである。

㈠　第六号における公務の公正性の確保に支障が生じないと認められる場合とは、電気、ガス又は水道水の供給等の継続的給付を受ける契約に関する職務のほか、役職員の裁量の余地が少ない職務に関する働きかけを行う場合である。まず、継続的給付とは、電気、ガス又は水道水の供給のほか、日本放送協会による放送の役務の給付であり（退職管理政令一二、退職管理官房令一）、再就職等監視委員会において、継続的給付の役務に関する働きかけかどうか、個別に確認されるものである。次に、役職員の裁量の余地の少ない職務については、特段の規定は置かれていないところであり、承認申請があった場合において、該当職務の性質、遂行される態様等に応じて、同委員会において個別に判断されるべきものである。

㈡　再就職等監視委員会に委任されている承認権限については、同委員会は、本府省局長級以上の職に就いたことのない再就職者に対する承認の権限を、再就職等監察官に委任することができることとされている（退職管理政令一一）。営業活動と継続的給付の効率的な執行を可能とさせることが必要との観点から再就職等監察官に権限委任できる規定を置いたものである。一方、府省等全体に影響力を有する本府省局長級以上の職を占めたことのある再就職者については、同委員会による慎重な審議が想定されている（法一〇六の四７）。

㈢　再就職等監視委員会又は再就職等監察官が行った本条第五項第六号の承認に関する審査請求は、同委員会に対して行うことができることとされている（法一〇六の四８）。

七　届出

本条第九項は、本条違反の行為の有無を調査する端緒となるよう、禁止される働きかけ行為を受けた職員に、再就職等監察官への届出義務を課している。規制違反行為に対する調査の円滑な着手を可能とするよう、離職時の在職機関ではなく、再就職等監察官に直接届け出ることを義務付けている。この届出は、職員に対して義務を課すものであり、届出を行わない場合には、本法第八二条に規定する懲戒処分の対象となる。

八　本条（第九項の届出義務を除く。）違反の取扱い

本条の規制が課せられるのは府省等を退職した元職員であり、法第八二条による懲戒処分の対象とはならない。その代わり、本法第一一三条が、罰則として行政罰である過料を科し、本条第一項から第四項までの規定に違反して働きかけ行為をした者を、一〇万円以下の過料に処するとしている。

さらに、職務上の不正な行為を求めるような働きかけ行為に関しては、過料ではなく、本法第一〇九条第一四号から第一八号までに刑事罰（一年以下の懲役（新刑法の施行日以降は、拘禁刑）又は五〇万円以下の罰金）が定められている。この刑事罰の規定も、本条違反とは規定されておらず、犯罪を構成するのは、職務上不正な行為等の要求等を伴う場合であり、

単なる働きかけ行為だけでは犯罪を構成しない。

具体的には、まず、本法第一〇九条第一四号が、再就職者で、離職後二年を経過するまでの間に、離職前五年間に在職していた局等組織の役職員等（類する者について、退職管理政令一二、三九）に対し、契約等事務であって離職前五年間の職務に属するものに関し、職務上不正な行為をするように、又は相当の行為をしないように要求し、又は依頼した者を当該刑事罰に処するとしている。

次に本法第一〇九条第一五号が、本条第三項に対応して、部課長級の職（準ずる職について、退職管理政令一三、四〇）に離職前五年より前に就いていた再就職者で、離職後二年を経過するまでの間に、当該職に就いていたときに在職していた局等組織の役職員等（類する者について、退職管理政令一四、四一）に対し、契約等事務であって離職前五年より前の職務に属するものに関し、職務上不正な行為をするように、又は相当の行為をしないように要求し、又は依頼した者を当該刑事罰に処するとしている。

本法第一〇九条第一六号は、本条第四項に対応して、局長級以上の職（準ずる職について、退職管理政令一五、四二）に就いていた再就職者で、離職後二年を経過するまでの間に、局長等として在職していた行政機関等の役職員等（類する者について、退職管理政令一七、四三）に対し、契約等事務であって局長等としての在職機関の所掌に属するものに関し、職務上不正な行為をするように、又は相当の行為をしないように要求し、又は依頼した者を当該刑事罰に処するとしている。

さらに、本法第一〇九条第一七号は、本条第五項に対応して、離職後の期間や在職時の役職段階に関係なく、再就職者で、在職していた行政機関等（退職管理政令一六、四四）の役職員等（類する者について、退職管理政令一九、四五）に対し、再就職先の営利企業等とその子法人に対して自らが在職時に決定した契約締結と許認可等処分に関し、職務上不正な行為をするように、又は相当の行為をしないように要求し、又は依頼した者を当該刑事罰に処するとしている。

最後に、本法第一〇九条第一八号は、これらの不正行為を伴う働きかけを受けた職員で、その受けたことを理由として、職務上不正な行為をし、又は相当の行為をしなかった者を当該刑事罰に処するとしている。

第二款　再就職等監視委員会

（設置）

第百六条の五　内閣府に、再就職等監視委員会（以下「委員会」という。）を置く。

②　委員会は、次に掲げる事務をつかさどる。

一　第十八条の四の規定により委任を受けた権限に基づき調査を行うこと。

二　第百六条の三第三項及び前条第六項の規定により委任を受けた権限に基づき承認を行うこと。

三　前二号に掲げるもののほか、この法律及び他の法律の規定によりその権限に属させられた事項を処理すること。

〔趣　旨〕

再就職等監視委員会設置の必要性

平成一九年の本法の一部改正により、従来の営利企業への就職の制限（平成一九年改正法による改正前の法第一〇三２）が廃止され、他の役職員の離職後の就職のあっせん等規制（法一〇六の二）、利害関係企業等に対する求職活動規制（法一〇六の三）、かつて在職した機関の役職員に対する働きかけ規制（法一〇六の四）が導入されたが、これらの規制については、行政運営自体に責任を持つ内閣総理大臣が責任をもって公正かつ厳格に監視することとしつつ、この内閣総理大臣の行う調査や承認は第三者機関に委任することとされた。本来、再就職等規制について違反が疑われる事案の事実解明のための調査や規制に違反した職員に対する懲戒処分等の措置は一義的には各府省等の任命権者が行うべきものであるが、職員の離職後の就職に関するこれら再就職等規制の性質上、職員の退職管理を行う当事者でもある各府省等の任命権者による内部的な調査のみでは、違反事案に対する調査の客観性・公正性が十分に担保されているとは言い難い事案も想定される。加えて、任命権の及ばない離職後の元職員に対して調査を行う場合、元職員に対して任意に調査を行い得るにすぎないため、十分な事実解明が困難という問題もある。このようなことから、再就職等規制違反が疑われる事案の調査については、その客観性・公正性を担保するとともに、事実の解明に向けた調査が十分に行われるよう、第三者機関が任命権者の行う調査に関与し、事案によっては第三者機関が自ら法律上の権限に基づき調査を行うことができるような体制とする必要があったものである。

一方、政令で定める基準に従い内閣総理大臣の承認を経た場合には再就職等規制の適用を除外する規定が設けられており（法一〇六の三②④、法一〇六の四⑤⑥）、この承認制度の適正な運用及び当該運用に対する国民の信頼を確保するためにも、合議体の独立機関において審議を行った上で承認の可否について判断する枠組みとする必要があった。

こうした調査や承認の事務を担わせるため、中央人事行政機関たる内閣総理大臣の下に置かれる独立性の高い監視機関として、内閣府に再就職等監視委員会を設置し、国民の信頼に応えられる監視体制を確立することとしたものである。

なお、再就職等監視委員会は、内閣府設置法第三七条第二項に規定する審議会等として設置されているものであり、これは行組法の適用はないが同法第八条のいわゆる「八条機関」に相当するものである。

〔解　釈〕

一　内閣府に設置

本法上、中央人事行政機関としての事務は、人事院又は内閣総理大臣が所掌することとされている。再就職等規制は中央人事行政機関たる内閣総理大臣が所掌する退職管理に関する事項の一部であり、再就職等規制の実効性を確保するための権限（再就職等規制違反が疑われる事案の調査や再就職等規制の例外承認）も、法律上は一旦内閣総理大臣の所掌とされる。

平成一九年の本法改正当時、中央人事行政機関たる内閣総理大臣の所掌事務については、総務省が内閣総理大臣を補佐する（総務省設置法四②）こととされていたが、再就職等監視委員会が所掌する事務は、再就職等規制違反が疑われる事案に関する調査、任命権者に対する勧告など、内閣総理大臣の直接の管理下に置かれるべき事務と考えられたことから、内閣総理大臣を補佐する立場にある総務省ではなく、本来、中央人事行政機関たる内閣総理大臣の事務を分担管理している内閣府に直接設置することとされた。

その後、平成二六年の本法改正に伴い、内閣法等の改正が行われ、中央人事行政機関としての内閣総理大臣の事務については従前の総務省のような補佐機関を置くことなく、内閣総理大臣が自ら行うこととし、それを担当する部局として、内閣官房に内閣人事局が置かれることとなったが、再就職等監視委員会の事務については、前述のとおり、その内容は調査や承認といった実施事務であることから、同委員会は引き続き内閣府に置かれることとされた（第一八条の二〔趣旨〕二・〔解釈〕一参照）。

二　所掌事務

再就職等監視委員会の所掌事務は以下のとおりであり、中央人事行政機関たる内閣総理大臣から委任を受けた権限に関する事務を所掌している。

①　再就職等規制に関する調査（法一八の四）

②　求職規制、働きかけ規制の例外の承認（法一〇六の三3、一〇六の四6）

③　この法律及び他の法律の規定によりその権限に属させられた事項を処理すること

「他の法律の規定によりその権限に属させられた事項」としては、行政執行法人の役員に関する前述①②の事務（独立行政法人通則法五四1、6）及び自衛隊員のうち定年年齢が六五歳以上とされている一般定年等隊員に関する前述①②の事務（自衛隊法六五の三6、六五の四9、六五の八）などがある。

（職権の行使）

第百六条の六　委員会の委員長及び委員は、独立してその職権を行う。

〔趣　旨〕

委員長及び委員の独立職権行使

再就職等監視委員会は、中央人事行政機関たる内閣総理大臣から委任を受けて再就職等規制違反が疑われる事案に関する調査、再就職等規制の適用除外についての承認といった権限を行使する機関であるが、その権限行使に当たっては高い公正性が求められることから、内閣総理大臣の指揮下に置くことなく、独立して職権を行使する旨の規定が設けられたものである。

〔解　釈〕

内閣総理大臣から独立した職権行使

本条は、再就職等監視委員会の公正性を委員長及び委員の職権行使の独立性という面から担保するための規定である。「独立して」とは、「普通、公の機関について、ある機関が他の上級機関の指揮命令を受けないで、自己の判断に従ってその職務を遂行することができることの意味に用いられる」とされている（吉国一郎他共編『法令用語辞典〈第一〇次改訂版〉』）。したがって、本条に基づき、再就職等監視委員会の委員長及び委員は、任命権者である内閣総理大臣の指揮命令を受けずに、自己の判断に従ってその職務を遂行することになる。

（組織）

第百六条の七　委員会は、委員長及び委員四人をもつて組織する。

②　委員は、非常勤とする。

③　委員長は、会務を総理し、委員会を代表する。

④　委員長に事故があるときは、あらかじめその指名する委員が、その職務を代理する。

〔趣　旨〕

再就職等監視委員会の組織

本条は、再就職等監視委員会を組織する委員長及び委員の人数、委員長及び委員の勤務形態、委員長の職務について定めるものである。

〔解　釈〕

一　委員長及び委員四人により組織

再就職等監視委員会が、再就職等規制の監視機関として求められる役割を適切に果たしていくため、委員長及び委員四人からなる合議体とするとともに、委員には、①再就職等規制の適用等に関し法律的な見地から公正な判断ができる者、②再就職等規制違反が疑われる事案の調査について知見を有する者、③再就職等規制の適用等に関し社会的な見地から公正な判断ができる者が求められる。そのため、委員会は委員長及び委員四人の合議体とされたものである。

二　委員長及び委員の勤務形態

再就職等監視委員会には、次のような常時発生し得る事務に迅速、的確に対応する必要があるため、委員会を招集し、委員会を代表する委員長は常勤とされている。

①　随時各方面から寄せられる再就職等規制違反行為に関する情報を精査して、再就職等規制違反が疑われる事案の有無を判断する等の事務

②　再就職等規制違反が疑われる事案について、各府省等の任命権者から調査の端緒及び調査の実施に関する報告を受けるとともに、その報告内容を踏まえ調査について任命権者に意見を述べる等の事務

③　再就職等規制の適用除外についての承認に関する事務

なお、審議会等の委員の常勤・非常勤の別については、非常勤の委員とする場合に規定を置くことが法律上の通例であることから、委員について「非常勤とする」旨が規定されている。

三　委員長の権限

委員長は会務を総理する（法一〇六の七3）とされている。

会務とは、再就職等監視委員会の事務すなわち法第一〇六条の五第二項各号に掲げられている事務のことである。「会務を総理する」とは、委員会の会議を招集する、会議の議長として議事を整理するなどといった会議の主宰者としての役割を担うことに加え、日常的に生じる事務であって、その都度委員会の議決を経ることとしたのでは適時の対応が困難であることから第一次的な対応を委員長に委ねることが適切なものであり、例えば、再就職等規制違反が疑われる事案に係る調査に関する任命権者からの報告の受領、当該報告に対する意見陳述等の処理を委員長が行うことと解されている。

四　委員長の職務代理

〔解釈〕三で述べたように、再就職等監視委員会の所掌する事務は常時発生し得ることから、委員長に事故があった場合であっても事務が支障なく処理されることを保障するため、本条第四項は委員長の職務代理について定めている。

職務代理者としてあらかじめ委員長により指名された委員は、委員長に事故があった場合には、被代理者たる委員長の権限の全てを代理行使することができると解される。

なお、「事故があった場合」については、本法第一一条第三項の「総裁に事故のあるとき」の〔解釈〕を参照されたい。

（委員長及び委員の任命）

第百六条の八　委員長及び委員は、人格が高潔であり、職員の退職管理に関する事項に関し公正な判断をすることができ、法律又は社会に関する学識経験を有する者であつて、かつ、役職員又は自衛隊員としての前歴（検察官その他の職務の特殊性を勘案して政令で定める者としての前歴を除く。）を有しない者のうちから、両議院の同意を得て、内閣総理大臣が任命する。

② 委員長又は委員の任期が満了し、又は欠員を生じた場合において、国会の閉会又は衆議院の解散のために両議院の同意を得ることができないときは、内閣総理大臣は、前項の規定にかかわらず、委員長又は委員を任命することができる。

③ 前項の場合においては、任命後最初の国会において両議院の事後の承認を得なければならない。この場合において、両議院の事後の承認を得られないときは、内閣総理大臣は、直ちにその委員長又は委員を罷免しなければならない。

〔趣　旨〕

一　委員長及び委員の選任

本条は、再就職等監視委員会の委員長及び委員の資格要件とともに、その任命手続について定めている。

再就職等監視委員会は、国民の関心の高い国家公務員の再就職等規制という重要問題を担当する委員会であり、その権限の行使に当たっては高い公正性が求められることから、その構成員である委員長及び委員の任命に当たっては、両議院の同意が必要とされている。これはその選任に関して、国民の代表者たる国会による民主的コントロールを確保するためのものである。

また、審議会等の会長等については、合議体の自立性を重視し、委員の互選により定めることが原則である（「審議会等の整理合理化に関する基本的計画」（平一一・四・二七閣議決定））。しかしながら、再就職等監視委員会は、独立職権行使の規定（法一〇六の六）が置かれるなど高度の独立性が確保されている機関であることに鑑み、委員会を代表する委員長の選任については、委員会の自治に委ねずに国会による民主的コントロール（法一〇六の八）を及ばせ、委員長は、委員とは別個に選任することとされている。

二　委員長及び委員の資格要件

委員長及び委員は、公正な立場で再就職等規制違反の疑いがある事案に関する調査、再就職等規制の適用除外についての承認といった権限を行使することが求められるため、その人選に当たっては厳格な選任要件が定められている。その要件として、積極的に具備していなければならないもの（積極的資格要件）と、該当してはならないもの（消極的資格要件）とがある。

1　積極的資格要件

委員長及び委員の積極的資格要件として、本条第一項は、①人格が高潔であること、②職員の退職管理に関する事項に関し公正な判断をすることができること、③法律又は社会に関する学識経験を有することを掲げている。

いずれの要件も抽象的、訓示的であるため、この要件を具備するか否かは、任命権者である内閣総理大臣及び両議院において、候補者の経歴、著作物等からその人格、識見、判断力について総合的に判断することとなる。

なお、これらの要件は、規制違反に係る調査等の権限を有するなど再就職等監視委員会とその機能に共通する部分も多い国家公務員倫理審査会の会長及び委員の積極的資格要件（倫理法一四1）とほぼ同様のものとなっている。

2　消極的資格要件

委員長及び委員の消極的資格要件として本条第一項は、役職員又は自衛隊員としての前歴を有しないことを掲げている。

再就職等規制の適用対象となるのは役職員（一般職の国家公務員及び行政執行法人の役員をいう。）又は役職員であった者であるところ、委員長等に役職員としての前歴を有する者が就任した場合、規制違反の疑いがある事案に関する調査等が適正に行われないのではないかとの疑念が生じかねないことから、再就職等監視委員会の公正性を確保するため、役職員としての前歴を有する者を原則として委員長及び委員に就任できないこととされたものであると考えられる。

また、自衛隊員のうち定年年齢が六五歳以上とされている一般定年等隊員について、再就職等監視委員会が調査等その監視に当たることとされており（第一八条の三〔趣旨〕一参照）、本条第一項は、委員長及び委員の消極的資格要件として自衛隊員としての前歴を有しないことも規定している。

三　委員長及び委員の任命手続

委員長及び委員は、〔趣旨〕二の2の消極的資格要件に該当しない者であり、かつ、二の1の積極的資格要件に該当する者の中から、内閣総理大臣が両議院の同意を得て任命することとされている。

再就職等監視委員会は、内閣府に置かれる審議会等であることから、委員長及び委員の任命権者は内閣総理大臣とされている。

〔解　釈〕

一　役職員等としての前歴を有しない者であること

役職員とは、一般職の国家公務員及び行政執行法人の役員である。〔趣旨〕二2で述べたような理由から、役職員又は自衛隊員としての前歴を有する者は原則として委員長及び委員に就任できないこととされているが、本条第一項に例示されている検察官としての前歴を有する者については、刑事事件について公訴を提起するなど公益を代表する立場にあった者であって公正性が損なわれることはなく、また、その専門的知識に鑑みると、委員長及び委員に就任することについてはむしろ適任であると考えられる。このほか、旧国立大学の教官についても、一般の行政官とは職責が異なり、当該教官の前歴を有するとしても公平性が損なわれる懸念はないものと考えられる。さらに、審議会等の非常勤の委員等に民間有識者として参画した前歴がある者についても、公正性に対する疑念が生じるおそれはないと考えられる。これらのことから、「職務の特殊性を勘案して政令で定める」一定の役職員として、再就職等監視委員会令（平二〇政令一八七）第一条においては、検察官、旧国立大学の学長、教授等、常勤の再就職等監察官、非常勤職員、行政執行法人の非常勤役員及び非常勤の自衛隊員が定められている。

なお、国家公務員倫理審査会の会長及び委員の資格要件においては、職員としての在職期間が二〇年を超えないもの（倫理法一四1）のうちから任命することとされているが、本条第一項には在職期間についての定めがないことから、政令で定める者以外の役職員としての在職期間が短期間でもあれば、その者は委員長等として任命できないこととなる。

二　委員長及び委員の任命手続

委員長及び委員の任命に当たっては、必ず両議院の同意が必要である。これは委員長等の選任について民主的コントロールを及ぼすという趣旨の規定である。

本条第二項では、国会の閉会又は衆議院の解散のために事前に両議院の同意を得ることができないときは、同意を得ずに内閣総理大臣が委員長及び委員を任命することができる旨を規定している。これは国会の閉会等の事情によって委員長等が不在となる空白期間が生じ、委員会の職権行使等に支障が生じることがないようにするための規定である。また、本条第三項では、本条第二項の規定により両議院の同意を得ずに委員長等を任命した場合には、任命後の最初の国会において両議院の事後の承認を得なければならず、当該承認を得られない場合には、内閣総理大臣は直ちにその委員長等を罷免しなければならない旨、規定している。

（委員長及び委員の任期）

第百六条の九　委員長及び委員の任期は、三年とする。ただし、補欠の委員長及び委員の任期は、前任者の残任期間とする。

②　委員長及び委員は、再任されることができる。

③　委員長及び委員の任期が満了したときは、当該委員長及び委員は、後任者が任命されるまで引き続きその職務を行うものとする。

〔趣　旨〕

本条は、再就職等監視委員会の委員長及び委員の任期及び再任について定めている。

審議会等の委員の任期は、二年とされているものが多い。一方、公益認定等委員会、証券取引等監視委員会など国会の同意を得て委員を任命することとされている審議会等を中心に、任期が三年とされている例も多数見られるが、これは、主務大臣からの一定の独立性を確保するため、委員の身分を通常の審議会等より安定したものとする趣旨で任期を三年としているものであり、高度の独立性が求められる審議会等である再就職等監視委員会についても、これらの審議会等の例にならい、任期は三年とされたものである。

委員長及び委員は、再任されることができるとともに任期が満了しても、後任者が任命されるまでの間、引き続きその職務を行うこととされている。

なお、人事官のような通算在任期間の制限は法律上設けられていない。

〔解　釈〕

一　任期

委員長及び委員の任期は三年とされている。前任の委員長又は委員が任期の中途で死亡又は離職した後に、その後任として就任した委員長又は委員の任期は前任者の残任期間とされているが、その残任期間の考え方は本法第七条第一項の人事官の残任期間と同様である。

二　再任

委員長及び委員は再任されることができるが、「審議会等の整理合理化に関する基本的計画（平一一・四・二七閣議決定）」により一〇年を超える期間継続して任命しないこととされている。

再任の際には、最初の任命の場合と同様に内閣が両議院の同意を得て任命することとなる。

三　職務継続規定

委員長及び委員の任命には両議院の同意を得る必要もあり、任期が満了した委員長又は委員の後任を直ちに任命することができない事態も想定される。このような事態が生じた場合においても委員長又は委員に空席を生じることなく、委員会がその機能を十全に発揮することができるよう、後任者が任命されるまでの間は任期が満了した委員長又は委員が引き続きその職務を行うものとされている。

その構成員の任命に当たって両議院の同意を得ることとされている機関については、このような職務継続規定を置く例が多いが、古くから設置されている機関を中心に職務継続規定を置いていない例もある。

㊟　点線の左側は、令和四年六月一七日から起算して三年を超えない範囲内において政令で定める日（新刑法の施行日）から施行となる。

（身分保障）

第百六条の十　委員長及び委員は、次の各号のいずれかに該当する場合を除いては、在任中、その意に反して罷免されることがない。

一　破産手続開始の決定を受けたとき。

二　禁錮（こ）／拘禁刑以上の刑に処せられたとき。

三　役職員又は自衛隊員（第百六条の八第一項に規定する政令で定める者を除く。）となつたとき。

四　委員会により、心身の故障のため職務の執行ができないと認められたとき、又は職務上の義務違反その他委員長若しくは委員たるに適しない非行があると認められたとき。

〔趣　旨〕

再就職等監視委員会が独立して中立公正にその職権を行使するには、委員長及び委員の身分を保障する必要がある。再就職等監視委員会を構成する委員長及び委員の身分が外部の力によって左右されるようであっては、再就職等監視委員会にその公正性を期待することはおぼつかないからである。このような見地から、本条は委員長及び委員の身分保障について規定している。

本条は、委員長及び委員がその意に反して罷免される場合として、①破産手続開始の決定を受けたとき、②禁錮（新刑法の施行日以降は、拘禁刑）以上の刑に処せられたとき、③役職員又は自衛隊員（政令で定める者を除く。）となったとき、

④心身の故障のため職務の遂行ができないと認められたとき、又は職務上の義務違反その他委員長若しくは委員たるに適しない非行があると認められたときを掲げている。これら以外のときに委員長及び委員が強制的に離職させられることはない。

他の審議会等の委員等の身分保障に関する規定と異なり、資格要件との関係で③の役職員等となることを罷免事由として掲げている。

〔解　釈〕

一　役職員又は自衛隊員となったとき

この「役職員」は法第一〇六条の八第一項と同じであり、「役職員又は自衛隊員」からは、検察官、常勤の再就職等監察官、非常勤職員、行政執行法人の非常勤役員及び非常勤の自衛隊員（再就職等監視委員会令二）は除かれる。

二　第四号に掲げる罷免事由

第四号に掲げる「委員会により、心身の故障のため職務の執行ができないと認められたとき、又は職務上の義務違反その他委員長若しくは委員たるに適しない非行があると認められたとき」は、国会の同意を得て委員を任命することとされている他の審議会等の例にならったものである。委員長又は委員にこれらの事由があると再就職等監視委員会が認めた場合、内閣総理大臣は当該委員長又は委員を罷免しなければならない（法一〇六の一一）。

（罷免）

第百六条の十一　内閣総理大臣は、委員長又は委員が前条各号のいずれかに該当するときは、その委員長又は委員を罷免しなければならない。

〔趣　旨〕

再就職等監視委員会が独立して公正にその職権を行使することができるよう、法第一〇六条の一〇において身分保障規定が置かれており、同条各号に罷免事由が列挙されている。

破産手続開始の決定を受けたとき（法一〇六の一〇①）は、経済的な破綻により社会的な信用を得られない状態となっていることから、職務の適正な執行に対する国民の信頼を確保することは困難であり、禁錮（新刑法の施行日以降は、拘禁刑）以上の刑に処せられたとき（同条②）は、委員長又は委員として適切に職務を執行することが期待できない状態であり、役職員又は自衛隊員となったとき（同条③）は、任命における欠格要件が就任後に発生したことになり、委員長又は委員たり得ないこととなる。また、心身の故障のため職務の執行ができないときや委員長又は委員たるに適しない非行があるとき（同条④）は、委員長等の適格性を欠くことは明らかである。

このため、委員長及び委員の適格性及び適切な職務執行を確保するため、委員長又は委員が同条各号のいずれかの事由に該当するときは、任命権者である内閣総理大臣が罷免しなければならないこととされている。

（服務）

第百六条の十二　委員長及び委員は、職務上知ることのできた秘密を漏らしてはならない。その職を退いた後も同様とする。

② 委員長及び委員は、在任中、政党その他の政治的団体の役員となり、又は積極的に政治運動をしてはならない。

③ 委員長は、在任中、内閣総理大臣の許可のある場合を除くほか、報酬を得て他の職務に従事し、又は営利事業を営み、その他金銭上の利益を目的とする業務を行つてはならない。

〔趣　旨〕

本条は、再就職等監視委員会の委員長及び委員の服務について定めている。

再就職等監視委員会の委員長及び委員は特別職の国家公務員であり、本法第三章第七節の服務に関する規定の適用がないことから、他の特別職の審議会等の委員の例にならい、守秘義務、政治活動の制限及び他の職務への従事制限についての規定が置かれたものである。

特別職の審議会等の委員が服務規定に違反した場合の罰則を定めている例はごく少数であるが、再就職等監視委員会の委員長及び委員はその職務の性質上、職員や元職員、更には関係者のプライバシーに関する情報等に頻繁に接することが想定されるため、個人情報保護並びに委員会の公正性及び信頼性を確保するため、守秘義務違反については罰則が定められている（法一〇九⑫）。

なお、委員長又は委員が本条各項の規定に違反した場合、本法第一〇六条の一〇に該当することとなり、第一〇六条の一一の規定により罷免されることとなる。

（給与）

第百六条の十三　委員長及び委員の給与は、別に法律で定める。

〔趣　旨〕

本条は、再就職等監視委員会の委員長及び委員の給与は別の法律（特別職給与法）で定めることを規定している。

〔解　釈〕

再就職等監視委員会の委員長及び委員の給与は、特別職給与法で定められている。委員長に支給される給与の種目は、俸給、地域手当、通勤手当及び期末手当とされており、委員長の俸給月額は、職務内容に類似性があり、国会同意人事の対象となっている審議会等の委員長（証券取引等監視委員会委員長等）と同額とされている。

また、非常勤である委員の給与は、同法第九条の規定により、給与法第二二条第一項の規定の適用を受ける職員（非常勤の委員、顧問、参与等）の例により、内閣総理大臣と協議して手当を支給することとされている。

（再就職等監察官）

第百六条の十四　委員会に、再就職等監察官（以下「監察官」という。）を置く。

②　監察官は、委員会の定めるところにより、次に掲げる事務を行う。

一　第百六条の三第四項及び第百六条の四第七項の規定により委任を受けた権限に基づき承認を行うこと。

二　第百六条の四第九項の規定による届出を受理すること。

三　第百六条の十九及び第百六条の二十第一項の規定による調査を行うこと。
四　前三号に掲げるもののほか、この法律及び他の法律の規定によりその権限に属させられた事項を処理すること。
③　監察官のうち常勤とすべきものの定数は、政令で定める。
④　前項に規定するもののほか、監察官は、非常勤とする。
⑤　監察官は、役職員又は自衛隊員としての前歴（検察官その他の職務の特殊性を勘案して政令で定める者としての前歴を除く。）を有しない者のうちから、委員会の議決を経て、内閣総理大臣が任命する。

〔趣　旨〕

一　再就職等監察官の設置の必要性

本条は、再就職等監視委員会に、再就職規制違反が疑われる事案に関する調査や再就職等規制の適用除外についての承認事務を行う者として再就職等監察官を設置することを規定している。

第一〇六条の五の〔趣旨〕で述べたように、再就職等規制違反が疑われる事案の調査については、その客観性・公正性を担保するとともに、事実の解明に向けた調査を十分に行い得るようにするため、独立機関が任命権者の行う調査に関与し、事案によっては独立機関が自ら法律上の権限に基づき調査を行うことができるような体制とする必要があるところ、実効性ある調査の実施を可能とするため、再就職等監視委員会の指揮下に外部専門家をもって充てる監察官を配置することとされたものである。

また、本法が定めている各種の再就職等規制は、他の役職員について就職のあっせん等規制（法一〇六の二）を除き、政令で定める基準に従い内閣総理大臣の承認を得た場合にはその規制を適用しないこととされており、再就職等監視委員会に承認権限が委任されている（法一〇六の三3、一〇六の四6）。しかしながら、全ての承認案件を委員会の合議に係らしめるのではなく、委員会による直接審査は一定の重要なものに限ることとした方が事務処理上も効率的であると考えられたため、政令で定める一定の範囲の承認権限については、法第一〇六条の三第四項及び第一〇六条の四第七項の規定により、再就職等監察官に委任することができることとされている。

このように実際に再就職等規制違反が疑われる事案に関する調査や再就職等規制の適用除外についての承認事務を行うこととなる再就職等監察官については、いわゆる身内意識が働いているのではないか等といった疑念を抱かれることのないよう、高度の公正性が求められることから、委員長及び委員と同様に役職員又は自衛隊員としての前歴を有しない者（政令で定める者を除く。）のうちから任命することとされている。

二　再就職等監察官の定数等

再就職等監察官が行うこととされている、再就職等規制違反行為の疑いがある事案に関する調査や再就職等規制の適用除外についての承認事務は、常時発生することが見込まれる事務であることから、これらの事務に適時適切に対応できるようにするため、常勤の監察官を適切に配置する必要がある。一方、地方で発生した事案について委員会が調査を行う場合などにおいては、常時発生する事務を処理している常勤の再就職等監察官のみの体制で対応することが困難な場合があることから、機動的な調査の実施を可能にするため、非常勤の再就職等監察官も設置することができることとされたものである。

再就職等監視委員会令第二条第一項の規定により、常勤の再就職等監察官は二人（うち一人は検察官）と定められている。非常勤の再就職等監察官の定数については、法令上定められてはいない。

〔解　釈〕

監察官の資格要件

役職員又は自衛隊員としての前歴（検察官その他の職務の特殊性を勘案して政令で定める者としての前歴を除く。）を有しない者であること。

役職員とは、一般職の国家公務員及び行政執行法人の役員である。再就職等規制の規制対象となるのは役職員又は役職員であった者であるところ、再就職等監察官に役職員としての前歴を有する者が就任した場合、再就職等規制違反の疑いがある事案に関する調査等が適正に行われないのではないかとの疑念が生じかねないことから、再就職等監察官の公正性を確保するため、役職員としての前歴を有する者は原則として再就職等監察官に就任できないこととされたものと考えられる。

なお、役職員又は自衛隊員としての前歴を有する者であっても、その職務等の性質によっては公正性が損なわれることはなく、その専門的知識の面からはむしろ再就職等監察官の事務の遂行に適任と考えられる場合もある。このため、職務の特殊性を勘案して政令で定める一定の役職員については、再就職等監察官の欠格事由となる役職員から除外できることとされており、委員長及び委員と同様に、検察官、旧国立大学の学長、教授等、常勤の再就職等監察官、非常勤職員、行政執行法人の非常勤役員及び非常勤の自衛隊員が再就職等監視委員会令第二条第二項において定められている。

（事務局）

第百六条の十五　委員会の事務を処理させるため、委員会に事務局を置く。

②　事務局に、事務局長のほか、所要の職員を置く。

③　事務局長は、委員長の命を受けて、局務を掌理する。

〔趣　旨〕

本条は、再就職等監視委員会に事務局を設置することを定めている。

再就職等監視委員会の公正性を確保するためには、その事務処理体制を内閣府の内部部局に行わせることは適当でないことから、委員会独自の事務局を置くこととされたものである。

（違反行為の疑いに係る任命権者の報告）

第百六条の十六　任命権者は、職員又は職員であつた者に再就職等規制違反行為（第百六条の二から第百六条の四までの規定に違反する行為をいう。以下同じ。）を行つた疑いがあると思料するときは、その旨を委員会に報告しなければならない。

〔趣　旨〕

本条は、任命権者に対して、本法第一〇六条の二から第一〇六条の四までに規定する再就職等規制に違反する「再就職等規制違反行為」の疑いがあると判断した場合に、その情報について再就職等監視委員会へ報告するよう義務を課している。

再就職等規制違反行為に関する調査は、通例、行政機関の長として服務統督権を有するとともに（行組法一〇等）、退職管理（法一〇六の二六４）を行い、職員の懲戒権（法八四１）を有する任命権者が行う。懲戒処分は部内の事情に通暁し任命責任を持つ任命権者が行うこととされており、再就職等規制違反行為に関しても処分を行う主体が処分の必要性を自ら判断できることが必要である。一方で、再就職等監視委員会は、任命権者のチェックを含め、再就職等規制に関する調査の事務等をつかさどるものであり、再就職等規制違反行為に関する情報を任命権者と共有する必要がある。公務の公正性と国民の信頼を確保する観点から、本条は、調査の端緒となる情報に関し、任命権者に対する同委員会への報告義務を規定している。

本法は、再就職等規制違反行為が行われたかどうかについて、一定の手順で再就職等監視委員会が関わり厳正に調査が行われるよう規定を整備しており（法一〇六の一六～一〇六の二二）、それらの全体像を理解する必要がある。

〔解　釈〕

前述のとおり独立機関である再就職等監視委員会が調査に関与し、又は同委員会自ら調査に乗り出すべき場合も想定されることから、任命権者には端緒情報の報告義務が課されている。再就職等規制違反が疑われる行為というのは、現職の職員と退職した職員等が関わることが大いに想定されるところ、任命権者の懲戒権の及ぶ範囲は現職の職員に限られており、退職した職員等にまで及ばない。また、場合によっては違反の疑われる行為が各府省等の組織ぐるみで行われた可能性もある。このような場合などに、報告を受けた同委員会（再就職等監察官）が調査を行うことが想定されている（法一〇六の一九、一〇六の二〇）。

任命権者が自ら調査を行おうとする場合の手続は、次の本法第一〇六条の一七等に規定されている。再就職等監視委員会がその調査に関わろうとする際の手続も、同条等に規定されている。

なお、再就職等規制違反に関する情報は、通報やマスコミ報道等多種多様なものであり、中には被通報者等の信用を過度に傷つけることになるケースの発生も想定されないわけではない。調査が必要な場合の端緒情報としての把握は、予備的な調査を行うなどして適確に行われる必要があろう。通報等を受けた任命権者あるいは再就職等監視委員会においては、本法の関係規定のほか個人情報保護法などの規定に基づき個人情報と被通報者へ十分配慮した上で、再就職等規制違反行為の有無の解明が図られなければならない。

（任命権者による調査）

第百六条の十七　任命権者は、職員又は職員であつた者に再就職等規制違反行為を行つた疑いがあると思料して当該再就職等規制違反行為に関して調査を行おうとするときは、委員会にその旨を通知しなければならない。

② 委員会は、任命権者が行う前項の調査の経過について、報告を求め、又は意見を述べることができる。

③ 任命権者は、第一項の調査を終了したときは、遅滞なく、委員会に対し、当該調査の結果を報告しなければならない。

〔趣　旨〕

本条は、任命権者が再就職等規制違反の疑いのある案件に関する調査を行おうとするときの手続を定めている。また、本条は、任命権者が行う調査について、独立機関である再就職等監視委員会が手続に関与することを定め、任命権者による調査を同委員会の一定程度の監視下に置き、これによって厳正・公正な調査を確保しようとするものである。ケースによっては、本法第一〇六条の一九又は第一〇六条の二〇の規定に基づき同委員会が自ら調査に乗り出すことも想定されている。

〔解　釈〕

一　**任命権者の通知義務**

本条第一項は、任命権者に対して、再就職等規制違反行為を行った疑いがあると判断して調査を行おうとする場合に、再就職等監視委員会への通知義務を課している。任命権者の調査の過程で、同委員会が随時関与して事実関係の解明が適切に行われる必要があり、本法第一〇六条の一六に規定するところとは別の手続として、調査開始段階で、通知させるものである。

二　**再就職等監視委員会による調査経過に関する報告要請と意見陳述**

本条第二項は、再就職等監視委員会が、任命権者が調査を進める過程において、その経過報告を求め、あるいは、意見を述べることができる旨規定する。任命権者の調査過程における報告聴取や意見陳述を通じ厳正・公正な調査を確保しようとしているものである。また、本法第一〇六条の一九及び第一〇六条の二〇において同委員会が調査そのものに乗り出す場合を規定しているが、本条に基づき任命権者に対して求めた報告は、同委員会が調査に乗り出す契機となり得る。

三　任命権者の調査結果の報告義務

本条第三項は、任命権者に対して、再就職等規制違反行為の疑いがあると判断して行った調査が終了したときの、再就職等監視委員会への報告義務を課している。必要に応じて、任命権者の調査結果に基づき、同委員会が、任命権者に懲戒処分等の勧告を行うことができるよう（法一〇六の二一１）、また、内閣総理大臣に対し退職管理の適切な運用を確保するための必要な措置の勧告を行うことができるよう（法一〇六の二一３）、さらに、本条第二項に規定する報告を受けた場合も含めて、同委員会が調査に乗り出すことができるよう（法一〇六の一九、一〇六の二〇１）、措置されているものである。

（任命権者に対する調査の要求等）

第百六条の十八　委員会は、第百六条の四第九項の届出、第百六条の十六の報告又はその他の事由により職員又は職員であつた者に再就職等規制違反行為を行つた疑いがあると思料するときは、任命権者に対し、当該再就職等規制違反行為に関する調査を行うよう求めることができる。

②　前条第二項及び第三項の規定は、前項の規定により行われる調査について準用する。

〔趣　旨〕

本条は、再就職等監視委員会が、再就職等規制違反行為の疑いがあると判断する場合に、任命権者に対し調査を行うよう求めることができることを定めている。同委員会は、再就職等規制違反行為に関する専門機関・独立機関として、調査の開始を求めることができるものである。もちろん、同委員会が自ら調査に乗り出すことも可能であり、本法は、後述の第一〇六条の一九又は第一〇六条の二〇の規定において、同委員会が必要があると認めるときに、自ら調査に乗り出すことを規定しているところである。

〔解　釈〕

再就職等監視委員会が任命権者に調査を求めるのは、禁止される働きかけ行為を受けた職員からの届出（法一〇六の四⑨）、任命権者からの再就職等規制違反行為を行った疑いがあると思料するときの報告（いわゆる端緒報告（法一〇六の一六））のほか、同委員会に各方面から情報提供・通報等があった場合である。これらを受けて、同委員会が「再就職等規制違反行為を行った疑いがあると思料するとき」に、任命権者に対して調査の開始を求めることとなる。なお、禁止される働きかけ行為を受けた職員からの届出は、任命権者を経由せず再就職等監察官に直接届け出られるものである。

再就職等監視委員会の求めに応じて任命権者が開始した調査については、同委員会は、任命権者に対して、その経過報告を求め、あるいは、意見を述べることができる。また、任命権者には、調査が終了したときの同委員会への結果の報告義務も課される。これらは、本条第二項が法第一〇六条の一七第二項及び第三項を準用していることによるものである。

なお、任命権者が再就職等監視委員会の求めに応じて調査を行おうとする場合も、法第一〇六条の一七第一項に基づいて調査を行おうとする旨を同委員会に通知しなければならない。

（共同調査）

第百六条の十九　委員会は、第百六条の十七第二項（前条第二項において準用する場合を含む。）の規定により報告を受けた場合において必要があると認めるときは、再就職等規制違反行為に関し、監察官に任命権者と共同して調査を行わせることができる。

〔趣　旨〕

本条は、再就職等監視委員会が、再就職等規制違反行為に関する調査をする任命権者からの経過報告を受け、必要があると認めるときに、任命権者と共同して調査を実施することの規定である。これは、例えば、退職した職員により再就職等規制違反が行われた疑いがあるが、任命権者による調査に困難が伴う事案などにおいて、同委員会が調査を補完して厳正・公正な調査ができる場合があることを考慮した規定である。

〔解　釈〕

再就職等監視委員会が、再就職等監察官をして任命権者との共同調査を実施させることができるのは、再就職等規制違反行為に関する調査を実施している任命権者に対して経過報告を求めた場合において（法一〇六の一七2、一〇六の一八2）、その報告を受け、必要があると認めるときである。経過報告に基づき、同委員会が、必要性を判断して、共同調査が実施されるものである。

再就職等監視委員会は、罰則に担保された強制力を伴う調査権（法一八の三2）を有しているところであり、その調査権限としては、証人喚問等の権限（法一八の三2の規定により読み替えられた法一七2）、調査対象の元職員への質問等の権限（法一八の三2の規定により読み替えられた法一七3）など職員以外の者に対する調査の権限が含まれている。これらの権限は任命権者にはないことから、同委員会が、再就職等規制に関する専門機関として、これらの権限を行使して任命権者と共同して調査に当たることが真相の解明に有効な場合があると考えられる。例えば、任命権者において十分な供述や証拠資料の入手等が困難である場合に、再就職等監察官が、補完的な役割を果たす場合等が想定される。任命権者による調査では身内意識が働き調査が甘くなってしまうのではないかとの疑念を招かせる懸念のある場合（各府省等の中枢の複数の職員が関係する疑念がある場合など）も、同委員会が独立機関として共同調査を実施する必要があろう。これらの際、再就職等監察官は、同委員会により法の規定に基づき法の規定する調査を行うことを命じられるものであり、同委員会が有する強制力を伴う調査を行うことができる。

（委員会による調査）

第百六条の二十　委員会は、第百六条の四第九項の届出、第百六条の十六の報告又はその他の事由により職員又は職員であつた者に再就職等規制違反行為を行つた疑いがあると思料する場合であつて、特に必要があると認めるときは、当該再就職等規制違反行為に関する調査の開始を決定し、監察官に当該調査を行わせることができる。

②　任命権者は、前項の調査に協力しなければならない。

③　委員会は、第一項の調査を終了したときは、遅滞なく、任命権者に対し、当該調査の結果を通知しなければなら

ない。

〔趣　旨〕

本条は、再就職等監視委員会が、再就職等規制違反行為を行った疑いがあると判断し、特に必要があると認めるときに、同委員会独自の調査を開始するための規定である。

〔解　釈〕

一　再就職等監視委員会が独自の調査について「特に必要があると認める」場合

再就職等監視委員会が独自に調査の開始を決定するのは、禁止される働きかけ行為（法一〇六の四1～4）を受けた職員からの届出（法一〇六の四9）、任命権者からの端緒報告（法一〇六の一六）のほか、各方面からの情報提供・通報等を受けて、再就職等規制違反行為を行った疑いがあると判断し、かつ、特に自ら調査を行う必要があると認める場合である。

「特に必要があると認める」場合とは、任命権者が懲戒権を行使する前提として調査することとなるのが通例である一方で、任命権者と委員会の共同調査でもなく、任命権者に調査の主体として関わらせることなく、委員会が単独で調査を行う必要がある場合である。同委員会が「特に必要がある」と認めるケースの典型には、組織ぐるみや幹部職員の再就職あっせん規制違反が疑われ、独立機関が公正に調査することが特に必要と認められる場合が考えられる。

二　任命権者の協力義務

本条は、第二項において、再就職等監視委員会による独自の調査に対する任命権者の協力義務を規定する。再就職等規制違反行為に関する調査は、内閣総理大臣（再就職等監視委員会）の調査権限が法定されていなければ、任命権者が固有の権限で単独で実施することとなるところ、同委員会が外部から任命権者の内部管理事項について調査をすることになることから、円滑な調査を確保するため、協力義務が規定されているものである。なお、任命権者にとっても、調査結果を踏まえて懲戒処分等に関し公正で妥当な判断をするためには、同委員会に協力し調査が円滑に行われることが必要となる。

三　任命権者への調査結果通知義務

本条第三項は、再就職等監視委員会に対して、独自の調査を終了したときには、その結果を任命権者に通知しなければならないとしている。これは、調査結果に基づいて対処することとなるのは任命権者であり、また、適時に懲戒処分等の措置を行う必要があるからである。

（勧告）

第百六条の二十一　委員会は、第百六条の十七第三項（第百六条の十八第二項において準用する場合を含む。）の規定による調査の結果の報告に照らし、又は第百六条の十九若しくは前条第一項の規定により監察官に調査を行わせた結果、任命権者において懲戒処分その他の措置を行うことが適当であると認めるときは、任命権者に対し、当該措置を行うべき旨の勧告をすることができる。

②　任命権者は、前項の勧告に係る措置について、委員会に対し、報告しなければならない。

③　委員会は、内閣総理大臣に対し、この節の規定の適切な運用を確保するために必要と認められる措置について、勧告することができる。

〔趣　旨〕

本条は、再就職等規制違反行為に関する調査結果を踏まえて必要と認める措置を行うよう任命権者に勧告することができる権限を再就職等監視委員会に与えている。また、退職管理に関する本法の規定の適切な運用を確保するために必要と認める措置について内閣総理大臣に勧告することができる権限を同委員会に与えている。専門機関又は独立機関として、当事者に対して一定の行動を促すものである。

〔解　釈〕

一　任命権者に対する懲戒処分等の措置に関する勧告権限

本条第一項により、再就職等監視委員会は、任命権者による調査の結果報告（法一〇六の一七3）を受け、又は、共同調査（法一〇六の一九）若しくは同委員会による調査の結果（法一〇六の二〇）に基づき、懲戒処分その他の措置を任命権者が行うことが適当と認めるときは、措置を行うべき旨を任命権者に勧告することができる。勧告する内容は、「懲戒処分その他の措置」であり、懲戒処分のほか、例えば、任命権者に対して再就職等規制の周知徹底や再発防止のための措置を行うべき旨を勧告することなどが考えられる。このほかにも、同委員会において、調査結果に即しどのような措置が必要か検討されることとなろう。

また、本条第二項は、再就職等監視委員会が懲戒処分等の措置をすべき旨の勧告をした場合には、任命権者は、当該勧告に係る措置について同委員会に報告しなければならないとしており、勧告の実効性を担保している。報告義務が課されている以上、行政機関としてその措置を執ったことに関し、その根拠や合理性について一定の説明責任が発生するものである。

二　内閣総理大臣に対する退職管理に関する規定の適切な運用確保のための勧告権限

本条第三項により、再就職等監視委員会は、再就職等規制に関する調査等の専門機関として、再就職等規制を中心として本法の退職管理に関する規定の適切な運用を確保するために必要と認められる措置について、内閣総理大臣に勧告できる。退職管理に関する事務は、中央人事行政機関たる内閣総理大臣のつかさどるところであるが（法一八の二1）、再就職等規制が厳正に遵守され、また、違反が疑われる場合の調査が厳正に実施されるためには、調査のほか再就職等規制に関する承認事務（法一〇六の三2④、一〇六の四5⑥）などを通じて同委員会において把握されることになる再就職等規制等の運用上の問題点等を把握した上で、制度や運用の適切な見直しが行われる必要がある。

「この節の規定」とは、本法第一〇六条の二から第一〇六条の二七までの規定の全てであることから、「この節の規定の適切な運用を確保するために必要と認められる措置」とは、再就職等規制（法一〇六の二～一〇六の四、法一〇六の二六）が厳正に遵守され、再就職等規制違反行為を行った疑いがある場合の調査等が厳正かつ円滑に行われ（法一〇六の一六～一〇六の二〇、一〇六の二一1・2、一〇六の二二～一〇六の二七）、又は調査体制としての再就職等監視委員会が適確かつ十全に機能する（法一〇六の五～一〇六の一五、法一〇六の二〇、一〇六の二二）ために必要な措置ということになろう。例えば、各府省等において再就職等規制が厳正に運用されるよう内閣総理大臣が指導等を行うことやそのための具体的措置とこれをとるべき旨等を勧告することが考えられる。いかなる措置を勧告するかは、同委員会において、再就職等規制の運用状況に照らし、検討される。

（政令への委任）

第百六条の二十二　第百六条の五から前条までに規定するもののほか、委員会に関し必要な事項は、政令で定める。

〔**趣旨・解釈**〕

再就職監視委員会令において、本法第一〇六条の八第一項並びに第一〇六条の一四第三項及び第五項において政令で定めるよう委任されている事項のほか、委員会の議事手続に必要な事項等が定められている。

第三款　雑　則

（任命権者への届出）

第百六条の二十三　職員（退職手当通算予定職員を除く。）は、離職後に営利企業等の地位に就くことを約束した場合には、速やかに、政令で定めるところにより、任命権者に政令で定める事項を届け出なければならない。

②　前項の届出を受けた任命権者は、第百六条の三第一項の規定の趣旨を踏まえ、当該届出を行った職員の任用を行うものとする。

③　第一項の届出を受けた任命権者は、当該届出を行った職員が管理又は監督の地位にある職員の官職として政令で定めるものに就いている職員（以下「管理職職員」という。）である場合には、速やかに、当該届出に係る事項を内閣総理大臣に通知するものとする。

〔**趣　旨**〕

本条は、いわゆる現役出向する職員を除き、営利企業等に再就職の約束をした職員が任命権者にその旨の報告をしなければならないこと、任命権者は、求職規制の趣旨を踏まえてその後のその職員の任用を行うべきこと、また、その職員が管理職職員である場合には、その届出の内容を中央人事行政機関たる内閣総理大臣に通知すべきことを規定している。

本条の趣旨は、離職後の再就職を約束した職員が、当該約束に係る営利企業等との間で利害関係が発生し公務の公正性を歪めるという疑念が発生しないように、任命権者に当該約束のある職員について任用上の配慮を行うようにさせるものである。また、そのうち管理職職員については内閣の責任の下での再就職情報の一元管理・公表制度に係らしめ、再就職の透明性を確保して国民の信頼確保に努めようとするものである。

いわゆる再就職の一元管理・公表制度については、本条から第一〇六条の二五までに規定されており、それらのうち本条及び本法第一〇六条の二四は、職員・元職員に一元管理・公表を行うための届出義務を課している。再就職情報の公表については、平成一九年の改正法施行以前においては、平成一三年の「公務員制度改革大綱」（閣議決定）に基づく公表制度が、ほぼ同様の内容で設けられていた。

なお、行政執行法人の役職員については、本条から第一〇六条の二七までの規定は、行政執行法人の役員等に準用されており、役員等の再就職情報も、内閣の一元管理・公表制度の対象である。

〔解　釈〕

一　職員の届出義務と任命権者の任用上の措置

本条第一項及び第二項は、職員に再就職の約束があることの届出をさせるとともに、任命権者に、再就職等規制のうちの求職活動規制（法一〇六の三）の趣旨を踏まえた任用を行わしめるものである。求職活動規制は営利企業等が許認可等の処分や契約などを通じて現役職員の職務との間に利害関係を有する場合に当該職員の求職活動を規制しているが（法一〇六の二1、退職管理政令四）、同項は、この求職活動規制における利害関係概念を援用して、当該職員とその再就職の約束に係る営利企業等との間に当該約束後に職務上の便宜を図るような不適切な関係が発生することのないよう、任命権者に、当該営利企業等と利害関係を有する職務に従事させないための人事上の配慮を行うことを求めている。なお、この届出義務については、本法第一〇六条の三の求職活動規制を課せられない本府省係長級以下の職員についても、課せられる。

二　職員の届出義務と管理職員等に関する内閣総理大臣への通知

本条第一項及び第三項は、職員に再就職の約束の届出をさせるとともに、任命権者に、その職員のうち管理職職員の届出に係る情報を内閣総理大臣へ通知させるとしている。「管理職職員」とは、管理又は監督的地位にある職員として政令で定める官職に就く職員である。退職管理政令第二七条において、本府省準課長級以上の官職を占める職員（行政職俸給表㈠七級以上の職員（七級の職員であって俸給の特別調整額が一種又は二種であるもの以外のものを除く。（退職管理官房令七①））又は他の俸給表の適用を受ける職員若しくは検察官でこれに相当する職員）が定められており、地方支分部局、審議会等、施設等機関及び特別の機関におけるこれに相当する職員も、届出義務が課せられる。行政執行法人については、内閣総理大臣が、これに相当する職員を法人ごとに定めている。なお、本条第三項の規定により通知を受けた内閣総理大臣において、当該通知を取りまとめて内閣に報告することとなる（法一〇六の二五１）。

（内閣総理大臣への届出）

第百六条の二十四　管理職職員であつた者（退職手当通算離職者を除く。次項において同じ。）は、離職後二年間、次に掲げる法人の役員その他の地位であつて政令で定めるものに就こうとする場合（前条第一項の規定により政令で定める事項を届け出た場合を除く。）には、あらかじめ、政令で定めるところにより、内閣総理大臣に政令で定める事項を届け出なければならない。

一　行政執行法人以外の独立行政法人

二　特殊法人（法律により直接に設立された法人及び特別の法律により特別の設立行為をもつて設立された法人（独立行政法人に該当するものを除く。）のうち政令で定めるものをいう。）

三　認可法人（特別の法律により設立され、かつ、その設立に関し行政庁の認可を要する法人のうち政令で定めるものをいう。）

四　公益社団法人又は公益財団法人（国と特に密接な関係があるものとして政令で定めるものに限る。）

②　管理職職員であつた者は、離職後二年間、営利企業以外の事業の団体の地位に就き、若しくは事業に従事し、若しくは事務を行うこととなつた場合（報酬を得る場合に限る。）又は営利企業（前項第二号又は第三号に掲げる法

人を除く。）の地位に就いた場合は、前条第一項又は前項の規定による届出を行つた場合、日々雇い入れられる者となつた場合その他政令で定める場合を除き、政令で定めるところにより、速やかに、内閣総理大臣に政令で定める事項を届け出なければならない。

〔趣　旨〕

本条は、現役出向をしている職員を除く元管理職職員（元職員のうち管理職職員であったことがある者の全てであり、離職時には管理職職員ではなかったが離職時より前に管理職職員であったことがある者を含む。「管理職職員」については、一〇六条の二三の〔解釈〕二解説を参照。）に対して、離職後二年間、一定の法人へ再就職しようとする場合及び再就職した場合の内閣総理大臣への届出義務を課すものである。退職管理は各府省等において行われるものであるが、最終的には内閣の下で再就職情報を一元管理し、かつ、公表して、再就職に関する透明性を確保できるようにするため、内閣総理大臣による情報の収集について定めた規定である。

〔解　釈〕

一　元管理職職員に対する離職後二年間の届出義務

届出義務が課せられるのは、元管理職職員である。国家公務員を退職した後は一般の民間人となることから、その全てに届出義務を課すのではなく、内閣が行うべき統一的な退職管理の対象として合理的な範囲の者に届出義務が課される。国家公務員の再就職について国民の関心が高いのは、管理職職員に関するものであると考えられること等を考慮して、元管理職職員に離職後二年間の届出義務が課されているものである。

二　行政執行法人以外の独立行政法人等の役員等に再就職しようとする場合の事前の届出義務

再就職しようとする元管理職職員は、その再就職先の地位が、次の①から④までに掲げる法人の常勤の役員の地位又は役員以外で内閣若しくは大臣に任命権があり若しくは任命・選任に認可を要する地位である場合においては（退職管理政令二八）、本法第一〇六条の二三の規定に基づき任命権者に届け出ている場合を除いて、再就職の前に、内閣総理大臣に、任命権者を経由して（退職管理政令二九１）、届け出なければならない。

① 行政執行法人以外の独立行政法人
② 特殊法人のうち政令で定めるもの（退職管理政令三〇）
③ 認可法人のうちで政令で定めるもの（退職管理政令三一）
④ 公益社団法人又は公益財団法人のうちで政令で定めるもの（退職管理政令三二、退職管理官房令九）

三　**再就職した場合等の届出義務**

国家公務員を退職した元管理職職員は、次の①から③までに掲げる場合に該当する場合には、内閣総理大臣に、離職時の任命権者を通じて、届け出なければならない。①及び②については、再就職等規制が対象とする営利企業・法人以外の再就職先を含んでいるが、本条第二項は、基本的に全ての再就職先を届出義務・一元管理・公表制度に服させようとするものであって、平成一三年の「公務員制度改革大綱」（平一三・一二・二五閣議決定）に基づく公表制度で対象としていた再就職先の取扱いを引き継いだ取扱いとなっている。

① 報酬を得る場合であって営利企業以外の事業の団体の地位に就いた場合
② 報酬を得る場合であって営利企業以外の事業に従事し、又は事務を行うこととなった場合
③ 元管理職職員が営利企業の地位（再就職先として事前の届け出を義務付けられた特殊法人及び認可法人を除く。）に就いた場合

ただし、特別職国家公務員、地方公務員、国の定年前再任用短時間勤務職員・定年前再任用短時間勤務隊員、国の機関の顧問等として再就職した場合又は①若しくは②に掲げる場合に該当するが報酬がいわゆる所得税非課税限度額に相当する額の範囲内である場合（退職管理政令三三、退職管理官房令一〇）には、届出義務は課されない。

四　**本条違反に対する罰則**

再就職した元管理職職員が、本条第一項又は第二項の規定に違反し、届出義務を怠り、又は虚偽の届出をした場合には、一〇万円以下の過料に処せられ得る（法一一三②）。元管理職職員を届出義務違反で懲戒に処することはできないところであり、届出義務遵守を担保するための規定である。

（内閣総理大臣による報告及び公表）

第百六条の二十五　内閣総理大臣は、第百六条の二十三第三項の規定による通知及び前条の規定による届出を受けた事項について、遅滞なく、政令で定めるところにより、内閣に報告しなければならない。

② 内閣は、毎年度、前項の報告を取りまとめ、政令で定める事項を公表するものとする。

〔趣　旨〕

本条は、内閣総理大臣に対して、管理職職員が営利企業等への再就職を約束した場合及び離職している元管理職職員が離職後二年間において行政執行法人以外の独立行政法人等の役員等に再就職しようとし、又は営利企業等に再就職した場合に、内閣へ報告するよう義務を課している。管理職職員等（管理職職員及び元管理職職員）の再就職情報に関しては、行政に最終的な責任を有する内閣において一元的な管理を実現しようとしたものである。

本条は、あわせて、内閣がこの報告を取りまとめ公表するものとしており、管理職職員等の再就職情報の透明性を確保し、もって、管理職職員等の再就職の適正化を図ろうとしている。

〔解　釈〕

一　内閣総理大臣の報告義務

本条第一項により、内閣総理大臣には、本法第一〇六条の二三第三項の規定に基づく任命権者から受けた現職の管理職職員に関する通知又は法第一〇六条の二四の規定により元管理職職員から受けた届出の情報について、すなわち、管理職職員等の再就職情報について、内閣に報告する義務が課せられている。

二　内閣による公表

本条第二項により、内閣は、内閣総理大臣からの報告を受け、毎年度、管理職職員等の再就職情報を公表することとされている。公表の主体が内閣総理大臣ではなく内閣であるのは、国民の関心の非常に高い再就職状況について、行政に最終的な責任を有する内閣が公表することによって、信頼確保を図ろうとするものである。平成一三年の「公務員制度改革大綱」

（平一三・一二・二五閣議決定）により導入されていた再就職状況の公表制度においても、内閣が公表を行ってきていた。

（退職管理基本方針）

第百六条の二十六　内閣総理大臣は、あらかじめ、第五十五条第一項に規定する任命権者及び法律で別に定められた任命権者と協議して職員の退職管理に関する基本的な方針（以下「退職管理基本方針」という。）の案を作成し、閣議の決定を求めなければならない。

②　内閣総理大臣は、前項の規定による閣議の決定があつたときは、遅滞なく、退職管理基本方針を公表しなければならない。

③　前二項の規定は、退職管理基本方針の変更について準用する。

④　任命権者は、退職管理基本方針に沿つて、職員の退職管理を行わなければならない。

〔趣　旨〕

「退職管理基本方針」は、平成一九年の本法改正により新たに導入された措置である。退職管理に関する基本的な方針を策定し閣議決定することで、各府省等における退職管理を統一的に適正化しようとするものである。

〔解　釈〕

本条第一項及び第二項は、退職管理基本方針に関する主管として、中央人事行政機関としての内閣総理大臣に、案の作成、閣議請議及び公表を義務付けるものである。なお、第一項の「法律で別に定められた任命権者」の例としては、内閣法制局長官（内閣法制局設置法二②）、警察庁長官（警察法一六②）、行政執行法人の長（独立行政法人通則法二六）がある（法五五参照）。

本条第三項は一度閣議決定され、公表された退職管理基本方針の変更について規定している。高齢期の職員をめぐる労働情勢等の変化に伴い、あるいは、任命権者及び元管理職職員から報告された再就職情報の蓄積を踏まえ、退職管理の適正化のための措置を変更する必要が生じることも想定されるためである。

最後に、本条第四項は、任命権者が退職管理基本方針に沿って退職管理を行わなければならないと規定している。なお、平成一九年の本法改正前にも実際には、内閣の主導で、各府省等における勧奨退職年齢の引上げの取組等が行われていたが、本法には、退職管理全般に関する方針を定める規定は置かれておらず、また、退職管理の基礎的な責任主体に関する規定もなかった。

平成二二年六月二〇日に閣議決定され、公表された退職管理基本方針には、各任命権者における再就職等規制の厳格な遵守、職員に対する再就職等規制の指導・周知の徹底等をはじめ、定年までの勤務環境に係る指針などが定められている。

（再就職後の公表）

第百六条の二十七　在職中に第百六条の三第二項第四号の承認を得た管理職職員が離職後に当該承認に係る営利企業等の地位に就いた場合には、当該管理職職員が離職時に在職していた府省その他の政令で定める国の機関、行政執行法人又は都道府県警察（以下この条において「在職機関」という。）は、政令で定めるところにより、その者の離職後二年間（その者が当該営利企業等の地位に就いている間に限る。）、次に掲げる事項を公表しなければならない。

一　その者の氏名

二　在職機関が当該営利企業等に対して交付した補助金等（補助金等に係る予算の執行の適正化に関する法律（昭和三十年法律第百七十九号）第二条第一項に規定する補助金等をいう。）の総額

三　在職機関と当該営利企業等との間の売買、貸借、請負その他の契約の総額

四　その他政令で定める事項

〔趣　旨〕

本条は、本法第一〇六条の三に規定する求職活動規制を再就職等監視委員会の承認により解除されて、利害関係企業等へ求職し再就職した元管理職職員の離職時の在職機関に対して、離職後二年間においてその者がその営利企業等に在籍している間に当該在職機関が交付した補助金の総額や締結した契約の総額などの公表義務を課している。

〔解　釈〕

一　利害関係企業等への求職を承認されて再就職した元管理職職員に関する事項に限定した公表義務

公表の対象となるのは、再就職等監視委員会（又は再就職等監察官）から承認を得て利害関係企業等への求職活動を行い再就職した元管理職職員が、離職後二年間において当該承認に係る営利企業等の地位に就いている間である。対象については、内閣における再就職情報の公表制度と同様の考え方に立ち、国家公務員の再就職として国民の関心が高い元管理職職員における場合に限定されている。

二　補助金等の総額、契約の総額等の公表

公表内容は、在職機関からのなんらかの金銭的給付の総額である。再就職等監視委員会が承認した求職活動を経た再就職については、再就職先である営利企業等とその職員の職務及び在職機関の所掌事務との間に利害関係があるところであり、当該営利企業等に対する事務事業の運営に影響するような金銭給付の多寡を明らかにすることによって、当該再就職に関して不適切な関係が生じないようにし、また、生じていないとの透明性の確保を図ろうとするものである。

第九節　退職年金制度

（退職年金制度）

第百七条　職員が、相当年限忠実に勤務して退職した場合、公務に基く負傷若しくは疾病に基き退職した場合又は公務に基き死亡した場合におけるその者又はその遺族に支給する年金に関する制度が、樹立し実施せられなければならない。

② 前項の年金制度は、退職又は死亡の時の条件を考慮して、本人及びその退職又は死亡の当時直接扶養する者のその後における適当な生活の維持を図ることを目的とするものでなければならない。

③ 第一項の年金制度は、健全な保険数理を基礎として定められなければならない。

④ 前三項の規定による年金制度は、法律によつてこれを定める。

〔趣　旨〕

一　退職年金の本質

本条に基づく退職年金制度は、職員及びその遺族に対し、退職後の所得を保障することによって、職員に在職中厳正な服務規律の下で、安んじて専心職務に精励させ、高い士気を維持せしめるとともに、公務部門として、優秀な人材の確保、適切な退職管理を可能にする等の役割を担い、ひいては公務の民主的かつ能率的な遂行に資することをその趣旨としている。すなわち、本制度は、公務における人事管理の一方法として考えられているものであり、年金の支給要件を「相当年限忠実に勤務して退職した場合、公務に基く負傷若しくは疾病に基き退職した場合又は公務に基き死亡した場合」に限定しているのはその現れといえよう。

ところで、このように本条の退職年金制度は公務員制度としての重要な機能を果たしているものであるが、他面、現代社会において年金制度は、勤労者の退職後（老後）の所得の減少という状況に着目して、社会保障制度の一環として行われるものであり、本条に規定する退職年金制度についても当然社会保障制度としての意味合いが含まれているといえよう。

公務員の退職年金又は恩給について諸外国の例をみると、公務員制度の中で退職管理を如何に位置付けるかという理念を明確に持って制度化していることが伺える。各国とも長年にわたって公務員として忠実に勤務した者が、退職時点の給与の六割から七割の年金（恩給）を受給できるものとしている。これは様々な権力行使や契約関係など業務の公正な遂行に反する誘惑のある公務員に公正な職務遂行を求め、かつ退職後にも一定の服務義務を課すとともに、公務に優秀な人材を誘致するよう退職後の所得面で一定の優位性を与えたものとみられる。これらの国々では国民全般に対する公的年金とは別の恩給（官吏に対する国の扶養義務による給付）とするか、国民に遍く適用される公的年金に加えて、公務員独自の上積み年金（企業年金に相当）とするかは別として、本条が予定しているような公務員年金制度が設けられている（二2及び第一〇八条〔解釈〕三で後述する昭和二八年の人事院の意見の申出は一つのモデル）。公務員年金制度のあり様が、再就職の必要性等とも大いに関係していることは前述（第一〇六条の二〔趣旨〕一及び二参照）したとおりである。一方、我が国の昭和六〇年以降の年金制度改革では一般の公的年金制度との一体性が強調され、実際にも厚生年金と共済年金が統合されることにより、公務員年金の独自性は失われて、僅かに退職等年金給付（いわゆる年金の三階部分）（平成二七年一〇月以前は共済年金の職域部分）によって公務員制度の独自性が確保されることになっている。諸外国との比較において我が国の公務員年金を複雑化しているもう一つの要素は、年金制度とは別の、我が国に独自の退職一時金の仕組みである。現行の公務員制度でも、平均水準でみると退職給付全体（退職等年金給付＋平成二七年一〇月以前の旧共済年金の職域部分＋退職手当）の約九一パーセント相当分が退職時に退職手当として一時金で支給されている。しかしながら、退職後の生活を継続的・安定的なものとして考える場合、公務員年金と退職手当の合計額を年金の問題として捉える必要があり、後述のとおり、平成一八年以来、民間の退職一時金と企業年金を調査し、官民の均衡を図る手法が採られているところである。この場合、諸外国で認められている公務員年金の優位性を、どのようにどこまで認めるべきかについては、官民均衡論が強く主張される中で十分に議論されておらず、現在の状況は公務員年金は一般勤労者に対する最低限の社会保障システムの中に呑み込まれているといえる。

「公務の倫理と勤労意欲を維持し、それによって国の統治能力を維持するためには、民間退職金水準との機械的な平均思想を改め、わずかに残された「退職等年金給付」を足掛かりに漸進的な給付の改善を行うべきではないか。」との指摘もある（神代和欣著「退職給付の官民比較と国際比較」（日本労働研究雑誌六八九号（労働政策研究・研修機構二〇一七・一二）七五頁参照））。

現在、職員に対する退職年金は、本条にその根拠を置きつつ、厚生年金保険法及び共済法の定めるところにより支給されている（厚生年金保険法一〇〇の三の四、共済法一二六の六）。

共済制度は、後述のとおり、そもそも勤労者の相互扶助、相互救済を目的として自主的な組織により発足したものであるが、民間勤労者につき労災保険制度や健康保険制度、厚生年金保険制度など国家による社会保障制度が整備されるにつれて、公務では共済制度によって退職年金を給付するようになり、社会保障制度の機能を代行するものとして位置付けられるようになった。その後、恩恵的かつ報償的な性格を有する恩給制度との統合、一本化が行われ、その際、共済制度に基づく長期給付は、本条に規定する退職年金として位置付けられるようになった。さらに平成二四年の法改正により、同二七年一〇月から被用者年金の一元化及び国家公務員の退職給付の仕組みの見直しが行われ、共済法における長期給付は厚生年金保険法に規定する保険給付及び公務独自の退職等年金給付であるとされ、これら給付がいずれも本条に規定する年金制度として整理された。

共済年金制度の運営は、一般国民を対象とする他の社会保障制度と同様に社会保険方式で行われ、職員が納付する掛金と国が使用者として支出する負担金を原資として運用される。

なお、本条は、職員の退職年金制度を規定した条項であるが、共済法においては、相互扶助を旨とした疾病等に係る短期給付制度も規定している。

ちなみに、地公法では、共済制度を職員の厚生福利制度として位置付ける規定が設けられているとともに、国の制度との権衡や退職年金は共済制度に含まれることも規定されている（地公法四三）。

二　退職年金制度の沿革

1　戦前の年金制度

第二次世界大戦前の公務員制度には官吏及び雇傭人の身分制度が存在し、退職年金制度についてもこのような身分の別によって異なる取扱いがなされた。すなわち、退職年金制度の適用関係からみると、恩給が支給される官吏、共済組合による退職年金が支給される現業庁の雇傭人及び退職年金が支給されない非現業庁の雇傭人の三つに区分されていた。

恩給は、天皇の官吏として永年勤続した者やその遺族に対する生活保障ないしは長期勤続に対する報償的な給付としての性格を有するものであり、明治八年の軍人に対する公務傷病恩給の創設をはじめとして、明治中期には文官恩給の創設、退職年金の支給が行われ、大正一二年には様々な職種に対する恩給の全てを統合した恩給法が成立した。

一方、恩給法が適用されない雇傭人の相互救済を目的として、明治三八年に官業製鉄所職工共済会が誕生したのをきっかけに現業庁には続々と共済組合が誕生し、当初の業務災害補償に加えて大正の中頃には退職年金を支給するようになった。しかし、非現業庁では昭和一〇年代以降共済組合こそできたものの、専ら健康保険的な給付に終始し退職年金の支給は行われなかった。

2　戦後の年金制度の改革

昭和二三年に国家公務員共済組合法（いわゆる旧法）が成立し、各現業庁ごとの共済制度を統一するとともに、翌年の一〇月一日からは非現業庁の雇傭人に対しても同法が適用されて、ここに全ての職員は恩給又は共済年金のいずれかの支給を受けられることとなった。当初においては、戦後の新しい公務員制度の下では、戦前から引き続いた官吏、雇傭人という職員間の身分の違いを前提とした恩給制度と共済年金制度とが併存することとなったが、これには合理的理由がないばかりでなく、相互の資格期間の通算も行われず、給付内容、費用負担等にも差が生ずるなど人事管理面での問題も多かった。このため、統一的な年金制度の確立が急務とされ、当初の本法第一〇八条もこのような趣旨から人事院に新しい恩給制度について研究を行い、その成果を国会及び内閣に提出することを義務付けていた。

人事院は、昭和二八年に国家公務員退職年金制度に関して政府機関（人事院）運営方式による一元化等を内容とする意見の申出を行ったが、各種審議会等で恩給方式、共済組合方式の建議が拮抗していた当時の情勢からすぐには実施されず、引き続き政府部内で検討が行われることとなった。ところが、昭和三一年に議員立法で公共企業体職員について共済組合方式での年金制度の一本化が実現されるに及んで、国家公務員についても共済組合方式による年金制度の統合の気運が高まり、一部に反対はあったものの、とりあえず五現業職員と非現業職員のうち恩給の適用を受けない者に限って共済組合方式による退職年金制度を適用することとし、昭和三三年に国家公務員共済組合法が全部改正されて（昭三三法一二八）、昭和三四年一月一日から施行された。

次いで政府は、非現業職員全部に同法を適用するよう求めた国会附帯決議を踏まえて内部調整をした後、同法の一部改正案を提出した。改正案は恩給法の改正と併せて昭和三四年四月に成立し、同年一〇月一日からは非現業職員全体にも恩給法に代わって共済法が適用されるに至り、ここに国家公務員退職年金制度の統一が実現された。これに伴い、本法上「恩給制度」という文言も「退職年金制度」という言葉に改められ、公務員制度としての役割とともに、社会保障制度としての位置付けも明確になった。

しかし、昭和五〇年代に入り高齢化社会の到来が認識されるに従い、公務員の年金制度に関しても、給付額の増大により、将来、限界を超えた掛金負担を招来することが予想されるようになり、また一方では、恩給制度に由来する公務員年金と厚生年金との間の官民格差の解消とその一元化を求める世論が高まりをみせた。このため、これに対する具体的な方策の検討が始められ、その結果、昭和五八年に公共企業体職員等共済組合を国家公務員共済組合に統合する法改正が行われ（法律の名称も「国家公務員共済組合法」から「国家公務員等共済組合法」に改められた。）、続いて昭和六〇年一二月には、国家公務員等共済組合法の長期給付に関する大改正（昭六〇法一〇五）が行われ、昭和六一年四月一日から施行された。

昭和六〇年の改正の主眼とするところは、高齢化社会の到来に対応し、国民年金、厚生年金等を合わせた公的年金制度全体の長期的安定と発展を図っていくため、その統合一元化を展望しつつ、給付と負担の適正化を図るとともに他の公的年金制度との整合性を確保するというものであり、この改正によって、それまでは専ら共済法に基づいて支給されていた国家公務員の年金は、国民年金法に基づいて支給される全国民共通の基礎年金と、新たに改正された共済法に基づいて支給される共済年金（民間勤労者と同一の計算式による厚生年金相当部分と共済年金独自の職域年金相当部分とからなる）の二本立てで運用されることとなった。

右の改正では、公務員の退職年金について従前行われていた退職直前の平均俸給年額をベースに年金を算定する方式は、在職期間全体にわたる平均標準報酬月額を基礎に算定する方式に改められた。これによって、公務員と厚生年金を受給する民間労働者との年金額算定方法及び年金額の給付水準は制度的に均衡されることとなった。その際、従前からの経緯等を踏まえ、公務員について、厚生年金相当部分のほかに公務員独自の職域年金相当部分が設けられた。その背景には、①公務員は、公共の利益のために行政を公正かつ能率的に遂行する職責を有しており、民間の勤労者に比べて広範囲で厳しい服務上の制約（例えば、政治的行為の制限、守秘義務、私企業からの隔離（再就職規制等））が課されていること、②従来から公務員の退職年金制度は、相当の年限、私的利益から離れて公務に精励し退職した職員等について、本人又はその遺族のその後における適切な生活の維持を図ることにより、職員の将来に対する不安を緩和し、在職中厳正な規律の下で私利を顧みることなく職務に従事できるようにするためのものであり、ひいては、優秀な人材の確保、高い士気の維持、退職管理の円滑化等適正な人事管理に資することを目的としており、社会保障という観点とは別に、公務員制度の一環として極めて重要な役割を果たしていること、③民間企業においては、厚生年金制度を補完するものとして、企業独自の設計に基づくいわゆる企業年金制度の普及発達が著しいこと、④先進諸外国の公務員年金制度についてみると、公務の特殊性を考慮して、一般国民に対する年金とは別建ての有利な制度となっていること、等の事情があった。

この共済年金における職域年金相当部分の在り方については、昭和六〇年の改正の際に「今回の改正における職域相当部分の根拠、水準が必ずしも明瞭でないので、この点につき、人事院等の意見も踏まえ、引き続き研究を行うこと。」（昭六〇・一一・二九衆議院大蔵委員会（他に同趣旨のもの多数あり））との附帯決議がなされたところである。その後昭和六三年には、民間における企業年金の普及状況が未だ流動的であることなどから、「公務員共済年金の職域相当部分の根拠、水準等に関する人事院の調査研究は、民間企業年金の状況等を勘案し、慎重に行うこと。」（昭六三・三・三一衆議院内閣委員会（同旨六三・五・一七参議院内閣委員会））との附帯決議がなされた。

その後、平成に入ると、年金制度に係る国民負担を長期的見地から適正なものとし、年金制度の安定を図るため、被用者年金の支給開始年齢の引上げについての検討が本格化した。平成五年、当時の厚生省の年金審議会は、年金の支給開始年齢の六五歳引上げ問題について、六〇歳代前半の雇用と年金の在り方について十分検討を深めるべきであるとし、その後連立与党の年金改正プロジェクトチームでの議論を経て、六〇歳代前半は賃金と年金を中心として生活を支える期間とするとの考え方の下、平成六年に必要な年金制度関連法の改正が行われた。具体的には、六〇歳以上六五歳未満の者に支給される退職厚生年金は特別支給の報酬比例相当部分に限ることとし、六〇歳から支給されていた特別支給の基礎年金相当部分に係る支給開始年齢を、平成一三年度から二五年度にかけて三年ごとに一歳ずつ六五歳まで段階的に引き上げることとされた。共済年金についても、六〇歳代前半の老齢年金の見直しについて同様の措置が講じられたが、その際、官民格差の観点から共済年金における職域部分の取扱いが問題とされた。しかしながら、この時点では、共済年金制度が公的年金制度としての位置付けのほかに、公務員制度の一環として退職後の所得保障を通じて、在職中に厳正な服務規律の下で職務に精励させるという役割を有していることや、公務員には雇用保険制度が適用されず高年齢雇用継続給付が支給されないことにも配慮して、職域部分は従来どおり、退職を要件として六〇歳から支給する仕組みを維持することとされた。その後、年金支給開始年齢の引上げについては更に平成一二年に年金制度関連法の改正が行われ、特別支給の報酬比例部分についても平成二五年度から三七年度にかけて三年ごとに一歳ずつ段階的に支給開始年齢を六五歳まで引き上げることとなり、官民とも六五歳に達する日まで公的年金は支給されない仕組みとなった。

一方、年金制度の一元化については、平成一六年の財政再計算において国家公務員共済年金と地方公務員共済年金の両制度間で財政単位を一元化して行うこと等が進められたほか、厚生年金と共済年金の制度間での給付と負担の差異については、民間被用者及び公務員を通じ、将来に向けて同一の報酬であれば同一の保険料を負担し、同一の公的年金給付を受けるという公平性を確保し、公的年金全体に対する国民の信頼を高める必要があるとの認識が深まっていった。具体的には、共済年金制度を厚生年金制度に合わせる方向を基本とした「被用者年金制度の一元化等に関する基本方針について」が平成一八年四月二八日に閣議決定され、被用者年金制度の保険料率の統一、公的年金としての共済職域部分（いわゆる年金の三階部分）の平成二二年中の廃止、共済年金の転給制度の廃止等、各共済年金と厚生年金保険の制度が異なる点を解消するとした。その一方で、職域部分に代わる新たな公務員制度としての仕組みを設けることとし、政府はこの仕組みの制度設計に当たり、内閣官房長官から人事院総裁に対し諸外国の公務員年金や民間の企業年金及び退職金の実態について調査を実施し、見解を述べることを求めた。

この閣議決定に基づく政府からの要請を受け、平成一八年秋、人事院は、民間企業における企業年金及び退職一時金の実態調査を経て、これと国家公務員共済年金の職域部分及び退職手当との水準比較を行ったほか、諸外国の公務員年金制度について調査し、国家公務員共済年金の職域部分に代わる新たな公務員制度としての仕組みのあるべき方向などを検討し、人事院として調査結果及び見解を取りまとめた。官民の退職給付の水準については、使用者拠出分の年金（一時金に換算）と退職一時金を合わせた退職給付総額で初めて官民比較を行った結果、いわば企業年金に相当する共済職域部分を含めてみても、民間の退職給付（二九八〇・二万円）が公務（二九六〇・一万円）を上回ることが判明し、この共済職域部分が廃止されれば、官民均衡の観点から、民間との較差を埋める措置が必要であるとの結論を得た。その上で人事院は、この較差を埋める方法として、これまで国家公務員が年金と退職手当との二本立ての給付を前提に長期的生活設計を行ってきていること、民間においては企業年金の形での退職給付が普及していること、更に諸外国においても給付の基本は終身年金であること等を考慮し、公的年金とは切り離された、公務の人事管理上の必要性も踏まえた新たな年金の仕組みを設けることが適当であるとの見解を示した（平一八・一一・一六「諸外国の公務員年金並びに民間の企業年金及び退職金の実態調査の結果並びに新たな公務員制度としての仕組みについての基本的事項に係る本院の見解について」）。前述の閣議決定と人事院の調査及び見解を受け、政府は、平成一九年四月に「被用者年金制度の一元化等を図るための厚生年金保険法等の一部を改正する法律案」を国会に提出した。同法案では、職域部分廃止後の新たな公務員制度としての年金の創設は盛り込まれなかったものの、附則において、「その在り方について、平成十九年中に検討を行い、その結果に基づいて、別に法律で定めるところにより、必要な措置を講ずるものとする」とされていた。同法案は平成二一年七月の衆議院解散に伴い廃案となり、同年九月の民主党連立政権への政権交代の後も具体的な法案提出の動きはなかった。

その後、前回の退職給付調査から五年が経過し、再度の民間調査が課題となる中で、平成二三年八月二五日には、国家公務員の退職給付制度を所管する総務大臣及び財務大臣から人事院総裁に対し、「高齢期の雇用等が検討課題となる中、公務員の退職後の生活保障的な性格も有している退職給付についても、政府として民間の動向を勘案しつつ、そのあり方について検証を行う必要があります。」として、民間企業の企業年金及び退職一時金の実態調査と公務の退職給付に関する人事院の見解を承りたいとの要請が行われた。一方、政府は、人事院への要請とは別に、平成二四年二月一七日には、「社会保障・税一体改革大綱について」を閣議決定し、この中で、共済年金制度を厚生年金制度に合わせる方向を基本として被用者年金を一元化するとし、前述した平成一九年の被用者年金一元化法案をベースに検討することとした。また、この閣議決定において、職域部分廃止後の対応については、新たな人事院調査等を踏まえて官民均衡の観点等から検討を進めるものとした。

これを受け、政府は同年四月に年金一元化のための法案を提出し、同年八月に「被用者年金制度の一元化等を図るための厚生年金保険法等の一部を改正する法律」（平二四法六三）（年金一元化法）として可決成立・公布された。同法では、平成二七年一〇月より、被用者年金の大宗を占める厚生年金に公務員も加入し、二階部分の年金は厚生年金に統一すること、共済年金と厚生年金の制度的な差異については基本的に厚生年金に揃えて解消すること、共済年金にある公的年金としての共済職域部分（いわゆる年金の三階部分）は廃止することとされた。一方、同法附則第二条及び第三条では、共済職域部分廃止後の新たな公務員年金については別に法律で定めるとし、また、施行日において年金受給権を有しない共済年金既加入者が、それまで保険料を払い込んだ期間に係る職域部分の支給に関する経過的取扱いも別に法律で定めるものとした。

平成二三年八月の政府からの要請を受けた人事院は、平成一八年調査と同様、年金と退職一時金を合わせた退職給付総額での官民比較を行い、平成二四年三月、公務の退職給付（平均二九五〇・三万円）が民間を四〇二・六万円上回っているとの比較結果を示し、官民均衡の観点から国家公務員の退職給付について見直しを行うことが適切であること、退職給付の見直しに当たり、国家公務員の退職給付が終身年金の共済職域と退職手当から構成され、服務規律の維持等の面から重要な意義を果たしてきた経緯や、民間では企業年金を有する企業が過半を占めていることを考慮した対応が必要との見解を示した（同年三月七日「民間の企業年金及び退職金の実態調査の結果並びに当該調査の結果に係る本院の見解について」）。

これらの人事院の調査結果及び見解、職域部分廃止後の新たな年金の在り方について政府として審議するため、平成二四年四月には「共済年金職域部分と退職給付に関する有識者会議」が設けられた。同年七月の最終報告では、退職給付総額四〇二・六万円の官民較差の調整については、その全額を一時金である退職手当の支給水準引下げにより行うことが適当であるとした。その上で、官民較差調整後の公務員の退職給付の在り方については、被用者年金一元化により職域部分が廃止され、平成二七年一〇月以降、職域部分の給付が経過的に減少することにより官民バランスが乖離することから、民間の企業年金の実態等を踏まえ、公務員にも退職給付の一部にキャッシュバランス方式を参考とした年金を導入することが適当であるとの見解が示された（平成二四年七月五日）。この報告書等に基づき、退職手当の引下げ措置と合わせて、共済制度の中に年金払い退職給付制度の創設、共済年金の職域部分の未裁定者に対する支給等について定めた「国家公務員の退職給付の給付水準の見直し等のための国家公務員退職手当法等の一部を改正する法律案」が同年八月七日に国会に提出された。同法案は民主党連立政権による衆議院解散の当日である同年一一月一六日に衆参両院で可決成立し、同月二六日に公布され（平二四法九六）、退職手当の引下げ措置は平成二五年一月から、年金給付に関する措置は年金一元化に合わせて平成二七年一〇月から施行された。

平成二六年七月、内閣人事局は、「国家公務員の総人件費に関する基本方針」（平成二六年七月二五日閣議決定）を定め、その中で、国家公務員の退職給付に関しては、これまでおおむね五年ごとに調査する民間企業の退職給付との均衡を図ってきたこと等を踏まえて、「退職給付（退職手当及び年金払い退職給付（使用者拠出分））について、官民比較に基づき、おおむね五年ごとに退職手当支給水準の見直しを行うことを通じて、官民均衡を確保する。」こととした。

その後の人事院による退職給付調査の結果及び見解と政府の対応は、下表のとおりである。

	平成29年4月19日人事院調査結果・見解公表（同28年8月政府要請）	令和4年4月21日人事院調査結果・見解公表（同3年7月政府要請）
比較結果	公務（平均2,537.7万円）が民間を78.1万円上回る	公務（平均2,407.0万円）が民間を1.5万円上回る
見解	比較結果に基づき、国家公務員の退職給付水準について見直しを行うことが適切	比較結果に基づき、国家公務員の退職給付の取扱いについて検討を行うことが適切
政府の対応	退職手当の調整率の改定により支給水準の引下げを決定（退職手当法等の一部改正法（平29法79）は、平成30年1月1日に施行）	国家公務員制度担当大臣が閣議後会見で「官民でおおむね均衡しており、国家公務員の退職手当の水準改定は今回は必要ないと考えます。」と発言

（参考）　国家公務員の退職手当

１　趣旨・性格

国家公務員の退職手当は、職員が長期間勤務して退職した場合に、一時金として支給される手当であり、民間企業の退職金（退職手当）に相当するものである。現在、民間企業では、退職金の全部又は一部を企業年金として支給する場合が多い。

民間の退職金の性格については種々の考え方がある。使用者側は在職中の功績に対する報償であるとする勤続報償的性格あるいは功労報償的性格を強調することが多い一方、労働者側は在職中に当然受けとるべき賃金を退職時に受けとるものであるとする賃金の後払い的性格や、退職後の生活を保障するために支払われるものであるとする生活保障的性格を強調することが多い。このような退職金の性格が議論される背景には、退職金は使用者の裁量による恩恵的な給付なのか、それとも使用者に支払義務のある賃金の一種と考えるべきなのかという立場の違いがあった。この点、行政解釈は古くから労働協約、就業規則等によってあらかじめ支給条件の明確なものは「賃金」である（昭二二・九・一三発基一七労働省）としてきており、最高裁の判例も同様である（昭四三・五・二八最高裁）。加えて、昭和六二年の労基法の改正で、「退職手当の定めをする場合においては、適用される労働者の範囲、退職手当の決定、計算及び支払の方法並びに退職手当の支払の時期に関する事項」の就業規則への記載が義務付けられた（労基法八九③の2）。一方、退職金の支給については、従来から、懲戒解雇や同業他社への就職等一定の事由の場合には減額又は非支給の定めがあるのが一般的であるほか、算定方法についても、自己都合退職と会社都合退職とで支給率が異なったり、近年では、退職金算定基礎賃金に勤務期間に応じた支給率（多くは勤続年数に応じて累進的）を乗じて算定する方式のほかに、資格等級や勤続年数、その他会社貢献度などの諸要素をポイント化して算定するポイント制などを採用する企業も多い。さらには、早期退職優遇制度を設ける企業も多く、民間における退職金は、一般に「賃金の後払い」と性格づけられるものの功労報償的性格をも有しているものといえよう（菅野和夫著『労働法（第十二版）』四三九頁）。

国家公務員の退職手当の性格についても、現行制度の内容等からみると、勤続報償、生活保障、賃金後払いの要素がいずれも含まれており、一つの要素だけで全てを説明することは難しい（退職手当制度研究会編著『公務員の退職手当法詳解（第六次改訂版）』五頁）とされてきた。

退職手当＝基本額（退職日の俸給月額×退職理由別・勤続年数別支給率）＋調整額

支給率（平成30年1月現在）

勤続年数	退職理由	
	自己都合・公務外傷病（通勤災害傷病を除く）〈退手法3条〉	死亡・傷病（公務上、通勤災害）・応募認定・定年・整理（分限免職）等〈退手法5条〉
1～24	【略】	
25	28.0395	33.27075
26	29.3787	34.77735
27	30.7179	36.28395
28	32.0571	37.79055
29	33.3963	39.29715
30	34.7355	40.80375
31	35.7399	42.31035
32	36.7443	43.81695
33	37.7487	45.32355
34	38.7531	46.83015
35	39.7575	47.709
36	40.7619	47.709
37	41.7663	47.709
38	42.7707	47.709
39	43.7751	47.709
40～	【略】	

調整額
額の多いものから60月分の調整月額の合計額

職員の区分	調整月額（平成27年4月現在）
指定職6号俸以上	95,400円
指定職5号俸以下	78,750円
行（一）10級等	70,400円
行（一）9級等	65,000円
行（一）8級等	59,550円
行（一）7級等	54,150円
行（一）6級等	43,350円
行（一）5級等	32,500円
行（一）4級等	27,100円
行（一）3級等	21,700円

ただ、退職手当の支給率は、（近年はその累進度が抑制されてきたとはいえ）勤続年数が長くなるにつれて増加する一方、短期勤続の自己都合退職については減額することとしていること、あるいは職員が懲戒免職、失職等により退職したりする場合には退職手当の全額を支給しないという定め（退手法一二1）や在職期間中の非違行為に係る刑事事件に関する支給後の返納規定（退手法一四等）などが設けられていることからすると、公務に対する貢献度など勤続報償的側面が強調されてきたといえる。しかしながら、最高裁の判例は、（退手法の適用を受けていた旧日本電信電話公社職員に係る事件に関し）退職手当は、職員が退職した場合にその勤続を報償する趣旨で支給されるものであって、必ずしもその経済的性格が給与の後払いの趣旨のみを有するものではないと解されるが、退職者に対してこれを支給するかどうか、また、その支給額その他の支給条件は全て法定されていて国又は公社に裁量の余地がなく、退職した国家公務員等に退職手当法第八条に定める欠格事由のない限り、法定の基準に従って一律に支給しなければならない性質のものであるから、その法律上の性質は「労働の対償」としての賃金に該当する旨判示している（昭四三・三・一二最高裁）。

いずれにせよ、第二八条の〔解釈〕一で述べたとおり、公務の退職手当は、法定要件の下で勤続期間等に応じて全ての公務員に支給させる仕組みとなっており、民間の同種の制度と同様のものであり、職員にとって重要な勤務条件の一つとなっている。実際にも、その水準改定は、人事院が行う官民の退職給付調査に基づき決定されている。

２　退職手当制度の概要

（一）　退職手当の額

退職手当の額は、退職手当の基本額（退職日の俸給月額に退職理由別・勤続年数別に定められた支給率を乗じて得られた額）に、調整額（基礎在職期間の初日の属する月から末日の属する月までの各月ごとに、当該各月にその者が属していた職員の区分（職員の職務の級等によって定められた一一区分）に応じて定める額（調整月額）のうち、その額が多いものから六〇月分の調整月額を合計した額）を加えて得た額である（退手法二の四等）。

退手法上の俸給月額とは、俸給表の額、俸給の調整額及び管理監督職勤務上限年齢調整額の合計額であり、退職の日に休職、減給等によって、俸給の全部又は一部が支給されない場合も、これら事由がないと仮定した場合に本来受けるべき俸給月額が算定基礎となる。また、退職時までの期間中に、給与法の改正等による俸給月額の減額改定以外の理由（例えば降任）により俸給月額が減額されたことがある場合で、減額前の俸給月額が退職日の俸給月額よりも多いときは、俸給月額の減額前に退職する場合よりも退職手当額が大きく下がらないよう、減額前までの期間と減額後から退職時までの期間に分けて退職手当の基本額を計算する特例（いわゆるピーク時特例）が定められている。当該特例は、本人の同意や分限処分による降格、俸給表間異動に伴う俸給月額の減額があった者や、定年引上げに伴い六〇歳超の期間の給与が減額される者（役職定年による降任等をした者を含む。）が適用対象となる。

主な退職の態様としては、①自己都合、②死亡又は傷病、③応募認定（早期退職募集制度による退職）、④定年、⑤官制・定員の改廃等による分限免職による退職があり（②は公務上と公務外とに区分）、これら退職理由に応じて勤続年数別の支給率が定められている

（退手法三〜五）。例えば、定年退職の場合、二五年勤続では三三・二七〇七五、三五年以上勤続は一律で四七・七〇九などとなっている（平成三〇年一月一日以降の退職）。

勤続年数や基礎在職期間は、職員としての引き続いた在職期間により算定され、休職、休業、停職等により現実に職務に従事しない期間も含まれるが、一定の事由に該当する場合には、二分の一又は全部が除算される（退手法七）。一方、職員が地方公共団体や公庫等に任命権者の要請等に応じて退職出向した期間がある場合には、それらの期間も通算される（退手法七の二）。

また、③の早期退職募集制度により応募し各省各庁等の認定を受けて退職した場合、⑤の官制・定員の改廃等による分限免職の場合、②のうち公務上の死亡又は傷病による退職の場合については、一定の要件の下（例えば、定年が六五歳であれば、勤続二〇年以上かつ四五歳以上）、定年前早期退職特例措置により、退職手当の基本額の基礎となる額が割増して算定される。

具体的には、退職日の俸給月額に対して、③については六〇歳までの残年数一年につき三%を超えない範囲内の割合が、⑤及び②のうち公務上による場合については六〇歳までの残年数一年につき三%を超えない範囲内の割合、六〇歳から六五歳までの残年数一年につき二%を超えない範囲内の割合が割増しされる（退手法五の三、附則一六）。

（二）退職手当の支給制限

例えば、次に掲げる場合には、退職手当の全部又は一部は支給されないか、支給後でも返納が必要となる。

① 懲戒免職の処分を受けて退職した場合（退手法一二１①）
② 失職した場合（退手法一二１②）
③ 在職期間中の非違行為に係る刑事事件に関し、退職後に禁錮以上の刑に処せられた場合（退手法一四、一五、一七）
④ 退職後に、在職期間中の非違行為が発覚し、それが懲戒免職等処分相当の行為であると認められた場合（返納処分は、退職日から五年以内に限られる。）（退手法一四〜一七）

〔解　釈〕

一　本条と共済法及び国民年金法との関係

1　共済法との関係

国家公務員の退職年金制度は法律によって定められることとされているが、その法律の代表的なものは共済法である。

共済法は、「国家公務員の病気、負傷、出産、休業、災害、退職、障害若しくは死亡又はその被扶養者の病気、負傷、出産、死亡若しくは災害に関して適切な給付を行うため、相互救済を目的とする共済組合の制度を設け、その行うこれらの給付及び福祉事業に関して必要な事項を定め、もつて国家公務員及びその遺族の生活の安定と福祉の向上に寄与するとともに、公務の能率的運営に資すること」を目的としており（共済法一1）、共済組合の行う給付は退職年金に限られていない。また、給付の対象とする組合員の範囲の面からは、一般職の国家公務員だけでなく、特別職の国家公務員を含めてその対象としている。このため、共済法第一二六条の六は「この法律の定めるところにより行われる長期給付の制度は、国家公務員法第二条に規定する一般職に属する職員については、同法第百七条に規定する年金制度とする。」と規定し、本条との関係を明らかにしているところである。

なお、昭和六〇年の共済法の改正により、共済年金の額は、厚生年金の計算方法と全く同じ計算式による厚生年金相当額と、共済年金制度独自の給付部分である職域年金相当額との合算額とされるようになったが、職域年金相当額だけでなく、厚生年金相当額を含めた共済年金制度全体が本条に規定する年金制度であることはいうまでもない。さらに、平成二七年一〇月からはいわゆる報酬比例部分（いわゆる年金の二階部分）は共済年金と厚生年金で統一されるとともに、新たに企業年金型の年金払い退職給付の仕組み（いわゆる三階部分）が発足し、その両者が本条に規定する年金制度に相応するものとなっている（共済法七二）。（厚生年金保険法第一〇〇条の三の四において、「厚生年金保険は、国家公務員法第二条に規定する一般職に属する国家公務員（略）については、それぞれ国家公務員法第百七条に規定する年金制度（略）の一部とする。」と規定されている。）

職員のうち、警察庁の所属職員及び警察法第五六条第一項に規定する地方警務官である職員については、地方公務員と一体的な勤務関係にあること等の理由から、共済制度に関しては地方公務員等共済組合法が適用されている（地方公務員等共済組合法一四二1）。したがって、その限りにおいて同法も本条第四項にいう「法律」に該当するものと解される。

2　国民年金法との関係

前述のとおり、昭和六〇年の公的年金制度の改革により国家公務員も国民年金制度に加入し、同制度から基礎年金の給付を受けることとなった。しかし、国民年金制度は、「日本国憲法第二十五条第二項に規定する理念に基き、老齢、障害又は死亡によつて国民生活の安定がそこなわれることを国民の共同連帯によつて防止し、もつて健全な国民生活の維持及び向上に寄与することを目的とする」（国民年金法一）国民共通の社会保障制度であって、公務員制度の一環として位置付けることはできない。したがって、本条は国民年金法と直接の関係を有するものではない。現に、同法による基礎年金給付は退職を年金給付の要件としておらず、それ故に、年金額についても退職時の状況を考慮して定められているものでないこと等、本条の求める要請とは無関係の給付体系及び給付内容となっている。

二　共済法に基づく給付の概要

1　給付の種類

共済組合が組合員に対して行う給付は、短期給付と長期給付に区別される。

短期給付の種類には、療養の給付、入院時食事療養費、入院時生活療養費、保険外併用療養費、療養費、訪問看護療養費、移送費、家族療養費、家族訪問看護療養費、家族移送費、高額療養費、高額介護合算療養費、出産費、家族出産費、埋葬料、家族埋葬料、傷病手当金、出産手当金、休業手当金、育児休業手当金、介護休業手当金、弔慰金、家族弔慰金、災害見舞金、附加給付があり、長期給付の種類には厚生年金保険給付、退職等年金給付がある（共済法五〇、五一、七二）。長期給付の内訳としては、厚生年金保険給付は、老齢厚生年金、障害厚生年金、障害手当金及び遺族厚生年金、公務独自の退職等年金給付は、退職年金、公務障害年金及び公務遺族年金となる。

共済組合又は連合会はこのほかに組合員の福祉の増進に資するため、福祉事業を行うことができる（共済法三5、二一2③、九八）。

また、昭和六〇年の公的年金制度の改革により、日本国内に住所を持つ二〇歳以上六〇歳未満の全ての国民が国民年金に加入することとなり、職員は被用者年金加入者としての立場である第二号被保険者として共済年金に加えて国民年金にも加入することとなった。このため、それ以前の共済年金のうちの一部の給付が国民年金法による給付（基礎年金）に移行し、老齢基礎年金等として給付が行われている。

これらの給付のうち、本条は、長期給付について定めており、以下では長期給付の概要を紹介する。

2　長期給付の概要

共済法第七二条第一項は「この法律における長期給付は、厚生年金保険給付及び退職等年金給付とする。」と規定しており、同法第七三条において、厚生年金保険給付は老齢厚生年金、障害厚生年金及び障害手当金、遺族厚生年金とし、同法第七四条において、退職等年金給付は退職年金、公務障害年金、公務遺族年金としている。

(一)　厚生年金保険給付

(1)　老齢厚生年金

①　受給資格　老齢厚生年金は、①六五歳に達していること、②保険料納付済期間等（厚生年金の被保険者期間（平成二七年九月以前の共済期間を含む。）、国民年金の第一号、第三号被保険者期間などを合計した期間）が一〇年以上であること、の二要件を満たした場合に支給される（厚生年金保険法四二）。

②　年金額　年金額は、厚生年金被保険者期間中の平均標準報酬額（平成一五年三月以前はボーナスを含まない報酬月額）に給付乗率と厚生年金被保険者期間の月数を乗じて算定することとされている。加えて、配偶者や子がいる場合で一定の要件を満たすときは加給年金額が、第二号厚生年金被保険者期間のうち二〇歳前や六〇歳以後の被保険者期間がある場合には経過的加算額が支給される。

③　繰上げ支給　①六〇歳に達していること、②保険料納付済期間等が一〇年以上あること、③被保険者期間が一年以上あること、④現に国民年金に任意加入していないこと、の四要件を満たしているときは、支給開始年齢に達する前に繰上げ支給を請求することができる（厚生年金保険法附則七の三）。なお、繰上げ支給は、老齢基礎年金等の繰上げ請求と同時に行わなければならず、第二号厚生年金被保険者期間以外に他の種別の被保険者期間を有している場合、それぞれの種別の被保険者期間に係る年金についても全て同時に繰上げ請求を行う必要があるとされている。この場合、年金額を繰り上げることとした期間一月当たり〇・四パーセントの額が減額され、この減額は生涯行われることとなる。

④　繰下げ支給　老齢厚生年金の受給権を有する者は繰下げ支給の申出をすることができる（厚生年金保険法四四の三）。この場合、六五歳時点で老齢厚生年金の受給要件を満たしている者の繰下げ加算額は、六五歳から受ける場合の額（加給年金額を除く。）に、六五歳から繰下げ申出を行った月の前月までの期間月数（最大一二〇月）の一月につき〇・七％の増額率を乗じて計算される。

⑤　退職共済年金（経過的職域加算額）　平成二七年九月以前に一年以上の引き続く組合員期間を有する場合、同月以前に一年以上の引き続く組合員期間を有しない場合で当該期間に引き続く同年一〇月以後の第二号厚生年

金被保険者期間と合算して組合員期間が合計一年以上となっているときは、経過的職域加算額が支給される。年金額は、平成二七年九月以前の組合員期間中の平均標準報酬額（平成一五年三月以前はボーナスを含まない報酬月額）に給付乗率と平成二七年九月以前の組合員期間の月数を乗じて算定することとされている。老齢厚生年金と同様の条件により、繰上げ請求又は繰下げの申出をすることができる。

(2)　障害厚生年金及び障害手当金

①　受給資格　障害厚生年金は、第二号厚生年金被保険者である間に初診日のある傷病により、①その初診日から一年六月を経過した日（その期間内に症状が固定したときはその日）に一級から三級までの障害の状態にあるとき、②初診日から一年六月を経過した日（その期間内に症状が固定したときはその日）には三級以上に該当しなかったが、その後六五歳に達するまでの間に三級以上に該当し請求をしたとき等に支給される（厚生年金保険法四七）。障害手当金は、第二号厚生年金被保険者である間に初診日のある傷病が、初診日から起算して五年を経過するまでの間に治癒した日において一定の障害が残った場合で、他の年金や国家公務員災害補償法等による障害補償等の受給権者でないとき等に支給される（厚生年金保険法五五）。

②　給付額　障害厚生年金の額は、厚生年金被保険者期間中の平均標準報酬額（平成一五年三月以前はボーナスを含まない報酬月額）に給付乗率と厚生年金被保険者期間の月数を乗じて算定することとされている。加えて、配偶者がいる場合で一定の要件を満たすときは加給年金額が、平成二七年九月以前の組合期間中に初診日がある傷病により障害厚生年金を受給できるときは、併せて障害共済年金（経過的職域加算額）が支給される。障害手当金の額は、障害厚生年金の二年分に相当する額である。当該額が最低保障額に満たない場合には最低保障額が支給される。

(3)　遺族厚生年金

①　受給資格　遺族厚生年金は、①厚生年金被保険者が死亡したとき、②厚生年金被保険者であった間に初診日がある傷病により、退職後、その初診日から五年以内に死亡したとき、③障害厚生年金の受給権者が死亡したとき、④保険料納付済期間が二五年以上である老齢厚生年金等の受給権者又は保険料納付済期間が二五年以上あ

る者が死亡したとき、厚生年金被保険者の死亡当時、その者によって生計を維持していた遺族に支給される（厚生年金保険法五八）。

②　年金額　遺族厚生年金の額は、厚生年金被保険者期間中の平均標準報酬額（平成一五年三月以前はボーナスを含まない報酬月額）に給付乗率と厚生年金被保険者期間の月数等を乗じて算定することとされている。加えて、妻が遺族厚生年金を受ける場合で一定の要件を満たすときは中高齢寡婦加算額が、平成二七年九月以前の組合員期間を有する者が死亡したときは、その者の遺族に遺族厚生年金と併せて遺族共済年金（経過的職域加算額）が支給される。

㈡　退職等年金給付

⑴　退職年金

①　受給資格　退職年金は、①六五歳に達していること、②退職していること、③一年以上引き続く組合員期間を有していること、の三要件を満たした場合に支給される（共済法七七）。

②　年金額　退職年金は、半分を終身退職年金、半分を有期退職年金とし、有期退職年金の支給期間は二〇年又は一〇年を選択することとし、有期退職年金に代えて一時金として受給することができる。退職年金の額は、標準報酬の月額及び標準期末手当等の額に付与率を乗じ、基準利率による利子を加えた給付算定基礎額を年金現価率で除して算定することとされている。

③　繰上げ支給　当分の間、一年以上の組合員期間を有し、かつ、退職している者は六〇歳以上六五歳に達する日の前日までの間の希望するときから退職年金の繰上げを請求して受給することができる（共済法附則一三）。その場合、給付算定基礎額の利子は請求日の前日の属する月までとなり当該額は減額となり、年金現価率が高くなることから年金額も減額となる。

④　繰下げ支給　退職年金の受給権を有する者は繰下げ支給の申出をすることができる（共済法八〇）。その場合、給付算定基礎額の利子は申出日の前日の属する月までとなり当該額は増額となり、年金現価率が低くなることから年金額も増額となる。

(2)　公務障害年金

①　受給資格　公務障害年金は、①公務により病気にかかり、又は負傷した者であること、②その病気又は負傷に係る傷病（公務傷病）についての初診日において組合員であること、③初診日から一年六か月を経過した日等の障害認定日において、その公務傷病により、一級から三級までの障害の状態にあること、の三要件を満たした場合に支給される（共済法八三）。なお、通勤災害は対象とならない。

②　年金額　公務障害年金の額は、給付算定基礎額に一定の率等を乗じた公務障害年金算定基礎額を年金現価率で除して算定することとされている。

(3)　公務遺族年金

①　受給資格　公務遺族年金は、①組合員が公務傷病により死亡したとき、②組合員が退職後、組合員期間中の初診日がある公務傷病により、初診日から五年以内に死亡したとき、③公務障害年金の受給権者が、公務障害年金の受給権発生の原因となった公務傷病により死亡したとき、その者の遺族に支給される（共済法八九）。なお、通勤災害は対象とならない。

②　年金額　公務障害年金の額は、給付算定基礎額に一定の率等を乗じた公務遺族年金算定基礎額を年金現価率で除して算定することとされている。

㈢　年金の併給調整

年金の給付事由には大別して、①退職又は老齢、②障害、③死亡（遺族）の三種類があるが、同一人が二以上の年金の受給資格を有する場合（例えば、老齢厚生年金と障害厚生年金、遺族厚生年金）には、原則としてその受給権者が選択する一つの年金のみが支給され、他の年金は支給が停止される（例外として、遺族厚生年金の受給権者については六五歳以後当該本人の老齢厚生年金が併給可能である。）。ただし、この併給調整が行われるのは、給付事由の異なる年金同士についてであり、給付事由を同一にする年金同士（例えば、第二号厚生年金被保険者期間（国家公務員として加入した期間）に係る老齢厚生年金と第一号厚生年金被保険者期間（民間企業の会社員等として加入した期間）に係る老齢厚生年金）は併給される。

厚生年金と基礎年金との間で併給されるのは、①老齢厚生年金と老齢基礎年金、②障害厚生年金と障害基礎年金、③遺族厚生年金と遺族基礎年金又は老齢基礎年金の組合せ等である。

三　長期給付の費用の負担

共済法が施行される昭和三四年より前は、戦前の流れを引き継いで、国家への無定量の奉仕という公務の特殊性に基づく恩恵的・報償的な恩給が支給されていたが、制定当初の本法においても、「恩給制度は、健全な保険数理を基礎として計画され、人事院によつて運用されるものでなければならない。」（当時の法一〇八３）と新たな恩給制度の制度化が定められていた。恩給制度と保険数理がどのように調和するのか疑問がある規定ではあるが、恩給制度の運営について分担比率をどう設定するかは別として、収支のバランスを取らなければいけないと考えていたものと理解できる。恩給ではなく共済年金として制度化することとなったことにより、当然のことではあるが、共済組合の長期給付は社会保険としての年金制度として、その財政計画を合理的かつ適正に行うため、「健全な保険数理を基礎として定められなければならない。」（法一〇七３）とされた。本条の規定に基づいて、長期給付である退職年金については保険数理が導入されることが合理的であるとの考えの下、昭和三四年に現行の共済制度が導入され、当時においては長期給付の支給水準について退職直前の俸給に比例するとの構造を保ちつつ、社会保障制度の一環として保険料は労使折半での拠出制とする方式が導入された。

長期給付に要する費用については、具体的には、その費用の予想額と掛金及び負担金の額並びにその予定運用収入の合計額とが、将来にわたって財政の均衡を保つことができるように決定することとなっており、財政の安定を常時確認しておくため、少なくとも五年ごとに財政再計算を行うものとされた。また、共済組合の費用に充てられる組合員の掛金と国等の負担金の割合は、長期給付に要する費用については、掛金一〇〇分の五〇、負担金一〇〇分の五〇とされた。なお、元来、公務災害による障害共済年金又は遺族共済年金に要する費用は、負担金一〇〇分の一〇〇となっていたが、公的年金制度の一元化に伴う措置により、当該年金に要する費用についても労使折半となった。

平成二七年一〇月より、二階部分の共済年金は厚生年金に統一され、厚生年金保険事業に要する費用に充てるため、保険料を徴収することとされたが、保険料の負担の割合は、被保険者（第二号厚生年金被保険者）及び被保険者を使用する事業主（国等）で引き続き労使折半とされている（厚生年金保険法八一、八二）。また、退職等年金給付に要する費用については、従前の長期給付に要する費用と同様に少なくとも五年ごとに財政再計算を行うものとされ（共済法九九１）、組合員の掛金と国等の負担金の割合は、掛金一〇〇分の五〇、負担金一〇〇分の五〇とされている（共済法九九2③）。

　ちなみに、短期給付に要する費用については、一事業年度における費用の予想額と掛金及び負担金の額とが等しくなるように決定され、これも労使で折半されている。

　掛金については、組合員の資格を取得した日の属する月から、その資格を喪失した日の属する月の前月までの各月について徴収することとなっており、給与の支給機関が組合員に給与を支給する際に掛金に相当する額を控除し、共済組合に払い込むこととなる（いわゆる給与の全額払いの原則の例外の一つである。）（共済法一〇〇1、一〇一1）。

（意見の申出）
第百八条　人事院は、前条の年金制度に関し調査研究を行い、必要な意見を国会及び内閣に申し出ることができる。

〔趣　旨〕

退職年金制度と人事院

　職員の退職年金制度は、単に社会保障制度として機能しているにとどまらず、本法第一〇七条の趣旨について述べたとおり公務員制度の一環として人事管理上重要な機能を有するものである。したがって、退職年金制度をどのように設計していくかは、公務員制度の運営に大きな影響を及ぼすものであり、本条はそのような趣旨から、年金制度に関する人事院の調査研究及び意見の申出の権限を定めた規定である。現在、職員の年金制度は共済組合制度の一部等として運営されているが、制度改正等に当たっては、本条の趣旨を踏まえれば、人事行政の公正及び職員の利益の保護等人事行政の観点からの人事院の見解を踏まえて行うことが望ましい。

　制定当初の本法では、人事委員会（昭和二三年改正法により「人事院」と改正）に対して、国家公務員の恩給制度に関する研究の成果を内閣総理大臣（同上により「国会及び内閣」と改正）に提出しなければならないと定めた規定となっており、この研究の成果の提出は、事実上勧告と異なるところはないと解されていたが、昭和三四年の共済法の改正によって職員の退職年金が共済年金に一本化され、当時の大蔵省の所管に統一された際に、本条についても同時に改正され、現在のような規定になったものである。また、前条で述べた平成二四年の法改正による年金一元化及び国家公務員の退職給付の見直しを経ても、本条の規定はそのまま存置されている。

〔解　釈〕

一　本条の適用範囲

本条の意見の申出は、本法第一〇七条に規定する退職年金制度に関して行われるものであり、同条の退職年金制度とは考えられない国民年金法に基づく基礎年金給付や共済法に基づく短期給付については及ばない。

一方、警察職員については、地方公務員等共済組合法の長期給付に関する規定も本条による意見の申出の対象となり得ると解される。

二　第二三条及び第二八条との関係

本法第二三条は、本法の目的達成上必要と認めた法令の制定又は改廃に関する人事院の意見の申出権について、一般的・概括的に定めた規定であり、内容的には第一〇八条の規定内容をも包含するものと考えられる。したがって、本条と同条との間で特に効力上の差異はないと解される。にもかかわらず退職年金制度に関する意見の申出権が別に規定されているのは、沿革的には共済組合方式による年金制度の統一によって職員の退職年金制度の所管が全て当時の大蔵省になったことから、中立かつ第三者機関としての人事院の意見の申出権を明確にして、制度の公正な運用を図る必要があったこと、更に適用範囲の上からみてみれば、退職年金制度には社会保障の側面と人事管理の側面があって、当事者による自由な処分を許す性質のものでないため当時の現業職員への適用が必要であるところ、第二三条は現業職員には適用されないこと、等の理由によるものと考えられる（なお、本条の意見の申出とこれを受けた国会及び内閣との関係については、第二三条〔趣旨〕及び〔解釈〕三、四を参照されたい。）。

また、本法第二八条は本法に基づいて定められる勤務条件の基礎事項についての人事院の勧告権について定める。退職年金制度も広い意味に解すれば職員の勤務条件に当たるといえようが、一方では社会保障制度との関係も避けて通れないものであるから、第二八条が適用される典型的な例とはいえない。

三　昭和二八年の意見の申出

人事院は昭和二八年に、当時の本条及び第二三条に基づき、国家公務員退職年金制度に関して、研究成果の提出並びに意見の申出をしている。その時の経緯は次のとおりであった。

戦後、職員の年金制度が恩給と共済年金とに分かれていた中で、昭和二二年に制定された本法は、新しい年金制度の確立を指向して、①職員として相当年限、忠実に勤務して退職した者には、恩給が与えられなければならない、②公務傷病に基づいて退職した者又は公務に基づいて死亡した者の遺族に対しても恩給を与えることができる。この場合は公務災害補償制度との間において適当な調整を行わなければならない、③恩給制度は、本人及び遺族をして、退職又は死亡当時の条件に応じ、その後において適当な生活を維持するために必要な所得を与えることを目的とするものでなければならない、④恩給制度は、健全な保険数理を基礎として計画され、人事委員会（後に「人事院」と改正）によって運用されるものでなければならない、⑤人事委員会（同右）は、なるべく速やかにこれらの基準に適合する制度を研究し、その成果を内閣総理大臣（後に「国会及び内閣」と改正）に提出しなければならない、と規定した。

一方、昭和二五年一〇月には米国連邦社会保険庁のマイヤースが来日し、我が国の恩給制度について検討し、同年一二月、公務員年金制度の一元化、費用の全額国庫負担、支給開始年齢の引上げ等を内容とする勧告を行った（マイヤース勧告）。他方、社会保障制度審議会においては、公務・民間を通じての総合年金制度の確立、恩給等人事管理的機能の附加年金化、当面恩給の共済年金制度への統合が提言された。

このような諸情勢に対応して人事院は、公務員年金制度の一元化、保険数理を基礎とする制度の確立、拠出制の採用と給付内容の改善、の三点を基本に検討を進め、昭和二八年一一月一七日、国会及び内閣に対し、本法第一〇八条に基づき、国家公務員退職年金制度に関する研究の成果を提出するとともに、同法第二三条に基づいて同制度を実施するための法律の制定に関する意見の申出を行ったものである。この意見の申出は当時の諸情勢から政府部内で引き続き検討されることになったが、共済方式による年金制度の統合へと情勢が進行するに及んで実施に移される機会を失った。

意見の申出の概要は、次のとおりであった。

適用範囲　常勤の国家公務員（特別職を含む）。都道府県の地方公務員、公企体職員は任意適用

運営機関　人事院

算定基礎　最終俸給又は引き続いた在職期間中の最高俸給
退職年金　支給要件…在職二〇年以上退職　支給額…算定基礎俸給の四〇パーセント（二〇年）～七〇パーセント（四〇年）
若年停止…五五歳未満三〇パーセントから四五歳未満全額まで　所得制限…年金額の三〇パーセント以内
障害年金　支給要件…公務上の災害による障害　支給額…退職年金相当額プラス算定基礎俸給の二〇パーセント
遺族年金　支給要件…年金権者死亡、公務起因在職中死亡、在職二〇年以上の者の在職中死亡　遺族の範囲…配偶者、一八歳未満の子又は孫、父母、祖父母　支給額…退職年金相当額の五〇パーセント（配偶者）、二五パーセント（その他）。ただし七五パーセントを限度　失権事由…死亡、婚姻、一八歳到達等
給付制限　禁錮以上の刑の受刑、懲戒免職等の場合、年金額の全部又は一部を支給しない。掛金相当額は返却
費用負担　国七五パーセント　職員二五パーセント
掛　金　俸給月額の三パーセント

四　昭和二八年の意見の申出以後の人事院による見解表明

昭和三四年の共済法の改正により、職員の退職年金については職員間の相互扶助の制度としての性格を有する共済組合制度の一環として大蔵省が所管し、以後は当該制度の下で退職年金制度が安定的に運用されてきたことから、〔解釈〕三に述べた昭和二八年以降、本条に基づく人事院による意見の申出は行われていない。その一方で、退職共済年金は、公務での長期間の勤務を経た後に給付されるものであることから、長期勤続に対する対価としての意味を有し、勤務条件的な性格を有すると考えられることから、本条を背景として、その後も年金制度の見直しに当たって必要な意見等を人事院は制度官庁（平成一三年以降は財務省）に対して表明してきている。その主なものを要約すると、以下のとおりである（官職名は全て当時のもの）。

① 昭和四九年　特別給との関連における年金の給付水準の改善、給付額算定基礎給の改善等について、人事院給与局長から大蔵省主計局長に対して意見を申入れ

② 昭和五三年　五五歳から六〇歳への年金支給開始年齢の引上げ等に関し、経過措置や特例措置等を十分配慮すべき旨、人事院給与局長から大蔵省主計局次長に対して意見を申入れ

③　昭和六〇年　全国民共通の基礎年金の導入等による共済年金制度の再編成等の制度改正に関し、公務員の年金制度が公務の公正かつ能率的な運営に資するという公務員制度の側面を有していることに鑑み、特に職域年金の在り方を中心として公務員制度の一環として機能し得るよう十分な配慮が必要である旨、人事院給与局長から大蔵省主計局長に対して意見を申入れ

④　平成六年　定額部分の年金の六五歳への支給開始年齢の段階的引上げ等に関し、雇用と年金の連携の確保に特に留意する必要がある旨、六〇歳で公務から退職する職員に対する年金の支給については公務員制度の一環として機能し得るよう職域年金の在り方を中心に十分な配慮が必要である旨、人事院管理局長から大蔵省主計局長に対して意見を申入れ

⑤　平成一八年　国家公務員共済年金の職域部分を廃止し、新たな年金の仕組みの制度設計を行うに際し、内閣官房長官からの要請を受け、人事院において諸外国の公務員年金や民間の企業年金及び退職一時金の実態を調査し、退職給付総額の官民均衡を図る観点から職域加算廃止後の民間との較差を埋める措置が必要である旨、公的年金とは切り離された公務の人事管理上の必要性も踏まえた新たな年金の仕組みを設けることが適当である旨、人事院総裁から内閣官房長官に対して見解を表明

⑥　平成二四年　公務員の退職給付の在り方について検証を行うため、民間企業の実態調査と見解表明を行うことについて総務大臣及び財務大臣から人事院総裁に要請がなされ、人事院において民間の企業年金及び退職一時金の実態を調査し、公務の退職給付が民間を約四〇〇万円上回っているとの比較結果に基づいて、官民均衡の観点から国家公務員の退職給付について見直しを行うことが適切である旨、退職給付の見直しに当たっては、国家公務員の退職給付が終身年金の共済職域と退職手当から構成され、服務規律の維持等の面から重要な意義を果たしてきた経緯や、民間では企業年金を有する企業が過半を占めていることを考慮した対応が必要である旨、人事院総裁から両大臣に対して見解を表明

第十節　職員団体

（職員団体）

第百八条の二　この法律において「職員団体」とは、職員がその勤務条件の維持改善を図ることを目的として組織する団体又はその連合体をいう。

② 前項の「職員」とは、第五項に規定する職員以外の職員をいう。

③ 職員は、職員団体を結成し、若しくは結成せず、又はこれに加入し、若しくは加入しないことができる。ただし、重要な行政上の決定を行う職員、重要な行政上の決定に参画する管理的地位にある職員、職員の任免に関して直接の権限を持つ監督的地位にある職員、職員の任免、分限、懲戒若しくは服務、職員の給与その他の勤務条件又は職員団体との関係についての当局の計画及び方針に関する機密の事項に接し、そのためにその職務上の義務と責任とが職員団体の構成員としての誠意と責任とに直接に抵触すると認められる監督的地位にある職員その他職員団体との関係において当局の立場に立つて遂行すべき職務を担当する職員（以下「管理職員等」という。）と管理職員等以外の職員とは、同一の職員団体を組織することができず、管理職員等と管理職員等以外の職員とが組織する団体は、この法律にいう「職員団体」ではない。

④ 前項ただし書に規定する管理職員等の範囲は、人事院規則で定める。

⑤ 警察職員及び海上保安庁又は刑事施設において勤務する職員は、職員の勤務条件の維持改善を図ることを目的とし、かつ、当局と交渉する団体を結成し、又はこれに加入してはならない。

〔趣　旨〕

一　国家公務員の団結権

本節は、行政執行法人職員以外の一般職の国家公務員の職員団体制度に関して定めており、第一〇八条の二から第一〇八条の七までの七条（第一〇八条の四は削除（平一八改正）、第一〇八条の五の二は追加（平二六改正））により構成されている。いうまでもなく職員団体は民間企業の従業員の労働組合に相当するものであり、その意味で本節の規定は労組法に対応するものであるが、労働協約締結を前提に労働関係の詳細を労使の私的自治に委ねている労組法の法制と異なり、労働協約締結権が付与されず、法令に基づいた交渉が基本となる公務部門の労働関係について相当詳細な規定を設けているという特徴がある。したがって、条文の文言を丁寧にたどれば、現行の職員団体制度の枠組みや仕組みを理解できるようになっている。

公務の職員団体制度は、昭和二三年及び昭和四〇年に大きな制度改正の節目を経てきており、なぜそのような改正が行われたのか、なぜ現行条文のような詳細な規定が設けられたのかという点についての歴史的背景や沿革をたどらなければ制度の十全な理解が困難な面があるので、これらの点についても必要な解説を加えることとする。

1　団結権と国家公務員

団結権はいわゆる労働三権の一つである。公務員の労働基本権については、いろいろな問題があり、論議がなされてきているが、戦後から今日までの沿革、職員の種類に応じた態様、最高裁判所の判断の変遷などの概略については、第九八条で述べたとおりである。

労働者に団結権が認められている理由は、その経済的利益を保護するためである。すなわち、資本主義社会では、労働者の労働条件は、私的自治の原則（契約自由の原則）に基づき、使用者と個々の労働者の間で決められることとされているが、労使の交渉力を比べると使用者の「力」が強大であることから、実質的な公平を図るためには、両者の力の均衡をとる必要がある。このため労働者が団結し、労使対等の立場で労働条件を交渉して決定することが現代民主国家における社会権の一つとされており、憲法においても第二八条で団結権、団体交渉権等の労働基本権として保障されている。この労働基本権の保障は公務員に対しても及ぶものと解されている（全農林警職法事件（昭四八・四・二五最高裁））。しかしながら、公務の具体的法制については、次のような理由から民間とは異なる取扱いがなされている。

第一は、勤務条件（労働条件）の決定の仕組みが異なることである。民間企業の労働者の場合は、私的自治の原則（契約自由の原則）に基づき、主として労使間の交渉で労働条件の具体的内容が決定され、労基法等の法律は最低限度の基準などを確保するために必要な事項を定めているにすぎない。これに対し国家公務員の場合には、行政執行法人の職員は別として、行政に対する国会による民主統制の考え方に基づき、協約締結権が否定され、勤務条件法定主義が採られており、この国会によるコントロールがあるため、使用者側の当事者能力（自主決定権）に限界がある。また、職員は民間企業の労働者のように利潤の分配を求める立場になく、倒産の懸念がない公務の労使交渉においては、市場の抑制力という給与決定上の制約が存しないため、民間の労使交渉のような自主的な決着を期することは難しいということも協約締結権を認めない理由の一つとなっている。国家公務員の勤務条件については、このような事情を踏まえ、労使交渉に代わる人事院勧告に基づいて改定が行われる仕組みが採られている。

第二は、国家公務員が国の行政運営に当たる存在であることからの制約を受けることである。公益性を有する行政の安定的運営を確保するため、一方において国家公務員には、安んじて職務に専念できるように分限制度や審査請求制度による身分上の保障が与えられているが、他方、同じ理由から国家公務員には厳しい服務規律が課せられている。このような公務員としての地位の公共性は、その労働基本権についても影響を及ぼしている。例えば、職務の性質から特に上命下服が厳しく要求される警察職員、海上保安庁又は刑事施設において勤務する職員には団結権が認められないことはその典型例であり、また、民間企業の労働者と同じく労組法上の労働組合を組織することが認められている行政執行法人の職員についても、行政執行法人労働関係法によって争議権は制約されている。

2　国家公務員の団結権の態様

前記1で述べた公務員の性格などのために、職員は団結権に関して、単に民間企業の従業員と異なる取扱いを受けるだけではなく、さらに、その従事する職務の内容による職員の区分に応じて異なる取扱いを受けているので、行政執行法人職員以外の一般の国家公務員、行政執行法人職員、警察職員などの三区分に分けて職員の団決権の態様を述べることとする。なお、国家公務員については、念のためにいえば、一般職の国家公務員のうちかつての国営企業（印刷、造幣、林野、郵政、アルコール専売のいわゆる五現業）に勤務する職員が現業国家公務員といわれ、それ以外の職員が非現業国家公務員といわれていたが、国営企業の民営化・独立行政法人化等により、現在では現業職員は存在せず、一般職の国家公務員のうち、行政執行法人の職員がこれに相当する制度の対象とされている。

㈠　一般の国家公務員

㈡の行政執行法人職員、㈢の警察職員等以外の一般職の国家公務員（以下、「一般の国家公務員」という。）は、本条に定める職員団体を組織することができる。労組法の適用はないので（法附則六）、同法による「労働組合」を組織することはできない。国家公務員が組織する職員団体の名称が「〇〇〇〇労働組合」となっていることがあるが、これは職員団体の名称をそのようにする慣習を別段支障がないために法令上制限していないだけのことであって、労組法上の「労働組合」であることを意味するものではない。

地方公務員の場合は、非現業部門の自動車運転手や用務員などの単純労務職員について労働協約締結権が認められており、地方公営企業の企業職員と同様に労組法上の労働組合を組織することが認められているが（地公法五七、地公労法附則5）、本法においては国家公務員を単純労務職員とそれ以外の職員とに区別しておらず、全ての職員について労働協約締結権を認めていない。

㈡　行政執行法人職員

行政執行法人職員は、かつての現業国家公務員と同様、労組法による「労働組合」を組織することができる（行政執行法人労働関係法三）。一般の国家公務員と取扱いを異にする理由は、行政執行法人は、その前身である特定独立行政法人が平成一三年の中央省庁再編に合わせて導入された仕組みであるが、その成立の経緯から独立採算制の事業庁的な自律性・自発性を有するものであることから、これに従事する職員の労働関係についてはかつての現業国家公務員と同様、民間並みに労働協約締結権を認めることとしたものである。この趣旨はまた、これらの職員の勤務条件の決定についても現れており、勤務条件法定主義を緩和して労働協約締結権を認め、それとの関係で、人事院勧告制度、勤務条件に関する行政措置の要求制度の適用を除外している。このため、行政執行法人職員の勤務条件などについては、団体交渉の対象となり（行政執行法人労働関係法八）、独立行政法人通則法において、法人が給与の支給基準や勤務時間等について規程を定めるという基本的な仕組みになっている（独立行政法人通則法五七、五八）。しかしながら、行政執行法人職員も国家公務員であることから、民間企業の従業員の労働関係と全く同様に取り扱うことができない部分もあるので、その関係についての労組法体系との調整は、行政執行法人労働関係法で図られている（例えば、第八条で団体交渉の範囲、第一七条で争議行為の禁止などが定められているほか、第三条では争議行為等に関する規定の適用除外等が定められている。）。

㈢　警察職員、海上保安庁職員、刑事施設職員

警察職員及び海上保安庁又は刑事施設において勤務する職員には団結権が認められていない（法一〇八の二5）。

その理由は、これらの職員の職務の性質に求められる。つまり、これらの職員は国民の財産、生命の保護や社会の治安の維持に直接的に携わるために、職務遂行上、厳しい服務規律を要求されるが、職員団体は本来的に労使の対抗関係を前提とするものであることから、これらの職員に団結権を認めることにより、職場における上司と部下の間に対抗関係をもたらし、上命下服の服務規律の厳格な維持に影響が生ずるおそれがある。したがって、上司との関係において特に厳しい服務規律が要求される職場では、職員団体の活動はもとより職員団体の結成そのものを認める余地がないとされているのである。

ただし、このことはこれらの職員がその福利厚生を図るために親睦的な団体を結成することまで禁止するものではない。しかし、そのような団体を結成しても、その活動は労使対抗を前提とする職員団体のようなものであってはならないのである。

二　職員団体制度の成立

1　戦前から昭和二一年までの状況

戦前から昭和二〇年の旧労組法及び昭和二一年の労調法の制定までの間の公務員の労働基本権については、これを明確に規定した法令がなく、そもそものような概念自体が十分に確立していなかったといえよう。これは、戦前の公務員（官吏）が無定量の忠誠義務を負う「天皇の官吏」であり、民間企業の労働者に関する労働関係法制の対象外とされていたことの結果と考えられる。ただ、大正一五年に制定され昭和二一年一〇月の労調法の施行に伴って廃止された労働争議調停法では、運輸、郵便、電信、電話、水道、電気、ガス、兵器などの事業（これらは後述の労調法に定める「公益事業」に類似している。）に労働争議が発生したときの調停制度が定められていることからみれば、現業の公務部門の争議行為を間接的に認め、さらに、その前提となる労働組織及び団体交渉を認めていたと考えられないでもない。また、服務の観点から、「官吏本属長官ノ許可ナクシテ擅ニ職役ヲ離ルルコトヲ得ス及事ニ托シ疾ヲ引キ職事ヲ曠廃スルコトヲ得ス」（行政官吏服務紀律

（明一五太政官達四四）九。同旨　官吏服務紀律（明二〇勅令三九）六）のように、職務専念義務の規定があり、その解釈として出された行政官吏服務紀律説明書（明一五太政官達）をみると、同盟罷業などの怠業行為を禁止していたことがうかがえる。

いずれにせよ、第二次世界大戦前の大日本帝国憲法やその当時の我が国の法律においては、民間労働者も含め労働基本権に対する保障規定は設けられていなかった。なお、欧米諸国においても、一九世紀から二〇世紀にかけて、当初、民間労働者も含め刑事罰で禁止していた団結権や労働運動を徐々に民事上の損害賠償にとどめ、更には、それぞれの国情に応じて、より積極的に労働組合及びその活動を容認するよう変わってきている。現在では、例えば、国連の「経済的、社会的及び文化的権利に関する国際規約」（昭五四条約六）第八条では、締結国には、①団結権、②労働組合の活動の自由、③国内法に基づく争議権を確保することが求められている。

第二次世界大戦前の官吏に関する労働組織についてみれば、現業部門にいくつかの労働組合が存在していたようであり、また、第二次世界大戦終戦直後には、ＧＨＱが労働組合の結成を奨励したため、法制の整備に並行又は先行して、民間企業に先んじて官公庁の労働組合が続々と結成される状況となった。

2　旧労組法、労調法の制定

公務員に関する労働基本権を最初に明定したのは、旧労組法（昭二〇・一二・二二公布、昭二一・三・一施行）である。

○旧労働組合法

第四条　警察官吏、消防職員及監獄ニ於テ勤務スル者ハ労働組合ヲ結成シ又ハ労働組合ニ加入スルコトヲ得ズ

前項ニ規定スルモノノ外官吏、待遇官吏及公吏其ノ他国又ハ公共団体ニ使用セラルル者ニ関シテハ本法ノ適用ニ付命令ヲ以テ別段ノ定ヲ為スコトヲ得但シ労働組合ノ結成及之ニ加入スルコトノ禁止又ハ制限ニ付テハ此ノ限ニ在ラズ

このように、旧労組法によって、警察官吏などを除く一般官公吏は団結権を認められることとなった。また、ここにいう「別段ノ定」は定められなかったので、同法に規定する団体交渉及び労働協約についても、一般官公吏は民間企業の労働者と同じ権利を認められることとなった。

なお、公務員の争議権については、労調法（昭二一・九・二七公布、同年一〇・一三施行）が最初の明文規定である。

○労働関係調整法（抄）（制定時）

第三十七条　公益事業に関し、関係当事者が争議行為をなすには、第十八条第一項第一号乃至第三号の規定によって調停の申請をなしその申請をなした日又は同項第四号の決議若しくは同項第五号の請求がなされた日から、三十日を経過した後でなければならない。但し、争議行為の発生中にその事業が第八条第二項の規定によって公益事業として指定されてもその争議行為については、この限りではない。

第三十八条　警察官吏、消防職員、監獄において勤務する者その他国又は公共団体の現業以外の行政又は司法の事務に従事する官吏その他の者は、争議行為をなすことはできない。

ここに明らかなように、現業部門の争議行為については、労調法第八条に定める公益事業（運輸、郵便、電信、電話、水道、電気、ガス、医療、公衆衛生及び主務大臣が指定する事業）の場合には一定の制限が加えられたものの、これを認める仕組みとなっていた。しかし、一般官公吏については、警察官吏などと同様に争議権が認められなかった。

3　国家公務員法の制定

ところで、終戦直後においては、官公庁労働組合が、争議権のない非現業公務員も含めて昭和二二年二月一日からの無期限スト（二・一ゼネスト）を予定し、マッカーサー連合国軍最高司令官の命令で中止となるなど、当時の不安定な社会、経済事情を反映して公務でも労働争議が盛んに発生した。

このような状況の中で、昭和二二年一〇月二一日に本法が公布され、附則の一部を除き、翌二三年七月一日から施行されたが、制定当初の本法には服務上の職務専念義務などは定められていたものの、労働基本権に関する規定は存在せず、前述の旧労組法及び労調法がその関係を規定する形となっていた。したがって、非現業国家公務員は依然として団結権、団体協約締結権を有し、現業国家公務員はこれに加えて争議権を有していた。

当時の大小様々な争議行為の頻発に対して、GHQと政府は何度も回避措置を講じてきたが、昭和二三年八月に予定された官公庁労働組合のゼネストに直面して、マッカーサー司令官は、昭和二三年七月二二日、公務員の争議権と団体協約締結権は認められるべきでないので、そのための法改正の措置を執るべきであるとする「マッカーサー書簡」を発出した。これを受けた政府は、同年七月三一日、「昭和二十三年七月二十二日附内閣総理大臣宛連合国最高司令官書簡に基く臨時措置に関する政令」（昭二三政令二〇一）を公布、施行し、国及び地方公共団体の現業職員を含む公務員の争議権及び団体協約締結権は否認された。

4　国家公務員法の第一次改正と職員団体制度の成立

政令第二〇一号は、その附則第二項で「この政令は、昭和二十三年七月二十二日附内閣総理大臣宛連合国最高司令官書簡に言う国家公務員法の改正等国会による立法が成立実施されるまで、その効力を有する。」と規定した。すなわち、政令第二〇一号は臨時緊急に「マッカーサー書簡」の指令の内容を実現するための措置であり、同書簡が求めていた本法の改正などが必要であった。このため、政令第二〇一号の規定を受けた形で本法の改正が行われ、昭和二三年一二月三日に公布、施行された。

労働基本権に関する改正内容の主な点は、国家公務員に対する労働三法の適用除外（法附則一六（現行の法附則六）の追加）と職員団体制度の新設（本法第九八条の改正）である。これを条文に即してみると次のとおりである。

○改正前の国家公務員法第九八条

（法令及び上司の命令に従う義務）

第九十八条　職員は、その職務を遂行するについて、誠実に、法令に従い、且つ、上司の職務上の命令に従わなければならない。但し、上司の職務上の命令に対しては、意見を述べることができる。

○改正後の国家公務員法第九八条

（法令及び上司の命令に従う義務並びに職員の団体）

第九十八条　職員は、その職務を遂行するについて、法令に従い、且つ、上司の職務上の命令に忠実に従わなければならない。

② 職員は、組合その他の団体を結成し、若しくは結成せず、又はこれに加入し、若しくは加入しないことができる。職員は、これらの組織を通じて代表者を自ら選んでこれを指名し、勤務条件に関し、及びその他社交的厚生的活動を含む適法な目的のため、人事院の定める手続に従い、当局と交渉することができる。但し、この交渉は、政府と団体協約を締結する権利を含まないものとする。すべて職員は、職員の団体に属していないという理由で、不満を表明し又は意見を申し出る自由を否定されてはならない。

③ 職員は、前項の組合その他の団体について、その構成員であること、これを結成しようとしたこと、若しくはこれに加入しようとしたこと、又はその団体における正当な行為をしたことのために不利益な取扱を受けない。警察職員、消防職員（国家消防庁の職員

を含むものとする。）及び海上保安庁又は監獄において勤務する職員は、第二項に規定する職員の団体を結成し、及びこれに加入することができない。

④　職員は、政府が代表する使用者としての公衆に対して同盟罷業、怠業その他の争議行為をなし、又は政府の活動能率を低下させる怠業的行為をしてはならない。又、何人も、このような違法な行為を企て、又はその遂行を共謀し、そそのかし、若しくはあおつてはならない。

⑤　職員で、同盟罷業その他前項の規定に違反する行為をした者は、その行為の開始とともに、国に対し、法令に基いて保有する任命又は雇用上の権利をもつて、対抗することができない。

⑥　第二項の組合その他の団体は、これを法人とすることができる。民法（明治二十九年法律第八十九号）及び非訟事件手続法（明治三十一年法律第十四号）中民法第三十四条に規定する法人に関する規定は、本項の法人についてこれを準用する。但し、これらの規定中「主務官庁」とあるのは、「人事院」と読み替えるものとする。

○追加された法附則第一六条（現行の法附則第六条）

第十六条　労働組合法（昭和二十年法律第五十一号）、労働関係調整法（昭和二十一年法律第二十五号）、労働基準法（昭和二十二年法律第四十九号）及び船員法（昭和二十二年法律第百号）並びにこれらの法律に基いて発せられる命令は、第二条の一般職に属する職員には、これを適用しない。

この改正の結果、国家公務員は、労組法体系から離れて、本法によって、「組合その他の団体」の結成、加入の自由という形で団結権が認められ、団体交渉権は団体協約締結権を含まないものとされ、争議権が否認されることとなった。一方、このような労働基本権制限の代償措置として、本法第二八条の勤務条件に関する人事院勧告制度の新設などの人事院の役割が新たに規定されることとなった。

５　現業部門等の団結権

前記４で述べた昭和二三年の本法の改正は非現業の国家公務員についての措置であって、現業部門についてはやや時間を置いて「マッカーサー書簡」の要請に対応する別途の措置が講じられた。すなわち、同書簡は、公務員の争議権と団体協約締結権の否認を求めるとともに、一定の現業部門（鉄道、塩、樟脳、煙草）の公社化と逓信省の組織改正（郵便事業の切離し）も求めていた。現業部門の国家公務員は、前述のとおり、団結権、団体協約締結権に加えて、一定の制限はあるものの争議権まで認められていたが、政令第二〇一号によって暫時非現業国家公務員と同様に、争議権も団体協約締結権も否認された。そして、この本法改正と連動して、同書簡の要請に従ってその一部が新設された公社の職員になり、更にその後、五現業職員が労働関係については本法の対象外となる法改正が行われた。すなわち、日本国有鉄道と日本専売公社が昭和二四年六月一日に設けられ、これらの公社職員の労働関係を取り扱うものとして公共企業体労働関係法が制定された（昭二三・一二・二〇公布、翌二四・六・一施行）。その後、電気通信省の改組による日本電信電話公社の設置（昭二七・八・一）に伴い、同公社の職員に昭和二七年八月一日から同法を適用するとともに、国家公務員ではあるが国営企業の業務を行っている郵政、林野、印刷、造幣及びアルコール専売の五現業職員にも同法を適用することとして、同法の名称を公共企業体等労働関係法と改め、昭和二八年一月一日から同法を適用する改正が同時に行われた。この結果、現業国家公務員は、同法によって、団結権及び労働協約締結権を含む団体交渉権が認められることとなったが、争議権は非現業国家公務員と同様に否認された（旧公労法四、八〜一一、一七など）。

なお、以上の取扱いの変遷に対応して、現業部門の国家公務員に対する本法の適用関係はいくぶん複雑な経過をたどった。すなわち、公社化前の三公社の業務を含めた現業部門の国家公務員は、昭和二三年の本法改正前は特別職の国家公務員とされ本法の適用外となっていたが、同改正によって、公社化された部門の職員は国家公務員ではなくなる一方、五現業の国家公務員は一般職となって非現業職員と同じく本法の適用を受け、その後昭和二八年から労働関係については本法の適用外となったのである。

このように、国家公務員の労働基本権については、いくつかの曲折を経て昭和二〇年代後半までに、民間企業の労働者とは異なる法体系の下で一定の制限を設け、また、非現業部門と現業部門の国家公務員を別々に取り扱う法制が確立された。その後、昭和五七年一〇月一日にアルコール専売が、昭和六〇年四月一日に日本電信電話公社と日本専売公社が、昭和六二年四月一日に日本国有鉄道がそれぞれ民営化され、三公社五現業が四現業となったことに伴い、公共企業体等労働関係法はその適用範囲が縮小され、その名称も国営企業労働関係法に変更された（昭六二・四・一施行）。さらに、同法は、独立行政法人制度の創設に伴い、造幣、印刷が特定独立行政法人化し、その名称も国営企業及び特定独立行政法人の労働関係に関する法律（平一三・一・六施行）に名称変更され、郵政事業庁の公社化に伴い特定独立行政法人等の労働関係に関する法律（平一五・四・一施行）に、また、国有林野事業の一般会計化に伴い、現業制度がなくなり、特定独立行政法人の労働関係に関する法律（平二五・四・一施行）に名称変更され、さらに、平成二七年四月一日以降は、行政執行法人の労働関係に関する法律となった。

三　ＩＬＯ第八七号条約の批准と職員団体制度

昭和二三年の本法の改正によって成立した職員団体制度は、その後ＩＬＯ第八七号条約（結社の自由及び団結権の保護に関する条約）の批准に伴う昭和四〇年の本法改正を経て現行の形になった。この改正に至るまでの経過は、日本国内の同条約批准のための関係法律の改正作業と、ＩＬＯの場における日本の労働組合の申立ての審査とが絡みあって、非常に分かりにくい面があるが、順を追って述べれば、次のとおりである。

１　ＩＬＯの発足と日本の加盟

ＩＬＯは大正八年、第一次世界大戦終結時のベルサイユ条約により設置された国際機関である。各国の労働者の労働条件の改善が世界平和の維持に不可欠であるとして設立されたものであり、その活動の中心は各国の労働者の労働条件の基準を条約又は勧告の形で設定し、各国における適用を促進し、監視することである。

日本は、その発足時に原加盟国として参加し、常任理事国となっていたが、昭和八年の国際連盟脱退と同時にＩＬＯからも脱退し、昭和二六年に再加盟している。

２　ＩＬＯ第八七号条約

職員団体制度の改正の契機となったＩＬＯ第八七号条約は、昭和二三年七月九日、サンフランシスコで開催された第三一回ＩＬＯ総会で採択された条約である。全二一条からなり、労働者及び使用者が自由に団体を設立し、加入する権利（第二条）、労働者団体及び使用者団体が自由に代表者を選び、活動する権利（第三条）、労働者団体及び使用者団体が行政的権限による解散などの制約を受けないこと（第四条）、労働者団体及び使用者団体が自由に連合体を設立し、国際団体に加入する権利（第五条）などを定めている。なお、この条約を軍隊及び警察に適用する範囲は国内法令で定めることとされている（第九条）。

これらの条文のうち、日本の公務員の職員団体及び労働組合に関する法制との関係で特に問題となったのは、労働者の団結の自由の原則を定めた第二条と労働者団体の代表者選任の自由の原則を定めた第三条である。すなわち、現業部門の国家公務員の労働組合について、当時の公共企業体等の職員でなければ、その公共企業体等の職員の組合の組合員又はその役員となることができない」と規定していた。また、非現業部門の国家公務員の職員団体については、本法にそのような明文規定はなかったが、行政解釈として、職員団体の構成員資格と役員資格を職員に限定していた。また、地方公務員についても同様の法制となっており、現業部門の地方公務員の労働組合員資格と役員資格については、地公労法旧第五条第三項に職員に限る旨の明文規定があり、非現業部門の地方公務員の職員団体構成員資格と役員資格については、地公法における行政解釈で職員に限るものとされていた。この結果、同条約を批准するためには日本の法制を変更する必要があった。

３　労働問題懇談会の答申

日本のＩＬＯ第八七号条約の批准問題がＩＬＯの場で本格的に取り上げられたのは、昭和三二年からである。同年のＩＬＯ第四〇回総会で、日本の労働者代表はＩＬＯ第八七号条約批准促進決議案を提案した。結局この提案は採択されなかったが、総会の決議委員会で同条約批准のための全加盟国の努力が切望されたことに関連して、日本政府代表は、同条約批准の可能性について検討する用意があり、「これに関し使用者及び労働者の団体と協議するであろう」と述べた。

このような状況の中で、政府は、同年九月八日、労働大臣の諮問機関である三者構成の労働問題懇談会に、同条約批准の可否について諮問した。同懇談会は、昭和三四年二月一八日、次のような答申を行った。

①　ＩＬＯ第八七号条約は批准すべきものである。

②　右条約を批准するためには、公共企業体等労働関係法第四条第三項、地方公営企業労働関係法第五条第三項を廃止しなければならない。この廃止にあたっては、関係諸法規等についての必要な措置が当然考慮されることになるのであろうが、要は、労使関係を安定し、業務の正常な運営を確保することにあるので、特に事業の公共性に鑑みて、関係労使が国内法規を遵守し、よき労使慣行の確立に努めることが肝要である。

③　ＩＬＯ条約の趣旨とする労使団体の自主的運営並びにその相互不介入の原則が、我が国の労使関係においても十分に取り入れられるよう、別にしかるべき方法で現行労使関係法全般について再検討することが望ましい。

この答申を受けて、政府は、昭和三四年二月二〇日、同条約を批准し、関係法令の改正を行うことなどを閣議決定し、このための作業が開始された。

４　第一七九号事件

以上のようなＩＬＯ第八七号条約批准促進の動きと並行して、当時の日本国内の労働情勢との関係で後に第一七九号事件と呼ばれる問題が発生した。その経緯は以下のとおりである。

昭和三二年の春闘において国鉄労組と機関車労組（当時、後の動労）が勤務時間内職場大会、順法闘争などの違法行為を行ったため、当局が大量の処分を行ったが、その処分には両労働組合の三役全員の解雇が含まれていた。この結果、前述の公共企業体等労働関係法第四条第三項の規定によって、両労働組合は適法な代表者を欠く状態となった。その後、同年の定期大会で両労働組合とも解雇された三役を再選したため、当局は両労働組合との団体交渉を拒否することとした。これに対して国鉄労組は臨時代表者を選出して当局との交渉を再開したが、機関車労組は上部団体である総評（日本労働組合総評議会）とともに昭和三三年四月、解雇役員問題、争議権の否認などを不服として、ＩＬＯへ申立てを行った。

その後、昭和三三年の春闘後において全逓労組についても同様の交渉拒否問題が発生したため、総評などの申立てに全逓労組も加わり、更に昭和三五年には日教組と国家公務員共闘会議が、昭和三六年には国鉄労組と自治労が、ＩＬＯに申立てを行うに至った。

これらの申立ては、ＩＬＯの結社の自由委員会において第一七九号事件として一括処理されることとなり、同委員会は昭和三三年から第一七九号事件の審査を開始した。一方、これと並行して日本国内では、前述の閣議決定に基づく関係法令の改正作業が進められ、昭和三五年四月には、ＩＬＯ第八七号条約の批准案、本法などの関係法律の改正案が国会に提出されたが、これらの法律改正案に対して野党と組合が便乗改悪であると強く反対したため、実質的な審議が行われないまま廃案となり、その後も一部修正の上、国会に提出された法律改正案が五度審議未了廃案となった。このような日本国内の法令改正の動きとＩＬＯにおける結社の自由委員会の審査とが絡みあったため、同委員会の審査は昭和三八年までの長期にわたり、計一六回の報告が行われたが、問題の解決をみるに至らなかった。

５　ドライヤー委員会

そこで、結社の自由委員会は、最終的な手段として、昭和三八年一一月、第一七九号事件を結社の自由実情調査調停委員会に付託するようＩＬＯ理事会に勧告した。これを承認したＩＬＯ理事会は、日本政府に対し同委員会へのこの事件の付託についての同意を求めた。昭和三九年四月に日本政府の同意が行われたので、九人の学識経験者からなる同委員会が設置され、実際の審査はドライヤー委員会と通称された三人構成の小委員会（エリック・ドライヤー委員長（元デンマーク社会省次官）、デビッド・コール委員（元アメリカ合衆国連邦斡旋調停局長）、アーサー・チンダル委員（元ニュージーランド仲裁裁判所判事））が行うこととなった。

ドライヤー委員会は同年五月から活動を開始し、日本政府と申立て組合からの書面の提出を求め、ジュネーブで双方の証人の陳述を聴取し、更に日本における現地調査を行った上で、翌四〇年八月、事実認定と勧告からなる全四七章二、二五三項の膨大な報告書を公表し、この報告書は同年一一月のＩＬＯ理事会の記録にとどめ（take note）られた。この報告書は、①日本政府に対して、第八七号条約及び第九八号条約の完全な適用、全てのレベルにおける相互協議の習慣を含む一般的労働政策を持ち、政府・組合の並行的努力に迅速忠実に実施すべきであることなどを指摘するとともに、②昭和四〇年の本法改正法による改正事項のうち、公務員制度審議会の検討に委ねられていたため公表時に未施行とされていた管理職員等の範囲、非登録団体の法人格や交渉権、管理運営事項と勤務条件との境界線、在籍専従の在り方等についても、同審議会の検討に資するよう、見解等を述べている（その後の経緯については、後述の６及び四１の該当部分を参考にされたい。）

６　ＩＬＯ第八七号条約の批准と国内法の改正

昭和三四年のＩＬＯ第八七号条約批准の閣議決定を受けて、翌三五年四月に国会に提出された本法の改正案のうち、職員団体に関する改正内容は次のようなものであった。

① 職員団体とは、職員がその勤務条件の維持改善を図ることを目的として組織する団体又はその連合体をいう。

② 管理、監督の地位にある職員、機密の事務を取り扱う職員（管理職員等）は、それ以外の職員の組織する職員団体に加入できない。

③ 警察職員、海上保安庁又は監獄において勤務する職員は、職員団体の結成、加入ができない。

④ 職員団体の登録の要件、手続などを法定する。登録要件として、前記③の職員以外の職員で組織されていること、管

理職員等が加入していないことを必要とする。分限・懲戒免職されて係争中の者が構成員であることを妨げない。職員以外の者の役員就任を認めている職員団体を登録要件に適合しないものと解してはならない。

⑤　交渉の手続、条件等を法定する。

⑥　職員は、職員団体の業務に専ら従事することはできない。ただし、改正法施行後三年間は従前の例によることができる。

⑦　職員は、政令で定める場合を除き、給与を受けながら職員団体のための業務を行い又は活動してはならない。

この改正案に対しては、前述のとおり、野党と労働組合の強い反対があり、審議未了廃案となった。その後一部修正の上五度提出され、いずれも審議未了廃案となる過程で、与野党の折衝が行われた結果、自民党の倉石ＩＬＯ問題世話人会代表がいわゆる「倉石問題点」として、職員団体の登録要件（役員の選出方法、構成員）、交渉手続き（登録団体に限定しないこと等）、職員の役員専従の禁止（三年の範囲内の休職は認める）など関係法案の検討を要する問題点を修正案要綱の形で明らかにした。

一方、ＩＬＯにおいても第一七九号事件の取扱いが最終段階に至ったため、政府は問題の早期解決を決意し、関係閣僚会議を開き、さらに、佐藤人事院総裁の意向を聴取するなど意見調整を行い、倉石問題点、従来の国会での審議状況、ジュネーブでのドライヤー委員会の証人審問の結果を踏まえて、新たに手直しを加えた改正法案を作成し、これを昭和四〇年一月、第四八回国会に提出した。

しかし、倉石問題点を完全に取り入れるべきであるとする社会党の強い反対で審議開始が遅れ、同年四月から始まった実質審議も進まなかったため、同月一五日、与党は衆議院の特別委員会で強行採決を行った。野党側はこれに強く反発し国会は一時空転したが、船田衆議院議長のあっせんによって与野党は了解点に達した。このあっせん案は、本法及び地公法の改正案中の職員団体制度に関する部分と、公労法及び地公労法の改正案中の在籍専従制度に関する部分の施行を延期し、公務員制度審議会で審議し、その答申を待って施行する、というものであった。このあっせん案に従い、自民、社会、民社三党による共同修正が行われた結果、関係法案は国会で成立し、同年五月一八日公布され、中央人事行政機関の分離（使用者側の人事行政機関としての内閣総理大臣及びその補助部局としての総理府人事局の設置）などに関する部分は翌一九日に、公務員制度審議会を設置する改正規定は七月三日に、それぞれ施行された。また、ＩＬＯ第八七号条約の批准については、六月一四日ＩＬＯ事務局に登録され、翌四一年六月一四日から効力を発生することとなった。

ここに長年の懸案であったＩＬＯ第八七号条約問題は一応の解決をみることとなったものの、問題の中心である職員団体関係については、公務員制度審議会の答申後まで施行を延期されたため、依然として従前の制度が効力を有する状態となっていたのである。なお、当該条約批准に伴う本法改正の経緯については、概説三5も参照されたい。

(注) ＩＬＯ条約では、ここで述べた第八七号条約のほかに、第九八号条約が職員団体制度等と関係があり、同条約第六条の「この条約は、公務員の地位を取り扱うものではなく、また、その権利又は分限に影響を及ぼすものと解してはならない。」という規定に関し、「公務員」の範囲について議論されてきた（具体的には、第九八条〔趣旨〕四1及び平成二三年度人事院年次報告書第一編第二部参考1(3)参照）。

四　公務員制度審議会

1　第一次公務員制度審議会の答申と改正法の施行

昭和四〇年七月三日、内閣総理大臣の諮問機関として公務員制度審議会が設置された。同審議会の設置目的は、もともと倉石問題点で指摘された公務員及び公共企業体職員の労働関係の基本について調査審議することであったが、前述の船田衆議院議長のあっせんの経緯もあったため、本法などの未施行部分（棚上げ部分）についても審議することとなった。

同審議会は、一〇月に委員の人選が終わり、一一月に諮問を受け、計一七回の審議を行った後、労働者側委員の反対と使用者側委員の異論があったものの、ＩＬＯ第八七号条約批准の発効の日の前日である翌四一年六月一三日に棚上げ部分に関する答申「ＩＬＯ関係法律中国会修正により施行を延期された規定について」を行った。この答申の内容は、

① 職員団体の構成と登録に関する規定については、新法が旧制度に比べて相対的に改善されたものであることを認め、新法の運用などに関する希望意見を付けた上で、これを施行することはやむを得ないとし、

② 交渉に関する規定については、同じく希望意見を付けた上で、交渉の正常化のためにこれを施行することは一応やむを得ないとし、

③ 在籍専従制度に関する規定については、実情把握が不十分であり、適用に二年間の猶予期間があることから、その施

行を一応見合わせることが妥当である。

とするものであった。

答申を受けた政府は、同日、棚上げ部分を答申の翌日一四日から施行する政令を決定した。なお、再度の棚上げが答申された在籍専従制度に関する部分については、六月後の昭和四一年一二月一四日より前に公務員制度審議会の答申があった場合を除き、同日から施行することとした。

再度施行を延期された在籍専従制度に関する部分については、この答申の決定に不満を持つ労働側の反発があったため、結局期限までに審議会の審議が再開されず、答申も出されなかったので、施行政令の規定どおり施行されることとなった。かくして、新職員団体制度は昭和四一年一二月一四日から全面的に施行されることとなったのである。なお、厳密にいえば、経過措置を定めた昭和四〇年の本法改正法附則第二条はその第五項で、「この法律の施行の日から起算して二年間は、新法第百八条の六第一項の規定（注　在籍専従の根拠規定）を適用せず、職員は、なお従前の例により、登録された職員団体の役員として当該職員団体の業務にもっぱら従事することができる。」と規定していたので、新在籍専従制度は昭和四三年一二月一四日から効力を有することとなった。

2　第二次公務員制度審議会

第一次公務員制度審議会は、昭和四二年一〇月二日に再開されたが、翌日が委員の任期満了の日であったため、諮問事項の主要部分であった公務員及び公共企業体職員の労働関係の基本については結局答申を出さずに終了した。

第二次公務員制度審議会は、昭和四三年一〇月二四日に発足し、翌二五日から活動を開始し、計三七回の審議の後、昭和四五年一〇月一七日に答申「公務員等の労働関係の基本に関する事項について」を行ったが、答申自体も述べているように、討議の大部分は労使双方の原則的主張の展開に費やされ、諮問事項について結論を得るに至らなかった。

なお、この間、在籍専従制度の適用猶予期限である昭和四三年一二月一四日が迫ってきたため、同月九日、審議会として在籍専従制度に関して次の三項目を決定し、政府に申し入れている。

①　登録、非登録の関係は未解決の基本問題であることを考慮し、特に慎重を期すること。

②　専従許可の裁量については、可及的速やかに客観的基準の確立を図ること。

③　将来、昭和四一年六月答申の線に沿い、基本問題の答申との関係で、在籍専従者の地位、処遇をも含めて修正されることもあり得ること。

3　第三次公務員制度審議会の答申、法改正など

第三次公務員制度審議会は、昭和四六年九月四日に発足し、同月六日から活動を開始した。

(一)　在籍専従期間の延長

昭和四一年一二月一四日に施行され、昭和四〇年の本法改正法附則第二条第五項の規定によって昭和四三年一二月一四日から適用された在籍専従制度は、その限度を三年と定めていた。したがって、労働側が問題としていた在籍専従期間の「三年」の制限は昭和四六年一二月一四日から実効を生ずるものであった。このため、同審議会は、第二次公務員制度審議会では結論を得るに至らなかったこの問題をまず取り上げることとし、昭和四六年一〇月一一日、答申「在籍専従期間について」を行った。その内容は、「公務員等の在籍専従期間の制限については、現行法の定める三年を五年に改めることが適当である。」というものであった。この答申に基づいて、昭和四六年一二月一一日、法律第一一七号をもって本法第一〇八条の六第三項が改正され、在籍専従期間の限度は五年となった。また、同じく公務員の在籍専従期間の限度を定める公労法第七条第三項、地公法第五五条の二第三項、地公労法第六条第三項も、同様に改正された。なお、その後の法律改正（本法の場合、平九改正（議員立法））により、これらの在籍専従期間の限度については、当分の間「五年」を「七年以下の範囲内で人事院規則（公労法（平一七・三・三一までは、特定独法労働関係法、平一七・四・一以後は行政執行法人労働関係法）においては労働協約）で定める期間」とされている（本法の場合、附則七）が、その詳細は第一〇八条の六〔解釈〕二を参照されたい。

(二)　最終答申

第三次公務員制度審議会は、委員の任期満了の日である昭和四八年九月三日、それまでの審議の総まとめを行い、答申「国家公務員、地方公務員及び公共企業体の職員の労働関係の基本に関する事項について」を行った。この答申の概要は、次のとおりである。

(1)　団結権関係　　消防職員の団結権は当面現行制度によることとし、ＩＬＯの審議状況に留意しつつ更に検討する。登

録制度は存続させるが、非登録職員団体との交渉も恣意的に拒否しないように努めるべきである。法人格は登録制度と切り離して付与する。登録の取消しが裁判所に係属中はその効力を生じないものとする。管理職員等については労組法第二条の規定に準じてその規定を整備する。

(2)　団体交渉権関係　給与以外の勤務条件については交渉の促進を図る。交渉に対応する当局の体制を整備する。交渉不調の場合は適当な機関の調停などによる解決方法を考える。国家公務員の給与は当分の間人事院勧告制度によるが、その基礎調査に職員と当局の意見を聴く制度を設ける。交渉の手続規定は当分の間、現行法どおりとする。三公社五現業については当事者能力の強化を図る。管理運営事項の処理によって影響を受ける勤務条件は交渉の対象とする。

(3)　争議権関係　非現業職員の争議権については、現状どおり禁止するという意見、基幹的な業務を担当する職員以外は認める意見、全てについて認める意見がある。現業職員の争議権については、全てについて認めない意見、国民生活に影響の少ない部分について認める意見、事前調停、停止命令などの条件付きで認める意見がある。政府としては現業職員の争議権問題を解決するため、当事者能力の強化と三公社五現業の性格を検討する。

㈢　答申後の対応

第三次公務員制度審議会の最終答申を受けた政府は、昭和四八年九月、答申中、従来の政府解釈の徹底又は運用によって処理できる事項について、答申の趣旨の徹底方を各省庁間で申し合わせ、さらに、非現業職員については昭和四八年九月に「公務員問題連絡会議」を、現業職員については翌四九年五月に「公共企業体等関係閣僚会議」をそれぞれ設けて、問題の検討を進めることとなった。

(1)　公務員問題連絡会議　公務員問題連絡会議は、総理府総務長官（その後総務庁長官）が主宰し関係省庁の事務次官からなるものであり、その下に関係省庁の局長レベル、課長レベルの会議が設けられていた。同会議で検討を進めた結果、概ね次のように答申事項を処理することとされた。

①　職員団体との交渉の促進、人事院の給与勧告に際して労使の意見を聴くことなどについては、運用上の問題として処理する。

②　非登録職員団体への法人格の付与、管理職員等の範囲を労組法第二条に準じて整備すること、登録の取消しが裁判所

に係属中はその効力を停止することについては、関係法令を整備する。なお、この方針に基づき、「国家公務員法及び地方公務員法の一部を改正する法律」及び「職員団体等に対する法人格の付与に関する法律」が、昭和五三年にそれぞれ法律第七九号、第八〇号として公布・施行された。

③　消防職員の団結権、交渉不調の際の調停方法、団結禁止違反などに対する刑事罰については、今後引き続き検討する。

(2)　公共企業体等関係閣僚会議　　公共企業体等関係閣僚会議は、内閣官房長官を長とする関係省庁の大臣からなるものであり、その下に実質的な審議機関として「専門委員懇談会」が設けられて、検討が進められた。

専門委員懇談会は、昭和五〇年、「三公社五現業の争議権は、事業が国有、国営であるために労使紛争の歯止めとならない。今後は、それぞれの事業の実態などに応じた経営形態の検討と当事者能力の強化が必要である」旨の意見書をまとめて政府に提出した。

政府はこれを受けて、「意見書の趣旨を尊重し、その内容の具体化を検討し、行政上の改革と法案の国会提出を行う」旨の基本方針を決定し、公共企業体等関係閣僚会議の下に新たに「公共企業体等基本問題会議」を設け、三公社五現業の経営形態、当事者能力の強化、関係法令の三点の検討を進めることとした。

同基本問題会議は、昭和五三年六月、「①国鉄の一部、たばこ専売事業、アルコール専売事業は民営又はこれに準ずる経営形態に移行することが適当であり、移行後は公益事業としての制約はあるが基本的には争議権を認められることとなろう。②国有、国営を適当とする部門の争議権は、諸般の事情を考慮すると、これを認めることは適当でない。③三公社五現業の労使関係の現状からみて労使関係の正常化が本来の課題であり、関係組合には法律無視の態度を改めることを、使用者及び政府には相互信頼を基礎とした対話を積み重ねることを要請する」旨の意見書を提出している。

なお、前述のように、昭和五七年一〇月一日にアルコール専売が、昭和六〇年四月一日に日本電信電話公社及び日本専売公社が、昭和六二年四月一日に日本国有鉄道がそれぞれ民営化されるとともに、平成一五年四月一日に印刷事業及び造幣事業が独立行政法人（特定独立行政法人）化され、郵便事業については、平成一五年四月一日の日本郵政公社への移行を経て平成一九年一〇月一日に民営化され、最後まで現業部門として残っていた国有林野事業は、平成二五年四月一日に一般会計化され、三公社五現業は全て民営化又は非現業化された。

五　近年の公務員制度改革議論における労働基本権問題の経緯

１　公務員制度調査会・労使関係の在り方に関する検討グループ（平成一〇年七月～一三年六月、座長：菅野和夫東京大学教授）

公務員制度とその運用の在り方について全般的な見直しを行うことを目的として設置された公務員制度調査会の下に平成一〇年七月、「労使関係の在り方に関する検討グループ」が設置され、労使関係の在り方をめぐる諸問題について協約締結権を認めない現行制度の下で労使協議制の活用を図ることなどの検討が行われたが、平成一三年三月に内閣官房行政改革推進事務局により取りまとめられた「公務員制度改革の大枠」において「公務員制度全般にわたる抜本的な改革のための検討を進める中で、労働基本権の制約の在り方との関係も十分検討する。」など協約締結権付与も検討対象とされたこと等を踏まえ、第二〇回の会合をもって休会となり活動を終了した。

２　行政改革推進本部専門調査会（平成一八年六月～一九年一〇月、座長：佐々木毅学習院大学教授）

１で述べたように、平成一三年以来、公務員制度改革が内閣の課題として取り上げられ、近年の労使関係の安定等を踏まえるとともに、官民の制度の垣根を低くする観点から、公務においても交渉で給与を決めればよいのではないかという議論も生じ、また、ＩＬＯの結社の自由委員会においては、労働団体からの提訴を受け、労働基本権の現行の制約を維持するとの考え方を再考すべきとの指摘がなされていた（二〇〇二年同委員会報告書）。こうした状況の下、平成一八年六月に政府の行政改革推進本部に設置された専門調査会では、公務員に労働基本権を付与する場合の論点や影響について具体的な検討が行われた。

専門調査会が平成一九年一〇月に取りまとめた「公務員の労働基本権の在り方について（報告）」では、「一定の非現業職員について、協約締結権を新たに付与するとともに第三者機関の勧告制度を廃止」することなどについて「概ねの合意が得られた」とされた。なお、この点については、協約締結権付与に反対の立場に立つ委員から、「それぞれの事項について各委員が各人各様の意見を持ったままである。」とする意見書が提出されている。

３　国家公務員制度改革基本法（平成二〇年法律第六八号）の制定

平成一九年七月に設置された「公務員制度の総合的な改革に関する懇談会」が平成二〇年二月に取りまとめた報告書においては、「労働基本権の付与については専門調査会の報告を尊重する。」などとされ、同報告書をもとに国家公務員制度改革基本法案が国会に提出され、一部修正の上、同法は平成二〇年六月六日に成立し、同月一三日に公布・施行された。

国家公務員制度改革基本法第一二条（労働基本権）をめぐっては、与党（自民・公明）と協約締結権付与に積極的な野党（民主）との協議により「政府は、国家公務員の労働基本権の在り方については、協約締結権を付与する職員の範囲の拡大に伴う便益及び費用を含む全体像を国民に提示してその理解を得ることが必要不可欠であることも勘案して検討する。」という政府案を「政府は、協約締結権を付与する職員の範囲の拡大に伴う便益及び費用を含む全体像を国民に提示し、その理解のもとに、国民に開かれた自律的労使関係制度を措置するものとする。」に修正がなされた。「検討する」ではなく、「措置する」という文言となったことから、労働側を中心に協約締結権付与が現実化したという理解が生じる一方で、「便益及び費用を含む全体像を国民に提示し、その理解のもとに」初めて協約締結権付与の議論が行われることになるので、この問題は将来的な検討課題に過ぎないという見解も強かった。

4　労使関係制度検討委員会（平成二〇年七月〜二一年一二月、座長：今野浩一郎学習院大学教授）

国家公務員制度改革推進本部に置かれた労使関係制度検討委員会は、平成二一年二月に同本部により決定された「公務員制度改革に係る「工程表」について」において、「協約締結権を付与する職員の範囲の拡大等に関する具体的制度設計について、平成二一年中に国家公務員制度改革推進本部労使関係制度検討委員会の結論を得る」とされたことを受け、ワーキング・グループを設置し、同年四月から、検討を行った。

その上で、検討委員会は、民主・社民・国民新党による連立政権となった後の同年一二月に、自律的労使関係制度の選択肢の組合せの例示や協約締結権を付与する職員の範囲の拡大に伴う便益及び費用などについて言及した「自律的労使関係制度の措置に向けて」と題する報告を取りまとめた。同年九月に発足した民主党を中心とする政権は、同報告にとらわれずに、協約締結権付与を前提に政府部内の事務的な検討を進めた。

5　国家公務員の労働基本権（争議権）に関する懇談会（平成二二年一一月〜一二月、座長：今野浩一郎学習院大学教授）

平成二一年の総選挙で公約した人件費二割削減を実現するため、人事院勧告によらずに給与引下げを行う必要に直面した政府は、平成二二年一一月一日の人事院勧告の取扱方針の閣議決定において、政府は「次期通常国会に自律的労使関係制度を措置するための法案を提出し、交渉を通じた給与改定の実現を図る」ことを明らかにした。政府は、労働基本権の在り方の見直しにおいては、争議権付与問題も考慮する必要があることから、急遽、平成二二年一一月に国家公務員の労働基本権（争議権）に関する懇談会を設置した。同懇談会が同年一二月に取りまとめた報告においては、協約締結権にとどまらず争議権の付与を検討することも立法政策としては許容され得るものとしつつ、そのためには周到な準備と国民的議論が必要であるとした上で、協約締結を前提とした自主的労使関係の樹立に全力を注ぎ、その団体交渉の実態や課題を見た上で争議権を付与する時期を決断することも一つの選択肢となり得るなどとした。

これも踏まえ、国家公務員制度改革推進本部は、同月二四日から平成二三年一月一四日までの間、協約締結権を付与し、人事院勧告を廃止するなどを内容とする「自律的労使関係制度の措置に向けての意見募集」（パブリックコメント）を実施した。

6　国家公務員制度改革関連四法案の提出

前述した意見募集等の手続きを経て、政府は東日本大震災直後の平成二三年六月、国家公務員制度改革関連四法案（国家公務員法等の一部を改正する法律案、国家公務員の労働関係に関する法律案、公務員庁設置法案、国家公務員法等の一部を改正する法律の一部を改正する法律等の施行に伴う関係法律の整備等に関する法律案）を国会に提出したが、このうち、国家公務員法等の一部を改正する法律案には、協約締結権付与等の自律的労使関係制度の措置等に伴う人事院及び人事院勧告制度の廃止、人事行政の公正の確保を図るための人事公正委員会の設置等の所要の措置を講ずること等が、また、国家公務員の労働関係に関する法律案には、非現業国家公務員の労働基本権を拡大し、団体交渉の対象事項、当事者及び手続、団体協約の効力、不当労働行為事件の審査、あっせん、調停及び仲裁等が、内容として盛り込まれた。しかしながら、四法案は、実質的審議が行われることなく継続審査の手続が繰り返された後、平成二四年一一月の衆議院の解散に伴い、審議未了で廃案となった。

7　国家公務員法等の一部を改正する法律の成立（平成二六年四月）

自民・公明党の連立政権下で平成二五年一一月に国会に提出され、一部修正の上、同二六年四月に可決・成立した公務員制度改革関連法案には、自律的労使関係制度の措置に関する規定は国民の理解が得られていないとして盛り込まれず、同法案に対する衆・参の内閣委員会の附帯決議において、「自律的労使関係制度の措置について、国家公務員制度改革基本法第一二条の規定に基づき、（国民の理解を得た上で、）職員団体と所要の意見交換を行いつつ、合意形成に努めること（括弧内は参議院のみ）」とされた。

なお、以上のほか、近年の公務員制度改革議論の経緯については、概説三8及び9を参考にされたい。

〔解　釈〕

一　職員団体の目的

1　職員団体の基本的目的

職員の団結権が認められているそもそもの理由は、前述のとおり、団結の力をもとに職員の経済的利益を追求することである。そのゆえに、本条はまず第一項で「この法律において「職員団体」とは、職員がその勤務条件の維持改善を図ることを目的として組織する団体又はその連合体をいう。」と規定して、このことを明らかにしている。逆にいえば、「勤務条件の維持改善」を目的としない職員の団体は本法でいう「職員団体」ではなく、本法はそれらの団体の存在、活動などを対象外としている。

職員団体が、勤務条件の維持改善を主たる目的としていれば、それ以外の目的を持つことは、それらが適法なものである限り自由である。参考までに、民間企業の労働組合についてみてみると、労組法第二条で「労働条件の維持改善その他経済的地位の向上を図ることを主たる目的として組織する団体又はその連合団体をいう。」とされており、傍線を付けた部分が多少本法の文言と違っているが、解釈論として同一の意味内容であるとされている。つまり、本法の職員団体の目的も「その他経済的地位の向上」を含んでいると解されており、また、「勤務条件の維持改善」という「主たる」目的のほかに「従たる」目的を持つことは差し支えないが、ことさら書く必要がないので明文化しなかったにすぎない。このことは、職員団体の具体的活動の中心である交渉の対象事項として第一〇八条の五第一項に「社交的又は厚生的活動を含む適法な活動に係る事項」が勤務条件と併せて規定されていることからも明らかである。

2　職員団体のその他の目的

職員団体の「主たる」目的以外の目的としては、文化体育活動や福利厚生事業の実施などが考えられるが、いずれも適法なものである限り、職員団体の目的とすることは差し支えない。また、政治的目的を掲げることについては、その活動が職員の行為として行われる観点から、本法第一〇二条の政治的行為の禁止に該当する場合があろう。

3　勤務条件

職員団体が目的とする維持改善の対象である「勤務条件」とはどういうものかが問題となる。本法の中で「勤務条件」という言葉は職員団体関係の第一〇八条の五第一項（交渉対象事項となる「勤務条件」）で用いられているほか、第二八条第一項（その基礎事項を法律で定め情勢適応の原則により変更される「勤務条件」）、第八六条（行政措置要求の対象となる「勤務条件」）、第一〇六条第一項（人事院規則で定めることができる「勤務条件」）のように随所で用いられているが、その意味内容は基本的には同じであり、本法では強いて別々の概念構成をする必要はないと思われる（第一〇八条の五〔解釈〕二1参照）。

二　職員団体の結成と加入

1　職員団体の結成

(一)　職員団体の結成、加入ができる職員

(1)　行政執行法人職員以外の一般の職員　本法に規定する職員団体を結成し、又は加入することができる「職員」の範囲は本条第二項で、警察職員及び海上保安庁又は刑事施設において勤務する職員以外の職員であるとされている。

警察職員及び海上保安庁又は刑事施設において勤務する職員は、本条第五項によって、職員団体を結成し、又は加入することができない。その理由は〔趣旨〕の部分で述べたとおりである。昭和四〇年の本法改正前は、国の消防庁の職員もこの団結禁止職員の中に含まれていたが、国の消防庁の職員は専ら消防行政の企画立案に従事するものであるので、同改正によって団結権が認められることとなった。

(2)　行政執行法人職員　行政執行法人の職員は、本法の職員団体関係の条文の適用を除外されており（行政執行法人労働関係法三七）、労組法による労働組合を組織することができる（行政執行法人労働関係法三、四）。

(二)　結成要件と登録要件の違い

まず、職員団体の結成要件としての職員団体の構成員の資格については、ＩＬＯ第八七号条約の批准を契機とする昭和四〇年の本法の改正の前後で取扱いが変更されている。

改正前の本法では、「職員は、組合その他の団体を結成し、若しくは結成せず、又はこれに加入し、若しくは加入しないことができる。」（旧九八２前段）のみ規定し、旧公労法第四条第三項のような構成員資格と役員資格を職員に限定する規定

はなく、文言上、構成員資格や役員資格は明確ではなかったが、解釈論として、旧公労法適用職員より、より公共性の強い非現業の一般職国家公務員については、職員団体の結成加入権を職員のみに限る規定としては、旧第九八条第二項のような規定で足りるものと解され、構成員資格と役員資格を職員に限定する取扱いがなされていた（昭三四・五・一公職―九四七、昭四〇・七・一四最高裁大法廷（地方公務員に関する判例）、亀山悠著『新職員団体制度の解説』一〇一頁。ただし、佐藤・鶴海著『公務員法』三八六頁は「職員に限ると解することは困難であろう。」としていた。）。

しかしながら、〔趣旨〕三２で述べたとおり、ＩＬＯ第八七号条約の批准に伴い、同条約第二条及び第三条が定める団結の自由の原則や代表者選任の自由の原則との関係で見直しが必要となった。このため、同年の本法改正によって、役員資格については、結成要件に関しては選任の自由は明記されなかったものの、登録要件については、登録制度が従前の人事院規則事項から本法上の制度に格上げされたことに併せて、役員選任の自由が本法上、明記された（法一〇八の三3、4ただし書後段）。そこで、解釈論として、結成要件についても、職員以外の者が役員となっている職員団体が登録できるのであるから、職員以外の者を役員とする結成も認められることとなった。

他方、構成員資格については、同改正においても、結成要件については明記されず、旧規定に相当する「職員は、職員団体を結成し、若しくは結成せず、又はこれに加入し、若しくは加入しないことができる。」（法一〇八の二3前段）旨の規定が維持されたことに加えて、新たに「この法律において「職員団体」とは、職員がその勤務条件の維持改善を図ることを目的として組織する団体又はその連合体をいう。前項の「職員」とは、第五項に規定する職員以外の職員をいう。」（同条1、2）旨の規定が設けられ、一見すると職員に限定するようにも読めなくもない規定振りは変わらなかった。しかしながら、前記条約の批准に伴う法整備の趣旨、具体的には前記旧公労法第四条第三項の規定が併せて削除されたこともあり、「職員は、職員団体を結成し、…加入」するということは、必ずしも構成員が全て職員でなければならないということを意味するものではなく、職員団体であるためには、少なくとも過半数の構成員が職員でなければならないと解されることとなった。このような過半数の要件は、労組法第二条で、「「労働組合」とは、労働者が主体となって」とされていることから、解釈により、構成委員の過半数を要件としていることを踏まえ、職員団体についても職員が「主体」となるためには過半数要件が必要とされたからである。また、登録要件については、役員以外の構成員要件の弾力化を認めず、登録制度の本法上の制度への格上げに伴い、本法上、警察職員などの団結禁止職員以外の職員だけを構成員としている必要がある旨明記された（法一〇八の三④）。

2　職員団体の加入と脱退

職員が職員団体に加入し、脱退することは自由である（法一〇八の二③）。これは、官職が国民全体に平等に公開されていることと職員であることは切り離されており、いわゆるオープン・ショップ制が採られている。職員団体の構成員であることと職員であることと（憲法一五、法四六）、職員の任命が能力の実証に基づいて行われること（法三三）、職員の身分の喪失が一定の法定事由に限られていること（法七五）によるものである。行政執行法人の職員についても、同じ理由から、オープン・ショップ制が採られている（行政執行法人労働関係法三①　労組法七①ただし書）。

したがって、一般職の国家公務員については、職員として採用されたときには必ず職員団体又は労働組合の構成員となり、職員団体又は労働組合の構成員でなくなったときには職員の身分を失うというユニオン・ショップ制、あるいは職員は必ず職員団体又は労働組合の構成員の中から採用しなければならないとするクローズド・ショップ制を採用することはできない。

三　管理職員等の範囲

1　管理職員等と一般職員を区別する理由

昭和四〇年の本法の改正前は、明文規定はなかったが、職員団体の構成員資格は行政解釈で職員だけに限られていたことは前述のとおりである。他方、職員であること以外の構成員資格については、特に職員の役職や地位による区別はなく、理論的には採用当初の職員から事務次官までを含む全ての職員が同一の職員団体を結成し、加入できることとされていた。

しかし、労使団体の自主運営と相互不介入の原則を基本とするＩＬＯ第八七号条約の批准、労働問題懇談会の昭和三四年の答申、昭和四〇年のドライヤー報告に集約されるＩＬＯの場での審議などを受けて行われた同改正の結果、管理職員等と一般職員は区別され、同一の職員団体の結成が認められなくなった。

これは、基本的には、職員団体の自主性を確保することを趣旨とするものであるが、さらに、両者が現実の労使関係においては立場を異にし交渉当事者となることなどもあることからすると、両者の混在する団体は公務員としての共通の利益を追求する親睦的な団体としてはともかく、勤労者の利益実現を図るための民間法制における労働組合に類する団体としては健全な基礎を欠くと考えられたからである。

2　管理職員等の範囲

管理職員等と一般職員を区別する理由は前述のとおりであるから、管理職員等の範囲は、職員の職務と責任によって客観的に決められる。

その考え方を示しているのが本条第三項ただし書であり、管理職員等を次の五つの類型に分けているが、それぞれに該当するのは、概ね括弧の中の職員である。

① 重要な行政上の決定を行う職員（事務次官、官房長、局長）
② 重要な行政上の決定に参画する管理的地位にある職員（局次長、部長、審議官、参事官、課長）
③ 職員の任免に関して直接の権限を持つ監督的地位にある職員（人事課長、秘書課長）
④ 職員の任免、分限、懲戒、服務、勤務条件、労使関係についての当局側の機密の事項に接し、その職責が職員団体の構成員としての誠意と責任とに直接に抵触する監督的地位にある職員（人事、給与、服務、予算、労務担当の課長補佐、係長）
⑤ その他の労使関係で当局側に立つ職責の職員（秘書、人事、労務担当係員、守衛長）

ある府省の管理職員等はその府省の一般職員を構成員とする職員団体に加入できないだけではなく、他の府省の一般職員を構成員とする職員団体にも加入できない。

俸給の特別調整額（給与法一〇の二）を受ける職員は、この手当が管理又は監督の地位にある職員を対象としているので、基本的には本条第三項にいう管理職員等の範囲に含まれると考えてよいであろうが、給与の支給の基礎となる考え方と本条の管理職員等の考え方とは必ずしも一致するものではない。

具体的な管理職員等の範囲は、人事院規則一七―〇（管理職員等の範囲）で、組織区分別に職名を挙げて規定されており、組織の変更や職責の変化に応じて随時改正が行われている。

行政執行法人職員の労働組合の場合は、労組法第二条第一号の使用者の利益を代表する者の範囲を中央労働委員会が認定して告示することとされている（行政執行法人労働関係法四2）。ちなみに、労組法においては、民間企業等の労働組合に関し、経営側からの自主性確保の観点から、役員、人事に関して直接の権限を持つ監督的地位にある労働者、職務上の義務と責任が労働組合員としての誠意と責任とに直接に抵触する監督的地位にある労働者その他使用者の利益代表者の参加を認める団体は労組法上の労働組合と認めないとされているものであり（労組法二ただし書①）、この利益代表者の概念は一般の国家公務員の「管理職員等」に類するものといえよう。なお、利益代表者の範囲については、労使間の争いを防止するため労働協約で明定する場合が多いところ、行政執行法人については前記のとおり中央労働委員会が認定等を行うものである。

ところで、労組法においては、いわゆる管理職組合の成否について、まず、使用者の利益代表者に至らないような下級の管理職によって組織された組合は、労組法上の労働組合となるとされている。他方、そのような管理職を含まず、使用者の利益代表者のみによって結成されたものについては議論は分かれるが、一般の労働者の団体に対する自主性確保という趣旨を重視すれば、そのような弊害が生じない以上、労働組合と「考えてよい」（荒木尚志著『労働法（第五版）』六六一頁）との見解がある。一般の国家公務員についても、俸給の特別調整額（管理職手当）の受給対象職員のうち、人規一七—〇に掲げられていない者については、一般の職員団体に加入し、あるいは独自の職員団体を結成し、加入することができるのはいうまでもないほか、人規一七—〇の管理職員等のみからなる職員団体も結成されている。

四　職員団体の連合体

職員団体の連合体も職員団体である（法一〇八の二1）。

管理職員等の職員団体と一般職員の職員団体との連合体については、管理職員等と一般職員を区別して取り扱う本法の建前からみると否定されると考える。

職員団体とそれ以外の団体との連合体は職員団体ではない。例えば、行政執行法人職員の労働組合と非現業職員の職員団体の連合体は本法にいう職員団体ではない。地方公務員の職員団体又は労働組合と国家公務員の職員団体との連合体も同様に本法にいう職員団体ではない。

連合体である職員団体が別の連合体と連合体を結成することも可能である。

連合体たる職員団体は、職員団体という組織体の連合であるから、職員個々人は連合体に直接加入することはできない。

五　団結権の制限

本条第五項は、警察職員及び海上保安庁又は刑事施設において勤務する職員の団結権を否認している。その理由とするところは〔趣旨〕の部分で述べたとおりであるが、ＩＬＯ第八七号条約第九条でも「この条約に規定する保障を軍隊及び警察に適用する範囲は、国内法令で定める。」としている。これらの職員の具体的範囲は次のとおりである。

警察職員とは、国家公務員である警察職員であり、具体的には、施設等機関、特別の機関及び地方機関を含む警察庁の警察官、皇宮護衛官、事務官、技官その他の職員全員である（警察法三四1）。都道府県警察に勤務する地方公務員たる警察職員は地公法で団結権が否認されている（地公法五二5）。また、都道府県警察に勤務する職員のうち警視正以上の階級にある警察官は一般職の国家公務員とされているので（警察法五六1）、本条の適用を受け団結権が否認される。出入国在留管理庁の入国警備官は、出入国管理及び難民認定法第六一の三の二第四項により警察職員とされ、団結権を否認されている。なお、厚生労働省の労働基準監督署の労働基準監督官及び麻薬取締官事務所の麻薬取締官は、特別司法警察職員とされ一定の範囲で警察官と同様の権限を与えられているが、本来の職務内容からみて、本条の警察職員には該当しない。

海上保安庁において勤務する職員とは、海上保安庁に勤務する職員全員である。

刑事施設において勤務する職員とは、刑事収容施設及び被収容者等の処遇に関する法律第三条の刑事施設（刑務所、少年刑務所及び拘置所）に勤務する職員全員である。少年院、少年鑑別所、婦人補導院及び保護観察所の職員は、ここにいう刑事施設職員ではない（少年院について昭二九・一二・九　四三―一三九〇、少年鑑別所について昭二九・八・二七　四三―一〇〇一）。入国者収容所に勤務する職員は刑事施設職員ではないが、そのうち入国警備官は警察職員に該当するので団結権がないことは前述のとおりである。

この禁止に違反して団体を結成した場合には、本法第一一〇条によって、三年以下の懲役（新刑法の施行日以降は、拘禁刑）又は一〇〇万円以下の罰金に処せられる。懲戒処分の対象ともなる。加入した場合には刑事罰はないが、懲戒処分の対象となる（法八二①）。

これらの職員が結成し、加入することを禁止されるのは、「職員の勤務条件の維持改善を図ることを目的とし、かつ、当局と交渉する団体」である。それ以外の団体の結成、加入までも禁止されているわけではない。例えば、当局と交渉を行わないものであれば、親睦会のような組織を結成し、加入することは自由である。

六　行政執行法人職員等の取扱い

1　行政執行法人職員

行政執行法人職員の団結権については、関係する部分で述べているので重複する部分もあるが、ここで概括的に述べておくこととする。

(一)　一般の職員との基本的相違点

行政執行法人職員の団結権に関する一般の職員との基本的相違点は、本法の適用を除外され、労組法の適用を受け、労働組合を結成することができることである。ただ、行政執行法人職員も国家公務員であるために、労組法の特例が行政執行法人労働関係法で定められている。

(二)　労働組合の目的

行政執行法人職員の労働組合は「労働条件の維持改善その他経済的地位の向上を図ることを主たる目的」とするものである（労組法二(二)）。主たる目的のほかに従たる目的を持つことができることは、職員団体の目的で述べたところと同じである。また、文言上の違いがあるが、本法上の職員団体と労組法上の労働組合の目的が同じであることは前述のとおりである。

(三)　労働組合の構成員

行政執行法人職員の労働組合は、使用者の利益を代表する職員以外の職員を構成員とするものでなければならない（労組法二①）。職員以外の参加を否定するものではないが、職員が過半数を占めている必要がある。

使用者の利益を代表する職員の範囲は、中央労働委員会が認定して告示する。これらの使用者の利益代表職員も、別に労組法上の労働組合を結成することができると解されている（〔解釈〕三2参照）。

(四)　労働組合の役員

いかなる者を労働組合の役員として選任するかは組合の自由であり（ＩＬＯ第八七号条約三）、役員資格は職員に限られていない。

(五)　オープン・ショップ制

行政執行法人職員の労働組合も、前述のとおり、オープン・ショップ制を採らなければならない。職員の任免が、能力の実証、公開平等、法定の免職事由によることとされている点は、一般の職員の場合と異なるところがないからである。したがって、労組法第七条第一号ただし書の適用が除外されている（行政執行法人労働関係法二1）。

以上のほか、行政執行法人職員の労働組合の交渉などについては、別に関係する部分で述べることとする。

2　臨時的職員

本法第六〇条に規定する臨時的任用によって任用された職員（臨時的職員）については、その任用方法、任期などにつき特例が定められているほかは、一般の常勤の職員と同様に「この法律及び人事院規則を適用する」（法六〇5）とされているので、職員団体関係の規定の適用についても同じ取扱いとなる。

3　非常勤職員

非常勤職員は、大きく分けると、顧問、参与のような諮問的業務に携わるもの、雇用期間が一会計年度に限られている期間業務職員とそれ以外のパート・タイム労働に従事するものが存在し、原則本法が適用される。具体的には第二条を参照されたい。

非常勤職員のうち、団結権との関係が実際上問題となるのは、期間業務職員とそれ以外のパート労働に従事する者であろうが、一般職の非現業国家公務員であるから、職員団体の結成、加入は常勤の職員と同じ取扱いとなる。すなわち、常勤職員と共に職員団体を結成することもできるし（昭二五・三・一八調職発三三九）、非常勤職員独自の職員団体を結成することもできる。職員団体の役員となることも可能である。また、本条第五項の団結権の制限も、非常勤職員について同様に適用される。

（職員団体の登録）

第百八条の三　職員団体は、人事院規則で定めるところにより、理事その他の役員の氏名及び人事院規則で定める事項を記載した申請書に規約を添えて人事院に登録を申請することができる。

②　職員団体の規約には、少なくとも次に掲げる事項を記載するものとする。

一　名称
二　目的及び業務
三　主なる事務所の所在地
四　構成員の範囲及びその資格の得喪に関する規定
五　理事その他の役員に関する規定
六　次項に規定する事項を含む業務執行、会議及び投票に関する規定
七　経費及び会計に関する規定
八　他の職員団体との連合に関する規定
九　規約の変更に関する規定
十　解散に関する規定

③　職員団体が登録される資格を有し、及び引き続いて登録されているためには、規約の作成又は変更、役員の選挙その他これらに準ずる重要な行為が、すべての構成員が平等に参加する機会を有する直接かつ秘密の投票による全員の過半数（役員の選挙については、投票者の過半数）によつて決定される旨の手続を定め、かつ、現実にその手続によりこれらの重要な行為が決定されることを必要とする。ただし、連合体である職員団体又は全国的規模をもつ職員団体にあつては、すべての構成員が平等に参加する機会を有する構成団体ごと又は地域若しくは職域ごとの直接かつ秘密の投票による投票者の過半数で代議員を選挙し、この代議員の全員が平等に参加する機会を有する直接かつ秘密の投票による全員の過半数（役員の選挙については、投票者の過半数）によつて決定される旨の手続を定め、かつ、現実に、その手続により決定されることをもつて足りるものとする。

④　前項に定めるもののほか、職員団体が登録される資格を有し、及び引き続いて登録されているためには、前条第五項に規定する職員以外の職員のみをもつて組織されていることを必要とする。ただし、同項に規定する職員以外の職員であつた者でその意に反して免職され、若しくは懲戒処分としての免職の処分を受け、当該処分を受けた日

の翌日から起算して一年以内のもの又はその期間内に当該処分について法律の定めるところにより審査請求をし、若しくは訴えを提起し、これに対する裁決若しくは裁判が確定するに至らないものを構成員にとどめていること、及び当該職員団体の役員である者を構成員としていることを妨げない。

⑤　人事院は、登録を申請した職員団体が前三項の規定に適合するものであるときは、人事院規則で定めるところにより、規約及び第一項に規定する申請書の記載事項を登録し、当該職員団体にその旨を通知しなければならない。この場合において、職員でない者の役員就任を認めている職員団体を、そのゆえをもつて登録の要件に適合しないものと解してはならない。

⑥　登録された職員団体が職員団体でなくなつたとき、登録された職員団体について第二項から第四項までの規定に適合しない事実があつたとき、又は登録された職員団体が第九項の規定による届出をしなかつたときは、人事院は、人事院規則で定めるところにより、六十日を超えない範囲内で当該職員団体の登録の効力を停止し、又は当該職員団体の登録を取り消すことができる。

⑦　前項の規定による登録の取消しに係る聴聞の期日における審理は、当該職員団体から請求があつたときは、公開により行わなければならない。

⑧　第六項の規定による登録の取消しは、当該処分の取消しの訴えを提起することができる期間内及び当該処分の取消しの訴えの提起があつたときは当該訴訟が裁判所に係属する間は、その効力を生じない。

⑨　登録された職員団体は、その規約又は第一項に規定する申請書の記載事項に変更があつたときは、人事院規則で定めるところにより、人事院にその旨を届け出なければならない。この場合においては、第五項の規定を準用する。

⑩　登録された職員団体は、解散したときは、人事院規則で定めるところにより、人事院にその旨を届け出なければならない。

〔趣　旨〕

一　登録制度の意義

登録制度とは、登録機関である人事院が職員団体を一定の登録要件に合致しているかどうか確認し、公証する制度であるが、なぜこのような制度が設けられているのであろうか。

職員団体制度の基本は、職員の経済的利益を団体的に追求することにあり、その具体的な場は当局と職員団体の間の交渉である。したがって、職員の利益を的確に代表して伝えることができる職員団体であるかどうかが、職員団体と当局との間の交渉の実効性を左右し、正常な労使関係を確立する基本となる。ここに登録制度の存在理由がある。つまり、登録制度の目的は、登録されるべき職員団体が、職員の自主性、民主性に基づいて結成、運営され、職員の代表として当局と交渉する当事者となる適格性を備えていることを、あらかじめ客観的に証明することにより、当局と職員団体の間の交渉の効果的な運営を図り、ひいては正常で安定した労使関係を確保することにある。それゆえに、後述のように、登録に当たってはそのような観点からみた要件を満たしていることが要求され、また、登録された職員団体には一定の便宜が与えられるのである。

なお、労組法にもこの登録制度に類似する資格審査制度が規定されている。すなわち、「労働組合は、労働委員会に証拠を提出して第二条及び第二項の規定に適合することを立証しなければ、この法律に規定する手続に参与する資格を有せず、且つ、この法律に規定する救済を与えられない。」とされている（労組法五1）。ここにいう「第二条及び第二項の規定に適合すること」とは、「労働者が主体となつて自主的に労働条件の維持改善その他経済的地位の向上を図ることを主たる目的として組織」された労働組合であること（労組法二柱書）、その運営が民主的であることが労働組合の規約上明らかにされていること（労組法五2）である。また、「この法律に規定する手続に参与する資格」、「この法律に規定する救済」とは、法人登記のための資格証明書の交付申請、労働協約の地域的拡張適用の申立て、労働委員会の労働者委員の推薦手続、不当労働行為の申立て（労組法一一、一八、一九の三、二七）を指すと解釈されている。

二　昭和四〇年以前の登録制度

昭和四〇年の本法の改正前は、登録制度に関する法律の規定はなく、人事院規則で現行制度と同様の仕組みが定められていた。これを法律で規定したのは、ＩＬＯ第八七号条約の批准に伴う法律改正に際し、職員団体制度の中心的な部分は法律で定めることとされたためである。

改正前の職員団体の登録制度については、旧人事院規則一四―〇（交渉の手続）、同一四―二（職員団体の登録）、同一五

―三（職員団体の業務にもっぱら従事するための職員の休暇）によって規定されていた。その内容は現在の法律上の規定の内容と実質的にはほぼ同様である。旧制度における登録のメリットは次のとおりであった。

① 交渉は、人事院に登録した職員の団体によってのみ行われなければならない（旧人規一四―〇　1③）。

② 登録職員団体の業務にもっぱら従事する代表者又は役員には無給休暇が与えられる（旧人規一五―三　1４）。

③ 法人格の取得は登録職員団体だけに限られる（旧人規一四―二　3⑤、6）。

三　登録の効果

1　登録職員団体に与えられる便宜

登録職員団体には、次のようないくつかの便宜が与えられる。なお、その詳細は関係する部分で述べる。

(一)　当局の交渉応諾義務

当局は、登録された職員団体から適法な交渉の申入れがあった場合には、これに「応ずべき地位に立つものとする。」とされている（法一〇八の五1）。この規定は、登録職員団体に対して交渉に関する「権利」を認め、当局側には交渉応諾「義務」を課したものということができるが、労組法が団体交渉応諾義務を不当労働行為制度によって法的に担保しているのと異なり、当局が法律の趣旨に従いこれを十分に尊重するという性格の「義務」である。昭和四八年に第三次公務員制度審議会が、登録制度と交渉の関係につき、「登録されない職員団体が当局に交渉を求めた場合においても、当局は、合理的理由がない限り、恣意的にその求めを拒否することのないよう努めるべきである」と答申したことを受けて、非登録職員団体との交渉についてもこの答申に沿った運用が行われているが、本法は明文をもって登録職員団体に対する当局の交渉応諾義務を優先的に認めているのである。

(二)　在籍専従職員の許可

登録職員団体は、職員の身分を保有したままその職員団体の役員として専ら活動する在籍専従職員を置くことが認められる（法一〇八の六1）。

(三)　短期従事の許可

在籍専従の許可とは別に、職員は、登録職員団体の業務に勤務時間中に従事するため一年について三〇日を限度として、

「短期従事の許可」という形の職務専念義務の免除を受けることができる（法一〇八の六6　人規一七―二　六）。

㈣　法人格の取得

登録職員団体は、法人となる旨を人事院に申し出ることにより法人格を取得することができる（法人格法三1①）。これに対し、登録職員団体以外の職員団体が法人格を取得するためには、規約について人事院の認証を受け、設立の登記をする必要がある。なお、登録職員団体の法人格取得の根拠は、従来は、法第一〇八条の四であったが、平成二〇年の公益法人制度改革関連法の施行に伴う本法及び法人格法の改正により、登録職員団体であるかどうかにかかわらず、職員団体の法人格取得の根拠は法人格法に一本化された（法一〇八の四は削除）（平二〇・一二・一施行）。

㈤　行政措置の要求

本法第八六条に定める勤務条件に関する行政措置の要求は、登録職員団体を通じてその代表者により団体的に行うことができる（人規一三―一　一）。

2　登録職員団体以外の職員団体の法人格の取得

登録制度の下では、登録の要件の一つとして、職員だけを構成員とすることが求められ、登録と法人格の取得が結合していた結果、職員団体によっては法人格が取得できない場合があり、特に国家公務員と地方公務員の職員団体の連合体である全国組織は本法及び地公法のいずれにおいても「職員団体」とされず法人格を取得できないこととされていたため、昭和四八年の第三次公務員制度審議会答申を踏まえ、昭和五三年に「職員団体等に対する法人格の付与に関する法律」が制定され、登録職員団体でなくても法人格を取得することができるようになった。

3　行政執行法人の労働組合の登記と法人格の取得

行政執行法人職員の労働組合は、労組法の規定に適合する旨の中央労働委員会の証明を受けて、主たる事務所の所在地で登記することによって法人となる（労組法一一1、一二五2）。

四　登録制度と職員の団結権

登録制度は、一定の要件を備えた職員団体にいくつかの便宜を与えて、効果的な交渉が行われるようにし、正常な労使関係の確立を図ろうとするものであるが、登録の要件としてその構成員が職員だけであることを求めているため、職員の団結の団体が登録のメリットを受けられないという点が問題とされた。

公共団体の職員だけで組織されていることを求めているので（地公法五三4）、地方をまたがる職員団体の連合体や全国組織の自由を阻害するのではないかという議論が行われた。特に地方公務員の職員団体の場合には、登録の要件として同一地方公共団体の職員だけで組織されていることを求めているので（地公法五三4）、地方をまたがる職員団体の連合体や全国組織

1　ＩＬＯの見解の関連部分の要旨

ＩＬＯ第八七号条約は、その第二条で「労働者及び使用者は、事前の認可を受けることなしに、自ら選択する団体を設立し、及びその団体の規約に従うことのみを条件としてこれに加入する権利をいかなる差別もなしに有する。」と規定し、その第三条で「1　労働者団体及び使用者団体は、その規約及び規則を作成し、自由にその代表者を選び、その管理及び活動について定め、並びにその計画を策定する権利を有する。2　公の機関は、この権利を制限し又はこの権利の合法的な行使を妨げるようないかなる干渉をも差し控えなければならない。」と規定している。職員だけで（地方公務員の場合は同一地方公共団体の職員だけで）構成されることを要件とする職員団体の登録制度を設け、登録職員団体にだけ優先的な交渉権や法人格取得などの便益を与えることは、このＩＬＯ第八七号条約の保障する結社の自由を阻害するものではないかという点を問題として、自治労（全日本自治団体労働組合）がＩＬＯに度々申立てを行ったため、ＩＬＯでは関係する委員会が検討し、次のような趣旨の見解を表明している。

①　昭和四〇年　ドライヤー報告（第二、二二二項、第二、二二四項）

登録に関する規則のもたらす実際上の効果は、地方公務員の団体の縦横の細分化を永久化することである。この立法はＩＬＯ第八七号条約第二条により保障された団体の自由選択の権利と適合するようには思われない。

②　昭和四八年　条約勧告適用専門家委員会

非登録職員団体は法人格を取得できず財産の所有などで若干の不利益を被っていることに留意する。また交渉権については重要な差異があるように思われる。登録に関する現行法令は、ＩＬＯ第八七号条約の保障に照らして、困難を生じさせるものと考える。

③　昭和四八年　結社の自由委員会（第一三九次報告第一七〇項）

職員団体が非登録であることは、不動産の取得、団体交渉及び役員の任命に関する当該組合の権利を損なう。登録制

度は地方公務員の団体が縦横に小単位に分割されることを永続させる効果がある。この制度はＩＬＯ第八七号条約に規定する結社の自由の原則に照らして問題を生じ得る。

2　公務員制度審議会の答申

第三次公務員制度審議会は、昭和四八年に、この問題に関して、第一〇八条の二〔趣旨〕四3(二)(1)のとおり、次のように答申している。

①　登録制度は存続させるものとするが、登録されない職員団体が当局に交渉を求めた場合においても、当局は、合理的な理由がない限り、恣意的にその求めを拒否することのないよう努めるべきである。

②　法人格は、登録制度とは切り離して、付与するものとする。

③　登録の取消しについては、裁判所への出訴期間中及び裁判所に係属中は、その効力は生じないものとする。

3　制度改正など

これらの指摘や答申を受けて、次のような措置がとられた。

①　非登録職員団体との交渉については、運用上、勤務条件の維持改善上望ましいと判断したときは、交渉に応ずるものとされた。

なお、昭和四〇年の本法改正の際に、職員団体との交渉の手続に関する旧人規一四―〇の規定は法律事項となり、非登録職員団体との交渉権を認めていなかった規定（同規則　1③）と同様の規定は改正後の本法には設けられず、非登録職員団体にも交渉権が認められた。

②　非登録職員団体の法人格の取得については、昭和五三年の「職員団体等に対する法人格の付与に関する法律」の制定によって可能となった。

③　裁判係属中の登録及び認証の取消しの効果については、前記法人格法（八3）、本法（一〇八の三8）、地公法（五三8）に明文をもって規定されることによって、答申どおり、裁判所で争われ、又は争い得る期間は効力を生じないこととされた。

4　登録制度と団結権の保障

登録制度は、職員の勤務条件が人事院勧告に基づき法律によって決められるという仕組みの下で、当局と職員団体の交渉を効果的に行わしめ、もって正常かつ安定的な労使関係を確立することを目的として設けられているものである。そのために、職員の利益を代表する条件を備えた職員団体を認定し、これに当局の交渉応諾義務（法一〇八の五1）や専従許可（法一〇八の六1ただし書）等の便宜を与えているものである。一方、職員団体活動の基本である交渉に関しては、非登録職員団体も交渉能力を有するものとされており、また、職員団体の経済的活動を容易にするための法人格に関しても、法人格法により、登録の有無にかかわらず取得することが可能である。さらに、ＩＬＯ第八七号条約第三条に定める代表者選出の自由の原則を踏まえ、登録の有無にかかわらず、職員以外の者を役員に選出することができるものとされているところである。

したがって、登録制度はＩＬＯ第八七号条約第二条の禁止する団体結成の「事前の認可」に該当するものではなく、職員団体結成、加入の自由、職員団体活動の自由を阻害するものではない。

〔解　釈〕

一　登録の手続

1　登録の申請

職員団体が登録を申請する手続は、人事院規則一七―一（職員団体の登録）で、次のようにその詳細が定められている。

登録の申請は、その代表者を通じて、正副二通の申請書を人事院に提出して行う。

申請書には次の事項が記載されていることが必要である（人規一七―一　一1）。

①　職員団体の理事その他の役員の氏名、住所及び官職（職員でない者については職業）

②　職員団体の全ての事務所の所在地

③　連合体である職員団体の場合には構成団体の名称

申請書には次の書類を添付することが必要である（人規一七―一　一2）。

①　職員団体の規約

②　職員団体の規約の採択、役員の選挙その他これらに準ずる重要な行為が本法第一〇八条の三第三項の規定に従って行われたことを証明する書類

③　右②の採択、選挙等の投票の日、場所及び結果を証明する書類
④　職員団体が本法第一〇八条の三第四項の規定に従って団結禁止職員を除く職員だけで組織されていることを証明する書類
⑤　登録後直ちに法人となろうとするときは、法人となる旨の申出を記載した書類

2　登録の実施

人事院は、職員団体から登録の申請があったときは、その職員団体が後述の登録要件に適合するかどうかを審査し、適合するときは、規約と申請書の記載事項を職員団体登録簿に登録する（人規一七―一　二）。人事院は、登録簿への登録をしたときはその旨を、しないときは理由を付してその旨を職員団体に通知する（人規一七―一　三）。

人事院の行う登録行為は、登録要件に適合するかどうかを客観的に認定するものであり、適合していれば必ず登録し、適合していなければ登録してはならないのであって、その意味では羈束裁量行為である。

登録の効果はいつから発生するのかが問題となる場合がある。交渉に関しては、職員団体が結成されれば、登録の有無にかかわらず交渉能力はあるから、直ちに団体としての活動を開始できるので、特に問題はない。これに対し、結成から登録までの間に在籍専従職員を置きたいとき、法人格を取得したいときはどうなるのかという問題がある。この点に関しては、登録の効果は、前記の人事院からの登録の通知の到達によって発生すると解する。したがって、在籍専従職員に関しては、登録の通知の到達までは置くことができない。また、登録された職員団体は人事院に申し出ることにより法人となることができるが（法人格法三1①）、法人格を取得すると申出をした日から二週間以内に法人として登記することを義務付けられ（法人格法四五）、登記を怠ると罰則の適用がある（法人格法五七①）。

二　登録の要件

人事院が職員団体の登録を行うためには、その職員団体は三つの要件を満足していなければならない。それは、職員団体の規約に一定の事項が定められていること、職員団体の重要事項の決定が民主的な手続で行われていること、職員団体の構成員が警察職員などの団結禁止職員を除く職員だけであること、の三つである。

1　団体規約の必要的記載事項

職員団体が登録されるためには、その規約に「少なくとも次に掲げる事項を記載」していなければならない（法一〇八の三2）。

①　名　称

職員団体としての常識的な名称であれば差支えない。「〇〇〇〇労働組合」という名称も問題ない。略称を規約で定めることもよく行われている。

②　目的及び業務

主たる目的が職員の勤務条件の維持改善を図ることであればよい。従たる目的を併せて記載することも可能である。ここに記載されたもの以外の活動を行うことも適法である限り自由である。違法な目的を掲げている場合には登録できない。

③　主な事務所の所在地

法律上は主な事務所の所在地だけであるが、人事院規則一七—一では全ての事務所の所在地を登録申請書に記載することとされている。

④　構成員の範囲及びその資格の得喪に関する規定

「構成員」とは、役員以外の職員団体の加入者である。後述のように警察職員などの団結禁止職員が含まれているときは登録できない。管理職員等が含まれているときは、職員団体たり得ないので、そもそも登録できない。前述のオープン・ショップ制に反するような職員団体構成員資格の得喪を定めているときは登録できない。規約違反者の除名を定めることはできるが、構成員の合法的な権利を侵害するような統制処分は違法であるので（昭五八・一・二〇最高裁）、登録できない。

⑤　理事その他の役員に関する規定

「理事その他の役員」とは、職員団体の執行機関及び監査機関の構成員である。その詳細については非職員の役員就任と登録の関係の部分で述べる。その選出については、後述するように登録要件の一つとして民主的な手続が規約に記載され、かつ、その手続によって選出されることが求められている。なお、一般に職員団体では役員を「理事」と称することはないが、法人格を取得する際に法人格法上の法人の執行機関として理事を置くこととされている関係でこのような表現が用いられている。

⑥　重要事項を含む業務執行、会議及び投票に関する規定

規約の変更、役員の選挙などの重要事項を後述の民主的な手続で決定する旨の規定が規約の中に記載されていなければならない。ただし、規約の作成については規約自体で定めることはできないから、登録の申請書の添付書類として規約の採択が本法第一〇八条の三第三項の規定に従って行われたことを証明する書類が要求される（人規一七―一　一2①）。

⑦　経費及び会計に関する規定

⑧　他の職員団体との連合に関する規定

連合体への加入手続などに関する規定である。連合体への加入決定についての民主的手続は後述の重要事項に含まれる事項である。現に加入していなくても、必要的記載事項として定めておかなければならない。連合体に加入しない旨を定めることも自由である。

⑨　規約の変更に関する規定

規約の変更に関する規定のうち、民主的な手続について定める部分は後述の重要事項であり、前述の⑥にも該当する。

⑩　解散に関する規定

解散に関する規定は後述の重要事項に含まれる事項であり、前述の⑥にも該当する。

以上のほか、どのような事項を規約の記載事項とするかは職員団体の自由に任されているが、それが適法なものである限り、登録に影響を与えることはない。

2　民主的意思決定手続

職員団体が登録される資格を有し、引き続いて登録されているためには、「規約の作成又は変更、役員の選挙その他これらに準ずる重要な行為」は全ての構成員が平等に参加する機会を有する直接かつ秘密の投票による全員の過半数（役員の選

挙については、投票者の過半数）によって決定されるという、民主的な決定手続が定められ、現実にその手続によって決定されることが必要である（法一〇八の三3）。

まず、何が重要な事項であるかであるが、法律に明記されている「規約の作成」については、それが民主的に定められたことが証明されなければならず、その証明書類は登録の申請書に添付されなければならない（人規一七―一　一2①）。同じく法律に明記されている「規約の変更」と「役員の選挙」については、規約に民主的な手続が定められ、それに従って行われなければならない（法一〇八の三2⑥）。「これらに準ずる重要な行為」とは、職員団体の上部団体への加入、脱退、提携、職員団体の解散などの職員団体の存立と運営に関する基本的事項である（昭四一・九・一四職組七二二）。役員の信任、不信任、解職請求、職員団体の財産の取得、処分、いわゆる組合費の賦課徴収、予算、決算の承認、運動方針や当局に対する要求事項の決定は必ずしも「重要な行為」に該当しないと解されている。重要事項の決定には、後述のように、民主的な手続として構成員全員の過半数（役員の選挙については投票者の過半数）によることなどの厳密な要件が要求されるので、職員団体の重要な行為の範囲を広く解し、その意思決定をあまりに厳格な手続で縛ることはかえって職員団体の自由な活動を妨げることにもなるので、職員団体制度を設けている法律の趣旨からみて、このように解されているのである。ただ、役員の信任、不信任、解職請求は「役員の選挙」と同じ意味を持つので、「これらに準ずる重要な行為」に含めるべきであろう。昭和四〇年のドライヤー報告第二、二〇七項では「その他これらに準ずる重要な行為」の意味を明確に定義するよう示唆されていたが、その後の行政実例の積み重ねなどによって何が「重要な行為」に該当するかは明らかになってきている。なお、職員団体が重要な行為として法律が要求する範囲よりも広い範囲の事項を規約で定めることは自由であり、現実にも、相当広い範囲の事項が規約で定められている例がみられる。

次に、こういった重要事項が民主的に決定される手続として、「すべての構成員が平等に参加する機会を有する直接かつ秘密の投票による全員の過半数（役員の選挙については、投票者の過半数）」で決定されるという方式が必要である。「すべての構成員」の「全員の過半数」であるから、加入者全員の絶対過半数が必要である。「平等に参加する」とは、加入者各人の決定への参加が等しい重さを有するということであり、簡単にいえば加入者全員が等しく一票を投ずることができなければならないということである。「直接」の投票であるから、委任は認められない。「秘密」の投票であるから、大会などでの挙手や起立による投票方式は認められない。

役員の選挙については、昭和四〇年の本法の改正前は、前述のように本法に登録制度の明文規定がなく、旧人規一四―二がこれを定めていたが、同規則は役員の選挙も含めて職員団体の重要な行為は「すべての構成員が平等に参加する機会を有する直接、秘密の投票による全員の多数決で民主的な手続を定めて、それによらなければならない。」と規定していた。規定の文言が現行規定と異なり、「民主的な手続」を定めることだけが「すべての構成員の平等参加、直接、秘密投票の多数決」で行われれば足りるように解されないでもないが、「重要な行為の決定」についても「すべての構成員の平等参加、直接、秘密投票の多数決」による趣旨であると解されていた。ただ、「多数決」の意味については、比較多数決を含むものとされていた。しかし、地方公務員の職員団体の登録制度を定めていた地公法では、「全員の多数決」という同じ表現を用いながら（地公法旧五三③）、絶対過半数の意味であると解されていたため、自治労がＩＬＯに申立てを行い、昭和三六年、結社の自由委員会が第五八次報告で、役員の選挙についてまで絶対過半数を要求するのは各国の通常の慣行ではないことを指摘し、自由に役員を選出する権利を損なうとした。そこで、昭和四〇年の改正では本法も地公法も、「全員の過半数」という明確な用語を用い、また、役員の選挙については「投票者の過半数」で足りることを明記したのである。

以上は、構成員の勤務する地域があまり広範囲にわたらない単組である職員団体の場合の要件であって、連合体である職員団体と全国的規模を持つ職員団体の場合には別途の取扱いが定められている。連合体である職員団体の場合は職員個々人が加入する仕組みとなっていないので、構成員たる職員個々人の投票行為ができず、構成員全員の過半数という要件の意味がないからであり、全国的規模を持つ職員団体の場合には、そのような要件を必要とすると実際問題として意思決定が困難となるからである。そこで、連合体である職員団体と全国的規模を持つ職員団体の場合には、

①　「すべての構成員が平等に参加する機会を有する」、「直接かつ秘密の投票」を「構成団体ごと又は職域ごと」に行って「投票者の過半数で代議員を選挙し」、

②　「この代議員の全員が平等に参加する機会を有する直接かつ秘密の投票による全員の過半数（役員の選挙については、投票者の過半数）」で、重要事項を決定する旨の手続を定め、現実にその手続によって重要事項を決定する。

という二段構えの重要事項の決定手続によることとしている（法一〇八の三③ただし書）。

このことは、職員団体の構成の違いや地域的広がりを考慮したものであり、民主的な手続が重要事項の決定に必要であるとする点ではなんら違いがないので、決定されるべき重要な事項の範囲、民主的な投票手続などの取扱いは、ただし書によらない職員団体の場合と同じである。

3　構成員と登録

(一)　構成員の限定

以上の二つの要件に加えて、第三の要件として、職員団体が登録される資格を有し、引き続いて登録されているためには、本法第一〇八条の二第五項に規定する警察職員などの団結禁止職員以外の職員だけを構成員としていなければならない（法一〇八の三4）。

団結禁止職員が加入している場合には登録できない。なお、加入している団結禁止職員は懲戒処分の対象となることは前述のとおりである。

行政執行法人の職員は、職員団体制度に関する本法の規定の適用を除外されているので、「職員」に該当しない。したがって、これらの者が加入している職員団体は、「職員のみをもつて」組織されていないので、登録できない。

管理職員等が加入している団体は職員団体ではないので、そもそも登録の余地がない。ただし、管理職員等のみによる職員団体を構成することは可能（いわゆる管理職ユニオン）であり、現にそのような登録職員団体が存在する。

地方公務員の職員団体の場合は、同一の地方公共団体の職員だけで組織されているものでなければ登録できないが（地公法五三4）、国家公務員の職員団体の場合にはこれに類する規定はなく、例えば同一府省の職員だけで組織されていることといった登録要件はない。登録制度の目的が、当局との交渉などに関して最も職員の利益を代表する職員団体を認定することにあり、その意味で勤務条件の決定が同一基盤で行われている職員の結合体であれば、代表性を持つと考えられ、それは一般の職員の場合に府省所属の別を問わない仕組みとなっているからである。この意味でも、行政執行法人の職員が混在する職員団体は登録の対象とはしないのである。

この要件は、登録時点だけではなく、引き続いて登録されているための要件でもあるから、登録時点では職員だけであったが、その後職員以外の者が加入したときなどは、登録の停止又は取消しの対象となる。

構成員の限定には若干の例外がある。すなわち、次に掲げる者を構成員としているときでも、登録は可能である（法一〇八の三4ただし書）。

①「その意に反して免職され、……当該処分を受けた日の翌日から起算して一年以内のもの」

その意に反して免職された者とは、分限免職処分（法七八）によって免職された者である。失職（法七六）、勧奨退職による退職者は含まれない。一年という期間を限っているのは、その期間内は処分が争われ職員としての身分が回復する可能性があるからである（法九〇の二）。

②「懲戒処分としての免職の処分を受け、当該処分を受けた日の翌日から起算して一年以内のもの」

懲戒免職処分とは、本法第八二条による処分である。一年の期間については前述のとおりである。

③「分限免職処分又は懲戒免職処分を受け、その処分の日の翌日から一年以内に「当該処分について法律の定めるところにより審査請求をし、若しくは訴えを提起し、これに対する裁決若しくは決定又は裁判が確定するに至らないもの」

審査請求とは、本法第九〇条による審査請求のことである。訴えとは、分限免職処分又は懲戒免職処分について、その取消しなどを裁判所に訴えることである。審査請求又は訴えの結果、職員としての身分を回復する可能性があるうちは、職員団体の構成員としてとどめることができる措置である。

④「当該職員団体の役員である者」

役員に職員でない者を選任することが自由であることは、前述のとおりであるが、ここで、それらの者を職員団体の構成員にしても登録できることが定められている（「三　非職員の役員就任と登録」参照）。

警察職員などの団結禁止職員を役員に選任し、構成員に加えてもこのただし書の規定により登録できるとする考え方があるが、本項本文の規定からみて否定的に解するべきである。

㈡　連合体の職員団体の構成団体

一般の職員団体の登録要件である構成員の限定に類似した問題として、連合体である職員団体が登録するときの構成団体については、次のように解されている。

①　全ての構成団体が本法による職員団体でなければならない。

② 構成団体である職員団体が登録されている必要はない。

③ 構成団体である職員団体は、登録の有無にかかわらず、登録の三要件を満足している必要がある。すなわち、各構成団体が、本条第二項の事項を記載した規約を備え、重要事項の決定を民主的に行い、一定の例外を除き団結禁止職員以外の職員で組織されていなければならない。これは、一般の職員団体が登録するときに三要件を求めながら、連合体ではその要件を緩和することが矛盾するからである。

三　非職員の役員就任と登録

1　職員団体の役員

職員団体の役員に関しては、関係する部分で述べているが、ここで職員団体の「役員」の概念について全般的に述べておくこととする。

(一)　本法中の「役員」に関する規定

職員団体の役員に関する規定は、次のように、本法中で随所に出てくる。

① 「理事その他の役員の氏名」を登録申請書に記載する（一〇八の三1）。
② 「理事その他の役員に関する規定」を規約に記載する（一〇八の三2⑤）。
③ 「役員の選挙」の民主的な手続が登録要件である（一〇八の三3）。
④ 非職員の「役員」が構成員であっても登録は可能である（一〇八の三4ただし書）。
⑤ 非職員の「役員就任」を登録要件不適合と解してはならない（一〇八の三5）。
⑥ 「役員の中から」指名された者が交渉に当たる（一〇八の五5）。
⑦ 「役員以外の者」を交渉当事者に指名できる（一〇八の五6）。
⑧ 登録職員団体の「役員」は職員団体業務に専従できる（一〇八の六1）。
⑨ 登録職員団体の「役員」の専従期間は五年以内とする（一〇八の六3）。当分の間、七年以下の範囲内で人事院規則で定める期間とする（附則七）。
⑩ 登録職員団体の「役員として」専従しないときは許可を取り消す（一〇八の六4）。

(二)　役員の定義

およそ職員団体が複数の職員の結合体として、その構成員の経済的利益を追求するからには、それは社団性を備えていなければならない。すなわち、職員団体には、団体としての意思決定を行う議決機関、その意思を具体的活動に移す執行機関、団体の財務面、業務面などのチェックをする監査機関が設けられていなければならない。

本法の中で用いられている「役員」又は「理事その他の役員」は、いずれも同じ意味であって、職員団体の執行機関又は監査機関の構成員を指す。人事院規則中の用語も同様である。

なお、「理事」という用語は、実際に職員団体の内部では用いられていないのが通例であるが、平成一八年改正前の本法第一〇八条の四の規定により職員団体が法人格を取得する場合には、法人制度の一般法である同年改正前の民法総則の法人に関する規定が準用され、法人の業務を執行し、これを代表する権限を持つ法人の機関として「理事」を置かなければならないとされ（民法旧五二、五三）、平成一八年の公益法人制度の改正に伴い、これら規定が法人格法に引き継がれた（法人格法一三1）ことから、このような用語が本法の中で引き続き用いられている。

執行機関とは一般に「執行委員会」と称されているもので、職員団体の議決機関（これは「組合大会」と称されることが多い。）による構成員の意思決定を具体的な職員団体活動として執行するものであり、その構成員とは委員長、副委員長、書記長（以上はいわゆる三役といわれる。）、執行委員である。

監査機関とは一般に「監査委員会」と称されているもので、会計監査などの財務状況や業務の執行状況を定期的に監査し報告する機関である。法人格法上の監事（法人格法一八）に当たるものである。

顧問、特別執行委員などの名称で職員団体の中に設けられる役職について、それが「役員」に該当するかどうかは、必ずしも名称にこだわることなく、その具体的な権限で判断すればよい。また、職員団体には下部組織として地方本部（地本）、支部、分会などが設けられることがあるが、それらの下部組織が別途独立の職員団体を構成していないときには、地本、支部、分会などの長は、職員団体の役員として選任されていない限り役員に該当することはない。なお、それらの下部組織が別途独立の職員団体を構成しているときには、それぞれの職員団体の役員に該当するかどうかを判断することとなる。

2　役員選出の自由

昭和四〇年の本法改正前においては、職員でなければ職員団体の加入資格がなく、役員就任資格もなかった。この点はかつての五現業職員を含む公共企業体等の職員の労働組合でも同じ状況であった。すなわち、旧公労法第四条三項は「公共企業体等の職員でなければ、その公共企業体等の職員の組合の組合員又はその役員となることができない。」と定め、改正前の本法では明文規定はなかったが、行政解釈で職員団体の加入資格と役員就任資格を職員に限定していた。昭和三〇年代に、解雇され組合員資格も役員就任資格も失った日本国有鉄道の労働組合の三役が再任されたために、この旧公労法の規定を理由として団体交渉の拒否などを当局が行ったことが、ＩＬＯへの申立てにつながり、最終的にはＩＬＯ第八七号条約の批准とこれに伴う昭和四〇年の法改正につながったことは、前述のとおりである。

現在では、「労働者団体……自由にその代表者を選ぶ……権利を有する」（第三条）と定めたＩＬＯ第八七号条約を批准しており、法律上の文言として正面から職員団体の役員選任の自由を規定してはいないが、登録職員団体の要件である職員だけを構成員としていることの例外に「役員である者を構成員としていることを妨げない。」とし（法一〇八の三4ただし書）、「職員でない者の役員就任を認めている職員団体を、そのゆえをもつて登録の要件に適合しないものと解してはならない。」としており（法一〇八の三5）、職員でない者の役員就任を当然に認めている。したがって、職員団体はその役員を職員であるかどうかを問わず自由に選出することができる。

四　登録の効力停止と取消し

1　登録の効力停止と取消しの要件

職員団体は前述のように一定の要件を満たすことによって登録を受け、引き続いて登録され、登録に伴うメリットを享受する。したがって、その要件が満たされなくなると登録に影響が及ぶこととなり、その効力の停止又は取消しを受ける。なお、ここにいう「取消し」は将来に向かってのものであり、講学上の「撤回」という意味である。

昭和四〇年の本法改正前においては、旧人規一四―三で登録の効力停止と取消しの仕組みが規定されていたが、その要件は現行制度とはだいぶ異なり、人事院に登録された定款又は規約に違反した場合、本法又は人事院規則に違反した場合、法人である職員団体が法人に関する法令に違反した場合に、登録の効力停止又は取消しを行うこととしていた。現在では、登録の効力停止又は取消しに関して次のような要件が定められている。

㈠　登録の効力停止と取消しの要件

職員団体の登録の効力が停止され、又はその取消しが行われる場合は、次の三つの場合である（法一〇八の三⑥）。

①　登録職員団体が職員団体でなくなったとき

職員団体でないものを登録することができないことは当然である。なお、職員団体でなくなるということについては、第一〇八条の二を参照されたい。

②　登録職員団体が登録の三要件を満たさなくなったとき

登録の三要件とは、規約に一定の事項が記載されていること、重要事項が民主的な手続で決定されること、一部の例外を除きその構成員が職員だけであること、である。かかる要件を備えた職員団体が最も職員の利益を代表する旨を公証する仕組みが登録制度であるから、その要件を欠く場合には登録の効力を停止しあるいは取り消すことになるのである。

③　登録職員団体がその規約又は登録申請書記載事項の変更を届け出なかったとき

規約又は登録申請書の記載事項は職員団体の登録を判断する基礎であるから、その変更が登録に影響を与えるのである。

㈡　効力停止と取消しの選択

登録職員団体が以上の要件に該当した場合に、登録機関である人事院は登録の効力停止又は取消しのいずれかを選択して行わなければならない。法文上は「登録の効力を停止し、又は………登録を取り消すことができる。」となっているが、この措置を採ることは羈束裁量行為であって、前記の要件に該当する登録職員団体について、人事院は必ずいずれかを選択して行う拘束を受けている。

効力停止又は取消しのいずれを選択するかは、そのときの事情に応じて行われる。前記の要件に該当しても簡単に補正できる場合には、とりあえず効力停止を行っておいて注意を促し、それでも補正が行われない場合には取り消すといった順序を踏むことが適当であろう。また、上記の要件に該当した程度が極めて軽微であるときには、事実上の注意によって補正を待ち、それでも補正されないときに効力停止又は取消しの手続に移行することも可能であろう。

2　登録の効力停止の手続

効力停止については、後述する登録の取消しとは異なり、従来は事前手続の定めはなかったが、行政手続法の制定（平六・一〇・一施行）に伴い、不利益処分を受けることとなる当該職員団体の意見陳述のための手続として、同法に規定する弁明の機会の付与又は聴聞（行政手続法一三1）の手続を執ることとされた。そして、人事院は、このような手続を執った場合において、「効力停止を行うときは理由を付してその旨及び効力停止の期間を」、「効力停止を行わないときはその旨を」、「当該職員団体に書面で通知しなければならない。」とされている（人規一七─一　七）。

3　登録の効力停止の効果

効力停止の期間は六〇日以内とされている（法一〇八の三6）。その範囲で人事院がどの程度の期間を定めるかは、効力停止の事由による。

もともと効力停止という仕組みが設けられているのは、効力停止期間内にその原因となった事由について、職員団体が是正措置を執ることを期待しているからであるが、この間に是正されないときは、人事院は更に登録の取消しを行わなければならない。

効力停止期間中に是正措置が執られた場合には、その期間満了前であっても人事院は効力停止措置を解除しなければならない。

停止の効果は通知の到達によって発生する。登録の通知の場合と同じである。

登録の効力停止によって、登録職員団体は一時的に登録を受けていない職員団体と同じ地位に置かれる。したがって、効力停止の期間中は登録のメリットを新たに受けることができない。例えば、本法第一〇八条の五第一項の交渉権はなく、登録団体としての法人格の取得や在籍専従の許可を受けることはできない。しかし、登録に基づいて既に行われた行為には影響がないので、既に取得している法人格を失ったり、現に置かれている在籍専従職員の許可が無効になるものではない。

4　登録の取消しの手続

登録の取消しは、行政手続法第二条第四号の不利益処分に該当することから、その事前手続として、当該職員団体に対し、意見陳述のための聴聞を行わなければならないとされており（行政手続法一三1①）、その聴聞の期日における審理については、当該職員団体から請求があったときは、公開して行わなければならない（法一〇八の三7）（行政手続法においては、聴聞は、行政庁が相当と認める場合を除き公開しないとされている（行政手続法二〇6））。

なお、この登録の取消しの事前手続については、従来は、口頭審理によることとされ、その具体的な手続が人規一七—一に定められていた（人規一七—一　旧七～一五）が、行政手続法の制定（平六・一〇・一施行）の際に、登録の取消しの事前手続きについては、一般法たる行政手続法の規定に基づく聴聞によることとされた。その際、本条及び人規一七—一については、同法の規定と重複する規定や口頭審理に係る規定を削除するなど、所要の規定整備が行われた経緯がある。なお、行政手続法が適用されることとなった背景には、当該団体が違法なストライキを行った場合に、そのことを理由として交渉団体たる地位を制限する処分が行えるような規定は存在しないなど、職員団体と国との間に特別の規律で律せられる関係を維持するための監督上の措置があるとは考えにくいとされたことがある。

登録の取消しに係る聴聞の手続に関し、現行の人規一七—一に規定されている内容は、次のとおりである（人規一七—一八、九）。

① 人事院は、登録の取消しに係る聴聞を行うに当たっては、職員団体に対し、その期日の一五日前の日までに、行政手続法第一五条第一項の規定による通知（取消しの原因となる事実、聴聞の期日及び場所等）を行う。

② 職員団体は、聴聞の公開を請求するときは、当該期日の七日前までに書面で行う。

③ 人事院は、聴聞の手続を執った場合において、登録の取消しを行うときはその理由を付して取り消す旨を、取り消さないときはその旨を、職員団体に書面で通知する。

5　登録の取消しの効果

登録の取消しの決定については、あらかじめ聴聞を行って職員団体に十分な弁明の機会を保障しており、行政部内の審査は不要であるから、審査請求をすることはできない（行手法二七）。裁判で登録取消し処分の取消しを争うことは可能であり、この訴えを提起することができる期間内、及び訴えがあったときはその訴訟係属中は、取消し処分の効力は発生しない（法一〇八の三8）。

人事院の決定が確定し、又は裁判によって取消し処分が維持されて登録の取消しが確定すると、その確定の日から職員団体は非登録職員団体として取り扱われる。前者の場合の「確定の日」とは取消しの通知到達の日であり、後者の「確定の日」とは裁判の原則による判決確定の日である。

非登録職員団体として取り扱われることの効果は次のとおりである。

① 交渉に関しては、本法第一〇八条の五第一項の交渉権はなくなる。しかし、登録の有無にかかわらず本法上の職員団体として存続している限りは交渉能力がある。

② 在籍専従職員については、その許可が撤回される。在籍専従の許可はその職員に対するものであるから登録の取消しによって自動的に無効にはならない。したがって、許可権者は別途許可の撤回を行わなければならない。

③ 短期従事の許可により職務専念義務を免除されてその職員団体の業務に従事することはできなくなる。登録取消し前になされた短期従事の許可は在籍専従の許可と同じく撤回される。

④ 登録職員団体として法人格を取得した法人については、登録の取消しによって解散し、清算することとされている（法人格法二七③、一二九等）。

⑤ その職員団体を通じて勤務条件に関する行政措置の要求を行うことはできなくなる。登録取消し前にその職員団体を通じてなされている行政措置の要求については、当事者適格を欠くものとして却下される。

五　規約、申請書の内容変更の届出

登録職員団体は、規約又は登録申請書の記載事項に変更があったときは、人事院にその旨を届け出なければならないこととされている（法一〇八の三⑨）。

規約と登録申請書の記載事項は、職員団体の登録の可否を人事院が判断する基礎となったものであるので、その変更によって職員団体が引き続き登録要件を満たしているかどうかを判断し直す必要があるからである。このため、変更の届出を受けた人事院は、新規に登録申請を受け付けたときと同じように登録の三要件が充足されているかどうかを審査し、引き続き登録を認めるときは変更された事項を職員団体登録簿に登録してその旨を職員団体に通知し（法一〇八の三⑨）、その変更に伴って登録を認めないとするときには理由を付してその旨を職員団体に通知しなければならない。

以上の変更の届出、その審査、その結果の職員団体への通知などの具体的手続については、人規一七―一第四条に規定されている。

六　解散の届出

登録職員団体が解散したときは、人事院にその旨を届け出なければならないこととされている（法一〇八の三10）。解散の届出などの詳細は人規一七―一第六条に規定されている。

職員団体の解散は、職員団体の登録要件で述べたように、規約の必要的記載事項に含まれる重要事項である。したがって、人事院はその解散が本法第一〇八条の三第三項の要求する民主的な手続に従って行われたものであることを、解散の届出の添付書類で確認した上で、適法と認めるときに職員団体の登録を抹消する（人規一七―一　六）。

七　登録の状況

令和三年度末（令四・三・三一）現在における登録職員団体の総数は、一、一七八団体で、このうち、管理職員等による職員団体は一〇団体となっている。

第百八条の四　削除（平成一八法五〇による改正。平成二〇・一二・一施行）

削除前の規定（登録された職員団体は、法人となる旨を人事院に申し出ることにより法人となることができる。（以下、略）（民法総則、非訟事件手続法の法人に関する規定の準用））

職員団体の法人格に関する制度の沿革及び法人格法の概要について説明する。

一　職員団体の法人格

本条は登録職員団体の法人格の取得に関する根拠規定であったが、平成一八年の公益法人制度改革関連法（平二〇・一二・一施行）により、本条や法人格法の関連規定が準用していた民法及び非訟事件手続法における法人関係の規定が削除されたため、これらの規定を法人格法に書き下すとともに、職員団体の法人格取得の根拠規定を法人格法に一本化し、本条は削除することとされたものである。

職員団体が法人格を取得するメリットを改めて述べれば、次のとおりである。

① 自らの名義で財産を所有できる。特に職員団体の事務所などの不動産を職員団体の名義で所有権の登記ができるというメリットが大きい。職員団体の代表者などの個人名義で所有権の登記をすることも可能であるが、登記名義者が職員団体の役職を離れたときにその都度所有権の変更登記を余儀なくされるという不便がある。社団としての存在が自らの名義で財産を所有することは、今日の社会の中では重要な意味を持つということができるであろう。

② 日常的な経済活動（例えば商取引）を職員団体の名義で行うことができる。不動産の登記と同様に代表者などの名義で行うことは可能であるが、今日的な社会においては責任の所在を明確にして経済活動を行うことが社団の在り方として望ましいことはいうまでもない。

③ 税法上の取扱いとして、収益事業による所得以外については非課税となる（所得税については、所得税法一一1。法人税については、法人税法四1ただし書、七。地方税については、地方税法二五1②、七二の五1④、二九六1②）。

二　法人格法の制定等に係る経緯

職員団体は、登録の有無にかかわらず法人格法に基づき法人格を取得することができることは前述のとおりである。この法人格法の制定に至るまでの経緯などを述べれば、次のとおりである。

1　昭和四〇年　ドライヤー報告　第二、二二〇項

職員団体の登録と法人格の取得は、職員団体の本来の目的である職員の経済的利益を代表して当局と交渉するということとは直接の関係がないことは前述のとおりであるが、法人格の取得に伴う利便が無視できない重要性を持つために、本法又は地公法によって登録できず、法人格を取得できない職員団体の全国的な連合体などにも法人格取得の途を設けるべきであるとする議論が以前から行われてきた。この点についてドライヤー委員会はＩＬＯ理事会に昭和四〇年、次のように報告した。

「本委員会（ドライヤー委員会）は、全国的な労働組合組織が法人格を享有し得るような法律改正を（日本政府が）考慮するよう勧告する。本委員会は、この問題が交渉権の問題と全く別なものであることを強調する。」

2　昭和四八年　第三次公務員制度審議会の答申

また、第三次公務員制度審議会も昭和四八年、次のように答申した。

「法人格は、登録制度とは切り離して、付与するものとする。」

3　法人格法の成立

そこで、本法又は地公法の体系とは別に職員団体に法人格を付与する単独立法が検討され、「職員団体等に対する法人格の付与に関する法律案」が、昭和五〇年第七五回通常国会に提出されて、その後継続審査と審議未了廃案を重ね、昭和五三年の第八四回通常国会で成立、同年、法律第八〇号として公布された。

三　登録職員団体の法人格

1　法人格取得の手続き

登録を受けた職員団体は法人となる旨を人事院に申し出ることによって法人となることができる（法人格法三1①）。この手続の詳細は人事院規則一七―一（職員団体の登録）第一〇条に定められている。すなわち、

① 法人となる旨の申出は書面で行う。
② 人事院は、職員団体から法人となる旨の申出があったときは、その申出の受理証明書を職員団体に交付する。
③ 職員団体が登録後直ちに法人となろうとするときは、登録申請書に法人となる旨の申出を記載した書類を添付する。

この場合には登録後直ちに法人となる旨の申出があったものとみなされる。

2　法人の解散

法人である職員団体は、登録の取消し又は認証の取消しによって法人を解散する。

まず、登録と法人格の存在は裏腹の関係にあるので、法人である職員団体は、登録の取消しによって法人を解散する。法人格がなくなったときは、法人としての清算手続をした上で、法人解散の登記を行う。しかし、その職員団体は法人として解散するだけであり、実際問題としては形式的な清算手続を行うにすぎず、職員団体としての解散を行わない限り、登録を受けない職員団体として存続する。したがって、労働団体としての活動は可能である。

次に、登録職員団体が解散したときも当然に法人格は消滅する。解散したときは、登録の抹消手続が執られる（人規一七―一　六）。この場合にも法人としての清算手続をして法人解散の登記を行う。

なお、登録の効力停止の場合には、法人格が消滅しないことは前述のとおりである。

四　非登録職員団体の法人格

非登録職員団体であっても、法人格法によって法人格の取得が可能である。この項では、非登録団体の法人格法に基づく法人格の取得について述べる。

1　法人格法の目的

法人格法の目的は、その第一条に述べられているとおり「職員団体等が財産を所有し、これを維持運用し、その他その目的達成のための業務を運営することに資するため、職員団体等に法律上の能力を与えること」である。このように法人格法の目的は、専ら経済的主体としての職員団体の行為能力を与えるものであるから、この法律で法人格を取得しても、登録職員団体のように優先的な交渉権を持つことにはならないし、在籍専従職員を認められることもない。

2　法人格法で法人格を取得できる職員団体等

法人格法で法人格を取得できる「職員団体等」とは、「国家公務員職員団体」、「地方公務員職員団体」、「混合連合団体」の三つである（法人格法二1）。

① 「国家公務員職員団体」とは、本法とこれを準用する裁臨法による職員団体である（法人格法二2）。

② 「地方公務員職員団体」とは、地公法による職員団体である（法人格法二3）。

③ 「混合連合団体」には二つの種類がある。

その一つは、本法又は地公法による職員団体の連合団体で、これらの法律上の職員団体に該当しないものである（法人格法二4①）。ある地域における地方公務員の職員団体と国家公務員の職員団体の連合体などがこれに該当する。

その二は、本法、地公法による職員団体、国会職員法による組合又は労組法による労働組合の連合団体で、その構成員比率をみたときに、一般職の国家公務員、裁判所職員及び非現業一般職の地方公務員の合計数が過半数となっているものである（法人格法二4②）。要するに、非現業部門の公務員が主体となっている連合団体と理解すればよいであろう。なお、過半数の構成員が非現業の公務員であるかどうかを判断するときに、国会職員である構成員はカウントされないことに注意する必要がある。

さらに、これら二つの混合連合団体は、「構成員の勤務条件の維持改善を図ることを目的とする」ものでなければならない（法人格法二４柱書）。もともと法人格法によって法人格を付与する制度は、職員の経済的利益を追及する職員団体について登録制度とこれに伴う法人格取得の体系を基本とし、これを補完する趣旨で、登録制度の要件は満たさない職員団体にも法人格を与える仕組みとして設けられているものであるからである。

3　法人格取得の手続

非登録職員団体の法人格の取得は、まず規約について認証機関の認証を受け、次いで主たる事務所の所在地で登記することによって行われる（法人格法三２）。

(一)　規約の認証機関

規約の認証機関は、認証を受けようとする職員団体等の区分に応じて人事院、最高裁判所、人事委員会又は公平委員会とされている（法人格法九①〜⑦）。

① 人事院を認証機関とするのは、一般職の国家公務員の職員団体、一般職の国家公務員が主体となっている混合連合団体、一般職の国家公務員が主体となっている全国的組織の混合連合団体で本法による職員団体を含むものである。

② 最高裁判所を認証機関とするのは、裁判所職員の職員団体、裁判所職員が主体となっている混合連合団体、裁判所職員が主体となっている全国的組織の混合連合団体で裁臨法による職員団体を含むものである。

③ 人事委員会又は公平委員会を認証機関とするのは、非現業一般職地方公務員の職員団体、地方公務員が主体となっている混合連合団体である。

(二)　規約の認証

規約の認証の申請手続の詳細は、認証を受けようとする職員団体等の区分に応じて、人規一七—三、職員団体等の規約の認証等に関する規則（昭五三最高裁規則四）、職員団体等に対する法人格の付与に関する法律施行規則（昭五三自治省令二一）でそれぞれ定められているが、内容的には同様である。この手続を法人格法及び人規一七—三についてみれば、次のとおりである。

① 規約の認証を受けようとする職員団体等は、その名称（連合団体の場合にはこれに加えて構成団体の名称）、主たる事務所の所在地、理事その他の役員の氏名と住所、申請時の構成員の数（連合団体の場合にはこれに加えて一般職の国

家公務員、一般職非現業地方公務員、裁判所職員である構成員の数）を記載した申請書と規約二通を、人事院（認証機関）に提出する（人規一七―三　二）。

② 人事院は、規約が法人格法第五条各号に定められた要件に合致するかどうかを審査する（人規一七―三　三1）。法人格法第五条各号の要件とは、規約に一定の事項が記載されていること、規約の変更、役員の選挙、解散などの重要事項の決定について規約に民主的手続が定められていること、会計報告について公認会計士などによる監査証明とともに毎年一回構成員に公表されることが規約に定められていること、の三つである。前二者は登録の要件に類似しているが、三番目の会計報告は登録の要件にはない。これは、もともと法人格法が職員団体等の財産の所有と維持運用の便宜を与えるという目的で制定されたものであるからである。

③ 人事院は、規約が上記の要件を満たしているときは、これを認証してその旨を職員団体等に書面で通知する（人規一七―三　三）。

㈢　登記と法人格の取得

職員団体等は、人事院の規約の認証を受けた後、主たる事務所の所在地で登記することによって法人となる（法人格法三2）。なお、登記の事務は、当該事務所の所在地を管轄する法務局、地方法務局、その支局又は出張所（登記所）が行う（法人格法五五、商業登記法一の三）。

㈣　認証の拒否

人事院は、規約に法令違反の事項が記載されているとき、後述の認証の取消しから三年を経過していないときには、認証を拒否しなければならない（法人格法六）。認証を拒否するときは、人事院は、理由を付してその旨を職員団体等に書面で通知する（人規一七―三　三2）。

4　規約変更の届出

規約の認証を受けた職員団体等が、その規約の記載事項を変更したときは、遅滞なくその旨を認証機関に届け出なければならない（法人格法七）。規約の認証の基礎になっている規約の記載事項の変更は、認証の効力の存続を左右するものだからである。

届出に当たっては、変更された事項を記載した書面に加えて、その変更が認証を現に受けている規約の手続に従って行われたことを証明する書類を添付することとされている（人規一七―三　四）。規約の変更に関する民主的な手続は規約認証の要件として規約に規定することを求められているが、この手続が守られているかどうかを確認する必要があるからである。

5　認証の取消し

(一)　認証の取消しが行われる場合

認証機関は、次の場合には規約の認証を取り消さなければならない（法人格法八）。

法文上は「認証を取り消すことができる。」となっているが、登録の取消しの場合と同じく、この措置を採ることは羈束裁量行為であって、以下に述べる場合には認証機関は取消しを行う拘束を受けている。

①　国家公務員職員団体又は地方公務員職員団体が、混合連合団体となった場合を除いて、本法、地公法、裁臨法による職員団体（連合体を含む）でなくなったとき（法人格法八1①）。

これらの法律の規定による職員団体が混合連合団体となったときには規約の認証の取消しを行わないとされているが、これは取消しという手続によらないということにすぎず、その混合連合団体は、別途、団体の種類に応じて認証機関に規約の認証を改めて申請する必要がある。混合連合団体への移行に伴い、認証機関が変わることもあり、規約の記載事項の変更に伴い規約が法律の要件を満たしているかどうかを改めて確認する必要があるからである。

②　混合連合団体の構成員に占める一般職の国家公務員、裁判所職員及び一般職非現業地方公務員の合計数の割合が、過半数を割ったとき（法人格法八1②）。

③　規約の記載事項の変更によって、規約の中に、構成員の勤務条件の維持改善を図ることを目的とする旨定めた規定がなくなったとき（団体の活動として規約に定める目的を著しく逸脱する行為を継続し、反復して、構成員の勤務条件の維持改善を図ることを目的としていると認められなくなったときを含む。）（法人格法八1③）。

④　法人格法第二条の「職員団体等」に該当しなくなったとき（法人格法八1④）。

⑤　法人格法第五条各号に掲げる規約の認証要件に規約が該当しなくなったとき、又は、規約に法令違反の事項が記載されるに至ったとき（法人格法八1⑤）。

⑥　規約中の、重要事項決定の民主的手続又は会計報告についての規定に違反する事実があったとき（法人格法八1⑥）。

㈡　聴聞

認証機関が規約の認証を取り消すときは、あらかじめ聴聞を行わなければならない。聴聞の期日における審理は、職員団体等の請求があれば、公開して行わなければならない（法人格法八2）。

ただ、認証の取消しに当たっては、取消し事由があっても直ちに聴聞を行って取消手続を進める必要は必ずしもない。取消し事由に該当する事実が軽微であり、容易に是正できるものである場合には、職員団体等にその是正を促すという事実上の配慮を行うことが適当であろう。このことは、職員団体の登録の取消しの場合と同様である。

㈢　取消しの効力など

認証の取消しは、取消し処分取消しの訴訟を提起できる期間内又は訴訟が提起され裁判所に係属中は効力を生じない（法人格法八3）。また、行政部内では聴聞という厳密な手続を経ているので、行服法による審査請求はできない（行手法二七）。

6　職員団体等に対する報告の要求等

認証機関は、法人格法に定められた業務遂行に必要な限度で、職員団体等から報告や資料の提出を求め、また、必要があれば国又は地方公共団体の関係機関から事実の証明、資料の提供その他の協力を求めることができる（法人格法一〇）。

例えば、規約の認証を求められたとき、認証の取消しが必要と思われるときなどに、なお事実関係を確認する必要があることが考えられる。

7　法人である登録職員団体への移行

法人格法によって法人格を取得した職員団体が、本法、裁臨法又は地公法による登録職員団体となったときは、登録の日において法人である登録職員団体に自動的に移行する（法人格法五六1）。

この場合の新たな法人の設立登記に当たっては、一般に必要とされる登記事項に併せて、法人格法による法人であったときの名称と主たる事務所、法人格法による法人から法人である登録職員団体に移行した旨も登記しなければならない（法人格法五六3）。

登記官は、この法人格の移行に伴う設立登記が行われたときは、法人格法による法人の登記記録に、移行の事実を職権で記載した上でその登記記録を閉鎖する（法人格法五六４）。

五　行政執行法人職員の労働組合の法人格

行政執行法人職員の労働組合の法人格は、労組法第一一条の規定により、労組法の規定に適合する旨の労働委員会の証明を受け、主たる事務所の所在地で登記することによって取得できる。労働組合に関して登記すべき事項は、登記後でなければ第三者に対抗することができない。

その手続の詳細は、労組法施行令（昭二四政令二三一）第二条から第一一条に定められている。すなわち、

① 労働組合は、主たる事務所の所在地を管轄する都道府県労働委員会又は中央労働委員会に申請して、労組法の規定に適合する旨の証明書の交付を受ける。

② 登記に当たっては、名称、主たる事務所、目的及び事業、代表者の氏名及び住所、解散事由を定めたときはその事由を登記しなければならない。

③ 管轄登記所は、主たる事務所の所在地を管轄する法務局、地方法務局、その支局又はその出張所である。

④ このほか、前記施行令には、事務所の移転登記、登記事項の変更登記、解散の登記、商業登記法の準用などが定められている。

なお、労働組合が法人格を取得することの意義は、法人格法による職員団体の法人格の取得の場合と同じであって、労働組合が社会的、経済的活動を行うときの権利義務関係の名義主体が明確になるとともに、税法上の特典が与えられることである。また、法人格の有無は、労働組合の本来的な活動である団体交渉や労働協約締結になんら影響を与えるものでないことも、法人格法による法人格の取得に関して述べてきたところと同じである。

（交渉）

第百八条の五　当局は、登録された職員団体から、職員の給与、勤務時間その他の勤務条件に関し、及びこれに附帯して、社交的又は厚生的活動を含む適法な活動に係る事項に関し、適法な交渉の申入れがあつた場合においては、その申入れに応ずべき地位に立つものとする。

② 職員団体と当局との交渉は、団体協約を締結する権利を含まないものとする。
③ 国の事務の管理及び運営に関する事項は、交渉の対象とすることができない。
④ 職員団体が交渉することのできる当局は、交渉事項について適法に管理し、又は決定することのできる当局とする。
⑤ 交渉は、職員団体と当局があらかじめ取り決めた員数の範囲内で、職員団体がその役員の中から指名する者と当局の指名する者との間において行なわなければならない。交渉に当たつては、職員団体と当局との間において、議題、時間、場所その他必要な事項をあらかじめ取り決めて行なうものとする。
⑥ 前項の場合において、特別の事情があるときは、職員団体は、役員以外の者を指名することができるものとする。ただし、その指名する者は、当該交渉の対象である特定の事項について交渉する適法な委任を当該職員団体の執行機関から受けたことを文書によつて証明できる者でなければならない。
⑦ 交渉は、前二項の規定に適合しないこととなつたとき、又は他の職員の職務の遂行を妨げ、若しくは国の事務の正常な運営を阻害することとなつたときは、これを打ち切ることができる。
⑧ 本条に規定する適法な交渉は、勤務時間中においても行なうことができるものとする。
⑨ 職員は、職員団体に属していないという理由で、第一項に規定する事項に関し、不満を表明し、又は意見を申し出る自由を否定されてはならない。

〔趣　旨〕

一　交渉の意義

本条は、職員団体と当局の間で行われる交渉の性格、当局の交渉応諾義務、交渉対象事項といった交渉に関する基本的な事項と交渉以外の一般的な意見の申出について定めているほか、実際的な交渉手続を詳細に定めている。公務員の労使関係において留意すべき点として、本条で認められる職員団体と当局の労使の交渉は「交渉（negotiation）」であって労組法の定める「団体交渉（bargain）」ではないことであろう。すなわち、本条第二項が定めるとおり職員団体と当局の「交渉」は「団体協約を締結する権利を含まない」ことから、団体協約締結を目指して行われる「団体交渉」とは区別して「交渉」という用語を用いているとみられる。憲法第二八条は「勤労者の団結する権利及び団体交渉その他の団体行動をする権利は、これを保障する。」と定めているが、本法により非現業の国家公務員には団体交渉権が認められていないところである。このような制度となったのは、本法の基本的な目的である公務の民主的かつ能率的な運営の確保と、勤労者としての職員の権利保護のために設けられた職員団体制度との調和を図った結果といえよう。なお、官吏について団結権を保障する（ドイツ官吏法九二）一方で、労働協約締結権及び争議権を認めていないドイツでは、職員団体の関与は「団体交渉」ではなく「参加」（Beteiligung）（ドイツ連邦官吏法一一八）の用語を用いている。

労組法では、本条に相当する規定は、はなはだシンプルである。労働組合側の団体交渉担当者を定めた交渉権限に関する第六条の規定と、正当な理由なしに団体交渉を拒否することが不当労働行為に当たることを定めた第七条第二号の規定があるだけである。労組法は、団体交渉の手続は労使間で取り決めればよいという態度をとっている。しかし、その反面、労使間の相互干渉を排除する規定は、はなはだ厳格であり、相互に独立した交渉主体が対等の関係で労働条件を交渉するという原則が貫かれている。

行政執行法人労働関係法では、労組法の原則を維持しながら、やや本法に似通った団体交渉関係の規定を設けている。しかし、基本的には交渉手続の詳細は労使間で取り決めるという原則をとっている。

本条の規定を理解するためには、以上のことを念頭に置いておく必要がある。

本法においても職員団体は、職員の勤務条件の維持改善を図ることがそもそもの目的であり、職員団体という団結体として当局と交渉あるいは話合いを行うことによってこの目的を実現するために結成されるものである（法一〇八の二1）。したがって、交渉は、職員団体の活動の本質的な柱である。

職員団体と当局の交渉は、往々にして労使の対抗関係ひいては対立関係の側面が強調され、実際上もいろいろな紛争が引き起こされることがあるが、労働協約締結権が認められない中でも、職員団体すなわち職員側と当局との意思疎通を図ることによって、職員の理解と納得を得ながら職場の勤務条件の確保・実施を図っていくというところにその意味があるのである。

職員と当局の意思疎通の方法は、職員団体を通じた交渉などに限られるわけではない。日常的な上司と部下との関係においても可能であろうし、個人として行う苦情申出など、いろいろな方法が考えられる。法律上の規定としても、昭和二三年の本法改正後の本法第九八条第二項では「すべて職員は、職員の団体に属していないという理由で、不満を表明し又は意見を申し出る自由を否定されてはならない。」とし、昭和四〇年の改正後の現行の本法第一〇八条の五第九項でも「職員は、職員団体に属していないという理由で、第一項に規定する事項（職員の…勤務条件に関し、及びこれに附帯…する事項）に関し、不満を表明し、又は意見を申し出る自由を否定されてはならない。」としている。

このように、職員団体を通じた意見の表明が唯一無二のものではないが、職員団体という団体を通じて集約的に意見を表明することは、職員個々人にとっても容易で都合のよい当局への意見伝達方法であろうし、当局としても職員全体の意向を把握しやすいということができる。このような交渉の役割というものを労使双方が十分に念頭に置かなければならないであろう。

二　団体協約締結権の制限

1　団体協約締結権制限の理由

職員の給与等勤務条件は、主として税収で賄われ、私企業のように利潤の分配によるものと全く異なっており、予算の裏付けを含めその決定は、主権者たる国民の信託を受けた国会が民主的統制を行うという原則に基づいて行われる必要がある。使用者としての政府にいかなる範囲の勤務条件決定権を付与するかは立法上の問題となるが、国会による予算統制等のために政府は当事者能力を十分に持たないこと、私企業と異なりいわゆる市場の抑制力が働かないことなどから一般の公務員について団体協約締結権が否定されている。

2　交渉と合意の性格

では、団体協約締結権のない交渉とはどういう性格のものであるのか。交渉の結果、職員団体と当局との間でなされる合意の性格は何なのであろうか。

昭和二三年の本法改正前は、前述のとおり、形式的には労組法の適用がある形となっており、団体協約締結権のある交渉が認められ、実際にも団体協約が締結された例がみられる。

しかし、昭和二三年の改正の契機となったマッカーサー書簡は団体協約締結権を否定し、同書簡に基づく政令第二〇一号

第一条第一項は、「……国又は地方公共団体の職員の地位にある者……は、国又は地方公共団体に対しては同盟罷業、怠業的行為等の脅威を裏付けとする拘束的性質を帯びた、いわゆる団体交渉権を有しない。但し、公務員又はその団体は、……個別的に又は団体的にその代表を通じて、苦情、意見、希望又は不満を表明し、且つ、これについて十分な話合をなし、証拠を提出することができるという意味において、国又は地方公共団体の当局と交渉する自由を否認されるものではない。」としていた。

昭和二三年の改正によって本法第九八条第二項に交渉に関する規定が設けられたのであるが、同項は「職員は、これらの組織を通じて、代表者を自ら選んでこれを指名し、勤務条件に関し、及びその他社交的厚生的活動を含む適法な目的のため、人事院の定める手続に従い、当局と交渉することができる。但し、この交渉は、政府と団体協約を締結する権利を含まないものとする。」としていた。なお、このような表現に落ち着くまでには、ＧＨＱと政府の間で改正法案の文案をめぐって折衝が重ねられ、「交渉」の代わりに「協議、協力」という語句を用いる案、あるいは交渉の性格を「専ら不満の表明、勧告の申出などについての協議という意味での交渉」と明記する案などが検討された（人事院編『国家公務員法沿革史（資料編Ｉ）』三三三頁以降）。

このような経緯で昭和二三年に「交渉」に関する規定が設けられ、昭和四〇年の改正でもこの点は実質的な変更を加えずに本条に移し替えられたので、現在の職員団体の交渉に関する考え方は、沿革的には、昭和二三年改正時の考え方がそのまま引き継がれているということができる。したがって、職員団体が行う「交渉」の性格は、労組法による労働組合の行う「団体交渉」とは性格が異なる。労働組合の場合は、「契約」たる労働協約を締結するための交渉であるが、職員団体の場合は、「協議」、「意見の交換」という性格のものと解される。したがってまた、交渉の結果合意した約束は、拘束力を持たず、紳士協定としての道義的責任が生ずるに過ぎない。しかしながら、交渉当事者たる職員団体と当局は、誠心誠意これを実現する義務を負うことはいうまでもない。

なお、地公法による職員団体の場合は、法令、条例、地方公共団体の規則及び地方公共団体の機関の定める規程にてい触しない限りにおいて書面による協定を結ぶことができることとされているが（地公法五五９）、本法と地公法の職員団体の交渉に関する考え方は同一であると考えられるので、書面による協定を結ぶことができるかどうかは、これらの法律における交渉及び合意の性格に差を生じさせるものではない。

〔解　釈〕

一　職員団体との交渉

1　登録と交渉応諾義務

本条第一項は、「当局は、登録された職員団体から、職員の給与、勤務時間その他の勤務条件に関し、及びこれに附帯して、社交的又は厚生的活動を含む適法な活動に係る事項に関し、適法な交渉の申入れがあつた場合においては、その申入れに応ずべき地位に立つものとする。」と規定している。法律上の明文をもって登録職員団体にこのような地位を認めたのは、第一〇八条の三の登録制度の〔趣旨〕三1で述べたように、登録の要件を満たす職員団体が、職員を代表してその経済的利益を追求する団体として当局が交渉の相手方とするのによりふさわしいものであるからである。

法律上の明文をもって「応ずべき」と規定されているのであるから、これによって、登録職員団体は交渉を行う権利を有し、当局は交渉の申入れに応諾する義務を負っている。ただ、職員団体と当局の交渉の性格が〔趣旨〕で述べたようなものであるために、労組法が団体交渉応諾義務を不当労働行為制度によって保障している（労組法七②）のと異なり、法律が強制的に履行を促すものではない。しかし、当局は、本条の規定の趣旨を十分に尊重し、みだりに交渉の申入れを拒否することはできない。

2　適法な交渉の申入れ

当局の交渉応諾義務は「適法な交渉の申入れ」に対して生ずるものである。「適法な」としたのは、当然の事理を規定したものであるが、あえて明文をもって規定したのは、過去における公務部門の労使関係や交渉の実態を踏まえた結果であろう。

「適法な」ということは、具体的には、交渉事項、交渉当事者、交渉手続などが適法であることであり、例えば、交渉対象事項とならないものに係る交渉の申入れ、交渉当事者として当局たり得ない機関への交渉の申入れ、予備交渉を行わずになされた交渉の申入れなどの場合は、適法でない申入れとして、当局に交渉を応諾する義務はない。

3　非登録職員団体との交渉

非登録職員団体については、本条第一項の適用はない。

昭和四〇年の本法改正前は、前述したように、登録制度に関する法律上の明文はなかったが、人事院規則によって登録制度が設けられ、旧人規一四―〇第一項第三号は「交渉は、人事院に登録した職員の団体によつてのみ行われなければならない。」と定めていた。したがって、非登録職員団体には交渉能力がなかった。しかし、現行法では、非登録職員団体であっても、本法による職員団体である限り、交渉を行う能力はあるものとされている。

したがって、本条の交渉に関する規定は、第一項だけが登録職員団体に関する規定であり、第二項から第九項までの交渉の性格、交渉事項、交渉当事者、交渉手続などの規定は、職員団体一般に関する規定と解されており、非登録職員団体との交渉は法律の予定するところであるとされている。

なお、昭和四八年の公務員制度審議会の答申は登録制度と交渉に関して「登録されない職員団体が当局に交渉を求めた場合においても、当局は、合理的理由がない限り、恣意的にその求めを拒否することのないよう努めるべきである。」としている。答申のこの部分は、公務員制度審議会の答申事項のうち運用によって措置すべきものとして、各省庁の申合せによって、そのような運用を図ることとされている。

これに関連してやや問題となるのは、本法上は職員団体でない職員の組織との「交渉」である。例えば、国家公務員と地方公務員の職員団体の連合組織が「交渉」を求めてきた場合にはどう考えればよいか。結論的には、それは本法の関知しない問題であり、本条の適用はなく、本法上の交渉ではない。しかし、実際問題としては、当局の適宜の判断により、話合いを行うことはあり得よう。その場合には、本条の交渉関係の規定を類推して対応すればよい。

二　交渉対象事項と交渉対象外事項

１　勤務条件

職員団体と当局の交渉の対象となる事項としては、本条第一項に「職員の給与、勤務時間その他の勤務条件」がまず挙げられている。

勤務条件という言葉は、次に掲げるように、本法において随所に用いられている。

（情勢適応の原則）

第二十八条　この法律及び他の法律に基づいて定められる職員の給与、勤務時間その他勤務条件に関する基礎事項は、国会により社会一般の情勢に適応するように、随時これを変更することができる。その変更に関しては、人事院においてこれを勧告することを怠つてはならない。

②　〔略〕

（勤務条件に関する行政措置の要求）

第八十六条　職員は、俸給、給料その他あらゆる勤務条件に関し、人事院に対して、人事院若しくは内閣総理大臣又はその職員の所轄庁の長により、適当な行政上の措置が行われることを要求することができる。

（勤務条件）

第百六条　職員の勤務条件その他職員の服務に関し必要な事項は、人事院規則でこれを定めることができる。

②　〔略〕

（職員団体）

第百八条の二　この法律において「職員団体」とは、職員がその勤務条件の維持改善を図ることを目的として組織する団体又はその連合体をいう。

②〜⑤　〔略〕

これらの条文の「勤務条件」と本条の「勤務条件」が必ずしも同一の意味ではないとする考え方もあるが、強いて区別する必要はないと考える。本法第二八条に対応する地公法第二四条は、「……勤務条件は、条例で定める」としているが、実際問題として条例で定め得るのは勤務条件の基本的事項だけとならざるを得ないという点を考慮してか、その範囲は交渉対象事項である「勤務条件」よりも狭くならざるを得ないとの見解がある（鹿児島重治著『逐条地方公務員法（第六次改訂版）』二八九頁。ただし、橋本勇著『新版逐条地方公務員法（第五次改訂版）』三八〇頁は、「（地公法第二四条は）勤務条件を条例で定めることとしているのであり、条例で定めるものを勤務条件としているのではないから、この論理には若干無理があるように思われる。」としている。）。しかし、本法第二八条は法律が「勤務条件に関する基礎事項」を定める形の規定となっているので、前記の各条文で用いられている「勤務条件」の意味内容を区別して考える必要はないと考えられる。

勤務条件の定義としては、地公法第二四条第六項の「職員の給与、勤務時間その他の勤務条件は、条例で定める。」という規定に関連して法制意見がある。「（地方公務員）法第二十四条第六項にいう職員の「勤務条件」とは、労働関係法規において一般の雇用関係についていう「労働条件」に相当するもの、すなわち、同条項に例示されている給与及び勤務時間のような、職員が地方公共団体に対し勤務を提供するについて存する諸条件で、職員が自己の勤務を提供し、又はその提供を継続するかどうかの決心をするに当たり一般的に当然考慮の対象となるべき利害関係事項であるものを指す、と解するのが相当である。」（昭三三法制局一発一九法制局長官）というものである。これはたまたま地公法にいう勤務条件に関するものであるが、本法の場合も同じであると考えられる。

そこで、更にこれを具体的に理解するために、行政執行法人職員の団体交渉の範囲を規定する行政執行法人労働関係法第八条の条文に即してみると、団体交渉の対象事項は、同法第一一条に定める団体交渉の手続に関する事項と第一二条第二項に定める苦情処理に関する事項のほか、

「一　賃金その他の給与、労働時間、休憩、休日及び休暇に関する事項
二　昇職、降職、転職、免職、休職、先任権及び懲戒の基準に関する事項
三　労働に関する安全、衛生及び災害補償に関する事項
四　前三号に掲げるもののほか、労働条件に関する事項」

とされている。

これらの法制意見及び法律の規定をみれば、勤務条件（労働条件）に該当する事項がどのようなものかということは概ね明らかであるが、このほか参考になる法制意見としては、公共企業体の旅費規則は労働条件に該当し団体交渉の対象事項となると認めたもの（昭二六・二・九法務府法意一発五法制意見長官）、公共企業体で長期勤続者に退職の勧奨を行う場合の基準（勤続期間、年齢など）は労働条件に該当し団体交渉の対象事項となると認めたもの（昭三三・一〇・一五法制局一発四二法制局第一部長）などがある。

ここで問題となるのは、勤務条件法定主義に基づき法律が規定する勤務条件（労働条件）を交渉の対象事項とすることができるかということである。行政執行法人職員以外の一般職国家公務員（非現業職員）の場合は、勤務条件法定主義の下で、人事院勧告に基づいて、勤務条件に関する基礎事項を法律で定めることとされているが、後述のように法律制定権を有する国会は交渉当事者とならないので、法律に定められた勤務条件（例えば、本法に定める任免、懲戒の基準、給与法に定める

給与、勤務時間、休暇、補償法に定める災害補償の基準）については交渉対象事項とすることが可能であろうか。この点については、法律案を作成し閣議請議する権限を有する当局との間で、人事院勧告制度に反しない範囲で当局の権限の限度において交渉することが可能であると解される。また、行政執行法人職員については労働条件を団体交渉で決定することが基本とされているが、その労働条件のうち非現業職員と同じく法律で定められている事項（例えば、本法に定める任免、懲戒の基準、補償法に定める災害補償の基準）については同様に解される。しかし、行政執行法人職員の労働条件については非現業職員の勤務条件よりも法律で定められている範囲が狭いので、その内容を団体交渉によって決定できる事項の範囲が広くなっている（例えば、給与、勤務時間、休暇など）。なお、勤務条件（労働条件）を定める法律の委任に基づき人事院規則で定める事項については、人事院との間で交渉を行うことが可能かという問題があるが、人事院は労使から中立の第三者機関であることからすると人事院が職員団体と相対して交渉する立場に立つものでなく、本条にいう「当局」には当たらない。人事院は、給与法等の委任を受けた事項について、科学的、公正かつ専門的に決定することとなるが、そのプロセスにおいて、当局及び職員団体からの意見を聴取することとして、当事者の関与を担保している。人事院が職員側からの意見を聴取するプロセスは実務上「会見」という用語で整理されている。

2　その他の交渉事項

本条第一項は「……及びこれに附帯して、社交的又は厚生的活動を含む適法な活動に係る事項」も交渉対象事項としている。

「これに附帯して」の意味は必ずしも明らかではないが、勤務条件の「周辺部分の」問題という程度のこと（いわゆるフリンジド・ベネフィットとみてもよいであろう。）であって、これらの事項がなんらかの勤務条件に付随していなければ交渉できないということまでを意味するものではない。

「社交的」「厚生的」活動に係る事項とは、具体的には、職員団体が主体となって営む職員の親睦行事、相互扶助活動などへの当局の協力、援助の場合が考えられる。なお、念のためいえば、給与や勤務時間といった中心的なものを念頭に置いて勤務条件という用語を用い、職員の福利厚生に係る事項を勤務条件の中に含めない場合があるが、本条の場合を含めて「勤務条件」という用語は、宿舎、レクリエーション、健康増進など職員の福利厚生に係る事項を含む広い概念である。したがって、一般的に職員の福利厚生に係る事項は勤務条件に該当するものであり、「厚生的活動」に係る事項として交渉対象事項となっているのではない。

「適法な」とあるのは、当然の事理をいったものにすぎず、本来的な交渉対象事項である勤務条件についても違法なものであってはならないことも当然のことである。

3　管理運営事項

本条第三項は「国の事務の管理及び運営に関する事項は、交渉の対象とすることができない。」と規定している。国の事務の管理、運営は、行政執行の主体である行政機関（これを職員団体制度の観点からみれば、当局）が、その権限と責任に基づいて行うべき事柄であるからである。すなわち、議会制民主主義の原則にしたがって運営されている我が国の行政においては、国民の代表者たる国会の信任を得た内閣を構成する各大臣が、行政執行の任に当たる行政主体として国の事務の管理、運営の責務を負わされている。したがって、国民に対して責任を負うべき事項を交渉対象事項とすることは、行政主体が負うべき権限と責任を国会の了解もなしに職員団体と分け合うことになるので許されないのである。また、職員団体の本来的な使命からみても、その目的は職員の経済的利益の追求にあるわけで、職員団体が行政執行に参画することはその使命を逸脱することになり適当ではない。

民間企業においても同様のケースとして、労働組合の「経営参加」という問題がある。民間企業の労働組合も、その主たる目的は「労働条件の維持改善その他経済的地位の向上を図ること」（労組法二）であるから、古典的な労使の役割分担からみれば、企業の経営方針の決定などに参画することは本来の使命であるとはいえない。しかし、民間企業の場合は、経営に労働組合の参画を認めるかどうかは私的自治の範囲内であるので、労働組合が経営に参加することを特段、法が禁止するまでもなく、労使間の取決めによって自由に決めることができる。特に、企業の存続は従業員にとって我身の問題であるという観点から、労組が経営の一端に関わることは珍しくない。これに対して公務部門の場合は、民主主義の原則の下で行政主体に委ねられた行政執行の権限と責任を放棄することができないので、民間企業の場合とは事情が異なるのである。

「国の事務の管理及び運営に関する事項」の具体的内容はどういうものであろうか。一般的には、行組法や各府省の設置根拠法令に基づいて、各府省に割り振られている事務、業務のうち、行政主体としての各機関が自らの判断と責任において処理すべき事項をいうものとされている。具体的にある事項が本条第三項にいう「管理運営事項」に該当するかどうかは、個別具体的に判断することとなる。一般的な事項としては、行政の企画、立案、執行に関する事項、予算の編成に関する事項などがある。

当然のことながら、当局と職員団体の間の交渉で取り上げられる事項は職員の勤務条件に関わるものであるが、その内容が個別の人事に関連することもあり得る。実際にも、職員の勤務条件との関係を理由として、行政組織に関する事項や、個別具体的な昇任、配置換などの人事の決定などが職員団体から問題とされることがみられるようである。人事に関する事項については、基準とその実施の関係を区別して考える必要があり注意を要するので、以下に特に問題となる場合を掲げておくこととする。

① 昇任、転任、配置換など

個別具体的な昇任、転任、配置換などの案件についての決定は、任命権の行使であるから、交渉対象事項にならない。しかし、昇任、転任等の基準は、勤務条件に関する部分で述べたように、交渉対象事項である。

② 懲戒処分

行政執行法人労働関係法第八条は、懲戒処分の基準を団体交渉事項としているが、本法上も同様に解される。しかし、懲戒処分の基準が交渉対象事項であるといっても、その大部分は本法とその委任を受けた人事院規則で定められているので、職員が所属する府省の懲戒処分権者（具体的には人事担当部局）との間の交渉の余地はほとんどない。しいていえば、これらの法令の部内実施基準を定めることがあり得よう。

設定された懲戒処分の基準に基づく個別の事案における具体的な処分の決定は、管理運営事項である。例えば、懲戒処分の量定（免職から戒告までのどの処分を選ぶか、停職や減給の場合にどの程度にするか）は、懲戒処分権者の管理運営事項である。

③ 勤務条件と管理運営事項が関連する場合

管理運営事項が勤務条件と密接に関連する場合がある。例えば、給与の改善は予算の編成と関連し、転任命令は公務員宿舎の貸与と関連している。この場合に、予算編成や転任命令は管理運営事項であるから、交渉の対象とすることができない。しかし、給与改善や公務員宿舎の貸与は勤務条件として交渉の対象になる。昭和四八年の第三次公務員制度審議会の答申は、これに関して「管理運営事項と勤務条件との関係については、管理運営事項の処理によって影響を受ける勤務条件は、交渉の対象となるものとする。」と述べている。その趣旨は、管理運営事項の処理の結果、影響を受けることがある勤務条件については、勤務条件という側面からの交渉が可能であり、その交渉の結果として管理運営事項についても影響を受けることがある（例えば、宿舎を用意できないので転任できない場合）、ということである。しかし、関連しているからといって、管理運営事項そのものについて交渉することはできない。

三　団体協約締結権の制限

職員団体との交渉は、本条第二項で「職員団体と当局との交渉は、団体協約を締結する権利を含まないものとする。」とされている。団体協約締結権が否認されている理由については、〔趣旨〕の部分で述べたとおりであるが、では、団体協約締結権のない交渉の効果はどのようなものか。

本法に定める交渉の性格は、〔趣旨〕で述べたとおり、「協議」ないし「意見の交換」である。したがって、交渉の効果もこれを受けたものとなり、交渉の結果、職員団体と当局の間で合意に達した事項については、法律上の強制的履行義務を負うものではないが、双方が紳士協定として道義的責任を負って誠実にこれを実行に移すべきものである。

地公法の場合は、第五五条第九項で、書面協定を結ぶことができるとされ、「前項の（書面による）協定は、当該地方公共団体の当局及び職員団体の双方において、誠意と責任をもつて履行しなければならない。」（地公法五五10）とされており、法的拘束力のない紳士協定であるとされている。

本法の場合には、このような書面協定に関する明文がないが、書面協定の有無にかかわらず、この二つの法律における交渉及び合意の性格は同様に解される。書面協定の締結は、合意の内容をより明白に確認する手続であり、交渉の効果に違いはない。

四　交渉の当事者

1　交渉に当たる当局

本条第四項は「職員団体が交渉することのできる当局は、交渉事項について適法に管理し、又は決定することのできる当局とする。」と定めている。なぜこのような当然の事由を定めたのかといえば、権限の及ばない事項に関する交渉を避けること、当局の責任体制を明らかにする必要があることからである。

「当局」であるためには、「交渉事項について適法に管理し、又は決定することのできる当局」でなければならない。行政機関の事務の所掌は組織法令で定められているので、これに照らして、交渉に係る事項について、調査研究し、企画立案し、実施することができる当局は明確かつ一義的に定まっている。権限が委任されているときは、受任機関がその限度で当局となる。

「上申交渉」（正当な当局の下部機関に対し、勤務条件に関する職員団体の要求を、正当な当局に取り次ぐことを要求するもの）なるものが職員団体から提起されることがあるが、これについては本来の当局に交渉を求めるべきであり、「上申交渉」は本条に規定する交渉には該当しない。

勤務条件法定主義の下では、給与、勤務時間などの勤務条件に関する基礎事項は法律で定められるが、国会は、使用者機関ではないので、当局とならない。法律が定める勤務条件に関しては、その法律の改正案を作成し閣議請議する権限を有する行政機関がその権限の限度において当局となる。また、国会に関係法律案の提出権を有する内閣は、当局である。なお、人事院は、本法第二八条の情勢適応の原則に基づいて国会に対し給与等の変更についての勧告を義務付けられているが、人事院は中立第三者の立場に立って労使の意見を聴取することとされており、本条の当局には当たらない。法律の委任に基づいて、実施細目を定める権限を有する行政機関は、その権限の限度において当局となる。人事院は、本法、給与法などの委任に基づいて、それらの法律の実施細目を人事院規則で定める権限を有するが、これは、中立第三者的な立場から労使のいずれにも偏することなく行うものであり、交渉の一方当事者である当局には当たらない（前述二1参照）。

2　連合体との交渉

いくつかの府省の職員団体の連合体である職員団体が、特定の府省の人事関係の勤務条件の問題に関して、その府省の人事当局との間で交渉を行うことについては、その府省の職員を構成員とする職員団体が加盟している連合体たる職員団体であれば、当該府省はその交渉の当局となる。

本法による職員団体とそれ以外の労働団体（例えば、労組法による労働組合、地公法による職員団体）の連合体が交渉を求めてきた場合には、前述のように本法上の「交渉」には該当しないから、話合い、陳述、意見の交換などとしての限度で、適宜当局が応ずることはあり得るが、その交渉申入れに当局が応じなかったからといって、本条違反にはならない。

五　交渉担当者

本条第五項は「交渉は、……職員団体がその役員の中から指名する者と当局の指名する者との間において行なわなければならない。」という原則を掲げ、同第六項は「……特別の事情があるときは、職員団体は、役員以外の者を指名することができるものとする。」として、交渉の担当者を特定している。これは、本条の他の部分についても同様であるが、交渉のルールを法律で明確に定めることにより、無用の混乱を避ける趣旨である。

1　職員団体の交渉担当者

職員団体の交渉担当者は、原則として職員団体が「その役員の中から指名する者」である（法一〇八の五５）。「役員」の定義は、第一〇八条の三で述べたとおりであり、委員長、副委員長、書記長の三役、中央執行委員、監査委員がこれに該当する。投票者の過半数で選出される役員（法一〇八の三３）、在籍専従の対象となる役員（法一〇八の六１）と同じである。

「その」役員であるから、上部団体の役員や他の職員団体の役員は含まれない。同様に、職員団体の下部組織として支部、分会などが設けられている場合に、支部長、分会長、職場委員などは、上部団体の役員として選任されていなければその上部団体の交渉担当者になることができないが、支部、分会などが別途独立の職員団体であり、それらの役員であるときは、支部、分会などが行う交渉の担当者となることができる。

「指名」は、交渉の都度、特定して予備交渉で当局側に通知することが適当であるが、あらかじめ「交渉担当者は誰誰」と包括的に決めておくことも可能である。指名に当たっては、職員団体の構成員の選挙による必要はないが、職員団体としての指名行為（例えば、中央執行委員会での決定）が必要である。

以上の例外として、「特別の事情があるとき」は、「役員以外の者」を職員団体の交渉担当者として指名することができる（法一〇八の五６）。

「特別の事情」とは、交渉事項が専門的な問題で弁護士などの専門家に任せる必要があるとき、交渉事項が一部の職場に限定された問題でその職場の事情をよく知っている支部長などに交渉を任せることが適当であるときなどが考えられる。その判断は職員団体に任されているが、いたずらに部外者を交渉の担当者とすることは、かえって交渉を混乱させるので適当ではないから、合理的理由がある場合に限られる。

特別の事情により役員以外の者が職員団体の交渉担当者となるときは、その者は、「交渉の対象である特定の事項について交渉する適法な委任を当該職員団体の執行機関から受けたことを文書によって証明できる者でなければならない。」（法一〇八の五6）。

すなわち、役員以外の者が交渉担当者となる場合には、次のような要件がある。

① 執行機関の委任を必要とする。役員の場合には、その当然の権限として職員団体を代表して交渉担当者となることが予定されているので「指名」で足りるが、役員以外の者の場合には、代理権が必要となるので委任行為が必要とされる。

② 特別の事情があるとして委任されるのであるから、特別の事情に応じた特定の交渉事項についてのみ交渉担当者となる。

③ 委任の事実、委任の範囲などを証明する文書が必要とされる。交渉に先立って当局はこれを提示するよう要求できる。当局が相手方として適当な者と交渉することを確認する必要があるからである。

④ 委任は、複数の者に対して行うことも可能である。また、委任したからといって、交渉に出席した役員が委任事項を交渉できないものではない。

2　当局の交渉担当者

当局側の交渉担当者は「当局の指名する者」である（法一〇八の五5）。当局の指名行為については特に要式は求められていない。

交渉当事者である「当局」は、前述のように、組織法令で定まる行政機関であるが、その組織の長が「当局」を代表する。したがって、一般的にはその組織の内部管理行為として、部下である職員の中から当局の指名する者が交渉担当者として決められるであろう。その場合の指名行為は職務命令であるから、指名された者はこれに忠実に従わなければならない。

さらに、当局の交渉担当者に関していえば、その組織に属していない専門家を指名することも可能である。その指名行為は、権限の委任ではないから、複数の者を指名することも可能である。また、当局自らが交渉に当たることを法は禁止していないので、交渉事項の担当部局の長自らが交渉に出席することも可能であるが、逆に、交渉事項の担当部局の長が必ず出席しなければならないものではない。

六　予備交渉

1　予備交渉の趣旨

本条第五項は「交渉は、職員団体と当局があらかじめ取り決めた員数の範囲内で……行なわなければならない。交渉に当たつては、職員団体と当局との間において、議題、時間、場所その他必要な事項をあらかじめ取り決めて行なうものとする。」と規定している。

いわゆる本交渉に先立つこれらの事項を取り決める準備手続を一般に「予備交渉」という。予備交渉は、〔趣旨〕の部分で述べたように、理論的には法律にどうしても明文で定めなければならないものではないが、実際上の配慮から規定されている。

交渉を行う場合には必ず予備交渉を行わなければならない。予備交渉を経ない交渉の申入れは、適法な交渉の申入れではないとして、当局はこれを拒否することができる。予備交渉で、職員団体側又は当局側が不当な条件を出し、その結果予備交渉が不成立であるときは、それぞれの側に責任がある。

2　予備交渉の手続、内容

予備交渉の具体的手続、取り決めるべき内容は、次のとおりである。

㈠　予備交渉の手続

予備交渉そのものについては、特別の手続規定は設けられていないが、職員団体と当局の「窓口」担当者が適宜の方法により合意すれば足りる。要はいつ、どこで、何をといった本交渉の条件を取り決めることが予備交渉の眼目であるが、往々にしてこの入口部分で無用の摩擦が起きることがある。いわゆる職員団体と当局の相互信頼関係に基づき、対処することが基本であろう。

㈡　交渉担当者の員数

職員団体と当局から交渉に出席する担当者の人数が何名であればよいかということは、常識の問題である。交渉は、数の力で相手方を威嚇する性格のものではないから、話合いに十分な人数というものは自ずから定まるものであり、一般的には双方それぞれが五名から一〇名が適当であろう。なお、いわゆる集団交渉は数の力で相手方を威嚇する性格のものであり、正常な交渉ではない。

それぞれの交渉出席者の具体的氏名までを取り決める必要はないが、相互に通知し合うことが適当であろう。

㈢　交渉の議題

交渉の議題は、職員の勤務条件とこれに附帯する社交的、厚生的事項である（法一〇八の五1）。これに該当しても、当局が適法に管理し、決定することができない事項は、交渉の議題とはできない。交渉の議題をあらかじめ予備交渉で決めておくことは、効率的な交渉を進める上で重要な意味を持っている。

㈣　交渉の時間

交渉を、いつ何時、どの程度の時間行うかを決めることも、実際上は大切なことであり、交渉の始期と終期は予備交渉で必ず取り決める必要がある。往々にして取り決めた時間帯を超えて交渉が行われることがあるが、効率的な交渉の在り方からみても、交渉担当者の本来の職務に影響を与えることからしても、適当ではない。なお、予備交渉で決めた時間を超える交渉は、後述のように、打ち切ることができる。また、交渉は、勤務時間内にも行うことができるが、これについては後述する。

㈤　交渉の場所

交渉の場所については、特別のルールはない。要は、平穏かつ効率的な交渉が行われるように、庁舎内外の場所を設定すればよい。

㈥　その他必要な事項

その他必要な事項のうち実際に問題となるものとしては、次のようなものがある。

①　予備交渉で取り決めた人数を超えて部外者が応援的な意味合いで出席した場合の取扱いについては、正常な交渉を阻害するので、認めない旨を予備交渉で明らかにしておき、そのような場合には交渉を打ち切る旨を取り決めておくこと

が適当であろう。

② 交渉の記録方法としてＩＣレコーダー等を使用することの是非については、交渉が、一般には、一言一句の言葉使いを問題にするものではなく、率直な意見の交換によって問題解決を図るものであるから、適当ではない。詳細な記録を作成するため、労使双方が合意すれば、そうした機器を使用することもありうる。

七　交渉の打切り

1　交渉の打切りの趣旨

本条第七項は、一定の場合に交渉を打ち切ることができる旨を定めている。交渉が本来の目的を達成できないことが明らかになったときや、交渉のルール違反があったときは、交渉を打ち切ることは当然のことであるが、前述のような実際的な配慮から、秩序ある交渉を確保する趣旨で法律上明定したものである。

2　交渉の打切りができる場合

本条第七項により交渉を打ち切ることができるのは、次の㈠から㈢までの場合であり、さらに、㈣の場合には条理上の問題として交渉を打ち切ることができる。なお、当然のことながらいずれも客観的にそのような事実が認定される必要がある。

㈠　本条第五項又は第六項の規定に適合しない場合

本条第五項は、職員団体と当局の交渉担当者の指名、予備交渉で交渉の員数、議題、時間、場所などを取り決めることを定めている。また、本条第六項は、役員以外の職員団体の交渉担当者の指名、その委任の証明を定めている。したがって、次のような場合には交渉打切りができる。

① 交渉担当者が、正当に職員団体又は当局を代表する者でないとき。これには、職員団体の役員でない者が委任関係を証明できないときが含まれる。
② 予備交渉で取り決めた員数を超える出席者がいるとき。
③ 予備交渉で取り決めた議題以外の議題が出されたとき。
④ 予備交渉で取り決めた時間が到来したとき。

㈡　他の職員の職務の遂行を妨げる場合

これに該当して交渉を打ち切るケースとしては、勤務時間内の交渉が行われているときに、交渉の場におけるやりとりが喧騒にわたり、あるいは、交渉担当者以外の職員団体の構成員が交渉の場に近接した庁舎内外の場所でシュプレヒコールを行うなどの結果、他の職員の職務遂行が妨げられる場合がある。勤務時間外の交渉の場合でも、同様の事情により超過勤務中の職員の職務遂行を妨げるときは、交渉打切りができる。

㈢　国の事務の正常な運営を阻害する場合

交渉に際して庁舎内外で座り込みが行われ庁舎管理に支障がある場合などがこれに該当する。なお、前記㈡の場合は、国の事務の正常な運営を阻害している場合にも該当する。

㈣　条理上交渉打切りが当然な場合

例えば、交渉での議論が平行状態に陥り、これ以上交渉を続けることが無意味な場合は、予備交渉で取り決めた時間が終わっていなくても、交渉打切りができる。また、交渉の場で暴力がふるわれたり、相手方の交渉担当者の人格攻撃が行われたような場合も同様である。

交渉の打切りは、以上のような事由があれば、職員団体又は当局いずれの側の交渉担当者からもその打切りを宣言すれば、その効果を生じる。交渉の打切りは、前記の正当な事由に基づいて行われたときは、いわゆる交渉拒否には当たらない。交渉の打切りが行われたときは、在籍専従職員を除いて、職員団体と当局の交渉担当者には職務に復帰する義務が生ずる。

八　勤務時間内の交渉

1　勤務時間内の交渉の趣旨

本条第八項は「本条に規定する適法な交渉は、勤務時間中においても行なうことができるものとする。」と規定している。職員団体と当局の交渉が、必ず勤務時間内に行われなければならないとする趣旨ではなく、「おいても」としている文言からみれば、勤務時間外の交渉を基本としながら、職員の団結権を保障する趣旨で、勤務時間内の交渉をも認めていると解すべきであろう。

勤務時間内に行うことが認められる交渉は「適法な」ものでなければならない。つまり、本条に定める手続などに従って行われるものでなければならない。なお、このことは、勤務時間外の交渉が適法でなくてもよいという趣旨でないことはいうまでもない。

本項の規定の実際的意味は、二つある。すなわち、適法な交渉が勤務時間内にも行い得るということであり、これを逆にいえば、交渉に当たる者が在籍専従職員でない職員である場合に、職務専念義務を免除できるということである。その意味では、この規定は職務専念義務を定めた本法第一〇一条の例外として、同条の「法律……の定める場合」を定めたものである。

２　勤務時間内交渉の担当者の給与

勤務時間内の交渉に関しては、特に、職員団体の交渉担当者として職員が交渉に出席した場合の給与はどうなるかが問題となる。

まず、在籍専従職員については、第一〇八条の六で述べるように、もともと休職者とされ、給与を受けられないとされている（法一〇八の五５）。

次に、在籍専従職員以外の職員が交渉に出席した場合には、職務を離れて交渉に当たるのであるから、ノーワーク・ノーペイの原則により、その時間については給与を受けることができないというのが基本的な考え方である。しかし、勤務時間内の交渉を認めている法律の趣旨に鑑み、本法第一〇八条の六第六項の規定に基づく人規一七―二第七条第一項で、「（国家公務員）法第百一条第一項の規定に基づき職務に専念する義務が免除されている期間中は、給与を受けながら、職員団体のためその業務を行ない、又は活動することができる。」として、これらの職員の交渉時間中の給与を支給することとしている。なお、この点については、別途第一〇八条の六で詳述する。

一方、当局の交渉担当者は、職務として交渉に出席するのであるから、当然に給与の支給を受けることはいうまでもない。

九　不満の表明、意見の申出

本条第九項は「職員は、職員団体に属していないという理由で、第一項に規定する事項に関し、不満を表明し、又は意見を申し出る自由を否定されてはならない。」と規定している。

本条の〔**趣旨**〕の部分でも述べたとおり、職員が勤務条件に限らず、職場の問題全般について不満を表明し、意見を述べることは自由であり、その方法も職員団体を通じての交渉に限られないことは、法律の規定をまつまでもなく当然のことである。したがって、このような規定を設けた理由は、職員団体制度がオープン・ショップ制を採っていることとの関連で、職員団体に加入していない職員が不満などを表明する自由を特に念のため明らかにしたということである。

不満の表明などの要式は特に定められていない。口頭でも文書でもよいし、直接の上司に対して行ってもよいし、人事当局に申し入れてもよい。要は、職場の職員の要望が当局に自由に伝えられ、これが職員の勤務条件や勤務環境の改善につながればよいということであろう。

なお、行政執行法人職員については、当局と「(労働）組合は、職員の苦情を適当に解決するため、行政執行法人を代表する者及び職員を代表する者各同数をもつて構成する苦情処理共同調整会議を設けなければならない。」(行政執行法人労働関係法一二1）とされているが、以上に述べた趣旨を法律上明確に制度的枠組みとして保障したものであろう。

一〇　行政執行法人の労働組合との交渉

行政執行法人職員については、労組法による労働組合を結成することとされており、以上に述べた職員団体の場合と異なる団体交渉の仕組みが定められているが、その概要を述べれば、次のとおりである。

1　交渉応諾義務

労働組合からの団体交渉の申入れについては、正当な理由がないのに拒否することは、不当労働行為となる（労組法七②）。正当な理由のない交渉拒否については中央労働委員会に申立てを行い、同委員会は必要な命令を行うことができる（労組法第四章第二節）。なお、同委員会の命令が裁判で支持された場合であっても罰則規定の適用はない（行政執行法人労働関係法三1により労組法二八が適用除外。）。この点は、労組法及び地公労法の仕組みと異なっている。以上を要すれば、罰則規定の適用はないものの、行政執行法人当局は、民間企業の使用者と同様に、労働組合からの団体交渉の申入れに対して拘束的な立場に立たされているといえよう。

2　交渉当事者、担当者

当局と労働組合の団体交渉は、それぞれが交渉委員を指名し、その名簿を相手方に提示して行われる（行政執行法人労働関係法九、一〇）。交渉委員の数、交渉委員の任期、その他の団体交渉の手続は、団体交渉で定められる（行政執行法人労働関係法一一）。

３　交渉事項

団体交渉事項は、行政執行法人労働関係法第八条、第一一条、第一二条で、次のような事項であるとされている。

①　賃金その他の給与、労働時間、休憩、休日及び休暇に関する事項
②　昇職、降職、転職、免職、休職、先任権及び懲戒の基準に関する事項
③　労働に関する安全、衛生及び災害補償に関する事項
④　以上のほか、労働条件に関する事項
⑤　交渉委員の数、交渉委員の任期、その他の団体交渉の手続に関する事項
⑥　苦情処理共同調整会議の組織、その他の苦情処理に関する事項

なお、これらのうち、先任権とは、先任制（昇進、解雇、経営不振による休職などについて先に採用された者を優遇する制度）による先任者の権利のことであるが、現行国家公務員法では認められていない。また、任用、分限、懲戒、災害補償については、法律が必要な基準を定めており、団体交渉の対象事項に限界があることは前述のとおりである。

また、職員団体の交渉事項と同様に、「行政執行法人の管理及び運営に関する事項は、団体交渉の対象とすることができない。」とされている（行政執行法人労働関係法八本文ただし書）。

４　労働協約

団体交渉対象事項については、労働協約を締結することができるとされている（行政執行法人労働関係法八本文）。行政執行法人職員の給与、勤務時間などについては、独立行政法人通則法によって、法人が給与の支給基準や勤務時間等に関する規程を定めることになっているが（独立行政法人通則法五七、五八）、給与、勤務時間、休憩、休日、休暇などの基準を労働協約として締結したときは、就業規則や規程は労働協約の内容と矛盾しないように定められることになる。

労働協約は、書面の形で作成し、労使双方が署名又は記名押印することによって、効力を生ずる（労組法一四）。労働協約の有効期間は最大三年であり、有効期間の定めのない場合には九〇日の予告期間を置いて労使いずれからも解約することができる（労組法一五）。労働協約には一般的拘束力があり、「一の工場事業場に常時使用される同種の労働者の四分の三以上の数の労働者が一の労働協約の適用を受けるに至ったときは、当該工場事業場に使用される他の同種の労働者に関しても、

当該労働協約が適用される。」（労組法一七）。なお、労組法の仕組みと異なって、労働協約の地域的の一般的拘束力はない（行政執行法人労働関係法三1）。

なお、旧五現業については、労働協約がその予算上不可能な資金の支出を内容とするときには国会に付議して承認を求める仕組み（旧国企労法一六）があったが、特定独立行政法人については、国から交付される運営費交付金の中で人件費が手当てされる一方、当該交付金を財源とする支出予算については、国の事前関与を受けることなく使途も制限されないものとされ、各法人の判断による人件費の支出が可能となったことから、このような仕組みは設けられず、行政執行法人に引き継がれた。

5　交渉の手続

交渉の手続に関して必要な事項は団体交渉で定めることとされている（行政執行法人労働関係法一二）。なお、「労働者が労働時間中に時間又は賃金を失うことなく使用者と協議し、又は交渉することを使用者が許すこと」や「最小限の広さの事務所の供与」は、不当労働行為としての経理上の援助には該当しない（労組法七③）。

（人事院規則の制定改廃に関する職員団体からの要請）

第百八条の五の二　登録された職員団体は、人事院規則の定めるところにより、職員の勤務条件について必要があると認めるときは、人事院に対し、人事院規則を制定し、又は改廃することを要請することができる。

②　人事院は、前項の規定による要請を受けたときは、速やかに、その内容を公表するものとする。

〔趣旨・解釈〕

人事院規則の制定・改廃に関する職員団体からの要請

本条は、登録された職員団体は、職員の勤務条件について必要があると認める場合に、人事院に対し、人事院規則の制定・改廃に関する要請をすることができることを定めている。

本条の規定は、本法第二三条の二により、使用者側である内閣総理大臣が、人事院に対し、人事院規則の制定・改廃に関する要請をすることができることとしていることと対をなす規定である。

人事院規則は、人事院が、本法によって付与された準立法的機能により、本法、給与法等の具体的な委任を受けて、自ら専門機関として制定するものであり、加えて、勤務条件に関しては、労働基本権制約の代償として、民間における労使交渉・労働協約締結に代わる機能を果たすために行うものである。このため、人事院は、従来より、勤務条件に係る人事院規則の制定・改廃について、職員団体の意見を聴いてきたところであるが、平成二六年の本法改正により、内閣総理大臣から人事院規則の制定・改廃の要請規定（法二三の二）を設ける際に、同時に、職員団体についても、必要があると認める場合には、人事院に対し、人事院規則の制定・改廃を要請することができることとする規定が設けられたものである。

職員団体からの要請は、内閣総理大臣からの要請と同様、法的拘束力は有しないのは当然であるが、人事院において、人事院規則の制定・改廃の要否を含めた必要な検討が行われることとなる。

また、第二項において、人事院は、要請を受けたときは、要請の内容を速やかに公表するものとされている。

なお、本法第二三条の二に基づく内閣総理大臣からの要請が人事院規則全般を対象としているのに対し、本条に基づく要請の対象は、勤務条件に関する人事院規則に限られている。

本条の規定に基づき、人規一七―四において、職員団体からの要請の手続、公表の方法が定められている。

（職員団体のための職員の行為の制限）
第百八条の六　職員は、職員団体の業務にもっぱら従事することができない。ただし、所轄庁の長の許可を受けて、登録された職員団体の役員としてもっぱら従事する場合は、この限りでない。
②　前項ただし書の許可は、所轄庁の長が相当と認める場合に与えることができるものとし、これを与える場合においては、所轄庁の長は、その許可の有効期間を定めるものとする。
③　第一項ただし書の規定により登録された職員団体の役員として専ら従事する期間は、職員としての在職期間を通じて五年（行政執行法人の労働関係に関する法律（昭和二十三年法律第二百五十七号）第二条第二号の職員として同法第七条第一項ただし書の規定により労働組合の業務に専ら従事したことがある職員については、五年からその

専ら従事した期間を控除した期間）を超えることができない。

④　第一項ただし書の許可は、当該許可を受けた職員が登録された職員団体の役員として当該職員団体の業務にもっぱら従事する者でなくなつたときは、取り消されるものとする。

⑤　第一項ただし書の許可を受けた職員は、その許可が効力を有する間は、休職者とする。

⑥　職員は、人事院規則で定める場合を除き、給与を受けながら、職員団体のためその業務を行ない、又は活動してはならない。

〔趣　旨〕

一　在籍専従制度の意義

1　職員団体活動と公務の関係

職員の勤務条件を維持改善することを目的として、職員の団結権が保障され、職員団体制度が設けられていることは、前述のとおりである。ところで、職員が職員団体活動を行うことは当然のことながら職務ではない。一方、職員は国民全体の奉仕者として職務に専念する義務を負っている。そこで、勤務時間内に職員団体活動が行われるときには、職務専念義務との関係を制度上どのように調和させるかということが問題となる。

本条はこの関係を規定するものである。本条の構成を概観すれば、在籍専従職員として専ら職員団体の業務に従事する場合とそれ以外の形で職員団体活動に従事する場合を規定している。なお、前述のとおり、本条のほかには、本法第一〇八条の五第八項が勤務時間中に交渉を行うことができることを規定している。

2　職員団体活動と給与

勤務時間内の職員団体活動を認める場合の給与の取扱いについては、次の二つの基本原則に則して考える必要がある。

第一の原則は、給与の基本はノーワーク・ノーペイの原則であるということである。したがって、本法は、勤務時間内に職員団体活動を行ったときには、給与をその分支給しないことを基本的取扱いとしながら、例外的に法令で認める場合には給与を支給するという考え方をとっているのである。

第二の原則は、職員団体制度が職員団体と当局の相互不介入原則を基本として組み立てられている、ということである。これを職員団体活動と給与との関係でいえば、職員団体に対する当局の経理上の援助は、当局の職員団体に対する介入のおそれがある行為として禁止されなければならないものである、ということである。この点に関する労組法の規定は非常に厳格であり、「労働者が労働時間中に時間又は賃金を失うことなく使用者と協議し、又は交渉することを使用者が許すこと」、「厚生資金又は経済上の不幸若しくは災厄を防止し、若しくは救済するための支出に実際に用いられる福利その他の基金に対する使用者の寄附」、「最小限の広さの事務所の供与」を除いて、「労働組合の運営のための経費の支払につき経理上の援助を与えること」は不当労働行為に該当するものとして禁止されている（労組法七③）。本法上の職員団体制度には、後述のように、不当労働行為の考え方はないが、相互不介入の原則は同じであるから、この問題を考えるときには同様の考え方に立つべきである。

二　在籍専従制度などの沿革

1　昭和四〇年以前の取扱い

昭和四〇年の本法改正前の職員団体制度における職員団体活動と職務専念義務などの関係についてみれば、法形式的には現行制度とはかなり異なっており、法律上の規定についてみれば本法には明文規定がなく、以下に述べるように、専ら人事院規則で制度的手当がなされていた。

(一)　休暇制度の規定

職員団体活動を行うために職務専念義務を免除することについては、旧人規一五―三によって、休暇制度の一環としていわゆる「組合休暇」の制度が設けられていた。その概要は以下のようなものであり、現行在籍専従制度と短期従事の許可制度に対応するものであった。

①　組合休暇は、登録職員団体の代表者又は役員として専ら職員団体の業務に従事する職員に、一日単位で、一年以内の範囲内で、与えられ、その期間満了時に更に組合休暇を与えることができる。
②　組合休暇を与えられた場合以外は、職員団体の業務に専ら従事することはできない。
③　組合休暇を与えられた職員は、その期間中、官職を保有するが職務に従事することができず、その終了とともに職務

に復帰する権利を有する。

④　組合休暇の期間中は、俸給、扶養手当その他いかなる給与も支給されない。

㈡　職員団体制度の規定

一方、職員団体制度の面からは、旧人規一四―一によって、次のように規定されていた。

①　職員は、人規一五―三に定める条件の下で、専ら職員団体の業務に従事することができる。

②　職員は、勤務を要しない時間又はあらかじめ承認を得た休暇期間中であれば、交渉を除く職員団体活動ができるが、他の職員の勤務と国の業務の正常な運営を阻害してはならない。

③　職員は、個人的に又は登録職員団体の代表者を通じて、適法な交渉を勤務時間中に行うことができる。

以上のように、職員が専ら職員団体の業務に従事するときは無給の組合休暇によることとされ、勤務時間内に交渉を除く職員団体活動を行うときは（年次）休暇を取ることとされていたわけである。なお、組合休暇を取らずに職員が勤務時間中に交渉を行う場合については、人事院規則上の明文規定がなく、勤務時間中の交渉を認めている根拠条項である旧人規一四―一第五項の解釈として、交渉を行った時間は正規に勤務したものとして取り扱われ、給与の減額は行われなかった（昭和二六・六・四　七一―五二）。

2　ＩＬＯ第八七号条約の批准と法改正

昭和四〇年の本法改正前の制度では、職員団体の役員は職員に限られており、組合休暇による在籍専従制度が設けられていたのであるが、ＩＬＯ第八七号条約の批准に伴って行われた昭和四〇年の本法の改正では、同条約第三条に規定する代表者選出の自由の原則に基づき、職員団体の役員資格を職員に限定しないこととされ、非職員の役員就任を認めていることは登録の要件としても差し支えないものとされた（法一〇八の三5）。したがって、従前の組合休暇で認められていた在籍専従制度は、理論上は必要でなくなり、同改正の際には在籍専従制度を全廃するという考え方もあったが、国会における与野党折衝の結果、在籍専従制度の内容を明確に限定して法定し、引き続きこれを存続させることとなったことは、前述のとおりである。

在籍専従制度は、職員団体の役員選出の自由が保障されている場合には、理論上絶対にこれを認めなければならないものではない。むしろ、職場復帰を保障しながら職員団体業務に専ら従事することを認めることは、労組法にいう経理上の援助に類似するものであり、職員団体と当局の相互不介入の原則に反するとも考えられる。現行制度の存在理由は、実際問題として職員団体の結成が同一行政組織単位で行われ、かつ、その役員も職員の中から選出されることが多いという実態を踏まえて設けられているものである。在籍専従制度を考える場合には、このような我が国における企業内組合的な慣行を有する職員団体の実態を踏まえて、一定の条件の下に認められているものであるということに留意する必要があろう。

なお、この問題について、ＩＬＯ結社の自由委員会は、昭和三六年の第五四次報告で、「外部の者を組合の専従役員として選出する権利があるならば、使用者は労働者に対して、専従役員として活動するために身分を保有したままの長期間の無給休暇を与える義務はない。」という趣旨の判断を示している。同報告のこの部分は、日本の労働組合側からの「国家公務員及び地方公務員の組合では、在籍専従の慣行があるが、その専従者の数を制限する傾向が増大している。また、ＩＬＯ第八七号条約の批准との関連で検討されている国家公務員法などの改正案では在籍専従を全廃しようとしている。」との申立て及びこの主題に対する政府側の反論「役員資格を職員に限定しているためにこれまでは在籍専従が必要であったが、改正法では非職員の役員就任を認めることとしており、本来職務専念義務を有する職員の長期間の専従休暇は廃止すべきである。」に対して行われたものである。

なお、旧組合休暇制度と現行制度との関連についていえば、法形式は前述のように相違するものの、実質的には、旧組合休暇を長期のものと短期のものに区別し、前者は在籍専従制度、後者は短期従事の許可制度として引き継いだものとなっている。

〔解　釈〕

一　在籍専従の性格

１　在籍専従に関する基本原則

本条第一項は、本文で「職員は、職員団体の業務にもっぱら従事することができない。」と規定して、在籍専従を原則的に禁止する建前を明らかにし、ただし書で「所轄庁の長の許可を受けて、登録された職員団体の役員としてもっぱら従事する場合は、この限りでない。」と規定し、例外として在籍専従を認めることとしている。

この規定は、職員は国民全体の奉仕者として公共の利益のために勤務し、職務の遂行に当たっては全力を挙げてこれに専念しなければならない義務を負っているので（法九六1、一〇一1）、職務ではない職員団体の業務に長期間専ら従事することは、例外的な場合にだけ認められるものであるという当然の事理を、明らかにしているのである。

また、職員団体の役員選出の自由が認められ、職員でない者を役員に選任できる現行職員団体制度の下では、理論的には在籍専従を認めないことも考えられるが、他方において、各府省の職員団体が長期継続雇用を基本とする職員によって組織される自治的団体であることからみると、その役員には部内職員が就くことが望ましい面もあり、現実的な解決として、例外的に在籍専従を認めることは適切と考えられる。

2　在籍専従が認められる要件

以上のような考え方に立って、本条は、例外的に在籍専従を認めるためには次の四つの要件を必要としている。

㈠　登録された職員団体の業務に従事すること

「登録された職員団体」とは、本法第一〇八条の三の規定により、人事院に登録された職員団体である。登録されていれば、法人格の有無は関係ない。

登録の効力の停止（法一〇八の三6）を受けている職員団体については、効力停止前に許可された在籍専従は影響を受けないが、効力停止期間中は新たに在籍専従の許可を申請しても受理されず、許可されない。

登録の取消しが行われ、その決定が効力を生じた場合（法一〇八の三6、8）には、自動的に在籍専従の許可が取り消されるわけではなく、所轄庁の長は別に在籍専従の許可の取消しを行わなければならない。

㈡　役員となる場合であること

役員の定義については、既に何度か述べたとおりであるが、職員団体の執行機関の構成員又は監査機関の構成員である。

㈢　職員団体の業務に専ら従事すること

「職員団体の業務にもっぱら従事する」とは、職員としての本来の職務を離れて、職員団体の業務に相当の期間役員として専従することである。

在籍専従の許可は、特定の登録職員団体の役員として専らその業務に従事するために与えられるものであるから、在籍専従職員が所属する登録職員団体の上部団体の役員となりその上部団体の業務に専ら従事するときには、取り消される。このような場合の取消しの要否は、いずれの職員団体の業務に専ら従事するかということによって判断することになる。このように、下部団体の在籍専従職員としての許可は自動的に上部団体の在籍専従職員としての許可となるものではなく、上部団体の在籍専従職員となるためには改めてその許可を受ける必要があり、また、その上部団体が登録職員団体でなければ許可を受けることはできない。

㈣　所轄庁の長の許可を受けること

在籍専従は「所轄庁の長の許可を受けて」行われるものである（法一〇八の六1）。この許可については次に述べることとする。

二　在籍専従の許可

1　許可権者

在籍専従の許可は「所轄庁の長」によって行われるものである（法一〇八の六1、2）。「所轄庁の長」とは、具体的には許可を受けようとする職員の任命権者であり、更にその委任を受けた者も含まれる（法五五1、2）。受任者に任命権と切り離して在籍専従の許可を委任することは可能であろうが、職員の身分関係に関わる事柄であるから、任命権の委任と在籍専従の許可権の委任の範囲は一致していることが適当である。

2　許可の性格

在籍専従の許可は「所轄庁の長が相当と認める場合に与えることができる」ものである（法一〇八の六2）。「相当」と認めるかどうかは、許可を求めた職員の所属する行政組織の業務遂行の観点から判断され、許可権者の自由裁量行為である。ただ、許可権者は、職員団体の運営に不当な干渉を行う意図で許可の是非を判断することはできない。

3　許可の対象者

在籍専従の許可の対象者は、登録された職員団体の役員で、専らその職員団体の業務に従事するものである（法一〇八の六1）。

やや問題となるのは、休職や懲戒停職との関係である。休職中の職員に在籍専従を許可することについては、分限休職と在籍専従の効果が職員としての身分は保有するが職務に従事しないという意味では同じであること及び両者は、別個の目的を持つ処分であることから、原則として許可することは可能であるといえよう。ただし、療養のための休職は心身の故障のため長期の休養を必要として行われるものであるから（法七九）、そのために休職している職員に在籍専従を認めることは条理上できないし、研究休職等についても、国以外の施設等で研究等に従事させるという目的からすると、一旦、休職を終了させた上で、在籍専従許可を行うのが適当である。これに対し、刑事休職の場合は在籍専従を許可することが可能であり、これと同様に懲戒停職中の職員についても、在籍専従を許可することが可能である。また、在籍専従中の職員が懲戒停職処分を受けても在籍専従の許可に影響はない（三7参照）。

4　許可の具体的手続

在籍専従の許可手続については、人規一七―二に定められている。それを要すれば、次のとおりである。

① 職員は、在籍専従の許可を求める場合には、その官職、氏名、所属職員団体名、所属職員団体での役職名、所属職員団体の業務に専ら従事する期間を記載した申請書を、所轄庁の長に提出する。

② 所轄庁の長は、在籍専従の許可を与える旨と、その許可の有効期間を明示した文書を交付して許可を与える。

③ 所轄庁の長は、職員の申請に基づき、在籍専従の有効期間を更新することができる。

5　在籍専従の期間

在籍専従の期間については、まず、在籍専従の許可を与える場合の有効期間が最低どの程度であるべきかということが問題となる。在籍専従は、登録職員団体の業務に専ら従事する役員に与えられるものであること、在籍専従期間が本則上最大五年（本法附則において、当分の間七年）とされていること、別に短期従事の許可の制度が設けられていることからみて、日又は週を単位とする短期間の在籍専従は認められず、役員の任期に合わせて最低一年以上の有効期間が定められるべきであろう。ただし、欠員となった役員の任期の残存期間だけ選任された役員がその残存期間を有効期間とする在籍専従を求める場合には、比較的短期間の許可も可能であろう。

次に、在籍専従の期間は「職員としての在職期間を通じて五年……を超えることができない。」とされ、この「五年」の期間は行政執行法人労働関係法による労働組合の在籍専従期間と通算されることとされている（法一〇八の六3）。また、行政執行法人労働関係法の側からも、同法による在籍専従期間の限度は、本法による在籍専従期間と通算して五年とされている（行政執行法人労働関係法七３）。在籍専従期間の限度については、職員として公務に専念する義務と職員団体活動の自由の調和点として定められており、このことはいわゆる非現業、行政執行法人の両部門に共通であるからである。また、昭和六三年六月に行われた法律改正（昭六三法八二）では、在籍専従をめぐる実態を踏まえ、労使関係の安定を図るため、当時の国営企業労働関係法に附則第三項として「（国営企業労働関係法）第七条の規定の適用については、国営企業の運営の実態に鑑み、労働関係の適正化を促進し、もつて国営企業の効率的な運営に資するため、当分の間、同条第三項中「五年」とあるのは、「七年以下の範囲内で労働協約で定める期間」とする。」が加えられ、同年一〇月一日から施行された結果、旧四現業職員の労働組合の在籍専従期間の限度は当分の間七年に変更され、旧四現業職員は、（非現業職員の職員団体の在籍専従職員としての期間があるときにはその期間も含めて）最大限七年まで在籍専従することが可能となった。一方、本法においても、議員立法による平成九年の改正により、本法の附則第一八条（現行の附則第七条）として、「第一〇八条の六の規定の適用については、国家公務員の労働関係の実態に鑑み、労働関係の適正化を促進し、もつて公務の能率的な運営に資するため、当分の間、同条第三項中「五年」とあるのは、「七年以下の範囲内で人事院規則で定める期間」とする。」が加えられ、人規一七―二第八条により、当該期間は七年と定められ（平九・四・一施行）、旧四現業職員と同様の取扱いとなった。

なお、地公法と地公労法においても、同様に五年を限度とする在籍専従期間（当分の間の措置としての七年限度についても同様）とその通算の規定が設けられているが、これらの法律による在籍専従期間と本法又は行政執行法人労働関係法による在籍専従期間との間には通算規定が設けられていない。

三　在籍専従の許可の効果

在籍専従の許可の効果としては、休職者とされること、いかなる給与も支給されないこと、在籍専従の期間は退職手当算定の基礎となる勤続期間から除外されることなどが挙げられる。以下、在籍専従の許可の効果について、項を分けて述べれば、次のとおりである。

１　「休職者とする」

本条第五項は、在籍専従の「許可を受けた職員は、その許可が効力を有する間は、休職者とする。」と規定している。

休職は、本法第七五条以下の解説でも述べたとおり、分限処分として行われるもので、基本的には職員の意に反する不利益な処分である。一方、在籍専従は、分限処分である休職とは異なり、職員からの申請に基づいて行われるものであり不利益処分ではないが、この「休職者とする」という規定によって、分限休職処分を受けた場合と同じ法律的効果が生じることとなる。これを具体的にいえば、本法第八〇条第四項により、休職の効果と同じく、在籍専従職員は「職員としての身分を保有するが、職務に従事しない。」ものとされ、本法第一〇一条第一項の職務専念義務については、同項に規定する「法律又は命令の定める場合」に該当し、免除されるのである。

2　給与の支給

本法第八〇条第四項は、休職の効果として「休職者は、その休職の期間中、給与に関する法律で別段の定めをしない限り、何らの給与を受けてはならない。」ものと規定しているので、在籍専従職員も同じ取扱いを受ける。

休職者の給与に関する法律とは給与法であるが、同法の休職者の給与に関する条文（給与法二三）をみると、在籍専従職員についてはその性格からなんらの規定も設けておらず、在籍専従職員が休職者の特例として給与を受けることはできない。なお、本条第六項は「職員は、人事院規則で定める場合を除き、給与を受けながら、職員団体のためその業務を行ない、又は活動してはならない。」と規定しているので、在籍専従職員の給与についてもこの条項に基づき人事院規則で定めることができるように解釈する余地がないでもないが、この条項は後述の短期従事の許可などに関するものであり、在籍専従職員の給与について規定したものではない。地公法では、本法のこの条項に相当する規定に合わせて「（在籍専従の）許可を受けた職員は、その許可が効力を有する間は、休職者とし、いかなる給与も支給されず……」と明確に規定している（地公法五五の二5）。

月の中途で在籍専従職員となった場合には、毎月支給される俸給と諸手当（通勤手当を除く。）については、それぞれの給与種目に応じて、日割り計算によって、在籍専従期間前の分の給与を支給する（人規九―七　五など）。また、期末、勤勉手当については、これらの手当の基準日に在籍専従職員である場合には、支給定日が在籍専従期間終了後であっても支給されない。逆に、基準日に在籍専従職員でなければ、支給定日に在籍専従職員であっても支給される（人規九―四〇　一⑤、七②）。

３　給与の決定（昇格、昇給、復職時調整）

在籍専従職員に給与を支給しないことは前述のとおりであるが、形式的に給与の決定（昇格、昇給などの職務の級と号俸の変更）だけを行うことは可能であろうか。

「職員の職務の級は、……職務の級ごとの定数の範囲内で……決定する。」こととされているが（給与法八３）、在籍専従職員は「休職者とする」とされ、級別定数外とされるので、昇格などの職務の級の変更を行うことはできない（給実甲一四三）。

昇給は、毎年人事評価の終了日である九月三〇日以前一年間における職員の勤務成績に応じて行うものであることから（給与法八６、人規九―八　三四）、その期間を通じて勤務実績のない在籍専従職員については行うことができない。

在籍専従の終了に伴って職員が復職したときに（人規一七―二　四）、部内の他の職員との均衡上必要があると認められるときは、在籍専従期間の三分の二以下の期間を勤務したものとみなして号俸の調整を行うことができる（人規九―八　四四１）。

４　退職手当

在籍専従職員は休職者とされるといっても、退職手当の算定の基礎となる勤続期間については分限休職と取扱いが異なり、分限休職の期間はその二分の一が勤続期間から除算されるのに対し、在籍専従の期間は全部除算される（退手法七４）。

在籍専従の期間中は職員自らの申請に基づいて公務に従事しないこと、この期間を退職手当算定の基礎となる勤続期間に通算することは職員団体に対する経理上の援助に当たることから、このような取扱いとなっている。

５　共済給付

共済法における退職年金などの給付についてみると、在籍専従中も職務に従事している場合と同じ取扱いとなっており、退職年金などの算定の基礎となる組合員期間の計算については、退職手当の場合のような在籍専従期間の除算はされない。共済法における退職年金は社会保障制度としての性格も有するものだからである。したがってまた、在籍専従期間中も、職員は共済掛金を負担しなければならない。ただし、在籍専従期間中の共済掛金の使用者負担分は、職員団体と当局の相互不介入の原則に基づき、国に代わって職員団体が負担することとされている（共済法九九６）。

６　職員団体からの報酬と兼業の許可

在籍専従職員が職員団体から報酬を受ける場合には、本法第一〇四条の「職員が報酬を得て、営利企業以外の事業の団体の役員、顧問若しくは評議員の職を兼ね、その他いかなる事業に従事し、若しくは事務を行うにも、内閣総理大臣及びその職員の所轄庁の長の許可を要する。」という規定との関係について、どのように解すべきであろうか。

この点については、在籍専従が同条にいう「兼業」に該当するとして、在籍専従の許可が与えられたときは兼業の許可も与えられたとする解釈がとられている。昭和四〇年の本法改正前の職員団体制度の下では、在籍専従はいわゆる組合休暇によって行われていたが、その当時の取扱いに関して「(人事院)規則一五―三の規定により専従休暇を与えられた職員団体の役員で当該団体から毎月一定額の手当の支給を受けるものは、その手当については、その休暇を与えられた日に(国家)公務員法第百四条の規定による人事院の許可（注　現行の本法第一〇四条の「内閣総理大臣及びその職員の所轄庁の長の許可」に相当するもの）があったとみなす。」とする行政実例がある（昭二五・八・二九任審発第二四九号）。

なお、在籍専従職員が、職員団体以外の非営利企業の職を兼ねて報酬を受けるとき、又は営利企業の職を兼ねるときには、それぞれ本法第一〇四条又は第一〇三条の許可又は承認を当然に必要とする。これらの規定は、職員としての身分に付随する服務上の規律を定めているものであるからである。

7　懲戒処分

在籍専従職員も職員としての身分を保有する者であるから、本法上の義務違反について懲戒処分の対象となる。

在籍専従職員に懲戒処分を行うときに、停職処分と減給処分については、在籍専従職員が給与の支給を受けず職務に従事していないので、処分の効果が生じないという問題がある。

この点について参考となる行政実例としては、現行制度以前に行われていた無給のいわゆる組合休暇（本条の【趣旨】の部分の記述参照）と懲戒処分の関係について、「専従休暇中の職員に対する減給処分についても、結果として給与から一定額を減ずることが不可能となった場合があったとしても、そのことのゆえに直ちに懲戒処分としての減給が無効となり、あるいは取り消されるべきものとはならない。」とする不利益処分の不服申立てに対する判定がある（昭四二・五・二六人指一三―二一。職員団体業務に専ら従事するための休暇と懲戒処分の関係についての同旨の行政実例として、昭三四・二・一九自丁公発二七自治庁公務員課長）。休職者に停職又は減給の処分を行えないとすると、在籍専従職員に対する懲戒処分の量定として、戒告よりも重く、免職よりも軽い処分が適当であるときに、処分ができなくなり、また、免職処分を受けた在籍専従職員が人事院に不利益処分の審査請求を行って処分が修正されたときにも、停職や減給に処分を修正できないということは不合理である。また、懲戒処分を行うために在籍専従の許可を取り消すことも、懲戒事由が許可取消しの理由ともなる場合は別にして、一般的には適当でない。停職と減給は期間の定めのある処分であり、その期間中に在籍専従が終了したときはその限度で効果を生ぜしめる処分としてこれらの処分を行うことは可能であると解する。

８　定員

在籍専従職員は「休職者とする」とされるので、定員法第一条の「常勤の職員」に該当せず、定員外職員となる。

９　人事記録への記載

在籍専従職員は、前述のように、職員としての身分は保有するが職務に従事しない休職者として定員外職員とされ、給与、退職手当、共済給付に関する特別の取扱いを受けるので、事実関係を明らかにしておく必要がある。このため、「専従許可……に関する事項」は「勤務の記録に関する事項」として人事記録の必要的記載事項とされている（人事記録の記載事項等に関する政令二1④　同内閣官房令一3④）。

四　在籍専従の終了

在籍専従は、次に掲げる場合に終了する。

１　有効期間の満了

在籍専従の許可は、その有効期間を定めて与えられることになっている（法一〇八の六2）。したがって、有効期間の更新が行われる場合（人規一七—二　二1）は別にして、「専従許可を受けた職員は、……有効期間が満了したときは、当然復職する」ものとされている（人規一七—二　四）。これが通常の場合の在籍専従の終了事由である。

２　在籍専従許可の取消し

在籍専従の許可は、その有効期間中であっても、許可の要件を欠くに至ったときには取り消される。本条第四項は、「（在籍専従の）許可は、当該許可を受けた職員が登録された職員団体の役員として当該職員団体の業務にもっぱら従事する者でなくなつたときは、取り消されるものとする。」と規定している。これが在籍専従の第二の終了事由である。有効期間の満了の場合と同じく、「専従許可を受けた職員は、専従許可が取り消されたとき……は、当然復職する」ものとされている（人規一七―二　四）。なお、ここにいう「取消し」は将来に向かってのものであり、講学上の「撤回」という意味である。

㈠　非登録職員団体となったとき

職員団体は一定の要件を備えているときには申請に基づき人事院に登録され、登録の要件を欠くに至ったときには登録が取り消される（法一〇八の三1～6）。在籍専従は登録職員団体に限って認められているものであるから、在籍専従職員がその業務に従事している職員団体が非登録職員団体となったときは、在籍専従も取り消される。在籍専従の許可の取消しは、職員団体が非登録職員団体となることに伴って自動的に行われるものではなく、別途所轄庁の長の取消し行為を必要とする。

登録の効力の停止（法一〇八の三6）が行われたときは、その間は新たに在籍専従の申請を受理し又は許可することはできないが、既に行われた許可の効力には影響がなく、登録の効力の停止を理由として在籍専従の許可を取り消すことはできない。

㈡　役員でなくなったとき

在籍専従は、「役員として」登録職員団体の業務に専ら従事することを許可要件としているので、役員を辞任するなどにより役員でなくなったときは、登録職員団体の業務に専ら従事している場合でも、許可の取消しが行われる。

㈢　専ら従事する者でなくなったとき

在籍専従は、登録職員団体の業務に「もつぱら従事する場合」に許可されるものであるから、専ら従事する者でなくなったときには、許可が取り消される。これに該当するケースとしては、その職員団体を構成員とする上部団体の役員となりその業務に専念する場合、病気などでその職員団体の業務に専念できなくなった場合などが考えられる。なお、上部団体の役員となった場合であっても、その上部団体の業務に専念し、在籍専従の許可に係る登録職員団体の業務に専念していないと認められるときでなければ、在籍専従許可の取消しはできない。

3　その他の在籍専従の終了

以上のほか、法令上の規定はないが、在籍専従が終了する事由として、在籍専従職員からの申出による場合（この場合には所轄庁の長の許可取消しを行うこととなる）、在籍専従職員が職員でなくなった場合（この場合には許可は当然に失効する）が考えられる。

五　短期従事の許可

1　短期従事の許可制度の成立

〔趣旨〕の部分でも述べたとおり、昭和四〇年の本法の改正前においては、旧人事院規則一五―三（職員団体の業務にもっぱら従事するための職員の休暇）によって、一日を単位とし一年を超えない範囲内で与えられる、いわゆる組合休暇の制度が設けられていた。この制度によって休暇を与えられた職員についてみると、長期間職員団体業務に従事する場合と比較的短期間従事する場合とが実態として存したが、このような実態を踏まえ、前記改正に伴い、この制度は在籍専従制度と短期従事の許可制度という形で新たに制度化された。すなわち、従前の組合休暇のうち、長期にわたる部分が在籍専従制度となり、比較的短期間の部分が短期従事の許可制度となったのである。

2　短期従事の許可の具体的内容

本条第六項は、「職員は、人事院規則で定める場合を除き、給与を受けながら、職員団体のためその業務を行ない、又は活動してはならない。」と規定している。この規定を受けて、人事院規則一七―二（職員団体のための職員の行為）第六条は次のように短期従事の許可制度を定めている。

① 職員は、登録職員団体の役員、代議員制の議決機関の構成員、投票管理機関の構成員、諮問機関の構成員として、勤務時間中に職員団体業務に従事する許可（短従許可）を受けることができる。
② 短従許可は、職員の申請に基づき、所轄庁の長が与える。
③ 短従許可は、公務に支障がないと認められるときに、一日又は一時間を単位として、有効期間を定めて与えられる。
④ 短従許可の有効期間は、一年を通じて職員一人について三〇日を限度とする。
⑤ 短従許可を受けようとするときは、職員の官職、氏名、職員団体の名称、その団体での役職名、従事する業務の内容、従事する期間を記載した申請書を提出する。
⑥ 短従許可を受けた職員は、許可の有効期間中職務に従事することができない。

⑦　短従許可を受け職務に従事しなかった期間については、俸給、地域手当、広域異動手当、研究員調整手当がその分減額される。

３　その他の勤務時間内の職員団体活動

職員が職員団体業務に従事し、職員団体活動を行うことができるのは、必ずしも在籍専従又は短期従事の許可を受けた場合だけに限定されているわけではない。

短期従事の許可制度の根拠規定である本条第六項は、在籍専従以外で「職員団体のためその業務を行ない、又は活動」する場合一般について、「人事院規則で定める場合を除き、給与を受けながら」行うことができないと規定し、これを受けた人規一七―二第七条第一項は、「職員は、職員団体の業務にもつぱら従事する場合（在籍専従）を除き、前条第一項の規定による許可（短期従事の許可）を受けて職員団体のためその業務を行なうことができるほか、あらかじめ承認を得た休暇その他（国家公務員）法第百一条第一項の規定に基づき職務に専念する義務が免除されている期間中は、給与を受けながら、職員団体のためその業務を行ない、又は活動することができる。」と規定している。

すなわち、在籍専従又は短期従事の許可を受けた場合のほか、年次休暇や本法第一〇八条の五第八項に基づく勤務時間中に行う適法な交渉など職務専念義務が免除されているときには、給与の減額を伴うことなく、職員団体業務に従事し、職員団体活動ができるのである。

なお、当然のことながら、これらの規定は勤務時間中の場合を想定したものであり、勤務時間外は、特に命じられない限り、職務専念義務がないから、自由に職員団体業務に従事し、職員団体活動を行うことができる。

六　行政執行法人職員の労働組合業務への従事

いわゆる非現業職員の職員団体の場合と同様に、行政執行法人職員の労働組合についても、在籍専従制度などの労働組合業務の従事に関する制度が設けられている。

（不利益取扱いの禁止）

第百八条の七　職員は、職員団体の構成員であること、これを結成しようとしたこと、若しくはこれに加入しようとしたこと、又はその職員団体における正当な行為をしたことのために不利益な取扱いを受けない。

〔趣　旨〕

職員団体活動の保障

本条は、職員の職員団体の結成、加入、職員団体活動に対する不利益な取扱いを禁止している。職員が職員団体を結成し、職員団体活動を行うことは、憲法第二八条及び本法第一〇八条の二以下の保障するところであり、本条はそれを担保するための規定である。この規定の意図するところは次のとおりである。

第一は、不当労働行為との関係である。行政執行法人職員に適用される労組法は、不当労働行為制度を設けて、労働組合の結成、加入、労働組合活動などについて使用者の支配介入を禁止している。職員団体についても、同様の視点から、本条を設けて職員団体に対する当局の不当な干渉を防止しようとするものである。

第二は、職員の経済的権利の保護である。職員の経済的利益の追求を目的とする職員団体の結成、加入、活動を保護することによって、職員の権利保護を図ろうとするものである。

第三は、公務員労働関係への実際的配慮である。本法第一〇八条の二の〔趣旨〕の部分でも述べたように、公務部門の労働関係はかなりの摩擦を伴って推移してきており、職員団体と当局との間に無用の対立傾向がみられることも少なくなかった。こういった実態に配慮して、本条は、職員に対する不利益取扱い禁止の原則を示すことにより、当局の職員団体への不当な干渉を戒めたものである。本来は、このような規定の存在を待つまでもなく、職員団体制度の持つ意味を十分に踏まえて、職員団体と当局は相互信頼に基盤を置く成熟した労働関係の樹立を目指すことが望まれるのである。

〔解　釈〕

一　**職員団体活動の保障**

本条は、職員団体の結成、加入という職員の団結権を保障する部分と、職員団体での活動を保障する部分に分かれている。その解釈上のポイントをいくつか挙げれば、次のとおりである。

１　「職員」

本条は、職員団体の結成、加入、職員団体活動の保障を定めるものであるから、その対象として保障を受ける「職員」とは、職員団体を結成することができる職員である。

したがって、本条の適用を除外されている行政執行法人の職員（行政執行法人労働関係法三七1①）、職員団体の結成、加入を禁止されている警察職員及び海上保安庁又は刑事施設において勤務する職員（法一〇八の二5）は「職員」ではない。ただし、団結禁止職員については、やや規定が明確でないので、本法第一〇八条の二第二項のように規定しておくべきであろう。

2 「職員団体」

「職員団体」とは、本法第一〇八条の二第一項の職員団体である。登録の有無、法人格の有無を問わない。

3 「構成員」

職員団体の「構成員」とは、役員を含む職員団体の加入者である。本法第一〇八条の三の職員団体の登録の規定で構成員という語を役員以外の者の意味で用いている場合もあるが、本条では役員も含まれる。

4 「結成」

職員団体の「結成」とは、新たに職員団体を設立する行為であり、そのための協議、趣意書作成、発起人となること、他の職員への参加の勧誘などである。

5 「加入」

職員団体への「加入」とは、既に存在する職員団体に一般の構成員又は役員として参加することである。

6 「正当な行為」

職員団体における「正当な行為」とは、適法な職員団体活動の一切をいう。

具体的には、当局との交渉に当たること、職員団体の大会などの会合に出席すること、職員団体の情報宣伝活動を行うこと、職員団体の従たる目的である文化活動を行うことなどであり、それが本法又は他の法令に違反しないものである限り、本条の保障の対象となる。しかし、争議行為（法九八2）などの違法行為は、それが職員団体のためのものであっても本条の保障は及ばない。

7 「不利益な取扱い」

「不利益な取扱い」とは、正当な職員団体活動を阻害するもの一般をいい、労組法第七条に規定する不当労働行為に準じて考えればよい。また、「取扱い」であるから、処分に限られず、事実上の行為も含まれる。作為、不作為を問わない。具体的には、懲戒処分、懲戒処分に該当しない訓告、厳重注意、昇任、降任、転任に関する任用上の差別取扱い、昇格、昇給などの給与上の差別取扱いなどの作為、不作為である。

本条の直接規定するところではないが、その趣旨からみて、当局が職員団体への加入を阻害し、又は職員団体からの脱退を勧誘することも、本条の趣旨からみて禁止されていると解される。

二　不利益な取扱いをした場合の措置

本条は、不当労働行為制度を規定する労組法第七条に類似するものではあるが、不当労働行為制度とは異なり救済命令や罰則の担保措置を持っていない。職員団体に関する不当な干渉を当局が自発的に戒めることを期待しているだけである。しかし、具体的な不利益取扱いは懲戒、任用、給与などの面で行われることが考えられるから、その限りではこれらの根本基準を定める本法の公平、平等な適用を求めている本法第二七条違反として、本法第一〇九条第八号の罰則の担保がある。

次に、実際に「不利益な取扱い」が行われた場合にどのような救済の途があるであろうか。

まず、不利益な取扱いが降任、免職、転任、懲戒処分といった処分の形で行われた場合には、職員は、処分説明書の交付を求め（法八九2）、不利益処分の審査請求を行うことができる（法九〇）。これに対する人事院の判定に不服がある場合には、更に処分取消しの訴えを提起することができる（法九二の二、行訴法八など）。

次に、不利益な取扱いが任用行為の基準又は給与行為の基準に関わるものであれば、勤務条件の問題として、行政措置の要求ができる（法八六）。例えば、特定の職員団体に加入していることを理由とする昇任、昇格などの差別取扱いが行われたときは、そのような昇任、昇格基準の運用一般の問題として、その是正を要求することができる。ただし、不利益な取扱いを受けた職員個々人を昇任、昇格させるべきであるという要求はできず、昇任、昇格基準の運用の是正を求め、それが認容されれば結果的に職員に対する不利益取扱いが是正されることとなる。

処分以外の不利益取扱いについては、その態様に応じ、行政事件訴訟として抗告訴訟又は当事者訴訟を提起し、あるいは民事訴訟として損害賠償請求の訴えを提起することができる（行訴法三、四など）。

（参考）行政執行法人の労働組合に係る不当労働行為（労組法第七条を適用）
① 労働組合の結成、加入、正当な労働組合活動を理由として、解雇その他の不利益な取扱いをすること。
② 労働組合への不加入、労働組合からの脱退を雇用条件とすること。
③ 団体交渉を正当な理由なく拒むこと。
④ 労働組合の結成、運営を支配、介入すること。
⑤ 労働組合の運営のために経理上の援助を与えること。
⑥ 中央労働委員会への不当労働行為の申立てなどを理由として、解雇その他の不利益な取扱いをすること。

これらの不当労働行為については、中央労働委員会による救済命令が担保措置として定められている。なお、労組法第二八条には、不当労働行為に対する救済命令が裁判で支持されたときの違反行為者に対する刑事罰が定められているが、当該規定は、行政執行法人職員の労働組合には適用されない（行政執行法人労働関係法三二1）。

第四章　罰則

㊟　点線の左側と囲み部分は、令和四年六月一七日から起算して三年を超えない範囲内において政令で定める日（新刑法の施行日）から施行となる。

第百九条　次の各号のいずれかに該当する者は、一年以下の懲役／拘禁刑又は五十万円以下の罰金に処する。

一　第七条第三項の規定に違反して任命を受諾した者

二　第八条第三項の規定に違反して故意に人事官を罷免しなかつた閣員

三　人事官の欠員を生じた後六十日以内に人事官を任命しなかつた閣員（此の／この期間内に両議院の同意を経なかつた場合には此の／この限りでない。）

四　第十五条の規定に違反して官職を兼ねた者

五　第十六条第二項の規定に違反して故意に人事院規則及びその改廃を官報に掲載することを怠つた者

六　第十九条の規定に違反して故意に人事記録の作成、保管又は改訂をしなかつた者

七　第二十条の規定に違反して故意に報告しなかつた者

八　第二十七条の規定に違反して差別をした者

九　第四十七条第三項の規定に違反して採用試験の公告を怠り又はこれを抑止した職員

十　第八十三条第一項の規定に違反して停職を命じた者

十一　第九十二条の規定によつてなされる人事院の判定、処置又は指示に故意に従わなかつた者

十二　第百条第一項若しくは第二項又は第百六条の十二第一項の規定に違反して秘密を漏らした者

十三　第百三条の規定に違反して営利企業の地位についた（就いた）者

十四　離職後二年を経過するまでの間に、離職前五年間に在職していた局等組織に属する役職員又はこれに類する者として政令で定めるものに対し、契約等事務であつて離職前五年間の職務に属するものに関し、職務上不正な行為をするように、又は相当の行為をしないように要求し、又は依頼した再就職者

十五　国家行政組織法第二十一条第一項に規定する部長若しくは課長の職又はこれらに準ずる職であつて政令で定めるものに離職した日の五年前の日より前に就いていた者であつて、離職後二年を経過するまでの間に、当該職に就いていた時に在職していた局等組織に属する役職員又はこれに類する者として政令で定めるものに対し、契約等事務であつて離職した日の五年前の日より前の職務（当該職に就いていたときの職務に限る。）に属するものに関し、職務上不正な行為をするように、又は相当の行為をしないように要求し、又は依頼した再就職者

十六　国家行政組織法第六条に規定する長官、同法第十八条第一項に規定する事務次官、同法第二十一条第一項に規定する事務局長若しくは局長の職又はこれらに準ずる職であつて政令で定めるものに就いていた者であつて、離職後二年を経過するまでの間に、局長等としての在職機関に属する役職員又はこれに類する者として政令で定めるものに対し、契約等事務であつて局長等としての在職機関の所掌に属するものに関し、職務上不正な行為をするように、又は相当の行為をしないように要求し、又は依頼した再就職者

十七　在職していた府省その他の政令で定める国の機関、行政執行法人若しくは都道府県警察（以下この号において「行政機関等」という。）に属する役職員又はこれに類する者として政令で定めるものに対し、国、行政執行法人若しくは都道府県と営利企業等（再就職者が現にその地位に就いているものに限る。）若しくはその子法人との間の契約であつて当該行政機関等においてその締結について自らが決定したもの又は当該行政機関等による

当該営利企業等若しくはその子法人に対する行政手続法第二条第二号に規定する処分であつて自らが決定したものに関し、職務上不正な行為をするように、又は相当の行為をしないように要求し、又は依頼した再就職者

十八　第十四号から前号までに掲げる再就職者から要求又は依頼（独立行政法人通則法第五十四条第一項において準用する第十四号から前号までに掲げる要求又は依頼を含む。）を受けた職員であつて、当該要求又は依頼を受けたことを理由として、職務上不正な行為をし、又は相当の行為をしなかつた者

第百十条　次の各号のいずれかに該当する者は、三年以下の懲役／拘禁刑又は百万円以下の罰金に処する。

一　第二条第六項の規定に違反した者

二／（削る）　削除

三／二　第十七条第二項（第十八条の三第二項において準用する場合を含む。次号及び第五／四号において同じ。）の規定による証人として喚問を受け虚偽の陳述をした者

四／三　第十七条第二項の規定により証人として喚問を受け正当の理由がなくてこれに応ぜず、又は同項の規定により書類又はその写／書類若しくはその写しの提出を求められ正当の理由がなくてこれに応じなかつた者

五／四　第十七条第二項の規定により書類又はその写／写しの提出を求められ、虚偽の事項を記載した書類又は写／写しを提出した者

五の二／五　第十七条第三項（第十八条の三第二項において準用する場合を含む。）の規定による検査を拒み、妨げ、

若しくは忌避し、又は質問に対して陳述をせず、若しくは虚偽の陳述をした者（第十七条第一項の調査の対象である職員（第十八条の三第二項において準用する場合にあつては、同条第一項の調査の対象である職員又は職員であつた者）を除く。）

六　第十八条の規定に違反して給与を支払つた者

七　第三十三条第一項の規定に違反して任命をした者

八　第三十九条の規定による禁止に違反した者

九　第四十条の規定に違反して虚偽行為を行つた者

十　第四十一条の規定に違反して受験若しくは任用を阻害し又は情報を提供した者

十一　第六十三条の規定に違反して給与を支給した者

十二　第六十八条の規定に違反して給与の支払をした者

十三　第七十条の規定に違反して給与の支払について故意に適当な措置をとらなかつた人事官

十四　第八十三条第二項の規定に違反して停職者に俸給を支給した者

十五　第八十六条の規定に違反して故意に勤務条件に関する行政措置の要求の申出を妨げた者

十六　何人たるを問わず第九十八条第二項前段に規定する違法な行為の遂行を共謀し、唆し、若しくはあおり、又はこれらの行為を企てた者

十六及び十七　削除

（削る）

十八

十七　第百条第四項（同条第五項において準用する場合を含む。）の規定に違反して陳述及び証言を行わなかつた者

十八　第百二条第一項に規定する政治的行為の制限に違反した者

十九　削除／（削る）

二十／十九　第百八条の二第五項の規定に違反して団体を結成した者

② 前項第八号に該当する者の収受した金銭その他の利益は、これを没収する。その全部又は一部を没収することができないときは、その価額を追徴する。

第百十一条　第百九条第二号より／から第四号まで及び／まで若しくは第十二号又は前条第一項第一号、第三号から第七号まで、第九号から第十五号まで、第十八号及び第二十号／第十七号若しくは第十九号に掲げる行為を企て、命じ、故意にこれを容認し、そそのかし／唆し又はそのほう助／幇助（ほう）をした者は、それぞれ各本条の刑に処する。

第百十一条の二　次の各号のいずれかに該当する者は、三年以下の禁錮又は百万円以下の罰金に処する。

一　何人たるを問わず第九十八条第二項前段に規定する違法な行為の遂行を共謀し、唆し、若しくはあおり、又はこれらの行為を企てた者

二　第百二条第一項に規定する政治的行為の制限に違反した者

（削る）　**（注）本条全文が削られる。**

第百十二条　次の各号のいずれかに該当する者は、三年以下の懲役／拘禁刑に処する。ただし、刑法（明治四十年法律第四十五号）に正条があるときは、刑法による。

一　職務上不正な行為（第百六条の二第一項又は第百六条の三第一項の規定に違反する行為を除く。次号において

同じ。）をすること若しくはしたこと、又は相当の行為をしないこと若しくはしなかつたことに関し、営利企業等に対し、離職後に当該営利企業等若しくはその子法人の地位に就くこと、又は他の役職員をその離職後に、若しくは役職員であつた者を、当該営利企業等若しくはその子法人の地位に就かせることを要求し、又は約束した職員

二　職務に関し、他の役職員に職務上不正な行為をするように、又は相当の行為をしないように要求し、依頼し、若しくは唆すこと、又は要求し、依頼し、若しくは唆したことに関し、営利企業等に対し、離職後に当該営利企業等若しくはその子法人の地位に就くこと、又は他の役職員をその離職後に、若しくは役職員であつた者を、当該営利企業等若しくはその子法人の地位に就かせることを要求し、又は約束した職員

三　前号（独立行政法人通則法第五十四条第一項において準用する場合を含む。）の不正な行為をするように、又は相当の行為をしないように要求し、依頼し、又は唆した行為の相手方であつて、同号（同項において準用する場合を含む。）の要求又は約束があつたことの情を知つて職務上不正な行為をし、又は相当の行為をしなかつた職員

第百十三条　次の各号のいずれかに該当する者は、十万円以下の過料に処する。

一　第百六条の四第一項から第四項までの規定に違反して、役職員又はこれらの規定に規定する役職員に類する者として政令で定めるものに対し、契約等事務に関し、職務上の行為をするように、又はしないように要求し、又は依頼した者（不正な行為をするように、又は相当の行為をしないように要求し、又は依頼した者を除く。）

二　第百六条の二十四第一項又は第二項の規定による届出をせず、又は虚偽の届出をした者

〔趣　旨〕

国家公務員法違反に対する罰則

本法は、国家公務員たる職員について適用すべき人事行政に関する基準を確立することを趣旨とするものであり、その中で個々の職員や人事当局がなすべきことあるいは行ってはならないことを規定している。いうまでもなく、法律は国権の最

高機関たる国会が定めた法規範であり、全ての国民がこれを遵守しなければならないものであるが、もしこれに違反する者がある場合には、その是正ないしは法秩序回復の措置を講じ、法の権威を確保しなければならない。

本法違反に対する是正又は法秩序回復の措置は必ずしも一様ではない。例えば当局側が本法に違反しあるいはその趣旨に反する不適当な行為を行ったような場合、人事院による調査（法一七）、人事行政改善の勧告（法二二）、行政措置要求制度（法八六～八八）等を通じその是正を図ることが考えられよう。他方、職員側が本法に違反した場合には、公務の秩序を維持するために、本法第八二条に基づき懲戒処分に付せられることとなる。これらは、いずれも公務部内における自律的なチェックを通じ、当局あるいは職員に法律違反の是正、秩序の回復を求めるものであるが、本法は、これらのほか法律違反に対する最も強硬な措置として刑罰の適用を認めている。すなわち、本法が適正に実施されるか否かは、公務の民主的・能率的な運営、ひいては国民全体の福祉の消長に関わる問題であることから、場合によっては、刑罰をもってしてもその適正な実施を確保する必要があり、この点は民間の雇用関係とは異なる公務員の勤務関係ないし公務員の服務等の大きな特徴であるといえよう。また、離職した職員を含む国の行政組織外の第三者が本法の適正な実施を妨げる場合には刑罰をもって臨むほか手段がなく、この点にも刑罰の必要性が認められよう。

ところで、刑罰を科することは国民にとって極めて重大なことであり、憲法においても、第三一条ないし第四〇条に詳細な規定を置いて刑罰の適用をできる限り慎重に行うことにしている。したがって、本法の規定の違反に対して刑罰を設けることとする場合も、本来法益の侵害が極めて重大でやむを得ない場合に限られるべきであり、また、刑法をはじめとする他の刑罰規定と均衡のとれたものでなければならないといえよう。

このような観点からみた立法論としては、本法は、若干刑罰の対象となる事由が広範囲のきらいがある。この傾向は、地公法と比較した場合に顕著である。すなわち、地公法においてはかなり刑罰規定は限定されているのに対して、本法は、多数の犯罪類型を掲げており、その中には、現実的に違反行為が生ずる可能性の乏しいものや、今日において果たして刑罰をもって臨む必要があるのか疑問の余地のあるものも含まれている。さらに、本法に規定する刑罰の中には、犯罪の構成要件が必ずしも明確でなく、現実に適用することが必ずしも容易ではないものも見受けられる。

本法と地公法の間に刑罰の数に大きな差異が生じているのは、国と地方という影響力の相違のほか、沿革的な事情にもよるものと考えられる。すなわち、昭和二二年の制定時においては、本法も刑罰として、「一年以下の懲役又は五千円以下の罰金」のみを定め、犯罪類型もわずか四であったが、昭和二三年の第一次改正において、労働基本権の制約など服務規律の強化とともに、罰則についても見直しがされ、「三年以下の懲役又は十万円以下の罰金」を加えるなど、その内容を厳しくするとともに、その範囲も大幅に拡大したものである。これは、第二次世界大戦直後の混乱が続く中、公務員制度の民主化を更に強力に推進する必要があるとして、GHQの指導の下に、本法の実施を刑罰によって強力に担保しようとしたためである。その意味で本法の罰則は、予防的効果を強く意識したものといえよう。

他方、地公法が制定された昭和二五年は、社会の混乱もかなり落ち着いており、本法の実施状況も参考にしながら、必要最小限の刑罰を規定することとされたものと考えられる。

本法に規定する罰則のうち労働関係に関するものについては、公務員制度審議会においてもとりあげられ、その第三次答申（昭和四八年九月）において、「今後検討を加えることを適当と考える。」とされている。

現行の規定に至るまでのその後の主な改正として、①平成一一年に国家公務員倫理法が制定されたことに伴い、本法第一七条第三項から第五項までに職員の職務に係る倫理の保持に関して行われる調査が規定されるとともに、当該調査の拒否・妨害等に対する罰則として、第一一〇条に第五号の二が追加されたこと、②平成一九年の改正により、第一〇九条及び第一一〇条の罰金の上限額が、三万円から五〇万円、一〇万円から一〇〇万円にそれぞれ引き上げられるとともに、これらの条の改正並びに第一一二条及び第一一三条の新設により、新たな再就職等規制の導入に併せて罰則が追加されたこと、③令和三年にILO第一〇五号条約（強制労働の廃止に関する条約）の締結のための関係法律の改正作業の一環として、同条約が禁止する強制労働に該当するおそれがあるとして、本法上の罰則のうち、政治的意思の表明やストライキの企画等に対する罰則として、所定の作業を行わせる懲役を含む第一一〇条第一項第一七号（争議行為等の共謀、あおり等）及び第一九号（政治的行為の制限違反）を「削除」とし、削除されたその規定内容については、禁錮に処せられる場合として第一一一条の二を新設してその各号としたことが挙げられる。

なお、刑法は「この編（編者注…第一編　総則）の規定は、他の法律の罪についても、適用する」（刑法八本文）と規定しており、これに基づき本法に規定する刑罰についても、刑法総則の規定が適用されることとなる。ただし、第一一三条（平成一九年の本法改正で追加）の過料は、刑罰ではなく、行政罰であるため、刑法総則や刑事訴訟法は適用にならない（〔解釈〕五参照）。

公務員制度上の罰則としては、本法以外にも給与法、補償法、倫理法、退手法、外務公務員法等に規定が設けられている。

〔解　釈〕

一　一年以下の懲役（新刑法の施行日以降は、拘禁刑）又は五〇万円以下の罰金に処せられる場合

本法違反により、一年以下の懲役（新刑法の施行日以降は、拘禁刑）又は五〇万円以下の罰金に処せられるのは次の1から18までのいずれかに該当した場合である（法一〇九各号）。なお、以下の2、5、6、7、11においては「故意に」とあり、それ以外においては「故意に」とされていないが、後者についても、「罪を犯す意思がない行為は、罰しない。」（刑法三八1）とする刑法総則上の原則により、犯罪事実の認識、表象としての故意は必要であり、単なる過失のみでは、処罰の対象とならないものと解される。前者についてだけ、なぜ「故意に」としているのかについては、これらはいずれも不作為犯であって、不作為を犯罪とするには、一定の法律上の作為義務に違反することが条件であるとされており、ここでいう「故意に」というのは、「作為義務に違反することを承知の上で」という意味であると解する。

1　第七条第三項の規定に違反して任命を受諾した者

第七条第三項は、人事官であった者は退職後一年間、人事院に属する官職以外の官職に任命することができないと規定しているが、これに違反して、人事官であった者がそのような任命を受諾した場合、刑罰を科せられることとなる。

2　第八条第三項の規定に違反して故意に人事官を罷免しなかった閣員

人事官のうち二人以上が同一の政党に属することとなった場合、内閣は、両議院の同意を得てこれらのうち一人以外の者を罷免するものとされているが、これに違反して人事官を罷免しなかった「閣員」が罰せられる。なお、人事官の罷免権は「内閣」にあって個々の「閣員」にはなく、現実には個々の閣員の刑事責任を問うことは通常考えられない。

3　人事官の欠員を生じた後六〇日以内に人事官を任命しなかった閣員（この期間内に両議院の同意を経なかった場合にはこの限りでない。）

人事官の任命権は「内閣」が有していることから、2と同様の事情がある。なお、両議院の同意が得られないため、人事官に欠員が生じた後六〇日以内に新たな人事官の任命ができないときまで閣員に責任を求めるのは不合理であるため、その場合は、犯罪を構成しないものとされている。ここでいう「同意を経なかつた場合」とは、内閣から両議院へ同意を求めたにもかかわらず、両議院の同意を得るに至らなかった場合である。

4　第一五条の規定に違反して官職を兼ねた者

人事官及び事務総長が他の官職を兼ねた場合、刑罰が科せられる。1の場合と異なり、たとえ人事院に属する官職であっても許されない。

5　第一六条第二項の規定に違反して故意に人事院規則及びその改廃を官報に掲載することを怠った者

人事院規則の制定及び改廃については官報により公布することとされており（法一六2）、これを怠った者は刑罰の対象となる。規則の公布手続を故意に懈怠した関係者は広く該当し得るものである。通常はこのような事態が生じることは想定されないが、関係者は適正な業務遂行を心がけることが求められる。いずれにせよ、適用に当たっては、個別の事例ごとに判定せざるを得ないであろう。

6　第一九条の規定に違反して故意に人事記録の作成、保管又は改訂をしなかった者

第一九条の規定により内閣府、各省その他の機関は、政令で定めるところにより人事記録を作成し、保管することとされ、また、これらの機関が作成保管する人事記録が政令に違反すると認めるときは、内閣総理大臣は、その改訂を命ずることができるとされている。これに違反し人事記録の作成、保管を怠り、改訂をしなかった場合に刑罰が科せられる。

7　第二〇条の規定に違反して故意に報告しなかった者

第二〇条第二項は、内閣総理大臣は職員の在職関係に関する統計報告に関し必要があるときは、関係庁に対して所要の報告を求めることができるとされている。内閣総理大臣の要求に対して報告を行わなかった場合、刑罰が科せられる。

8　第二七条の規定に違反して差別をした者

第二七条は、憲法第一四条の規定を受けて、全て国民は本法の適用について平等に取り扱われなければならず、人種、信条、性別、社会的身分、門地あるいは政治的意見・政治的所属関係によって差別してはならないことを定めている。本法第

二七条の趣旨等については、同条の解説で述べたとおりである。本号の刑罰が科せられるのは、文言上、本法第二七条後段の限定列挙の差別事由の場合と解する。なお、「差別」の事実認定は必ずしも容易ではないが、個々の事例について社会通念によって判断することになろう。

9　第四七条第三項の規定に違反して試験の公告を怠り又はこれを抑止した職員

採用試験の告知は受験の資格を有する全ての者に対し受験に必要な事項を周知させることができるよう、公告により行わなければならないとされているが（法四七1）、当該公告を怠り、あるいは、それを抑止した職員に刑罰が科せられる。

10　第八三条第一項の規定に違反して停職を命じた者

第八三条第一項により停職の期間は一年を超えない範囲内において、人事院規則で定めることとされており、人事院規則において一日以上一年以下とされている。したがってこれに違反して、すなわち、一年を超える停職又は一日未満の停職を命じた場合が該当する。

11　第九二条の規定によってなされる人事院の判定、処置又は指示に故意に従わなかった者

不利益処分に関する審査請求は、職員の身分を保障する極めて重要な権利であるため、当該審査請求に対して人事院が行った判定や俸給弁済の指示等に従わなかった者を処罰することとしている。

12　第一〇〇条第一項若しくは第二項又は第一〇六条の一二第一項の規定に違反して秘密を漏らした者

守秘義務の内容については第一〇〇条で述べたところである。職員又は職員であった者が職務上知り得た秘密を漏らした場合、及び職員又は職員であった者が法令による証人、鑑定人等となり所轄庁の長の許可を得ずに職務上の秘密に属する事項を発表した場合、刑罰が科せられる。

なお、昭和五三年五月三一日最高裁判所判決（外務省秘密漏えい事件）においては、「国家公務員法百九条一二号、百条一項にいう「秘密」とは、非公知の事実であって、実質的にもそれを秘密として保護するに値するものをいい、その判定は、司法判断に服する」としている。

本罪が成立するためには、国の職員として職務によって知った秘密を漏らす、という認識が必要である。例えば、民間人でも各省の審議会の委員をしているときには、非常勤の一般職の職員であり、審議会の議事で秘密とされるものを外部に漏

らすことは、本法違反となるが、この場合、自分がある省の審議会の委員の職務として知った秘密を漏らす、という認識が必要である。ただし、当該審議会の委員は非常勤の一般職国家公務員であること、また、一般職国家公務員は守秘義務を負うということまでは知らなくても、それは、「法の不知」ないしは「違法性の錯誤」であって、犯罪の成立に影響しない。

なお、職員の守秘義務については、医療法、特許法、国税通則法、感染症の予防及び感染症の患者に対する医療に関する法律、特定秘密の保護に関する法律、個人情報の保護に関する法律等にも規定され、これらの法律においても守秘義務違反に対して刑罰が科せられている。これらの法律による犯罪と本罪との関係が問題となるが、これについては、両者は観念的競合の関係にあり、重きに従って処断されると解されている。

13　第一〇三条の規定に違反して営利企業の地位に就いた者

第一〇三条により、職員は、所轄庁の長の申出により人事院の承認を得た場合を除き、在職中営利企業の役員等を兼ね、又は自ら営利企業を営んではならないとされている。これらに違反して、営利企業の地位に就いた場合、刑罰が科せられる。この「営利企業の地位についた」には、自ら営利企業を営んだ場合も含まれると解される。なお、平成一九年の本法改正前の同条第二項では離職後の営利企業への再就職が制限されており、同項違反が本号に該当していた。

14　離職後二年を経過するまでの間に、離職前五年間に在職していた局等組織に属する役職員又はこれに類する者として政令で定めるものに対し、契約等事務であって離職前五年間の職務に属するものに関し、職務上不正な行為をするように、又は相当の行為をしないように要求し、又は依頼した再就職者

再就職者（法一〇六の四1）が、離職後二年を経過するまでの間に、離職後五年間に在職していた局等組織（官房若しくは局、施設等機関、退職管理政令第五条各号に掲げる組織、同令第六条各号に掲げる行政執行法人の組織又は都道府県警察。法一〇六の三2）に属する役職員又はこれに類するものとして退職管理政令第三九条に定める者に対し、離職前五年間の職務に属する契約等事務（法一〇六の四1）に関し、職務上不正な行為をするように又は相当の行為をしないように要求し又は依頼した場合、刑罰が科せられる。「職務上不正な行為をするように、又は相当の行為をしないように」とは、加重収賄罪（刑法一九七条の三2）における「職務上不正な行為をしたこと又は相当の行為をしなかったこと」と同様である。加重収賄罪に関する判例では「積極的若シクハ消極的行為ニ因リ其職務ニ違反スル一切ノ行為」（大六・一〇・二三大審院）とされて

おり、違法な行為のみならず裁量権を不当に行使しているような場合についてもこれに該当するものと解されている。なお、刑罰の対象となるのは、第一〇六条の四第一項の要求等した職務上の行為等であって、その内容が「不正な」ものである場合に限定されている。本項の構成要件は第一〇六条の四第一項と規定振りは同様であることから、同項の解説も併せて参照されたい。

15　国家行政組織法第二一条第一項に規定する部長若しくは課長の職又はこれらに準ずる職であって政令で定めるものに離職した日の五年前の日より前に就いていた者であって、離職後二年を経過するまでの間に、当該職に就いていた時に在職していた局等組織に属する役職員又はこれに類する者として政令で定めるものに対し、契約等事務であって離職した日の五年前の日より前の職務（当該職に就いていたときの職務に限る。）に属するものに関し、職務上不正な行為をするように、又は相当の行為をしないように要求し、又は依頼した再就職者

再就職者であって、離職した日の五年前の日より前に本府省等の部長若しくは課長の職又はこれらに準ずる職（退職管理政令四〇）に就いていた者が、離職後二年を経過するまでの間に、当該職に就いていたときに在職していた局等組織に属する役職員等（退職管理政令四一）に対し、契約等事務であって、当該職に属するものに関し、職務上不正な行為をするように、又は相当の行為をしないように要求し又は依頼した場合、刑罰が科せられる。離職前五年間の職務に係る働きかけについては、その間に占めていた官職の役職段階を問わず規制の対象となるが（14参照）、本府省の部長、課長等であった期間については、それが離職した日の五年前の日より前であったとしても、その職務に係る働きかけも規制の対象とされている。これは、本府省等の部長、課長等が有する権限、影響力等に鑑みたものである。ただし、規制が適用されるのは離職後二年を経過するまでの間であるのは、一般の職員であった再就職者と同様である。刑罰の対象となるのは要求等した職務上の行為等の内容が「不正な」ものである場合に限定されていることについては本条第一四号と、その他の構成要件については法第一〇六条の四第二項と規定振りが同様であることから、14及び第一〇六条の四第二項の解説も併せて参照されたい。

16　国家行政組織法第六条に規定する長官、同法第一八条第一項に規定する事務次官、同法第二一条第一項に規定する事務局長若しくは局長の職又はこれらに準ずる職であって政令で定めるものに就いていた者であって、離職後二年を経過するまでの間に、局長等としての在職機関に属する役職員又はこれに類する者として政令で定めるものに対し、契約等事務で

あって局長等としての在職機関の所掌に属するものに関し、職務上不正な行為をするように、又は相当の行為をしないように要求し、又は依頼した再就職者

再就職者であって、本府省の局長級以上の職に就いていた者が、離職後二年を経過するまでの間に、当該局長級以上の職の属する機関の所掌に属する契約等事務に関し、当該機関に属する役職員等に職務上不正な行為をするように、又は相当の行為をしないように要求し、又は依頼した場合、刑罰が科せられる。14及び15とは異なり、本府省の局長級以上の職に就いていた時期を問わず、かつ、局長級以上の職員として所属していた府省等全体の所掌に属する契約等事務に係る働きかけについても規制の対象とされたのは、本府省の局長級以上の職が有する権限、影響力等に鑑みたものである。刑罰の対象となるのは要求等した職務上の行為等の内容が「不正な」ものである場合に限定されていることについては本条第一四号と、その他の構成要件については法第一〇六条の四第三項と規定振りが同様であることから、14及び第一〇六条の四第三項の解説も併せて参照されたい。

17　在職していた府省その他の政令で定める国の機関、行政執行法人若しくは都道府県警察（以下17において「行政機関等」という。）に属する役職員又はこれに類する者として政令で定めるものに対し、国、行政執行法人若しくは都道府県と営利企業等（再就職者が現にその地位に就いているものに限る。）若しくはその子法人との間の契約であって当該行政機関等においてその締結について自らが決定したもの又は当該行政機関等による当該営利企業等若しくはその子法人に対する行政手続法第二条第二号に規定する処分であって自らが決定したものに関し、職務上不正な行為をするように、又は相当の行為をしないように要求し、又は依頼した再就職者

再就職者が、在職していた行政機関等に属する役職員等に対し、当該行政機関等において自らが決定した、①当該行政機関等と再就職先営利企業等との間の契約、②当該行政機関等による当該再就職先営利企業等に対する行政処分について、職務上不正な行為をするように、又は相当の行為をしないように要求し、又は依頼した場合、刑罰が科せられる。この規制については、職員であったときの役職段階、離職後の経過年数を問わないこととされている。刑罰の対象となるのは要求等した職務上の行為等の内容が「不正な」ものである場合に限定されていることについては本条第一四号と、その他の構成要件については法第一〇六条の四第四項と規定振りが同様であることから、14及び第一〇六条の四第四項の解説も併せて参照さ

れたい。

18　14から17までに掲げる再就職者から要求又は依頼（独立行政法人通則法第五四条第一項において準用する14から17までに掲げる要求又は依頼を含む。）を受けた職員であって、当該要求又は依頼を受けたことを理由として、職務上不正な行為をし、又は相当の行為をしなかった者

職員が、再就職者から、14から17までに掲げる要求又は依頼を受けて職務上不正な行為をし、又は相当の行為をしなかった場合、刑罰が科せられる。ただし、非常勤職員（定年前再任用短時間勤務職員等を除く。）、臨時的職員及び条件付採用期間中の職員については、本号の規定は適用されない（退職管理政令四六）。

二　三年間以下の懲役（新刑法の施行日以降は、拘禁刑）又は一〇〇万円以下の罰金に処せられる場合

本法違反により、三年間以下の懲役（新刑法の施行日以降は、拘禁刑）又は一〇〇万円以下の罰金に処せられるのは次の1から17までのいずれかに該当した場合である（法一一〇1各号）。

1　第二条第六項の規定に違反した者

第二条は、国家公務員を一般職と特別職に区別し、それ以外の曖昧な勤務者を置いてその勤務に対し俸給、給料その他の給与を支払ってはならないとする。これに違反した場合、刑罰の対象となる。

2　第一七条第二項（第一八条の三第二項において準用する場合を含む。3及び4において同じ。）の規定による証人として喚問を受け虚偽の陳述をした者

第一七条の規定は、人事行政の公正を確保するため、広く人事院に調査権を付与しているが、調査の実施を強制力により担保するのが、本罰則規定の趣旨である。すなわち、人事院又は人事院の指名する者は、同条の調査の際、必要に応じ証人を喚問することができるとされているが、同条の規定に基づき証人として喚問を受け、虚偽の陳述をした場合、刑罰を科せられることとなる。

例えば、非現業職員の不利益処分の審査請求に係る調査（法九一）は第一七条の規定に基づき実施されており、当該調査において証人尋問を行う場合は、あらかじめ虚偽の証言を行った場合の法律上の制裁について告知することとされている（人規一三—一　五二）。ところで、行政執行法人の職員については、行政執行法人労働関係法により本法第一七条の規定が適

用除外されており（行政執行法人労働関係法三七1）そのため本罰則規定も適用されないことから、行政執行法人の職員の不利益処分の審査請求事案については、現在は、第九一条の規定のみに基づく罰則を伴わない任意調査により審査が行われている。しかし、行政執行法人の職員にも不利益処分の審査請求を認めた趣旨からすれば、行政執行法人の職員とそれ以外の職員とで第一七条及び本罰則規定に関する適用を異にする理由に乏しく、行政執行法人の職員について第一七条の適用を除外したことには問題がある（第一七条〔解釈〕参照）。

本罰則規定の「虚偽の陳述」とは、刑法における偽証罪の場合と同様、客観的事実の合致を問題とするのではなく、自己の確信に反する陳述をいうと解される。

第一七条第二項の規定は、第一八条の三第二項により、内閣総理大臣が行う職員の退職管理に関する調査について準用されており、当該調査において証人として喚問を受け虚偽の陳述をした者（当該調査は、行政執行法人の職員も対象としているため、この場合の行政執行法人の職員を含む。）についても2の罰則規定の適用を受ける。このような適用関係は、3〜5の罰則規定においても同様である。なお、当該調査を規定する第一八条の三第一項が準用される行政執行法人の役員及び自衛隊員のうち定年年齢が六五歳以上とされている一般定年等隊員については、それぞれ独立行政法人通則法（平一一法一〇三）又は自衛隊法（昭二九法一六五）において、法第一七条第二項から第五項までと同様の調査に関する規定が置かれるとともに、2〜5の罰則規定と同様の罰則規定が置かれている（独立行政法人通則法五四2、六九②〜⑤、自衛隊法六五の八2において読み替えて準用する同法六五の五2、同法一一八の二）。

3　第一七条第二項の規定により証人として喚問を受け正当の理由がなくてこれに応ぜず、又は同項の規定により書類又はその写しの提出を求められ正当の理由がなくてこれに応じなかった者

2と同様、人事行政に関し人事院の行う第一七条の調査（退職管理に関し内閣総理大臣の行う第一八条の三の調査を含む。）が確実に実施されることを担保するため、証人喚問に応じなかった者、書類等の提出要求に応じなかった者が刑罰の対象となる。なお、「正当な理由」としては、病気（証人喚問に応じられない場合）、書類紛失（書類等不提出の場合）等が考えられよう。

4　第一七条第二項の規定により書類又はその写しの提出を求められ、虚偽の事項を記載した書類又は写しを提出した者

2、3と同様、これも第一七条の調査（第一八条の三の調査を含む。）の実施を確保するための刑罰規定である。人事院又はその指名する者（第一八条の三の調査については、内閣総理大臣）からの書類等の提出要求に対し虚偽の事項を記載した書類等を提出した場合が該当する。この場合、虚偽の書類等を提出することについて「正当な理由」はあり得ないことから、3とは異なり「正当な理由」の有無は問題としていない。

5　第一七条第三項（第一八条の三第二項において準用する場合を含む。）の規定による検査を拒み、妨げ、若しくは忌避し、又は質問に対して陳述をせず、若しくは虚偽の陳述をした者（第一七条第一項の調査の対象である職員（第一八条の三第二項において準用する場合にあっては、同条第一項の調査の対象である職員又は職員であった者）を除く。）

職員の職務に係る倫理の保持に関し国家公務員倫理審査会が行う調査の際、立入検査を拒み、妨げ、若しくは忌避し、又は質問に対して陳述をせず若しくは虚偽の陳述をした場合、刑罰を科せられることとなる。ただし、当該調査の対象である職員すなわち倫理法等に違反した疑いのある職員が、質問に対して陳述をせず又は虚偽の陳述をした場合については、罰則の対象とはされていない。これは、憲法が禁止する自白の強要に抵触するおそれがあることを考慮したものと解される。

このような取扱いは、再就職等監視委員会が職員の退職管理に関する事項に関し行う調査についても、同様である。

6　第一八条の規定に違反して給与を支払った者

第一八条第二項は、給与の支払は、人事院規則又は人事院指令に反して行ってはならないとしている。これに違反して給与を支払った場合、すなわち人事院規則又は人事院指令に違反して給与を支払った場合に刑罰を科せられることとなる。公正な人事行政の実施を実現するには、給与制度が適正に運用されていることが肝要であるが、支払面から、それを確保するのが、第一八条第二項及び本罰則の趣旨であろう。

7　第三三条第一項の規定に違反して任命をした者

第三三条第一項は、任用の根本基準として、全て職員の任用は受験成績、人事評価その他の能力の実証に基づいて行うこととしているが、これに違反して任命をした者を罰することにより、本法の基本理念たるメリット・システム、すなわち成績主義に基づく人事運用を確保することを趣旨としている。情実による任用、公正な手続を経ずに政治的に行われた任用、競争試験又は選考を経ない任用、競争試験、選考の成績や人事評価を無視した任用等が第三三条第一項違反の典型であろう。

8　第三九条の規定による禁止に違反した者

第三九条は、第三三条の根本基準を更に敷衍した規定である。第三九条において具体的人事に情実等が介入することを防止するため人事に関する不法行為を列挙し、これを禁止しているが、その実効性を確保するため、違反行為に対して刑罰が科せられることとされている。本罰則規定の主体は、「何人も」であり、職員でない者が官職に任用されることを目的として金銭を提供したような場合には、本罰則の適用を受ける。ところで、第三九条は、かなり複雑な規定であり、犯罪の構成要件の判断は慎重に行う必要がある。

本罰則規定に該当する者の収受した金銭その他の利益は、没収することとされ、かつ、その全部又は一部を没収することができないときは、その価額を追徴することとされている（法一一〇2）。

なお、本罰則と刑法上の収賄罪・贈賄罪の関係も、観念的競合であると解される。

9　第四〇条の規定に違反して虚偽行為を行った者

第四〇条は、採用試験、選考及び任用の公正性並びに人事記録の正確性を確保するため、これらについて虚偽又は不正の陳述、記載、証明、採点、判断、報告を行ってはならないとし、違反行為について、刑罰を科することとしているものである。これについても、第三九条の場合と同様、違反の主体は部内の職員に限られない。

10　第四一条の規定に違反して受験若しくは任用を阻害し又は情報を提供した者

試験機関に属する者その他の職員は、受験若しくは任用を阻害し、又は受験若しくは任用に不当な影響を与える目的をもって特別若しくは秘密の情報を提供してはならないとされており（法四一）、これに違反した職員は処罰される。もとより、試験その他任用の公正性を確保することを趣旨とする刑罰規定である。

11　第六三条の規定に違反して給与を支給した者

第六三条は職員の給与は別に定める法律に基づいて支給される旨規定しているが、公正な給与制度の運用を確保することを通じ人事行政全般の公正性を実現する観点から、この規定に対する違反についても刑罰の対象としている。先の第一八条違反が具体的な支払面に着目した罰則であるのに対し、本罰則は、法律に基づかない給与支給を禁ずる給与法定主義を担保しているものととらえられよう。

なお、第六三条に規定する「別に定める法律」として、給与法のほか、寒冷地手当法、任期付研究員法、任期付職員法等が定められている。

このほか、給与法にも「この法律の規定に違反して給与を支払い、若しくはその支払を拒み、又はこれらの行為を故意に容認した者は、一年以下の懲役（新刑法の施行日以降は、拘禁刑）又は三万円以下の罰金に処する。」（二五）との具体的な給与支払を担保するための規定があり、同法に違反する給与の不正支払や支払拒否等には罰則が科せられることとされている。

12　第六八条の規定に違反して給与の支払をした者

第六八条は給与簿に関する規定である。ところで、同条第一項は、給与の支払をなす者に対し給与簿の作成を命ずる規定であり、また第二項は、給与簿を人事院の職員がいつでも検査できるよう整備しておくよう求めるものである。さらに第三項は、給与簿に関する必要な定めを人事院規則に委任する規定である。このようにみてくると、「第六八条の規定に違反して」給与の支払をなすとは、結局、給与簿を作成しないまま給与の支払を行うことをいうと解することとなろう。要は、給与支払事務の公正性を手続面からも罰則をもって確保しているものといえよう。ここにも公正な給与制度の運用に重きを置く本法の姿勢が現れているといえる。

13　第七〇条の規定に違反して給与の支払について故意に適当な措置をとらなかった人事官

第七〇条は、給与の支払が法令、人事院規則又は人事院指令に違反してなされたことを発見した場合には、人事院は自己の権限に属する事項について自ら適当な措置をなし、また必要に応じ、会計検査院に報告し、あるいは検察官に通報しなければならない旨定めており、同条に違反して適当な措置を採らなかった人事官は刑罰を科せられることとなる。

本罪は、いわゆる不作為犯であるが、既に〔解釈〕一において述べたのと同様、「故意に」とあるのは、作為義務に違反することを承知の上という意味に理解すべきものと考える。

「適当な措置をとらなかった」ことに、会計検査院への報告、検察官への通報義務懈怠が含まれるか否かについては、本条が故意犯を対象としていることから、含まれないものと解する。

なお、第七〇条において、適当な措置を採ることを求められているのは人事院であり、他方、本罰則規定は自然人たる人事官に対して適用される。そこで、例えば人事院会議において「適当な措置」を採る必要がないと組織として多数決により決定した場合、その決定を支持した人事官はともかく、反対した構成員としての人事官は本罰則を問われることとなるのか否かが問題となる。現行規定は、その点明らかでなく、構成要件の明確性に欠けるものといわざるを得ない。

14　第八三条第二項の規定に違反して停職者に俸給を支給した者

停職者は停職の期間中給与を受けることができないとされているが（法八三2）、これに違反して俸給を支給した場合、刑罰を科せられることとなる。第八三条第二項は「給与を受けることができない。」とするのに対し、本条においては、「俸給を支給した者」としているが、俸給とその他の給与を罰則の適用においてのみ区別することはさして意味がないものと思われる。ただし、解釈としては、字義どおり、停職者に俸給を支給した者だけが刑罰の対象となる。

15　第八六条の規定に違反して故意に勤務条件に関する行政措置の要求の申出を妨げた者

勤務条件に関する行政措置の要求（法八六）は、勤務条件法定主義、人事院勧告制度等と並んで職員の勤務条件保障制度の一環として、また労働基本権制約の代償としても重要な意義を有している。特に勤務条件に関する行政措置の要求は個々の職員の具体的な権利の行使であるので、この権利の行使を妨げた者に対し、刑罰を科することとして職員の具体的な勤務条件を保障することとしている。職員が勤務条件に関する行政措置の要求をしようとする場合に威圧を加えたり、合理的な理由なく申出の便宜、例えば、年次有給休暇を与えなかったような場合は本号に該当すると考えられる。「故意に」とあるのは、事情を知らずに多量の業務を命じたことにより結果として行政措置の要求を妨げることとなったような場合を除外する趣旨であろう。

なお、不利益処分の審査請求を故意に妨げた者に対する罰則規定が設けられていない点については、本罰則規定との均衡上疑問なしとしない。

16　第一〇〇条第四項（同条第五項において準用する場合を含む。）の規定に違反して陳述及び証言を行わなかった者

第一〇〇条第四項は、人事院の権限によって行われる調査又は審理に際して、秘密の又は公表を制限された情報を陳述・証言することを人事院から求められた場合、何人からの許可を得ることなく陳述・証言しなければならないこととしているが、それに応じなかった場合、刑罰を科せられる。人事院の調査活動等を十分に保障することにより人事行政の公正性を確

保することを趣旨としているものである。同項の規定は、同条第五項により、第一八条の四に基づき内閣総理大臣から権限の委任を受けて再就職等監視委員会が行う調査について準用されており、同項により準用された第一〇〇条第四項に違反した者も本条の罰則の適用を受ける。

17　第一〇八条の二第五項の規定に違反して団体を結成した者

第一〇八条の二第五項において、警察職員及び海上保安庁又は刑事施設において勤務する職員は職員団体を結成し、加入してはならないとされている。これに違反して職員団体を結成した場合には刑罰が科せられる。加入を犯罪としていないのは、結成と単純な加入では違法性において重大な差異があるということであろう。

三　一及び二のうち、計画、助長行為等に対する処罰

〔解釈〕　一の2から4まで及び12並びに二の1から7まで、9から17までに掲げる行為を企て、命じ、故意にこれを容認し、唆し、又はその幇助をした者は、それぞれの一又は二の刑罰に処せられる（法一一一）。

すなわち、①閣員が故意に人事官を罷免しないこと、②閣員が人事官に欠員が生じた後六〇日以内に人事官を任命しないこと、③人事官及び事務総長が他の官職を兼ねること、④職員又は職員であった者若しくは再就職等監視委員会の委員長及び委員又は委員長若しくは委員であったものが職務上知ることのできた秘密を漏らすことのそれぞれを計画、助長するなどの行為は一年以下の懲役（新刑法の施行日以降は、拘禁刑）又は五〇万円以下の罰金に処せられる。また、⑤一般職又は特別職以外の勤務者を置いてその勤務者に対し給与を支払うこと、⑥第一七条第二項の規定による証人として喚問を受け虚偽の陳述をすること、⑦第一七条第二項の規定により証人として喚問を受けこれに応ぜず、又は同項の規定により書類又はその写しの提出を求められこれに応じないこと、⑧第一七条第二項の規定により書類又はその写しの提出を求められ、虚偽の事項を記載した書類又は写しを提出すること、⑨第一七条第三項（第一八条の三第二項において準用する場合を含む。）の規定による検査を拒み、妨げ、若しくは忌避し、又は質問に対して陳述をせず、若しくは虚偽の陳述をすること、⑩人事院規則又は人事院指令に違反して給与の支払をなすこと、⑪第三三条第一項の規定に違反して任命すること、⑫採用試験、選考、任用又は人事記録に関し虚偽行為を行うこと、⑬試験機関に属する者その他の職員が第四一条の規定に違反して特別又は秘密の情報を提供すること、⑭第六三条の規定に違反し法律に基づかずに給与を支給すること、⑮給与簿を作成せずに給与を支給すること、⑯給与の支払が法令等に違反してなされたことを発見した場合に人事官が故意に適当な措置をとらないこと、⑰第八三条第二項の規定に違反して停職者に給与を支給すること、⑱故意に勤務条件に関する行政措置の要求の申出を妨げること、⑲第一〇〇条第四項（同条第五項において準用する場合を含む。）の規定に違反して人事院、国家公務員倫理審査会又は再就職等監視委員会が正式に要求した情報について陳述及び証言を行わないこと、⑳警察職員及び海上保安庁又は刑事施設において勤務する職員が職員団体を結成することのそれぞれを計画、助長するなどの行為は三年以下の懲役（新刑法の施行日以降は、拘禁刑）又は一〇〇万円以下の罰金に処せられる。

このように、第一〇九条及び第一一〇条に掲げる違法行為のうち、その計画、助長等を第一一一条において独立した犯罪としているものは一部に限られている。計画、助長等を犯罪としていないものの中には、第一一〇条第一六号のようにそれ自体が共謀、唆し等であるものがある一方、例えば、第二七条の平等取扱原則違反を計画、助長することなども上記の違法行為と同様、処罰の対象とすべきものと考えられ、立法政策としては検討の余地があるものと考える。

これらの行為を「企て」とは単独又は共同で計画を立案、作成することである。刑法においても、陰謀は実行行為とは区別され、特に重大な犯罪に限って特別の処罰規定が設けられているが、本条もこれと同様の考え方に基づくものである。また、「命じ」とは指示、命令をすることである。この命令は、職務上の命令に限られるものでなく、組織内の地位や社会的地位を利用して圧力をかけるような場合も含むものと解される。「故意にこれを容認し」とは、これらの違法な行為が行われていることを知り、かつ、これを制止しうる立場にある者が、なんら制止するための行為をしなかったことをいう。権限ある上司がこれらの違法行為を黙認するようなことが典型的な例である。上司が制止の命令を発したにもかかわらず、これに従わなかったような場合は容認したことにはならないが、違法行為が行われることを知りながら、注意を促す程度にとどまり、進んで適切な職務命令を発しなかった上司は「容認」したことに該当する場合があるであろう。同僚や部下が当該職員の違法行為を知ったときは、これを制止する具体的な権限がないので、たとえ懲戒処分の上申や刑事罰の告発をしなかったとしても、容認したことにはならないであろう。次に、「そそのかし」とは、いわゆる教唆であり、違法行為を行う決意を生じさせるに足る行為をいう。前記昭和五三年五月三一日最高裁判所判決（外務省秘密漏えい事件判決）は、「国家公務員法一一一条にいう同法一〇九条一二号、一〇〇条一項所定の行為の「そそのかし」とは、右一〇九条一二号、一〇〇条一項所定の秘密漏示行為を実行させる目的をもって、公務員に対し、その行為を実行する決意を新に生じさせるに足りる慫慂行為をすることを意味する」としている。さらに、「ほう助」とはこれらの違法行為が実行されるについて有形、無形の援助を行うことであり、例えば、資金の援助、労力や資材の提供、違法行為の証拠の隠匿等の行為がこれに該当する。

なお、刑法においては、いわゆる共犯従属性説の立場から共犯（教唆犯、従犯）が成立するには、共犯者の教唆、幇助行為のみならず、正犯（被教唆者、被幇助者）の犯罪実行行為が必要であるとするのが通説であるが、本条は、これに対する例外として違法性の強度なものについて、独立の犯罪類型として教唆、幇助を規定しているものである。したがって、ここでは、被教唆者、被幇助者が実行行為に出るか否かにかかわりなく、教唆、幇助があれば、それだけで犯罪構成要件に該当することとなる。

また、第一一一条に掲げる行為以外の犯罪行為に対する教唆、幇助については、刑法の共犯に関する規定の適用があり、正犯の実行行為を待って共犯の成立が論ぜられることとなるものと解される。

四　三年間以下の禁錮（新刑法の施行日以降は、拘禁刑）又は一〇〇万円以下の罰金に処せられる場合

本法違反により、三年間以下の禁錮又は一〇〇万円以下の罰金に処せられるのは次の1又は2のいずれかに該当した場合である。これらの場合については、〔**趣旨**〕に解説した令和三年におけるＩＬＯ第一〇五号条約の締結のための関係法律の改正作業の一環として、議員立法による本法改正によって、懲役に処せられる場合から禁錮に処せられる場合に改正されたものである（法一一一の二各号（新刑法の施行日以降は、法一一〇1⑯及び⑱））。なお、新刑法の施行により、本条各号に定める刑も拘禁刑となる。刑法等の一部を改正する法律（令四法六七）による改正後の刑事収容施設及び被収容者等の処遇に関する法律（平一七法五〇）では、受刑者に作業を行わせることが相当でないと認めるときは受刑者に作業を課さないものとされており、ＩＬＯ第一〇五号条約締結のための本法等の改正の趣旨を踏まえて対応することとされている。

1　何人たるを問わず第九八条第二項前段に規定する違法な行為の遂行を共謀し、唆し、若しくはあおり、又はこれらの行為を企てた者

職員は争議行為等の実行行為を行ってはならず、また何人もその計画、助長等の行為を行ってはならない。これについては第九八条で述べたところであり、争議行為の意義及び計画、助長等の行為の内容である共謀、唆し、あおり等の意義も同

条に関して説明したとおりである。

ところで、争議行為を実行した職員は懲戒処分の対象となるが、刑罰の適用はなく、計画、助長等の行為についてのみ刑罰の対象とされている。これは争議行為等を計画の段階で未然に防止するとともに、外部からの違法行為の慫慂をより悪質なものとして厳重に防止することを趣旨とするものである。したがって、本罰則規定は、行政機関内部の職員のみならず上部団体の役職員等部外者も対象としている。

争議行為等に関する計画、助長等の行為に刑罰を科すること、すなわち本罰則規定の合憲性についてはしばしば問題とされてきた。最高裁判所の判例も一時期「これらの規定が、文字どおりに、すべての国家公務員の一切の争議行為を禁止し、これらの争議行為の遂行を共謀し、そそのかし、あおる等の行為……をすべて処罰する趣旨と解すべきものとすれば、公務員の労働基本権保障の趣旨に反し、必要やむをえない限度をこえて争議行為を禁止し、かつ、必要最小限度にとどめなければならないとの要請を無視して刑罰の対象としているものとして、これらの規定は、いずれも、違憲の疑いを免れない。」（二重のしぼり論）（昭四四・四・二最高裁　全司法仙台事件）としていたが、現在は、「公務員の従事する職務には公共性がある一方、法律によりその主要な勤務条件が定められ、身分が保障されているほか、適切な代償措置が講じられているのであるから、……公務員の争議行為及びそのあおり行為等を禁止するのは、勤労者をも含めた国民全体の共同利益の見地からするやむを得ない制約というべきであって、憲法第二八条に違反するものではないといわなければならない。……何人であっても……違法な争議行為をあおる等の行為をする者は、違法な争議行為に対する原動力を与える者として、単なる争議参加者に比べて社会的責任が重いのであり、また争議行為の開始ないしはその遂行の原因を作るものであるから、……その者に対しとくに処罰の必要性を認めて罰則を設けることは、十分に合理性がある」として合憲である旨判示されている（昭四八・四・二五最高裁　全農林警職法事件）。

なお、本法第九八条第二項後段は争議行為等の「違法な行為を企て」ることを禁止しているのに対し、本罰則規定は争議行為の遂行を共謀し、唆し、若しくはあおり、「又はこれらの行為を企てる」ことを禁止している。本条の「企て」は、違法行為の共謀、唆し、又はあおり行為の遂行を計画準備することであって、違法行為の発生の危険性が具体的に生じたと認め得る状態に達したものをいうと解されている（前記全農林警職法事件最高裁判所判決）。

本法第九八条第二項の禁じている「違法な行為の企て」とは、違法な行為を計画準備することであり、論理的には「その遂行の共謀や唆し」とは区別されるものである。しかしながら、違法な行為の企画について見た場合、違法行為の発生の危険性が具体的に生じていると認められるときには、違法な行為の実行についての共謀や唆しが具体化しているものと考えられ、本号には「違法な行為の企て」自体は含まれていないが、具体的な危険性が生じる限りにおいて、「違法な行為の企て」も本号の対象となり得るものといえよう。

本号は、独立した刑罰規定であり、計画、助長等の行為自体を罰することとしており、実際に争議行為等が実行されたかどうかを問わないものである。

2　第一〇二条第一項に規定する政治的行為の制限に違反した者

第一〇二条第一項は、職員の政治的行為を禁止する規定であるが、行政の政治的中立性を確保することの重要性に鑑みて、当該禁止規定に違反した職員には刑罰が科せられる。

ところで、本規定については、第一〇二条で述べたとおり、かつて同条とともに合憲性が問題とされたことがある。違憲論の主たる論拠は、①民主主義国家における表現の自由の重要性に鑑みたとき、公務員に対し、職種や職務権限を区別することなく、また、行為の態様や意図を問題とすることなく、一律に違法と評価して禁止することは合理性に疑問があり、②規制の目的を達成し得る、より制限的でない他の選び得る手段があるときは、広い規制手段は違憲となるところ、政治的行為に対する制裁としては懲戒処分をもって足り、罰則までも法定することは合理的にして必要最少限度の制限を超えており、③犯罪の構成要件たる政治的行為の定めについて包括的な委任が行われており、罪刑法定主義に反するということであったが、昭和四九年一一月六日最高裁判所判決（猿払事件判決）において、「行政の中立的運営が確保され、これに対する国民の信頼が維持されることは、憲法の要請にかなうものであり、公務員の政治的中立性が維持されることは、国民全体の重要な利益にほかならないというべきである。したがって、公務員の政治的中立性を損なうおそれのある公務員の政治的行為を禁止することは、それが合理的で必要やむをえない限度にとどまるものである限り、憲法の許容するところであるといわなければならない。」「その保護法益の重要性にかんがみるときは、罰則制定の要否及び法定刑についての立法機関の決定がその裁量の範囲を著しく逸脱しているものであるとは認められない。」として合憲性が認められた。また、同判決により、政治的行為の定めを人事院規則に委任する点についても、「国公法百二条一項が、公務員の政治的中立性を損なうおそれのある行動類型に属する政治的行為を具体的に定めることを委任するものであることは、同条項の合理的な解釈により理解しうるところである。」として問題がないことが確認されている。平成二四年一二月七日最高裁判所判決（社保庁職員事件判決及び世田谷事件判決）においても、この罰則規定の合憲性は維持された。詳細については、第一〇二条の解説を参照されたい。

五　三年以下の懲役（新刑法の施行日以降は、拘禁刑）に処せられる場合

本法違反により、三年以下の懲役（新刑法の施行日以降は、拘禁刑）に処せられるのは次の1から3までのいずれかに該当した場合である（法一一二各号）。ただし、これらに該当する行為が加重収賄罪、第三者供賄罪、あっせん収賄罪など刑法に正条のある行為である場合には、本法第一一二条ただし書により、当該刑法の規定によってのみ刑罰を科せられることとなる。なお、職権濫用罪や官製談合防止法（平一四法一〇一）第八条等の違反の行為は、本法違反とは別個に成立するものであり、併合罪ないし観念的競合の関係となる。

1　職務上不正な行為（第一〇六条の二第一項又は第一〇六条の三第一項の規定に違反する行為を除く。2において同じ。）をすること若しくはしたこと、又は相当の行為をしないこと若しくはしなかったことに関し、営利企業等に対し、離職後に当該営利企業等若しくはその子法人の地位に就くこと、又は他の役職員をその離職後に、若しくは役職員であった者を、当該営利企業等若しくはその子法人の地位に就かせることを要求し、又は約束した職員

職員が、営利企業等に対し、職務上不正な行為をすること若しくはしたこと、又は相当の行為をしないこと若しくはしなかったことの見返りとして、

①　当該職員自身が離職後に当該営利企業等又はその子法人の地位に就くこと
②　他の役職員を離職後に当該営利企業等又はその子法人の地位に就かせること
③　役職員であった者を当該営利企業等又はその子法人の地位に就かせること

を要求し、又は約束した場合、刑罰が科せられることとなる。

なお、ここでいう「不正な行為」からは本法第一〇六条の二第一項（他の役職員についての依頼等の規制）又は第一〇六

条の三第一項（在職中の求職の規制）の規定に違反する行為は除外されている。したがって、これらの規定違反以外の職務上の「不正な行為」（例えば、入札予定価格を漏らすなど）を伴わない限り、他の役職員の再就職について依頼等しても刑罰の対象になることはなく、また、在職中に利害関係企業等に対し自己の求職活動をした場合も、それ自体は刑罰の対象にならない。ただし、法第八二条に規定する懲戒処分により対処されることとなる。

構成要件の詳細については、第一〇六条の二、第一〇六条の三及び第一〇九条〔解釈〕一14を参照されたい。

2　職務に関し、他の役職員に職務上不正な行為をするように、又は相当の行為をしないように要求し、依頼し、若しくは唆すこと、又は要求し、依頼し、若しくは唆したことに関し、営利企業等に対し、離職後に当該営利企業等若しくはその子法人の地位に就くこと、又は他の役職員をその離職後に、若しくは役職員であった者を、当該営利企業等若しくはその子法人の地位に就かせることを要求し、又は約束した職員

職員が、他の役職員に職務上不正な行為をし又は相当の行為をしないように要求し、依頼し、若しくは唆すこと（又はしたこと）の見返りとして、営利企業等に対し、職員自身、他の役職員又は役職員であった者を当該営利企業等又はその子法人の地位に就かせることを要求し、又は約束した場合、刑罰が科せられることとなる。「唆す」とは、刑法第六一条の「教唆」と同じであるが、「要求」及び「依頼」と併せて規定されていることに鑑みると、本号の「唆す」は、要求又は依頼には該当しないものの、他の役職員に職務上不正な行為等をする決意を生じさせるに足る行為であることが必要と解される。その他の構成要件の詳細については、第一〇六条の二、第一〇六条の三及び第一〇九条〔解釈〕一14を参照されたい。

3　前記2（独立行政法人通則法第五四条第一項において準用する場合を含む。）の不正な行為をするように、又は相当の行為をしないように要求し、依頼し、又は唆した行為の相手方であって、2（同項において準用する場合を含む。）の要求又は約束があったことの情を知って職務上不正な行為をし、又は相当の行為をしなかった職員

2において、職務上不正な行為をするように、又は相当の行為をしないように要求され、依頼され又は唆された職員が、当該依頼等が営利企業等への再就職の要求又は約束を背景としたものであることを知りながらこれに応じた場合、刑罰が科せられることとなる。「情を知って」とは、要求又は依頼をした職員と不正な行為を行う職員との間に共謀が成立する必要はないものの、少なくとも不正な行為をする職員側において、当該不正な行為の要求又は依頼が、当該要求又は依頼をして

きた職員又は第三者である他の役職員等の再就職に係る要求又は約束に関して行われたものであることを認識している必要があるものと解される。

六　一〇万円以下の過料に処せられる場合

本法違反により、一〇万円以下の過料に処せられるのは次の１又は２のいずれかに該当した場合である（法一一三各号）。なお、過料を科す手続は、刑罰ではないため、刑法総則や刑事訴訟法ではなく、非訟事件手続法（平二三法五一）第五編によることとなる。

１　第一〇六条の四第一項から第四項までの規定に違反して、役職員又はこれらの規定に規定する役職員に類する者として政令で定めるものに対し、契約等事務に関し、職務上の行為をするように、又はしないように要求し、又は依頼した者（不正な行為をするように、又は相当の行為をしないように要求し、又は依頼した者を除く。）

再就職者が、役職員等に対し、本法第一〇六条の四第一項から第四項までにより禁止されている働きかけ行為を行った場合、行政罰（過料）が科せられることとなる。ただし、ここで対象となるのは、要求し又は依頼した、職務上の行為をすること又はしないことが「正当」なものである場合であり、それが不正なものである場合には、法第一〇九条第一四号から第一八号までにより、一年以下の懲役（新刑法の施行日以降は、拘禁刑）又は五〇万円以下の刑罰（罰金）を科せられることとなる。本号の構成要件の詳細については、第一〇六条の四の解説を参照されたい。

２　第一〇六条の二四第一項又は第二項の規定による届出をせず、又は虚偽の届出をした者

管理職職員であった者については、本法第一〇六条の二四により、離職後二年間、同条第一項に定める法人の役員等に就こうとする場合又は同条第二項に規定する営利企業以外の事業の団体の地位に就くこととなった場合等には、内閣総理大臣に届け出なければならないこととされている。同条の規定による届出をせず、又は虚偽の届出をした場合、行政罰（過料）が科せられることとなる。

本法附則及び本法改正経過

通常、法令は本則と附則によって構成され、附則にはその法令の制定の目的となった事項を実現するために附随的に必要となる規定が置かれる。一般的には、その法令の施行期日及び適用期日に関する事項、他の法令の廃止に関する事項、その法令の施行及び適用に伴い経過的に必要となる事項、他の法令の改正に関する事項等が、この順序で附則中に定められるが、限時法の場合などにはその法令の失効に関する事項等も附則として規定される。

附則の規定の多くは、その法令の施行・適用及び経過措置等の実施に伴って、その目的を達成することとなるので、本則の規定のように別途その改廃に関する立法が行われるまで効力（実質的な意味）を持ち続けるということは稀である。例えば、法令の施行期日を定める附則の規定は、公布された後施行日として定められている日限が到来することによって、その役割を終え、法律的には意味を失ってしまう。また、法令の施行・適用に伴う経過措置を定める規定の多くも、一定の時間の経過により、規律の対象となる事象が消滅し、あるいはその規定自体の中で定められている有効期間が満了することなどによってその役割を終え、同じく法律的な意味をなくしてしまうものである。これらの中にあって、法令の施行・適用に伴う経過措置の規律の対象となる事象がかなり長期間にわたって存続し続けている場合、なんらかの事由により経過措置を廃止することができない場合などには、それらの事項を定める附則の規定は、なお法的効果を持ち続けることとなる。

令和三年の定年を六五歳に引き上げるための本法等改正（令和三年一部改正法）ではそれまで本法附則に規定されていた条文のうち、既に実効性を喪失したものを削除する等の改正が行われた。以下においては、現行の本法附則の規定のうち重要なものについて解説するとともに、この改正により削除された本法附則の規定及び本法を改正する法律の附則の規定のうち、今日的な意味を有しているもの又は歴史的に重要であると認めるものについても触れることとする。あわせて、これまでに行われた本法の改正の目的、内容等についても、同様に、今日的な意味を有しているもの又は歴史的に重要であると思われるものを中心に簡潔に述べることとする。

なお、「国家公務員法の一部を改正する法律」の附則に、その改正の順番に「第○次改正法律附則」というような表題を付けることが終戦後の一時期行われた（「国家公務員法の一部を改正する法律（昭二三法二二二）」の附則には、「第一次改正法律附則」という表題が付されている。）ことがあるが、現在ではこのような立法形式はとられていない。

附　則（昭二二・一〇・二一）

〔施行期日〕

第一条　この法律は、昭和二十三年七月一日から施行する。

〔大学学部の意味〕

第二条　第五条第五項に規定する大学学部には、旧大学令（大正七年勅令第三百八十八号）に規定する大学学部及び旧専門学校令（明治三十六年勅令第六十一号）に規定する専門学校を含むものとする。

〔秘密保持の規定の適用〕

第三条　第百条の規定は、従前職員であつた者で同条の規定の施行前に退職した者についても適用する。

〔職務と責任の特殊性に基づく特例〕

第四条　職員に関し、その職務と責任の特殊性に基づいて、この法律の特例を要する場合には、別に法律又は人事院規則（人事院の所掌する事項以外の事項については、政令）をもつて、当該特例を規定することができる。ただし、当該特例は、第一条の精神に反するものであつてはならない。

〔趣　旨〕

本法の特例

附則第四条（旧第一三条）の趣旨は以下のとおりである。本法は、旧来の官吏制度と異なり、それまで雇員、傭人等として私法上の雇用契約によって律せられていた者をも含めて広く国家公務員として位置付けることとした。その結果、昭和二三年改正後においては、立法事務、司法事務、警察事務、外交領事事務、造幣業務、印刷業務、教育事務、医療業務、国有林野業務、郵便業務、海上保安事務等々の特殊な事務、業務をも含む極めて広範囲の事務、事業に従事している国家公務員のうち、大臣及び秘書官、国会議員、裁判官、大使・公使等は特別職として本法の適用対象外に置かれたが、それ以外の職員については、全て一般職の国家公務員として一律に本法の適用を受けることとなった。

これは、本則第一条において述べたように、旧来からの特権的官僚制度を打破し、我が国に民主的で能率的な行政機構を確立するために、できるだけ多くの公務従事者を本法の適用対象として、等しく取り扱おうとする本法の、一般職の国家公務員の身分取扱いに関する基本法、一般法としての地位に由来するものである。

しかしながら、国の職務の多様性等に留意してみれば、現実の人事管理の場においては、種々の柔軟な対応が要求される場合が想定される。各府省の行政職員と審議会の委員、警察官と研究公務員等を対比してみれば、人事管理の現場において任用、服務等の事項について異なった取扱いをすることの要請が生じることは容易に想像されるところである。

本条は、基本法であり一般法である本法に対し、特例的な定めをなすものとしてのいわゆる特例法が制定されることを予測し、かつ、許容しているものであり、その具体的な法形式としては国会の定める法律のほかに、人事院が制定する人事院規則（人事院の所管事項以外の事項に関しては、政令）をも予定しているところに、大きな特色を認めることができよう。

しかしながら、この現実の要請に安易に応じるとすれば、本法が目的とする新公務員制度の確立が阻害されることになりかねない。そこで本法は種々の柔軟な対応が職務と責任の特殊性に基づいて必要とされる場合に限り、本法の特例を定めることを認めることとし、その場合であってもその特例の内容は本法第一条の精神に反するものであってはならないとして、本法の目的、精神が損なわれることのないように配慮しているものである。

〔解　釈〕

一　**職務と責任の特殊性の程度と本条の特例**

本法は国家公務員を一般職と特別職とに分類しているが、裁判官、自衛隊の隊員など一部の特別職の国家公務員について、その特別職とする事由として「職務と責任の特殊性」が挙げられることは、本則第二条で述べたとおりである。

また、附則第四条に基づき本法の特例を定めることが許容される事由も「職務と責任の特殊性」であることは〔**趣旨**〕において述べたとおりである。

さらに、本法が定める各種の制度の中にも、職務と責任によって構成されるそれぞれの官職に求められる能力や適性を検証して行う成績主義に立脚した任用制度や、職務の複雑さ、困難さや責任の程度に応じて定められる給与制度のように職務と責任に応じて異なった取扱いをなすことに制度の本質的意味が認められるもの、研修制度等のように職務と責任に応じ異なった取扱いをなすことが許容されていると考えられるものなどがある。したがって、一概に職務と責任の特殊性といっても、そのことにより、特別職への分類が行われる場合、附則第四条に基づく本法の特例が定められる場合、あるいは本法の定める制度の要件・効果の具体化が図られる場合がある。例えば、特別職の国家公務員は、その職務と責任の特殊性の量的・質的な度合いが、本法を適用することが適当ではないと本法自身が認める程度のものである場合に指定されるものであるのに対し、同条に基づく特例は、職務と責任の特殊性の量的・質的な度合いが、本法が定める各個の制度の適用に関して、その適用を排除し、又は独自にその内容を定めるなどの措置を採ることを認め得るものの、本法第一条の精神（具体的には第三章各節の根本基準にその精神が表現されていると考えられる。）自体を否定するものではない場合に定められるものである。

しかしながら、どの程度の量的・質的な「職務と責任の特殊性」をもって、一般職、特別職の区別を行い、また、本法上許容される取扱いの違いを、本法の特例として定めるか、あるいは本法の下における制度の内容として定めるかの判定は、純粋に法理論的に行い得るような性格の事項ではなく、むしろ政策的考慮になじむ性格を有するものであることは、本法中最も頻繁に改正された規定が第二条第三項の特別職の範囲を定める規定であったことからも推測されよう。

二　特例を定める法令

1　検察庁法

検察官については検察庁法第一五条、第一八条から第二〇条の二まで、第二二条から第二五条まで並びに附則第三条及び第四条の規定が、本法の特例として検察庁法第三二条に明示されている。すなわち、検察官は、行政官庁たる各省大臣を組織の内部にあって補佐する立場にある多くの他の一般職の国家公務員とは異なり、各人が法務大臣から独立した行政官庁として検察事務を遂行するという職務の特殊性を有しており、また、いわば「準司法官」として裁判官との権衡を考慮する必要があることから、検察庁法に次のような本法の特例が規定されている。

(1)　検察官の任命権及び検察官の級別　一般の職員については、戦前の官吏制度における勅任官、奏任官、判任官の区別の流れをくむ官の一級、二級、三級の別は、昭和二五年五月一五日人規八—一の改正によって、法律によって官の級別に任命叙級の資格を定められている官を除き、既に廃止されているところであるが、検察官については、後に述べるように検察庁法の中に、官の級別に応じた任命叙級の資格が定められていることから、今日なお一級、二級の官の級別が定められている。任命権も一般の職員の場合は各大臣等が有するのであるが、検察官の場合には、法務大臣が任命権を有するのは二級の検事及び副検事についてであり、一級の検事である検事総長、次長検事及び各検事長の任命は、内閣が行い、天皇が認証することとされている（検察庁法一五）。

(2)　検察官の任命及び叙級の資格　一般の職員とは異なり、検察官については一級及び二級の別に応じ、「司法修習生の修習を終えた者」であることなどの任命叙級の資格が定められている（検察庁法一八、一九）。

(3)　検察官の欠格条項　検察官の欠格条項については、本法第三八条に定めるもののほか、禁錮（新刑法の施行日以降は、拘禁刑）以上の刑に処せられた者及び弾劾裁判所の罷免の裁判を受けた者についても、検察官には任命できないこととされており、一般の職員に比べ厳しい条件が課されている（検察庁法二〇）（ただし、刑の消滅（刑法三四の二）により、資格は回復する（第三八条〔解釈〕一4参照）。

(4)　検察官の定年　昭和六〇年までは一般の職員には定年制度がなく、定年制度そのものが検察官特有の制度として本法の特例をなすものであった。同年の本法の改正により一般の職員にも定年制が導入されたが、分限としての一般職員の定年制の適用はないものとされ、検察庁法は検察官の定年年齢（検事総長六五年、その他の検察官六三年）と定年による退職時期について特例を定めるものとなった（検察庁法二二）。それ以降、検察官については、引き続き、勤務延長を含む本法の定年制度全体が、適用除外されていると解釈・運用されてきたが、令和二年に検察庁法を所管する法務省において解釈変更が行われ、検察官にも本法の定年制度の規定を適用した上で、検察庁法は定年年齢（検事総長六五年、その他の検察官六三年）と定年による退職時期について特例を定めるものと整理された（八一条の七〔解釈〕一参照）。その後、定年を段階的に六五歳に引き上げるための本法等の改正の際に、検察庁法で定年制全体について体系的に本法の特例であることが引き続き明示された（第二一条）。すなわち、検事総長以外の検察官の定年も六五歳に引き上げられるとともに、定年による退職時期についての特例も引き続き定められた（検察庁法二二②）。その際、本法の勤務延長の規定は適用しない旨の明文の規定が置かれた（検察庁法二二二）。また、定年の引上げに併せて本法の役職定年制（管理監督職勤務上限年齢による降任等）の趣旨を踏まえた仕組み（検察庁法九2・3、一〇2、二〇2、二二3）を設けるとともに、定年前再任用短時間勤務制は適用しないこととされた（検察庁法二〇の二）。

(5)　検察官の身分保障　検察官の身分保障については、検察官適格審査会による事前審査制度が設けられており、また検事長、検事、副検事については剰員となった場合でも俸給の半額を給して欠位を待たせるという制度が用意されている。検察官は、懲戒処分に付される場合を除き、定年による場合、心身の故障、職務の非能率等の事由により罷免を相当とする検察官適格審査会の議決がなされた場合及び剰員により欠位を待つ場合のほかは、その意思に反して、その官を失い、職務を停止され、又は俸給を減額されないこととなっている（検察庁法二三～二五）。

なお、検察庁法第二六条から第二八条までには、検事総長秘書官、検察事務官、検察技官について官の級別に関する規定が置かれているが、これらの官については、同法上、官の級別に応じた任命叙級の資格が定められていないため、先に述べたように、他の一般の職員と同様、官の級別は廃止され、叙級も行われていない。

2　外務公務員法

外務公務員については、外交領事事務等に従事するという職務内容の特殊性に鑑み、外務公務員法中に本法の特例が定められている。

外務公務員法の適用を受ける外務省の職員は、特命全権大使、特命全権公使、特派大使、政府代表、全権委員、政府代表又は全権委員の代理並びに特派大使、政府代表又は全権委員の顧問及び随員である特別職の国家公務員のグループと外務職員と呼ばれる一般職の国家公務員のグループとに大別され、外務公務員法は、外務職員について適用される場合に、本法の特例法として機能することになるものである。

外務職員とは、外務省本省に勤務する者で、外交領事事務に従事するもの、一般行政関係の事務に従事するもの、通信関係の事務に従事するもの及び外交資料編さん関係の事務に従事するもの並びに在外公館に勤務する全ての一般職の国家公務員である（外務公務員法二5、外務省本省に勤務する外務職員の範囲を定める省令（昭二七外務令六））。

(1)　外務公務員の欠格条項　外務公務員の欠格条項としては、本法第三八条に定めるもののほか、無国籍者又は外国国籍の保有者であることが定められている。一般の国家公務員についての国籍の有無と就官能力との関係については、既に第三八条において述べたとおりである。欠格条項と表裏の関係にある失職規定においても、本法第七六条に対する特例として、外務公務員が無国籍者又は外国国籍の保有者となった場合には、当然に失職するものとされている（外務公務員法七）。なお、かつては配偶者の国籍に関する欠格条項があったが、平成八年の外務公務員法改正で廃止されている。

(2)　外務職員の採用　ここで外務職員の採用とは、外務職員でない者からの採用及び転任をいうものと解されている。外務職員の採用で、専ら財務、商務、農務、労働等に関する外交領事事務に従事する職員を採用する場合、通信、外交資料編さん等特別の技能を必要とする外交領事事務に従事する職員を採用する場合などには、試験によらず、選考により採用することができる（外務公務員法一〇、選考による外務職員の採用に関する省令（平一二外務令五））。

(3)　在外公館に勤務する外務公務員の給与　在外公館に勤務する大使・公使以外の外務公務員には、在外公館名称位置給与法により在勤手当が、給与法による俸給、扶養手当、期末手当及び、勤勉手当と併せて支給される。在勤手当は、外務公務員の駐在国における体面を維持等できるよう、現地の物価、為替相場及び生活水準を勘案して定められることになっている。

3　行政執行法人労働関係法

行政執行法人労働関係法は、「行政執行法人の職員の労働条件に関する……団体交渉の慣行と手続とを確立する……」ことを目的として制定された法律である。

行政執行法人とは、独立行政法人通則法（平一一法一〇三）第二条第四項に規定する行政執行法人である（行政執行法人労働関係法二）。行政執行法人の職員は、一般職の国家公務員であるが、労組法の定めるところに従い労働組合を結成することができ、賃金その他の給与、労働時間、休憩、休日及び休暇に関する事項、昇職、降職、転職、免職、休職、先任権及び懲戒の基準に関する事項、労働に関する安全、衛生及び災害補償に関する事項等行政執行法人労働関係法第八条に例示されている事項については団体交渉により労働協約を締結することができる。また、その関係上、同法第三七条により、本法中、勤務条件に関する行政措置の要求（法八六～八八）、職員団体（法一〇八の二～一〇八の七）等の規定は行政執行法人の職員には適用されないこととされており、このような措置はこれらの職員の職務と責任の特殊性に基づく本法の特例であることが明示されている（行政執行法人労働関係法三七2）。なお、行政執行法人労働関係法第三七条では本法附則第六条〔労働組合法等の適用除外〕の規定の適用を除外しているため、行政執行法人の職員には原則として労組法、労基法等が適用される。ただし、本法中、任免、分限、懲戒、災害補償等の規定は行政執行法人の職員にも適用されているので、行政執行法人における団体交渉も、これらの事項については本法及び人事院規則の規定の枠内で行われることになる。

4　人事院規則に基づく特例

以上の法律において定められている特例のほか、「職務と責任の特殊性」に基づき本法の特例を定めるものとして、非常勤職員の任用手続の特例を定める人規八―一二の規定（同規則第四六条から第四九条まで）、専従休職者に審議会等の非常勤官職の職務に従事することを認める人規一一―四第一一条の規定、諮問的な非常勤の職員について、政治的行為の制限の適用を除外する人規一四―七第一項ただし書の規定等がある。

〔この法律の施行に伴う経過的特例〕

第五条　この法律の各規定の施行又は適用の際現に効力を有する政府職員に関する法令の規定の改廃及びこれらの規定の適用を受ける者に、この法律の規定を適用するに当たり、必要な経過的特例その他の事項は、法律又は人事院規則で定める。

〔労働組合法等の適用除外〕

第六条　労働組合法（昭和二十四年法律第百七十四号）、労働関係調整法（昭和二十一年法律第二十五号）、労働基準法（昭和二十二年法律第四十九号）、船員法（昭和二十二年法律第百号）、最低賃金法（昭和三十四年法律第百三十七号）、じん肺法（昭和三十五年法律第三十号）、労働安全衛生法（昭和四十七年法律第五十七号）及び船員災害防止活動の促進に関する法律（昭和四十二年法律第六十一号）並びにこれらの法律に基づく命令は、職員には適用しない。

〔趣　旨〕

労働関係法規の適用除外

附則第五条は特に説明を要しないが、附則第六条の趣旨は、以下のとおりである。すなわち、本条は昭和二三年の本法の第一次改正の際に挿入された規定である（当時は附則第一六条）。本法施行当時、一般職の国家公務員についても労働基本権が認められており、現行の附則第六条に掲げる労組法その他の労働関係法規も全面的に適用されていた。しかしながら、昭和二三年夏のいわゆるマッカーサー書簡及びこれを受けて制定された政令第二〇一号により、一般職の国家公務員については、労働基本権のうち、争議権と労働協約締結権とが否定されることになるとともに、人事院が国家公務員の利益の保護に任ずることとなった。このような公務員に関する労働法制の変更の一環として、本条に掲げられている法令は、以後一般職の国家公務員には適用されないこととなり、必要に応じて本法を中心とする公務員法制の内容としてその取扱いに関する規定が置かれていくこととなったものである。最低賃金法（昭三四法一三七）、じん肺法（昭三五法三〇）、労安法（昭四七法五七）及び船員災害防止活動の促進に関する法律（昭四二法六一）は、本条の施行後に成立した法律であるが、その内容とするところは別途本条及びこれに基づく法令によって実現されるのが適当であることから、同様に一般職の国家公務員に関しては適用されないこととなっている（第一次改正法律附則第三条部分の〔趣旨〕参照）。なお、近時の労働関係立法においては、それら法律において必要な国家公務員に関する適用除外規定を設けるのが通例である（例：労契法）。

〔解　釈〕

行政執行法人の職員に対する労働関係法規の適用

行政執行法人労働関係法第三七条第一項の規定により、行政執行法人の職員に対しては、本条及び第一次改正法律附則第三条の規定の適用が除外されているので、これらの職員に対しては本条に掲げる法令の規定が適用されることとなる。しかしながら、行政執行法人労働関係法及び本法の規定は、労基法等の本条に掲げる法令の特例をなすものであり、したがって特別法たる行政執行法人労働関係法及び本法に定められている事項と一般法たる労基法等に定められている事項とが矛盾抵触する場合には、一般法たる労基法等の規定は適用されないこととなる。

例えば、労基法第九一条は、使用者の定める減給の制裁規定の制限として、一の賃金支払期間における減給額の総額は、その期間の賃金の総額の一〇分の一を超えてはならないとしているが、一方、行政執行法人の職員にも適用される本法第七四条第二項に基づく人事院規則一二―〇（職員の懲戒）第三条は、減給は俸給の月額の五分の一以下に相当する額を給与から減ずるものとしており、結局、行政執行法人労働関係法第三七条により本条は適用除外されるものの、特別法たる本法の規定が優先され、労基法第九一条は、行政執行法人の国家公務員に適用されないものである。

〔在籍専従期間の上限〕

第七条　第百八条の六の規定の適用については、国家公務員の労働関係の実態に鑑み、労働関係の適正化を促進し、もつて公務の能率的な運営に資するため、当分の間、同条第三項中「五年」とあるのは、「七年以下の範囲内で人事院規則で定める期間」とする。

〔趣　旨〕

在籍専従期間の上限

国営企業に勤務するいわゆる現業職員の在籍専従期間の上限については、昭和六三年の改正により、国営企業労働関係法第七条第三項において「五年」とあるのを、当分の間、「七年以下の範囲内で労働協約で定める期間」とする旨の規定が同法附則に設けられたところ、それ以外のいわゆる非現業職員については同様の措置が講じられておらず、取扱いが異なることとなっていた。本条は、平成九年に至り、現業職員と非現業職員との均衡を図るため、衆議院内閣委員長から提出された本法改正法案（平九法三）により追加されたものである（当時は附則第一八条）。本条に基づき人事院規則で定める期間については、規則一七―二（職員団体のための職員の行為）第八条において七年と規定されている。

〔定年の六五歳への段階的な引上げ〕

第八条　令和五年四月一日から令和十三年三月三十一日までの間における第八十一条の六第二項の規定の適用については、次の表の上欄に掲げる期間の区分に応じ、同項中「六十五年」とあるのはそれぞれ同表の中欄に掲げる字句と、同項ただし書中「七十年」とあるのはそれぞれ同表の下欄に掲げる字句とする。

令和五年四月一日から令和七年三月三十一日まで	六十一年	六十六年
令和七年四月一日から令和九年三月三十一日まで	六十二年	六十七年
令和九年四月一日から令和十一年三月三十一日まで	六十三年	六十八年
令和十一年四月一日から令和十三年三月三十一日まで	六十四年	六十九年

② 令和五年四月一日から令和十三年三月三十一日までの間における国家公務員法等の一部を改正する法律（令和三年法律第六十一号。以下この条及び次条において「令和三年国家公務員法等改正法」という。）第一条の規定による改正前の第八十一条の二第二項第一号に掲げる職員に相当する職員として人事院規則で定める職員に対する第八十一条の六第二項の規定の適用については、前項の規定にかかわらず、次の表の上欄に掲げる期間の区分に応じ、同条第二項ただし書中同表の中欄に掲げる字句は、それぞれ同表の下欄に掲げる字句とする。

令和五年四月一日から令和七年三月三十一日まで	六十五年を超え七十年を超えない範囲内で人事院規則で定める年齢	年齢六十六年
令和七年四月一日から令和九年三月三十一日まで	七十年	六十七年
令和九年四月一日から令和十一年三月三十一日まで	七十年	六十八年
令和十一年四月一日から令和十三年三月三十一日まで	七十年	六十九年

③ 令和五年四月一日から令和十三年三月三十一日までの間における令和三年国家公務員法等改正法第一条の規定による改正前の第八十一条の二第二項第二号に掲げる職員に相当する職員として人事院規則で定める職員に対する第

八十一条の六第二項の規定の適用については、第一項の規定にかかわらず、次の表の上欄に掲げる期間の区分に応じ、同条第二項中「六十五年」とあるのはそれぞれ同表の中欄に掲げる字句と、同項ただし書中「七十年」とあるのはそれぞれ同表の下欄に掲げる字句とする。

令和五年四月一日から令和七年三月三十一日まで	六十三年	六十六年
令和七年四月一日から令和九年三月三十一日まで	六十三年	六十七年
令和九年四月一日から令和十一年三月三十一日まで	六十三年	六十八年
令和十一年四月一日から令和十三年三月三十一日まで	六十四年	六十九年

④　令和五年四月一日から令和七年三月三十一日までの間における令和三年国家公務員法等改正法第一条の規定による改正前の第八十一条の二第二項第三号に掲げる職員に相当する職員として人事院規則で定める職員に対する第八十一条の六第二項の規定の適用については、第一項の規定にかかわらず、同条第二項中「、年齢六十五年」とあるのは「、六十年を超え六十五年を超えない範囲内で人事院規則で定める年齢」と、同項ただし書中「六十五年を超え七十年を超えない範囲内で人事院規則で定める年齢」とあるのは「年齢六十六年」とする。

⑤　令和七年四月一日から令和十三年三月三十一日までの間における前項に規定する職員に対する第八十一条の六第二項の規定の適用については、第一項の規定にかかわらず、次の表の上欄に掲げる期間の区分に応じ、同条第二項中「、年齢六十五年」とあるのはそれぞれ同表の中欄に掲げる字句と、同項ただし書中「七十年」とあるのはそれぞれ同表の下欄に掲げる字句とする。

令和七年四月一日から令和九年三月三十一日まで	、六十一年を超え六十五年を超えない範囲内で人事院規則で定める年齢	六十七年

令和九年四月一日から令和十一年三月三十一日まで	、六十二年を超え六十五年を超えない範囲内で人事院規則で定める年齢	六十八年
令和十一年四月一日から令和十三年三月三十一日まで	、六十三年を超え六十五年を超えない範囲内で人事院規則で定める年齢	六十九年

〔趣　旨〕

定年の六五歳への段階的な引上げ

本条は、令和三年一部改正法により追加されたものであり、令和五年度から二年に一歳ずつ原則定年を引き上げ、令和一三年度に原則定年を六五歳とすることとしている。

平均寿命の伸長や少子高齢化が急速に進む中、複雑高度化する行政課題に的確に対応していくためには、知識、技術、経験等が豊富な高齢期の職員を最大限活用するための環境を早急に整備することが必要であることから、できるだけ早期に定年引上げを開始する必要がある。他方で、定年引上げの開始に当たっては、六〇歳以降の勤務に関する職員への意向調査や、新規採用を含む人員計画の見直し等が必要であることから、法案が成立してから少なくとも一年を超える準備期間が必要であり、令和三年一部改正法は令和五年度から（一部は公布日である令和三年六月一一日から）施行することとされた。

また、できるだけ早期に原則定年を六五歳に引き上げる必要がある一方で、仮に一度に六五歳まで引き上げ、又は毎年一歳ずつ引き上げる場合は、引上げ開始から五年間定年退職者が生じないこととなり、安定的な新規採用の継続が困難になるとともに、人事の停滞が職員の昇進スピードを大きく遅らせることとなり、その結果、職員の年齢構成が一層いびつになり、若手・中堅職員が必要な業務経験を十分に積めないという人材育成上の支障や、知識・技能の継承を円滑に行えなくなるという業務遂行上の支障を招くおそれがあることに加え、職員の士気が低下するおそれがあった。このため、原則定年を二年に一歳ずつ段階的に引き上げることとされた。

なお、令和三年一部改正法では、定年の段階的な引上げ期間中において、年金が満額支給される六五歳までの間の雇用確保のための経過的な措置として、暫定再任用制度（フルタイム勤務及び短時間勤務）を設けている。その概要については、後述する令和三年一部改正法の附則（令三法六一附則四、五、六、七）に関する解説を参照されたい。

〔解　釈〕

段階的な引上げ期間中の定年年齢等

本条においては、令和三年一部改正法による改正前の本法（旧法）における職員の類型に応じて第八一条の六第二項の規定を読み替えることにより、定年の段階的な引上げ期間中の原則定年及び人事院規則で定めることができる特例定年の範囲を規定している。なお、行政執行法人については、行政執行法人の職員の職務と責任の特殊性を踏まえ、法人の自主性を尊重し、法人ごとに特例定年の対象職種及び段階的な引上げ期間中の定年を定めることが適当であることから、旧法で特例定年が定められていた職員（旧法特例定年職員）に相当する職員や、定年の段階的な引上げ期間中に特例定年を措置する職員、措置する特例定年は法人の長が定めることとしている（独立行政法人通則法五九２）。

1　旧法原則定年職員

本条第一項は、旧法で六〇歳の原則定年が適用されていた職員（旧法原則定年職員）について、原則定年を二年に一歳ずつ六五歳まで引き上げることを規定するとともに、旧法原則定年職員のうち人事院規則で特例定年を定めることができる職員（第八一条の六第二項ただし書）に対して、定年の段階的な引上げ期間中に人事院規則で措置することができる経過的な特例定年の範囲を規定している。なお、令和五年四月一日現在、旧法原則定年職員のうち人事院規則により六五歳を超える特例定年の適用を受けることとなるものは存在しないため、経過的な特例定年が定められる旧法原則定年職員も存在しない。

（参考）旧法原則定年職員の定年の段階的な引上げ期間中における原則定年及び措置可能な特例定年

期　間	原則定年	措置可能な特例定年
令和五年四月一日～令和七年三月三一日	六一歳	六二歳～六六歳の範囲内で人事院規則で定める年齢
令和七年四月一日～令和九年三月三一日	六二歳	六三歳～六七歳の範囲内で人事院規則で定める年齢
令和九年四月一日～令和一一年三月三一日	六三歳	六四歳～六八歳の範囲内で人事院規則で定める年齢

令和一一年四月一日～令和一三年三月三一日	六四歳	六五歳～六九歳の範囲内で人事院規則で定める年齢

2　旧法特例定年職員（医師及び歯科医師）

本条第二項は、旧法第八一条の二第二項第一号により六五歳の特例定年が措置されていた医師及び歯科医師に相当する職員として人事院規則で定める職員（旧法第八一条の二第二項第一号相当職員）について、原則定年年齢を直ちに六五歳とするとともに、旧法第八一条の二第二項第一号相当職員のうち人事院規則で定める職員に対して、定年の段階的な引上げ期間中に人事院規則で措置することができる六五歳を超える特例定年の範囲を規定している。

旧法第八一条の二第二項第一号相当職員としては、病院や診療所、矯正施設等に勤務して医療業務に従事する医師及び歯科医師を人事院規則で規定しており（人規一一―八　附則二1）、これらの医師及び歯科医師は、特例定年の措置対象となるものを除き、令和五年四月一日から六五歳の原則定年が適用される。特例定年の措置対象となる医師及び歯科医師（第八一条の六〔解釈〕二を参照）については、特例定年を二年に一歳ずつ六六歳から七〇歳まで引き上げることとしている（人規一一―八　附則二3）。

（参考）旧法第八一条の二第二項第一号相当職員の定年の段階的な引上げ期間中における原則定年及び措置可能な特例定年

期　間	原則定年	措置可能な特例定年
令和五年四月一日～令和七年三月三一日	六五歳	六六歳
令和七年四月一日～令和九年三月三一日	六五歳	六六歳～六七歳の範囲内で人事院規則で定める年齢
令和九年四月一日～令和一一年三月三一日	六五歳	六六歳～六八歳の範囲内で人事院規則で定める年齢
令和一一年四月一日～令和一三年三月三一日	六五歳	六六歳～六九歳の範囲内で人事院規則で定める年齢

3　旧法特例定年職員（庁舎の監視その他の庁務等の業務に従事する職員）

本条第三項は、旧法第八一条の二第二項第二号により六三歳の特例定年が措置されていた庁舎の監視その他の庁務及びこれに準ずる業務に従事する職員で人事院規則で定めるものに相当する職員として人事院規則で定める職員（旧法第八一条の二第二項第二号相当職員）について、定年の段階的な引上げ期間中の六三歳から始まる原則定年を規定するとともに、旧法第八一条の二第二項第二号相当職員のうち人事院規則で定める職員に対して、定年の段階的な引上げ期間中に人事院規則で措置することができる経過的な特例定年の範囲を規定している。

旧法第八一条の二第二項第二号相当職員としては、守衛、用務員等（労務職員等）の業務に従事する行政職俸給表㈡適用職員を規則で規定している（人規一一―八　附則二4）。なお、令和五年四月一日現在、旧法第八一条の二第二項第二号相当職員のうち六五歳を超える特例定年の適用を受けることとなるものは存在しないため、経過的な特例定年が定められている旧法第八一条の二第二項第二号相当職員も存在しない。

（参考）旧法第八一条の二第二項第二号相当職員の定年の段階的な引上げ期間中における原則定年及び措置可能な特例定年

期間	原則定年	措置可能な特例定年
令和五年四月一日～令和七年三月三一日	六三歳	六四歳～六六歳の範囲内で人事院規則で定める年齢
令和七年四月一日～令和九年三月三一日	六三歳	六四歳～六七歳の範囲内で人事院規則で定める年齢
令和九年四月一日～令和一一年三月三一日	六三歳	六四歳～六八歳の範囲内で人事院規則で定める年齢
令和一一年四月一日～令和一三年三月三一日	六四歳	六五歳～六九歳の範囲内で人事院規則で定める年齢

4　旧法特例定年職員（その他の職員）

本条第四項及び第五項は、旧法第八一条の二第二項第三号により職務と責任に特殊性があること又は欠員補充が困難なことにより六一歳から六五歳までの範囲内で特例定年が定められていた事務次官（特例定年：六二歳）や一部の研究所の長

（特例定年：六五歳）等の職員に相当する職員（旧法第八一条の二第二項第三号相当職員）として人事院規則で定める職員について、定年の段階的な引上げ期間中に人事院規則で措置することができる原則定年の範囲を規定するとともに、旧法第八一条の二第二項第三号相当職員のうち規則で定める職員に対して、定年の段階的な引上げ期間中に人事院規則で措置することができる経過的な特例定年の範囲を規定している。

　これらの職員は、旧法において特例定年が定められていた理由や措置されていた特例定年も様々であることから、定年の段階的な引上げ期間中における原則定年や特例定年は、旧法原則定年職員の原則定年を下回ることがない範囲内で、人事院規則で定めることとしている。人事院規則（人規一一―八　附則二5・6）においては、例えば、事務次官の場合、旧法原則定年職員の原則定年が六一歳である期間（令和五年四月一日から令和七年三月三一日まで）に限って旧法第八一条の二第二項第三号相当職員として六二歳の原則定年を措置することにより、従前どおり六二歳まで勤務することが可能となるようにしており、当該期間が経過した後は、当該職員の原則定年は、施行日当初から旧法原則定年職員であった職員と同様に六五歳まで引き上げられることになる。ただし、事務次官のような管理監督職を占める職員の場合、旧特例定年を基準に設定されている役職定年（管理監督職勤務上限年齢）に達することによって異動期間（当該役職定年に達した日から最初の4月1日までの間）に非管理監督職に降任等することになるため、異動期間を延長しない限り、事務次官として六五歳まで勤務することはできないことになる（第八一条の五の【解説】を参照）。なお、令和五年四月一日現在、旧法第八一条の二第二項第三号相当職員のうち六五歳を超える特例定年の適用を受けることとなるものは存在しないため、経過的な特例定年が定められている旧法第八一条の二第二項第三号相当職員も存在しない。

（参考）旧法第八一条の二第二項第三号相当職員の定年の段階的な引上げ期間中における措置可能な原則定年及び措置可能な特例定年

期間	措置可能な原則定年	措置可能な特例定年
令和五年四月一日～令和七年三月三一日	六一歳～六五歳の範囲内で人事院規則で定める年齢	六六歳
令和七年四月一日～令和九年三月三一日	六二歳～六五歳の範囲内で人事院規則で定める年齢	六六歳～六七歳の範囲内で人事院規則で定める年齢
令和九年四月一日～令和一一年三月三一日	六三歳～六五歳の範囲内で人事院規則で定める年齢	六六歳～六八歳の範囲内で人事院規則で定める年齢
令和一一年四月一日～令和一三年三月三一日	六四歳～六五歳の範囲内で人事院規則で定める年齢	六六歳～六九歳の範囲内で人事院規則で定める年齢

〔情報提供・意思確認制度〕

第九条　任命権者は、当分の間、職員（臨時的職員その他の法律により任期を定めて任用される職員及び常時勤務を要しない官職を占める職員並びに令和三年国家公務員法等改正法第一条の規定による改正前の第八十一条の二第二項第一号に掲げる職員に相当する職員として人事院規則で定める職員及び同項第三号に掲げる職員に相当する職員のうち人事院規則で定める職員その他人事院規則で定める職員を除く。以下この条において同じ。）が年齢六十年（同項第二号に掲げる職員に相当する職員として人事院規則で定める職員にあつては同号に定める年齢とし、同項第三号に掲げる職員に相当する職員のうち人事院規則で定める職員にあつては同号に定める年齢とする。以下この条において同じ。）に達する日の属する年度の前年度（当該前年度に職員でなかつた者その他の当該前年度においてこの条の規定による情報の提供及び意思の確認を行うことができない職員として人事院規則で定める職員にあつては、人事院規則で定める期間）において、当該職員に対し、人事院規則で定めるところにより、令和三年国家公務員法等改正法による定年の引上げに伴う当分の間の措置として講じられる一般職の職員の給与に関する法律附則第八項から第十六項までの規定による年齢六十年に達した日後における最初の四月一日以後の当該職員の俸給月額を引き下げる給与に関する特例措置及び国家公務員退職手当法（昭和二十八年法律第百八十二号）附則第十二項から第十五項までの規定による当該職員が年齢六十年に達した日から定年に達する日の前日までの間に非違によることなく退職をした場合における退職手当の基本額を当該職員が当該退職をした日に第八十一条の六第一項の規定により退職をしたものと仮定した場合における額と同額とする退職手当に関する特例措置その他の当該職員が年齢六十年に達する日以後に適用される任用、給与及び退職手当に関する措置の内容その他の必要な情報を提供するものとするとともに、同日の翌日以後における勤務の意思を確認するよう努めるものとする。

〔趣　旨〕

情報提供・意思確認制度

本条は、令和三年一部改正法により追加されたものであり、いわゆる情報提供・意思確認制度について規定している。

定年の段階的引上げに伴って六〇歳を境に人事管理に関する制度が大きく変わるため、六〇歳以降に勤務する前の段階において、六〇歳超職員には俸給月額の七割措置が適用されること、役職定年に達した管理監督職の職員は非管理監督職に降任等をされることについて職員が十分認識し、定年前再任用短時間勤務を選択することが可能であることや退職手当上の取扱いを考慮した上で、職員が六〇歳以降の勤務の意思を決定することができる環境を整備する必要がある。そのためには、六〇歳に達する日以後に適用される制度に係る情報を提供するとともに、俸給月額の七割措置が適用されることや役職定年による降任等をされ得ることを受け入れて引き続き常勤職員として勤務するか、あるいは退職して定年前再任用短時間勤務を行うか、それとも完全退職するかを選択し、その意思を表明できるようにすることが適当と考えられる。加えて、任命権者にとっても、該当職員が六〇歳以降においても引き続き常時勤務を要する官職（常勤官職）での勤務を希望するか、一旦退職した上で定年前再任用により短時間勤務の官職での勤務を希望するか、公務外への転身等を希望するかを確認することは、六〇歳前職員の人事配置や必要に応じたポスト整備を行う上で望ましいと考えられる。このような考えに基づき、当分の間の措置として、情報提供・意思確認制度を新設することとされた。

〔解　釈〕

一　情報提供

本条により提供する情報の具体的な項目は、①役職定年制（法八一の二～八一の五）に関する情報、②定年前再任用短時間勤務職員の任用（法六〇の二）に関する情報、③俸給月額の七割措置に関する情報、④六〇歳に達した日以後に退職した者の退職手当の基本額の支給率について、当分の間、定年退職の場合と同率とするなどの退職手当の特例措置に関する情報、⑤勤務の意思を確認するため必要であると任命権者が認める情報としている（人規一一―七八　六）（③、④については第八一条の六〔趣旨〕五2参照）。また、対象職員に情報を提供するに当たっては、上記①から⑤までの情報を記載した文書を交付すること（当該文書の交付によらないことを適当と認める場合には、これに代わる適当な方法によること）により行うこととしている（人規一一―七八運用通知5）。なお、本条で任命権者に義務付けているのは、あくまで六〇歳に達する日以後に適用される人事管理に係る「制度」に関する情報の提供であり、例えば、制度の対象者、勤務時間や俸給水準等の勤務条件等についての情報の提供が該当するが、職員を充てることを予定している具体的な官職・職務や勤務地に関する情報を個々の職員に提供することを義務付けるものではない。

本条による情報提供の実施時期は六〇歳になる年度の前年度としている。また、令和三年一部改正法による改正前の本法（旧法）において特例定年が適用されていた職員については、旧特例定年に達する日の属する年度の前年度（旧特例定年が六二歳の場合は六一歳になる年度、旧特例定年が六三歳の場合は六二歳になる年度）に情報提供が行われることとなる（人規一一―七八　四）。

二　勤務の意思の確認

勤務の意思については確認するよう努めるものとされているところ、その意思は、引き続き常勤職員として勤務を希望するか、定年前再任用短時間勤務職員として勤務を希望するか、退職するかの職員の意思を意味するものであり、職員が六〇歳以降の勤務を希望する具体的な官職・職務や勤務地については、確認すべき意思には含まれない。確認する意思の具体的な項目は、①引き続き常勤官職を占める職員として勤務する意思、②年齢六〇年等に達する日以後の退職の意思、③定年前再任用短時間勤務職員として勤務する意向、④その他任命権者が必要と認める事項としている（人規一一―七八　七2）。また、確認するに当たっては、上記①から④までの事項を記載した文書を対象職員に提出させること（当該文書の提出によらないことを適当と認める場合には、これに代わる適当な方法によること）により行うこととしている（人規一一―七八運用通知6）。

職員が常勤職員としての勤務を希望しない意思を表明した場合であっても、当該意思表明によってなんらかの法律的効果が生ずるものではない。そのため、退職の意思を有している職員は、辞職等の手続を別途行う必要がある。また、引き続いて常勤職員としての勤務を希望した職員であっても、事後に希望が変わって六〇歳で退職（自己都合退職）することや、具体的な官職・職務や勤務地の提示を受けた段階等において、当該提示内容に納得せずに辞職（自己都合退職）することは、当然に認められる。

三　情報提供・意思確認の対象としない職員

俸給月額の七割措置や役職定年制が適用されない職員は、本条の適用を除外している。具体的な職員については、本条において、①臨時的職員その他の法律により任期を定めて任用される職員、②常時勤務を要しない官職を占める職員を定めるほか、人事院規則において、③人事院規則九―一四七第五条第一項に規定する職員（旧特例定年が六五歳であった医師及び歯科医師）、④人事院規則九―一四七第五条第二項に規定する職員（③以外で旧特例定年が六五歳であった職員）、⑤本法第八一条の六第二項ただし書に規定する職員（六五歳を超える特例定年が措置されている職員）を定めている（人規一一―七八三）。

四　六〇歳等に達する年度の前年度に情報提供・意思確認ができない職員の取扱い

六〇歳等に達する年度に、特別職や独立行政法人、地方公務員等への辞職出向から戻り出向元府省等に再採用された職員や、公務外から新規採用された職員については、六〇歳等に達する年度の前年度には情報提供・意思確認を行うことができないため、このように情報提供・意思確認を行うべき年度に職員でなかった場合は、採用日から採用年度の末日までの間に、情報提供・意思確認を行うこととしている（人規一一―七八　五1①、五2①）。また、旧特例定年が六三歳である職員が異動等により旧定年が六〇歳である職員となった場合など、結果的に情報提供・意思確認を行うべき年度の末日を経過してしまう異動等があった場合は、異動等の日が属する年度内に、異動後の任命権者が情報提供・意思確認を行うこととしている（人規一一―七八　五1②、五2②）。なお、六〇歳に達する年度の前年度に情報提供・意思確認ができない職員に対する情報提供・意思確認は、上記の期間内にできる限り速やかに行うこととしている（人規一―七八　五3）。

【令和三年一部改正法による改正前の条文（抄）及び解説】

〔施行期日〕

旧第一条　この法律中附則第二条の規定は、昭和二十二年十一月一日から、その他の規定は、昭和二十三年七月一日からこれを施行する。

② この法律中人事院及び服務に関する規定（これらに関する罰則及び附則の規定を含む。）以外の規定は、法律、人事院規則又は人事院指令の定めるところにより、実行の可能な限度において、逐次これを適用することができる。

〔趣旨・解釈〕

一　本条及び人事院発足の経緯

本条第一項の規定により、附則第二条によって設置される臨時人事委員会は昭和二二年一一月一日に発足し、「この法律の施行に必要な範囲内において、官職、在職状況その他人事行政一般に関する調査その他の準備の事務を掌る」（第一次改正法律（昭二三法二二二）による改正前の本法附則二②）ものとされ、昭和二三年六月三〇日までの間に、昭和二三年七月一日からの本法の適用が可能となるように準備をすることとされていた。また、正式の人事委員会は昭和二四年一月一日までに設置されることになっていたので、昭和二三年七月一日から正式の人事委員会が設置されるまでの間は臨時人事委員会が人事委員会の職権を行使することとされたが、実際には第一次改正法律による改正により、「人事委員会」に替わって「人事院」を設置することに改められた（同法公布の日（昭二三・一二・三）に施行）ので、結局人事委員会は設置されないまま、同法の施行日である昭和二三年一二月三日に臨時人事委員会が人事院となった。本条によれば人事院に関する規定は昭和二三年七月一日から施行・適用され、人事院も同日から発足したように読めるが、右に述べたような次第で昭和二三年一二月三日が人事院の創立の日である。

二　逐次適用の必要性

本条は、施行期日と適用期日とを分けて規定する一方、適用期日に関しては、全規定一斉に適用するのではなく、人事院及び服務に関する規定以外の規定は実行可能な限度において、逐次適用することができるように定めている。従来の官吏制度と異なり、職階制を基軸とし、職級ごとに定められた任用資格との関係において成績主義の任用を確立し、給与も職級を基礎とする職務給原則に基づいて支給するなどを内容とする公務員制度を運営していくためには、それ相当の準備が必要であった。また本法では、職階制や給与準則、更には退職年金制度、公務災害に対する補償制度は法律によって定めるべきことが求められており、本法をその公布と同時ないしは近接した時期に施行・適用することとすれば、現実問題としてこれらの法律の制定に時日を要し、本法との関係において問題も生じかねない。このような事情を踏まえて、本法は、その規定のうち、実行が可能となったものから順次適用していくことを認めたものと思われる。

もっとも、現実問題としての本法違反の状態の発生を回避するのみであれば、立法技術的には本法を逐次施行することとしておけば足りる。しかしながら、国会が制定した法律を公布のみ行って未施行の状態においておくことの妥当性や、本法の定める公務員制度を準備する人事院の作業の進捗具合に応じて本法を施行するとなると、本来国会自らが行うべき法律の施行の時期の判断を、行政機関たる人事院に委ねざるを得ないという点をも考慮して、本法を施行はするものの、現実の適用の可否は法律のみならず人事院規則等にも委ねるという方法が採られたのではないかと考えられる。

本条の委任に基づき、本法のそれぞれの規定の適用を定める人事院規則一―三（法の規定の適用）が制定され、同規則は実体規定上は、本法の規定のうち適用されているものを明らかにするという確認的な性格として位置付けられた（人規一―三　1）。以上のような逐次適用は昭和二七年六月一日には終了した。

〔臨時人事委員会〕

旧第二条　内閣総理大臣の所轄の下に、臨時人事委員会を置く。

② 臨時人事委員会は、この法律の施行に必要な範囲内において、官職、在職状況その他人事行政一般に関する調査その他の準備の事務を掌る権限を有する。

③　臨時人事委員会は、昭和二十三年七月一日から人事院の設置に至るまで、この法律に定める人事院の職権を行う。この場合において、この法律中「人事院」とあるのは「臨時人事委員会」、「人事官」とあるのは「臨時人事委員」と読み替えるものとする。

④　臨時人事委員会は委員長及び委員二人を以て、これを組織する。

⑤　人事院設置の際現に在職する委員長及び委員は、この法律により人事官の任命があるまでは、人事官の地位に在るものとみなし、その間は、委員長は、人事院総裁の職務を行うものとする。委員長及び委員は、人事官が任命されたときは、退職するものとし、その場合においては、委員長は、遅滞なくその事務を人事院総裁に引き継がなければならない。人事官の任命は、人事院設置後五日以内に、これを行わなければならない。

⑥　第五条第一項乃至第四項及び第十一条第二項の規定は、委員長及び委員について、これを準用する。

⑦　臨時人事委員会に事務局を置く。

⑧　事務局に事務局長一人及び政令で定める所要の職員を置く。

⑨　臨時人事委員会の職員は、人事院が設置されたときは、六月の間人事院の職員として条件附で任用されたものとし、その期間を良好に終了したときは、この法律に基く試験又は選考に合格し、且つ、この法律に基く手続によってその官職を保持するものとみなされ、正式に任命されたものとする。本項のいかなる規定も、人事院の職員に対し、附則第九条の規定の適用を免除するものではない。

⑩　臨時人事委員会の権限を実施するため必要な事項は、昭和二十三年六月三十日までは政令で、その後は法律又は人事院規則で、これを定める。

〔人事官の任期の経過措置〕

旧第四条　最初に任命される人事官の中二人の任期は、第七条第一項本文の規定にかかわらず、一人は五年、他の一人は三年とする。この場合において、いづれの人事官の任期を、いづれとするかは、内閣が、これを決定する。

〔総裁の職務代行〕

旧第五条　人事院総裁以外の人事官が、ともに最初に任命された人事官である場合において、第十一条第三項の規定を適用するについては、同項中「先任の人事官」とあるのは、「任期の長い人事官」と読み替えるものとする。

〔従前の規定による懲戒免官〕

旧第六条　第三十八条第三号にいう懲戒免職の処分には、従前の規定による懲戒免官を含むものとする。

〔従前の規定による休職・懲戒の取扱〕

旧第七条　従前の規定により休職を命ぜられた者又は懲戒手続中の者若しくは懲戒処分を受けた者の休職又は懲戒に関しては、なお従前の例による。

〔懲戒に関する規定の遡及〕

旧第八条　第八十二条第二号又は第三号の規定は、同条の規定適用前の行為についても、また、これを適用する。

〔指定官職在職者の臨時的任用〕

旧第九条　人事院の指定する日において、事務次官、局長、次長、課長及び課長補佐その他これらに準ずる官職で人事院の指定するものに在任するものは、人事院規則の定めるところにより、その官職に臨時的に任用されたものとみなす。この臨時的任用は、昭和二十三年七月一日から三年をこえることができず、且つ、その期限前においても人事院規則又は人事院指令により、終了させることができる。人事院は、随時それらの官職に準ずる官職を追加して指定し、本条の規定を適用しなければならない。人事院は、公務の適切な運営のため、いかなる官職に在任する職員に対しても、適宜試験を実施し、これを転退職させることができる。

② 人事院は、昭和二十三年七月一日から二年以内に、前項に規定する官職について、この法律に基き必要な試験を実施しなければならない。

〔趣　旨〕

旧第九条及び次の旧第一〇条の規定は、本法施行のときに既に国家機関で勤務していた者は、旧官吏制度下において官吏、雇員、傭人等として任用又は雇用されたものであることから、本法の目的である旧官吏制度を打破し、能力の実証に基づく成績主義に立脚した新公務員制度を建設するという見地から見る場合に、このような目的を理解し、かつ、その占める官職の職務を遂行する能力を有するかについて、必ずしも妥当な検証を受けていないという基本的認識に立つものであった。

本条はこのような国家公務員のうち、各省事務次官、局長、課長等の官職にあるものは、行政上の権限も大きく、行政の運営に与える影響も大きいと思われるので、その検証を厳格に行うために、試験を受けさせた上でこれらのものに公務員としての恒常的地位を与えるものとし、その検証が済むまでの間は、臨時的任用の地位にとどまらしめようとする規定であった。旧官吏制度を廃し、新たな能力実証に基づく公務員制度を確立するというこの試験の趣旨は、合目的なものであったが、結果として、現に在職していた幹部職員などからは試験の実施に対する反対意見が出され、試験の内容面でも幹部職員の能力検証にふさわしいものなのか疑問が呈されるなど人事院に対する大きな批判・不満が残ることとなった。なお、国立大学、国立病院、各種の研究・試験機関、諮問的委員会等の、行政的能力よりも特殊の専門的、技能的な能力を必要とされる官職は、この試験の対象とはされなかった。

〔解　釈〕

一　指定官職への任用

人事院は、本条を実施するため、昭和二四年一一月一二日、人事院規則七―四（本法附則第九条の試験）、人事院規則八―一〇（本法附則第九条の臨時的任用）などの各人事院規則を制定・施行するとともに、人事院指令第一八号を発出し、各省の事務次官、局長、課長等の官職及びこれに準ずる地方支分部局の官職計二、六二一を試験の対象となる官職として指定した。人事院指令により指定された官職に任用されている者は、その任用が人事院規則八―一一に定める手続に従って行われたものでない限り、臨時的任用であるものとみなされた。人規八―一一は指定官職への任用は本条の試験の結果に基づき作成された任用候補者名簿に記載された者の中から行うべき旨を定めていた。

人事院は、これに基づき本条の試験の結果に基づく任用候補者名簿に記載されている者を順次指定官職に任用させることにより、同条の臨時的任用を終了させていった。なお、本条では各省の課長補佐も指定するものとして例示されているが、実際には各省設置法等における設置根拠等が明確でないものもあり、指定されなかった。

二　旧第九条の試験

本条の試験はS―1試験（SUPERVISOR　第一回）と呼ばれ、指定官職を、次官・長官級、局長級、局次長・部長級及び課長等の四段階並びに一般行政、総務、人事、税務、陸運、警察等の六〇種類に分類し、平等・公開の原則に従って、広く国民一般にも人材を求める趣旨で公開競争試験として実施されることになり、昭和二五年一月一五日に筆記試験が実施された（やむを得ない事由により受験できなかった者を対象に後日追試験が実施された。）。同年五月三一日付けで、外部からも含め最終合格者延べ八、四八九名が任用候補者名簿に登録された。

その後、指定官職の在任者もほぼ正式に任用された者となり、本条の目的も概ね達成されたと考えられたことから、本条の試験に基づく任用候補者名簿は昭和二六年一月二六日限りで効力を失った。

本条の試験は一回しか実施されなかったので、その後は人事院規制八―一一に基づき人事院の審査と承認を経て指定官職への任用を行うこととなり、昭和二七年六月一日以降は先に述べたように新任用制度を具体的に定める人事院規則八―一二（職員の任免）が施行され、本法の本則の規定に基づいて任用が行われることとなった。

〔指定官職以外の官職在任者に対する資格付与〕

旧第十条　前条第一項の規定により指定される官職以外の官職に在任する職員は、人事院の指定する日において、その在任する官職に対し、この法律に基く手続によつて、資格を与えられたものとみなし、すべてこれに人事院規則を適用する。

国家公務員法の一部を改正する法律（昭二三・一二・三　法律第二二二号）

（第一次改正法律附則）

〔施行期日〕

第一条　この法律は、公布の日から、施行する。但し、改正後の国家公務員法第十三条第三項から第五項までの規定は、昭和二十四年度以後の会計年度について適用し、この附則第六条の規定及びこの附則第七条中船員職業安定法（昭和二十三年法律第百三十号）第十条の改正規定は、別に人事院規則で定める日から適用する。

〔公選による公職に在る者の措置〕

第二条　人事院規則で定めた場合を除き、国家公務員法第百二条第二項の改正規定施行の際、職員で現に公選による公職に在る者は、昭和二十四年六月三十日までにその公職を退いて辞表の写及びその辞表が受理され、且つ、その効力を生じたことを公に証明する書面を人事院に送付しない限り、その日においてその官職を失うものとする。

〔労働基準法・船員法の準用〕

第三条　一般職に属する職員に関しては、別に法律が制定実施されるまでの間、国家公務員法の精神にてい触せず、且つ、同法に基く法律又は人事院規則で定められた事項に矛盾しない範囲内において、労働基準法及び船員法並びにこれらに基く命令の規定を準用する。但し、労働基準監督機関の職権に関する規定は、一般職に属する職員の勤務条件に関しては、準用しない。

2　前項の場合において必要な事項は、人事院規則で定める。

〔趣　旨〕

一　第一次改正法律の経緯

昭和二三年法律第二二二号による本法の改正（第一次改正）は、既に述べたとおり、人事行政の公正確保を強化するとともに、労働基本権を制約し、その代償措置の整備を行うため人事委員会に代え人事院を設置し、その権限を強化することが主たる内容である。すなわち、昭和二一年制定の旧労組法では「警察官吏、消防職員及監獄ニ於テ勤務スル者ハ労働組合ヲ結成シ又ハ労働組合ニ加入スルコトヲ得ズ　前項ニ規定スルモノノ外官吏、待遇官吏及公吏其ノ他国又ハ公共団体ニ使用セラルル者ニ関シテハ本法ノ適用ニ付命令ヲ以テ別段ノ定ヲ為スコトヲ得但シ労働組合ノ結成及之ニ加入スルコトノ禁止又ハ制限ニ付テハ此ノ限ニ在ラズ」と定められており（旧労組法四）、この「別段ノ定」はなされていなかったから、公務員の労働組合の結成加入は警察職員、消防職員、監獄職員を除いて労組法の認めるところであったし、労働協約締結権も認められていた。さらに、労調法も当初「警察官吏、消防職員、監獄において勤務する者その他国又は公共団体の現業以外の行政又は司法の事務に従事する官吏その他の者は、争議行為をなすことはできない。」こととしており（旧労調法三八）、国等の現業職員は争議行為をなすことも認められていた。

このような法制の下で、公務員労働組合は労働運動の中心的な地位を占め、昭和二二年の二・一ストを契機に、翌年の三月闘争、七月闘争へと労働運動は激化していった（昭和二二年一〇月に制定された本法も先に述べた労働法制を変更するものではなかった。）。昭和二三年の七月闘争では政府との賃金改定に関する労使交渉が決裂した後、労働側は中央労働委員会に提訴し、労調法所定の冷却期間満了後、スト突入は必至の状況になっていたが、同年七月二二日に至り、マッカーサー連合国軍最高司令官の芦田内閣総理大臣宛の書簡が発せられ、その中で政府職員の労働基本権の制限を命じるとともに、現に中央労働委員会に係属中の提訴案件は手続を中止し、以後人事委員会に公務員の保護の責めを負わせることとすることを求めた。この書簡を受けて、政府はとり敢えずの措置として「昭和二十三年七月二十二日附内閣総理大臣宛連合国最高司令官書簡に基く臨時措置に関する政令（昭二三政令二〇一）」を制定し、前記の書簡で求められた事項を実現するとともに、本法改正等の作業に着手したのである。

第一次改正の内容は、特別職の範囲の縮小、人事院の設置と権限の強化、争議行為の禁止、政治的行為の制限の強化等を内容とする服務規律の強化、労働協約締結権の否定と労働三法の適用の排除等であり、その規模は改正前の条文一二五箇条（附則一四箇条を含む。）のうち、手の入らなかったものは一六箇条のみであり、一方追加された条文は一四箇条（附則一二箇条を含む。）という大規模なものであった。

二　労働基準法等の準用

本条の趣旨は以下のとおりである。本法附則第六条の説明で述べたとおり、本法の第一次改正により、国家公務員に対しては一般の労働関係法規は適用されないこととなった（法附則六〔趣旨〕〔解釈〕参照）のであるが、その結果、従来労基法により最低限の労働条件の保障を受けつつ、労働協約において具体的な労働条件を定めることとされてきた国家公務員にとっては、実体的な労働条件の内容を定める法律は、当時は給与に関する事項を定める「政府職員の新給与実施に関する法律（昭二三法四六）」のほかには見るべきものがなく、最低限の労働条件の保障も受けない状態に置かれることとなったのである。そこで、本法とは別に国家公務員の勤務条件を定める法律を制定することとし、その新法が制定施行されるまでの間、本法の精神に抵触せず、また、本法の体系下に制定された法律、人事院規則に矛盾しない限度において、労基法、船員法等の法令の規定を準用することとしたのが本条の趣旨である。ただし、国家公務員の受ける給与及び公務災害に対する給付については、国家公務員に対しても労基法等が適用されていた昭和二二年一二月に「労働基準法等の施行に伴う政府職員に係る給与の応急措置に関する法律（昭二二法一六七）」が制定施行され、政府職員に対する給与その他の給付で労基法等に定める労働条件に相当するものの額が、労基法等に定める基準に達しないときは、その基準に達するまで増額支給することとされていたので、労基法等が適用されなくなった後も、実質的に労基法等の基準による労働条件の保障を受けていたことになる。しかし、その後、逐次給与、災害補償等に関する法制が整備されたことにより、労働基準法等の施行に伴う政府職員に係る給与の応急措置に関する法律はその役割を終えた。また、職員の年次休暇等については、第一〇六条〔趣旨〕二3、〔解釈〕五1で述べたとおり、本法第一次改正以降も官吏任免法に基づく従前の例による状態が昭和六〇年に給与法上、休暇制度が整備されるまで続いた。

なお、国家公務員の勤務条件については、給与に関しては一般職の職員の給与に関する法律（昭二五法九五）が、災害補償に関しては国家公務員災害補償法（昭二六法一九一）が、勤務時間、休暇等に関しては一般職の職員の勤務時間、休暇等に関する法律（平六法三三）が、また、労働安全衛生に関するものとしては、人事院規則一〇―四（職員の保健及び安全保持）その他の人事院規則が制定実施されてきた。このほかにも多数の法律、人事院規則により国家公務員の勤務条件が定められている。

なお、本条第二項の人事院規則は制定されなかった。

〔解　釈〕

準用の内容

労基法、船員法等のうち、具体的にどの範囲の規定が準用されるかについては、具体的に準用される規定を明らかにしたものがないので、明確ではないが、現在においても、船員法に規定する船員に該当する職員に船長の命令により人命救助等を行う義務を課す船員法の規定は、準用される部分に含まれていると理解されており、勤務時間法第一二条の規定はそのことを前提にしたものである（勤務時間休暇制度研究会編「新版逐条一般職勤務時間法」一六八・一六九頁参照）。

〔職員を主たる構成員とする労働組合又は団体の存続〕

第四条　職員を主たる構成員とする労働組合又は団体で、国家公務員法附則第十六条の規定が適用される日において、現に存するものは、引き続き存続することができる。これらの団体は、すべて役員の選挙及び業務執行について民主的手続を定め、その他その組織、目的及び手続において、この法律の規定に従わなければならない。これらの団体は、人事院の定める手続により、人事院に登録しなければならない。

2　前項の組合又は団体に関して必要な事項は、法律又は人事院規則で定める。

〔従前の罰則の適用〕

第五条　国家公務員法附則第六条の規定の施行前にした同条に規定する法令の規定に違反する行為に対する罰則の適用については、同条の規定にかかわらず、なお従前の例による。

第六条・第七条　（省略）

〔昭和二三年政令第二〇一号の失効〕

第八条　昭和二十三年七月二十二日附内閣総理大臣宛連合国最高司令官書簡に基く臨時措置に関する政令（昭和二十三年政令第二百一号）は、国家公務員に関して、その効力を失う。

2　前項の政令がその効力を失う前になした同令第二条第一項の規定に違反する行為に関する罰則の適用については、なお従前の例による。

〔趣旨・解釈〕

政令第二〇一号の失効

附則第八条は政令第二〇一号の失効について定めているが、もともと本法のこの第一次改正は、昭和二三年七月二二日付けの芦田内閣総理大臣宛てのマッカーサー連合国最高司令官書簡に基づき、ポツダム命令の形で実施されていた公務員の労働基本権の否認等の措置を、国会の定める法律によって追認するという性格をもって行われたものであり、いわゆる政令第二〇一号は本法施行と同時に廃止されるべきものであった。しかしながら、当時、地公法の制定が急がれてはいたものの、なお時日を要する状況にあったなどの事情を踏まえ、取りあえず国家公務員に関してのみ、その効力を失うとしたものである。その後、地公法が制定施行され、政令第二〇一号は一般職の地方公務員に関しても失効したが、これが一般の公務員について全面的に失効するのは、更に地公法及び地公労法が施行され、地方公営企業の職員の労働基本権の制限が法律によって定められた後の昭和二七年一〇月二五日のことであった。

本条の規定に基づく政令第二〇一号の失効は、一般職の国家公務員についてのみ生じたものではなく、特別職を含む全ての国家公務員についても生じたものであり、本条の規定は本法第二条第五項の「別段の定」に該当するものである（昭二四・三・二四法審回発二三四三）。

〔読替〕

第九条　この法律施行の際、他の法令中「人事委員会」、「人事委員長」、「人事委員」及び「人事委員会規則」とあるのは、それぞれ「人事院」、「人事院総裁」、「人事官」及び「人事院規則」と読み替えるものとする。

〔人事委員会職員の身分〕

第十条　人事院設置の際、現に臨時人事委員会の職員である者は、別に辞令を発せられない限り、そのまま人事院の各相当の職員となるものとする。人事院の事務総長の職は、臨時人事委員会の事務局長の職に相当するものとする。

〔国会及び裁判所職員の取扱〕

第十一条　国会及び裁判所の職員は、昭和二十六年十二月三十一日までこの法律の定める一般職に属する職員とする。

〔法令の廃止〕

第十二条　官吏懲戒令（明治三十二年勅令第六十三号）、高等試験委員及び普通試験委員官制（大正七年勅令第九号）、高等試験令（昭和四年勅令第十五号）、一級官吏銓衡委員会官制（昭和十六年勅令第四号）、昭和二十年勅令第七十七号（二級事務官吏の任用資格の特例に関する件）、二級事務官吏銓衡委員会官制（昭和二十年勅令第七十八号）及び高等試験委員及び普通試験委員臨時措置法（昭和二十三年法律第五十三号）並びにこれらに基く命令は、この法律施行の日から廃止する。但し、高等試験令は、裁判所法（昭和二十二年法律第五十九号）、第六十六条及び弁護士法（昭和八年法律第五十三号）第三条の試験に関する限り、又、高等試験委員会は、その第三部に関する限り、昭和二十三年十二月三十一日までは、従前の法律に定めた条件の下に存続するものとする。

2　この法律施行の際、現に前項に規定する法令によつて設置された委員会の事務にもつぱら従事している職員は、その日において、辞令を用いることなく、その職を免ぜられるものとする。

国家公務員法の一部を改正する法律（昭二三・一二・二一　法律第二五八号）

第二次改正法律附則

この法律は、公布の日から施行する。

特別職の追加（連合国軍労務者等）、人事官の任命につき参議院の同意が得られない場合に衆議院のみの同意をもって両議院の同意とする旨の規定（第五条第二項）の削除等が行われた。

国家公務員法の一部を改正する法律（昭二四・五・三一　法律第一二五号）

第四次改正法律附則

この法律は、昭和二十四年六月一日から施行する。

内閣法の改正により「内閣官房次長」が「内閣官房副長官」に改められたこと及び宮内府法の改正により「宮内府」が「宮内庁」に改められたことに伴い第二条第三項について規定の整理を行うことなどを内容とする改正が行われた。

裁判所法等の一部を改正する法律（昭二六・三・三〇　法律第五九号）

（省　略）

第一次改正法律附則第一一条において昭和二六年一二月三一日まで一般職とすることとされていた裁判所職員を昭和二七年一月一日以降特別職とするための本法第二条第三項の改正が行われた。

国家公務員法等の一部を改正する法律（昭二六・一二・一二　法律第三一四号）

（省　略）

第一次改正法律附則第一一条において昭和二六年一二月三一日まで一般職とすることとされていた国会職員を昭和二七年一月一日以降特別職とするための本法第二条第三項の改正が行われた。

外務公務員法（昭二七・三・三一　法律第四一号）

（省　略）

外務公務員法の制定に伴い、特別職の外務省職員の範囲を従来の「大使及び公使」から「大使及び公使、政府代表及び全権委員並びに政府代表又は全権委員の代理、顧問及び随員」に改めた。

ユネスコ活動に関する法律（昭二七・六・二一　法律第二〇七号）

（省　略）

日本ユネスコ国内委員会の設置に伴い、同委員会の委員を特別職とするための第二条第三項の改正が行われた。

法制局設置法（昭二七・七・三一　法律第二五二号）

（省　略）

法制局の設置に伴い法制局長官を特別職として掲げるとともに、最終的に設置されるに至らなかった参政官を削除するための本法第二条第三項の改正が行われた。

防衛庁設置法（昭二九・六・九　法律第一六四号）

（省　略）

保安庁の防衛庁への改組に伴い、防衛庁の職員を特別職とするための第二条第三項の改正が行われた。

外務公務員法の一部を改正する法律（昭三一・三・一七　法律第一二号）

（省　略）

外務公務員法の一部改正により特派大使の職が設置されること、「大使」、「公使」がそれぞれ「特命全権大使」、「特命全権公使」に改められることに伴う本法第二条第三項の規定の整備が行われた。

日本学士院法（昭三一・三・二四　法律第二七号）

（省　略）

日本学士院法の制定により日本学士院が日本学術会議から独立して設置されることとなったが、これに伴い日本学士院会員を特別職とするための本法第二条第三項の改正が行われた。

宮内庁法の一部を改正する法律（昭三一・六・二六　法律第一六一号）

（省　略）

宮内庁法の一部改正により、従来政令等に根拠を有していた東宮大夫、式部官長及び侍従次長の職が法律職とされたことに伴い、これらの職を特別職として本法第二条第三項に明記する改正が行われた。

特別職の職員の給与に関する法律等の一部を改正する法律（昭三三・四・二五　法律第八六号）

（省　略）

特別職の職員の給与に関する法律の一部改正により従来同一であった人事院総裁の給与と人事官の給与に差を設けることとしたことに伴い、本法第一〇条についても規定の整備が行われた。

最低賃金法（昭三四・四・一五　法律第一三七号）

（省　略）

最低賃金法の制定に伴い、一般職の職員について、同法及び同法に基づく命令の適用を除外するための本法附則第一六条（現行の附則第六条）の改正が行われた。

国家公務員共済組合法等の一部を改正する法律（昭三四・五・一五　法律第一六三号）

（省　略）

国家公務員共済組合法の一部改正により、全ての常勤の国家公務員に同法が適用されることとなったことに伴い、本法上も「恩給制度」を「退職年金制度」に改めるなど、所要の規定の整備が行われた。

じん肺法（昭三五・三・三一　法律第三〇号）

（省　略）

じん肺法の制定に伴い、一般職の職員について、同法及び同法に基づく命令の適用を除外するための本法附則第一六条（現行の附則第六条）の改正が行われた。

総理府設置法等の一部を改正する法律（昭三七・四・一六　法律第七七号）

（省　略）

法制局設置法の一部改正により「法制局（長官）」が「内閣法制局（長官）」に改められることに伴い、本法第二条第三項の規定の整理が行われた。

行政事件訴訟法の施行に伴う関係法律の整理等に関する法律（昭三七・五・一六　法律第一四〇号）

（省　略）

行訴法は、昭和二三年制定の行政事件訴訟特例法に代わる行政事件訴訟についての一般法及び基本法として制定されたものであり、行政事件訴訟特例法が採っていた行政訴訟の提起について訴願し得るときは必ず訴願を経た後に行うべきこととする訴願前置主義を廃止し、原則として、処分の取消しの訴えは、その処分について法令の規定により審査請求をすることができる場合においても、直ちにこれを提起することを妨げないこととした。

しかし、本法においては、不利益処分については、訴訟に先立って、人事行政の専門的機関である人事院による審査を行うことが、公正な判断を確保し、職員の身分保障を図る上からも、また、争訟そのものの迅速な解決のためにも適当であることから、審査請求前置主義を採ることとし、人事院に審査請求ができる処分の取消しの訴えは、人事院の判定がなされた後でなければ裁判所に訴えを提起できないとする規定が新設された（法九二の二）（施行は、行服法の施行と同じ、昭三七・一〇・一）。なお、「審査請求があつた日から三箇月を経過しても裁決がないとき」には裁決を経ずに処分取消しの訴えを提起できるとされている（行訴法八2①）。

（省　略）

行政不服審査法の施行に伴う関係法律の整理等に関する法律（昭三七・九・一五　法律第一六一号）

行服法は、明治二三年制定の訴願法に代わり、行政庁に対する不服申立てに関する制度の根本を定める法律として制定されたものであり、この行服法の制定に伴い、不利益処分に関する審査制度も行服法上の不服申立制度の一環と位置付けられることとなり、本法の一部が改正された（施行は、昭三七・一〇・一）。その概要は次のとおりである。

① 行服法による不服申立てについての教示の規定が新たに設けられた（法八九3）。

② 従前からの本法第八九条第一項に規定する不利益処分だけを不服申立制度の対象とすることとし、同項に規定する処分を受けた職員は、人事院に対してのみ行服法による不服申立て（審査請求又は異議申立て）をすることができることとされた（法九〇1）。また、不利益処分及び法律に特別の定めのある処分を除くほか、職員に対する処分及び職員がした申請に対する不作為については、行服法による不服申立てをすることができないとされた（法九〇2）。

不利益処分の審査については、従来どおり行服法に定める手続よりも慎重な手続で行うこととするため、行服法の手続に関する規定の適用を排除した（法九〇3）。

③ 従前の規定で処分説明書受領後三〇日以内と定められていた審査請求期間を、行服法の規定と一致するように処分説明書受領後六〇日以内とするとともに、従来、必ずしも明らかでなかった処分説明書の交付がない場合の審査請求期間について、処分のあった日の翌日から起算して一年を経過したときは、不服申立てができないことが明確にされた（法九〇の二）。

このほか、給与法及び補償法の改正も行われ、違法な給与の決定、災害補償に関する不服等については、従来同様、行服法による不服申立てとは別の審査の申立てによることとされた。

なお、行政不服審査法の施行に伴う関係法律の整理等に関する法律は、行政事件訴訟法の施行に伴う関係法律の整理等に関する法律（昭三七法一四〇）より後に成立しているが、両者に同一の法律についての改正規定がある場合においては、行政不服審査法の施行に伴う関係法律の整理等に関する法律によってまず改正され、次いで行政事件訴訟法の施行に伴う関係法律の整理等に関する法律によって改正されるものとするとされた。なお、前述のとおり、後者により、本法第九二条の二の規定を新設する改正がなされている。

国家公務員法の一部を改正する法律（昭四〇・五・一八　法律第六九号）

附　則

（施行期日）

第一条　この法律は、公布の日から起算して九十日をこえない範囲内で政令で定める日から施行する。ただし、目次の改正規定（「第八節　退職年金制度」を「第八節　退職年金制度　第九節　職員団体」に改める部分に限る。）、第十二条第六項の改正規定（同項第二号及び第十三号を改める部分を除く。）、第九十八条の改正規定、第百一条の改正規定（同条第三項を削る部分に限る。）、第三章中第八節の次に一節を加える改正規定、第百十条第一項の改正規定（同項第二号を改める部分を除く。）及び第百十一条の改正規定（「第十六号」を「第十五号」に改める部分に限る。）並びに次条（第六項から第九項までを除く。）、附則第六条、附則第九条、附則第十二条（第四十条第一項第一号中「第三項から第五項まで」を「第二項から第四項まで」に改める部分を除く。）、附則第十八条から附則第二十条まで、附則第二十三条、附則第二十七条及び附則第二十八条の規定は、政令で定める日から施行する。

（経過規定）

第二条　この法律の施行（前条ただし書の規定による施行をいう。以下この項、次項、第四項及び第五項において同じ。）の際現に存する改正前の国家公務員法（以下「旧法」という。）の規定に基づく登録をされた職員団体は、この法律の施行の日から起算して一年以内に、改正後の国家公務員法（以下「新法」という。）第百八条の三の規定による登録の申請をすることができる。この場合において、人事院は、申請を受理した日から起算して三十日以内に、新法第百八条の三の規定による登録をした旨又はしない旨の通知をしなければならない。

2　この法律の施行の際現に存する旧法の規定に基づく登録をされた職員団体で、前項の規定による登録の申請をしないものの取扱いについては、この法律の施行の日から起算して一年を経過するまでの間、同項の規定による登録の申請をしたものの取扱いについては、同項の規定による登録をした旨又はしない旨の通知を受けるまでの間は、なお従前の例による。ただし、新法第百八条の五の規定の適用があるものとする。

3　旧法の規定に基づく法人たる職員団体で第一項の規定により登録をした旨の通知を受けたもののうち、その通知を受ける前に新法の規定に基づく法人となる旨を人事院に申し出たものは、その通知を受けた時に新法の規定に基づく法人となり、同一性をもつて存続するものとする。

4　前項の規定により新法の規定に基づく法人たる職員団体として存続するものを除き、旧法の規定に基づく法人たる職員団体でこの法律の施行の際現に存するものは、第一項の規定による登録の申請をしなかつたものにあつては、この法律の施行の日から起算して一年を経過した日において、同項の規定による登録の申請をしたものにあつては、同項の規定による登録をした旨又はしない旨の通知を受けた時において、それぞれ解散するものとし、その解散及び清算については、なお従前の例による。

5　この法律の施行の日から起算して二年間は、新法第百八条の六第一項の規定を適用せず、職員は、なお従前の例により、登録された職員団体の役員として当該職員団体の業務にもつぱら従事することができる。

6　この法律の施行（前条ただし書の規定による施行を含む。）前にした行為に対する罰則の規定の適用については、なお従前の例による。

7　この法律の施行の際現に効力を有する人事院規則の規定でこの法律の施行後は政令をもつて規定すべき事項を規定するものは、この法律の施行の日から起算して九月間は、政令としての効力を有するものとする。

8　この法律の施行前に法令の規定に基づいて人事院若しくは大蔵大臣がした決定、処分その他の行為又は人事院若しくは大蔵大臣に対してした請求その他の行為で、この法律の施行後は内閣総理大臣がすべき決定、処分その他の行為又は内閣総理大臣に対してすべき請求その他の行為に該当するものは、この法律の施行後における法令の相当規定に基づいて内閣総理大臣がした決定、処分その他の行為又は内閣総理大臣に対してした請求その他の行為とみなす。

9　この附則に定めるもののほか、この法律の施行に関し必要な経過措置は、人事院規則（人事院の所掌する事項以外の事項については、政令）で定める。

第三条　（省　略）

（総理府設置法の一部改正）

第四条　総理府設置法（昭和二十四年法律第百二十七号）の一部を次のように改正する。

第三条中第四号を第五号とし、第三号を第四号とし、第二号を第三号とし、第一号の次に次の一号を加える。

二　人事行政に関する事務

第四条中第十九号を第二十号とし、第十六号から第十八号までを一号ずつ繰り下げ、第十五号の次に次の一号を加える。

十六　各行政機関が行なう国家公務員等の人事管理に関する方針、計画等に関し、その統一保持上必要な総合調整を行なうこと。

…………（中　略）…………

第六条の二の次に次の一条を加える。

（人事局の事務）

第六条の三　人事局においては、次に掲げる事務をつかさどる。

一　国家公務員に関する制度に関し調査し、研究し、及び企画すること。

二　国家公務員等の人事管理に関する各行政機関の方針、計画等の総合調整に関すること。

三　一般職の国家公務員の能率、厚生、服務その他の人事行政（人事院の所掌に属するものを除く。）に関すること。
四　国家公務員等の退職手当に関すること。
五　特別職の国家公務員の給与制度に関すること。
六　前各号に掲げるもののほか、国家公務員等の人事行政に関する事務（他の行政機関の所掌に属するものを除く。）に関すること。

第十四条の二の次に次の一条を加える。

（公務員制度審議会）

第十四条の三　本府に、公務員制度審議会（以下この条において「審議会」という。）を置く。

2　審議会は、内閣総理大臣の諮問に応じて、国家公務員、地方公務員及び公共企業体の職員の労働関係の基本に関する事項について調査審議し、及びこれらの事項に関して内閣総理大臣に建議する。

3　審議会は、学識経験のある者、国、地方公共団体及び公共企業体を代表する者並びに国、地方公共団体及び公共企業体の職員を代表する者のうちから、内閣総理大臣が任命する二十人以内の委員で組織する。

4　前二項に定めるもののほか、審議会に関して必要な事項は、政令で定める。

…………（後　略）…………

第五条から第二十九条まで　（省　略）

昭和四〇年の本法の改正は、ＩＬＯ第八七号条約の批准に伴う国内法の整備として行われたもので、その中心は内閣総理大臣を中央人事行政機関として位置付けたこと及び職員団体制度の法律レベルの規定を整備したことであった。このうち、中央人事行政機関に関する改正は直ちに施行されたが、職員団体制度の改正については国会審議の経緯から新たに公務員制度審議会を設けてその議を経た後に施行されることとされた。これらの改正等に関する詳細については、冒頭の**概説三5**、第一八条の二、第一〇八条の二等の解説で述べているとおりであるので、その部分を参照されたい。

この附則は、改正規定の施行期日、中央人事行政機関たる内閣総理大臣の事務部局（総理府人事局）の設置、公務員制度審議会の設置、所要の経過措置、関連する法律の形式的改正を定めたものである。なお、中央人事行政機関に関する改正部分は昭和四〇年五月一九日、公務員制度審議会の設置に関する改正部分は昭和四〇年七月三日、在籍専従制度以外の職員団体制度の整備に関する改正部分は昭和四一年六月一四日、在籍専従制度に関する改正部分は昭和四一年一二月一四日から、それぞれ施行された。

内閣法の一部を改正する法律（昭四一・六・二八　法律第八九号）

（省　略）

内閣法の改正により内閣官房長官は国務大臣をもって充てられることとなったことに伴い、本法第二条第三項から同長官を削除する改正が行われた。

船員災害防止協会等に関する法律（昭四二・七・一五　法律第六一号）

（省　略）

船員災害防止協会等に関する法律の制定に伴い、一般職の職員について、同法及び同法に基づく命令の適用を除外するための本法附則第一六条（現行の附則第六条）の改正が行われた。

国家公務員法等の一部を改正する法律（昭四六・一二・一一　法律第一一七号）

附　則

この法律は、公布の日から施行する。

昭和四六年一〇月一一日の第三次公務員制度審議会の答申に基づき、在籍専従期間の限度を三年から五年に改めた。

（省　略）

労働安全衛生法（昭四七・六・八　法律第五七号）

従来、労基法中に規定されていた労働安全衛生に関する事項が労安法として独立したことに伴い、一般職の職員について、同法及び同法に基づく命令の適用を除外するための本法附則第一六条（現行の附則第六条）の改正が行われた。

防衛庁設置法及び自衛隊法の一部を改正する法律（昭四八・一〇・一六　法律第一一六号）

（省　略）

防衛庁設置法の改正により自衛隊離職者就職審査会が設置されたことに伴い、同審査会の委員を一般職とするための本法第二条第三項の改正が行われた。

国家公務員法及び地方公務員法の一部を改正する法律（昭五三・六・二一　法律第七九号）

附　則

1　この法律は、公布の日から施行する。
2　この法律の施行の日前になされた国家公務員法第百八条の三第六項（裁判所職員臨時措置法（昭和二十六年法律第二百九十九号）において準用する場合を含む。）又は地方公務員法第五十三条第六項の規定による登録の取消しの効力については、なお従前の例による。

昭和四八年九月に第三次公務員制度審議会が公務員の労働関係の基本に関する事項について答申を行ったが、同答申では、今後更に検討すべきもの（交渉不調の場合の調整、国家公務員法の刑罰規定及び消防職員の団結権）、運用上措置すべきもの（交渉の促進等）並びに法制度を整備すべきものについてそれぞれ意見を述べており、最後の法制度の整備については、全国的な職員の労働団体に法人格を付与すべきこと、管理職員等の範囲を規定上明確にすること、及び職員団体の登録の取消しは取消訴訟の出訴期間中又はその訴訟が裁判所に係属している間は効力を生じないものとすることを内容としていた。

全国的な労働団体に法人格を付与することについては、別途、職員団体等に対する法人格の付与に関する法律（昭五三法八〇）が制定された。同時に、それ以外の二点を実現するため、本法及び地公法の一部が改正され、本法においても管理職員等の範囲に関し第一〇八条の二第三項ただし書の規定が整備されるとともに、職員団体の登録の取消しについて第一〇八条の三に第七項（平五法八九により、第八項に繰下げ。）が追加された。

国家公務員法の一部を改正する法律（昭五六・六・一一　法律第七七号）

附　則

（施行期日）

第一条　この法律は、昭和六十年三月三十一日から施行する。ただし、次条の規定は、公布の日から施行する。

（実施のための準備）

第二条　この法律による改正後の国家公務員法（以下「新法」という。）の規定による職員の定年に関する制度の円滑な実施を確保するため、任命権者は、長期的な人事管理の計画的推進その他必要な準備を行うものとし、人事院及び内閣総理大臣は、それぞれの権限に応じ、任命権者の行う準備に関し必要な連絡、調整その他の措置を講ずるものとする。

（経過措置）

第三条　この法律の施行の日（以下「施行日」という。）の前日までに新法第八十一条の二第二項に規定する定年に達している職員（同条第三項に規定する職員を除く。）は、施行日に退職する。

第四条　新法第八十一条の三の規定は、前条の規定により職員が退職すべきこととなる場合について準用する。この場合において、新法第八十一条の三第一項中「同項」とあるのは「国家公務員法の一部を改正する法律（昭和五十六年法律第七十七号。以下「昭和五十六年法律第七十七号」という。）附則第三条」と、同条中「その職員に係る定年退職日」とあるのは「昭和五十六年法律第七十七号の施行の日」と読み替えるものとする。

第五条　新法第八十一条の四の規定は、附則第三条の規定により職員が退職した場合又は前条において準用する新法第八十一条の三の規定により職員が勤務した後退職した場合について準用する。この場合において、新法第八十一条の四第三項中「その者に係る定年退職日」とあるのは、「その者が年齢六十年（退職した時に第八十一条の二第二項各号に掲げる職員であつた者にあつては、当該各号に定める年齢）に達した日」と読み替えるものとする。

第六条から第八条まで　（省　略）

国家公務員制度に定年制度を導入するため、第八十一条の二から第八十一条の五までの規定が新たに加えられたことに伴い、この附則で施行期日、実施のための準備のほか、施行日前に既に定年に達している者は施行日に退職すること、また、そのような退職者に勤務延長及び再任用の規定を準用する経過措置等について所要の規定が設けられた。

船員災害防止協会等に関する法律の一部を改正する法律（昭五七・五・一　法律第四〇号）

（省　略）

船員災害防止協会等に関する法律（昭四二法六一）の題名が「船員災害防止活動の促進に関する法律」に改められたことに伴い、本法附則第一六条（現行の附則第六条）について字句の修正が行われた。

日本学術会議法の一部を改正する法律（昭五八・一一・二八　法律第六五号）

（省　略）

日本学術会議会員については、従来、本法第二条第三項第九号の「就任について選挙によることを必要」とする職員に該当して特別職とされていたが、日本学術会議法の一部を改正する法律により同会員の選任について選挙制が廃止されたため、同号には該当しないこととなった。しかしながら、引き続き同会員の職は特別職としておくのが適当であるため、本法第二条第三項に同会員の職を掲げることとした。

行政手続法の施行に伴う関係法律の整備に関する法律（平五・一一・一二　法律第八九号）

（省　略）

行政手続法の施行に伴い、職員団体の登録の取消しの事前手続として、従前の「口頭審理」に代えて行政手続法の「聴聞」を行うことを主な内容とする本法第一〇八条の三の改正が行われた。

内閣法等の一部を改正する法律（平八・六・二六　法律第一〇三号）

（省　略）

内閣法の一部改正により、内閣官房に内閣総理大臣補佐官を置くことができることとされた（平成二六年の内閣法の一部改正により、現在は「置く」とされている。）ことに伴い、その職を特別職とするための本法第二条第三項の改正が行われた。

国家公務員法の一部を改正する法律（平九・三・二六　法律第三号）

（省　略）

本法附則に、第一八条（現行の第七条）として、本法第一〇八条の六に定める在籍専従期間の上限を、当分の間、「七年以下の範囲内で人事院規則で定める期間」とする規定を追加する改正が行われた。

内閣法等の一部を改正する法律（平一〇・三・三一　法律第一三号）

（省　略）

内閣法の一部改正により、内閣官房に内閣危機管理監の職が設置されたことに伴い、その職を特別職とするための本法第二条第三項の改正が行われた。

国家公務員法等の一部を改正する法律（平一一・七・七　法律第八三号）

附　則

（施行期日）

第一条　この法律は、平成十三年四月一日から施行する。ただし、次の各号に掲げる規定は、当該各号に定める日から施行する。

一　次条の規定　公布の日

二　第一条中国家公務員法第八十二条の改正規定（同条第二項後段に係る部分を除く。）及び第八条中裁判所職員臨時措置法本則の改正規定（本則第一号に係る部分を除く。）並びに附則第六条第一項及び第八条の規定　公布の日から起算して三月を超えない範囲内において政令で定める日

（実施のための準備）

第二条　第一条の規定による改正後の国家公務員法（附則第四条から第六条までにおいて「新国家公務員法」という。）第八十一条の四及び第八十一条の五の規定の円滑な実施を確保するため、任命権者は、長期的な人事管理の計画的推進その他必要な準備を行うものとし、人事院及び内閣総理大臣は、それぞれの権限に応じ、任命権者の行う準備に関し必要な連絡、調整その他の措置を講ずるものとする。

（旧法再任用職員に関する経過措置）

第三条　この法律の施行の日（以下「施行日」という。）前に第一条の規定による改正前の国家公務員法第八十一条の四第一項の規定により採用され、同項の任期又は同条第二項の規定により更新された任期の末日が施行日以後である職員（次項において「旧法再任用職員」という。）に係る任用（任期の更新を除く。）及び退職手当については、なお従前の例による。

2　旧法再任用職員に対する第二条の規定による改正後の国家公務員の寒冷地手当に関する法律第一条及び第二条の二の規定、第三条の規定による改正後の一般職の職員の給与に関する法律第八条第十一項、第十九条の四第三項、第十九条の七第二項、第十九条の八第三項、第十九条の九第二項、第十九条の十第四項及び別表第一から別表第八までの規定並びに第四条の規定による改正後の一般職の職員の給与に関する法律等の一部を改正する法律附則第十五項の規定の適用については、旧法再任用職員は、国家公務員法第八十一条の四第一項の規定により採用された職員でないものとみなす。

（任期の末日に関する特例）

第四条　次の表の上欄に掲げる期間における新国家公務員法第八十一条の四第三項（新国家公務員法第八十一条の五第二項において準用する場合を含む。）の規定の適用については、新国家公務員法第八十一条の四第三項中「六十五年」とあるのは、同表の上欄に掲げる区分に応じそれぞれ同表の下欄に掲げる字句とする。

期間	字句
平成十三年四月一日から平成十六年三月三十一日まで	六十一年
平成十六年四月一日から平成十九年三月三十一日まで	六十二年
平成十九年四月一日から平成二十二年三月三十一日まで	六十三年
平成二十二年四月一日から平成二十五年三月三十一日まで	六十四年

（特定警察職員等に関する特例）

第五条　施行日から平成十九年三月三十一日までの間における新国家公務員法第八十一条の四第一項及び第八十一条

の五第一項の規定の適用については、新国家公務員法第八十一条の四第一項中「（以下「定年退職者等」という。）」とあるのは、「（警察庁の職員であつた者のうち地方公務員等共済組合法（昭和三十七年法律第百五十二号）附則第十八条の二第一項第一号に規定する特定警察職員等である者を除く。以下「定年退職者等」という。）」とする。

2　地方公務員等共済組合法（昭和三十七年法律第百五十二号）附則第十八条の二第一項第一号に規定する特定警察職員等である職員に対する次の表の上欄に掲げる期間における新国家公務員法第八十一条の五第二項において準用する場合を含む。）の規定の適用については、前条の規定にかかわらず、新国家公務員法第八十一条の四第三項（新国家公務員法第八十一条の四第三項中「六十五年」とあるのは、同表の上欄に掲げる区分に応じそれぞれ同表の下欄に掲げる字句とする。

平成十九年四月一日から平成二十二年三月三十一日まで	六十一年
平成二十二年四月一日から平成二十五年三月三十一日まで	六十二年
平成二十五年四月一日から平成二十八年三月三十一日まで	六十三年
平成二十八年四月一日から平成三十一年三月三十一日まで	六十四年

注　附則第五条第二項中「地方公務員等共済組合法（昭和三十七年法律第百五十二号）附則第十八条の二第一項第一号」とあるのは、被用者年金制度の一元化等を図るための厚生年金保険法等の一部を改正する法律（平二四法六三）により、平成二七年一〇月一日以降、「厚生年金保険法（昭和二十九年法律第百十五号）附則第七条の三第一項第四号」と改正された。

（懲戒処分に関する経過措置）

第六条　新国家公務員法第八十二条第二項前段の規定は、同項前段に規定する退職が附則第一条第二号の政令で定める日以後である職員について適用する。この場合において、同日前に同項前段に規定する先の退職がある職員については、当該先の退職の前の職員としての在職期間は、同項前段に規定する要請に応じた退職前の在職期間には含まれないものとする。

2　新国家公務員法第八十二条第二項後段の規定は、同項後段の定年退職者等となった日が施行日以後である職員について適用する。この場合において、附則第一条第二号の政令で定める日前に同項前段に規定する退職又は先の退職がある職員については、同日前のこれらの退職の前の職員としての在職期間は、同項後段の定年退職者等となった日までの引き続く職員としての在職期間には含まれないものとする。

平成一一年の本法の改正は、平成一〇年五月一三日及び九月二五日にそれぞれ行われた二つの人事院の国会及び内閣に対する意見の申出に基づいて、①新たな再任用制度を導入するとともに、②いわゆる辞職出向から復帰した職員について、当該辞職出向前の非違行為を理由として懲戒処分を行うことを可能とするための懲戒制度の整備をその内容として行われた。

この改正により導入された新たな再任用制度は、再任用制度の対象者について、定年退職者に加え、定年退職日以前に退職した者のうちこれに準ずるものとして人事院規則で定める者を追加するとともに、新たに短時間勤務の官職に再任用できるようにすることをその内容とするものであった。この再任用制度は、令和三年の本法改正による定年の六五歳への段階的な引上げに伴い廃止されることとなるが、定年の段階的な引上げ期間中における経過的な措置として、同様の内容である暫定再任用制度が設けられ、懲戒手続の上では、それらの在職期間は連続する在職期間として取り扱われる。一方、懲戒制度の整備については、任命権者の要請に応じ、特別職の国家公務員、地方公務員又は公庫等その業務が国の事務又は事業と密接な関連を有する法人に使用される者となるため退職し、引き続いて当該退職を前提として採用された職員が、当該退職前の職員としての在職期間中に懲戒事由に該当する行為を行っていたときは、これに対し懲戒処分を行うことができることとしたものである。詳細については、第八二条の解説を参照されたい。

この附則は、改正規定の施行期日実施のための準備及び所要の経過措置を定めたものである。

中央省庁等改革のための国の行政組織関係法律の整備等に関する法律（平一一・七・一六　法律第一〇二号）

（省　略）

平成一三年の中央省庁等改革により、内閣官房副長官補、内閣広報官及び内閣情報官並びに副大臣及び政務官の職が設置されたことに伴い、これらの職を特別職とするための本法第二条第三項の改正が行われたほか、内閣総理大臣秘書官及び国務大臣秘書官の定数が政令化されることを受け、内閣総理大臣秘書官及び国務大臣秘書官の人数を削除するとともに、特別職たる機関の長の秘書官を人事院規則で指定することとするための同項の改正が行われた。あわせて、内閣府の任命権者を内閣総理大臣とするとともに、「外局の長」ではなくなった宮内庁長官を任命権者として位置付けるための本法第五五条第一項の改正が行われた。

（省　略）

独立行政法人通則法の施行に伴う関係法律の整備に関する法律（平一一・七・一六　法律第一〇四号）

平成一三年の独立行政法人制度の導入に当たり、特定独立行政法人の役員を特別職とするための本法第二条第三項の改正が行われた。

（省　略）

国家公務員倫理法（平一一・八・一三　法律第一二九号）

国家公務員倫理法の施行に伴い、本法第三条第二項に規定する人事院の所掌事務に、職務に係る倫理の保持に関する事務を加えた上で、第三条の二を新設し、人事院に新たに国家公務員倫理審査会を置き、当該事務を所掌させることとされた。あわせて、第一七条第三項から第五項まで及び第一七条の二を新設し、人事院の調査に係る規定を整備した上で、人事院に職員の職務に係る倫理の保持に関して行われる調査権限を付与し、当該調査権限を国家公務員倫理審査会に委任することとされた。また、本法第八二条第一項第一号に規定する懲戒事由に国家公務員倫理法又は同法に基づく命令に違反した場合が追加されるとともに、第八四条の二が新設され、職員が倫理法に違反した場合の人事院の懲戒権を、国家公務員倫理審査会に委任することとされた。詳細については、それぞれ該当する各条の解説を参照されたい。

（省　略）

民法の一部を改正する法律の施行に伴う関係法律の整備等に関する法律（平一一・一二・八　法律第一五一号）

（省　略）

民法の改正により、禁治産・準禁治産制度に代わり新たに成年後見制度が導入されることとなったが、各法令においてもノーマライゼーションの理念等から禁治産者等を欠格条項から原則として削除することとされたことを受け、人事官の資格要件に関する本法第五条第三項中の「禁治産者」、「準禁治産者」の規定についても別途厳格な任命手続が設けられていることから削除する一方、一般職員の欠格条項に関する第三八条中の「禁治産者」、「準禁治産者」の規定は職員の行為能力の確保の観点から維持しつつ、それぞれ「成年被後見人」、「被保佐人」に改める等の改正が行われた。

中央省庁等改革関係法施行法（平一一・一二・二二　法律第一六〇号）

（省　略）

中央省庁等の再編により、総理府が内閣府に改組されたことを受け、本法第一九条及び第二五条中の「総理府」が「内閣府」に改められた。

独立行政法人の業務実施の円滑化等のための関係法律の整備等に関する法律（平一一・一二・二二　法律第二二〇号）

（省　略）

独立行政法人制度の導入に伴い、独立行政法人のうち特定独立行政法人〔平二七・四・一以降は、行政執行法人〕の長が倫理法第五条第四項に基づき定める当該特定独立行政法人の職員の職務に係る倫理に関する規則への違反を、本法第八二条第一項第一号に規定する懲戒事由及び第八四条の二に規定する国家公務員倫理審査会の懲戒権限の対象に追加するための改正が行われた。

刑事施設及び受刑者の処遇等に関する法律（平一七・五・二五　法律第五〇号）

（省　略）

刑事施設及び受刑者の処遇等に関する法律の施行により、国内法令中の「監獄」が全て「刑事施設」に改められることとなり、本法第一〇八条の二第五項についてもそのように改正された。

郵政民営化法等の施行に伴う関係法律の整備等に関する法律（平一七・一〇・二一　法律第一〇二号）

附　則

（国家公務員法の一部改正に伴う経過措置）

第五十九条　旧公社の職員から引き続いて第十二条の規定による改正前の国家公務員法（以下この条において「旧法」という。）第二条第二項に規定する一般職に属する国家公務員（旧公社の職員を除く。以下この条及び附則第百七条において「一般職国家公務員」という。）となり引き続き一般職国家公務員として在職する者に関する第十二条の規定による改正後の国家公務員法第八十二条第一項第一号及び第八十四条の二の規定の適用については、これらの規定に規定する命令には、附則第百七条第一項の規定によりなおその効力を有するものとされる第百十二条の規定による改正前の国家公務員倫理法第五条第六項の規定に基づく規則を含むものとする。旧公社の職員としての在職期間が旧法第八十二条第二項に規定する要請に応じた退職前の在職期間に含まれる一般職国家公務員についても、同様とする。

郵政民営化法の施行により解散した日本郵政公社の職員から引き続いて一般職の国家公務員となり、引き続き在職している場合において、旧日本郵政公社の職員の職務に係る倫理に関する規則に違反した場合を法及び倫理法による懲戒手続の対象とするための経過措置が定められた。

一般社団法人及び一般財団法人に関する法律及び公益社団法人及び公益財団法人の認定等に関する法律の施行に伴う関係法律の整備等に関する法律（平一八・六・二　法律第五〇号）

（国家公務員法の一部改正）

第二百条　国家公務員法（昭和二十二年法律第百二十号）の一部を次のように改正する。

第百八条の四を次のように改める。

第百八条の四　削除

（国家公務員法の一部改正に伴う経過措置）

第二百一条　前条の規定による改正前の国家公務員法（次項において「旧国家公務員法」という。）第百八条の四（裁判所職員臨時措置法（昭和二十六年法律第二百九十九号）において準用する場合を含む。同項において同じ。）の規定に基づく法人である職員団体であってこの法律の施行の際現に存するものは、施行日以後は、第二百十八条の規定による改正後の職員団体等に対する法人格の付与に関する法律（昭和五十三年法律第八十号。同項、第二百八条及び第二百十九条において「新法人格付与法」という。）第二条第五項に規定する法人である登録職員団体として存続するものとする。

2　この法律の施行の際現に登記所に備えられている旧国家公務員法第百八条の四において準用する旧非訟事件手続法第百十九条に規定する法人登記簿は、新法人格付与法第五十三条に規定する職員団体等登記簿とみなす。

登録職員団体については、従前、本法第一〇八条の四に、法人となる旨を人事院に申し出ることにより法人となることができる旨規定されるとともに、公益法人の設立及び登記について定めていた民法及び非訟事件手続法を準用する規定が置かれていた。公益法人の設立について、主務官庁による許可制から登記のみで行うことができるよう改めた平成一八年の公益法人改革において、一般社団法人及び一般財団法人に関する法律及び公益社団法人及び公益財団法人の認定等に関する法律の施行に伴う関係法律の整備等に関する法律により、本法第一〇八条の四が準用していた民法及び非訟事件手続法の規定が削除されたため、同条を「削除」とする改正が行われ、併せて登録職員団体の法人格取得に関する規定を法人格法において定めるとともに、所要の経過措置が講じられた。

防衛庁設置法等の一部を改正する法律（平一八・一二・二二　法律第一一八号）

（省　略）

防衛庁が防衛省に改組されたことに伴い、本法第二条第三項第十六号中の「防衛庁」を「防衛省」に改める等の所要の改正が行われた。

株式会社日本政策金融公庫法の施行に伴う関係法律の整備に関する法律（平一九・五・二五　法律第五八号）

（省　略）

国民生活金融公庫、農林漁業金融公庫、中小企業金融公庫等を廃止し、新たに株式会社日本政策金融公庫を設置する株式会社日本政策金融公庫法が施行されたことにより、公庫の予算及び決算に関する法律（昭二六法九九）第一条に規定する公庫が沖縄振興開発金融公庫のみとなったことに伴い、本法第八二条第二項中の「公庫の予算及び決算に関する法律（昭和二十六年法律第九十九号）第一条に規定する公庫」が「沖縄振興開発金融公庫」に改められた。

国家公務員法等の一部を改正する法律（平一九・七・六　法律第一〇八号）

附　則

（施行期日）

第一条　この法律は、平成二十年十二月三十一日までの間において政令で定める日から施行する。ただし、次の各号に掲げる規定は、当該各号に定める日から施行する。

一から三まで　（省　略）

（国家公務員の職階制に関する法律の廃止）

第二条　国家公務員の職階制に関する法律（昭和二十五年法律第百八十号）は、廃止する。

第三条　（省　略）

（営利企業への再就職の暫定的規制）

第四条　施行日から三年を超えない範囲内において政令で定める日までの間、職員（職員であった者であって離職の日から起算して二年を経過していない者を含む。）は、離職前の在職機関（離職前五年間に在職していた政令で定める国の機関、独立行政法人通則法第二条第二項に規定する特定独立行政法人、郵政民営化法（平成十七年法律第九十七号）第百六十六条第一項の規定による解散前の日本郵政公社又は都道府県警察をいう。）と密接な関係にある営利企業として政令で定めるものの地位に就くことを承諾し、又は就いてはならない。

２　前項の規定の適用については、次に掲げる職員となった場合には、その時点で離職したものとみなす。

一　常時勤務を要しない官職を占める職員（国家公務員法第八十一条の五第一項に規定する短時間勤務の官職を占める職員を除く。）

二　臨時的職員

三　条件付採用期間中の職員

３　第一項の規定は、国と民間企業との間の人事交流に関する法律第二十条に規定する交流採用職員が離職後同条に規定する交流元企業の地位に就く場合には、適用しない。

４　第一項の規定は、任命権者又はその委任を受けた者の要請に応じ、引き続いて独立行政法人通則法第二条第一項に規定する独立行政法人その他特別の法律により設立された法人でその業務が国の事務又は事業と密接な関連を有するもののうち政令で定めるもの（退職手当（これに相当する給付を含む。）に関する規程において、職員が任命権者又はその委任を受けた者の要請に応じ、引き続いて当該法人の役員又は当該法人に使用される者となった場合に、職員としての勤続期間を当該法人の役員又は当該法人に使用される者としての勤続期間に通算することと定めている法人に限る。以下この項において「退職手当通算法人」という。）の役員又は退職手当通算法人に使用される者となるため退職する職員であって、当該退職手当通算法人に在職した後、特別の事情がない限り引き続いて選考による採用が予定されている者のうち政令で定めるものについては、適用しない。

5　第一項の規定は、政令で定めるところにより、職員が所轄庁の長又は当該職員の勤務する特定独立行政法人の長（当該職員が既に離職している場合には、離職時の所轄庁の長又は離職時に勤務していた特定独立行政法人の長）の申出により内閣の承認を得た場合には、適用しない。

6　内閣は、前項の承認の申出が、公務の公正性の確保のための基準として政令で定めるものに適合すると認める場合でなければ、同項の承認をしてはならない。

7　内閣は、職員が第一項の政令で定める営利企業の役員の地位に就くことを承諾し、又は就こうとする場合を除き、離職前五年間に管理又は監督の地位にある職員の官職として政令で定めるものに在職した期間のない職員についての第五項の規定による承認の権限を、政令で定めるところにより、当該職員の所轄庁の長又は当該職員の勤務する特定独立行政法人の長（当該職員が既に離職している場合には、離職時の所轄庁の長又は離職時に勤務していた特定独立行政法人の長）に委任することができる。

8　第一項の規定に違反して営利企業の地位に就いた者は、一年以下の懲役又は五十万円以下の罰金に処する。

9　施行日から第一項の政令で定める日までの間にした同項に規定する行為に対する罰則の適用については、同項の政令で定める日後も、なお従前の例による。

（他の役職員についての依頼等の規制の特例）

第五条　前条第一項に規定する政令で定める日までの間、公務の公正性の確保を図りつつ職員又は特定独立行政法人の役員（以下この項において「役職員」という。）の離職後の就職の援助を行うための基準として政令で定める基準に適合する場合において、政令で定める手続により内閣総理大臣の承認を得て、職員が当該承認に係る他の役職員又は役職員であった者を当該承認に係る営利企業等（営利企業及び営利企業以外の法人（国、国際機関、地方公共団体、特定独立行政法人及び地方独立行政法人法（平成十五年法律第百十八号）第二条第二項に規定する特定地方独立行政法人を除く。）をいう。以下この項及び次条において同じ。）又はその子法人（当該営利企業等に財務及び営業又は事業の方針を決定する機関（株主総会その他これに準ずる機関をいう。）を支配されている法人として政令で定めるものをいう。以下この項において同じ。）の地位に就かせることを目的として当該営利企業等に対し、当該役職員若しくは役職員であった者に関する情報を提供し、若しくは当該地位に関する情報の提供を依頼し、又は当該営利企業等若しくはその子法人の地位に就くことを要求し、若しくは約束するときは、第一条の規定による改正後の国家公務員法（次条において「改正後の法」という。）第百六条の二の規定は、適用しない。

2　前項の規定による内閣総理大臣が承認する権限は、再就職等監視委員会（以下「委員会」という。）に委任する。

3　前項の規定により委員会に委任された権限は、政令で定めるところにより、再就職等監察官に委任することができる。

4　委員会が第二項の規定により委任を受けた権限に基づき行う承認（前項の規定により委任を受けた権限に基づき再就職等監察官が行う承認を含む。）についての行政不服審査法（昭和三十七年法律第百六十号）による不服申立ては、委員会に対して行うことができる。

第六条　前条第一項の承認に係る管理職職員（改正後の法第百六条の二十三第三項に規定する管理職職員をいう。）が当該承認に係る営利企業等の地位に就いた場合には、その者が離職時に在職していた府省その他の政令で定める国の機関、特定独立行政法人又は都道府県警察（以下この条において「在職機関」という。）は、政令で定めるところにより、その者の離職後二年間（その者が当該営利企業等の地位に就いている間に限る。）、次に掲げる事項を公表しなければならない。

一　その者の氏名

二　在職機関が当該営利企業等に対して交付した補助金等（補助金等に係る予算の執行の適正化に関する法律（昭

和三十年法律第百七十九号）第二条第一項に規定する補助金等をいう。）の総額
三　在職機関と当該営利企業等との間の売買、貸借、請負その他の契約の総額
四　その他政令で定める事項

（経過措置）

第七条　（省　略）

第八条　第三号施行日から起算して三年間は、第二条の規定による改正後の国家公務員法（以下この条において「改正後の法」という。）第二十七条の二並びに第五十八条第一項及び第二項の規定の適用については、改正後の法第二十七条の二中「第五十八条第三項に規定する場合を除くほか、人事評価」とあり、並びに改正後の法第五十八条第一項及び第二項中「人事評価」とあるのは、「人事評価又はその他の能力の実証」とする。

2　第二条の規定による改正前の国家公務員法（以下この条において「改正前の法」という。）第七十二条第一項の規定により第三号施行日前の直近の勤務成績の評定が行われた日から起算して一年を経過する日までの間は、改正後の法第三章第四節の規定にかかわらず、所轄庁の長（第四条の規定による改正後の独立行政法人通則法第五十九条第二項の規定により読み替えて適用する改正後の法第七十条の三第一項の規定により人事評価を行う特定独立行政法人の長を含む。）は、なお従前の例により、勤務成績の評定を行うことができる。

3　任命権者が、職員をその職員が現に任命されている官職の置かれる機関と規模の異なる他の機関（管轄区域の単位を同じくする機関（職員が現に任命されている官職の置かれる機関が国家行政組織法第八条の二に規定する施設等機関である場合にあっては、同条に規定する同種の機関）に限る。）に置かれる官職（当該任命されている官職より一段階上位又は一段階下位の職制上の段階に属する官職に限る。）に任命する場合において、当該任命が従前の例によれば昇任又は降任に該当しないときは、当分の間、改正後の法第三十四条第一項の規定にかかわらず、これを同項第四号に規定する転任とみなす。

4　第三号施行日前に改正前の法第五十条の規定により作成された採用候補者名簿であって附則第一条第三号に掲げる規定の施行の際現に効力を有するものについては、改正後の法第五十条の規定により作成された採用候補者名簿

とみなす。

5　第三号施行日前に改正前の法によって行われた不利益処分に関する説明書の交付、不服申立て及び調査については、なお従前の例による。

第九条から第一六条まで　（省　略）

（見直し）

第十七条　政府は、第一条の規定による改正後の国家公務員法第十八条の七第一項の規定により設置された官民人材交流センターについて、この法律の施行後五年を経過した場合において、その体制を見直し、その結果に基づき、必要な措置を講ずるものとする。

平成一九年の本法の改正は、①人事評価制度の導入等により能力及び実績に基づく人事管理の徹底を図るとともに、②離職後の就職に関する新たな規制の導入、再就職等監視委員会の設置等により退職管理の適正化を図るほか、官民人材交流センターの設置により官民の人材交流の円滑な実施のための支援を行う等の改正を行うものであった。これらの改正等に関する詳細については、第二七条の二、第二九条から第三二条まで、第三三条、第三四条、第五四条、第五八条、第三章第四節（人事評価）、第三章第八節（退職管理）等で述べているとおりであるので、その部分を参照されたい。

この附則は、改正規定の施行期日、国家公務員の職階制に関する法律（昭二五法一八〇）の廃止、準備行為等、所要の経過措置等について定めたものである。なお、人事評価制度の導入等、能力・実績に基づく人事管理の徹底に関する改正部分は平成二一年四月一日（採用昇任等基本方針の策定及び人事評価の基準、方法等に関する政令の制定については平成一九年七月六日）、退職管理に関する改正部分は平成二〇年一二月三一日（準備行為等、処分等の効力、罰則に関する経過措置及びその他の経過措置の人事院規則への委任については平成一九年七月六日、罰則（再就職等監視委員会の設置を前提とするものを除く。）及びこれに関する経過措置については平成一九年一二月二七日）から、それぞれ施行された。以下、本法附則により講じられた経過措置等の概要について述べることとする。

一　営利企業への再就職の暫定的規制等

平成一九年の本法改正前、職員は、本法第一〇三条により、所轄庁の長の申出により人事院の承認を得た場合を除き、離職後二年間は在職していた国の機関と密接な関係にある営利企業の地位に就くことを承諾し又は就くことが禁止されていた。平成一九年の本法改正により、従前の密接な関係にある営利企業への再就職規制は撤廃されるとともに、各府省等による職員の再就職のあっせんを禁止し、官民人材交流センターによるあっせんに一元化されることとなったが、完全に一元化されるまでの間に移行期間（平一九改正法附則第四条第一項の「施行日から三年を超えない範囲内において政令で定めるまでの間」（平成二〇年一二月三一日から平成二一年一二月三一日まで））が設けられ、移行期間中においては、再就職等監視委員会又は再就職等監察官の承認を得て各府省等が職員の再就職のあっせんを行うことを暫定的に認める（平一九改正法附則五）とともに、公務の公正及びそれに対する国民の信頼の確保に万全を期すため、従前の再就職規制についても暫定的に存置（ただし、承認権者は内閣）することとしたものである（平一九改正法附則四）。

あわせて、改正前の本法第一〇三条第三項に基づく人事院の承認及び改正法施行の際、人事院にされている承認の申出を、それぞれ内閣の承認及び内閣にされた承認の申出とみなす等の経過措置も講じられた（平一九改正法附則九）。

なお、付言すると、退職管理に関する改正部分の施行後も、再就職等監視委員会の委員長・委員の任命に関する国会承認が困難な状況が見込まれたため、改正法の施行に併せて制定された退職管理政令においては、前述の附則第五条が定める各府省等による暫定的な再就職のあっせんの再就職等監視委員会の承認を本来の権限者である内閣総理大臣が行う旨の必要な読替えのための確認的規定を設けていた（退職管理政令附則二二）。しかしながら、国会において既に退職している者の就職あっせん、いわゆる「渡り」を認めているのではないかとの強い批判が生じたこともあり（平二一・一・八、二一・三衆議院予算委員会）、平成二一年四月三日に、前述の改正法附則第四条第一項の政令が制定・公布され、移行期間は二年前倒しで前述の平成二一年末までとなり、加えて、その間においても、再就職あっせんに関する内閣総理大臣の承認が行われることはなかった。

二　人事評価に基づく人事管理等に関する経過措置

平成一九年の本法改正により、職員の採用後の任用、給与その他の人事管理は、職員が、国際機関又は民間企業に派遣されていたこと等の事情により人事評価が行われていない場合を除き、人事評価に基づいて適切に行われなければならないこととされた。しかしながら、改正法施行前に行われていた勤務評定を人事評価として扱うことができなかったことから、施行日前の勤務に関しては、人事評価結果に相当するものが得られず、改正法施行後も直ちに人事評価に基づく人事管理を始めることはできなかった。そのため、人事評価制度の導入等に関する改正部分の施行日から起算して三年間は、人事評価以外の能力の実証に基づき人事管理を行うことを可能とするほか、改正前の法による勤務評定について、施行日前の直近の勤務評定が行われた日から起算して一年を経過するまでの間はなお従前の例により行うことを認める経過措置が講じられた（平一九改正法附則八1、2）。

三　任用に関する経過措置

平成一九年の本法改正により、昇任、降任等を官職の属する職制上の段階の上下によって定義することが法律上明らかにされたことに伴い、従前は配置換として運用されていた人事が、改正後の法においては昇任又は降任に該当してしまう可能性が生じることとなった。このため、当分の間、そのような人事を転任とみなす経過措置のほか、改正規定の施行の際、改正前の法の規定により作成された現に効力を有する採用候補者名簿を、改正後の法の規定により作成されたものとみなす経過措置が講じられた。このほか、降任の定義が法定されたことにより、従前であれば降任に該当したものがこれに該当しなくなることがあり得ることとなり、こうした場合に改正前と同様に不服申立てをすることを可能とするため、改正前の法により行われた不利益処分に関する説明書の交付、不服申立て及び調査に関しなお従前の例によるものとする経過措置が講じられた（平一九改正法附則八3〜5まで）。

あわせて、施行日前に改正前の法によってなされた採用、昇任、降任及び転任を改正後の法の規定により行ったものとみなすため、改正前の法の規定による処分、手続その他の行為であって、改正後の法に相当の規定があるものは、改正後の法の相当の規定によりなされたものとみなすための経過措置も講じられた（平一九改正法附則一四）。

四　罰則に関する経過措置

罰金の額について、第一〇九条は三万円以下から五十万円以下に、第一一〇条は十万円以下から百万円以下に引き上げる等の改正がなされたことに伴い、改正規定の施行前にした行為に対する罰則の適用については、なお従前の例によることとされた（平一九改正法附則一五）。

五　その他の経過措置の人事院規則等への委任

罰則に関する経過措置を含め、改正法に定めるもののほか必要な経過措置を人事院規則等で定められることとする委任規定が置かれた（平一九改正法附則一六）。

六　官民人材交流センターの体制の見直し

政府は、官民人材交流センターについて、改正法の施行後五年を経過した場合において、その体制を見直し必要な措置を講ずるものとする見直し規定が置かれた（平一九改正法附則一七）。

国有林野の有する公益的機能の維持増進を図るための国有林野の管理経営に関する法律等の一部を改正する等の法律（平二四・六・二七　法律第四二号）

（省　略）

国有林野事業の国営企業形態が廃止されることとなり、平成二五年四月より、国有林野事業が特定独立行政法人等の労働関係に関する法律の適用を受けないこととなった。これに伴う同法の名称変更に対応するため、本法第百八条の六第三項の字句の修正が行われた。

内閣法等の一部を改正する法律（平二五・五・三一　法律第二二号）

（省　略）

内閣法の一部改正により、内閣官房に内閣情報通信政策監の職が設置されたことに伴い、その職を特別職とするための本法第二条第三項の改正が行われた。

安全保障会議設置法等の一部を改正する法律（平二五・一二・四　法律第八九号）

（省　略）

内閣法の一部改正により、内閣官房に国家安全保障局長の職が設置されたことに伴い、その職を特別職とするための本法第二条第三項の改正が行われた。

国家公務員法等の一部を改正する法律（平二六・四・一八　法律第二二号）

附　則

（施行期日）

第一条　この法律は、公布の日から起算して六月を超えない範囲内において、政令で定める日から施行する。ただし、次の各号に掲げる規定は、当該各号に定める日から施行する。

一　次条及び附則第三十九条から第四十一条までの規定　公布の日

二　第一条中国家公務員法の目次の改正規定（「第七款　幹部候補育成課程（第六十一条の九―第六十一条の十二）」に係る部分に限る。）及び同法第三章第二節に一款を加える改正規定（同節第七款に係る部分に限る。）　この法律の施行の日（以下「施行日」という。）から起算して三月を経過する日

三　（省　略）

（準備行為）

第二条　内閣は、第一条の規定による改正後の国家公務員法（次条及び附則第七条第二項において「新国家公務員法」という。）第四十五条の二第一項から第三項まで、第六十一条の二第一項各号列記以外の部分及び第二項から第四項まで並びに第七十条の五第二項の政令を定めようとするときは、施行日前においても、人事院の意見を聴くことができる。

2　内閣総理大臣は、第二条の規定による改正後の一般職の職員の給与に関する法律（次項において「新一般職給与

法」という。）第六条の二第一項の規定による定めをしようとするときは、施行日前においても、人事院の意見を聴くことができる。

3　内閣総理大臣は、新一般職給与法第八条第一項の職務の級の定数を設定しようとするときは、施行日前においても、人事院の意見を聴くことができる。

（国家公務員法の一部改正に伴う経過措置）

第三条　施行日から附則第一条第二号に定める日の前日までの間は、新国家公務員法第三条、第十八条の二、第二十七条の二、第六十一条の二、第六十一条の七及び第七十条の六の規定並びに附則第三十二条の規定による改正後の独立行政法人通則法（平成十一年法律第百三号。以下この項において「新独立行政法人通則法」という。）第五十四条の二第一項の規定の適用については、新国家公務員法第三条第二項及び第十八条の二第一項中「、幹部職員の任用等に係る特例及び幹部候補育成課程」とあるのは「及び幹部職員の任用等に係る特例」と、新国家公務員法第二十七条の二中「、合格した採用試験の種類及び第六十一条の九第二項第二号に規定する課程対象者であるか否か」とあるのは「及び合格した採用試験の種類」と、新国家公務員法第六十一条の二第一項中「次項及び第六十一条の十一」とあるのは「次項」と、同項第一号中「この項及び第六十一条の九第一項」とあるのは「この項」と、同項第二号中「、第六十一条の六並びに第六十一条の十一」とあるのは「並びに第六十一条の六」と、新国家公務員法第六十一条の七第一項中「この款及び次款」とあるのは「この款」と、「、第六十一条の九第二項第二号に規定する課程対象者その他」とあるのは「その他」と、新国家公務員法第七十条の六第一項第二号中「各行政機関の課程対象者の政府全体を通じた育成又は内閣の」とあるのは「内閣の」と、新独立行政法人通則法第五十四条の二第一項中「、幹部職員の任用等に係る特例及び幹部候補育成課程」とあるのは「及び幹部職員の任用等に係る特例」とする。

2　施行日から起算して三月を超えない範囲内において政令で定める日までの間は、新国家公務員法第三十四条第一項第六号に規定する幹部職（以下この項において単に「幹部職」という。）に任用される者並びに幹部職を占める職員であって幹部職以外の官職に任用される者、退職する者及び免職される者については、新国家公務員法第六十一条の三及び第六十一条の四の規定は適用せず、新国家公務員法第五十七条及び第五十八条の規定の適用については、新国家公務員法第五十七条中「採用（職員の幹部職への任命に該当するものを除く。）」とあるのは「採用」と、新国家公務員法第五十八条第一項中「転任（職員の幹部職への任命に該当するものを除く。）」とあるのは「転任」と、同条第二項中「降任させる場合（職員の幹部職への任命に該当する場合を除く。）」とあるのは「降任させる場合」と、同条第三項中「転任（職員の幹部職への任命に該当するものを除く。）」とあるのは「転任」とする。

第四条から第九条まで　（省　略）

（処分等の効力）

第十条　この法律の施行前にこの法律による改正前のそれぞれの法律（これに基づく命令を含む。次条第一項において「旧法令」という。）の規定によってした処分、手続その他の行為であって、この法律による改正後のそれぞれの法律の規定に相当の規定があるものは、この附則に別段の定めがあるものを除き、この法律による改正後のそれぞれの法律（これに基づく命令を含む。同項において「新法令」という。）の相当の規定によってしたものとみなす。

（命令の効力）

第十一条　この法律の施行の際現に効力を有する旧法令の規定により発せられた内閣府令又は総務省令で、新法令の規定により内閣官房令で定めるべき事項を定めているものは、この法律の施行後は、内閣官房令としての効力を有するものとする。

2　この法律の施行の際現に効力を有する人事院規則の規定でこの法律の施行後は政令をもって規定すべき事項を規定するものは、施行日から起算して二年を経過する日までの間は、政令としての効力を有するものとする。

第十二条　（省　略）

（その他の経過措置）

第十三条　附則第三条から前条までに定めるもののほか、この法律の施行に関し必要な経過措置は、政令（人事院の所掌する事項については、人事院規則）で定める。

第十四条から第四十一条まで　（省　略）

平成二六年の本法等の改正は、①幹部職への任用は、内閣官房長官が適格性審査を行った上で作成する幹部候補者名簿に記載されている者の中から、任命権者が内閣総理大臣及び内閣官房長官との協議に基づいて行うこととするほか、幹部職員の候補となり得る管理職員の職責を担うにふさわしい能力及び経験を有する職員を育成する仕組みとして幹部候補育成課程を設けるなど、幹部職員人事の一元管理等に関する措置を講ずるとともに、②幹部職員人事の一元管理等に関する事務等の中央人事行政機関たる内閣総理大臣の所掌する事務、行政機関の機構及び定員に関する審査等に関する事務を担わせるため、内閣官房に内閣人事局を設置するほか、③内閣総理大臣補佐官の所掌事務を内閣の特定の重要政策に係る内閣総理大臣の行う企画及び立案について内閣総理大臣を補佐することに変更するとともに、特に必要がある場合に各府省に大臣補佐官を置くことができることとすること等を内容とするものであった。これらの改正に関する詳細については、概説三9(5)、第二条、第三条、第一八条の二、第一八条の六、第二三条の二、第二七条の二、第二八条、第三章第二節（採用試験及び任免）、同章第四節の二（研修）、同章第五節（能率）、第七八条の二、第一〇八条の五の二で述べているとおりであるので、その部分を参照されたい。

この附則は、改正規定の施行期日、準備行為、所要の経過措置等について定めたものである。なお、この本法改正は、平成二六年五月三〇日〔公布の日から起算して六月を超えない範囲内において政令で定める日〕から施行されたが、必要な準備行為（政令の制定又は級別定数の設定に当たっての人事院の意見聴取）については平成二六年四月一八日〔公布の日〕、幹部候補育成課程に関する規定については平成二六年八月三〇日〔施行日から起算して三月を経過する日〕からそれぞれ施行された。以下、本法附則により講じられた準備行為、経過措置等の概要について述べることとする。

一　準備行為

平成二六年の本法改正により、採用試験の対象官職及び種類並びに確保すべき人材（法四五条の二1から3まで）、適格性審査の実施及び幹部候補者名簿の作成等（法六一の二1各号列記以外の部分、2から4まで）及び研修の根本基準の実施につき必要な事項（法七〇の五2）については政令で定められることとなったが、これらの政令の制定に当たっては、人事行政の公正性を確保するため、人事院の意見を聴取することが義務付けられた。そこで、これらの政令について、施行日前にも制定のため準備することが可能となるよう、内閣は、改正法の施行日前にも人事院の意見を聴くことができることとされた。同様に、平成二六年の改正により、級別定数（会計検査院及び人事院の職員のものを除く。）は、内閣総理大臣が人事院の意見を聴いて、その意見を十分に尊重して設定し又は改定することとされたが（給与法八1）、内閣総理大臣は、給与法の改正規定の施行日前においても、これに関し人事院の意見を聴くことができることとされた（平二六改正法附則二）。

二　幹部候補育成課程及び幹部職員人事の一元管理に関する経過措置

幹部候補育成課程に関する規定については、平成二六年八月三〇日（平成二六年改正法の施行日から起算して三月を経過する日）から施行することとされたため、改正法全体の施行日である平成二六年五月三〇日から当該規定が施行されるまでの間、当該規定の施行を前提とする箇所について、必要な読替規定を置くこととされた（平二六改正法附則三1）。

また、幹部職員の任用に当たっては、幹部候補者名簿に記載されている者の中からあらかじめ内閣総理大臣及び内閣官房長官との協議を経て行うものとする規定が置かれたところ、改正法の施行の時点においては幹部候補者名簿が存在しないことから、平成二六年六月二九日（施行日から起算して三月を超えない範囲内において政令で定める日）までの間は、これらの規定を適用しないこととされた（平二六改正法附則三2）。なお、幹部職員人事の一元管理に関する新たな制度が設けられたことに伴い、人規八―一二が改正され、一元管理の対象となる幹部職員については、選考採用の際の人事院との協議が不要とされたほか、昇任等の要件に関する規定の適用を除外することとされたが、同様に平成二六年六月二九日までの間は、なお従前の例によることとされた（人規一―六二附則三）。

三　処分等及び命令の効力並びにその他の経過措置

平成二六年の本法改正前の規定に基づく処分、手続その他の行為であって改正後の法に相当の規定があるものについては、改正後の規定によりなされたものとみなすこととされた（平二六改正法附則一〇）。また、内閣人事局の設置に伴い、内閣官房令として定めることとされた事項を平成二六年の改正前に定めていた内閣府令又は総務省令については、内閣官房令としての効力を有することとされた（平二六改正法附則一一1）。同様に、政令をもって規定すべき事項とされたものについて定めている人事院規則についても、平成二八年五月三〇日（施行日から起算して二年を経過する日）までの間は、政令としての効力を有することとされた（附則一一2）。平成二六年改正法附則第一一条第二項の規定により政令としての効力を有することとされたのは、人事院規則一―六二（国家公務員法等の一部を改正する法律の施行に伴う関係人事院規則の整備等に関する人事院規則）による改正後の人事院規則一〇—三（職員の研修）である。人規一—六二による人規一〇—三の改正は、同規則について、政令をもって規定すべき事項を規定するものとなるよう、人事院の研修に関する責務等人事院の所掌に係る規定を削除するものであった。この改正は、平成二六年改正法の施行日の前日に当たる平成二六年五月二九日に施行することとされたため（人規一—六二附則一）、同法の施行日までの間（すなわち一日のみの間）、人規一—六二により削除された人規一〇—三の規定は、なおその効力を有することとされた（人規一—六二附則四）。

あわせて、これらのほか、改正法の施行に関し必要な経過措置を政令（人事院の所掌する事項については、人事院規則）で定めることとされた（平二六改正法附則一三）。

独立行政法人通則法の一部を改正する法律の施行に伴う関係法律の整備に関する法律（平二六・六・一三　法律第六七号）

（省　略）

独立行政法人通則法の改正により、特定独立行政法人が行政執行法人に改められる（平二七・四・一施行）ことに伴い、法の規定中「特定独立行政法人」とあるのは「行政執行法人」に、「特定独立行政法人の労働関係に関する法律」とあるのは「行政執行法人の労働関係に関する法律」に改める等の所要の改正が行われた。あわせて、本法第一〇八条の六第三項の規定の適用について、改正前の特定独法労働関係法の規定により職員団体の業務に専ら従事した期間を改正後の行政執行法人の労働関係に関する法律の規定により職員団体の業務の専ら従事した期間とみなす経過措置が講じられた。

行政不服審査法の施行に伴う関係法律の整備等に関する法律（平二六・六・一三　法律第六九号）

（省　略）

行政不服審査法（平二六法六八）による行服法の全部改正（平成二八・四・一施行）により、「異議申立て」が廃止され、同法に基づく不服申立ての手続が「審査請求」に一元化されたこと、また、審査請求をすることができる期間が六十日から三か月に延長されたことに伴い、本法第八九条から第九二条の二までなどの規定中、「異議申立て」及び「不服申立て」とあるのを「審査請求」と、第九〇条の二などの規定中、「六十日」とあるのを「三月」と改める等の改正が行われた。

成年被後見人等の権利の制限に係る措置の適正化等を図るための関係法律の整備に関する法律（令一・六・一四　法律第三七号）

（省　略）

成年被後見人及び被保佐人（成年被後見人等）の人権が尊重され、成年被後見人等であることを理由に不当に差別されないよう、成年被後見人等に係る欠格条項その他の権利の制限に係る措置の適正化等を図るための措置を講ずる一環として、欠格条項を定めた本法第三八条第一号（成年被後見人又は被保佐人）を削除するなどの改正が行われた。

デジタル庁設置法（令三・五・一九　法律第三六号）

（省　略）

デジタル庁の設置を受け、本法第一九条第二項及び第四項、第二五条第一項、第六一条の七第一項並びに第六一条の八第一項に「デジタル庁」を追加するとともに、同庁にデジタル監の職が設置されたことに伴い、その職を特別職とし、廃止された内閣情報通信政策監を特別職から削除するための本法第二条第三項の改正が行われた。

国家公務員法等の一部を改正する法律（令三・六・一一　法律第六一号）

附　則

（施行期日）

第一条　この法律は、令和五年四月一日から施行する。ただし、第三条中国家公務員退職手当法附則第二十五項の改正規定及び第八条中自衛隊法附則第六項の改正規定並びに次条並びに附則第十五条及び第十六条の規定は、公布の日から施行する。

第二条及び第三条　（省　略）

第四条　任命権者は、次に掲げる者のうち、年齢六十五年に達する日以後における最初の三月三十一日（以下「年齢六十五年到達年度の末日」という。）までの間にある者であって、当該者を採用しようとする常時勤務を要する官職（指定職を除く。以下この項及び次項並びに附則第六条第四項において同じ。）に係る旧国家公務員法第八十一条の二第二項に規定する定年（施行日以後に設置された官職その他の人事院規則で定める官職にあっては、人事院規則で定める年齢）に達している者を、人事院規則で定めるところにより、従前の勤務実績その他の人事院規則で定める情報に基づく選考により、一年を超えない範囲内で任期を定め、当該常時勤務を要する官職に採用することができる。

一　施行日前に旧国家公務員法第八十一条の二第一項の規定により退職した者

二　旧国家公務員法第八十一条の三第一項若しくは第二項又は前条第五項若しくは第六項の規定により勤務した後退職した者

三　施行日前に旧国家公務員法の規定により退職した者（前二号に掲げる者を除く。）のうち、勤続期間その他の事情を考慮して前二号に掲げる者に準ずる者として人事院規則で定める者

四　施行日前に旧自衛隊法の規定により退職した者（旧自衛隊法第四十四条の三第一項又は第二項及び附則第八条第五項又は第六項の規定により勤務した後退職した者を含む。）のうち、前三号に掲げる者に準ずる者として人事院規則で定める者

2　令和十四年三月三十一日までの間、任命権者は、次に掲げる者のうち、年齢六十五年到達年度の末日までの間にある者であって、当該者を採用しようとする常時勤務を要する官職に係る新国家公務員法定年に達している者を、人事院規則で定めるところにより、従前の勤務実績その他の人事院規則で定める情報に基づく選考により、一年を

超えない範囲内で任期を定め、当該常時勤務を要する官職に採用することができる。

一　施行日以後に新国家公務員法第八十一条の六第一項の規定により退職した者

二　施行日以後に新国家公務員法第八十一条の七第一項又は第二項の規定により勤務した後退職した者

三　施行日以後に新国家公務員法第六十条の二第一項の規定により採用された者のうち、同条第二項に規定する任期が満了したことにより退職した者

四　施行日以後に新国家公務員法の規定により退職した者（前三号に掲げる者を除く。）のうち、勤続期間その他の事情を考慮して前三号に掲げる者に準ずる者として人事院規則で定める者

五　施行日以後に新自衛隊法の規定により退職した者のうち、前各号に掲げる者に準ずる者として人事院規則で定める者

3　前二項の任期又はこの項の規定により更新された任期は、人事院規則で定めるところにより、一年を超えない範囲内で更新することができる。ただし、当該任期の末日は、前二項の規定により採用する者又はこの項の規定により任期を更新する者の年齢六十五年到達年度の末日以前でなければならない。

第五条　任命権者は、新国家公務員法第六十条の二第三項の規定にかかわらず、前条第一項各号に掲げる者のうち、年齢六十五年到達年度の末日までの間にある者であって、当該者を採用しようとする短時間勤務の官職に係る旧国家公務員法定年相当年齢（短時間勤務の官職を占める職員が、常時勤務を要する官職でその職務が当該短時間勤務の官職と同種の官職を占めているものとした場合における旧国家公務員法第八十一条の二第二項に規定する定年（施行日以後に設置された官職その他の人事院規則で定める官職にあっては、人事院規則で定める年齢）をいう。）に達している者を、人事院規則で定めるところにより、従前の勤務実績その他の人事院規則で定める情報に基づく選考により、一年を超えない範囲内で任期を定め、当該短時間勤務の官職に採用することができる。

2　令和十四年三月三十一日までの間、任命権者は、新国家公務員法第六十条の二第三項の規定にかかわらず、前条第二項各号に掲げる者のうち、年齢六十五年到達年度の末日までの間にある者であって、当該者を採用しようとする短時間勤務の官職に係る新国家公務員法定年相当年齢に達している者（新国家公務員法第六十条の二第一項の規

定により当該短時間勤務の官職に採用することができる者を除く。）を、人事院規則で定めるところにより、従前の勤務実績その他の人事院規則で定める情報に基づく選考により、一年を超えない範囲内で任期を定め、当該短時間勤務の官職に採用することができる。

3　前二項の規定により採用された職員の任期については、前条第三項の規定を準用する。

第六条　施行日前に旧国家公務員法第八十一条の四第一項又は第八十一条の五第一項の規定により採用された職員（以下この項及び次項において「旧国家公務員法再任用職員」という。）のうち、この法律の施行の際現に常時勤務を要する官職を占める職員は、施行日に、附則第四条第一項の規定により採用されたものとみなす。この場合において、当該採用されたものとみなされる職員の任期は、同項の規定にかかわらず、施行日における旧国家公務員法再任用職員としての任期の残任期間と同一の期間とする。

2　旧国家公務員法再任用職員のうち、この法律の施行の際現に旧国家公務員法第八十一条の五第一項に規定する短時間勤務の官職を占める職員は、施行日に、前条第一項の規定により採用されたものとみなす。この場合において、当該採用されたものとみなされる職員の任期は、同項の規定にかかわらず、施行日における旧国家公務員法再任用職員としての任期の残任期間と同一の期間とする。

3　任命権者は、暫定再任用職員を指定職に昇任し、又は転任することができない。

4　任命権者は、附則第四条第一項又は前条第一項の規定により採用した職員のうち当該職員を昇任し、降任し、又は転任しようとする常時勤務を要する官職に係る旧国家公務員法第八十一条の二第二項に規定する定年（施行日以後に設置された官職その他の人事院規則で定める官職にあっては、人事院規則で定める年齢）に達した職員以外の職員及び附則第四条第二項又は前条第二項の規定により採用した職員のうち当該職員を昇任し、降任し、又は転任しようとする常時勤務を要する官職に係る新国家公務員法第八十一条の六第二項に規定する定年に達した職員以外の職員を、当該常時勤務を要する官職に昇任し、降任し、又は転任することができない。

5　前二条の規定が適用される場合における新国家公務員法第六十条の二第三項の規定の適用については、同項中「経過していない定年前再任用短時間勤務職員」とあるのは、「経過していない定年前再任用短時間勤務職員、国家公務員法等の一部を改正する法律（令和三年法律第六十一号。以下この項において「令和三年国家公務員法等改正法」という。）附則第四条第一項又は第五条第一項の規定により採用した職員のうち当該職員を昇任し、降任し、又は転任しようとする短時間勤務の官職に係る旧国家公務員法定年相当年齢（短時間勤務の官職を占める職員が、常時勤務を要する官職でその職務が当該短時間勤務の官職と同種の官職を占めているものとした場合における令和三年国家公務員法等改正法の施行の日以後に設置された官職その他の人事院規則で定める官職にあつては、人事院規則で定める年齢）をいう。）に達している職員及び令和三年国家公務員法等改正法附則第四条第二項又は第五条第二項の規定により採用した職員のうち当該職員を昇任し、降任し、又は転任しようとする短時間勤務の官職に係る新国家公務員法定年相当年齢（短時間勤務の官職を占める職員が、常時勤務を要する官職でその職務が当該短時間勤務の官職と同種の官職を占めているものとした場合における第八十一条の六第二項に規定する定年をいう。）に達している職員」とする。

6　任命権者は、基準日（前二条の規定が適用される間における各年の四月一日（施行日を除く。）をいう。以下この項において同じ。）から基準日の翌年の三月三十一日までの間、基準日における新国家公務員法定年（新国家公務員法第八十一条の六第二項に規定する定年（短時間勤務の官職にあっては、当該短時間勤務の官職を占める職員が、常時勤務を要する官職でその職務が当該短時間勤務の官職と同種の官職を占めているものとした場合における同項に規定する定年）をいう。以下この項において同じ。）が基準日の前日における新国家公務員法定年を超える官職及びこれに相当する基準日以後に設置された官職その他の人事院規則で定める官職（以下この項において「新国家公務員法定年引上げ官職」という。）に、附則第四条第二項各号に掲げる者のうち基準日の前日において同日における当該新国家公務員法定年引上げ官職に係る新国家公務員法定年に達している者（当該人事院規則で定める官職にあっては、人事院規則で定める者）を、同項又は前条第二項の規定により採用しようとする新国家公務員法定年引上げ官職に係る新国家公務員法定年に達しているものとみなして、これらの規定を適用し、新国家公務員法定年引上げ官職に、附則第四条第二項又は前条第二項の規定により採用された職員のうち基準日の前日において同日における当該新国家公務員法定年引上げ官職に係る新国家公務員法定年に達している職員（当該人事院規則で定める官職にあつては、人事院規則で定める職員）を、昇任し、降任し、又は転任しようとする場合には、当該職員は当該職員を昇任し、降任し、又は転任しようとする新国家公務員法定年引上げ官職に係る新国家公務員法定年に達しているものとみなして、第四項の規定及び前項の規定により読み替えて適用する新国家公務員法第六十条の二第三項の規定を適用する。

7　暫定再任用職員は、定年前再任用短時間勤務職員とみなして、新国家公務員法第八十二条第二項後段の規定を適用する。この場合において、同項後段中「年齢六十年以上退職者」とあるのは「国家公務員法等の一部を改正する法律（令和三年法律第六十一号。以下この項において「令和三年国家公務員法等改正法」という。）附則第四条第一項第一号から第三号まで若しくは第二項第一号、第二号若しくは第四号に掲げる者となつた日若しくは同項第三号に掲げる者に該当する場合における年齢六十年以上退職者」と、「又は」とあるのは「又は令和三年国家公務員法等改正法第一条の規定による改正前の第八十一条の四第一項若しくは第八十一条の五第一項の規定によりかつて採用されて職員として在職していた期間、令和三年国家公務員法等改正法附則第四条第一項若しくは第二項若しくは第五条第一項若しくは第二項の規定によりかつて採用されて令和三年国家公務員法等改正法附則第三条第四項に規定する暫定再任用職員として在職していた期間若しくは」とする。

8　平成十一年十月一日前に新国家公務員法第八十二条第二項前段に規定する退職又は先の退職がある暫定再任用職員について、前項の規定により定年前再任用短時間勤務職員とみなして同条第二項後段の規定を適用する場合には、同項後段に規定する引き続く職員としての在職期間には、同日前の当該退職又は先の退職の前の職員としての在職期間を含まないものとする。

9　研究施設研究教育職員への採用についての前二条の規定の適用については、附則第四条第一項及び第二項並びに前条第一項及び第二項中「任期を定め」とあるのは「文部科学省令で定めるところにより任命権者が定める任期をもつて」と、附則第四条第三項（前条第三項において準用する場合を含む。）中「範囲内で」とあるのは「範囲内で文部科学省令で定めるところにより任命権者が定める期間をもつて」とする。

10　附則第四条第二項又は前条第二項の規定による研究施設研究教育職員への採用並びにこれらの規定により採用された研究施設研究教育職員の昇任、降任及び転任に関し必要な経過措置は、第六項の規定にかかわらず、文部科学省令で定める。

11　検察官及び退職時に特定地方警務官であった者については、前二条の規定は、適用しない。

第七条　暫定再任用職員（短時間勤務の官職を占める暫定再任用職員（以下この条において「暫定再任用短時間勤務職員」という。）を除く。以下この項及び次項において同じ。）の俸給月額は、当該暫定再任用職員が定年前再任用短時間勤務職員であるものとした場合に適用される一般職の職員の給与に関する法律第六条第二項に規定する俸給表の定年前再任用短時間勤務職員の欄に掲げる基準俸給月額のうち、同法第八条第三項の規定により当該暫定再任用職員の属する職務の級に応じた額とする。

2　国家公務員の育児休業等に関する法律（平成三年法律第百九号。第九項及び附則第十二条において「育児休業法」という。）第十二条第一項に規定する育児短時間勤務をしている暫定再任用職員に対する前項の規定の適用については、同項中「とする」とあるのは、「に、国家公務員の育児休業等に関する法律（平成三年法律第百九号）第十七条の規定により読み替えられた一般職の職員の勤務時間、休暇等に関する法律（平成六年法律第三十三号）第五条第一項ただし書の規定により定められた当該暫定再任用職員の勤務時間を同項本文に規定する勤務時間で除して得た数を乗じて得た額とする」とする。

3　暫定再任用短時間勤務職員の俸給月額は、当該暫定再任用短時間勤務職員が定年前再任用短時間勤務職員であるものとした場合に適用される一般職の職員の給与に関する法律第六条第二項に規定する俸給表の定年前再任用短時間勤務職員の欄に掲げる基準俸給月額のうち、同法第八条第三項の規定により当該暫定再任用短時間勤務職員の属する職務の級に応じた額に、一般職の職員の勤務時間、休暇等に関する法律（平成六年法律第三十三号）第五条第二項の規定により定められた当該暫定再任用短時間勤務職員の勤務時間を同条第一項に規定する勤務時間で除して得た数を乗じて得た額とする。

4　暫定再任用短時間勤務職員は、定年前再任用短時間勤務職員とみなして、新一般職給与法第十二条第二項、第十六条第二項及び第二十二条第一項の規定を適用する。

5　暫定再任用職員は、定年前再任用短時間勤務職員とみなして、新一般職給与法第十九条の四第三項の規定を適用する。

6　新一般職給与法第十九条の七第一項の職員に暫定再任用職員が含まれる場合における勤勉手当の額の同条第二項各号に掲げる職員の区分ごとの総額の算定に係る同項の規定の適用については、同項第一号中「定年前再任用短時間勤務職員」とあるのは「定年前再任用短時間勤務職員及び国家公務員法等の一部を改正する法律（令和三年法律第六十一号）附則第三条第四項に規定する暫定再任用職員（次号において「暫定再任用職員」という。）」と、同項第二号中「定年前再任用短時間勤務職員」とあるのは「定年前再任用短時間勤務職員及び暫定再任用職員」とする。

7　附則第二十四条の規定による改正後の国家公務員の寒冷地手当に関する法律（昭和二十四年法律第二百号。附則第十二条第五項において「新寒冷地手当法」という。）の規定並びに一般職の職員の給与に関する法律第八条第四項、第七項及び第九項から第十一項まで、第十条の四、第十一条、第十一条の二、第十一条の五から第十一条の七まで、第十一条の九、第十一条の十、第十三条の二並びに第十四条並びに新一般職給与法第八条第五項、第六項及び第八項の規定は、暫定再任用職員には適用しない。

8　暫定再任用職員に対する第三条の規定による改正後の国家公務員退職手当法（附則第十二条第六項において「新退職手当法」という。）第二条第一項の規定の適用については、同項中「又は自衛隊法」とあるのは「、自衛隊法」と、「第四十五条の二第一項」とあるのは「第四十五条の二第一項又は国家公務員法等の一部を改正する法律（令和三年法律第六十一号）附則第四条第一項若しくは第二項若しくは第五条第一項若しくは第二項」とする。

9　暫定再任用短時間勤務職員は、定年前再任用短時間勤務職員とみなして、附則第十九条の規定による改正後の育児休業法（附則第十二条において「新育児休業法」という。）第二十六条第一項並びに附則第二十条の規定による改正後の一般職の職員の勤務時間、休暇等に関する法律第五条第二項、第六条第一項ただし書及び第二項ただし書、第七条第二項、第十一条、第十七条第一項並びに第二十三条の規定を適用する。

10　前三条及び前各項に定めるもののほか、暫定再任用職員の任用その他暫定再任用職員に関し必要な事項は、人事院規則で定める。

第八条から第十五条まで　（省　略）

（検討）

第十六条　政府は、国家公務員の年齢別構成及び人事管理の状況、民間における高年齢者の雇用の状況その他の事情並びに人事院における検討の状況に鑑み、必要があると認めるときは、新国家公務員法若しくは新自衛隊法に規定する管理監督職勤務上限年齢による降任等若しくは定年前再任用短時間勤務職員若しくは定年前再任用短時間勤務隊員に関連する制度又は新検察庁法に規定する年齢が六十三年に達した検察官の任用に関連する制度について検討を行い、その結果に基づいて所要の措置を講ずるものとする。

2　政府は、国家公務員の給与水準が旧国家公務員法第八十一条の二第二項、第四条の規定による改正前の検察庁法第二十二条又は旧自衛隊法第四十四条の二第二項に規定する定年の前後で連続的なものとなるよう、国家公務員の給与制度について、人事院においてこの法律の公布後速やかに行われる昇任及び昇格の基準、昇給の基準、俸給表に定める俸給月額その他の事項についての検討の状況を踏まえ、令和十三年三月三十一日までに所要の措置を順次講ずるものとする。

3　政府は、前項の人事院における検討のためには、職員の能力及び実績を職員の処遇に的確に反映するための人事評価の改善が重要であることに鑑み、この法律の公布後速やかに、人事評価の結果を表示する記号の段階その他の人事評価に関し必要な事項について検討を行い、施行日までに、その結果に基づいて所要の措置を講ずるものとする。

第十七条から第三十六条まで　（省　略）

令和三年の本法等の改正は、①少子高齢化が急速に進展する中において、複雑・高度化する行政課題に的確に対応し、質の高い行政サービスを維持していく観点から、高齢層職員の能力及び経験を本格的に活用するため、定年を段階的に六五歳に引き上げるとともに、②職員の新陳代謝を計画的に行うことにより組織の活力を維持するため、役職定年制を導入し、③職員が希望する多様な働き方を可能とし、意欲と能力のある人材を引き続き公務内で活用できるようにするため、定年前再任用短時間勤務制を導入すること等を内容とするものであった。これらの改正に関する詳細については、第六〇条の二、第八一条の二から第八一条の五まで、第八一条の六及び第八一条の七で述べているとおりであるので、その部分を参照されたい。

この附則は、改正規定の施行期日、準備行為、暫定再任用制度等の所要の経過措置、検討条項等について定めたものである。以下、暫定再任用制度、検討条項の概要について述べることとする。

一　暫定再任用制度

公的年金（基礎年金相当部分）の支給開始年齢の引上げに合わせて平成一三年四月から実施されてきた再任用制度（平成一三年再任用制度）は、定年の引上げにより廃止されることとなるが、定年の段階的な引上げ期間中においては、段階的に引き上げられた定年から六五歳までの間の再任用の仕組みがなくなってしまい、雇用と年金の接続が図られないこととなる。このため、国公法等改正法附則において、年金が満額支給される六五歳までの間の雇用確保のための経過的な措置として、以下のような暫定再任用制度（フルタイム勤務及び短時間勤務）を設けることとされた。

令和三年一部改正法の施行日（令和五年四月一日）前に定年退職等をした者の暫定再任用については、平成一三年再任用制度と同様の任用を行うことができるよう、旧法に規定する定年（原則六〇歳。引上げ後は定年前となる。）に達した日以後六五歳に達する年度の三月三一日までの間、一年以内の任期を定めて、フルタイム勤務の暫定再任用（附則第四条第一項）又は短時間勤務の暫定再任用（附則第五条第一項）を行うことを可能としている。

令和三年一部改正法の施行日以後に定年退職等をした者（附則第四条第二項各号に掲げる者）の暫定再任用については、定年の引上げ完成までの間において、平成一三年再任用制度と同様の任用を行うことができるよう、定年退職者等を段階的に引き上げられる定年に達した日以後六五歳に達する年度の三月三一日までの間、一年以内の任期を定めて、フルタイム勤務の暫定再任用（附則第四条第二項）又は短時間勤務の暫定再任用（法附則第五条第二項）を行うことを可能としている。なお、定年前再任用短時間勤務職員として勤務することができる場合、短時間勤務の暫定再任用は行うことができないこととしている。

このほか、附則においては、平成一三年再任用制度により再任用された職員に係る経過措置、定年の段階的な引上げ期間中に定年が引き上げられる官職への暫定再任用に関する経過措置、暫定再任用職員に対する懲戒処分に関する経過措置、暫定再任用職員の給与に関する特例、暫定再任用短時間勤務職員に対する育児休業法の適用等について規定している。このうち、暫定再任用職員の給与、勤務時間等の勤務条件は、基本的に平成一三年再任用職員や定年前再任用短時間勤務職員と同様とされている。例えば、俸給月額については、フルタイム勤務の場合は平成一三年再任用職員に適用されていた定額の俸給月額に相当する額である基準俸給月額と、短時間勤務の場合は基準俸給月額をその者の勤務時間数に応じて按分した額とされており、諸手当については、長期継続雇用を前提としてライフステージに応じた生計費の増嵩等に対処する目的で支給される生活関連手当や主として人材確保を目的とした手当は支給しないこととされている。また、暫定再任用短時間勤務職員への通勤手当、超過勤務手当、期末・勤勉手当、勤務時間、年次休暇等の諸制度の適用については、当該職員を定年前再任用短時間勤務職員とみなして関係規定を適用する等の措置が講じられている。

二　検討規定

附則第一六条第一項においては、役職定年制及び定年前再任用短時間勤務制に係る規定について、国家公務員の年齢構成及び人事管理の状況、民間における高年齢者の雇用の状況その他の事情並びに人事院における検討の状況に鑑み、政府において必要があると認めるときは、それらについて検討を行い、その結果に基づいて必要な措置を講ずる旨の検討規定を設けている。

また、同条第二項では、政府は、国家公務員の給与水準が六〇歳前後で連続的なものとなるよう令和一三年三月三一日までに所要の措置を順次講ずるものとしている。すなわち、本法等改正法において、給与については、六〇歳超職員の俸給月額を、当分の間、六〇歳時点の七割の水準とする措置を講ずることとしているが、人事院は、当該措置について平成三〇年の意見の申出の中で「六〇歳を超えても引き続き同一の職務を担うのであれば、本来は、六〇歳前後で給与水準が維持されることが望ましい」とし、「民間給与の動向等も踏まえ、六〇歳前の給与カーブも含めてその在り方を引き続き検討していくこととしたい」としている。人事院は、六〇歳を超える職員の給与水準の在り方について、この法律の公布後速やかに行われる「昇任及び昇格の基準」、「昇給の基準」の見直し及びそれを前提とする「俸給表に定める俸給月額」の見直し等により変化する公務員給与の状況や高齢者雇用が進む中での民間の高齢者給与の変化などを踏まえ、労使の意見を聴きながら、順次検討を行い、その検討結果を踏まえた上で、政府として必要な措置を講じることが適当であり、その旨の検討規定が附則第一六条第二項に設けられている。

さらに、附則第一六条第二項の人事院の検討のためには、職員の能力・実績を職員の処遇に的確に反映するための人事評価の改善が重要であるとして、この法律の公布後速やかに、人事評価の評語の段階その他の人事評価に関し必要な事項について、検討を行い、施行日までに所要の措置を講ずることとされた。これを受けて政府は、人事評価制度の評語区分の細分化等を行い、令和四年一〇月一日から実施されている。また、人事院は、この改正を踏まえて、「昇任及び昇格の基準」、「昇給の基準」の改正を行っている（令和四年一〇月一日施行）。

これらの検討規定については、第八一条の六〔趣旨〕五3も参照されたい。

強制労働の廃止に関する条約（第百五号）の締結のための関係法律の整備に関する法律（令三・六・一六　法律第七五号）

（省　略）

我が国が強制労働の廃止に関する条約（ＩＬＯ第百五号条約）を締結（批准）するため、同条約が禁止する強制労働に該当するおそれがある罰則に関する規定に係る関係法律の規定中、懲役刑を禁錮刑に改めることとされ、本法についても、争議行為等の遂行を共謀し、唆し、若しくはあおり、又はこれらの行為を企てた者及び政治的行為の制限に違反した者について、第一一〇条の「三年以下の懲役又は百万円以下の罰金」の対象から削除し、新たに「三年以下の禁錮又は百万円以下の罰金」の対象とするため第一一一条の二を新設する改正が行われた。

刑法等の一部を改正する法律の施行に伴う関係法律の整理等に関する法律（令四・六・一七　法律第六八号）

（省　略）

刑事施設における受刑者の処遇及び執行猶予制度等のより一層の充実を図るため、懲役及び禁錮を廃止して拘禁刑を創設し、その処遇内容等を定めるなど所要の措置を講ずることとされ、本法についても、欠格条項を定めた第三八条第一号中「禁錮」を「拘禁刑」に改めるとともに、第百九条以下の罰則の規定中「懲役」及び「禁錮」を「拘禁刑」に改め、第一一一条の二を第一一〇条と統合するなどの改正が行われた（刑法等の一部を改正する法律の施行の日（新刑法の施行日）から施行される。）。

付録

○参考

国家公務員法対照表（平二六改正前まで）

制定時

第一章　総則

（この法律の目的）

第一条　この法律は、国家公務員（この法律で国家公務員には、国会議員を含まない。）たる職員について適用すべき各般の根本基準を確立し、職員がその職務の遂行に当り、最大の能率を発揮し得るように、民主的な方法で、選択され、且つ、指導さるべきことを定め、以て国民に対し、公務の民主的且つ能率的な運営を保障することを目的とする。

第一次改正後

第一章　総則

（この法律の目的及び効力）

第一条　この法律は、国家公務員たる職員について適用すべき各般の根本基準（職員の福祉及び利益を保護するための適切な措置を含む。）を確立し、職員がその職務の遂行に当り、最大の能率を発揮し得るように、民主的な方法で、選択され、且つ、指導さるべきことを定め、以て国民に対し、公務の民主的且つ能率的な運営を保障することを目的とする。

②　この法律は、もつぱら日本国憲法第七十三条にいう官吏に関する事務を掌理する基準を定めるものである。

③　何人も、故意に、この法律、人事院規則又は人事院指令に違反し、又は違反を企て若しくは共謀してはならない。又、何人も、故意に、この法律、人事院規則又は人事院指令の施行に関し、虚偽行為をなし、若しくはなそうと企て、又はその施行を妨げてはならない。

④　この法律のある規定が、効力を失い、又はその適用が無効とされても、この法律の他の

平二六改正前（平二六・四現在）

第一章　総則

（この法律の目的及び効力）

第一条　この法律は、国家公務員たる職員について適用すべき各般の根本基準（職員の福祉及び利益を保護するための適切な措置を含む。）を確立し、職員がその職務の遂行に当り、最大の能率を発揮し得るように、民主的な方法で、選択され、且つ、指導さるべきことを定め、以て国民に対し、公務の民主的且つ能率的な運営を保障することを目的とする。

②　この法律は、もつぱら日本国憲法第七十三条にいう官吏に関する事務を掌理する基準を定めるものである。

③　何人も、故意に、この法律又はこの法律に基づく命令に違反し、又は違反を企て若しくは共謀してはならない。又、何人も、故意に、この法律又はこの法律に基づく命令の施行に関し、虚偽行為をなし、若しくはなそうと企て、又はその施行を妨げてはならない。

④　この法律のある規定が、効力を失い、又はその適用が無効とされても、この法律の他の

（一般職及び特別職）

第二条　国家公務員の職は、これを一般職と特別職とに分つ。

② 一般職は、特別職に属する職以外の国家公務員の一切の職を包含する。

③ 特別職は、左に掲げる職員の職とする。

一　内閣総理大臣
二　国務大臣
三　内閣官房長官
四　内閣官房次長
五　法制局長官
六　各省政務次官
七　各省次官
八　各省参与官
九　建設院の長及び終戦連絡中央事務局の長
十　内閣総理大臣秘書官（三人以内）及びその他の秘書官（国務大臣又は特別職たる機関の長の各々につき一人）
十一　任命について国会又はその両院若しくは一院の選挙、議決又は同意によることを必要とする職員
十二　現業庁、公団その他これらに準ずるものの職員で、法律又は人事委員会規則で指定するもの
十三　顧問、参与、委員その他これらに準ず

規定又は他の関係における適用は、その影響を受けることがない。

⑤ この法律の規定が、従前の法律又はこれに基く法令と予盾し又はてい触する場合には、この法律の規定が、優先する。

（一般職及び特別職）

第二条　国家公務員の職は、これを一般職と特別職とに分つ。

② 一般職は、特別職に属する職以外の国家公務員の一切の職を包含する。

③ 特別職は、左に掲げる職員の職とする。

一　内閣総理大臣
二　国務大臣
三　人事官及び検査官
四　内閣官房長官
五　内閣官房次長
六　政務次官
七　連絡調整中央事務局長官
八　内閣総理大臣秘書官（三人以内）及びその他の秘書官（国務大臣又は特別職たる機関の長の各々につき一人）
九　就任について選挙によることを必要とし、あるいは国会の両院又は一院の議決又は同意によることを必要とする職員
十　宮内府長官、侍従長及び侍従並びに法律又は人事院規則で指定する宮内府のその他の職員
十一　大使及び公使
十二　裁判官並びに最高裁判所長官秘書官（一人）及び最高裁判所判事秘書官（判事

規定又は他の関係における適用は、その影響を受けることがない。

⑤ この法律の規定が、従前の法律又はこれに基く法令と矛盾し又はてい触する場合には、この法律の規定が、優先する。

（一般職及び特別職）

第二条　国家公務員の職は、これを一般職と特別職とに分つ。

② 一般職は、特別職に属する職以外の国家公務員の一切の職を包含する。

③ 特別職は、次に掲げる職員の職とする。

一　内閣総理大臣
二　国務大臣
三　人事官及び検査官
四　内閣法制局長官
五　内閣官房副長官
五の二　内閣危機管理監及び内閣情報通信政策監
五の三　国家安全保障局長
五の四　内閣官房副長官補、内閣広報官及び内閣情報官
六　内閣総理大臣補佐官
七　副大臣
七の二　大臣政務官
八　内閣総理大臣秘書官及び国務大臣秘書官並びに特別職たる機関の長の秘書官のうち人事院規則で指定するもの
九　就任について選挙によることを必要とし、あるいは国会の両院又は一院の議決又は同意によることを必要とする職員

る職員で、法律又は人事委員会規則で指定するもの
十四　単純な労務に雇用される者
十五　宮内府長官、侍従長及び侍従並びに法律又は人事委員会規則で指定する宮内府のその他の職員
十六　大使及び公使
十七　裁判官並びに最高裁判所長官秘書官（一人）及び裁判所調査官
十八　国会職員
④　この法律の規定は、一般職に属するすべての職（以下その職を官職といい、その職を占める者を職員という。）に、これを適用する。
⑤　この法律の規定は、この法律の改正法律により、別段の定がなされない限り、特別職に属する職には、これを適用しない。

の各々につき一人）
④　この法律の規定は、一般職に属するすべての職（以下その職を官職といい、その職を占める者を職員という。）に、これを適用する。人事院は、ある職が、国家公務員の職に属するかどうか及び本条に規定する一般職に属するか特別職に属するかを決定する権限を有する。
⑤　この法律の規定は、この法律の改正法律により、別段の定がなされない限り、特別職に属する職には、これを適用しない。
⑥　政府は、一般職又は特別職以外の勤務者を置いてその勤務に対し俸給、給料その他の給与を支払つてはならない。
⑦　前項の規定は、政府又はその機関と外国人の間に、個人的基礎においてなされる勤務の契約には適用されない。

十　宮内庁長官、侍従長、東宮大夫、式部官長及び侍従次長並びに法律又は人事院規則で指定する宮内庁のその他の職員
十一　特命全権大使、特命全権公使、特派大使、政府代表、全権委員、政府代表又は全権委員の代理並びに特派大使、政府代表又は全権委員の顧問及び随員
十一の二　日本ユネスコ国内委員会の委員
十二　日本学士院会員
十二の二　日本学術会議会員
十三　裁判官及びその他の裁判所職員
十四　国会職員
十五　国会議員の秘書
十六　防衛省の職員（防衛省に置かれる合議制の機関で防衛省設置法（昭和二十九年法律第百六十四号）第三十九条の政令で定めるものの委員及び同法第四条第二十四号又は第二十五号に掲げる事務に従事する職員で同法第三十九条の政令で定めるもののうち、人事院規則で指定するものを除く。）
十七　独立行政法人通則法（平成十一年法律第百三号）第二条第二項に規定する特定独立行政法人（以下「特定独立行政法人」という。）の役員
④　この法律の規定は、一般職に属するすべての職（以下その職を官職といい、その職を占める者を職員という。）に、これを適用する。人事院は、ある職が、国家公務員の職に属するかどうか及び本条に規定する一般職に属するか特別職に属するかを決定する権限を有す

第二章　人事委員会

（設置）

第三条　この法律の完全な実施を確保し、その目的を達成するため、内閣総理大臣の所轄の下に、人事委員会を置く。

②　人事委員会は、左に掲げる事務を掌る。

一　職員の職階、任免、給与、恩給その他職員に関する人事行政の総合調整に関する事項

二　職員の試験に関する事項

三　その他法律に基きその権限に属せしめられた事項

第二章　人事院

（設置）

第三条　この法律の完全な実施を確保し、その目的を達成するため人事院を設け、この法律実施の責に任ぜしめる。

②　国家公務員に関する事務を掌理するため、内閣の所轄の下に人事院を置く。人事院は、この法律に定める基準に従つて、内閣総理大臣に報告しなければならない。

③　人事院は、この法律に従い、左に掲げる事項について職員に関する諸般の方針、基準、手続、規則及び計画を整備、調整、総合及び指示し、且つ、立法その他必要な措置を勧告する。

一　職階、給与、重複給与、給与準則、試験、資格要件、募集、任用候補者名簿、任用候補者の提示、採用、条件附任用期間、臨時的任用、非常勤任用、重複任用、宣誓、昇任、降任、転任、復職、配置転換、退職、恩給、免職、人員の減少、勤務成績の評定、

る。

⑤　この法律の規定は、この法律の改正法律により、別段の定がなされない限り、特別職に属する職には、これを適用しない。

⑥　政府は、一般職又は特別職以外の勤務者を置いてその勤務に対し俸給、給料その他の給与を支払つてはならない。

⑦　前項の規定は、政府又はその機関と外国人の間に、個人的基礎においてなされる勤務の契約には適用されない。

第二章　中央人事行政機関

（人事院）

第三条　内閣の所轄の下に人事院を置く。人事院は、この法律に定める基準に従つて、内閣に報告しなければならない。

②　人事院は、法律の定めるところに従い、給与その他の勤務条件の改善及び人事行政の改善に関する勧告、採用試験及び任免（標準職務遂行能力及び採用昇任等基本方針に関する事項を除く。）、給与、研修、分限、懲戒、苦情の処理、職務に係る倫理の保持その他職員に関する人事行政の公正の確保及び職員の利益の保護等に関する事務をつかさどる。

③　法律により、人事院が処置する権限を与えられている部門においては、人事院の決定及び処分は、人事院によつてのみ審査される。

④　前項の規定は、法律問題につき裁判所に出訴する権利に影響を及ぼすものではない。

（国家公務員倫理審査会）

第三条の二　前条第二項の所掌事務のうち職務

（職員）

第四条　人事委員会に左の職員を置く。

人事委員長
人事委員　　三人
事務局長　　一人
その他政令を以て定める職員

人事行政用語の定義及びこれらに関連する事項

二　勤務時間、休暇、休職、保健、安全、元気回復、教育訓練、厚生、素行、政治的活動、私企業からの隔離、秘密の保持、規律、離職、公正な取扱、分限、保障、行政的措置の要求、苦情の処理、公務傷病に対する補償、政府の人事行政に関する調査、研究及び監察並びにこれらに関連する事項

三　人事記録及び人事統計並びにこの法律、人事院規則及び人事院指令に従つて給与が支払われているかどうかを確めるための給与簿の監理及び検査

四　人事主任官会議の開催

五　その他法律に基きその権限に属せしめられた事項

④　この法律により、人事院が処置する権限を与えられている部門においては、人事院の決定及び処分は、その定める手続により、人事院によつてのみ審査される。

⑤　前項の規定は、法律問題につき裁判所に出訴する権利に影響を及ぼすものではない。

（職員）

第四条　人事院は、人事官三人をもつて、これを組織する。

②　人事官のうち一人は、総裁として命ぜられる。

③　人事院は、事務総長及び予算の範囲内においてその職務を適切に行うため必要とする職員を任命する。

に係る倫理の保持に関する事務を所掌させるため、人事院に国家公務員倫理審査会を置く。

②　国家公務員倫理審査会に関しては、この法律に定めるもののほか、国家公務員倫理法（平成十一年法律第百二十九号）の定めるところによる。

（同　上）

（人事委員）

第五条　人事委員は、人格が高潔で、民主的な統治組織と成績本位の原則による能率的な事務の処理に理解があり、且つ、人事行政に関し識見を有する年齢三十五年以上の者の中から両議院の同意を経て、内閣が、これを任命する。

②　人事委員の任命については、衆議院が同意して参議院が同意しない場合においては、日本国憲法第六十七条第二項の場合の例により、衆議院の同意を以て両議院の同意とする。

③　人事委員の任免は、天皇が、これを認証する。

④　左の各号の一に該当する者は、人事委員となることができない。

一　禁治産者若しくは準禁治産者又は破産者で復権を得ない者

二　禁錮以上の刑に処せられた者又は第四章に規定する罪を犯し刑に処せられた者

三　第三十八条第三号又は第五号に該当する者

⑤　任命の日以前一年間において、政党の役員であつた者又は任命の日以前一年間において、公選による国若しくは都道府県の公職の候補者となつた者は、人事委員会規則の定めるところにより、人事委員となることができない。

④　人事院は、その内部機構を管理する。国家行政組織法（昭和二十三年法律第百二十号）は、人事院には適用されない。

（人事官）

第五条　人事官は、人格が高潔で、民主的な統治組織と成績本位の原則による能率的な事務の処理に理解があり、且つ、人事行政に関し識見を有する年齢三十五年以上の者の中から両議院の同意を経て、内閣が、これを任命する。

②　人事官の任命について、衆議院が同意して参議院が同意しない場合においては、日本国憲法第六十七条第二項の場合の例により、衆議院の同意を以て両議院の同意とする。

③　人事官の任免は、天皇が、これを認証する。

④　左の各号の一に該当する者は、人事官となることができない。

一　禁治産者若しくは準禁治産者又は破産者で復権を得ない者

二　禁錮以上の刑に処せられた者又は第四章に規定する罪を犯し刑に処せられた者

三　第三十八条第三号又は第五号に該当する者

⑤　任命の日以前五年間において、政党の役員、政治的顧問その他これらと同様な政治的影響力をもつ政党員であつた者又は任命の日以前五年間において、公選による国若しくは都道府県の公職の候補者となつた者は、人事院規則の定めるところにより、人事官となることができない。

（人事官）

第五条　人事官は、人格が高潔で、民主的な統治組織と成績本位の原則による能率的な事務の処理に理解があり、且つ、人事行政に関し識見を有する年齢三十五年以上の者の中から両議院の同意を経て、内閣が、これを任命する。

②　人事官の任免は、天皇が、これを認証する。

③　次の各号のいずれかに該当する者は、人事官となることができない。

一　破産者で復権を得ない者

二　禁錮以上の刑に処せられた者又は第四章に規定する罪を犯し刑に処せられた者

三　第三十八条第三号又は第五号に該当する者

④　任命の日以前五年間において、政党の役員、政治的顧問その他これらと同様な政治的影響力をもつ政党員であつた者又は任命の日以前五年間において、公選による国若しくは都道府県の公職の候補者となつた者は、人事院規則の定めるところにより、人事官となることができない。

⑤　人事官の任命については、その中の二人が、同一政党に属し、又は同一の大学学部を卒業した者となることとなつてはならない。

⑥　人事委員の任命については、その中の二人が、同一政党に属し、又は同一の大学学部若しくは高等学校における同一学科（学科の区分のない大学については同一学部）を卒業した者となることとなつてはならない。

（宣誓及び服務）

第六条　人事委員は、任命後、人事委員会規則の定めるところにより、最高裁判所長官の面前において、宣誓書に署名してからでなければ、その職務を行つてはならない。

②　第三章第七節の規定は、人事委員にこれを準用する。

（任期）

第七条　人事委員の任期は、四年とする。但し、補欠の人事委員は、前任者の残任期間在任する。

②　人事委員は、これを再任することができる。但し、引き続き十二年を超えて在任することはできない。

③　人事委員であつた者は、退職後一年間は、人事委員会の官職以外の官職に、これを任命することができない。但し、人事委員会規則の定める場合においては、この限りでない。

（退職及び罷免）

第八条　人事委員は、左の各号の一に該当する場合においては、当然退職するものとする。

一　第五条第四項各号の一に該当するに至つた場合

二　内閣総理大臣の訴追に基き、公開の弾劾手続により罷免を可とすると決定された場

⑥　人事官の任命については、その中の二人が、同一政党に属し、又は同一の大学学部を卒業した者となることとなつてはならない。

（宣誓及び服務）

第六条　人事官は、任命後、人事院規則の定めるところにより、最高裁判所長官の面前において、宣誓書に署名してからでなければ、その職務を行つてはならない。

②　第三章第七節の規定は、人事官にこれを準用する。

（任期）

第七条　人事官の任期は、四年とする。但し、補欠の人事官は、前任者の残任期間在任する。

②　人事官は、これを再任することができる。但し、引き続き十二年を超えて在任することはできない。

③　人事官であつた者は、退職後一年間は、人事院の官職以外の官職に、これを任命することができない。

（退職及び罷免）

第八条　人事官は、左の各号の一に該当する場合を除く外、その意に反して罷免されることがない。

一　第五条第四項各号の一に該当するに至つた場合

二　国会の訴追に基き、公開の弾劾手続によ

（同　上）

（同　上）

（退職及び罷免）

第八条　人事官は、左の各号の一に該当する場合を除く外、その意に反して罷免されることがない。

一　第五条第三項各号の一に該当するに至つた場合

二　国会の訴追に基き、公開の弾劾手続によ

合

三　人事委員として引き続き十二年在任するに至つた場合

②　前項第二号の規定による弾劾の事由は、左に掲げるものとする。

一　心身の故障のため、職務の遂行に堪えないこと

二　職務上の義務に違反し、その他人事委員たるに適しない非行があること

③　人事委員の中、二人以上が同一の政党に属することとなつた場合においては、これらの者の中一人以外の者は、内閣が両議院の同意を経て、これを罷免するものとする。但し、人事委員会規則の定める場合においては、内閣は、ただちに、これを罷免することができる。

④　前項の規定は、政党所属関係について異動のなかつた人事委員の地位に、影響を及ぼすものではない。

⑤　第五条第二項の規定は、第三項の場合に、これを準用する。

⑥　第三項の場合を除く外、人事委員は、その意に反して罷免されることがない。

（人事委員の弾劾）

第九条　人事委員の弾劾の裁判は、最高裁判所においてこれを行う。

②　内閣総理大臣は、人事委員の弾劾の訴追をしようとするときは、訴追の事由を記載した書面を最高裁判所に提出しなければならない。

③　内閣総理大臣は、前項の場合においては、

り罷免を可とすると決定された場合

三　任期が満了して、再任されず又は人事官として引き続き十二年在任するに至つた場合

②　前項第二号の規定による弾劾の事由は、左に掲げるものとする。

一　心身の故障のため、職務の遂行に堪えないこと

二　職務上の義務に違反し、その他人事官たるに適しない非行があること

③　人事官の中、二人以上が同一の政党に属することとなつた場合においては、これらの者の中の一人以外の者は、内閣が両議院の同意を経て、これを罷免するものとする。

④　前項の規定は、政党所属関係について異動のなかつた人事官の地位に、影響を及ぼすものではない。

⑤　第五条第二項の規定は、第三項の場合に、これを準用する。

（人事官の弾劾）

第九条　人事官の弾劾の裁判は、最高裁判所においてこれを行う。

②　国会は、人事官の弾劾の訴追をしようとするときは、訴追の事由を記載した書面を最高裁判所に提出しなければならない。

③　国会は、前項の場合においては、同項に規

り罷免を可とすると決定された場合

三　任期が満了して、再任されず又は人事官として引き続き十二年在任するに至つた場合

②　前項第二号の規定による弾劾の事由は、左に掲げるものとする。

一　心身の故障のため、職務の遂行に堪えないこと

二　職務上の義務に違反し、その他人事官たるに適しない非行があること

③　人事官の中、二人以上が同一の政党に属することとなつた場合においては、これらの者の中の一人以外の者は、内閣が両議院の同意を経て、これを罷免するものとする。

④　前項の規定は、政党所属関係について異動のなかつた人事官の地位に、影響を及ぼすものではない。

（同　上）

同項に規定する書面の写を訴追に係る人事委員に送付しなければならない。

④　最高裁判所は、第二項の書面を受理した日から三十日以上九十日以内の間において裁判開始の日を定め、その日の三十日以前までに、内閣総理大臣及び訴追に係る人事委員に、これを通知しなければならない。

⑤　最高裁判所は、裁判開始の日から百日以内に判決を行わなければならない。

⑥　人事委員の弾劾の裁判の手続は、裁判所規則でこれを定める。

⑦　裁判に要する費用は、国庫の負担とする。

（俸給）

第十条　人事委員は、国務大臣の俸給に準ずる俸給を受ける。

（総裁）

第十一条　人事委員長は、人事委員の中から、内閣総理大臣が、これを命ずる。

②　人事委員長は、会務を総理し、人事委員会を代表する。

③　人事委員長に事故のあるとき、又は人事委員長が欠けたときは、先任の人事委員が、その職務を代行する。

（編者注　本条の見出しは「人事委員長」となるはずの誤りと思われる。）

（人事委員会議）

第十二条　人事委員会に人事委員を以て組織する人事委員会議を置く。事務局長

定する書面の写を訴追に係る人事官に送付しなければならない。

④　最高裁判所は、第二項の書面を受理した日から三十日以上九十日以内の間において裁判国会開始の日を定め、その日の三十日以前までに、及び訴追に係る人事官に、これを通知しなければならない。

⑤　最高裁判所は、裁判開始の日から百日以内に判決を行わなければならない。

⑥　人事官の弾劾の裁判の手続は、裁判所規則でこれを定める。

⑦　裁判に要する費用は、国庫の負担とする。

（俸給）

第十条　人事官は、国務大臣と同じ基礎に基く給与を受けるものとし、人事官に支払われる給与の総額は、いずれの国務大臣が受ける給与の総額よりも少くてはならない。

（総裁）

第十一条　人事院総裁は人事官の中から、内閣が、これを命ずる。

②　人事院総裁は、院務を総理し、人事院を代表する。

③　人事院総裁に事故のあるとき、又は人事院総裁が欠けたときは、先任の人事官が、その職務を代行する。

（人事院会議）

第十二条　定例の人事院会議は、人事院規則の定めるところにより、少なくとも一週間に一

（人事官の給与）

第十条　人事官の給与は、別に法律で定める。

（同　上）

（人事院会議）

第十二条　定例の人事院会議は、人事院規則の定めるところにより、少なくとも一週間に一

は、幹事として人事委員会議に出席する。
② 人事委員会は、左に掲げる権限を行う場合においては、人事委員会議の議決を経なければならない。
一 人事委員会規則の制定及び改廃
二 第二十二条の規定による関係庁の長に対する勧告
三 第二十三条の規定による内閣総理大臣に対する意見の申出
四 第二十四条の規定による内閣総理大臣に対する報告
五 第二十九条の規定による職階制の立案
六 第三十六条（第三十七条において準用する場合を含む。）の規定による選考基準の決定及び選考機関の指定
七 第四十八条の規定による試験機関の指定
八 第六十条の規定による臨時的任用及びその更新に対する承認、臨時的任用に係る職員の員数の制限及びその資格要件の決定並びに臨時的任用の取消
九 第六十三条の規定による給与準則の立案
十 第六十七条の規定による給与準則の改訂案の作成
十一 第七十二条の規定による関係庁の長に対する勧告及び表彰又は矯正方法に関する立案
十二 第八十七条の規定による事案の判定
十三 第九十二条の規定による処分の判定及び内閣総理大臣に対する意見の申出
十四 第九十五条の規定による補償に関する

回、一定の場所において開催することを常例としなければならない。
② 人事院会議の議事は、すべて議事録として記録しておかなければならない。
③ 前項の議事録は、幹事がこれを作成する。
④ 人事院の事務処理の手続に関し必要な事項は、人事院規則でこれを定める。
⑤ 事務総長は、幹事として人事院会議に出席する。
⑥ 人事院は、左に掲げる権限を行う場合においては、人事院の議決を経なければならない。
一 人事院規則の制定及び改廃
二 第十三条の規定による応急予備金の支出
三 第二十二条の規定による関係庁の長に対する勧告
四 第二十三条の規定による国会及び内閣に対する意見の申出
五 第二十四条の規定による国会及び内閣に対する報告
六 第二十八条の規定による国会及び内閣に対する勧告
七 第二十九条の規定による職階制の立案
八 第三十六条（第三十七条において準用する場合を含む。）の規定による選考基準の決定及び選考機関の指定
九 第四十八条の規定による試験機関の指定
十 第六十条の規定による臨時的任用及びその更新に対する承認、臨時的任用に係る職員の員数の制限及びその資格要件の決定並びに臨時的任用の取消（人事院規則の定め

回、一定の場所において開催することを常例としなければならない。
② 人事院会議の議事は、すべて議事録として記録しておかなければならない。
③ 前項の議事録は、幹事がこれを作成する。
④ 人事院の事務処理の手続に関し必要な事項は、人事院規則でこれを定める。
⑤ 事務総長は、幹事として人事院会議に出席する。
⑥ 人事院は、次に掲げる権限を行う場合においては、人事院の議決を経なければならない。
一 人事院規則の制定及び改廃
二 削除
三 第二十二条の規定による関係大臣その他の機関の長に対する勧告
四 第二十三条の規定による国会及び内閣に対する意見の申出
五 第二十四条の規定による国会及び内閣に対する報告
六 第二十八条の規定による国会及び内閣に対する勧告
七 第四十八条の規定による試験機関の指定
八 第六十条の規定による臨時的任用及びその更新に対する承認、臨時的任用に係る職員の員数の制限及びその資格要件の決定並びに臨時的任用の取消（人事院規則の定める場合を除く。）
九 第六十七条の規定による給与に関する法律に定める事項の改定案の作成並びに国会及び内閣に対する勧告

重要事項の立案
十五　第百三条の規定による異議の申立についての判定
十六　第百八条の規定による恩給に関する重要事項の立案
十七　その他人事委員会議の議決によりその議決を必要とされた事項
③　人事委員の定例会議は、人事委員会規則の定めるところにより、一定の場所において、少くとも一週間に一回開催することを常例としなければならない。
④　人事委員会議の議事は、すべて議事録として記録しておかなければならない。
⑤　前項の議事録は、幹事がこれを作成する。
⑥　人事委員会議の議事に関し必要な事項は、人事委員会規則でこれを定める。

（事務局その他の機関）
第十三条　人事委員会に、事務局を置き、人事委員会の権限に属する事項に関する庶務を掌らしめる。
②　人事委員会に、国会の承認を得て、地方の事務所を置くことができる。

る場合を除く。）
十一　第六十三条の規定による給与準則の立案
十二　第六十七条の規定による給与準則の改訂案の作成
十三　第七十二条の規定による関係庁の長に対する勧告及び表彰又は矯正方法に関する立案（人事院規則の定める場合を除く。）
十四　第八十七条の規定による事案の判定
十五　第九十二条の規定による処分の判定
十六　第九十五条の規定による補償に関する重要事項の立案
十七　第百三条の規定による異議の申立についての判定
十八　第百八条の規定による恩給に関する重要事項の立案
十九　その他人事院の議決によりその議決を必要とされた事項

（事務総局及び予算）
第十三条　人事院に事務総局及び法律顧問を置く。
②　事務総局の組織及び法律顧問に関し必要な事項は、人事院規則でこれを定める。
③　人事院は、毎会計年度の開始前に、次の会計年度においてその必要とする経費の要求書を国の予算に計上されるように内閣に提出しなければならない。この要求書には、土地の購入、建物の建造、事務所の借上、家具、備品及び消耗品の購入、俸給及び給料の支払その他この法律を完全に実施するため必要なあ

十　第八十七条の規定による事案の判定
十一　第九十二条の規定による処分の判定
十二　第九十五条の規定による補償に関する重要事項の立案
十三　第百三条の規定による異議申立てに対する決定
十四　第百八条の規定による国会及び内閣に対する意見の申出
十五　第百八条の三第六項の規定による職員団体の登録の効力の停止及び取消し
十六　その他人事院の議決によりその議決を必要とされた事項

（事務総局及び予算）
第十三条　人事院に事務総局及び法律顧問を置く。
②　事務総局の組織及び法律顧問に関し必要な事項は、人事院規則でこれを定める。
③　人事院は、毎会計年度の開始前に、次の会計年度においてその必要とする経費の要求書を国の予算に計上されるように内閣に提出しなければならない。この要求書には、土地の購入、建物の建造、事務所の借上、家具、備品及び消耗品の購入、俸給及び給料の支払その他必要なあらゆる役務及び物品に関する経

（事務局長）

第十四条　事務局長は、人事委員長の指揮監督を受け、事務局の局務を掌理する。

②　事務局長は、人事委員会議の幹事となり、及び人事主任官会議の議長となる。

らゆる役務及び物品に関する経費が計上されなければならない。

④　昭和二十七年三月三十一日までは、前項の経費の中には、応急予備金が設けられなければならない。応急予備金は、総裁がこれを管理する。応急予備金を支出するには、人事院の議決を経なければならない。

⑤　内閣が、人事院の経費の要求書を修正する場合においては、人事院の要求書は、内閣により修正された要求書とともに、これを国会に提出しなければならない。

⑥　人事院は、国会の承認を得て、その必要とする地方の事務所を置くことができる。

（事務総長）

第十四条　事務総長は、総裁の職務執行の補助者となり、その一般的監督の下に、人事院の事務上及び技術上のすべての活動を指揮監督し、この法律の目的を達成するための諸般の計画を樹立し、人事院の職員について計画を立て、募集、配置及び指揮を行い、又、この法律の目的を達成するために必要な、適当で、且つ、法令の規定に従つた諸般の措置を行い、人事院会議の幹事及び人事主任官会議の議長となる。

②　事務総長は、次官と同じく基礎に基く給与を受けるものとし、事務総長に支払われる給与の総額は、いずれの次官が受ける給与の総額より少くてはならない。但し、法律に定める家族手当及び超過勤務手当については、この限りでない。

費が計上されなければならない。

④　内閣が、人事院の経費の要求書を修正する場合においては、人事院の要求書は、内閣により修正された要求書とともに、これを国会に提出しなければならない。

⑤　人事院は、国会の承認を得て、その必要とする地方の事務所を置くことができる。

（事務総長）

第十四条　事務総長は、総裁の職務執行の補助者となり、その一般的監督の下に、人事院の事務上及び技術上のすべての活動を指揮監督し、人事院の職員について計画を立て、募集、配置及び指揮を行い、又、人事院会議の幹事となる。

（人事委員会の職員の兼職禁止）
第十五条　人事委員及び事務局長は、人事委員会の官職以外の官職を兼ねてはならない。
（人事委員会規則）
第十六条　人事委員会は、この法律の執行に関し必要な事項について、内閣総理大臣の承認を経て、人事委員会規則を制定する。
②　人事委員会規則は、内閣総理大臣が、官報を以て、これを公布する。
（調査）
第十七条　人事委員会又はその指名する者は、官職についての就職状況、人事管理の状況その他人事行政に関する事項について調査することができる。
②　人事委員会又は前項の規定により指名された者は、同項の調査に関し必要があるときは、証人を喚問し、又調査すべき事項に関係があると認められる書類若しくはその写の提出を求めることができる。

（人事院の職員の兼職禁止）
第十五条　人事官及び事務総長は、他の官職を兼ねてはならない。
（人事院規則及び人事院指令）
第十六条　人事院は、この法律の執行に関し必要な事項について、人事院規則を制定し、人事院指令を発し、及び手続を定める。人事院は、いつでも、適宜に、人事院規則を改廃することができる。
②　人事院規則及びその改廃は、官報をもつて、これを公布する。
③　人事院は、この法律に基いて人事院規則を実施し又はその他の措置を行うため、人事院指令を発することができる。
（調査）
第十七条　人事院又はその指名する者は、官職についての就職状況、人事管理の状況その他人事行政に関する事項について調査することができる。
②　人事院又は前項の規定により指名された者は、同項の調査に関し必要があるときは、証人を喚問し、又調査すべき事項に関係があると認められる書類若しくはその写の提出を求めることができる。

（同　上）

（人事院規則及び人事院指令）

第十六条　人事院は、その所掌事務について、法律を実施するため、又は法律の委任に基づいて、人事院規則を制定し、人事院指令を発し、及び手続を定める。人事院は、いつでも、適宜に、人事院規則を改廃することができる。
②　人事院規則及びその改廃は、官報をもつて、これを公布する。
③　人事院は、この法律に基いて人事院規則を実施し又はその他の措置を行うため、人事院指令を発することができる。
（人事院の調査）
第十七条　人事院又はその指名する者は、人事院の所掌する人事行政に関する事項に関し調査することができる。
②　人事院又は前項の規定により指名された者は、同項の調査に関し必要があるときは、証人を喚問し、又は調査すべき事項に関係があると認められる書類若しくはその写の提出を求めることができる。
③　人事院は、第一項の調査（職員の職務に係る倫理の保持に関して行われるものに限る。）に関し必要があると認めるときは、当該調査の対象である職員に出頭を求めて質問し、又は同項の規定により指名された者に、当該職員の勤務する場所（職員として勤務していた場所を含む。）に立ち入らせ、帳簿書類その

（給与の支払の監理）
第十八条　人事委員会は、職員に対する給与の支払を監理する。

（給与の支払の監理）
第十八条　人事院は、職員に対する給与の支払を監理する。
②　職員に対する給与の支払は、人事院規則又は人事院指令に反してこれを行つてはならない。

他必要な物件を検査させ、又は関係者に質問させることができる。
④　前項の規定により立入検査をする者は、その身分を示す証明書を携帯し、関係者の請求があつたときは、これを提示しなければならない。
⑤　第三項の規定による立入検査の権限は、犯罪捜査のために認められたものと解してはならない。

（国家公務員倫理審査会への権限の委任）
第十七条の二　人事院は、前条の規定による権限（職員の職務に係る倫理の保持に関して行われるものに限り、かつ、第九十条第一項に規定する不服申立てに係るものを除く。）を国家公務員倫理審査会に委任する。

（同　上）

（内閣総理大臣）
第十八条の二　内閣総理大臣は、法律の定めるところに従い、標準職務遂行能力及び採用昇任等基本方針に関する事務並びに職員の人事評価（任用、給与、分限その他の人事管理の基礎とするために、職員がその職務を遂行するに当たり発揮した能力及び挙げた業績を把握した上で行われる勤務成績の評価をいう。以下同じ。）、能率、厚生、服務、退職管理等

（人事記録）

第十九条　人事委員会は、職員の人事記録に関することを管理する。

② 人事委員会は、総理庁、各省その他の機関をして、当該機関の職員の人事に関する一切の事項について、人事記録を作成し、これを保管せしめるものとする。

③ 人事記録の記載事項及び様式その他人事記録に関し必要な事項は、人事委員会規則でこれを定める。

④ 人事委員会は、第二項の規定による人事記録で、前項の規定による人事委員会規則に違反すると認めるものについて、その改訂を命じ、その他所要の措置をなすことができる。

（統計報告）

第二十条　人事委員会は、人事委員会規則の定めるところにより、職員の在職関係に関する統計報告の制度を定め、これを実施するものとする。

（人事記録）

第十九条　人事院は、職員の人事記録に関することを管理する。

② 人事院は、総理庁、各省その他の機関をして、当該機関の職員の人事に関する一切の事項について、人事記録を作成し、これを保管せしめるものとする。

③ 人事記録の記載事項及び様式その他人事記録に関し必要な事項は、人事院規則でこれを定める。

④ 人事院は、総理庁、各省その他の機関によつて作成保管された人事記録で、前項の規定による人事院規則に違反すると認めるものについて、その改訂を命じ、その他所要の措置をなすことができる。

（統計報告）

第二十条　人事院は、人事院規則の定めるところにより、職員の在職関係に関する統計報告の制度を定め、これを実施するものとする。

② 人事院は、前項の統計報告に関し必要があ

に関する事務（第三条第二項の規定により人事院の所掌に属するものを除く。）をつかさどる。

② 内閣総理大臣は、前項に規定するもののほか、各行政機関がその職員について行なう人事管理に関する方針、計画等に関し、その統一保持上必要な総合調整に関する事務をつかさどる。

第十八条の三（内閣総理大臣の調査）から第十八条の七（官民人材交流センター）まで〔略〕

（人事記録）

第十九条　内閣総理大臣は、職員の人事記録に関することを管理する。

② 内閣総理大臣は、内閣府、各省その他の機関をして、当該機関の職員の人事に関する一切の事項について、人事記録を作成し、これを保管せしめるものとする。

③ 人事記録の記載事項及び様式その他人事記録に関し必要な事項は、政令でこれを定める。

④ 内閣総理大臣は、内閣府、各省その他の機関によつて作成保管された人事記録で、前項の規定による政令に違反すると認めるものについて、その改訂を命じ、その他所要の措置をなすことができる。

（統計報告）

第二十条　内閣総理大臣は、政令の定めるところにより、職員の在職関係に関する統計報告の制度を定め、これを実施するものとする。

② 内閣総理大臣は、前項の統計報告に関し必

② 人事委員会は、前項の統計報告に関し必要があるときは、関係庁に対し随時又は定期に一定の形式に基いて、所要の報告を求めることができる。

（権限の委任）

第二十一条　人事委員会は、この法律に基く権限で重要でないものについて、これを他の機関をして行わしめることができる。この場合においても、人事委員会は、その権限の行使について責任を免かれることができない。

（人事行政改善の勧告）

第二十二条　人事委員会は、人事行政の改善に関し、関係大臣その他の機関の長に勧告することができる。

② 人事委員会は、政府全体の行政運営の能率増進に資するため、政府部内各機関相互の間における職員の配置転換及び人事の交流について、関係大臣その他の機関の長に勧告することができる。

③ 前二項の場合においては、人事委員会は、その旨を内閣総理大臣に報告しなければならない。

（法令の制定改廃に関する意見の申出）

第二十三条　人事委員会は、この法律の目的達成上、法令の制定又は改廃に関し意見があるときは、その意見を内閣総理大臣に申し出なければならない。

（業務の報告）

るときは、関係庁に対し随時又は定期に一定の形式に基いて、所要の報告を求めることができる。

（権限の委任）

第二十一条　人事院は、この法律に基く権限で人事院規則の定めるものについては、これを他の機関をして行わしめることができる。この場合においても、人事院は、その権限の行使について責任を免かれることができない。

（人事行政改善の勧告）

第二十二条　人事院は、人事行政の改善に関し、関係大臣その他の機関の長に勧告することができる。

② 人事院は、政府全体の行政運営の能率増進に資するため、政府部内各機関相互の間における職員の配置転換、人事の交流その他労力活用に関する事項について、関係大臣その他の機関の長に勧告することができる。

③ 前二項の場合においては、人事院は、その旨を内閣に報告しなければならない。

（法令の制定改廃に関する意見の申出）

第二十三条　人事院は、この法律の目的達成上、法令の制定又は改廃に関し意見があるときは、その意見を国会及び内閣に同時に申し出なければならない。

（業務の報告）

要があるときは、関係庁に対し随時又は定期に一定の形式に基いて、所要の報告を求めることができる。

（権限の委任）

第二十一条　人事院又は内閣総理大臣は、それぞれ人事院規則又は政令の定めるところにより、この法律に基づく権限の一部を他の機関をして行なわせることができる。この場合においては、人事院又は内閣総理大臣は、当該事務に関し、他の機関の長を指揮監督することができる。

（人事行政改善の勧告）

第二十二条　人事院は、人事行政の改善に関し、関係大臣その他の機関の長に勧告することができる。

② 前項の場合においては、人事院は、その旨を内閣に報告しなければならない。

（同　上）

（同　上）

第二十四条　人事委員会は、毎年、内閣総理大臣に対し、内閣総理大臣の定めるところにより、その業務の状況を報告しなければならない。

② 内閣総理大臣は、前項の報告を公表しなければならない。

（人事主任官）

第二十五条　総理庁及び各省並びに人事委員会規則で指定するその他の機関には、その庁の職員として人事主任官を置かなければならない。

② 人事主任官は、人事に関する部局の長となり、前項の機関の長を助け、人事に関する事務を掌る。

（人事主任官会議）

第二十六条　この法律の実施に関し、人事委員会と総理庁、各省及びその他の機関の間における緊密な連絡及び相互の協力に遺憾なきを期するため、人事委員会に人事主任官会議を置く。

② 人事主任官会議は、議長及び委員を以て、これを組織する。

③ 議長は、事務局長を以て、委員は前条の人事主任官を以て、これに充てる。

④ 人事主任官会議は、人事行政に関する重要事項につき、人事委員長に建議することができる。

⑤ 前四項に定めるものの外、人事主任官会議に関し必要な事項は、人事委員会規則でこれ

第二十四条　人事院は、毎年、国会及び内閣に対し、業務の状況を報告しなければならない。

② 内閣は、前項の報告を公表しなければならない。

（人事主任官）

第二十五条　総理庁及び各省並びに人事院規則で指定するその他の機関には、その庁の職員として人事主任官を置かなければならない。

② 人事主任官は、人事に関する部局の長となり、前項の機関の長を助け人事に関する事務を掌る。

（人事主任官会議）

第二十六条　この法律の実施に関し、人事院と総理庁、各省及びその他の機関の間における緊密な連絡及び相互の協力に遺憾なきを期するため、人事院に人事主任官会議を置く。

② 人事主任官会議は、議長及び委員を以て、これを組織する。

③ 議長は、事務総長を以て、委員は前条の人事主任官を以て、これに充てる。

④ 人事主任官会議は、人事行政に関する重要事項につき、人事院総裁に建議することができる。

⑤ 前四項に定めるものの外、人事主任官会議に関し必要な事項は、人事院規則でこれを定める。

（人事管理官）

第二十五条　内閣府及び各省並びに政令で指定するその他の機関には、人事管理官を置かなければならない。

② 人事管理官は、人事に関する部局の長となり、前項の機関の長を助け、人事に関する事務を掌る。この場合において、人事管理官は、中央人事行政機関との緊密な連絡及びこれに対する協力につとめなければならない。

第二十六条　削除（昭和四〇年改正）

を定める。

第三章　官職の基準

第一節　通則

（平等取扱の原則）

第二十七条　すべて国民は、この法律の適用について、平等に取り扱われ、人種、信条、性別、社会的身分又は門地によつて、差別されてはならない。

（情勢適応の原則）

第二十八条　この法律に基いて定めらるべき給与、勤務時間その他勤務条件に関する基礎事項は、社会一般の情勢に適応するように、国会の定める手続に従い、随時変更せられうるものとする。

第三章　官職の基準

第一節　通則

（平等取扱の原則）

第二十七条　すべて国民は、この法律の適用について、平等に取り扱われ、人種、信条、性別、社会的身分、門地又は第三十八条第五号に規定する場合を除くの外政治的意見若しくは政治的所属関係によつて、差別されてはならない。

（情勢適応の原則）

第二十八条　この法律に基いて定められる給与、勤務時間その他勤務条件に関する基礎事項は、国会により社会一般の情勢に適応するように、随時これを変更することができる。その変更に関しては、人事院においてこれを勧告することを怠つてはならない。

②　人事院は、毎年、少くとも一回、俸給表が適当であるかどうかについて国会及び内閣に同時に報告しなければならない。給与を決定する諸条件の変化により、俸給表に定める給与を百分の五以上増減する必要が生じたと認められるときは、人事院は、その報告にあわ

第三章　職員に適用される基準

第一節　通則

（同　上）

（人事管理の原則）

第二十七条の二　職員の採用後の任用、給与その他の人事管理は、職員の採用年次及び合格した採用試験の種類にとらわれてはならず、第五十八条第三項に規定する場合を除くほか、人事評価に基づいて適切に行われなければならない。

（同　上）

第二節　職階制

（職階制の確立）

第二十九条　職階制は、法律でこれを定める。

②　人事委員会は、職階制を立案し、官職を職務の種類に応じて定めた職種別に、且つ、職務の複雑と責任の度に応じて定めた等級別に、分類整理しなければならない。

③　職階制においては、職種及び等級を同じくする官職については、同一の資格要件を必要とするとともに、且つ、当該官職に就いている者に対しては、同一の幅の俸給が支給されるように、官職の分類整理がなされなければならない。

④　前三項に関する計画は、この法律の実施前に国会に提出して、その承認を得なければならない。

（職階制の実施）

第三十条　職階制は、職階制を実施することができるものから、逐次これを実施しなければならない。

②　職階制の実施につき必要な事項は、この法律に定のあるものを除いては、人事委員会規

せて、国会及び内閣に適当な勧告をしなければならない。

第二節　職階制

（職階制の確立）

第二十九条　職階制は、法律でこれを定める。

②　人事院は、職階制を立案し、官職を職務の種類及び複雑と責任の度に応じて、分類整理しなければならない。

③　職階制においては、同一の内容の雇用条件を有する同一の職級に属する官職については、同一の資格要件を必要とするとともに、且つ、当該官職に就いている者に対しては、同一の幅の俸給が支給されるように、官職の分類整理がなされなければならない。

④　前三項に関する計画は、国会に提出して、その承認を得なければならない。

⑤　政府職員の新給与実施に関する法律（昭和二十三年法律第四十六号）第十四条の規定による職務の分類は、これを本条その他の条項に規定された計画であつて、且つ、この法律の要請するところに適合するものとみなし、その改正が人事院によつて勧告され、国会によつて制定されるまで効力をもつものとする。

（職階制の実施）

第三十条　職階制は、実施することができるものから、逐次これを実施する。

②　職階制の実施につき必要な事項は、この法律に定のあるものを除いては、人事院規則でこれを定める。

第二十九条から第三十二条まで　削除（平成一九年改正）

則でこれを定める。

（官職の格付）

第三十一条　職階制を実施することとなつた場合においては、人事委員会は、人事委員会規則の定めるところにより、職階制の適用されるすべての官職をいずれかの職種及び等級に格付しなければならない。

②　人事委員会は、人事委員会規則の定めるところにより、随時、前項に規定する格付を再審査し、必要と認めるときは、これを改訂しなければならない。

（職階制によらない官職の分類の禁止）

第三十二条　職階制が適用される官職については、任用の資格要件及び俸給支給の基準としては、職階制によらない分類をすることはできない。

第三節　試験及び任免

（任免の根本基準）

第三十三条　すべて職員の任免は、その者の受験成績、勤務成績又はその他の能力の実証に基いて、これを行う。

②　前項に規定する根本基準の実施につき必要な事項は、この法律に定のあるものを除いては、人事委員会規則でこれを定める。

（官職の格付）

第三十一条　職階制を実施するにあたつては、人事院は、人事院規則の定めるところにより、職階制の適用されるすべての官職をいずれかの職級に格付しなければならない。

②　人事院は、人事院規則の定めるところにより、随時、前項に規定する格付を再審査し、必要と認めるときは、これを改訂しなければならない。

（職階制によらない官職の分類の禁止）

第三十二条　一般職に属するすべての官職については、職階制によらない分類をすることはできない。

第三節　試験及び任免

（任免の根本基準）

第三十三条　すべて職員の任用は、この法律及び人事院規則の定めるところにより、その者の受験成績、勤務成績又はその他の能力の実証に基いて、これを行う。

②　人事院は、試験を採用試験、昇任試験又はその両者を兼ねるもののいずれとするかを適宜決定する。

③　職員の免職は、法律に定める事由に基いてこれを行わなければならない。

④　前三項に規定する根本基準の実施につき必要な事項は、この法律に定のあるものを除いては、人事院規則でこれを定める。

第二節　採用試験及び任免

（任免の根本基準）

第三十三条　職員の任用は、この法律の定めるところにより、その者の受験成績、人事評価又はその他の能力の実証に基づいて行わなければならない。

②　職員の免職は、法律に定める事由に基づいてこれを行わなければならない。

③　前二項に規定する根本基準の実施につき必要な事項は、この法律に定めのあるものを除いては、人事院規則でこれを定める。

第一款　通則

（任用、採用、昇任及び降任並びに転任の定義）

第三十四条　この法律において任用とは、採用、昇任、降任及び転任をいう。

② この法律において採用とは、昇任、降任及び転任以外の方法によつて官職に任命することをいう。

③ この法律において昇任とは、現に官職に就いていることに基いて、その官職と同一の職種に属する上の等級の官職に任命することをいう。

④ この法律において降任とは、現に官職に就いていることに基いて、その官職と同一の職種に属する下の等級の官職に任命することをいう。

⑤ この法律において転任とは、現に官職に就いている者をその官職と同一の職種及び等級に属する他の庁又は同一庁の他の部署の官職に任命することをいう。

（欠員補充の方法）

第三十五条　官職に欠員を生じた場合においては、その任命権者は、法律又は人事委員会規則に別段の定のある場合を除いては、採用、昇任、降任又は転任のいずれか一の方法により、職員を任命することができる。但し、人

第一款　通則

（用語の定義）

第三十四条　人事院は、この法律の施行上必要とする用語の定義、説明及び使用について、人事院規則でこれを定める。

（欠員補充の方法）

第三十五条　官職に欠員を生じた場合においては、その任命権者は、法律又は人事院規則に別段の定のある場合を除いては、採用、昇任、降任又は転任のいずれか一の方法により、職員を任命することができる。但し、人事院が

第一款　通則

（定義）

第三十四条　この法律において、次の各号に掲げる用語の意義は、当該各号に定めるところによる。

一　採用　職員以外の者を官職に任命すること（臨時的任用を除く。）をいう。

二　昇任　職員をその職員が現に任命されている官職より上位の職制上の段階に属する官職に任命することをいう。

三　降任　職員をその職員が現に任命されている官職より下位の職制上の段階に属する官職に任命することをいう。

四　転任　職員をその職員が現に任命されている官職以外の官職に任命することであつて前二号に定めるものに該当しないものをいう。

五　標準職務遂行能力　職制上の段階の標準的な官職の職務を遂行する上で発揮することが求められる能力として内閣総理大臣が定めるものをいう。

② 前項第五号の標準的な官職は、係員、係長、課長補佐、課長その他の官職とし、職制上の段階及び職務の種類に応じ、政令で定める。

（同　上）

事委員会が特別の必要があると認めて任命の方法を指定した場合は、この限りではない。

（採用の方法）

第三十六条　職員の採用は、競争試験によるものとする。但し、人事委員会規則の定める職種及び等級について、人事委員会の承認があつた場合は、競争試験以外の能力の実証に基く試験（以下選考という。）の方法によることを妨げない。

②　前項但書の選考は、人事委員会の定める基準により、人事委員会又はその定める選考機関が、これを行う。

③　職員の採用は、前二項の規定にかかわらず、人事委員会規則の定めるところにより、採用すべき官職と同一の職種で、且つ、同等以上の等級の官職に、従前在職したことのある者の中から、これを行うことができる。

（昇任の方法）

第三十七条　職員の昇任は、その官職と同一の職種に属する直近下級の等級の官職の在職者の間における競争試験（以下試験という。）によるものとする。但し、人事委員会は、任命権者の請求に基き、試験を受ける者の範囲を、その所轄部内の職員に限ることができる。

②　昇任すべき官職の職務及び責任に鑑み、人事委員会が、当該在職者の間における試験によることを適当でないと認める場合においては、昇任は、当該在職者の従前の勤務実績に基く選考により、これを行うことができる。

③　前条第二項の規定は、前項の選考にこれを

特別の必要があると認めて任命の方法を指定した場合は、この限りではない。

（採用の方法）

第三十六条　職員の採用は、競争試験によるものとする。但し、人事院規則の定める官職について、人事院の承認があつた場合は、競争試験以外の能力の実証に基く試験（以下選考という。）の方法によることを妨げない。

②　前項但書の選考は、人事院の定める基準により人事院又はその定める選考機関が、これを行う。

（昇任の方法）

第三十七条　職員の昇任は、その官職より下位の官職の在職者の間における競争試験（以下試験という。）によるものとする。但し、人事院は、必要と認めるときは、試験を受ける者の範囲を、適宜制限することができる。

②　昇任すべき官職の職務及び責任に鑑み、人事院が、当該在職者の間における試験によることを適当でないと認める場合においては、昇任は、当該在職者の従前の勤務実績に基く選考により、これを行うことができる。

③　前条第二項の規定は、前項の選考にこれを準用する。

（採用の方法）

第三十六条　職員の採用は、競争試験によるものとする。ただし、人事院規則で定める場合には、競争試験以外の能力の実証に基づく試験（以下「選考」という。）の方法によることを妨げない。

第三十七条　削除（平成一九年改正）

準用する。

（欠格条項）

第三十八条　左の各号の一に該当する者は、人事委員会規則の定める場合を除くの外、官職に就く能力を有しない。

一　禁治産者及び準禁治産者

二　禁錮以上の刑に処せられ、その執行を終わるまで又は執行を受けることがなくなるまでの者

三　懲戒免職の処分を受け、当該処分の日から二年を経過しない者

四　人事委員会の人事委員又は事務局長の職にあつて、第百九条又は第百十条第三号に規定する罪を犯し刑に処せられた者

五　日本国憲法施行の日以後において、日本国憲法又はその下に成立した政府を暴力で破壊することを主張する政党その他の団体を結成し、又はこれに加入した者

（人事に関する不法行為の禁止）

第三十九条　何人も、左の各号の一に掲げる事項を実現するために、金銭その他の利益を授受し、提供し、要求し、若しくは授受を約束したり、脅迫、強制その他これに類する方法を用いたり、直接たると間接たるとを問わず、公の地位を利用し、又はその利用を提供し、要求し、若しくは約束したり、あるいはこれらの行為に関与してはならない。

一　退職若しくは休職又は任用の不承諾

二　試験若しくは任用の志望の撤回又は任用に対する競争の中止

（欠格条項）

第三十八条　左の各号の一に該当する者は、人事院規則の定める場合を除くの外、官職に就く能力を有しない。

一　禁治産者及び準禁治産者

二　禁錮以上の刑に処せられ、その執行を終わるまで又は執行を受けることがなくなるまでの者

三　懲戒免職の処分を受け、当該処分の日から二年を経過しない者

四　人事院の人事官又は事務総長の職にあつて、第百九条から第百十一条までに規定する罪を犯し刑に処せられた者

五　日本国憲法施行の日以後において、日本国憲法又はその下に成立した政府を暴力で破壊することを主張する政党その他の団体を結成し、又はこれに加入した者

（同　上）

（欠格条項）

第三十八条　次の各号のいずれかに該当する者は、人事院規則の定める場合を除くほか、官職に就く能力を有しない。

一　成年被後見人又は被保佐人

二　禁錮以上の刑に処せられ、その執行を終わるまで又は執行を受けることがなくなるまでの者

三　懲戒免職の処分を受け、当該処分の日から二年を経過しない者

四　人事院の人事官又は事務総長の職にあつて、第百九条から第百十二条までに規定する罪を犯し刑に処せられた者

五　日本国憲法施行の日以後において、日本国憲法又はその下に成立した政府を暴力で破壊することを主張する政党その他の団体を結成し、又はこれに加入した者

（人事に関する不法行為の禁止）

第三十九条　何人も、次の各号のいずれかに該当する事項を実現するために、金銭その他の利益を授受し、提供し、要求し、若しくは授受を約束したり、脅迫、強制その他これに類する方法を用いたり、直接たると間接たるとを問わず、公の地位を利用し、又はその利用を提供し、要求し、若しくは約束したり、あるいはこれらの行為に関与してはならない。

一　退職若しくは休職又は任用の不承諾

二　採用のための競争試験（以下「採用試験」という。）若しくは任用の志望の撤回又は

三　任用、昇給、留職その他官職における利益の実現又はこれらのことの推薦

（人事に関する虚偽行為の禁止）

第四十条　何人も、試験、選考、任用又は人事記録に関して、虚偽又は不正の陳述、記載、証明、採点、判断又は報告を行つてはならない。

（受験又は任用の阻害及び情報提供の禁止）

第四十一条　試験機関に属する者その他の職員は、受験若しくは任用を阻害し、又は受験若しくは任用に不当な影響を与える目的を以て特別若しくは秘密の情報を提供してはならない。

第二款　試験

（試験実施の場合）

第四十二条　試験は、人事委員会規則の定めるところにより、職種及び等級に応じ、これを行う。

（受験の欠格条項）

第四十三条　第四十四条に規定する資格に関する制限の外、官職に就く能力を有しない者は、受験することができない。

（受験の資格要件）

第四十四条　人事委員会は、人事委員会規則により、受験者に必要な資格として職種及び等級に応じ、その職務の遂行に欠くことのできない最小限度の客観的且つ画一的な要件を定めることができる。

（試験の内容）

（同　上）

（同　上）

第二款　試験

（試験実施の場合）

第四十二条　試験は、人事院規則の定めるところにより、これを行う。

（同　上）

（受験の資格要件）

第四十四条　人事院は、人事院規則により、受験者に必要な資格として官職に応じ、その職務の遂行に欠くことのできない最小限度の客観的且つ画一的な要件を定めることができる。

（試験の内容）

任用に対する競争の中止

三　任用、昇給、留職その他官職における利益の実現又はこれらのことの推薦

（人事に関する虚偽行為の禁止）

第四十条　何人も、採用試験、選考、任用又は人事記録に関して、虚偽又は不正の陳述、記載、証明、採点、判断又は報告を行つてはならない。

（同　上）

第二款　採用試験

（採用試験の実施）

第四十二条　採用試験は、人事院規則の定めるところにより、これを行う。

（同　上）

（同　上）

（採用試験の内容）

第四十五条　試験は、職務遂行の能力を有するかどうかを判定することを以てその目的とし、その内容は、実際的なものであることを要する。

（採用試験の公開平等）
第四十六条　採用試験は、人事委員会規則の定める受験の資格を有するすべての国民に対して、平等の条件で公開されなければならない。

（採用試験の告知）
第四十七条　採用試験の告知は、公告によらなければならない。
②　前項の告知には、その試験に係る職種及び等級についての職務及び責任の概要及び給与、受験の資格要件、試験科目及びその各科目の比重、試験の時期及び場所、願書の入手及び提出の場所、時期及び手続その他の必要な受験手続並びに人事委員会が必要と認めるその他の注意事項を記載するものとする。
③　第一項の規定による公告は、人事委員会規則の定めるところにより、受験の資格を有するすべての者に対し、受験に必要な事項が漏れなく判明することのできるように、これを行わなければならない。
④　人事委員会は、受験の資格を有すると認められる者が受験するように、常に努めなければならない。

第四十五条　試験は、職務遂行の能力を有するかどうかを判定することを以てその目的とする。

（採用試験の公開平等）
第四十六条　採用試験は、人事院規則の定める受験の資格を有するすべての国民に対して、平等の条件で公開されなければならない。

（採用試験の告知）
第四十七条　採用試験の告知は、公告によらなければならない。
②　前項の告知には、その試験に係る官職についての職務及び責任の概要及び給与、受験の資格要件、試験の時期及び場所、願書の入手及び提出の場所、時期及び手続その他の必要な受験手続並びに人事院が必要と認めるその他の注意事項を記載するものとする。
③　第一項の規定による公告は、人事院規則の定めるところにより、受験の資格を有するすべての者に対し、受験に必要な事項を周知させることができるように、これを行わなければならない。
④　人事院は、受験の資格を有すると認められる者が受験するように、常に努めなければならない。
⑤　人事院は、公告された試験又は実施中の試験を、取り消し又は変更することができる。

第四十五条　採用試験は、受験者が、当該採用試験に係る官職の属する職制上の段階の標準的な官職に係る標準職務遂行能力及び当該採用試験に係る官職についての適性を有するかどうかを判定することをもつてその目的とする。

（同　上）

（採用試験の告知）
第四十七条　採用試験の告知は、公告によらなければならない。
②　前項の告知には、その採用試験に係る官職についての職務及び責任の概要及び給与、受験の資格要件、採用試験の時期及び場所、願書の入手及び提出の場所、時期及び手続その他の必要な受験手続並びに人事院が必要と認めるその他の注意事項を記載するものとする。
③　第一項の規定による公告は、人事院規則の定めるところにより、受験の資格を有するすべての者に対し、受験に必要な事項を周知させることができるように、これを行わなければならない。
④　人事院は、受験の資格を有すると認められる者が受験するように、常に努めなければならない。
⑤　人事院は、公告された採用試験又は実施中の採用試験を、取り消し又は変更することが

（試験機関）

第四十八条　試験は、人事委員会規則の定めるところにより、人事委員会の定める試験機関が、これを行う。

（試験の時期及び場所）

第四十九条　試験の時期及び場所は、国内の受験資格者が、無理なく受験することができるように、これを定めなければならない。

第三款　任用候補者名簿

（名簿の作成）

第五十条　試験による職員の任用については、人事委員会規則の定めるところにより、職種及び等級に応じ、任用候補者名簿（採用候補者名簿及び昇任候補者名簿）を作成するものとする。

（採用候補者名簿に記載される者）

第五十一条　採用候補者名簿には、当該職種及び等級の官職に採用することができる者として、採用試験において合格点以上を得た者の氏名及び得点を、その得点順に記載するものとする。

（昇任候補者名簿に記載される者）

第五十二条　昇任候補者名簿には、当該職種及び等級の官職に昇任することができる者として、昇任試験において合格点以上を得た昇任候補者の氏名及び得点を、その得点順に記載するものとする。

（名簿の閲覧）

第五十三条　任用候補者名簿は、受験者、任命

（試験機関）

第四十八条　試験は、人事院規則の定めるところにより、人事院の定める試験機関が、これを行う。

（同　上）

第三款　任用候補者名簿

（名簿の作成）

第五十条　試験による職員の任用については、人事院規則の定めるところにより、任用候補者名簿（採用候補者名簿及び昇任候補者名簿）を作成するものとする。

（採用候補者名簿に記載される者）

第五十一条　採用候補者名簿には、当該官職に採用することができる者として、採用試験において合格点以上を得た者の氏名及び得点を、その得点順に記載するものとする。

（昇任候補者名簿に記載される者）

第五十二条　昇任候補者名簿には、当該官職に昇任することができる者として、昇任試験において合格点以上を得た昇任候補者の氏名及び得点を、その得点順に記載するものとする。

（同　上）

できる。

（試験機関）

第四十八条　採用試験は、人事院規則の定めるところにより、人事院の定める試験機関が、これを行う。

（採用試験の時期及び場所）

第四十九条　採用試験の時期及び場所は、国内の受験資格者が、無理なく受験することができるように、これを定めなければならない。

第三款　採用候補者名簿

（名簿の作成）

第五十条　採用試験による職員の採用については、人事院規則の定めるところにより、採用候補者名簿を作成するものとする。

（採用候補者名簿に記載される者）

第五十一条　採用候補者名簿には、当該官職に採用することができる者として、採用試験において合格点以上を得た者の氏名及び得点を記載するものとする。

（旧第五十二条は平成一九年改正で削除され、条ズレ）

（名簿の閲覧）

第五十二条　採用候補者名簿は、受験者、任命

庁その他関係者の請求に応じて、常に閲覧に供されなければならない。

（名簿の失効）

第五十四条　任用候補者名簿が、その作成後一年以上を経過したとき、又は人事委員会の定める事由に該当するときは、何時でも、人事委員会は、任意に、その全部又は一部を失効させることができる。

（名簿の失効）

第五十四条　任用候補者名簿が、その作成後一年以上を経過したとき、又は人事院の定める事由に該当するときは、何時でも、人事院は、任意に、これを失効させることができる。

権者その他関係者の請求に応じて、常に閲覧に供されなければならない。

（名簿の失効）

第五十三条　採用候補者名簿が、その作成後一年以上を経過したとき、又は人事院の定める事由に該当するときは、いつでも、人事院は、任意に、これを失効させることができる。

第四款　任用

（採用昇任等基本方針）

第五十四条　内閣総理大臣は、公務の能率的な運営を確保する観点から、あらかじめ、次条第一項に規定する任命権者及び法律で別に定められた任命権者と協議して職員の採用、昇任、降任及び転任に関する制度の適切かつ効果的な運用を確保するための基本的な方針（以下「採用昇任等基本方針」という。）の案を作成し、閣議の決定を求めなければならない。

②　採用昇任等基本方針には、次に掲げる事項を定めるものとする。

一　職員の採用、昇任、降任及び転任に関する制度の適切かつ効果的な運用に関する基本的な指針

二　第五十六条の採用候補者名簿による採用及び第五十七条の選考による採用に関する指針

三　第五十八条の昇任及び転任に関する指針

四　前三号に掲げるもののほか、職員の採用、昇任、降任及び転任に関する制度の適切かつ効果的な運用を確保するために必要

第四款　任用

（任命権者）

第五十五条　職員の任用は、採用試験による場合、昇任試験による場合又はその他の場合を問わず、すべて任命権者が、これを行う。

② 任命権は、法律に別段の定めのある場合を除いては、その官職の等級の別に従い、政令の定めるところにより、内閣、内閣総理大臣又は各大臣その他の機関の長に属する。

③ 前項に規定する機関の長たる任命権者は、政令の定めるところにより、その任命権を、その部内の上級の職員に限り委任することができる。

第四款　任用

（任命権者）

第五十五条　任命権は、法律に別段の定のある場合を除いては、内閣、各大臣（内閣総理大臣、法務総裁及び各省大臣をいう。以下同じ。）、会計検査院長及び人事院総裁並びに各外局の長に属するものとする。これらの機関の長の有する任命権は、その部内の機関に属する官職に限られ、内閣の有する任命権は、その直属する機関に属する官職に限られる。但し、外局の長に対する任命権は、各大臣に属する。

② 前項に規定する機関の長たる任命権者は、その任命権を、その部内の上級の職員に限り委任することができる。この委任は、その効力が発生する日の前に、書面をもつて、これを人事院に提示しなければならない。

③ この法律、人事院規則及び人事院指令に規定する要件を備えない者は、これを任命し、雇用し、昇任させ若しくは転任させてはならず、又はいかなる官職にも配置してはならな

な事項

③ 内閣総理大臣は、第一項の規定による閣議の決定があつたときは、遅滞なく、採用昇任等基本方針を公表しなければならない。

④ 第一項及び前項の規定は、採用昇任等基本方針の変更について準用する。

⑤ 任命権者は、採用昇任等基本方針に沿つて、職員の採用、昇任、降任及び転任を行わなければならない。

（任命権者）

第五十五条　任命権は、法律に別段の定めのある場合を除いては、内閣、各大臣（内閣総理大臣及び各省大臣をいう。以下同じ。）、会計検査院長及び人事院総裁並びに宮内庁長官及び各外局の長に属するものとする。これらの機関の長の有する任命権は、その部内の機関に属する官職に限られ、内閣の有する任命権は、その直属する機関（内閣府を除く。）に属する官職に限られる。ただし、外局の長に対する任命権は、各大臣に属する。

② 前項に規定する機関の長たる任命権者は、その任命権を、その部内の上級の職員に限り委任することができる。この委任は、その効力が発生する日の前に、書面をもつて、これを人事院に提示しなければならない。

③ この法律、人事院規則及び人事院指令に規定する要件を備えない者は、これを任命し、雇用し、昇任させ若しくは転任させてはならず、又はいかなる官職にも配置してはならな

（採用候補者名簿による採用の方法）
第五十六条　採用候補者名簿による職員の採用は、当該採用候補者名簿に記載された者の中、採用すべき者一人につき、試験における高点順の志望者五人の中から、これを行うものとする。

（昇任候補者名簿による昇任の方法）
第五十七条　昇任候補者名簿による職員の昇任は、当該昇任候補者名簿に記載された者の中、昇任すべき者一人につき、試験における高点順の志望者五人の中から、これを行うものとする。

（任用候補者の推薦）
第五十八条　任命権者が職員を採用し、又は昇任しようとする場合において、その請求があるときは、人事委員会は、人事委員会規則の定めるところにより、任命権者に対し、当該任用候補者名簿に記載された任用候補者の中当該任用の候補者たるべき前二条の規定による員数の者を提示しなければならない。

い。

（採用候補者名簿による採用の方法）
第五十六条　採用候補者名簿による職員の採用は、当該採用候補者名簿に記載された者の中、採用すべき者一人につき、試験における高点順の志望者五人の中から、これを行うものとする。但し、昭和二十六年七月一日前においては、人事院は、人事院の議決によつて、いかなる官職についても、その選択の範囲を高点順の志望者四人以内に制限することができる。

（同　上）

（任用候補者の推薦）
第五十八条　任命権者が職員を採用し、又は昇任しようとする場合において、その請求があるときは、人事院は、人事院規則の定めるところにより、任命権者に対し、当該任用候補者名簿に記載された任用候補者の中当該任用の候補者たるべき前二条の規定による員数の者を提示しなければならない。

い。

（採用候補者名簿による採用）
第五十六条　採用候補者名簿による職員の採用は、任命権者が、当該採用候補者名簿に記載された者の中から、面接を行い、その結果を考慮して行うものとする。

（旧第五十七条は、平成一九年改正で削除）

（選考による採用）
第五十七条　選考による職員の採用は、任命権者が、任命しようとする官職の属する職制上の段階の標準的な官職に係る標準職務遂行能力及び当該任命しようとする官職についての適性を有すると認められる者の中から行うものとする。

（旧第五十八条は、平成一九年改正で削除）

（昇任、降任及び転任）
第五十八条　職員の昇任及び転任は、任命権者が、職員の人事評価に基づき、任命しようとする官職の属する職制上の段階の標準的な官職に係る標準職務遂行能力及び当該任命しよ

（条件附採用期間）
第五十九条　人事委員会規則の定める職種及び等級の職員の採用は、すべて条件附のものとし、その職員が、その官職において六月を下らない期間を勤務し、その間その職務を良好な成績で遂行したときに、正式のものとなるものとする。
②　条件附採用に関し必要な事項は、人事委員会規則でこれを定める。

（臨時的任用）
第六十条　任命権者は、人事委員会規則の定めるところにより、緊急の場合、臨時の官職に

（条件附任用期間）
第五十九条　一般職に属するすべての官職に対する職員の採用又は昇任は、すべて条件附のものとし、その職員が、その官職において六月を下らない期間を勤務し、その間その職務を良好な成績で遂行したときに、正式のものとなるものとする。
②　条件附採用に関し必要な事項又は条件附採用期間であつて六月をこえる期間を要するものについては、人事院規則でこれを定める。

（臨時的任用）
第六十条　任命権者は、人事院規則の定めるところにより、緊急の場合、臨時の官職に関す

うとする官職についての適性を有すると認められる者の中から行うものとする。
②　任命権者は、職員を降任させる場合には、当該職員の人事評価に基づき、任命しようとする官職の属する職制上の段階の標準的な官職に係る標準職務遂行能力及び当該任命しようとする官職についての適性を有すると認められる官職に任命するものとする。
③　国際機関又は民間企業に派遣されていたこと等の事情により、人事評価が行われていない職員の昇任、降任及び転任については、前二項の規定にかかわらず、任命権者が、人事評価以外の能力の実証に基づき、任命しようとする官職の属する職制上の段階の標準的な官職に係る標準職務遂行能力及び当該任命しようとする官職についての適性を判断して行うことができる。

（同　上）

（臨時的任用）
第六十条　任命権者は、人事院規則の定めるところにより、緊急の場合、臨時の官職に関す

関する場合又は任用候補者名簿がない場合には、人事委員会の承認を得て、六月を超えない任期で、臨時的任用を行うことができる。この場合において、その任用は、人事委員会規則の定めるところにより人事委員会の承認を得て、六月の期間で、これを更新することができるが、再度更新することはできない。

② 人事委員会は、臨時的任用につき、職種又は等級により、その員数を制限し、又は、任用される者の資格要件を定めることができる。

③ 人事委員会は、前二項の規定に違反する臨時的任用を取り消すことができる。

④ 臨時的任用は、任用に際して、いかなる優先権をも与えるものではない。

⑤ 前四項に定めるものの外、臨時的に任用された者に対しては、この法律及びこれに基いて発する政令及び人事委員会規則を適用する。

第五款　休職、復職、退職及び免職

（休職、復職、退職及び免職）

第六十一条　職員の休職、復職、退職及び免職は任命権者が、これを行う。

第四節　給与

（給与の根本基準）

第六十二条　職員の給与は、その官職の職務と責任に応じてこれをなす。

② 前項の規定の趣旨は、できるだけ速かに、且つ、現行制度に適当な考慮を払いつつ、可能な範囲において、達成せられるべきものと

る場合又は任用候補者名簿がない場合には、人事院の承認を得て、六月を超えない任期で、臨時的任用を行うことができる。この場合において、その任用は、人事院規則の定めるところにより人事院の承認を得て、六月の期間で、これを更新することができるが、再度更新することはできない。

② 人事院は、臨時的任用につき、その員数を制限し、又は、任用される者の資格要件を定めることができる。

③ 人事院は、前二項の規定又は人事院規則に違反する臨時的任用を取り消すことができる。

④ 臨時的任用は、任用に際して、いかなる優先権をも与えるものではない。

⑤ 前四項に定めるものの外、臨時的に任用された者に対しては、この法律及び人事院規則を適用する。

第五款　休職、復職、退職及び免職

（休職、復職、退職及び免職）

第六十一条　職員の休職、復職、退職及び免職は任命権者が、この法律及び人事院規則に従い、これを行う。

第四節　給与

（給与の根本基準）

第六十二条　職員の給与は、その官職の職務と責任に応じてこれをなす。

② 前項の規定の趣旨は、できるだけすみやかに達成されなければならない。

る場合又は採用候補者名簿がない場合には、人事院の承認を得て、六月を超えない任期で、臨時的任用を行うことができる。この場合において、その任用は、人事院規則の定めるところにより人事院の承認を得て、六月の期間で、これを更新することができるが、再度更新することはできない。

② 人事院は、臨時的任用につき、その員数を制限し、又は、任用される者の資格要件を定めることができる。

③ 人事院は、前二項の規定又は人事院規則に違反する臨時的任用を取り消すことができる。

④ 臨時的任用は、任用に際して、いかなる優先権をも与えるものではない。

⑤ 前各項に定めるもののほか、臨時的に任用された者に対しては、この法律及び人事院規則を適用する。

第五款　休職、復職、退職及び免職

（同　上）

第三節　給与

（給与の根本基準）

第六十二条　職員の給与は、その官職の職務と責任に応じてこれをなす。

する。

第一款　給与準則

（給与準則による給与の支給）

第六十三条　職員の給与は、法律により定められる給与準則に基いてなされ、これに基かずには、いかなる金銭又は有価物も支給せられることはできない。

②　人事委員会は、必要な調査研究を行い、職階制に適合した給与準則を立案し、これを内閣総理大臣に提出しなければならない。

（俸給表）

第六十四条　給与準則には、俸給表が規定されなければならない。

②　俸給表には、等級ごとに俸給額が一定の幅を以て、明確に定められ、且つ、生計費、民間における賃金その他の事情を考慮して定めらるべきものとする。

（給与準則に定むべき事項）

第六十五条　給与準則には、前条の俸給表の外、左の事項が規定されなければならない。

一　同一等級内における俸給の昇給の基準に関する事項

二　その官職に職階制が初めて適用せられる場合の給与に関する事項

三　時間外勤務、夜間勤務及び休日勤務に対する給与に関する事項

四　特別地域勤務、危険作業その他特殊な勤務に対する手当に関する事項

五　常時勤務を要しない官職、生活に必要な

第一款　給与準則

（給与準則による給与の支給）

第六十三条　職員の給与は、法律により定められる給与準則に基いてなされ、これに基かずには、いかなる金銭又は有価物も支給せられることはできない。

②　人事院は、必要な調査研究を行い、職階制に適合した給与準則を立案し、これを国会及び内閣に提出しなければならない。

（俸給表）

第六十四条　給与準則には、俸給表が規定されなければならない。

②　俸給表は、生計費、民間における賃金その他人事院の決定する適当な事情を考慮して定められ、且つ、等級又は職級ごとに明確な俸給額の幅を定めていなければならない。

（給与準則に定むべき事項）

第六十五条　給与準則には、前条の俸給表の外、左の事項が規定されなければならない。

一　同一の等級又は職級内における俸給の昇給の基準に関する事項

二　その官職に職階制が初めて適用せられる場合の給与に関する事項

三　時間外勤務、夜間勤務及び休日勤務に対する給与に関する事項

四　特別地域勤務、危険作業その他特殊な勤務に対する手当に関する事項

五　扶養家族の数、常時勤務を要しない官職、

第一款　通則

（法律による給与の支給）

第六十三条　職員の給与は、別に定める法律に基づいてなされ、これに基づかずには、いかなる金銭又は有価物も支給することはできない。

（俸給表）

第六十四条　前条に規定する法律（以下「給与に関する法律」という。）には、俸給表が規定されなければならない。

②　俸給表は、生計費、民間における賃金その他人事院の決定する適当な事情を考慮して定められ、かつ、等級ごとに明確な俸給額の幅を定めていなければならない。

（給与に関する法律に定めるべき事項）

第六十五条　給与に関する法律には、前条の俸給表のほか、次に掲げる事項が規定されなければならない。

一　初任給、昇給その他の俸給の決定の基準に関する事項

二　官職又は勤務の特殊性を考慮して支給する給与に関する事項

三　親族の扶養その他職員の生計の事情を考慮して支給する給与に関する事項

四　地域の事情を考慮して支給する給与に関する事項

施設の全部又は一部を官給する官職その他勤務条件の特別なものについて、人事委員会のなす給与の調整に関する事項

② 前項第一号の基準は、勤続期間、勤務能率その他勤務に関する諸要件を考慮して定められるものとする。

（給与額の決定）

第六十六条　職員は、その官職につき職階制において定められた職種及び等級について給与準則の定める俸給額が支給せられる。

② 職員の給与準則の基準を決定する場合においては、職務に関係のない事項によつて、差別が設けられてはならない。

（給与準則の改訂）

第六十七条　人事委員会は、給与準則に関し、常時、必要な調査研究を行い、給与額を引き上げ、又は引き下げる必要を認めたときは、遅滞なく改訂案を作成して、これを内閣総理大臣に提出しなければならない。

第二款　給与の支払

（給与簿）

第六十八条　職員に対して給与の支払をなす者は、先づ受給者につき給与簿を作成しなければならない。

② 給与簿は、何時でも人事委員会の職員が検

生活に必要な施設の全部又は一部を官給する官職その他勤務条件の特別なものについて、人事院のなす給与の調整に関する事項

② 前項第一号の基準は、勤続期間、勤務能率その他勤務に関する諸要件を考慮して定められるものとする。

（給与額の決定）

第六十六条　職員は、その官職につき職階制において定められた職級について給与準則の定める俸給額が支給せられる。

（給与準則の改訂）

第六十七条　人事院は、給与準則に関し、常時、必要な調査研究を行い、給与額を引き上げ、又は引き下げる必要を認めたときは、遅滞なく改訂案を作成して、これを国会及び内閣に提出しなければならない。

第二款　給与の支払

（給与簿）

第六十八条　職員に対して給与の支払をなす者は、先づ受給者につき給与簿を作成しなければならない。

② 給与簿は、何時でも人事院の職員が検査し

五　時間外勤務、夜間勤務及び休日勤務に対する給与に関する事項

六　一定の期間における勤務の状況を考慮して年末等に特別に支給する給与に関する事項

七　常時勤務を要しない官職を占める職員の給与に関する事項

② 前項第一号の基準は、勤続期間、勤務能率その他勤務に関する諸要件を考慮して定められるものとする。

第六十六条　削除（平成一九年改正）

（給与に関する法律に定める事項の改定）

第六十七条　人事院は、第二十八条第二項の規定によるもののほか、給与に関する法律に定める事項に関し、常時、必要な調査研究を行い、これを改定する必要を認めたときは、遅滞なく改定案を作成して、国会及び内閣に勧告をしなければならない。

第二款　給与の支払

（同　上）

査し得るようにしておかなければならない。

③　前二項に定めるものを除いては、給与簿に関し必要な事項は、政令又は人事委員会規則でこれを定める。

（給与簿の検査）

第六十九条　職員の給与が法令又は人事委員会規則に適合して行われることを確保するため必要があるときは、人事委員会は給与簿を検査し、必要があると認めるときは、その是正を命ずることができる。

（違法の支払に対する措置）

第七十条　人事委員会は、給与の支払が、法令又は人事委員会規則に違反してなされたことを発見した場合には、自己の権限に属する事項については自ら適当な措置をなす外、必要があると認めるときは、事の性質に応じて、これを会計検査院に報告し、又は検察官に通報しなければならない。

得るようにしておかなければならない。

③　前二項に定めるものを除いては、給与簿に関し必要な事項は、人事院規則でこれを定める。

（給与簿の検査）

第六十九条　職員の給与が法令、人事院規則又は人事院指令に適合して行われることを確保するため必要があるときは、人事院は給与簿を検査し、必要があると認めるときは、その是正を命ずることができる。

（違法の支払に対する措置）

第七十条　人事院は、給与の支払が、法令、人事院規則又は人事院規則に違反してなされたことを発見した場合には、自己の権限に属する事項については自ら適当な措置をなす外、必要があると認めるときは、事の性質に応じて、これを会計検査院に報告し、又は検察官に通報しなければならない。

（同　上）

（同　上）

第四節　人事評価

（人事評価の根本基準）

第七十条の二　職員の人事評価は、公正に行われなければならない。

（人事評価の実施）

第七十条の三　職員の執務については、その所轄庁の長は、定期的に人事評価を行わなければならない。

②　人事評価の基準及び方法に関する事項その他人事評価に関し必要な事項は、人事院の意見を聴いて、政令で定める。

（人事評価に基づく措置）

第五節　能率

（能率の根本基準）

第七十一条　職員の能率は、充分に発揮され、且つ、その増進がはかられなければならない。

② 前項の根本基準の実施につき、必要な事項は、この法律に定めるものを除いては、人事委員会規則でこれを定める。

③ 人事委員会は、職員の能率の発揮及び増進について、調査研究を行い、これが確保のため適切な方策を講じなければならない。

（勤務成績の評定）

第七十二条　職員の執務については、その所轄庁の長は、定期的に勤務成績の評定を行い、その評定の結果に応じた措置を講じなければならない。

② 人事委員会は、前項の勤務成績の評定及びその記録に関し必要な事項を定める権限を有し、且つ、この法律の趣旨に則つて職員の能率の発揮及び増進のためにとるべき措置を関係庁の長に勧告する権限を有する。

第五節　能率

（能率の根本基準）

第七十一条　職員の能率は、充分に発揮され、且つ、その増進がはかられなければならない。

② 前項の根本基準の実施につき、必要な事項は、この法律に定めるものを除いては、人事院規則でこれを定める。

③ 人事院は、職員の能率の発揮及び増進について、調査研究を行い、これが確保のため適切な方策を講じなければならない。

（勤務成績の評定）

第七十二条　職員の執務については、その所轄庁の長は、定期的に勤務成績の評定を行い、その評定の結果に応じた措置を講じなければならない。

② 人事院は、前項の勤務成績の評定及びその記録に関し必要な事項を定める権限を有し、且つ、この法律の趣旨に則つて職員の能率の発揮及び増進のためにとるべき措置を関係庁の長に勧告する権限を有する。

第七十条の四　所轄庁の長は、前条第一項の人事評価の結果に応じた措置を講じなければならない。

② 内閣総理大臣は、勤務成績の優秀な者に対する表彰に関する事項及び成績の著しく不良な者に対する矯正方法に関する事項を立案し、これについて、適当な措置を講じなければならない。

第五節　能率

（能率の根本基準）

第七十一条　職員の能率は、充分に発揮され、且つ、その増進がはかられなければならない。

② 前項の根本基準の実施につき、必要な事項は、この法律に定めるものを除いては、人事院規則でこれを定める。

③ 内閣総理大臣（第七十三条第一項第一号の事項については、人事院）は、職員の能率の発揮及び増進について、調査研究を行い、これが確保のため適切な方策を講じなければならない。

第七十二条　削除（平成一九年改正）

③　人事委員会は、勤務成績の優秀な者に対する表彰に関する事項及び成績のいちじるしく不良な者に対する矯正方法に関する事項を立案し、これを内閣総理大臣に提出しなければならない。

（能率増進計画）

第七十三条　人事委員会及び関係庁の長は、職員の勤務能率の発揮及び増進のために、左の事項について計画を樹立し、これが実施に努めなければならない。

一　職員の教育訓練に関する事項
二　職員の保健に関する事項
三　職員の元気回復に関する事項
四　職員の安全保持に関する事項
五　職員の厚生に関する事項

②　前項の計画の樹立及び実施に関し、人事委員会は、その総合的企画並びに関係各庁に対する調整及び監視に当る。

第六節　分限、懲戒及び保障

（分限、懲戒及び保障の根本基準）

第七十四条　すべて職員の分限、懲戒及び保障については、公正でなければならない。

②　前項に規定する根本基準の実施につき必要な事項は、この法律に定めるものを除いては、人事委員会規則でこれを定める。

第一款　分限

（身分保障）

第七十五条　職員は、法律に定める事由による

---

③　人事院は、勤務成績の優秀な者に対する表彰に関する事項及び成績のいちじるしく不良な者に対する矯正方法に関する事項を立案し、これについて、適当な措置を講じなければならない。

（能率増進計画）

第七十三条　人事院及び関係庁の長は、職員の勤務能率の発揮及び増進のために、左の事項について計画を樹立し、これが実施に努めなければならない。

一　職員の教育訓練に関する事項
二　職員の保健に関する事項
三　職員の元気回復に関する事項
四　職員の安全保持に関する事項
五　職員の厚生に関する事項

②　前項の計画の樹立及び実施に関し、人事院は、その総合的企画並びに関係各庁に対する調整及び監視に当る。

第六節　分限、懲戒及び保障

（分限、懲戒及び保障の根本基準）

第七十四条　すべて職員の分限、懲戒及び保障については、公正でなければならない。

②　前項に規定する根本基準の実施につき必要な事項は、この法律に定めるものを除いては、人事院規則でこれを定める。

第一款　分限

（身分保障）

第七十五条　職員は、法律又は人事院規則に定

（能率増進計画）

第七十三条　内閣総理大臣（第一号の事項については、人事院）及び関係庁の長は、職員の勤務能率の発揮及び増進のために、左の事項について計画を樹立し、これが実施に努めなければならない。

一　職員の研修に関する事項
二　職員の保健に関する事項
三　職員のレクリエーションに関する事項
四　職員の安全保持に関する事項
五　職員の厚生に関する事項

②　前項の計画の樹立及び実施に関し、内閣総理大臣（同項第一号の事項については、人事院）は、その総合的企画並びに関係各庁に対する調整及び監視に当る。

第六節　分限、懲戒及び保障

（同　上）

第一款　分限

第一目　降任、休職、免職等

（同　上）

場合でなければ、その意に反して、降任され、休職され、又は免職されることはない。 ② 職員は、人事委員会規則の定める事由に該当するときは、降給されるものとする。	める事由による場合でなければ、その意に反して、降任され、休職され、又は免職されることはない。 ② 職員は、人事院規則の定める事由に該当するときは、降給されるものとする。	
（欠格による失職） **第七十六条**　職員が第三十八条各号の一に該当するに至つたときは、人事委員会規則に定める場合を除いては、当然失職する。	（欠格による失職） **第七十六条**　職員が第三十八条各号の一に該当するに至つたときは、人事院規則に定める場合を除いては、当然失職する。	（同　上）
（弾劾による罷免） **第七十七条**　職員の弾劾に関する規程は、別に法律でこれを定める。	（離職） **第七十七条**　職員の離職に関する規定は、この法律及び人事院規則でこれを定める。	（同　上）
（本人の意に反する降任及び免職の場合） **第七十八条**　職員が、左の各号の一に該当する場合においては、人事委員会規則の定めるところにより、その意に反して、これを降任し、又は免職することができる。 一　勤務実績が挙がらない場合 二　心身の故障のため、職務の遂行に支障があり、又はこれに堪えない場合 三　その他その職種又は等級の官職に必要な適格性を欠く場合	（本人の意に反する降任及び免職の場合） **第七十八条**　職員が、左の各号の一に該当する場合においては、人事院規則の定めるところにより、その意に反して、これを降任し、又は免職することができる。 一　勤務実績がよくない場合 二　心身の故障のため、職務の遂行に支障があり、又はこれに堪えない場合 三　その他その官職に必要な適格性を欠く場合 四　官制若しくは定員の改廃又は予算の減少により廃職又は過員を生じた場合	（本人の意に反する降任及び免職の場合） **第七十八条**　職員が、次の各号に掲げる場合のいずれかに該当するときは、人事院規則の定めるところにより、その意に反して、これを降任し、又は免職することができる。 一　人事評価又は勤務の状況を示す事実に照らして、勤務実績がよくない場合 二　心身の故障のため、職務の遂行に支障があり、又はこれに堪えない場合 三　その他その官職に必要な適格性を欠く場合 四　官制若しくは定員の改廃又は予算の減少により廃職又は過員を生じた場合
（本人の意に反する休職の場合） **第七十九条**　職員が、左の各号の一に該当する場合においては、その意に反して、これを休職することができる。 一　心身の故障のため、長期の休養を要する	（本人の意に反する休職の場合） **第七十九条**　職員が、左の各号の一に該当する場合又は人事院規則で定めるその他の場合においては、その意に反して、これを休職することができる。	（同　上）

場合

二　刑事事件に関し起訴された場合

（休職の効果）

第八十条　前条第一号の規定による休職の期間は、満一年とし、休職期間中その故障の消滅したときは、速やかにこれに復職を命ずるものとし、休職のまま満期に至つたときは、当然退職者とする。

② 前条第二号の規定による休職の期間は、その事件が裁判所に係属する間とする。

③ 休職者は、職員としての身分を保有するが、職務に従事しない。休職者は、その休職の期間中俸給の三分の一を受ける。

（適用除外）

第八十一条　左に掲げる職員の分限については、第七十五条、第七十八条乃至前条及び第八十九条乃至第九十二条の規定は、これを適用しない。

一　臨時的職員

二　条件附採用期間中の職員

三　官制若しくは定員の改廃又は予算の減少に因り廃職又は過員となつた職員

四　職階制による官職の格付の改正の結果、降給又は降任と同一の結果となつた職員

② 前項各号に掲げる職員の分限については、人事委員会規則で必要な事項を定めることが

一　心身の故障のため、長期の休養を要する場合

二　刑事事件に関し起訴された場合

（休職の効果）

第八十条　前条第一号の規定による休職の期間は、人事院規則でこれを定める。休職期間中その事故の消滅したときは、休職は当然終了したものとし、すみやかに復職を命じなければならない。

② 前条第二号の規定による休職の期間は、その事件が裁判所に係属する間とする。

③ いかなる休職も、その事由が消滅したときは、当然に終了したものとみなされる。

④ 休職者は、職員としての身分を保有するが、職務に従事しない。休職者は、その休職の期間中、給与準則で別段の定をしない限り、何等の給与を受けてはならない。

（適用除外）

第八十一条　左に掲げる職員の分限については、第七十五条、第七十八条乃至前条及び第八十九条乃至第九十二条の規定は、これを適用しない。

一　臨時的職員

二　条件附採用期間中の職員

三　職階制による官職の格付の改正の結果、降給又は降任と同一の結果となつた職員

② 前項各号に掲げる職員の分限については、人事院規則で必要な事項を定めることができる。

（休職の効果）

第八十条　前条第一号の規定による休職の期間は、人事院規則でこれを定める。休職期間中その事故の消滅したときは、休職は当然終了したものとし、すみやかに復職を命じなければならない。

② 前条第二号の規定による休職の期間は、その事件が裁判所に係属する間とする。

③ いかなる休職も、その事由が消滅したときは、当然に終了したものとみなされる。

④ 休職者は、職員としての身分を保有するが、職務に従事しない。休職者は、その休職の期間中、給与に関する法律で別段の定めをしない限り、何らの給与を受けてはならない。

（適用除外）

第八十一条　次に掲げる職員の分限（定年に係るものを除く。次項において同じ。）については、第七十五条、第七十八条から前条まで及び第八十九条並びに行政不服審査法（昭和三十七年法律第百六十号）の規定は、適用しない。

一　臨時的職員

二　条件付採用期間中の職員

② 前項各号に掲げる職員の分限については、人事院規則で必要な事項を定めることができる。

できる。

③　第一項第三号に掲げる者のいずれを降任し、休職し、又は免職すべきかは、勤務成績その他の能力の実証に基いて、これを定める。

第二目　定年

（定年による退職）

第八十一条の二　職員は、法律に別段の定めのある場合を除き、定年に達したときは、定年に達した日以後における最初の三月三十一日又は第五十五条第一項に規定する任命権者若しくは法律で別に定められた任命権者があらかじめ指定する日のいずれか早い日（以下「定年退職日」という。）に退職する。

②　前項の定年は、年齢六十年とする。ただし、次の各号に掲げる職員の定年は、当該各号に定める年齢とする。

一　病院、療養所、診療所等で人事院規則で定めるものに勤務する医師及び歯科医師　年齢六十五年

二　庁舎の監視その他の庁務及びこれに準ずる業務に従事する職員で人事院規則で定めるもの　年齢六十三年

三　前二号に掲げる職員のほか、その職務と責任に特殊性があること又は欠員の補充が困難であることにより定年を年齢六十年とすることが著しく不適当と認められる官職を占める職員で人事院規則で定めるもの　六十年を超え、六十五年を超えない範囲内で人事院規則で定める年齢

③　前二項の規定は、臨時的職員その他の法律

により任期を定めて任用される職員及び常時勤務を要しない官職を占める職員には適用しない。

（定年による退職の特例）

第八十一条の三　任命権者は、定年に達した職員が前条第一項の規定により退職すべきこととなる場合において、その職員の職務の特殊性又はその職員の職務の遂行上の特別の事情からみてその退職により公務の運営に著しい支障が生ずると認められる十分な理由があるときは、同項の規定にかかわらず、その職員に係る定年退職日の翌日から起算して一年を超えない範囲内で期限を定め、その職員を当該職務に従事させるため引き続いて勤務させることができる。

②　任命権者は、前項の期限又はこの項の規定により延長された期限が到来する場合において、前項の事由が引き続き存すると認められる十分な理由があるときは、人事院の承認を得て、一年を超えない範囲内で期限を延長することができる。ただし、その期限は、その職員に係る定年退職日の翌日から起算して三年を超えることができない。

（定年退職者等の再任用）

第八十一条の四　任命権者は、第八十一条の二第一項の規定により退職した者若しくは前条の規定により勤務した後退職した者若しくは定年退職日以前に退職した者のうち勤続期間等を考慮してこれらに準ずるものとして人事院規則で定める者（以下「定年退職者等」という。）又は自衛隊法（昭和二十九年法律第百六十五号）の規定により退職した者であつて定年退職者等に準ずるものとして人事院規則で定める者（次条において「自衛隊法による定年退職者等」という。）を、従前の勤務実績等に基づく選考により、一年を超えない範囲内で任期を定め、常時勤務を要する官職に採用することができる。ただし、その者がその者を採用しようとする官職に係る定年に達していないときは、この限りでない。

② 前項の任期又はこの項の規定により更新された任期は、人事院規則の定めるところにより、一年を超えない範囲内で更新することができる。

③ 前二項の規定による任期については、その末日は、その者が年齢六十五年に達する日以後における最初の三月三十一日以前でなければならない。

第八十一条の五　任命権者は、定年退職者等又は自衛隊法による定年退職者等を、従前の勤務実績等に基づく選考により、一年を超えない範囲内で任期を定め、短時間勤務の官職（当該官職を占める職員の一週間当たりの通常の勤務時間が、常時勤務を要する官職でその職務が当該短時間勤務の官職と同種のものを占める職員の一週間当たりの通常の勤務時間に比し短い時間であるものをいう。第三項において同じ。）に採用することができる。

② 前項の規定により採用された職員の任期については、前条第二項及び第三項の規定を準

第二款　懲戒

（懲戒の場合）

第八十二条　職員が、左の各号の一に該当する場合においては、これに対し懲戒処分として、免職、停職、減給又は戒告の処分をすることができる。

一　この法律又は人事委員会規則に違反した場合

二　職務上の義務に違反し、又は職務を怠つた場合

三　国民全体の奉仕者たるにふさわしくない非行のあつた場合

第二款　懲戒

（懲戒の場合）

第八十二条　職員が、左の各号の一に該当する場合においては、これに対し懲戒処分として、免職、停職、減給又は戒告の処分をすることができる。

一　この法律又は人事院規則に違反した場合

二　職務上の義務に違反し、又は職務を怠つた場合

三　国民全体の奉仕者たるにふさわしくない非行のあつた場合

用する。

③　短時間勤務の官職については、定年退職者等及び自衛隊法による定年退職者等のうち第八十一条の二第一項及び第二項の規定の適用があるものとした場合の当該官職に係る定年に達した者に限り任用することができるものとする。

（定年に関する事務の調整等）

第八十一条の六　内閣総理大臣は、職員の定年に関する事務の適正な運営を確保するため、各行政機関が行う当該事務の運営に関し必要な調整を行うほか、職員の定年に関する制度の実施に関する施策を調査研究し、その権限に属する事項について適切な方策を講ずるものとする。

第二款　懲戒

（懲戒の場合）

第八十二条　職員が、次の各号のいずれかに該当する場合においては、これに対し懲戒処分として、免職、停職、減給又は戒告の処分をすることができる。

一　この法律若しくは国家公務員倫理法又はこれらの法律に基づく命令（国家公務員倫理法第五条第三項の規定に基づく訓令及び同条第四項の規定に基づく規則を含む。）に違反した場合

二　職務上の義務に違反し、又は職務を怠つた場合

三　国民全体の奉仕者たるにふさわしくない非行のあつた場合

② 職員が、任命権者の要請に応じ特別職に属する国家公務員、地方公務員又は沖縄振興開発金融公庫その他その業務が国の事務若しくは事業と密接な関連を有する法人のうち人事院規則で定めるものに使用される者（以下この項において「特別職国家公務員等」という。）となるため退職し、引き続き特別職国家公務員等として在職した後、引き続いて当該退職を前提として職員として採用された場合（一の特別職国家公務員等として在職した後、引き続き一以上の特別職国家公務員等として在職し、引き続いて当該退職を前提として職員として採用された場合を含む。）において、当該退職までの引き続く職員としての在職期間（当該退職前に同様の退職（以下この項において「先の退職」という。）、特別職国家公務員等としての在職及び職員としての採用がある場合には、当該先の退職までの引き続く職員としての在職期間を含む。以下この項において「要請に応じた退職前の在職期間」という。）中に前項各号のいずれかに該当したときは、これに対し同項に規定する懲戒処分を行うことができる。職員が、第八十一条の四第一項又は第八十一条の五第一項の規定により採用された場合において、定年退職者等となつた日までの引き続く職員としての在職期間（要請に応じた退職前の在職期間を含む。）又は第八十一条の四第一項若しくは第八十一条の五第一項の規定によりかつて採用されて職員として在職していた期間中に前項

（懲戒の効果）

第八十三条　停職の期間は、一月以上一年以下とする。

②　停職者は、職員としての身分を保有するが、その職務に従事しない。停職者は、その停職の期間中俸給の三分の一を受ける。

③　減給は、一月以上一年以下俸給の三分の一以下を減ずる。

（懲戒権者）

第八十四条　懲戒処分は、任命権者が、これを行う。

（刑事裁判との関係）

第八十五条　懲戒に付せらるべき事件が、刑事裁判所に係属する間は、同一事件に関し懲戒の手続を進めることができない。

（懲戒の効果）

第八十三条　停職の期間は、一年をこえない範囲内において、人事院規則でこれを定める。

②　停職者は、職員としての身分を保有するが、その職務に従事しない。停職者は、第九十二条の規定による場合の外、停職の期間中給与を受けることができない。

（懲戒権者）

第八十四条　懲戒処分は、任命権者が、これを行う。

②　人事院は、この法律に規定された調査を経て職員を懲戒手続に付することができる。

（刑事裁判との関係）

第八十五条　懲戒に付せらるべき事件が、刑事裁判所に係属する間においても、人事院又は人事院の承認を経て任命権者は、同一事件について、適宜に、懲戒手続を進めることができる。この法律による懲戒処分は、当該職員が、同一又は関連の事件に関し、重ねて刑事上の訴追を受けることを妨げない。

各号のいずれかに該当したときも、同様とする。

（同　上）

（同　上）

（国家公務員倫理審査会への権限の委任）

第八十四条の二　人事院は、前条第二項の規定による権限（国家公務員倫理法又はこれに基づく命令（同法第五条第三項の規定に基づく訓令及び同条第四項の規定に基づく規則を含む。）に違反する行為に関して行われるものに限る。）を国家公務員倫理審査会に委任する。

（同　上）

第三款　保障

第一目　勤務条件に関する行政措置の要求

（勤務条件に関する行政措置の要求）

第八十六条　職員は、俸給、給料その他あらゆる勤務条件に関し、人事委員会に対して、人事委員会又はその職員の所轄庁の長により、適当な行政上の措置が行われることを要求することができる。

（事案の審査及び判定）

第八十七条　前条に規定する要求のあつたときは、人事委員会は、必要と認める調査、口頭審理その他の事実審査を行い、一般国民及び関係者に公平なように、且つ、職員の能率を発揮し、及び増進する見地において、事案を判定しなければならない。

（判定の結果採るべき措置）

第八十八条　人事委員会は、前条に規定する判定に基き、勤務条件に関し一定の措置を必要と認めるときは、その権限に属する事項については、自らこれを実行し、その他の事項については、その職員の所轄庁の長に対し、その実行を勧告しなければならない。

第二目　職員の意に反する不利益な処分に関する審査

（職員の意に反する降給等の処分に関する説明書の交付）

第八十九条　職員に対し、その意に反して、降給し、降任し、休職し、免職し、その他これ

第三款　保障

第一目　勤務条件に関する行政措置の要求

（勤務条件に関する行政措置の要求）

第八十六条　職員は、俸給、給料その他あらゆる勤務条件に関し、人事院に対して、人事院又はその職員の所轄庁の長により、適当な行政上の措置が行われることを要求することができる。

（事案の審査及び判定）

第八十七条　前条に規定する要求のあつたときは、人事院は、必要と認める調査、口頭審理その他の事実審査を行い、一般国民及び関係者に公平なように、且つ、職員の能率を発揮し、及び増進する見地において、事案を判定しなければならない。

（判定の結果採るべき措置）

第八十八条　人事院は、前条に規定する判定に基き、勤務条件に関し一定の措置を必要と認めるときは、その権限に属する事項については、自らこれを実行し、その他の事項については、その職員の所轄庁の長に対し、その実行を勧告しなければならない。

第二目　職員の意に反する不利益な処分に関する審査

（同　上）

第三款　保障

第一目　勤務条件に関する行政措置の要求

（勤務条件に関する行政措置の要求）

第八十六条　職員は、俸給、給料その他あらゆる勤務条件に関し、人事院に対して、人事院若しくは内閣総理大臣又はその職員の所轄庁の長により、適当な行政上の措置が行われることを要求することができる。

（同　上）

（判定の結果採るべき措置）

第八十八条　人事院は、前条に規定する判定に基き、勤務条件に関し一定の措置を必要と認めるときは、その権限に属する事項については、自らこれを実行し、その他の事項については、内閣総理大臣又はその職員の所轄庁の長に対し、その実行を勧告しなければならない。

第二目　職員の意に反する不利益な処分に関する審査

（職員の意に反する降給等の処分に関する説明書の交付）

第八十九条　職員に対し、その意に反して、降給し、降任し、休職し、免職し、その他これ

に対しいちじるしく不利益な処分を行い、又は懲戒処分を行わうとするときは、その処分を行う者は、その職員に対し、その処分の際、処分の事由を記載した説明書を交付しなければならない。

② 職員が前項に規定するいちじるしく不利益な処分を受けたと思料する場合には、同項の説明書の交付を請求することができる。

（審査請求）

第九十条　前条第一項に規定する処分を受けた職員は、処分説明書を受領した後三十日以内に、人事委員会に、その審査を請求することができる。

（審査請求）

第九十条　前条第一項に規定する処分を受けた職員は、処分説明書を受領した後三十日以内に、人事院に、その審査を請求することができる。

に対しいちじるしく不利益な処分を行い、又は懲戒処分を行わうとするときは、その処分を行う者は、その職員に対し、その処分の際、処分の事由を記載した説明書を交付しなければならない。

② 職員が前項に規定するいちじるしく不利益な処分を受けたと思料する場合には、同項の説明書の交付を請求することができる。

③ 第一項の説明書には、当該処分につき、人事院に対して不服申立てをすることができる旨及び不服申立期間を記載しなければならない。

（不服申立て）

第九十条　前条第一項に規定する処分を受けた職員は、人事院に対してのみ行政不服審査法による不服申立て（審査請求又は異議申立て）をすることができる。

② 前条第一項に規定する処分及び法律に特別の定めがある処分を除くほか、職員に対する処分については、行政不服審査法による不服申立てをすることができない。職員がした申請に対する不作為についても、同様とする。

③ 第一項に規定する不服申立てについては、行政不服審査法第二章第一節から第三節までの規定を適用しない。

（不服申立期間）

第九十条の二　前条第一項に規定する不服申立ては、処分説明書を受領した日の翌日から起算して六十日以内にしなければならず、処分があつた日の翌日から起算して一年を経過し

（調査）

第九十一条　前条に規定する請求を受理したときは、人事委員会又はその定める機関は、ただちにその事案を調査しなければならない。

②　前項に規定する場合において、処分を受けた職員から請求があつたときは、口頭審理を行わなければならない。口頭審理は、その職員から請求があつたときは、公開して行わなければならない。

③　処分を行つた者又はその代理者及び処分を受けた職員は、すべての口頭審理に出席し、自己の代理人として弁護人を選任し、陳述を行い、証人を出席せしめ、並びに書類、記録その他のあらゆる適切な事実及び資料を提出することができる。

④　前項に掲げる者以外の者は、当該事案に関し、人事委員会に対し、あらゆる事実及び資料を提出することができる。

（調査の結果採るべき措置）

第九十二条　前条に規定する調査の結果、処分が正当であることが判明したときは、人事委員会はその処分を確認しなければならない。

②　前条に規定する調査の結果、その処分が事実と相違し、その他正当でないことが判明したときは、人事委員会は、その処分の取消又は変更、その職員の官職上の権利の回復、その職員がその処分の結果受けた不公正の訂正及びその職員がその処分の結果失つた給与に

（調査）

第九十一条　前条に規定する請求を受理したときは、人事院又はその定める機関は、ただちにその事案を調査しなければならない。

②　前項に規定する場合において、処分を受けた職員から請求があつたときは、口頭審理を行わなければならない。口頭審理は、その職員から請求があつたときは、公開して行わなければならない。

③　処分を行つた者又はその代理者及び処分を受けた職員は、すべての口頭審理に出席し、自己の代理人として弁護人を選任し、陳述を行い、証人を出席せしめ、並びに書類、記録その他のあらゆる適切な事実及び資料を提出することができる。

④　前項に掲げる者以外の者は、当該事案に関し、人事院に対し、あらゆる事実及び資料を提出することができる。

（調査の結果採るべき措置）

第九十二条　前条に規定する調査の結果、処分を行うべき事由のあることが判明したときは、人事院は、その処分を承認し、又はその裁量により修正しなければならない。

②　前条に規定する調査の結果、その職員に処分を受けるべき事由のないことが判明したときは、人事院は、その処分を取り消し、職員としての権利を回復するために必要で、且つ、適切な処置をなし、及びその職員がその

たときは、することができない。

（調査）

第九十一条　第九十条第一項に規定する不服申立てを受理したときは、人事院又はその定める機関は、ただちにその事案を調査しなければならない。

②　前項に規定する場合において、処分を受けた職員から請求があつたときは、口頭審理を行わなければならない。口頭審理は、その職員から請求があつたときは、公開して行わなければならない。

③　処分を行つた者又はその代理者及び処分を受けた職員は、すべての口頭審理に出席し、自己の代理人として弁護人を選任し、陳述を行い、証人を出席せしめ、並びに書類、記録その他のあらゆる適切な事実及び資料を提出することができる。

④　前項に掲げる者以外の者は、当該事案に関し、人事院に対し、あらゆる事実及び資料を提出することができる。

（同　上）

関する補償につき、その職権に属するものは、自らこれを実行し、その他のものは、これに関する意見を内閣総理大臣に申し出なければならない。

③　内閣総理大臣は、前項に規定する申出のあつた場合においては、その申出の趣旨に従い、その職員の所轄庁の長に対し、指示を与える等必要な措置を講じなければならない。

第三目　公務傷病に対する補償

（公務傷病に対する補償）

第九十三条　職員が公務に基き死亡し、又は負傷し、若しくは疾病にかかり、若しくはこれに起因して死亡した場合における、本人及びその直接扶養する者がこれによつて受ける損害に対し、これを補償する制度が樹立し実施せられなければならない。

②　前項の規定による補償制度は、法律によつてこれを定める。

（法律に規定すべき事項）

第九十四条　前条の補償制度には、左の事項が定められなければならない。

一　公務上の負傷又は疾病に起因した活動不能の期間における経済的困窮に対する職員

処分によつて受けた不当な処置を是正しなければならない。人事院は、職員がその処分によつて失つた俸給の弁済を受けるように指示しなければならない。

③　前二項の判定は、最終のものであつて、人事院規則の定めるところにより、人事院によつてのみ審査される。

第三目　公務傷病に対する補償

（同　上）

（同　上）

（不服申立てと訴訟との関係）

第九十二条の二　第八十九条第一項に規定する処分であつて人事院に対して審査請求又は異議申立てをすることができるものの取消しの訴えは、審査請求又は異議申立てに対する人事院の裁決又は決定を経た後でなければ、提起することができない。

第三目　公務傷病に対する補償

（同　上）

（同　上）

の保護に関する事項

二　公務上の負傷又は疾病に起因して、永久に、又は長期に所得能力を害せられた場合におけるその職員の受ける損害に対する補償に関する事項

三　公務上の負傷又は疾病に起因する職員の死亡の場合におけるその遺族又は職員の死亡当時その収入によつて生計を維持した者の受ける損害に対する補償に関する事項

（人事委員会の補償制度立案の責務）

第九十五条　人事委員会は、なるべく速かに補償制度の研究を行い、その成果を内閣総理大臣に提出しなければならない。

第七節　服務

（服務の根本基準）

第九十六条　すべて職員は、国民全体の奉仕者として、公共の利益のために勤務し、且つ、職務の遂行に当つては、全力を挙げてこれに専念しなければならない。

②　前項に規定する根本基準の実施に関し必要な事項は、この法律に定めるものを除いては、人事委員会規則でこれを定める。

（服務の宣誓）

第九十七条　職員は、人事委員会規則の定めるところにより、服務の宣誓をしなければならない。

（法令及び上司の命令に従う義務）

第九十八条　職員は、その職務を遂行するにつ

（補償制度の立案及び実施の責務）

第九十五条　人事院は、なるべくすみやかに、補償制度の研究を行い、その成果を国会及び内閣に提出するとともに、その計画を実施しなければならない。

第七節　服務

（服務の根本基準）

第九十六条　すべて職員は、国民全体の奉仕者として、公共の利益のために勤務し、且つ、職務の遂行に当つては、全力を挙げてこれに専念しなければならない。

②　前項に規定する根本基準の実施に関し必要な事項は、この法律に定めるものを除いては、人事院規則でこれを定める。

（服務の宣誓）

第九十七条　職員は、人事院規則の定めるところにより、服務の宣誓をしなければならない。

（法令及び上司の命令に従う義務並びに職員の団体）

（同　上）

第七節　服務

（服務の根本基準）

第九十六条　すべて職員は、国民全体の奉仕者として、公共の利益のために勤務し、且つ、職務の遂行に当つては、全力を挙げてこれに専念しなければならない。

②　前項に規定する根本基準の実施に関し必要な事項は、この法律又は国家公務員倫理法に定めるものを除いては、人事院規則でこれを定める。

（服務の宣誓）

第九十七条　職員は、政令の定めるところにより、服務の宣誓をしなければならない。

（法令及び上司の命令に従う義務並びに争議行為等の禁止）

いて、誠実に、法令に従い、且つ、上司の職務上の命令に従わなければならない。但し、上司の職務上の命令に対しては、意見を述べることができる。

第九十八条　職員は、その職務を遂行するについて、法令に従い、且つ、上司の職務上の命令に忠実に従わなければならない。

② 職員は、組合その他の団体を結成し、若しくは結成せず、又はこれに加入し、若しくは加入しないことができる。職員は、これらの組織を通じて、代表者を自ら選んでこれを指名し、勤務条件に関し、及びその他社交的厚生的活動を含む適法な目的のため、人事院の定める手続に従い、当局と交渉することができる。但し、この交渉は、政府と団体協約を締結する権利を含まないものとする。すべて職員は、職員の団体に属していないという理由で、不満を表明し又は意見を申し出る自由を否定されてはならない。

③ 職員は、前項の組合その他の団体について、その構成員であること、これを結成しようとしたこと、若しくはこれに加入しようとしたこと、又はその団体における正当な行為をしたことのために不利益な取扱を受けない。

④ 警察職員、消防職員（国家消防庁の職員を含むものとする。）及び海上保安庁又は監獄において勤務する職員は、第二項に規定する職員の団体を結成し、及びこれに加入することができない。

⑤ 職員は、政府が代表する使用者としての公衆に対して同盟罷業、怠業その他の争議行為をなし、又は政府の活動能率を低下させる怠業的行為をしてはならない。又、何人も、このような違法な行為を企て、又はその遂行を

第九十八条　職員は、その職務を遂行するについて、法令に従い、且つ、上司の職務上の命令に忠実に従わなければならない。

② 職員は、政府が代表する使用者としての公衆に対して同盟罷業、怠業その他の争議行為をなし、又は政府の活動能率を低下させる怠業的行為をしてはならない。又、何人も、このような違法な行為を企て、又はその遂行を共謀し、そそのかし、若しくはあおつてはならない。

③ 職員で同盟罷業その他前項の規定に違反する行為をした者は、その行為の開始とともに、国に対し、法令に基いて保有する任命又は雇用上の権利をもつて、対抗することができない。

（信用失墜行為の禁止）

第九十九条　職員は、その官職の信用を傷つけ、又は官職全体の不名誉となるような行為をしてはならない。

（秘密を守る義務）

第百条　職員は、職務上知ることのできた秘密を漏らしてはならない。その職を退いた後といえども同様とする。

②　法令による証人、鑑定人等となり、職務上の秘密に属する事項を発表するには、所轄庁の長（退職者については、その退職した官職又はこれに相当する官職の所轄庁の長）の許可を要する。

③　前項の許可は、法律又は人事委員会規則の定める条件及び手続に係る場合を除いては、

共謀し、そそのかし、若しくはあおつてはならない。

⑥　職員で同盟罷業その他前項の規定に違反する行為をした者は、その行為の開始とともに、国に対し、法令に基いて保有する任命又は雇用上の権利をもつて、対抗することができない。

⑦　第二項の組合その他の団体は、これを法人とすることができる。民法（明治二十九年法律第八十九号）及び非訟事件手続法（明治三十一年法律第十四号）中民法第三十四条に規定する法人に関する規定は、本項の法人についてこれを準用する。但し、これらの規定中「主務官庁」とあるのは、「人事院」と読み替えるものとする。

（同　上）

（秘密を守る義務）

第百条　職員は、職務上知ることのできた秘密を漏らしてはならない。その職を退いた後といえども同様とする。

②　法令による証人、鑑定人等となり、職務上の秘密に属する事項を発表するには、所轄庁の長（退職者については、その退職した官職又はこれに相当する官職の所轄庁の長）の許可を要する。

③　前項の許可は、法律又は人事院規則の定める条件及び手続に係る場合を除いては、これ

（同　上）

（秘密を守る義務）

第百条　職員は、職務上知ることのできた秘密を漏らしてはならない。その職を退いた後といえども同様とする。

②　法令による証人、鑑定人等となり、職務上の秘密に属する事項を発表するには、所轄庁の長（退職者については、その退職した官職又はこれに相当する官職の所轄庁の長）の許可を要する。

③　前項の許可は、法律又は政令の定める条件及び手続に係る場合を除いては、これを拒む

これを拒むことができない。

（職務に専念する義務）

第百一条　職員は、特別の事情により所轄庁の長の承認を受けた場合を除いては、その勤務時間及び職務上の注意力のすべてをその職責遂行のために用いなければならない。

を拒むことができない。

④　前三項の規定は、人事院で扱われる調査又は審理の際人事院から求められる情報に関しては、これを適用しない。何人も、人事院の権限によつて行われる調査又は審理に際し、秘密の又は公表を制限された情報を陳述し又は証言することを人事院から求められた場合には、何人からも許可を受ける必要がない。人事院が正式に要求した情報について、人事院に対して、陳述及び証言を行わなかつた者は、この法律の罰則の適用を受けなければならない。

（職務に専念する義務）

第百一条　職員は、人事院規則の定める場合を除いては、その勤務時間及び職務上の注意力のすべてをその職責遂行のために用い、政府がなすべき責を有する職務にのみ従事しなければならない。職員は、人事院規則の定める場合を除いては、官職を兼ねてはならない。職員は、官職を兼ねる場合においても、それに対して給与を受けてはならない。

②　前項の規定は、地震、火災、水害その他重大な災害に際し、当該官庁が職員を本職以外の業務に従事させることを妨げない。

ことができない。

④　前三項の規定は、人事院で扱われる調査又は審理の際人事院から求められる情報に関しては、これを適用しない。何人も、人事院の権限によつて行われる調査又は審理に際し、秘密の又は公表を制限された情報を陳述し又は証言することを人事院から求められた場合には、何人からも許可を受ける必要がない。人事院が正式に要求した情報について、人事院に対して、陳述及び証言を行わなかつた者は、この法律の罰則の適用を受けなければならない。

⑤　前項の規定は、第十八条の四の規定により権限の委任を受けた再就職等監視委員会が行う調査について準用する。この場合において、同項中「人事院」とあるのは「再就職等監視委員会」と、「調査又は審理」とあるのは「調査」と読み替えるものとする。

（職務に専念する義務）

第百一条　職員は、法律又は命令の定める場合を除いては、その勤務時間及び職務上の注意力のすべてをその職責遂行のために用い、政府がなすべき責を有する職務にのみ従事しなければならない。職員は、法律又は命令の定める場合を除いては、官職を兼ねてはならない。職員は、官職を兼ねる場合においても、それに対して給与を受けてはならない。

②　前項の規定は、地震、火災、水害その他重大な災害に際し、当該官庁が職員を本職以外の業務に従事させることを妨げない。

（政治的行為の制限）

第百二条　職員は、政党又は政治的目的のために、寄附金その他の利益を求め、若しくは受領し、又は何らの方法を以てするを問わず、これらの行為に関与してはならない。

②　職員は、人事委員会規則で別段の定をした場合は、公選による公職の候補者となることができない。

③　法律又は人事委員会規則で定めた職員は、政党その他の政治的団体の役員となることができない。

（私企業からの隔離）

第百三条　職員は、商業、工業又は金融業その他営利を目的とする私企業（以下営利企業という。）を営むことを目的とする会社その他の団体の役員、顧問若しくは評議員の職を兼ね、又は自ら営利企業を営んではならない。

②　職員であつた者は、その退職後二年間は、その退職前二年間に在職していた官職と職務上密接な関係にある営利企業を代表する地位に就いてはならない。

③　前二項の規定は、人事委員会規則の定める

---

③　職員は、政府から給与を受けながら、職員の団体のため、その事務を行い、又は活動してはならない。但し、職員は、人事院によつて認められ又は人事院規則によつて定められた条件又は事情の下において、第九十八条の規定により認められた行為をすることができる。

（政治的行為の制限）

第百二条　職員は、政党又は政治的目的のために、寄附金その他の利益を求め、若しくは受領し、又は何らの方法を以てするを問わず、これらの行為に関与し、あるいは選挙権の行使を除く外、人事院規則で定める政治的行為をしてはならない。

②　職員は、公選による公職の候補者となることができない。

③　職員は、政党その他の政治的団体の役員、政治的顧問、その他これらと同様な役割をもつ構成員となることができない。

（私企業からの隔離）

第百三条　職員は、商業、工業又は金融業その他営利を目的とする私企業（以下営利企業という。）を営むことを目的とする会社その他の団体の役員、顧問若しくは評議員の職を兼ね、又は自ら営利企業を営んではならない。

②　職員は、離職後二年間は、営利企業の地位で、その離職前五年間に在職していた人事院規則で定める国の機関と密接な関係にあるものにつくことを承諾し又はついてはならない。

（同　上）

（私企業からの隔離）

第百三条　職員は、商業、工業又は金融業その他営利を目的とする私企業（以下営利企業という。）を営むことを目的とする会社その他の団体の役員、顧問若しくは評議員の職を兼ね、又は自ら営利企業を営んではならない。

②　前項の規定は、人事院規則の定めるところにより、所轄庁の長の申出により人事院の承認を得た場合には、これを適用しない。

③　営利企業について、株式所有の関係その他の関係により、当該企業の経営に参加し得る

ところにより、所轄庁の長の申出により人事委員会の承認を得た場合には、これを適用しない。

④　営利企業について、株式所有の関係その他の関係により、当該企業の経営に参加し得る地位にある職員に対し、人事委員会は、人事委員会規則の定めるところにより、株式所有の関係その他の関係について報告を徴することができる。

⑤　人事委員会は、人事委員会規則の定めるところにより、前項の報告に基き、企業に対する関係の全部又は一部の存続が、その職員の職務遂行上適当でないと認めるときは、その旨を当該職員に通知することができる。

⑥　前項の通知を受けた職員は、その通知の内容について異議があるときは、その通知を受領した後三十日以内に、人事委員会に異議の申立をすることができる。

⑦　第九十一条第二項及び第三項の規定は、前項の異議の申立のあつた場合に、これを準用する。

⑧　第六項の異議の申立をしなかつた職員及び人事委員会が異議の申立について調査した結果、通知の内容が正当であると決定せられた職員は、人事委員会規則の定めるところにより、人事委員会規則の定める期間内に、その企業に対する関係の全部若しくは一部を絶つか、又はその官職を退かなければならない。

（他の事業又は事務の関与制限）

第百四条　職員が報酬を得て、営利企業以外の

---

③　前二項の規定は、人事院規則の定めるところにより、所轄庁の長の申出により人事院の承認を得た場合には、これを適用しない。

④　営利企業について、株式所有の関係その他の関係により、当該企業の経営に参加し得る地位にある職員に対し、人事院は、人事院規則の定めるところにより、株式所有の関係その他の関係について報告を徴することができる。

⑤　人事院は、人事院規則の定めるところにより、前項の報告に基き、企業に対する関係の全部又は一部の存続が、その職員の職務遂行上適当でないと認めるときは、その旨を当該職員に通知することができる。

⑥　前項の通知を受けた職員は、その通知の内容について異議があるときは、その通知を受領した後三十日以内に、人事院に異議の申立をすることができる。

⑦　第九十一条第二項及び第三項の規定は、前項の異議の申立のあつた場合に、これを準用する。

⑧　第六項の異議の申立をしなかつた職員及び人事院が異議の申立について調査した結果、通知の内容が正当であると決定せられた職員は、人事院規則の定めるところにより、人事院規則の定める期間内に、その企業に対する関係の全部若しくは一部を絶つか、又はその官職を退かなければならない。

（他の事業又は事務の関与制限）

第百四条　職員が報酬を得て、営利企業以外の

地位にある職員に対し、人事院は、人事院規則の定めるところにより、株式所有の関係その他の関係について報告を徴することができる。

④　人事院は、人事院規則の定めるところにより、前項の報告に基き、企業に対する関係の全部又は一部の存続が、その職員の職務遂行上適当でないと認めるときは、その旨を当該職員に通知することができる。

⑤　前項の通知を受けた職員は、その通知の内容について不服があるときは、その通知を受領した日の翌日から起算して六十日以内に、人事院に行政不服審査法による異議申立てをすることができる。

⑥　第九十条第三項並びに第九十一条第二項及び第三項の規定は前項の異議申立てのあつた場合について、第九十二条の二の規定は第四項の通知の取消しの訴えについて、それぞれ準用する。

⑦　第五項の異議申立てをしなかつた職員及び人事院が異議申立てについて調査した結果、通知の内容が正当であると決定せられた職員は、人事院規則の定めるところにより、人事院規則の定める期間内に、その企業に対する関係の全部若しくは一部を絶つか、又はその官職を退かなければならない。

（他の事業又は事務の関与制限）

第百四条　職員が報酬を得て、営利企業以外の

事業の団体の役員、顧問若しくは評議員の職を兼ね、その他他の事業に従事し、若しくは事務を行うには、その所轄庁の長の許可を要する。

（職員の職務の範囲）

第百五条　職員は、職員としては、法令による職務を担当する以外の義務を負わない。

（勤務条件）

第百六条　職員の勤務条件その他職員の服務に関し必要な事項は、人事委員会規則でこれを定めることができる。

②　前項の人事委員会規則は、この法律の規定の趣旨に沿うものでなければならない。

第八節　退職者に対する恩給

（退職者に対する恩給の根本基準）

第百七条　職員であつて、相当年限、忠実に勤務して退職した者に対しては、恩給が与えられなければならない。

②　前項の恩給に関して必要な事項は、法律によつてこれを定める。

③　公務に基く負傷若しくは疾病に基き退職した者又は公務に基き死亡した者の遺族に対しては、法律の定めるところにより、恩給を与えることができる。

事業の団体の役員、顧問若しくは評議員の職を兼ね、その他いかなる事業に従事し、若しくは事務を行うにも、人事院及びその職員の所轄庁の長の許可を要する。

（職員の職務の範囲）

第百五条　職員は、職員としては、法律、命令、規則又は指令による職務を担当する以外の義務を負わない。。

（勤務条件）

第百六条　職員の勤務条件その他職員の服務に関し必要な事項は、人事院規則でこれを定めることができる。

②　前項の人事院規則は、この法律の規定の趣旨に沿うものでなければならない。

第八節　退職者に対する恩給

（同　上）

事業の団体の役員、顧問若しくは評議員の職を兼ね、その他いかなる事業に従事し、若しくは事務を行うにも、内閣総理大臣及びその職員の所轄庁の長の許可を要する。

（同　上）

（同　上）

第八節　退職管理

第百六条の二から第百六条の二十七まで〔略〕

第九節　退職年金制度

（退職年金制度）

第百七条　職員が、相当年限忠実に勤務して退職した場合、公務に基く負傷若しくは疾病に基き退職した場合又は公務に基き死亡した場合におけるその者又はその遺族に支給する年金に関する制度が、樹立し実施せられなければならない。

②　前項の年金制度は、退職又は死亡の時の条件を考慮して、本人及びその退職又は死亡の当時直接扶養する者のその後における適当な生活の維持を図ることを目的とするものでなければならない。

③　第一項の年金制度は、健全な保険数理を基

（恩給制度の目的）

第百八条　前条の恩給制度は、本人及び本人がその退職又は死亡の当時直接扶養する者をして、退職又は死亡の時の条件に応じて、その後において適当な生活を維持するに必要な所得を与えることを目的とするものでなければならない。

②　前条第三項の場合においては、第九十三条の規定による補償制度との間に適当な調整が図られなければならない。

③　恩給制度は、健全な基礎のもとに計画され、人事委員会によつて運用されるものでなければならない。

④　人事委員会は、なるべく速かに、恩給制度に関して研究を行い、その成果を内閣総理大臣に提出しなければならない。

（恩給制度の目的）

第百八条　前条の恩給制度は、本人及び本人がその退職又は死亡の当時直接扶養する者をして、退職又は死亡の時の条件に応じて、その後において適当な生活を維持するに必要な所得を与えることを目的とするものでなければならない。

②　前条第三項の場合においては、第九十三条の規定による補償制度との間に適当な調整が図られなければならない。

③　恩給制度は、健全な保険数理を基礎として計画され、人事院によつて運用されるものでなければならない。

④　人事院は、なるべく速かに、恩給制度に関して研究を行い、その成果を国会及び内閣に提出しなければならない。

礎として定められなければならない。

④　前三項の規定による年金制度は、法律によつてこれを定める。

（意見の申出）

第百八条　人事院は、前条の年金制度に関し調査研究を行い、必要な意見を国会及び内閣に申し出ることができる。

第十節　職員団体

（職員団体）

第百八条の二　この法律において「職員団体」とは、職員がその勤務条件の維持改善を図ることを目的として組織する団体又はその連合体をいう。

②　前項の「職員」とは、第五項に規定する職員以外の職員をいう。

③　職員は、職員団体を結成し、若しくは結成せず、又はこれに加入し、若しくは加入しないことができる。ただし、重要な行政上の決

定を行う職員、重要な行政上の決定に参画する管理的地位にある職員、職員の任免に関して直接の権限を持つ監督的地位にある職員、職員の任免、分限、懲戒若しくは服務、職員の給与その他の勤務条件又は職員団体との関係についての当局の計画及び方針に関する機密の事項に接し、そのためにその職務上の義務と責任とが職員団体の構成員としての誠意と責任とに直接に抵触すると認められる監督的地位にある職員その他職員団体との関係において当局の立場に立つて遂行すべき職務を担当する職員（以下「管理職員等」という。）と管理職員等以外の職員とは、同一の職員団体を組織することができず、管理職員等と管理職員等以外の職員とが組織する団体は、この法律にいう「職員団体」ではない。

④　前項ただし書に規定する管理職員等の範囲は、人事院規則で定める。

⑤　警察職員及び海上保安庁又は刑事施設において勤務する職員は、職員の勤務条件の維持改善を図ることを目的とし、かつ、当局と交渉する団体を結成し、又はこれに加入してはならない。

（職員団体の登録）

第百八条の三　職員団体は、人事院規則で定めるところにより、理事その他の役員の氏名及び人事院規則で定める事項を記載した申請書に規約を添えて人事院に登録を申請することができる。

②　職員団体の規約には、少なくとも次に掲げ

る事項を記載するものとする。

一　名称
二　目的及び業務
三　主なる事務所の所在地
四　構成員の範囲及びその資格の得喪に関する規定
五　理事その他の役員に関する規定
六　次項に規定する事項を含む業務執行、会議及び投票に関する規定
七　経費及び会計に関する規定
八　他の職員団体との連合に関する規定
九　規約の変更に関する規定
十　解散に関する規定

③　職員団体が登録される資格を有し、及び引き続いて登録されているためには、規約の作成又は変更、役員の選挙その他これらに準ずる重要な行為が、すべての構成員が平等に参加する機会を有する直接かつ秘密の投票による全員の過半数（役員の選挙については、投票者の過半数）によつて決定される旨の手続を定め、かつ、現実にその手続によりこれらの重要な行為が決定されることを必要とする。ただし、連合体である職員団体又は全国的規模をもつ職員団体にあつては、すべての構成員が平等に参加する機会を有する構成団体ごと又は地域若しくは職域ごとの直接かつ秘密の投票による投票者の過半数で代議員を選挙し、この代議員の全員が平等に参加する機会を有する直接かつ秘密の投票による全員の過半数（役員の選挙については、投票者の

過半数）によつて決定される旨の手続を定め、かつ、現実に、その手続により決定されることをもつて足りるものとする。

④　前項に定めるもののほか、職員団体が登録される資格を有し、及び引き続いて登録されているためには、前条第五項に規定する職員以外の職員のみをもつて組織されていることを必要とする。ただし、同項に規定する職員以外の職員であつた者でその意に反して免職され、若しくは懲戒処分としての免職の処分を受け、当該処分を受けた日の翌日から起算して一年以内のもの又はその期間内に当該処分について法律の定めるところにより不服申立てをし、若しくは訴えを提起し、これに対する裁決若しくは決定又は裁判が確定するに至らないものを構成員にとどめていること、及び当該職員団体の役員である者を構成員としていることを妨げない。

⑤　人事院は、登録を申請した職員団体が前三項の規定に適合するものであるときは、人事院規則で定めるところにより、規約及び第一項に規定する申請書の記載事項を登録し、当該職員団体にその旨を通知しなければならない。この場合において、職員でない者の役員就任を認めている職員団体を、そのゆえをもつて登録の要件に適合しないものと解してはならない。

⑥　登録された職員団体が職員団体でなくなつたとき、登録された職員団体について第二項から第四項までの規定に適合しない事実があ

つたとき、又は登録された職員団体が第九項の規定による届出をしなかつたときは、人事院は、人事院規則で定めるところにより、六十日を超えない範囲内で当該職員団体の登録の効力を停止し、又は当該職員団体の登録を取り消すことができる。

⑦　前項の規定による登録の取消しに係る聴聞の期日における審理は、当該職員団体から請求があつたときは、公開により行わなければならない。

⑧　第六項の規定による登録の取消しは、当該処分の取消しの訴えを提起することができる期間内及び当該処分の取消しの訴えの提起があつたときは当該訴訟が裁判所に係属する間は、その効力を生じない。

⑨　登録された職員団体は、その規約又は第一項に規定する申請書の記載事項に変更があつたときは、人事院規則で定めるところにより、人事院にその旨を届け出なければならない。この場合においては、第五項の規定を準用する。

⑩　登録された職員団体は、解散したときは、人事院規則で定めるところにより、人事院にその旨を届け出なければならない。

第百八条の四　削除（平成一八年改正）

（交渉）

第百八条の五　当局は、登録された職員団体から、職員の給与、勤務時間その他の勤務条件に関し、及びこれに附帯して、社交的又は厚生的活動を含む適法な活動に係る事項に関し、適法な交渉の申入れがあつた場合においては、その申入れに応ずべき地位に立つものとする。

②　職員団体と当局との交渉は、団体協約を締結する権利を含まないものとする。

③　国の事務の管理及び運営に関する事項は、交渉の対象とすることができない。

④　職員団体が交渉することのできる当局は、交渉事項について適法に管理し、又は決定することのできる当局とする。

⑤　交渉は、職員団体と当局があらかじめ取り決めた員数の範囲内で、職員団体がその役員の中から指名する者と当局の指名する者との間において行なわなければならない。交渉に当たつては、議題、時間、場所その他必要な事項をあらかじめ取り決めて行なうものとする。

⑥　前項の場合において、特別の事情があるときは、職員団体は、役員以外の者を指名することができるものとする。ただし、その指名する者は、当該交渉の対象である特定の事項について交渉する適法な委任を当該職員団体の執行機関から受けたことを文書によつて証明できる者でなければならない。

⑦　交渉は、前二項の規定に適合しないこととなつたとき、又は他の職員の職務の遂行を妨げ、若しくは国の事務の正常な運営を阻害することとなつたときは、これを打ち切ることができる。

⑧　本条に規定する適法な交渉は、勤務時間中

においても行なうことができるものとする。

⑨　職員は、職員団体に属していないという理由で、第一項に規定する事項に関し、不満を表明し、又は意見を申し出る自由を否定されてはならない。

（職員団体のための職員の行為の制限）

第百八条の六　職員は、職員団体の業務にもっぱら従事することができない。ただし、所轄庁の長の許可を受けて、登録された職員団体の役員としてもっぱら従事する場合は、この限りでない。

②　前項ただし書の許可は、所轄庁の長が相当と認める場合に与えることができるものとし、これを与える場合においては、所轄庁の長は、その許可の有効期間を定めるものとする。

③　第一項ただし書の規定により登録された職員団体の役員として専ら従事する期間は、職員としての在職期間を通じて五年（特定独立行政法人の労働関係に関する法律（昭和二十三年法律第二百五十七号）第二条第二号の職員として同法第七条第一項ただし書の規定により労働組合の業務に専ら従事したことがある職員については、五年からその専ら従事した期間を控除した期間）を超えることができない。

④　第一項ただし書の許可は、当該許可を受けた職員が登録された職員団体の役員として当該職員団体の業務にもつぱら従事する者でなくなつたときは、取り消されるものとする。

⑤　第一項ただし書の許可を受けた職員は、そ

第四章　罰則

第百九条　第三十九条の規定による禁止に違反した者は、三年以下の懲役又は一万円以下の罰金に処する。

②　前項の者の収受した金銭その他の利益は、これを没収する。その全部又は一部を没収することができないときは、その価額を追徴する。

第四章　罰則

第百九条　左の各号の一に該当する者は、一年以下の懲役又は三万円以下の罰金に処する。

一　第五条に規定する資格を有しない人事官の任命に同意した閣員

二　第七条第三項の規定に違反して任命を受諾した者

三　第八条第三項の規定に違反して故意に人事官を罷免しなかつた閣員

四　人事官の欠員を生じた後六十日以内に人事官を任命しなかつた閣員（此の期間内に両議院の同意を経なかつた場合には此の限りでない。）

五　第十五条の規定に違反して官職を兼ねた者

六　第十六条第二項の規定に違反して故意に人事院規則及びその改廃を官報に掲載することを怠つた者

七　第十九条の規定に違反して故意に人事記録の作成、保管又は改訂をしなかつた者

の許可が効力を有する間は、休職者とする。

⑥　職員は、人事院規則で定める場合を除き、給与を受けながら、職員団体のためその業務を行ない、又は活動してはならない。

（不利益取扱いの禁止）

第百八条の七　職員は、職員団体の構成員であること、これを結成しようとしたこと、若しくはこれに加入しようとしたこと、又はその職員団体における正当な行為をしたことのために不利益な取扱いを受けない。

第四章　罰則

第百九条　次の各号のいずれかに該当する者は、一年以下の懲役又は五十万円以下の罰金に処する。

一　第七条第三項の規定に違反して任命を受諾した者

二　第八条第三項の規定に違反して故意に人事官を罷免しなかつた閣員

三　人事官の欠員を生じた後六十日以内に人事官を任命しなかつた閣員（此の期間内に両議院の同意を経なかつた場合には此の限りでない。）

四　第十五条の規定に違反して官職を兼ねた者

五　第十六条第二項の規定に違反して故意に人事院規則及びその改廃を官報に掲載することを怠つた者

六　第十九条の規定に違反して故意に人事記録の作成、保管又は改訂をしなかつた者

七　第二十条の規定に違反して故意に報告しなかつた者

八　第二十条の規定に違反して故意に報告しなかつた者
九　第二十七条の規定に違反して差別をした者
十　第四十七条第三項の規定に違反して試験の公告を怠り又はこれを抑止した職員
十一　第八十三条第一項の規定に違反して停職を命じた者
十二　第九十二条の規定によつてなされる人事院の判定、処置又は指示に故意に従わなかつた者
十三　第百条第一項又は第二項の規定に違反して秘密を漏らした者
十四　第百三条の規定に違反して営利企業の地位についた者
十五　附則第十一条の規定に違反して臨時的任用の期間を延長した任命権者

八　第二十七条の規定に違反して差別をした者
九　第四十七条第三項の規定に違反して採用試験の公告を怠り又はこれを抑止した職員
十　第八十三条第一項の規定に違反して停職を命じた者
十一　第九十二条の規定によつてなされる人事院の判定、処置又は指示に故意に従わなかつた者
十二　第百条第一項若しくは第二項又は第百六条の十二第一項の規定に違反して秘密を漏らした者
十三　第百三条の規定に違反して営利企業の地位についた者
十四　離職後二年を経過するまでの間に、離職前五年間に在職していた局等組織に属する役職員又はこれに類する者として政令で定めるものに対し、契約等事務であつて離職前五年間の職務に属するものに関し、職務上不正な行為をするように、又は相当の行為をしないように要求し、又は依頼した再就職者
十五　国家行政組織法第二十一条第一項に規定する部長若しくは課長の職又はこれらに準ずる職であつて政令で定めるものに離職した日の五年前の日より前に就いていた者であつて、離職後二年を経過するまでの間に、当該職に就いていた時に在職していた局等組織に属する役職員又はこれに類する者として政令で定めるものに対し、契約等

事務であつて離職した日の五年前の日より前の職務（当該職に就いていたときの職務に限る。）に属するものに関し、職務上不正な行為をするように、又は相当の行為をしないように要求し、又は依頼した再就職者

十六　国家行政組織法第六条に規定する長官、同法第十八条第一項に規定する事務次官、同法第二十一条第一項に規定する事務局長若しくは局長の職又はこれらに準ずる職であつて政令で定めるものに就いていた者であつて、離職後二年を経過するまでの間に、局長等としての在職機関に属する役職員又はこれに類する者として政令で定めるものに対し、契約等事務であつて局長等としての在職機関の所掌に属するものに関し、職務上不正な行為をするように、又は相当の行為をしないように要求し、又は依頼した再就職者

十七　在職していた府省その他の政令で定める国の機関、特定独立行政法人若しくは都道府県警察（以下この号において「行政機関等」という。）に属する役職員又はこれに類する者として政令で定めるものに対し、国、特定独立行政法人若しくは都道府県と営利企業等（再就職者が現にその地位に就いているものに限る。）若しくはその子法人との間の契約であつて当該行政機関等においてその締結について自らが決定したもの又は当該行政機関等による当該営利企業等若しくはその子法人に対する行政手

第百十条　左の各号の一に該当する者は、一年以下の懲役又は五千円以下の罰金に処する。

一　第十七条第二項の規定により、証人として喚問を受け虚偽の陳述をした者

二　第十七条第二項の規定により、書類又はその写の提出を求められ、虚偽の事項を記載した書類又は写を提出した者

三　第四十条又は第四十一条の規定による禁止に違反した者

四　第百三条第二項の規定による禁止に違反した者

第百十条　左の各号の一に該当する者は、三年以下の懲役又は十万円以下の罰金に処する。

一　第二条第六項の規定に違反した者

二　第十条又は第十四条の規定に違反して給与を支払つた者

三　第十七条第二項の規定による証人として喚問を受け虚偽の陳述をした者

四　第十七条第二項の規定により証人として喚問を受け正当の理由がなくてこれに応ぜず、又は同項の規定により書類又はその写の提出を求められ正当の理由がなくてこれに応じなかつた者

五　第十七条第二項の規定により書類又はその写の提出を求められ、虚偽の事項を記載した書類又は写を提出した者

六　第十八条の規定に違反して給与を支払つた者

七　第三十三条第一項の規定に違反して任命

続法第二条第二号に規定する処分であつて自らが決定したものに関し、職務上不正な行為をするように、又は相当の行為をしないように要求し、又は依頼した再就職者

十八　第十四号から前号までに掲げる再就職者から要求又は依頼（独立行政法人通則法第五十四条の二第一項において準用する第十四号から前号までに掲げる要求又は依頼を含む。）を受けた職員であつて、当該要求又は依頼を受けたことを理由として、職務上不正な行為をし、又は相当の行為をしなかつた者

第百十条　次の各号のいずれかに該当する者は、三年以下の懲役又は百万円以下の罰金に処する。

一　第二条第六項の規定に違反した者

二　削除

三　第十七条第二項（第十八条の三第二項において準用する場合を含む。次号及び第五号において同じ。）の規定による証人として喚問を受け虚偽の陳述をした者

四　第十七条第二項の規定により証人として喚問を受け正当の理由がなくてこれに応ぜず、又は同項の規定により書類又はその写の提出を求められ正当の理由がなくてこれに応じなかつた者

五　第十七条第二項の規定により書類又はその写の提出を求められ、虚偽の事項を記載した書類又は写を提出した者

五の二　第十七条第三項（第十八条の三第二

をした者

八　第三十九条の規定による禁止に違反した者

九　第四十条の規定に違反して虚偽行為を行つた者

十　第四十一条の規定に違反して受験若しくは任用を阻害し又は情報を提供した者

十一　第六十三条第一項又は第六十六条の規定に違反して給与を支給した者

十二　第六十八条の規定に違反して給与の支払をした者

十三　第七十条の規定に違反して給与の支払について故意に適当な措置をとらなかつた人事官

十四　第八十三条第二項の規定に違反して停職者に俸給を支給した者

十五　第八十六条の規定に違反して故意に勤務条件に関する行政措置の要求の申出を妨げた者

十六　第九十八条第四項の規定に違反して職員の団体を結成した者

十七　何人たるを問わず第九十八条第五項前段に規定する違法な行為の遂行を共謀し、そそのかし、若しくはあおり、又はこれらの行為を企てた者

十八　第百条第四項の規定に違反して陳述及び証言を行わなかつた者

十九　第百二条第一項に規定する政治的行為の制限に違反した者

二十　任命権者で、附則第九条第一項の規定

項において準用する場合を含む。）の規定による検査を拒み、妨げ、若しくは忌避し、又は質問に対して陳述をせず、若しくは虚偽の陳述をした者（第十七条第一項の調査の対象である職員（第十八条の三第二項において準用する場合にあつては、同条第一項の調査の対象である職員又は職員であつた者）を除く。）

六　第十八条の規定に違反して給与を支払つた者

七　第三十三条第一項の規定に違反して任命をした者

八　第三十九条の規定による禁止に違反した者

九　第四十条の規定に違反して虚偽行為を行つた者

十　第四十一条の規定に違反して受験若しくは任用を阻害し又は情報を提供した者

十一　第六十三条の規定に違反して給与を支給した者

十二　第六十八条の規定に違反して給与の支払をした者

十三　第七十条の規定に違反して給与の支払について故意に適当な措置をとらなかつた人事官

十四　第八十三条第二項の規定に違反して停職者に俸給を支給した者

十五　第八十六条の規定に違反して故意に勤務条件に関する行政措置の要求の申出を妨げた者

第百十一条　第十七条第二項の規定により証人として喚問を受け、正当の理由がなくてこれに応ぜず、又は同項の規定により書類若しくはその写の提出を求められ、正当の理由がなくてこれに応じなかつた者は、これを三千円以下の過料に処する。

による臨時的任用を終了させなかつた者

② 前項第八号に該当する者の収受した金銭その他の利益は、これを没収する。その全部又は一部を没収することができないときは、その価額を追徴する。

第百十一条　第百九条第一号、第三号より第五号まで及び第十三号又は第百十条第一項第一号から第七号まで、第九号から第十六号まで、第十八号及び第二十号に掲げる行為を企て、命じ、故意にこれを容認し、そそのかし又はそのほう助をした者は、それぞれ各本条の刑に処する。

十六　削除

十七　何人たるを問わず第九十八条第二項前段に規定する違法な行為の遂行を共謀し、そそのかし、若しくはあおり、又はこれらの行為を企てた者

十八　第百条第四項（同条第五項において準用する場合を含む。）の規定に違反して陳述及び証言を行わなかつた者

十九　第百二条第一項に規定する政治的行為の制限に違反した者

二十　第百八条の二第五項の規定に違反して団体を結成した者

② 前項第八号に該当する者の収受した金銭その他の利益は、これを没収する。その全部又は一部を没収することができないときは、その価額を追徴する。

第百十一条　第百九条第二号より第四号まで及び第十二号又は前条第一項第一号、第三号から第七号まで、第九号から第十五号まで、第十八号及び第二十号に掲げる行為を企て、命じ、故意にこれを容認し、そそのかし又はそのほう助をした者は、それぞれ各本条の刑に処する。

第百十二条　次の各号のいずれかに該当する者は、三年以下の懲役に処する。ただし、刑法（明治四十年法律第四十五号）に正条があるときは、刑法による。

一　職務上不正な行為（第百六条の二第一項又は第百六条の三第一項の規定に違反する行為を除く。次号において同じ。）をする

こと若しくはしたこと、又は相当の行為をしないこと若しくはしなかつたことに関し、営利企業等に対し、離職後に当該営利企業等若しくはその子法人の地位に就くこと、又は他の役職員をその離職後に、若しくは役職員であつた者を、当該営利企業等若しくはその子法人の地位に就かせることを要求し、又は約束した職員

二　職務に関し、他の役職員に職務上不正な行為をするように、又は相当の行為をしないように要求し、依頼し、若しくは唆すこと、又は要求し、依頼し、若しくは唆したことに関し、営利企業等に対し、離職後に当該営利企業等若しくはその子法人の地位に就くこと、又は他の役職員をその離職後に、若しくは役職員であつた者を、当該営利企業等若しくはその子法人の地位に就かせることを要求し、又は約束した職員

三　前号（独立行政法人通則法第五十四条の二第一項において準用する場合を含む。）の不正な行為をするように、又は相当の行為をしないように要求し、依頼し、又は唆した行為の相手方であつて、同号（同項において準用する場合を含む。）の要求又は約束があつたことの情を知つて職務上不正な行為をし、又は相当の行為をしなかつた職員

第百十三条　次の各号のいずれかに該当する者は、十万円以下の過料に処する。

一　第百六条の四第一項から第四項までの規定に違反して、役職員又はこれらの規定に

附　則

第一条　この法律中附則第二条の規定は、昭和二十二年十一月一日から、その他の規定は、昭和二十三年七月一日からこれを施行する。

②　人事委員会は、遅くとも昭和二十四年一月一日には設置されなければならない。

③　この法律中人事委員会及び服務に関する規定（これらに関する附則の規定を含む。）以外の規定は、法律又は人事委員会規則の定めるところにより、実行の可能な限度において、逐次これを適用することができる。

第二条　内閣総理大臣の所轄の下に、臨時人事委員会を置く。

②　臨時人事委員会は、この法律の施行に必要な範囲内において、官職、在職状況その他人事行政一般に関する調査その他の準備の事務を掌る権限を有する。

③　臨時人事委員会は、昭和二十三年七月一日から人事委員会の設置に至るまで、この法律に定める人事委員会の職権を行う。この場合においては、この法律中「人事委員会」とある

附　則

第一条　この法律中附則第二条の規定は、昭和二十二年十一月一日から、その他の規定は、昭和二十三年七月一日からこれを施行する。

②　この法律中人事院及び服務に関する規定（これらに関する罰則及び附則の規定を含む。）以外の規定は、法律、人事院規則又は人事院指令の定めるところにより、実行の可能な限度において、逐次これを適用することができる。

第二条　内閣総理大臣の所轄の下に、臨時人事委員会を置く。

②　臨時人事委員会は、この法律の施行に必要な範囲内において、官職、在職状況その他人事行政一般に関する調査その他の準備の事務を掌る権限を有する。

③　臨時人事委員会は、昭和二十三年七月一日から人事院の設置に至るまで、この法律に定める人事院の職権を行う。この場合において、この法律中「人事院」とあるのは「臨時

規定する役職員に類する者として政令で定めるものに対し、契約等事務に関し、職務上の行為をするように、又はしないように要求し、又は依頼した者（不正な行為をするように、又は相当の行為をしないように要求し、又は依頼した者を除く。）

二　第百六条の二十四第一項又は第二項の規定による届出をせず、又は虚偽の届出をした者

附　則

（同　上）

（同　上）

（同　上）

（同　上）

のは「臨時人事委員会」、「人事委員」とあるのは「臨時人事委員」と読み替えるものとする。

④　臨時人事委員会は委員長及び委員二人を以て、これを組織する。

⑤　委員長及び委員は、人事委員会が設置されたときは、退職するものとする。この場合においては、委員長は、遅滞なくその事務を人事委員長に引き継がなければならない。

⑥　第五条第一項、第三項乃至第五項及び第十一条第二項の規定は、委員長及び委員について、これを準用する。

⑦　臨時人事委員会に事務局を置く。

⑧　事務局に事務局長一人及び政令で定める所要の職員を置く。

⑨　臨時人事委員会の権限を実施するため必要な事項は、昭和二十三年六月三十日までは政令で、その後は法律又は人事委員会規則で、これを定める。

人事委員会」、「人事官」とあるのは「臨時人事委員」と読み替えるものとする。

④　臨時人事委員会は委員長及び委員二人を以て、これを組織する。

⑤　人事院設置の際現に在職する委員長及び委員は、この法律により人事官の任命があるまでは、人事官の地位に在るものとみなし、その間は、委員長は、人事院総裁の職務を行うものとする。委員長及び委員は、人事官が任命されたときは、退職するものとし、その場合においては、委員長は、遅滞なくその事務を人事院総裁に引き継がなければならない。人事官の任命は、人事院設置後五日以内に、これを行わなければならない。

⑥　第五条第一項、第三項乃至第五項及び第十一条第二項の規定は、委員長及び委員について、これを準用する。

⑦　臨時人事委員会に事務局を置く。

⑧　事務局に事務局長一人及び政令で定める所要の職員を置く。

⑨　臨時人事委員会の職員は、人事院が設置されたときは、六月の間人事院の職員として条件附で任用されたものとし、その期間を良好に終了したときは、この法律に基く試験又は選考に合格し、且つ、この法律に基く手続によつてその官職を保持するものとみなされ、正式に任命されたものとする。本項のいかなる規定も、人事院の職員に対し、附則第九条の規定の適用を免除するものではない。

⑩　臨時人事委員会の権限を実施するため必要

（同　上）

（同　上）

⑥　第五条第一項乃至第四項及び第十一条第二項の規定は、委員長及び委員について、これを準用する。

（同　上）

（同　上）

（同　上）

（同　上）

第三条　第五条第六項にいう大学学部又は高等学校には、大学令による大学学部又は高等学校令若しくは専門学校令による高等学校若しくは専門学校を含むものとする。

第四条　最初に任命される人事委員の中二人の任期は、第七条第一項本文の規定にかかわらず、一人は五年、他の一人は三年とする。この場合において、いづれの人事委員の任期を、いづれとするかは、内閣総理大臣が、これを決定する。

第五条　人事委員長以外の人事委員が、ともに最初に任命された人事委員である場合においては、第十一条第三項の規定を適用するについては、同項中「先任の人事委員」とあるのは、「任期の長い人事委員」と読み替えるものとする。

第六条　第三十八条第三号にいう懲戒免職の処分には、従前の規定による懲戒免官を含むものとする。

第七条　従前の規定により休職を命ぜられた者又は懲戒手続中の者若しくは懲戒処分を受けた者の休職又は懲戒に関しては、なお従前の例による。

第八条　第八十二条第二号又は第三号の規定は、同条の規定適用前の行為についても、また、これを適用する。

な事項は、昭和二十三年六月三十日までは政令で、その後は法律又は人事院規則で、これを定める。

第三条　第五条第六項にいう大学学部には、旧大学令（大正七年勅令第三百八十八号）による大学学部及び旧専門学校令（明治三十六年勅令第六十一号）による専門学校を含むものとする。

第四条　最初に任命される人事官の中二人の任期は、第七条第一項本文の規定にかかわらず、一人は五年、他の一人は三年とする。この場合において、いづれの人事官の任期を、いづれとするかは、内閣が、これを決定する。

第五条　人事院総裁以外の人事官が、ともに最初に任命された人事官である場合において、第十一条第三項の規定を適用するについては、同項中「先任の人事官」とあるのは、「任期の長い人事官」と読み替えるものとする。

（同　上）

（同　上）

（同　上）

第三条　第五条第五項にいう大学学部には、旧大学令（大正七年勅令第三百八十八号）による大学学部及び旧専門学校令（明治三十六年勅令第六十一号）による専門学校を含むものとする。

（同　上）

（同　上）

（同　上）

（同　上）

（同　上）

第九条　人事委員会の指定する日において、その指定する官職に在任する者は、人事委員会規則の定めるところにより、この法律に基く試験又は選考に合格し、その他その官職の属する職種及び等級に必要な資格要件を具備し、且つ、この法律に基く手続によりその官職に就いた者とみなす。但し、附則第十一条に規定する者については、この限りでない。

第十条　前条の規定による官職の指定があつた場合において、その官職に任用される臨時的職員については、任命権者は、人事委員会の承認を得て、第六十条第一項に規定する任期に関する制限にかかわらず、前条の規定により指定された日から三年を超えない期間、その者を在任させることができる。

第十一条　人事委員会の指定する日において、総理庁若しくは各省の外局若しくは内局又は人事委員会の指定する機関の長及び次長その他これらに準ずべき官職で人事委員会の指定

第九条　人事院の指定する日において、次官、局長、次長、課長及び課長補佐その他これらに準ずる官職で人事院の指定するものに在任するものは、人事院規則の定めるところにより、その官職に臨時的に任用されたものとみなす。この臨時的任用は、昭和二十三年七月一日から三年をこえることができず、且つ、その期限前においても人事院規則又は人事院指令により、終了させることができる。人事院は、随時それらの官職に準ずる官職を追加して指定し、本条の規定を適用しなければならない。人事院は、公務の適切な運営のため、いかなる官職に在任する職員に対しても、適宜試験を実施し、これを転退職させることができる。

②　人事院は、昭和二十三年七月一日から二年以内に、前項に規定する官職について、この法律に基き必要な試験を実施しなければならない。

第十条　前条第一項の規定により指定される官職以外の官職に在任する職員は、人事院の指定する日において、その在任する官職に対し、この法律に基く手続によつて、資格を与えられたものとみなし、すべてこれに人事院規則を適用する。

第十一条　任命権者は、昭和二十六年七月一日前においては、人事院の承認を得て、且つ、人事院規則に従い、第六十条第一項に規定する臨時的任用の期間を延長することができ

第九条　人事院の指定する日において、事務次官、局長、次長、課長及び課長補佐その他これらに準ずる官職で人事院の指定するものに在任するものは、人事院規則の定めるところにより、その官職に臨時的に任用されたものとみなす。この臨時的任用は、昭和二十三年七月一日から三年をこえることができず、且つ、その期限前においても人事院規則又は人事院指令により、終了させることができる。人事院は、随時それらの官職に準ずる官職を追加して指定し、本条の規定を適用しなければならない。人事院は、公務の適切な運営のため、いかなる官職に在任する職員に対しても、適宜試験を実施し、これを転退職させることができる。

②　人事院は、昭和二十三年七月一日から二年以内に、前項に規定する官職について、この法律に基き必要な試験を実施しなければならない。

（同　上）

（同　上）

するものに存任する者は、人事委員会規則の定めるところにより、その際前条の規定による臨時的職員に任用されたものとみなす。但し、その在任は、昭和二十三年七月一日から三年を超えることはできない。

② 前項に規定する官職については、人事委員会は、遅くとも昭和二十三年七月一日から二年以内に、職階の格付及び試験又は選考の実施ができるように努めなければならない。

第十二条 第百条の規定は、従前職員であつた者で同条の規定施行前退職した者についても、これを適用する。

第十三条 外交官、領事官その他の在外職員、学校教員、裁判所の職員、検察官その他の一般職に属する職員に関し、その職務と責任の特殊性に基いて、この法律の特例を要する場合においては、別に法律又は人事委員会規則を以て、これを規定することができる。但し、その特例は、この法律第一条の精神に反するものであつてはならない。

第十四条 この法律の各規定施行又は適用の際、現に効力を有する政府職員に関する法令の規定の改廃及びこれらの規定の適用を受ける者に、この法律の規定を適用するについて、必要な経過的特例その他の事項は、法律又は人事委員会規則でこれを定める。

る。

（同　上）

第十三条 一般職に属する職員に関し、その職務と責任の特殊性に基いて、この法律の特例を要する場合においては、別に法律又は人事院規則を以て、これを規定することができる。但し、その特例は、この法律第一条の精神に反するものであつてはならない。

第十四条 この法律の各規定施行又は適用の際、現に効力を有する政府職員に関する法令の規定の改廃及びこれらの規定の適用を受ける者に、この法律の規定を適用するについて、必要な経過的特例その他の事項は、法律又は人事院規則でこれを定める。

第十五条 人事院は、昭和二十六年七月一日前においては、都道府県、市その他地方公共団体の人事機関が、この法律によつて確立された原則に沿つて設置され、且つ、運営される

（同　上）

第十三条 一般職に属する職員に関し、その職務と責任の特殊性に基いて、この法律の特例を要する場合においては、別に法律又は人事院規則（人事院の所掌する事項以外の事項については、政令）を以て、これを規定することができる。但し、その特例は、この法律第一条の精神に反するものであつてはならない。

（同　上）

（同　上）

ように協力し、及び技術的助言をなすことができる。

第十六条　労働組合法（昭和二十年法律第五十一号）、労働関係調整法（昭和二十一年法律第二十五号）、労働基準法（昭和二十二年法律第四十九号）及び船員法（昭和二十二年法律第百号）並びにこれらの法律に基いて発せられる命令は、第二条の一般職に属する職員には、これを適用しない。

第一次改正法律附則

（国家公務員法の一部を改正する法律（昭二三法二二二）附則）

第一条　この法律は、公布の日から、施行する。但し、改正後の国家公務員法第十三条第三項から第五項までの規定は、昭和二十四年度以後の会計年度について適用し、この附則第六

第十六条　労働組合法（昭和二十四年法律第百七十四号）、労働関係調整法（昭和二十一年法律第二十五号）、労働基準法（昭和二十二年法律第四十九号）、船員法（昭和二十二年法律第百号）、最低賃金法（昭和三十四年法律第百三十七号）、じん肺法（昭和三十五年法律第三十号）、労働安全衛生法（昭和四十七年法律第五十七号）及び船員災害防止活動の促進に関する法律（昭和四十二年法律第六十一号）並びにこれらの法律に基いて発せられる命令は、第二条の一般職に属する職員には、これを適用しない。

第十七条　第五十五条第一項に規定する各大臣のうちには、経済安定本部が存続する間は、経済安定本部総裁が含まれるものとする。

第十八条　第百八条の六の規定の適用については、国家公務員の労働関係の実態にかんがみ、労働関係の適正化を促進し、もつて公務の能率的な運営に資するため、当分の間、同条第三項中「五年」とあるのは、「七年以下の範囲内で人事院規則で定める期間」とする。

条の規定及びこの附則第七条中船員職業安定法（昭和二十三年法律第百三十号）第十条の改正規定は、別に人事院規則で定める日から適用する。

第二条　人事院規則で定めた場合を除き、国家公務員法第百二条第二項の改正規定施行の際、職員で現に公選による公職に在る者は、昭和二十四年六月三十日までにその公職を退いて辞表の写及びその辞表が受理され、且つ、その効力を生じたことを公に証明する書面を人事院に送付しない限り、その日においてその官職を失うものとする。

第三条　一般職に属する職員に関しては、別に法律が制定実施されるまでの間、国家公務員法の精神にてい触せず、且つ、同法に基く法律又は人事院規則で定められた事項に矛盾しない範囲内において、労働基準法及び船員法並びにこれらに基く命令の規定を準用する。但し、労働基準監督機関の職権に関する規定は、一般職に属する職員の勤務条件に関しては、準用しない。

2　前項の場合において必要な事項は、人事院規則で定める。

第四条　職員を主たる構成員とする労働組合又は団体で、国家公務員法附則第十六条の規定が適用される日において、現に存するものは、引き続き存続することができる。これらの団体は、すべて役員の選挙及び業務執行について民主的手続を定め、その他その組織、目的及び手続において、この法律の規定に従わなければならない。これらの団体は、人事院の定める手続により、人事院に登録しなければならない。

2　前項の組合又は団体に関して必要な事項は、法律又は人事院規則で定める。

第五条　国家公務員法附則第十六条の規定施行前になした同条に掲げる法令の規定に違反する行為に関する罰則の適用については、同条の規定にかかわらず、なお従前の例による。

第六条　職業安定法（昭和二十二年法律第百四十一号）の一部を次のように改正する。

〔略〕

第七条　船員職業安定法の一部を次のように改正する。

〔略〕

第八条　昭和二十三年七月二十二日附内閣総理大臣宛連合国最高司令官書簡に基く臨時措置に関する政令（昭和二十三年政令第二百一号）は、国家公務員に関して、その効力を失う。

2　前項の政令がその効力を失う前になした同令第二条第一項の規定に違反する行為に関する罰則の適用については、なお従前の例による。

第九条　この法律施行の際、他の法令中「人事委員会」、「人事委員長」、「人事委員」及び「人事委員会規則」とあるのは、それぞれ「人事院」、「人事院総裁」、「人事官」及び「人事院規則」と読み替えるものとする。

第十条　人事院設置の際、現に臨時人事委員会の職員である者は、別に辞令を発せられない限り、そのまま人事院の各相当の職員となるものとする。人事院の事務総長の職は、臨時人事委員会の事務局長の職に相当するものとする。

第十一条　国会及び裁判所の職員は、昭和二十六年十二月三十一日までこの法律の定める一般職に属する職員とする。

第十二条　官吏懲戒令（明治三十二年勅令第六十三号）、高等試験委員及び普通試験委員官制（大正七年勅令第九号）、高等試験令（昭和四年勅令第十五号）、一級官吏銓衡委員会官制（昭和十六年勅令第四号）、昭和二十年勅令第七十七号（二級事務官吏の任用資格の特例に関する件）、二級事務官吏銓衡委員会官制（昭和二十年勅令第七十八号）及び高等試験委員及び普通試験委員臨時措置法（昭和二十三年法律第五十三号）並びにこれらに基く命令は、この法律施行の日から廃止する。但し、高等試験令は、裁判所法（昭和二十二年法律第五十九号）、第六十六条及び弁護士法（昭和八年法律第五十三号）第三条の試験に関する限り、又、高等試験委員会は、その第三部に関する限り、昭和二十三年十二月三十一日までは、従前の法律に定めた条件の下に存続するものとする。

2　この法律施行の際、現に前項に規定する法令によつて設置された委員会の事務にもつぱら従事している職員は、その日において、辞令を用いることなく、その職を免ぜられるものとする。

事項索引

こ

さ

そ

た

ち

つ

て

と

な

に

ね

の

は

ひ

ふ

へ

ほ

ま

み

む

め

も

や

ゆ

ら

り

れ

ろ

わ

初版　編者、執筆者一覧

（編者）

鹿児島重治
森園幸男
北村　勇

（執筆者）（五〇音順）

石橋伊都男
遠藤宣男
尾西雅博
小原　進
川村卓雄
菊地敦子
佐川卓政
佐久間健一
鈴木純一
鈴木伸一
高橋秀樹
出合　均
林　　剛
平山英三
藤原恒夫
矢内正一
吉田耕三
吉藤正道

逐条国家公務員法〈第２次全訂版〉

昭和63年11月30日　初 版 発 行
平成27年３月27日　全訂版発行
令和５年６月28日　第２次全訂版発行

編　　者　吉　田　耕　三
　　　　　尾　西　雅　博

発 行 者　佐 久 間 重 嘉

発 行 所　学　陽　書　房
〒102-0072　東京都千代田区飯田橋 1-9-3
（営業）TEL 03(3261)1111
FAX 03(5211)3300
（編集）TEL 03(3261)1112
FAX 03(5211)3301
http://www.gakuyo.co.jp/

©Kozo YOSHIDA, Masahiro ONISHI, 2023
Printed in Japan

印刷／東光整版印刷　　製本／東京美術紙工
ISBN978-4-313-05103-4　C2032
※乱丁・落丁本は、送料小社負担にてお取り替えいたします。

JCOPY ＜出版者著作権管理機構 委託出版物＞
本書の無断複製は著作権法上での例外を除き禁じられています。複製される場合は、そのつど事前に、出版者著作権管理機構（電話 03-5244-5088、FAX 03-5244-5089、e-mail: info@jcopy.or.jp）の許諾を得てください。

俸給関係質疑応答集　第12次全訂版

一般財団法人　公務人材開発協会　人事行政研究所　編著

定価＝４１８０円（10％税込）

公務員の給与実務に関して生じる疑問や問題点について、正確に処理するのに役立つよう、わかりやすく解説した質疑応答集の最新版。人事評価制度や新採用試験制度に伴う、初任給・昇格・昇給制度の改正に対応した全訂版。

諸手当質疑応答集　第14次全訂版

一般財団法人　公務人材開発協会　人事行政研究所　編集

定価＝４７３０円（10％税込）

複雑な公務員の諸手当の支給実務に際して生ずる法規上の疑問、諸問題をQ＆Aでわかりやすく解説。各種手当の最新改正に伴い全頁にわたって見直した最新全訂版。「諸手当支給早見表」などの便利な附録も充実。

旅費法詳解　第9次改訂版

旅費法令研究会　編

定価＝3850円（10％税込）

多様な取扱いを要する公務員の旅費について、国家公務員等の旅費に関する法律を運用方針、先例などを取り入れ逐条解説した実務担当者必携の書。「国家公務員等の旅費に関する法律」第3条（旅費の支給）の改正、「国家公務員等の旅費支給規程」各別表（旅行命令簿、旅費請求書）の改正等諸改正に対応した最新版。

公務員の旅費法質疑応答集　第7次改訂版

旅費法令研究会　編

定価＝３７４０円（10％税込）

旅費の取り扱いについて運用のなかで起きた約２９０の事例を一問一答形式で解説。「国家公務員等の旅費支給規程」各別表（旅行命令簿、旅費請求書）の改正などに伴い新規の設問を追加し、全面的に見直しを図った最新版。

法令用語辞典　第11次改訂版

大森政輔・津野修・秋山收・阪田雅裕・宮﨑礼壹・梶田信一郎・山本庸幸・横畠裕介・近藤正春　共編

定価＝11000円（10％税込）

歴代内閣法制局長官の編になる信頼の法律辞典！「こども家庭庁」「拘禁刑」「所有者不明土地」「新型インフルエンザ等感染症」など新語数35語を含めた7年ぶりの大幅改訂版。法令、条例等の立案・解釈に必携の書。

新版　逐条地方自治法　第9次改訂版

松本英昭　著

定価＝16500円（10％税込）

最も権威のある地方自治法の解釈・運用の定本。平成29年の自治法の大改正（内部統制制度の導入や監査制度の充実強化、首長や職員等の損害賠償責任の見直しなど）及び関係法令の改正等を加え、解説を一層充実した大幅な改訂版。